Y0-BZJ-832

Zu diesem Buch

Nur wenige Tage nach dem ersten Moskauer Schauprozeß fand im September 1936 eine nichtöffentliche Versammlung deutscher Exilschriftsteller statt, eine Art «Geheimprozeß», der dem Ziel diente, «Abweichler», «Parteifeinde» und «Opportunisten» zu «liquidieren». Zu den Teilnehmern dieses von Denunziationen und Selbsterniedrigung durchzogenen Inquisitionstribunals gehörten u. a. Johannes R. Becher, Willi Bredel, Andor Gábor, Hugo Huppert, Ernst Ottwalt, Alfred Kurella, Georg Lukács, Gustav Regler, Ernst Fabri, Friedrich Wolf. Sie hatten sich zusammengefunden, um unter dem Diktat der «Wachsamkeit» die Partei zu «säubern».

Das in diesem Band erstmals zugänglich gemachte Wortprotokoll der «geschlossenen Parteiversammlung der deutschen Kommission des Sowjet-Schriftstellerverbandes» ist ein demaskierendes Lehrstück des stalinistischen Terrors. Da werden die Zugehörigkeit zu «Fraktionen», Häresien und Abweichungen von der «Generallinie» ebenso exorzistisch untersucht wie Wohnungsbesuche, Freundschaftsbeziehungen und gemeinsames Kartenspiel; da fordert selbst Georg Lukács die «Liquidation der Schädlinge». Jedes Verdachtsmoment wird zur physischen Bedrohung und provoziert Überlebensstrategien, welche die Grenze zwischen Ankläger und Angeklagtem, zwischen Täter und Opfer verwischen.

Das hiermit vorgelegte Dokument aus dem noch heute weitgehend gesperrten Parteiarchiv des ZK der KPdSU macht mithin nicht nur das traumatische Klima der Angst transparent, das im sowjetischen Exil geherrscht hat, es entlarvt darüber hinaus die autobiographischen Legenden einzelner Versammlungsteilnehmer, deren spätere Selbstdarstellungen nach Lektüre dieses Stenogramms als Zeugnisse eines schmerzhaften Verdrängens (wieder)gelesen werden müssen, eines Verdrängens freilich, das keine Läuterung bescherte. Doch nicht die Treibjagd – nun gegen die unschuldig-schuldigen «Jäger» – mit anderen Mitteln fortzusetzen, wie es bei der aktuellen Abwicklung der SED-Hinterlassenschaft einstweilen zu beobachten ist, gilt es, sondern die Strukturen solcher Treibjagd am historischen Beispiel zu erkennen, um gegen ihre zeitlose Latenz, gegen die alltäglichen Totalitarismen besser gewappnet zu sein.

Reinhard Müller, geb. 1944, Studium der Germanistik, Geschichte und Soziologie, bis 1989 Leiter der Bibliothek und des Archivs der Thälmann-Gedenkstätte in Hamburg, Publikationen zur Geschichte der KPD und des Exils.

Georg Lukács / Johannes R. Becher /
Friedrich Wolf u. a.

Die Säuberung

Moskau 1936: Stenogramm einer geschlossenen Parteiversammlung

Herausgegeben von Reinhard Müller

Rowohlt

rororo aktuell
Herausgegeben von Ingke Brodersen
Redaktion Rüdiger Dammann

Originalausgabe
Veröffentlicht im Rowohlt Taschenbuch Verlag GmbH,
Reinbek bei Hamburg, Dezember 1991

Umschlaggestaltung Büro Hamburg – Jürgen Kaffer/
Peter Wippermann (Foto: Bilderdienst Süddeutscher Verlag)
Satz Times (Linotronic 500)
Gesamtherstellung Clausen & Bosse, Leck
Printed in Germany
1980-ISBN 3 499 13012 2

Inhalt

Einleitung

Freunde, ich wünschte, ihr wüßtet die Wahrheit und sagtet sie!
Bertolt Brecht

Der *maitre d'école* beschreibt richtig den Zustand, worin die Isolierung von der Außenwelt den Menschen stürzt. Der Mensch, dem die *sinnliche Welt* zu einer *bloßen Idee wird*, ihm verwandeln sich dagegen bloße Ideen in *sinnliche Wesen*. Die Gespinnste seines Gehirnes nehmen körperliche Form an. Innerhalb seines Geistes erzeugt sich eine Welt von greifbaren, fühlbaren Gespenstern. Das ist das Geheimniß aller frommen Visionen, das ist zugleich die Form der allgemeinen Verrücktheit. Der maitre d'école, der die Phrasen Rudolphs über die «Macht der Reue und Buße, verbunden mit schrecklichen Martern» wiederholt, wiederholt sie daher schon als ein halb Verrückter und bewährt so thatsächlich den Zusammenhang des christlichen Sündenbewußtseins mit dem Wahnsinn. Ebenso wenn der maitre d'école die Verwandlung des *Lebens* in eine *Traumnacht*, die von Blendwerken erfüllt wird, als das wahre Ergebniß der Reue und Buße betrachtet, so spricht er das wahre Geheimniß der reinen Kritik und der christlichen Besserung aus. Sie besteht eben darin, den Menschen in ein Gespenst und sein Leben in ein *Traumleben* zu verwandeln.
Friedrich Engels / Karl Marx:
Die heilige Familie oder Kritik der kritischen Kritik (1845)

«In die Einsamkeit meines Schreibens schlug ein kalter Blitz ein: Ich wurde zu einer Vollversammlung der ausländischen Schriftsteller geladen. Die Komintern hatte die Veröffentlichung eines Buches moniert, in der eingehend und mit allen Kontroversen geschildert worden war, wie ein Trotzkist sich zum Stalinismus zurückbekehrte.

Der Entwicklungsroman war als Feindesarbeit erklärt worden: Der Autor habe versucht, auf solche heimtückische Art die Ideen Trotzkis einzuschmuggeln. Ein Ungar hatte im Auftrag des Staatsverlages das Buch ins Deutsche übersetzt. Ich sah ihn am Kopf der Tafel sitzen. Er war vor kurzem wegen bedrohlicher Herzbeschwerden nach einem Sanatorium im Süden geschickt worden. Anscheinend hatte er sich schnell erholt. Ich sprach ihn an:

‹Erholt?›
‹Keine Spur.›
‹Warum kommst du dann den weiten Weg zurück?›
‹Ja, weißt du denn nicht, was los ist?›
‹Doch, natürlich – aber dein Herz – der ganze Weg von der Krim?›
‹Aber dies hier ist doch eine Frage auf Leben und Tod!›

Ich sah mich in der Runde um; sie hatten alle die gleichen Gesichter. Es ist schwer zu beschreiben: man sah den Augen die Unsicherheit an und den Mündern, daß sie ihre Sprache von außerhalb erhielten. Sie waren wie Soldaten in einer belagerten Burg; die Trommel konnte jederzeit gerührt werden, und sie hatten aufzuspringen. Der Ruf konnte aber auch nur dem Einzelnen gelten, und das war dann der Ruf zum Kriegsgericht. Sie hatten es aufgegeben, über das Gericht nachzudenken.

Der Justizbeamte war an diesem Abend ein junger Arbeiter mit dem erfundenen Namen Weber, der in Deutschland illegal gearbeitet hatte und aus dieser waghalsigen Tätigkeit ein besonderes Prestige zog; die ‹Heimatkämpfer›, wie Kolzow die exilierten Schriftsteller einmal genannt hatte, unterwarfen sich den ‹Frontkämpfern› im Vollgefühl ihrer Minderwertigkeit. Es hätte allerdings nicht dieses supplementären Unlustgefühls bedurft: sie bejahten jeden Richter. Ich betrachtete das selbstgefällige, aber jetzt gefährlich sachliche Gesicht Webers und erinnerte mich eines Gesprächs mit Molotow im Kulturklub ‹WOKS›; ich hatte in einem Gespräch über Justiz, das von einem Engländer provoziert worden war, gefragt, was denn geschehe, wenn sich ein Richter einmal geirrt habe und ein Unschuldiger hingerichtet worden sei; Molotow antwortete: ‹Dann erschießen wir den Richter.›

Die eisige Antwort eines Buchhalters, der Kredit und Debet ausgleicht, eine Antwort, die in der Schnelligkeit, mit der sie gegeben worden war, zeigte, wie Molotow die Bereitschaft des Volkes, die rücksichtsloseste Justiz anzunehmen, einschätzte. Diese Bereitschaft war schon eine krankhafte geworden. Ich begriff es auf jener Schriftstellersitzung. Die ‹Ingenieure der Seele› waren zu Abdeckern ihrer Seele geworden. Sie gingen zu Fuß zum Schindanger.»[1]

1 Gustav Regler: *Das Ohr des Malchus*, Köln 1960, S. 347. Reglers Aufenthalt in Moskau und nicht zuletzt die Teilnahme an den nächtlichen Sitzungen haben sicherlich seinen jahrelangen Ablösungsprozeß vom Stalinismus befördert. Vgl. Ralph Schock: *Gustav Regler – Literatur und Politik (1933–1940)*, Frankfurt a. M.

Gustav Regler, der kurz darauf wieder ins Exil nach Frankreich zurückkehren konnte[2], beschrieb in seiner Autobiographie als einziger der Teilnehmer jene vier prozessualen Nachtsitzungen, die als «geschlossene Parteiversammlung» der deutschen Parteigruppe des Sowjetschriftstellerverbandes vom 4. bis 9. September 1936 stattfanden. Sie waren zentraler Bestandteil von inquisitorischen Untersuchungen gegen die exilierten deutschen Schriftsteller, die die Parteiführung der KPD und die «Kaderabteilung» schon *vor* dem öffentlichen Beginn des sogenannten ersten «Moskauer Schauprozesses» (19. 8.–24. 8. 1936) initiierten.[3]

Durch das hier erstmalig vollständig veröffentlichte «Stenogramm»

1984; vor allem die decodierende Analyse bei Hans Albert Walter: *Von der Freiheit eines kommunistischen Christenmenschen oder Gustav Reglers ‹Saat› – ein Exilroman in der Sklavensprache*, Frankfurt a. M. 1991.

2 KPD-Mitglieder konnten auch nach 1933 nur in die Sowjetunion einreisen oder sie verlassen, wenn sie sich einem strengen Reglement unterwarfen. Die Einreise in die Sowjetunion war nur nach Genehmigung durch die jeweilige Parteileitung und nach dem Passieren von selektierenden Anlaufstellen (z. B. in Prag und Kopenhagen) möglich. Die Ausreise nach «draußen» geschah allenfalls vereinzelt in der Form der «Kommandirowka». Dafür mußten Befürwortungen der Parteispitze, der «Kaderabteilung» und der Arbeitsstelle eingeholt werden. Schließlich führte dann die Abteilung für internationale Verbindung (OMS) der Komintern auf Anweisung eines Sekretariatsmitglieds des Exekutivkomitees der Kommunistischen Internationale (EKKI) die Reise nach «draußen» durch.

Die Praxis der amtlichen Ausweisung von politischen Abweichlern durch das Volkskomissiarat für Auswärtige Angelegenheiten, die als «Politemigranten» mit dem Spionagevorwurf überzogen wurden und bereits verurteilt waren, setzt bereits 1935 ein (z. B. Wolfgang Weiss). Im August 1936, während des ersten Moskauer Schauprozesses, schlug Wilhelm Pieck zudem vor, alle in die Sowjetunion Emigrierten zu überprüfen und zwei Drittel aller Emigranten davon nach Deutschland zurückzuschicken, auch wenn dort eine Anzahl «vielleicht zunächst verhaftet» wird. Aus den «Fällen» David und Süßkind zieht Pieck die Schlußfolgerung: «Ich glaube, daß es noch eine Reihe von Leuten von der Qualität Süßkinds gibt und die Mitglieder unserer Partei sind, bei denen sich die gleiche Notwendigkeit ergeben wird, sie zu verhaften. Hoffentlich wird dadurch endlich einmal diese Eiterbeule gründlich geleert und ausgebrannt, die sich in der hiesigen Emigration gebildet hat» (IfGA/ZPA I 2/3/286 Institut für Geschichte der Arbeiterbewegung/Zentrales Parteiarchiv). Selektionsmechanismen von KPD, Komintern und MOPR sowie die Asylpraxis der Sowjetunion können jetzt durch die Nutzung des Moskauer Komintern-Archivs, vor allem der Bestände der «MOPR», genauer analysiert werden.

3 Bereits im Brief an die Auslandsleitung der KPD vom 10. 8. 1936 verweist Wilhelm Pieck auf die begonnene Untersuchung gegen die «hiesigen deutschen Schriftsteller». Vgl. IFGA I 2/3/286. Abgedruckt im dokumentarischen Anhang.

dieser vier Nachtsitzungen werden das traumatische Klima des stalinistischen Terrors und seine verheerenden psychischen und physischen Folgen für das deutschsprachige Exil in der Sowjetunion rekonstruierbar. Im Ritual von entblößender Selbstkritik und wechselseitiger Denunziation treten politische Logik und terroristische Irrationalität bei der Verfolgung politischer Emigranten ebenso hervor wie die Cliquen- und Fraktionskämpfe des literarischen Exils.

Mehrere Teilnehmer dieser nächtlichen «Reinigungen» werden in der Folgezeit durch das NKWD verhaftet und durch Sondertribunale oder durch das Militärkollegium des Obersten Gerichts zum Tode verurteilt oder kommen in der Haft ums Leben: Julia Annenkowa, Alexander Barta, Hans Günther, Heinrich Meyer, Ernst Ottwalt. Einige Teilnehmer dieser «Reinigung» treten hier noch als Ankläger auf und werden in den folgenden Jahren selbst verhaftet: Hugo Huppert, Georg Lukács.

Das Stenogramm der «Reinigung» enthüllt zudem Verfolgungsstrategien und Vernichtungsmechanismen gegen bereits verhaftete «Abweichler» und stigmatisierte «Versöhnler». Fokusartig reflektieren sich darin Hintergründe und produzierte «Ursachen» für Verhaftung und Tod von zahlreichen Exilierten und Sowjetdeutschen: Samuel Glesel, Karl Schmückle, Heinrich Süßkind, Gustav Brand, David Schellenberg, Paul Dietrich, Alexander Emel, Abraham Brustawitzki, Joseph Schneider, Heinz Neumann, Raoul Laszlo, Willi Budich, Martha Moritz, Alice Abramowitsch, Kurt Nixdorf, Hedi Gutmann, Hugo Eberlein, Willy Harzheim, Hans Knodt, Erich Müller, Maria Osten, Wolfgang Weiss, Helmut Weiss, Zensl Mühsam, Carola Neher, Anatol Becker, Ernst Mansfeld, Richard Greve, Otto Unger, Kurt Sauerland, Helmut Damerius, Gertrud und Kurt Meyer, Hans Drach, Ali Weiss, Hermann Remmele, Leo Roth, Fritz Schimanski, Bruno Schmidtsdorf, Hilde Löwen, Robert Hauschild, Martha und Fritz Globig.

Im Stenogramm dieser «Reinigung» und in den beigefügten Dokumenten läßt sich darüber hinaus der bruchlose Übergang[4] von politi-

4 Aino Kuusinen, die Ehefrau des hohen Komintern-Funktionärs Otto Kuusinen und jahrelange Komintern-Mitarbeiterin, berichtete über die «Kaderabteilung»: «Natürlich gab es ein Kaderbüro, das alle Angelegenheiten der Mitarbeiter regelte und vor allem ihre politische Zuverlässigkeit überprüfte. Dieses Büro war mit Mitgliedern der GPU besetzt, die oft wenig Respekt vor den Ansichten der Kom-

schen Instanzen wie «Kaderabteilung», «Untersuchungskommissionen», «Kontrollkommissionen» zu den «Stellen» physischer Verhaftung und Vernichtung, zum NKWD mit Sondertribunalen und GULAG-System, ausmachen. Dies wird besonders nachvollziehbar in den ebenfalls abgedruckten Prozeß-Akten zu Carola Neher aus dem Moskauer KGB-Archiv, ihrer «Kaderakte» sowie im Stenogramm der «Reinigung» selbst. Bisher sorgsam sekretierte Strukturen und Arbeitsweisen des «Apparats» der KPD und ihrer «Kaderabteilung» treten im Stenogramm und im Dokumentenanhang deutlich hervor.

Wachsamkeit in Permanenz oder «Schluß mit dem faulen Liberalismus»

Nach dem Beginn des ersten «Moskauer Schauprozesses» wurde in einer sich ständig steigernden und gut orchestrierten Pressekampagne darüber berichtet, daß Kollektivbauern, Arbeiter des Kirow-Werkes, in Moskau lebende österreichische «Schutzbündler» sowie Lehrer in Kasachstan zu einer erhöhten «Wachsamkeit», zur Vernichtung der trotzkistischen «Schädlinge» und zur Entlarvung der «Doppelzüngler» aufgerufen hätten. In Moskauer Betriebsversammlungen wurde von «einem Arbeiter nach dem andern» gefordert: «Dieses Gesindel muß vom Angesicht der Erde getilgt und erschossen werden.» In weiteren Untersuchungen sollten die «Verbindungen» zwischen Tomski–Bucharin–Rykow und Pjatakow–Radek und der «trotzkistisch-sinowjewistischen Bande» aufgedeckt und verfolgt werden.[5]

Auch der sowjetische Schriftstellerverband feierte in einer akklamierenden Versammlung am 21. August die Todesurteile des Prozesses. Als Mitglieder der deutschen Sektion des sowjetischen Schriftstellerverbandes nahmen an dieser Versammlung auch einige deutsche exilierte Schriftsteller teil. Willi Bredel hielt als deren Vertreter eine mehrmals von «großem Beifall» unterbrochene Rede, in der er den «Aufbau des Sozialismus» und das angeblich sorgenfreie

intern-Führung hatten.» Aino Kuusinen: *Der Gott stürzte seine Engel*, Wien, München, Zürich 1972, S. 553.
5 *DZZ*, 11. Jg., 23. 8. 1936.

Leben der Exilanten in der Sowjetunion pries: «Unter Stalins Führung schritten die Völker der Sowjetunion, ungeachtet aller Sabotageversuche der Parteifeinde, von Sieg zu Sieg, schufen sich eine sozialistische Wirtschaft und alle Voraussetzungen eines freien glücklichen Lebens (...) Unter Stalins Führung gaben sich die Völker der großen Sowjetunion eine Verfassung, die wahrhaft freieste und beste, die die Welt bisher gekannt (...) Unter Stalins Führung marschieren 170 Millionen, ein Bund freier Völker, als erste in der Geschichte der Menschheit einer sozialistischen, klassenlosen Gesellschaft entgegen (...) Wir hier anwesenden deutschen Schriftsteller haben das große Glück, am friedlichen Aufbau des Sozialismus teilnehmen zu können, wir genießen Asylrecht und können vollberechtigte Sowjetbürger werden. Jeder neue Erfolg im sozialistischen Aufbau versetzt uns in Freude. Die sprunghaft ansteigenden Leistungen der Stachanow-Arbeiter, die Fortschritte der Arbeiter des Verkehrswesens, die Heldentaten unserer kühnen Sowjetflieger, die feste beharrliche Friedenspolitik der Sowjetunion, das ganze, von sozialistischem Enthusiasmus erfüllte Sowjetleben reißt uns deutsche Schriftsteller immer wieder mit und spornt uns zu immer weiteren und größeren Leistungen an. Und daß wir unter guten materiellen Bedingungen leben, unter weit besseren, als wir jemals in Deutschland hatten, das danken wir der kommunistischen Partei und unserem Führer, Genossen Stalin» (großer Beifall).[6]

In derselben Rede fordert Bredel darüber hinaus «Untersuchungen» gegen die exilierten deutschen Schriftsteller: «Dieser Arm der deutschen Faschisten, ‹der bis nach Moskau reicht›, wurde jetzt abgeschlagen (Großer Beifall). Die große Freude, die tiefe Genugtuung, die auch besonders wir in der Sowjetunion lebenden deutschen Genossen dabei empfinden, stellt aber eine Frage nur um so eindringlicher vor uns: Haben wir alles getan, um das Eindringen des Feindes in unsere Reihen zu verhindern, wir werden in unserem Kreis die Frage schnell und gewissenhaft stellen und jeden Einzelnen von uns einer Prüfung unterziehen.»[7]

Diese Versammlung hatte für Johannes R. Becher und Hans Gün-

6 *Tod den Agenten der Gestapo- und der Trotzki-Sinowjew-Meute*, Rede des Genossen Willi Bredel in der Versammlung des Verbandes der Sowjet-Schriftsteller am 21. August 1936, in: *DZZ*, 11. Jg., 23.8.1936.
7 Ebd.

ther, die vor dem offiziellen Ende den Saal verlassen hatten, weitreichende Folgen. Beiden wird dieser Bruch der «Parteidisziplin» in den nächtlichen Versammlungen der deutschen kommunistischen Schriftsteller mehrfach vorgeworfen, und beide bekennen reumütig, einen «schweren politischen Fehler» begangen zu haben. Bei dem prominenten Johannes R. Becher wird daraus eine noch 1939 weitertransportierte Eintragung in der «Kaderakte»[8], während bei Hans Günther dieses vorzeitige Verlassen der Versammlung zu seiner nachfolgenden Verhaftung und zur Verurteilung durch das Sondertribunal des NKWD beiträgt.

Die «Säuberung» der deutschsprachigen Schriftsteller wird durch eine weitere Veröffentlichung in der Moskauer *Deutschen Zentral-Zeitung* publizistisch vorbereitet. Als Verfasser des anonym erschienenen Artikels «Fauler Liberalismus hilft dem Feind» ist der stets wachsame *DZZ*-Redakteur Hugo Huppert anzunehmen. Hier werden bereits zahlreiche Themen vorgegeben, die in den nächtlichen Sitzungen der deutschen Schriftsteller Anfang September dann verhandelt werden: «Diese toll gewordenen Hunde, die Agenten des Faschismus sind ausgerottet auf Forderung unseres Volkes, von dem jeder einzelne Sohn bereit ist, mit seinem Leben unseren großen Führer Stalin, unsere Partei und unsere Heimat zu schützen. (...) Genosse Stalin hat uns wiederholt darauf hingewiesen, daß mit dem Wachstum und dem Aufblühen der Sowjetunion der Feind immer gemeiner, immer hinterhältiger wird. (...) Deshalb ist es die Pflicht jedes einzelnen Bürgers in unserem Lande, die Weisung unseres Führers – Wachsamkeit und nochmals Wachsamkeit – zu beachten. (...) Theorien, die Kunst und Wissenschaft von der Politik trennen wollen, nützen nur dem Feind, so harmlos sie auch aussehen mögen, und schwächen unsere Wachsamkeit.»[9]

In den nächtlichen Versammlungen der exilierten Schriftsteller werden die folgenden Versatzstücke wieder auftauchen: «Es gibt sogar noch kommunistische Schriftsteller, die meinen, daß Schriftsteller nicht mit dem üblichen Maß gemessen werden dürften, sondern ‹besonders› zu behandeln sind. Gerade von Schriftstellern, die Genosse Stalin als Ingenieure der Menschenseele bezeichnet hat, müssen wir

8 Vgl. dokumentarischer Anhang, Dok. Nr. 2.
9 *DZZ*, 11. Jg., 29.8.1936.

höchste ideologische Klarheit und ein einwandfreies klassenmäßiges Verhalten fordern.»[10]

In diesem *DZZ*-Artikel wird von Huppert bereits die Kaderpolitik Andor Gabórs angeprangert, und nach einer vorgängigen Veröffentlichung der *Literaturnaja gazeta* wird Karl Schmückle als «Doppelzüngler» ausgemacht: «Der aus der Partei ausgeschlossene Doppelzüngler Karl Schmückle hat die Partei lange Zeit schamlos betrogen und sein Treiben bis zum heutigen Tage fortgesetzt.»[11]

Als Versammlungsort für das exorzistische Ritual der «Säuberung» dienten wahrscheinlich die Redaktionsräume der Zeitschrift *Internationale Literatur* in einem Bürogebäude am Moskauer Kusnjezki-Most Nr. 12. Unterbrochen wurden die nächtlichen Zusammenkünfte nur am Sonntag, dem 6. September 1936. Die Sitzungen dauerten am 4. September von 18 Uhr bis 3 Uhr und am 5. September von 17 Uhr bis 3 Uhr, wie Hugo Huppert in seinem Tagebuch vermerkte. Am 7. September wurde die Sitzung um 2 Uhr nachts beendet, wie das Stenogramm vermerkt, und am 8. September um 5 Uhr morgens.

Während der flagellantischen Nachtsitzungen erhoben deren Teilnehmer denunziatorische Beschuldigungen gegen zahlreiche, bereits verhaftete KPD-Mitglieder. Zugleich wurden durch wechselseitige Anklagen die «Begründungen» für nachfolgende Verhaftungen geliefert. Als Vertreter der Komintern genossen Heinrich Meyer (Deckname: Most) ebenso wie der Vertreter der KPD, Heinrich Wiatrek (Deckname: Weber), und der Parteiorganisator Alexander (Sándor) Barta zumindest noch während der Sitzungen jene Immunität, die ihnen ihre Zugehörigkeit zur Parteihierarchie verlieh. Als zunächst noch sakrosankte Anklagevertreter wurden aber sowohl Heinrich Meyer wie Alexander Barta in den nächsten Jahren ebenfalls Opfer des stalinistischen Terrors.[12]

Auch die bereits im März 1936 im Verband der Sowjetschriftsteller geführte «Formalismus-Debatte»[13] besaß nicht nur wegen ihrer sie-

10 Ebd.

11 Ebd. Der Parteiausschluß Schmückles wurde zu diesem Zeitpunkt von Huppert beschlossen. Vgl. dazu auch: «Der Fall Schmückle» – in diesem Band.

12 Vgl. zum Schicksal der Sitzungsteilnehmer die «Biographien».

13 Zahlreiche übersetzte Beiträge erschienen 1936 auch in der *Internationalen Literatur*. Vgl. dazu Hans Günther: *Die Verstaatlichung der Literatur. Entstehung und Funktionsweise des sozialistisch-realistischen Kanons in der sowjetischen Lite-*

bentägigen Dauer ähnlich inquisitorischen Charakter, wie Sinkó berichtet: «Im Laufe der Diskussion über Formalismus und Naturalismus griff ein Schriftsteller einen anderen mit der Behauptung an, er habe einem Freund, der wegen Trotzkismus nach Sibirien deportiert worden sei, dorthin warme Unterwäsche geschickt. Der (Apostrophierte Pilnjak) erhob sich blaß und ganz außer sich, ging zum Podium, bestritt ‹die Anklage›, denunzierte aber seinen Ankläger aus Rache auf ähnliche Weise.»[14]

Den nächtlichen «Säuberungs-Sitzungen» der deutschen Parteigruppe im Sowjetschriftstellerverband vom 4. bis 9. September 1936 folgen weitere gegenseitige Denunziationen und auch eine weitere «Säuberung», die die exilierte Schriftstellerin Hedda Zinner erst 1989 beschreibt: «Wir erlebten eine Parteisitzung, die uns zutiefst deprimierte. Schriftsteller, Genossen, die sich selbst bezichtigten, falsch, parteifeindlich gehandelt zu haben, die behaupteten, mit diesem oder jenem gesprochen zu haben (...) und dadurch falsche Schlüsse provoziert zu haben. Ich hatte manchmal den Eindruck, Ausbrüche von Hysterikern und Nervenkranken zu erleben. Auch Richtungskämpfe schienen mitunter zum Ausgangspunkt von Denunziationen geworden zu sein, die schlimme Folgen zeitigten. Besonders die Genossen Kurella und Leschnitzer konnten sich nicht genugtun in Selbstanklagen. Das Ganze war unangenehm, dabei bedauerte ich die Genossen, die sich offensichtlich in einem furchtbaren Zustand befanden. Unter den deutschen Emigranten gingen Gerüchte um, daß Alfred Kurella seinen Bruder Heinrich denunziert habe, der daraufhin abgeholt worden sei; von Franz Leschnitzer hieß es, daß er seine Frau angezeigt habe; von Hugo Huppert, daß er für die NKWD arbeite. Keines von diesen Gerüchten konnte bewiesen werden, aber die von ihnen Betroffenen litten schwer darunter.»[15]

Die «Säuberungen» im sowjetischen Schriftstellerverband und in der deutschen Sektion sind wiederum nur Bestandteil des totalen Kontrollanspruchs der Partei, die in vielfältiger Weise ihre «führende Rolle» sowohl gegenüber einzelnen Schriftstellern als auch in der

ratur der 30 Jahre, Stuttgart 1984; *Literaturtheorie und Literaturkritik in der frühsowjetischen Diskussion. Standorte, Programme, Schulen*, hrsg. von Anton Hiersche und Edward Kowalski, Berlin/Weimar 1990.

14 Ervin Sinkó: *Roman eines Romans*, Köln 1962, S. 340–341.

15 Hedda Zinner: *Selbstbefragung*, Berlin 1989, S. 104.

gesamten Literaturproduktion durchsetzt. So greift die Moskauer KPD-Führung durch den omnipotenten Walter Ulbricht auch in die «Expressionismus-Debatte» ein und kontrolliert durch Sitzungen, Gespräche und Berichte die «Arbeit» der «Schriftsteller».

Wilhelm Pieck notiert am 14.2.1937 in sein Notizbuch:

«‹Internat. Literatur›:
1. Becher. Org. und polit. Versager (z. B. Stalinzitat)
dafür Huppert = oberflächlich
Liberal gegen schlechte Autoren
Mit ihm sprechen (vorher prüfen)

‹Das Wort›
Brecht erschwert sehr die Arbeit (wohnt bei Volk)...»[16]

Von der Moskauer KPD-Führung werden 1937 mehrseitige «Direktiven für unser Auftreten auf dem Schriftstellerkongreß»[17] ausgegeben, in denen die «Grundlinie» auch für die zukünftige Literatur- und Bündnispolitik festgelegt wird. Auch noch nach Kriegsausbruch werden durch die KPD-Führung die «Meinungsverschiedenheiten in den Reihen der Schriftsteller, die Mitglieder der KPD sind», peinlichst «untersucht». Der abschließende Prüfungsbericht registrierte die «ungesunde Atmosphäre» sowie «Tendenzen einer Flucht» aus den Gegenwartsproblemen: «Nach Prüfung des Materials und nach Anhören mehrerer Genossen kommen die Mitglieder des ZK der KPD zu folgendem Ergebnis: Die tiefere Ursache der Meinungsverschiedenheiten und persönlichen Differenzen liegt in der emigrantenmäßigen Abgeschlossenheit der deutschen Schriftsteller, ihrer mangelnden Verbundenheit mit dem Sowjetleben und mit der Arbeit des Sowjetschriftstellerverbandes und mit dem ungenügenden Studium der Probleme der deutschen Literatur.»[18]

Der Ein- und Anpassung von Literatur[19] in Strategien und Politik-

16 IfGA/ZPA I 2/707/112.
17 IfGA/ZPA I 2/707/112.
18 IfGA/ZPA I 2/3/373.
19 Lenins Aufsatz «Parteiorganisation und Parteiliteratur» (1905) wurde 1924 der Zeitschrift *Arbeiterliteratur* programmatisch vorangestellt und bestimmte weitgehend das Verhältnis von Literatur und kommunistischer Partei, von KPD und BPRS und ebenso von Komintern, KPdSU und IVRS. Die vorsätzliche Unterwerfung unter die Kontrolle der «Partei-Maschine», die individuelle Akzeptanz, als

formen des Parteiapparates, klandestiner und öffentlicher Verwandlung von kritischer Intelligenz in geschmeidige «Transmissionsriemen», dem unvermittelten oder widerständigen Sprung von der Opposition zum Opportunismus konnte erst unter dem Vorzeichen von «glasnost» archivalisch fundierter nachgespürt werden.[20] Erst unter diesen politischen Auspizien war es dem Herausgeber möglich, historische Recherchen zu den Schicksalen deutscher Kommunisten[21] sowie zur Wissenschafts- und Literaturemigration in bisher verschlossenen Beständen des Moskauer «Komintern-Archivs» durchzuführen. Neben zahlreichen «Kaderakten» von Opfern des stalinistischen Terrors konnte hier auch das «Stenogramm» der von Regler erwähnten Sitzungen erschlossen werden. Durch die Benutzung bisher ebenfalls nicht zugänglicher Nachlässe oder gesperrter Nachlaßteile im Archiv der Akademie der Künste der DDR und durch die nun mögliche Einsicht in Archivbestände des Berliner Instituts für Geschichte der Arbeiterbewegung konnten weitere historische und biographische Hintergründe erhellt, die verordnete Tabuisierung und die archivalische Endlagerung des «Stalinismus»[22] aufgebrochen werden.

Bei Filmaufnahmen im KGB-Archiv wurde Georg Becker[23], dem

«Rädchen und Schräubchen» zu funktionieren, disponieren nicht nur die «Ingenieure der Seele», sondern bereiten zugleich die offizielle Durchsetzung der stalinistischen Kulturpolitik vor.

20 Hingewiesen sei auf die Standardwerke zum Exil in der Sowjetunion: David Pike: *Deutsche Schriftsteller im sowjetischen Exil 1933–1945*, Frankfurt a. M. 1981; Hans Albert Walter: *Deutsche Exilliteratur*, Bd. 2, Stuttgart 1984; Bd. 3 1988; Bd. 4 1978; Simone Barck/Klaus Jarmatz u. a.: *Exil in der UdSSR*, 2 Bde., Leipzig 1989, wie auch auf die jüngste Veröffentlichung zur Geschichte des BPRS von Christoph Hein: *Der «Bund proletarisch-revolutionärer Schriftsteller in der Weimarer Republik. Biographie eines kulturpolitischen Experiments in der Weimarer Republik*, Diss. phil., Münster 1990 (veröffentl. in Buchform 1991).

21 Im Rahmen eines größeren Forschungsprojekts wurden vom Herausgeber in einer Datei bisher 2546 Deutsche (Politemigranten und «ausländische Arbeiter») verzeichnet, die verhaftet, hingerichtet, umgekommen oder ausgewiesen wurden.

22 Weder die von Chruschtschow verwandte Redeweise «Personenkult» noch die ebenso personalistische Bezeichnung «Stalinismus» benennen ausreichend politische Herrschaftsformen, ökonomisches System, terroristische Gewalt und systemgerechte Ideologie, deren Nominalismus als «Widerspiegelung» von Realität vorgestellt und imaginiert wurde.

23 Für den Abdruck im Dokumentenanhang dieses Buches wurden sie von Georg Becker freundlicherweise zur Verfügung gestellt. Georg Becker bereitet über das

Sohn Carola Nehers, erstmals gestattet, Abschriften von Anklageschrift und Urteil des Militärkollegiums des Obersten Gerichts wie von belastenden «Aussagen» gegen Carola Neher anzufertigen.

Für die Erforschung des Moskauer Exils wird aber erst die weitere systematische Sichtung des immensen Quellenmaterials im Komintern-Archiv und der notwendige Zugang zum KGB-Archiv die Dimensionen des stalinistischen Terrors gegen deutsche politische Emigranten[24] und gegen jene vor 1933 in die Sowjetunion eingewanderten «Spezialisten» deutlich machen.[25] Dabei können erst jetzt die vorgängigen politischen Verfolgungsmechanismen der «Partei-Maschine» und die Vorarbeit von innerparteilicher Bespitzelung durch diverse «Apparate» rekonstruiert werden. Auch das vorliegende Stenogramm und die im Anhang beigefügten Dokumente bilden allenfalls Bausteine für eine Ätiologie jenes politisch determinierten stalinistischen Terrors, der sich als «Reinigung» gegen die eigenen Anhänger richtet.

Der unter dem stalinistischen Terminus «Säuberungen» durchgeführte Terror betraf ganze Bevölkerungsgruppen in der Sowjetunion, «alte Bolschewiken» und junge KPdSU-Mitglieder, das Offizierskorps der Roten Armee, als «Kulaken» millionenfach ermordete und deportierte Bauern wie bekannte Schriftsteller und Wissenschaftler.[26]

Schicksal seiner Mutter und seines Vaters Anatol Becker, die beide Opfer des stalinistischen Terrors geworden sind, eine umfangreiche Darstellung vor.

24 1936 schätzte die deutsche Vertretung der KPD die Zahl der in der Sowjetunion befindlichen Politemigranten auf 4600, von denen man 3000 «erfaßt», d. h. in Fragebögen etc. registriert habe. Erst eine Synopse der Akten der «Kaderabteilung», der Moskauer Bestände der MOPR, des KGB-Archivs, des Berliner Zentralen Parteiarchivs und der Aktenbestände des Bonner Archivs des Auswärtigen Amtes wird über Asylpraxis, Ausweisungsverfahren und über die Opfer des stalinistischen Terrors weitere, detaillierte Aufschlüsse erlauben. Vgl. dazu bisher Hans Albert Walter: *Asylpraxis und Lebensbedingungen in Europa. Deutsche Exilliteratur 1933–1950*, Darmstadt/Neuwied 1972, S. 132–142.

25 Vgl. dazu Hermann Weber: *«Weiße Flecken» in der Geschichte. Die KPD-Opfer der Stalinschen Säuberungen und ihre Rehabilitierung*, Frankfurt 1989 und Neuaufl. Berlin 1990; Institut f. Geschichte der Arbeiterbewegung: *In den Fängen des NKWD. Deutsche Opfer des stalinistischen Terrors in der UdSSR*, Berlin 1991.

26 Die jüngste sowjetische Diskussion und den internationalen Forschungsstand faßt Walter Laqueur zusammen. Vgl. Walter Laqueur: *Stalin. Abrechnung im Zeichen von Glasnost*, München 1990. Vgl. auch Dimitri Wolkogonow: *Stalin. Triumph und Tragödie*, Düsseldorf 1989; Robert Conquest: *Stalin. Der totale Wille zur Macht*, München/Leipzig 1991.

Zu den Opfern gehörten nahezu die gesamte Führung der exilierten Kommunistischen Partei Polens, Mitglieder zahlreicher kommunistischer Parteien wie auch große Teile des deutschen antifaschistischen Exils, darunter nicht nur Mitglieder der KPD.

Linie und Häresie – «Selbstkritik» und «Säuberung»

Das periodisch wiederkehrende Ritual der innerparteilichen «Reinigung» war seit 1920 Bestandteil der Organisationstheorie und Praxis der «Kommunistischen Internationale», der KPdSU[27] und der KPD. Dabei wurde die jeweilige «Linie» der Parteiführung kanonisiert, abweichende Meinungen als «Rechts- oder Linksopportunismus» kriminalisiert und eine «eiserne, militärische Ordnung»[28] durchgesetzt. Innerparteiliche Kritiker wurden sowohl in der KPdSU[29] wie in der KPD zu internen und öffentlichen «Kapitulationen» gezwungen, die dann als zirkulärer Beweis für die Richtigkeit der «Linie» ausgestellt wurden.[30] Inszenierte Kampagnen gegen «Rechts- und Linksopportunismus» waren Bestandteil jener «Bolschewisierung» der Komintern[31], die unter der Dominanz Stalins seit 1925 alle häretischen Strömungen «liquidierte», einstweilen aber noch mit Reden und Artikeln «zerschlug». Bucharin benannte 1929 die noch unblutige politische Ausschaltung von drei später ermordeten Mitgliedern des Politbüros (Tomski, Rykow und Bucharin) als «Zivilhinrichtung»; er wird damit später von Stalin zitiert.[32] Rigide Ausschlußpraxis und freiwillige Unterwerfung unter die Befehlsgewalt des ZK führten zur Durch-

27 In der KPdSU wurden 1921, 1929, 1933 und 1936 «Reinigungen» durchgeführt. Nach 1934 wurde das menschenvernichtende Klima und der Terror der «Säuberungen» permanent.
28 Leitsätze und Statuten der Kommunistischen Internationale, Hamburg 1920.
29 Lazar M. Kaganowitsch: *Über die Parteireinigung*, Moskau/Leningrad; Jemiljan M. Jaroslawski: *Für eine bolschewistische Prüfung und Reinigung der Parteireihen*, Moskau/Leningrad 1933.
30 Vgl. Reinhard Müller: *Linie und Häresie. Lebensläufe aus den Kaderakten der Komintern (II)*, in: Exil, XI. Jg., 1991, Heft 1, S. 46–69.
31 Vgl. *Die Komintern und Stalin. Sowjetische Historiker zur Geschichte der Kommunistischen Internationale*, Berlin 1990.
32 Josef W. Stalin: *Werke*, Düsseldorf 1954, S. 91.

setzung jener «Partei neuen Typus», deren militärisch disziplinierte «Einheit» und ideologische «Geschlossenheit» autoritär von oben verordnet und in freiwilliger «Unterwerfung» von unten akzeptiert wurde.

Das innerparteiliche Unterwerfungsritual, die Methode öffentlicher Sündenbekenntnisse, die periodische «Säuberung» funktionierten vor allem im materiell abhängigen «Parteiapparat» als durchgängige Mittel, um «selbständige Charaktere zu brechen und (zu) diffamieren».[33] Nach Ablieferung einer «Selbstkritik» als reuevolles «Sündenbekenntnis» wurden innerparteiliche Kritiker durch Degradierung und «Bußwerke» an der Basis oder durch Bewährung in Auslandseinsätzen der Komintern erneut diszipliniert. Akzeptierte und erzwungene Loyalität sowie ein militärisches Selbstverständnis der «Armee des Weltproletariats» bilden sich komplementär zur Allmacht der «Linie» und des bürokratisch-zentralistischen «Parteiapparats». Marxens Kritik der Hegelschen Rechtsphilosophie trifft auch die Strukturen dieser «Bürokratie», deren ursprünglicher Parteizweck sich in «Bürozwecke» verwandelte: «Die Bureaucratie ist ein Kreis, aus dem niemand herausspringen kann. Ihre Hierarchie ist eine *Hierarchie des Wissens*. Die Spitze traut den untern Kreisen die Einsicht ins Einzelne zu, wogegen die untern Kreise der Spitze die Einsicht in das Allgemeine zutrauen, und so täuschen sie sich gegenseitig.»[34]

Noch 1954 wird von Inge von Wangenheim das Unterwerfungs- und Bestrafungsritual, die dem System des Terrors vorgängige innerparteiliche «Reinigung» als «höchste Form der Demokratie» gepriesen. Dabei werden nicht nur die Millionen Opfer des stalinistischen Terrorsystems verdrängt[35], sondern die eigene Depersonalisation, die Auslöschung des «Individualismus» durch das mythologisierte «Kollektiv» wird noch als «Katharsis» gepriesen: «Und doch war dieser Vorgang, dessen bewegter Zeuge ich drei Tage sein durfte, in höchstem Sinne dramatisch und bewegend. ‹Tschistka› (Reinigung) nannten ihn die Sowjetmenschen, und der Schauplatz dieser heilsa-

33 *Was will die KPD-Opposition?*, Berlin 1930, S. 71.
34 Karl Marx/Friedrich Engels: *Gesamtausgabe (MEGA)*, I/2, S. 50–51.
35 Wie Inge von Wangenheim die «Enthüllungen» Chruschtschows 1956 rezipierte, ob sie sich einer erneuten «Katharsis» aussetzte, läßt sich vom «Nachgeborenen» kaum ausmachen.

men, bis in die letzte menschliche Tiefe hinabreichenden Prozedur war stets die Öffentlichkeit des gesamten Betriebes. Dort, wo der Parteigenosse arbeitete, dort wurde er auch gereinigt. Vor der unmittelbaren Zeugenschaft aller, auch der parteilosen Mitmenschen, die diesen Genossen kannten und tagtäglich in seiner Arbeit, in seiner Gesamthaltung, in seinen Fehlern, in seinen Vorzügen, in dem, wo er stark, und in dem, wo er schwach war, erlebt hatten. Wer immer Mitglied der Kommunistischen Partei war, mußte vortreten, hinaufgehen auf die Bühne und bekennen, Rede stehen, Rechenschaft ablegen für sein Leben, für seine Menschlichkeit, für seine Verantwortung. Zwei Jahre lang schon reinigte das Sowjetvolk seine Partei. Auf diese unnachsichtliche, offene und kühne Weise. Niemand konnte sich verkriechen. Jeder Genosse mußte heraus ans Licht. Und die einfachen Menschen aus dem Volk erhoben Hand und Stimme und stellten Fragen. Im Namen des Volkes. Es gab keine Frage, die nicht hätte gestellt werden dürfen, und keine Frage, die nicht hätte beantwortet werden müssen. Mit der ‹Tschistka› erlebte ich als junger werdender Mensch zum ersten Mal in meinem Leben die höchste Form der Demokratie, die sich die Menschheit im Verlauf ihrer bisherigen Geschichte erarbeitet hat. Zum ersten Mal erkannte ich die moralische Kraft, durch die die sozialistische Gesellschaft unsterblich wird.»[36]

Die «Reinigungen» waren dabei nur der öffentliche, kollektivhysterische Teil jener innerparteilichen, klandestinen Verfolgungsmechanismen, die von der kommunistischen Partei als «eiserner Kohorte» bereits über Jahre gegen die eigenen Mitglieder angewandt wurden.

In der Form von ständig neu zu produzierenden «Lebensläufen» und «Erklärungen» unterwarfen sich einerseits die Mitglieder der «eisernen Disziplin» der Partei, andererseits sammelte der «Apparat» neue denunziatorische Berichte über «Abweichungen»[37] und legte

36 Inge von Wangenheim: *Auf weitem Feld. Erinnerungen einer jungen Frau*, Berlin 1954, S. 264.
37 Stalin formulierte 1930 im Bericht an den 16. Parteitag der KPdSU seine politikbestimmende Auffassung von «Generallinie» und «Abweichung»: «Für die richtige Führung durch die Partei ist, abgesehen von allem anderen, notwendig, daß die Linie der Partei richtig ist, daß die Massen die Richtigkeit der Parteilinie begreifen und sie aktiv unterstützen, daß sich die Partei nicht auf die Ausarbeitung einer Generallinie beschränkt, sondern ihre Durchführung Tag für Tag leitet, daß die Partei einen entschlossenen Kampf führt gegen diese Abweichungen, daß die

bereits vor 1933 umfangreiche Dossiers als «Kader-Akten» an. Große Bestände des ausgelagerten KPD-Archivs standen nach 1933 der «Kaderabteilung» in Moskau zur Verfügung und wurden durch zahlreiche neue «Formulare», «Enqueten» und umfangreiche «Lebensläufe» ergänzt. Sie waren bei der Einreise in die Sowjetunion ebenso wie bei der «Überführung» in die KPdSU auszufüllen. Ergänzt wurden diese Berichte und Lebensläufe durch ein permanentes Überwachungs- und Bespitzelungssystem mit wechselseitigen «Meldungen» bei den «Instanzen», die ihrerseits den M-Apparat[38] Kippenbergers auch zur Überwachung der eigenen Mitglieder einsetzten. Der «Terrorismus des Verdachts» (Marx) war der immanente Zweck der parteiamtlichen Registratur der Kaderabteilung und produzierte bei der ständigen Proselytenjagd zugleich individuelle und machtpolitische Ranküne als handfestes «Gerücht». Innerparteiliche Rivalitäten, verdeckte Machtkämpfe, taktische Differenzen und persönliche Animositäten wurden zudem von der herrschenden Komintern- und KPD-Hierarchie zur Ausschaltung von Kritikern instrumentalisiert.

Ursprünglich intendierte Emanzipation reduziert sich zur korporativen Partei-Bürokratie, «zu einem *krassen Materialismus*, dem Materialismus des passiven Gehorsams, des Autoritätsglaubens, des Mechanismus eines fixen formellen Handelns, fixer Grundsätze, Anschauungen, Überlieferungen».[39] Dabei produziert die hermetische und fiktionalisierte «Weltanschauung» des Stalinismus sowohl die Dichotomien der Lagermentalität wie auch die Disziplin und Denkweise eines «Schwertträgerordens» (Stalin), der sich in der eigenen Festung sicher wähnte und im eigenen Lager sich selbst gefangenhielt.

Herweghs emphatischer Ratschlag: «Der Menschheit gilt's ein Opfer darzubringen/Der Menschheit auf dem Altar der Partei», führte nicht nur zur Selbstaufopferung[40] der Parteimitglieder, son-

Partei im Kampf gegen die Abweichungen die Einheit ihrer Reihen und eine eiserne Disziplin schmiedet.» Siehe Josef W. Stalin: *Werke*, Bd. 12, Düsseldorf 1954, S. 299.

38 Illegaler Militärapparat der KPD.

39 Marx/Engels Gesamtausgabe: Bd. I/2, S. 51.

40 Marx polemisierte zumindest noch 1845 gegen diese Theorie der asketischen «Aufopferung», die in der Folgezeit aber zur Praxis und Hagiographie der Arbeiterbewegung gehörte: «Ihr Cultus ist das Leiden, der Gipfel dieses Cultus ist die Selbstaufopferung, der Selbstmord. (...) Von nun an werden sich seine Tugenden in die Tugend des Hundes, in das reine ‹Dévouement› für seinen Herrn auflösen.

dern auch zur stillschweigenden Akzeptanz des Terrors, zur politisch-moralischen Verkehrung der Zweck-Mittel-Relation. Der vorausgesetzte menschheitsrettende Zweck der «Partei» und die axiomatische «historische Mission» des Proletariats lieferten die immanente Rechtfertigung jedes Mittels.

Erst der teleologische «Zweck» erklärt jene asketische Hoffnung und verzweifelte Hoffnungsaskese, die den «Gläubigen» das erniedrigende Purgatorium der «Säuberung» ebenso aushalten läßt, wie es ihn zum psychischen Thermidor der Selbstbeschuldigung[41] in Prozessen und Verhören[42] zwingt.

Aus eigener qualvoller Erfahrung beschrieb Ervin Sinkó diese «freiwillige Blindheit» im Moskauer Exil: «Die Zahl jener Besten geht in die Legion, jener Besten, die damals in tragischer Weise ihre Treue zur Revolution, zum Menschen und zur großen Hoffnung des Menschen wahren wollten und keine andere Möglichkeit fanden und finden konnten, als den Preis einer ‹freiwilligen Blindheit› zu zahlen, einer Blindheit, die alles, was in der Sowjetunion geschah und weil es in der Sowjetunion geschah, für notwendig, revolutionär und gut hielt.»[43]

Der Mythos des «Neuen Menschen» und des «Neuen Rußland»[44]

Seine Selbständigkeit, seine Individualität werden vollständig verschwinden» (Karl Marx/Friedrich Engels: *Die heilige Familie oder Kritik der kritischen Kritik. Gegen Bruno Bauer und Consorten*, Frankfurt a. M. 1845, S. 19 u. S. 261).

41 In dem Roman «Sonnenfinsternis» hat Arthur Koestler versucht, das Rätsel der Selbstanklage in der Bucharin nachempfundenen Figur des Rubaschow darzustellen und zu entziffern.

42 Welchen Torturen und blutigen Foltern die Angeklagten der Moskauer Schauprozesse zuweilen ausgesetzt wurden, wird in den jetzt veröffentlichten Untersuchungsergebnissen der von Alexander Jakowlew geleiteten Kommission deutlich. Vgl. zahlreiche Artikel in der Zeitschrift *Iswestija ZK KPSS* und die teilweisen Übersetzungen in: *Schauprozesse unter Stalin 1932–1952*, Berlin 1990.

43 Ervin Sinkó: *Roman eines Romans*, Köln 1962, S. 83.

44 Das unbeschädigte Bild einer scheinbar real gewordenen Hoffnung wird durch den «Gläubigen» immer vor der Realität geschützt. Dabei klaffen utopisches Bild und krude Realität der Sowjetunion schon in den zwanziger Jahren auseinander. Zahlreiche emphatische Reiseberichte stehen vereinzelten desillusionierten Bestandsaufnahmen (z. B. Panait Istrati, Herbert Weichmann, André Gide) gegenüber. Immer noch wird angesichts des Faschismus die «heroische Illusion» bewahrt und die Realität des Terrors als «welthistorisch notwendig» begründet oder, um der «Volksfront» willen, ausgeklammert – eine «freiwillige Verblendung», die sich mit der Verklärung der chinesischen «Kulturrevolution» oder des «realen Sozialis-

verschmolzen in der kultisch verehrten Ikone «Stalin»[45], in dessen kunstvoll inszenierte Aura als «Führer des Weltproletariats» nicht nur «Weisheit», sondern auch noch «Menschlichkeit» projiziert wurde. Schon während der Weimarer Republik wurde die Sowjetunion für viele Schriftsteller[46] zur Utopie einer neuen Welt, die zudem als Identifikationsobjekt gegen äußere Bedrohungen in Schutz genommen wurde. Zur Ikonenbildung des «großen» und «weisen» Führers trugen nach 1933 auch zahlreiche Gedichte und Erzählungen in der *DZZ* und in der *Internationalen Literatur* bei. Hier sei nur Hugo Hupperts Versrede auf die «Stalinsche Verfassung» aufgeführt:

Drum strahle,
   Stalinsches Dokument,
so wie bei Nacht
   der Leuchtturm kündet,
daß hier
   am Ufer
         ein Feuer brennt,
ein Feuer,
         das führt,
               ein Feuer,
                     das zündet!
Rage,
      Stalinsches Monument,
rage so hoch,
         wie tief du gegründet
im Herzen des Volks,
   das die Richtung kennt

mus» in der DDR als tragische und geschichtsblinde Farce von Teilen der «Linken» fortsetzt. Vgl. dazu Hermann Kuhn: *Bruch mit dem Kommunismus. Über autobiographische Schriften von Ex-Kommunisten im geteilten Deutschland*, Münster 1990.

45 Vgl. Reinhard Löhmann: *Der Stalinmythos. Studien zur Sozialgeschichte des Personenkultes in der Sowjetunion (1929–1935)*, Münster 1990.

46 Vgl. Bernhard Furler: *Augen-Schein. Deutschsprachige Reisereportagen über Sowjetrußland 1917–1939*, Frankfurt a. M. 1987; Rolf Elias: *Die Gesellschaft der Freunde des neuen Rußland*, Köln 1985; *Aktionen, Bekenntnisse, Perspektiven*, Berichte und Dokumente vom Kampf um die Freiheit des literarischen Schaffens in der Weimarer Republik, Berlin/Weimar 1966, S. 469–535.

und weiß,
wo die Nacht in den Morgen mündet ...[47]

Öffentliches Blendwerk[48] und freiwillige «Verblendung», politisch-gesellschaftlicher Mythos und individuelle «heroische Illusion» verschränken sich beispielsweise auch in Bechers «Gruß des deutschen Dichters an die Sowjetunion» (1942) zum säkularisierten Himmelreich, zur Inkarnation aller Menschheitsutopien: «Der Sowjetunion verdanke ich das, das was ich dem Leben verdanke: einem neuen überhöhten Leben. Vita Nuova, das Andere oder das Neue Leben, von dem die Dichter aller Zeiten geträumt haben, die Ankunft des ‹Reiches der Menschen›, Grundriß und Baustätte eines anbrechenden Menschenzeitalters nach Jahrtausenden Götterherrschaft und Götterdämmerung, die zeitgemäße Verwirklichung des Vernunftstaates Platos, des Sonnenstaates eines Campanella, des Traums vom ‹Vollendeten Menschen› oder der ‹Utopia› eines Thomas Morus, auch die Erfüllung eines christlichen Ideals wie in der ‹Civitas Dei›, die Wiederkehr der antiken Kalogathie, des ‹Schönen-Guten›, versinnbildlicht den Dichtern der Renaissance und der Klassik in Hellas, das Land der Sehnsucht, das Hölderlin in der ‹Unheilbarkeit des Jahrhunderts› mit der Seele gesucht hatte: ein visionärer Triumph ohnegleichen, ein jubelnder Einklang und Zusammenklang und eine Symphonie alles dessen war es, was mit der UdSSR vor mir in Zeitnähe entstand.»[49]

Nicht nur die involvierten «Täter», sondern auch die gläubigen «Opfer», denen alle gorgonischen Abgründe des Terrors bekannt sind, bringen die «auswendige» Propaganda und das «inwendige» Denken immer wieder zur lebensgeschichtlichen Kongruenz. Der rebellische Ausbruch aus dem «Gehäuse der Hörigkeit» (Max Weber), der revoltierende Abschied vom Kapitalismus führen zur freiwilligen Unterwerfung unter die hypostasierte Ratio des «Großen Plans» und

47 Hugo Huppert: *An den außerordentlichen X. Sowjetkongreß der ASSRdWD*, in: Internationale Literatur, Jg. 7, 1937, Heft 7, S. 84.

48 Paradigmatisch die Gedichtsammlung: *Dem Genius der Freiheit. Dichtungen um Stalin*, Zusammengest. und redigiert von Erich Weinert, Kiew 1939. Vgl. dazu auch Gerd Koenen: *Die großen Gesänge. Lenin, Stalin, Mao, Castro ... Sozialistischer Personenkult und seine Sänger von Gorki bis Brecht – von Aragon bis Neruda*, Frankfurt a. M. 1987.

49 Johannes R. Becher: *Publizistik*, Bd. 2, Ges. Werke, Bd. 16, S. 135–136.

zur Akzeptanz des Terrors als Vehikel menschheitsrettender Vernunft.

Das «Stenogramm» und die «Kaderakten» beleuchten das von Hannah Arendt diagnostizierte Substrat totalitärer Bewegung, nämlich die von den atomisierten und isolierten Individuen eingeforderte «totale Treue». Das Parteimodell der Komintern mit der «eisernen militärischen Disziplin» entspricht diesem Substrat wie Stalins Ideal eines «Schwertträgerordens», der seine «Linie» bedenken- und bedingungslos gegen den jeweils neu perhorreszierten «objektiven Gegner» verfolgt.

Den im Moskauer Exil ausweglos festgesetzten Emigranten war spätestens mit dem ersten «Moskauer Schauprozeß»[50] im Augst 1936 die politische Logik *und* Irrationalität des stalinistischen Terrors[51] bekannt. Auch im vorliegenden Stenogramm tritt jene «Präparierung der Opfer» hervor, die «den einzelnen gleich gut für die Rolle des Vollstreckers wie für die des Opfers vorbereiten kann».[52]

Das Klima der Angst und des gegenseitigen Verdachts steigerte sich durch das Auffinden von «Verbindungen» und «Netzen» und durch die willkürliche Verschmelzung von oppositionellen «Blökken», durch die Fiktionen von «trotzkistisch-faschistischen Gestapozentralen» zum totalen Verschwörungssyndrom. Emma Dornberger, Opfer der «Reinigung», formuliert in ihren Tagebüchern die Irrationalität des totalen Verdachts der wechselseitigen «Verbindung»: «Sind nicht fast alle mit dem einen oder andern bekannt und war nicht jeder blind, der um mich herumsitzt?»[53]

Die Radikalisierung dieses Prinzips «guilty by association» beschreibt Hannah Arendt als «zentrales Konstituens der Sowjetgesellschaft»: «Sobald gegen jemanden Anklage erhoben wird, müssen sich

50 Vgl. jetzt auch: *Schauprozesse unter Stalin. 1932–1952. Zustandekommen, Hintergründe, Opfer*, Berlin 1990. Hier finden sich zahlreiche neue Archivalien, die von der Rehabilitierungs-Kommission der KPdSU in der Zeitschrift *Iswestija ZK KPSS* publiziert wurden.

51 Vgl. dazu Jan Philipp Reemtsma: *Terroratio. Überlegungen zum Zusammenhang von Terror, Rationalität und Vernichtungspolitik*, in: Wolfgang Schneider (Hrsg.): *«Vernichtungspolitik». Eine Debatte über den Zusammenhang von Sozialpolitik und Genozid im nationalsozialistischen Deutschland*, Hamburg 1991, S. 135–163.

52 Hannah Arendt: *Elemente und Ursprünge totaler Herrschaft*, Frankfurt a. M. 1955, S. 738.

53 Emma Dornberger: *Tagebücher*, vgl. Biographien in diesem Band.

seine Freunde über Nacht in seine erbittertsten und gefährlichsten Feinde verwandeln, weil sie nur dadurch, daß sie ihn denunzieren und dabei helfen, das Aktenstück der Polizei und der Staatsanwaltschaft gehörig anzureichern, sich ihrer eigenen Haut wehren können; da es sich bei den Anklagen im allgemeinen um nichtexistente Verbrechen handelt, braucht man gerade sie, um den Indizienbeweis zu erbringen. Während der großen Säuberungswellen gibt es überhaupt nur ein Mittel, die eigene Zuverlässigkeit zu beweisen. Und das ist die Denunziation seiner Freunde. Und dies wiederum ist, was die totale Herrschaft und die Mitgliedschaft in einer totalitären Bewegung angeht, ein durchaus richtiger Maßstab; hier ist in der Tat nur der zuverlässig, der seine Freunde zu verraten bereit ist. Was suspekt ist, ist Freundschaft und jegliche andere menschliche Bindung überhaupt.»[54]

Inwendige «Partisanen», vorsätzliche «Toren» – Täter und Opfer

> Auf Hegel war Bucharin zu sprechen gekommen, Verbrecher sind Sie, nicht Philosoph, rief der Staatsanwalt dazwischen, darauf Bucharin, gut, ein verbrecherischer Philosoph. Diese Bezeichnung, sagte Hodann, trifft genau auf ihn zu, denn die abweichende Absicht ist die verbrecherische Ansicht. Er macht sich zu einem Äsop, dem die Herrschenden bei Todesstrafe verbieten, seine Erkenntnis zu verbreiten. Einmal, sagte er, wenn die Archive geöffnet werden, mögen wir den Schlüssel finden zu diesem letzten Mittel der Sklavensprache.
> *Peter Weiss, Ästhetik des Widerstandes*

Autobiographische Versuche zum Moskauer Exil können angesichts der jetzt zugänglichen Quellen in bisher sekretierten Moskauer oder Berliner Archiven auch als identitätsstiftende Verdrängungsmuster für die eigene Rolle und für das stalinistische Herrschaftssystem gelesen werden. Sowohl in Autobiographien wie in der Exilforschung taucht als Topos immer wieder auf, daß den Moskauer Exilierten das «perfide System des Stalinismus sowie das Ausmaß der Repressa-

54 Hannah Arendt: *Elemente und Ursprünge totaler Herrschaft,* S. 520.

lien»[55] verborgen geblieben seien. Mit dem gleichzeitigen Verweis auf Friedrich Wolf, Heinrich Mann und Lion Feuchtwanger wird hier eine gemeinsame Erfahrungswelt für die gläubig-naive Bewertung der Moskauer Prozesse konstruiert.

Trotzkis Analysen der Moskauer Prozesse[56], die Proteste der II. Internationale und nicht zuletzt der «Offene Brief» Ignazio Silones an die Zeitschrift *Das Wort* belegen, daß auch in der «Ferne» die Strukturen und Intentionen des stalinistischen Terrors scharfsichtig erkannt wurden. Unmittelbar nach Beendigung des ersten Moskauer Prozesses veröffentlichte Silone am 30. August seinen «Offenen Brief» in der Basler *Arbeiter Zeitung*: «Nur mit Sophismen und verächtlichen Wortspielen können Sie leugnen, daß die Prozesse, die heute in Rußland durchgeführt werden, keinen Kollektivmord darstellen, der an allen jenen verübt wird, die mit der herrschenden politischen Linie nicht einig gehen. Diese Ermordungen gefällt man sich in gerichtliche Formen einzukleiden, die wirklich nichts als eine makabre Karikatur sind. Auf jeden Fall sollten Sie hier erfahren, daß kein einziger Mensch von gesundem Menschenverstand den sogenannten ‹Geständnissen› der Angeklagten irgendwelchen Glauben schenkt. Der ganze riesige Propagandaapparat, über den die russische Regierung verfügt, ist heute am Werk, um die Aufmerksamkeit der öffentlichen Meinung von den wahren Schwierigkeiten der heutigen Lage in Rußland abzulenken und um den realen Gehalt der oppositionellen Einwände, welche gegen die herrschende Politik erhoben werden, zu verschleiern. Dies geschieht, indem man die Sache so darzustellen sucht, als handle es sich bei diesen Maßnahmen um eine einfache moralische Reinigung und als seien alle, die Sinowjew, Kamenew, Tomski, Bucharin, Radek, und alle die anderen alten Bolschewistenkämpfer in Wirklichkeit nichts als verdorbene und verwerfliche Kreaturen, die ‹von der deutschen Gestapo gekauft› seien und den ‹Faschismus in Rußland einführen› wollten. Alle, die die Wahrheit solcher Beschuldigungen in Frage stellen, werden ebenfalls als ‹Agenten› der deutschen Gestapo›, als ‹Anhänger des internatio-

55 Henning Müller: *Antifaschismus und Stalinismus. Zum Beispiel Friedrich Wolf*, in: Beiträge zur Geschichte der Arbeiterbewegung, 1991, Heft 2, S. 169.

56 Leo Trotzki: *Sowjetgesellschaft und stalinistische Diktatur*, in: ders., Schriften, Bd. 1 (1936–1940), hrsg. von Helmut Dahmer, Rudolf Segall und Reiner Tosstorff, Hamburg 1988; Leo Trotzki: *Stalins Verbrechen*, Zürich 1937.

nalen Faschismus› hingestellt. Sie sollen aber hier erfahren, daß die Methode der moralischen Verdächtigung, mit der sie glauben, den vom Gegenteil Überzeugten Angst einzujagen, auf viele unter uns nicht verfängt. Das Wortdelirium, das Ihre Reihen ergriffen hat, macht auf uns keinen Eindruck; es nötigt uns im Gegenteil zum Nachdenken und zum Diskutieren.»[57]

Weder Heinrich Manns Pariser Exil noch Brechts Svendborger Dasein[58] oder Feuchtwangers langfristig inszenierter Moskau-Aufenthalt sind mit den tagtäglichen Erfahrungen der nach Moskau Exilierten zu vergleichen, bei denen sich terroristisch geprägte Lebenswelt und kommunikative Alltagspraxis verschränken. Auch die berechtigten Klagen Wolfs, daß er in die «Isolierung» gedrängt werde, beziehen sich auf die eingeschränkten Aufführungsmöglichkeiten seiner Stücke, die 1937 zur Absetzung von Wolfs Stück «Matrosen von Cattaro» führten. Erst im Kontext des Terrors und der «Säuberung» im Schriftstellerverband wird die tödliche Bedrohung Wolfs, durch den in der *Iswestija* erhobenen Vorwurf, daß sein Matrosen-Stück «defaitistisch und politisch gefährlich»[59] sei, deutlich. Gerade weil er nicht nur seine eigene Bedrohung erfuhr, sondern zugleich die Schicksale vieler Verhafteter und die vorgängigen Beschuldigungen kannte, versuchte Friedrich Wolf seit Dezember 1936 mit mehreren Gesuchen[60] die Ausreise nach Spanien zu bewerkstelligen.

Die dagegen von Friedrich Wolf vorgeschützte öffentliche «Naivi-

57 Zitiert nach: Ignazio Silone, in: Europäische Ideen, Heft 9, 1975, S. 37–38.

58 Zu Brechts «Haltungen» zum Stalinismus vgl. Michael Rohrwasser: *«Ist also Schweigen das beste?» Brechts Schreibtisch-Schublade und das Messer des Chirurgen*, in: Text und Kritik, 1990, Heft 108, S. 38–47.

59 Friedrich-Wolf-Archiv Mappe 300/3.

60 Das erste Gesuch richtete er am 4.12.1936 an Wilhelm Pieck und den bereits abgelösten Gen. Weber (Wiatrek). Weitere Eingaben machte er dann bei der «Deutschen Kommission» des Sowjet-Schriftstellerverbandes. Apletin als Sekretär der Auslandskommission des sowjetischen Schriftstellerverbandes befürwortet die geplante Auslandsreise Wolfs in einem Schreiben an Pieck. Daraufhin versichert sich Pieck schriftlich bei Dimitroff, «ob nicht von anderer Seite triftige Gründe gegen die Ausreise vorgebracht werden». Nach der Absetzung der «Matrosen von Cattaro» und dem öffentlichen «Defaitismus»-Vorwurf wird Wolf die geplante Teilnahme am II. Internationalen Schriftstellerkongreß offensichtlich verweigert. Erst nach einem weiteren Gesuch (17.11.1937) an Wilhelm Pieck und Philipp Dengel wird ihm die Ausreise von den «Instanzen» gestattet. Wolf gelangt schließlich am 26.1.1938 nach Basel.

tät»[61], die auch durch Julius Hay[62] überliefert wurde, kann nicht zur nachträglichen Exterritorialität des «unwissenden» Helden gemacht werden. Noch dazu, wenn Wolfs Familie und seine Frau Else («Meni») eine «Adresse» für viele wurde, «die Hilfe und Trost suchten».[63]

Die ebenfalls vorgebrachte Hypothese, daß man nichts wissen konnte, da «das NKWD auftragsgemäß geheim arbeitete»[64], wird nicht nur durch Bechers spätes Eingeständnis «ich wußte» dementiert. Friedrich Wolfs 1937 brieflich[65] vermittelte Einsicht, daß «so viele» den Weg der Verhaftung gehen, wie auch seine Teilnahme an dieser und weiteren «Säuberungen» können die Annahme einer unwissenden und monadischen Existenz nicht rechtfertigen. Jeder Teilnehmer an dieser «Säuberung» in der «deutschen Kommission» erfuhr bereits in seinem Arbeits- und Wohnbereich, in der Parteiorganisation wie im Schriftstellerverband durch Andeutungen oder durch zahllose Pressemeldungen von Verhaftungen im Jahre 1936 und 1937.

In ihren erst 1990 veröffentlichten Erinnerungen skizziert Martha Globig diesen Erfahrungshorizont des Moskauer Exils: «Aber im Jahr 1937 gab es nicht einen Tag, an dem wir nicht von der Verhaftung eines bekannten oder weniger bekannten Genossen hörten. Dann ging es reihenweise, da wurden Deutsche verhaftet, dann wurden Polen verhaftet, dann Jugoslawen, und so ging es weiter, und immer hatte man das Gefühl, als wenn es listenweise Verhaftungen gegeben hätte.»[66] Im Klima der permanenten Angst und Verfolgung wurde der private Bereich auch dann öffentlich, wenn darüber nur demonstrativ geschwiegen[67] wurde. Frühere «Bekanntschaften» und gesellige Abende (Wetscher) wurden in der Regel peinlichst vermieden, da

61 Nach der Verhaftung des Mannes von Lotte Rays schreibt Wolf von dem «betäubenden Heroismus», den sie mit der Rechtfertigung der Verhaftung zeige. Zumindest im Privatbrief dechiffriert Wolf somit Terror und individuelle Verdrängung.

62 Vgl. Biographie zu Friedrich Wolf.

63 Markus Wolf: *Die Troika*, Düsseldorf 1989, S. 23.

64 Henning Müller: *Antifaschismus und Stalinismus. Zum Beispiel Friedrich Wolf*, S. 169.

65 Vgl. die Briefe in der «Biographie» Friedrich Wolfs.

66 Marta (!) Globig: *1936/37: Eine schwere Zeit in Moskau*, in: Beitr. zur Gesch. d. deutschen Arbeiterbewegung, 32. Jg., 1990, Heft 4, S. 521.

67 Vgl. dazu Alois Hahn: *Rede- und Schweigeverbote*, in: Kölner Zeitschrift für Soziologie und Sozialpsychologie, 43. Jg., 1991, Heft 1, S. 86–105.

hier «Verbindungen» zu späteren «Volksfeinden» und «Schädlingen» entstehen konnten. Dies setzte zugleich eine stillschweigende individuelle «Registratur» der Verhaftungen, Verurteilungen und der potentiellen politischen Beschuldigungen voraus. Die «Psychose des täglich möglichen Sündenfalls»[68] durchdrang so alle persönlichen und freundschaftlichen Beziehungen. Da Frauen von Verhafteten auch ihre Arbeitsstelle und Wohnung verloren, wurde das Fehlen der nächtlich Verhafteten nicht nur im «Hotel Lux» bemerkt. Ihr privates Schicksal war schon deshalb öffentlich, weil in der überschaubaren deutschen «Kolonie» dann der Kontakt zu den stigmatisierten Familien von Verhafteten häufig vermieden wurde.

Anpassung unter die verdinglichte Vernunft der «Linie» und Unterwerfung unter die entpersonalisierte Autorität der «Partei» zielten auf die Isolierung des Individuums gerade unter dem Vorzeichen vermeintlicher Kollektivität. Auslöschung des «Individualismus» und intendierte Atomisierung des Individuums hoben die im Moskauer Exil bestehenden kollektiven Kommunikationsstrukturen und individuellen Erfahrungshorizonte jedoch nicht auf. Zwar wurde nahezu alles zum Geheimnis erklärt und zugleich als Tabu akzeptiert; die Nachrichten über Prozesse, zahlreiche Verhaftungen, Entlassungen und Parteiausschlüsse wurden aber nicht nur in Pressemeldungen der *Prawda* und der *DZZ* oder in Radiosendungen transportiert. Parteisitzungen wie die «Säuberung» in der «deutschen Kommission», «Tschistkas» in Redaktionen oder Motorenfabriken, nächtliche Verhaftungen im «Hotel Lux» oder in der Wohngemeinschaft «Weltoktober» wurden von jeweils Verschonten verstört und «wachsam» registriert. Die nachträglich entlastende Konstruktion des «Getäuschten» und «Unwissenden», der das «Ausmaß und das System des Terrors nicht einmal zu ahnen vermochte»[69], erscheint schon deswegen brüchig, da man schon während der «Säuberungen» nach Erklärungen für «Verhaftungen, Beschuldigungen in solchem Ausmaß» sucht.

Unter dem Vorzeichen permanenter Furcht verbietet sich das dem

68 Gustav Regler: *Das Ohr des Malchus*, S. 337.

69 Ernst Fischer: *Erinnerungen und Reflexionen*, Reinbek 1969, S. 370. Zu Ernst Fischers Rolle als KPÖ-Vertreter bei der Komintern vgl. jetzt Barry McLoughlin u. Walter Szevera: *Posthum rehabilitiert. Daten zu 150 österreichischen Stalin-Opfern*, Wien 1991.

Terror ausgelieferte Individuum die öffentliche und private Reflexion selbst: «Der Akt des Denkens selbst wird zur Dummheit: Er ist lebensgefährlich. Es wäre dumm, nicht dumm zu sein, und als Folge erfaßt allgemeine Verdummung die terrorisierte Bevölkerung. Die Menschen verfallen in einen Zustand der Erstarrung, der einem moralischen Koma gleichkommt.»[70]

Stringente *öffentliche* «Erklärungen» für den stalinistischen Terror finden sich zwar nur in der «Ferne»[71], aber sie werden auch im ausweglosen Moskauer Exil oder sogar noch in der Lagerhaft individuell und verzweifelt gesucht. Entlastet wird dabei häufig das «System» oder der personalisierte Mythos «Stalin», dem «Unfehlbarkeit» und «Unwissenheit» zugleich attestiert werden. Dieses die eigene Identität schützende und zugleich systemerhaltende Verdrängungsmuster führt die Verhafteten sogar noch dazu, Hilferufe an Stalin oder Eingaben an den NKWD zu richten, in denen sie ihre persönliche Unschuld beweisen. Das immer wieder neu befestigte Geflecht von Mentalität, Weltanschauung, vorgeschützter Naivität, weltpolitischer Dichotomie, individueller Überzeugung und «erpreßter Versöhnung» wird allenfalls durch die massenhafte und unvermittelte Brutalität des Lagers aufgebrochen. Erst im Herrschaftsbereich des GULAG entstanden zwischen den nur mehr auf Abruf lebenden Leichnamen sorgsam gehütete Inseln «freier» Kommunikation.

Als Fluchtwege verblieben den deutschen Emigranten in der Sowjetunion allenfalls der Kampf in den Internationalen Brigaden in Spanien, vorgetäuschter oder wirklicher Irrsinn und Selbstmord.

Datschen-Idylle, Wanderungen oder alpinistische Touren in den Kaukasus sind im Moskauer Exil nicht einfach die zeitgemäße Fortsetzung jenes Rousseauismus der bewegten Wandervogelzeit, son-

70 Leo Löwenthal: *Individuum und Terror*, in: *Zivilisationsbruch. Denken nach Auschwitz*, hrsg. von Dan Diner, Frankfurt a. M. 1988, S. 16.

71 Der «Apparat» war jedoch dazu gezwungen, sich intern mit den Reaktionen auf den ersten Moskauer Schauprozeß auseinanderzusetzen, da ausklammernde Verfahrensweisen und rechtfertigende Argumentationsmuster für die substantiell betroffene Bündnis- und Volksfrontpolitik zu entwickeln waren. So stellte im Oktober 1936 Claus (d. i. Hermann Nuding) «Stimmen zum Moskauer Prozeß» zusammen (IfGA/ZPA I 2/3/286).

Das EKKI-Sekretariat verfaßt bereits am 22. 8. 1936 eine «längere Charakteristik und Anweisungen zur internationalen Kampagne über Moskauer Prozeß», die dann auch der veröffentlichten Resolution des ZK der KPD zugrunde gelegt wird (IfGA/ZPA I 2/3/286).

dern, im Klima der «Säuberungen», zumindest vorübergehende Fluchtversuche in die geschützte Innerlichkeit einer «sauberen» Atmosphäre. Alfred Kurella kam vor der «Säuberungs-Sitzung» aus der Bergwelt des Kaukasus zurück, die für ihn zugleich romantische und heile Fluchtburg[72] war. Das kaukasische Bergdorf Ps'chu wird ihm auch während des Krieges zur Metapher unbeschädigten Daseins: «Das Ganze nennt sich – Ps'chu, und ich ertappe mich immer wieder bei beinahe kindlich naiven Zukunftsbildern im Häuschen unterm Nußbaum im Angesicht des Silberberges.»[73]

Aber auch in der Datschen-Enklave konnte der alltägliche Terror nur verdrängt[74] oder durch vorsätzlichen Optimismus überspielt werden. Das romantische Ideal der Naturversöhnung und des «einfachen Lebens», das ethisch überhöhte Verhältnis zum Naturschönen wurde so zum lebensrettenden Surrogat zerrissener sozialer und politischer Existenz, die auch im engsten Familienkreis sorgfältig abgeschirmt wurde.[75]

Nachdem auch Kinder die Gespräche ihrer Eltern «weitergaben», langjährige Freunde zu Denunzianten wurden, mußten auch Ausmaß

72 In seinem 1936 in der Zeitschrift *Das Wort* veröffentlichten Bericht über Ps'chu hatte Kurella noch beschrieben, wie durch einen Verräter (!) das befestigte kaukasische Bergdorf der Zerstörung durch die Russen (!) ausgeliefert wird.
73 Alfred Kurella, Elfriede Cohn-Vossen: *Der Traum von Ps'chu. Ein Ehe-Briefwechsel im zweiten Weltkrieg*, Berlin 1984, S. 8. In einem Brief vom 17.10.1942 schrieb Alfred Kurella an seine Frau: «Gestern habe ich lange nachgedacht, woher eigentlich die ‹Fixigkeit› der Idee mit Ps'chu kommt. Aber es ist schon klar. Ich bin auf einer Entwicklungsstufe angelangt, wo ich mein persönliches Schicksal vom Zeitgeschehen, mit dem ich sonst restlos gegangen bin, absetzen möchte» (ebd., S. 384).
74 «Peredelkino! Diesen kleinen, malerisch gelegenen Vorort von Moskau, eine knappe Bahnstunde vom Kiewer Bahnhof, hatten sich die Schriftsteller für eine Siedlung ausgesucht. Mit dem wachsenden Erfolg seiner Stücke hatte unser Vater die Möglichkeit und auch einiges Geld, dort ein Stück Land zu pachten und zu bebauen. Von dem mit Birken bewachsenen Grundstück öffnet sich der Ausblick über ein freies Feld auf den Bach, der sich zum Bach schlängelt, und zu einem Hügel mit dem kleinen Friedhof und der alten orthodoxen Kirche. (...) Damals erschien uns Peredelkino, trotz allem was vorging, wie eine Idylle.» – Markus Wolf: *Die Troika*, S. 28.
75 In der späteren DDR wiederholte sich die Flucht auf die Datsche oder ins poetisch abgeschirmte «Haus auf dem Lande». Gesellschaftliche und individualpsychologische Ursachen jener Wochenend-Flucht wurden hier mit der staatlich organisierten Gründlichkeit des Schrebertums verknüpft und, scheinbar befriedet, ins Grüne kanalisiert.

und Form der Verdrängung nochmals verborgen werden. Auch die zur Schau getragene und während der «Säuberungs»-Sitzung belächelte Naivität Friedrich Wolfs gehörte zu den weitgehend internalisierten Mechanismen physischen und psychischen Selbstschutzes. Aber auch in der Moskauer «inneren Emigration» werden die in die «Heimat des Weltproletariats» Geflüchteten immer wieder vom System des terroristischen Alltags eingeholt. In ungeschönten Berichten wie z. B. in Lilly Beers Erinnerungen[76] sind die Namen und Schicksale zahlreicher Verhafteter in der Redaktion der *DZZ* wie in der Wohngemeinschaft «Weltoktober» noch dreißig Jahre danach rekonstruiert.

Freiwillige Loyalität des mehrmals disziplinierten «Opfers» disponiert im ausweglosen Moskauer Exil zur barbarischen Mentalität des «Täters», der selbst wieder ins Fadenkreuz zahlloser geopferter Täter und tätiger Opfer gerät, denn «in der entmenschlichten Atmosphäre des Totalitarismus und als Folge des Zusammenbruchs der Persönlichkeit tritt der archaische Mechanismus der Imitation ungehemmt in den Vordergrund».[77] In der Akzeptanz postulierter Werte und geforderter Verhaltensmaßstäbe durch die «machtlosen Opfer» potenzieren sich moralisches Dilemma der Individuen und terroristische Gewaltherrschaft wechselseitig. Repressiv-terroristisches Herrschaftssystem und individuelle Ohnmachtserfahrung erzeugen eine unmenschlich-menschliche Überlebensstrategie, die durch reumütige Unterwerfung («Selbstkritik») und wechselseitige Denunziation das eigene Leben und das der Familienmitglieder retten will.

Leo Löwenthal beschreibt jene «Regression auf den blanken Sozialdarwinismus» innerhalb eines totalen Terrorsystems: «Kampf ums Überleben. Das alte Kultursystem abstrakter philosophischer Metaphysik bis hin zu den Institutionen der Religion und Erziehung stellte eine Ideologie rationaler Verhaltensweisen dar, die den Respekt für die Rechte, Ansprüche und Nöte anderer als notwendige Bedingung für das eigene Leben einschloß. Im Rahmen eines Terrorsystems wäre ein solches Verhalten gleichbedeutend mit Selbstvernichtung. Terrorismus zerstört den Kausalzusammenhang zwischen sozialem Verhalten und Überleben und konfrontiert das Individuum mit nackter Naturgewalt – d. h. mit einer un-natürlich gewordenen

76 Lilly Beer-Jergitsch: *14 Jahre UdSSR*, unveröff. Manuskr., 1978.

77 Leo Löwenthal: *Individuum und Terror*, in: *Denken nach Auschwitz*, hrsg. von Dan Diner, Frankfurt a. M. 1988, S. 20–21.

Natur – in der Gestalt des allmächtigen Terrorapparates. Ziel des Terrors und der Terrorakte ist es, die Anpassung des Menschen an dessen Prinzip so gänzlich zu erzwingen, daß sie schließlich nur noch ein Ziel kennen: das der Selbsterhaltung. Je mehr Menschen skrupellos nur das eigene Überleben im Sinn haben, desto mehr werden sie zu psychologischen Marionetten eines Systems, das kein anderes Ziel hat, als sich selbst an der Macht zu halten.»[78]

Atomisiertes Dasein und kollektiver Optimismus, emphatische Stalin-Hymne und permanenter Terror lassen sich als tragisch-widersprüchliche Existenz jener exilierten Kommunisten ausmachen, die im «Vaterland aller Werktätigen» noch dazu die «heroischen Illusionen der Epoche» teilten. Militarisierte Gesellschaft, permanente «Wachsamkeit»[79], ubiquitäre Feindsuche, Verfolgungslogik und terroristische Irrationalität zerstörten dabei jene Individualität und jenes Menschenbild, das in der gleichzeitigen Diskussion um den «proletarischen Humanismus» als Hoffnungspotential entworfen wurde.[80] Der Stalin-Mythos verkoppelte die inszenierte Symbolwelt mit einer Hyperrationalität, die sich als «wissenschaftliche Weltanschauung» exterministisch gegen «Träger» und «Adressaten» verhielt. Die vorausgesetzte Identität von Begriff und Sache, Theorie und Praxis ließ ursprünglichen Widerspruch und zwieschlächtige Dialektik als «Disziplin» und «Einheit» gerinnen, das Opfer als Täter verenden.

Objektive Verblendung und subjektive Verdrängung, scheinbare Rationalität des «Großen Plans» und undurchschaubare Irrationalität der «Säuberung» verflechten sich für den Exilierten zu einer gespenstischen Gegenständlichkeit, die im öffentlichen Ritual der Stalin-Gesänge und Parteitagsreden kulminiert. Solches verkündete

78 Leo Löwenthal: *Individuum und Terror*, ebd., S. 18–19.

79 «Ein Gespenst geht um in Moskau – das nennt sich ‹Wachsamkeit›. ‹Wachsamkeit› – das heißt, aufmerksam jede verdächtige Rede seines Nebenmannes zu belauschen und den Organen des NKWD zu melden. ‹Wachsamkeit› – das bedeutet, seinen Vater und seinen Bruder nicht zu schonen, wenn sie sich mit einem Wort an den unantastbaren Interessen des Sowjetstaates versündigen. Diese gespenstische ‹Wachsamkeit› liegt wie ein Alp über der russischen Hauptstadt.» – Waltraut Nicolas: *Die Kraft das Ärgste zu ertragen. Frauenschicksale in Sowjetgefängnissen*, Bonn 1958, S. 11.

80 Alfred Kurella: *Der Mensch als Schöpfer seiner Selbst*, in: Das Wort, 1936, Nr. 1, S. 68–75; ders.: *Die Geburt des sozialistischen Humanismus*, in: Internationale Literatur, 1936, Nr. 7, S. 80–95. Hans Günther: *Humanismus*, in: Internationale Literatur, 1936, Nr. 5, S. 104–107.

stalinistische Credo wurde im Moskauer Exil nicht nur in öffentlicher Form zur sakramentalen Verehrung ausgestellt. Auch der private Mythos des «weisen Führers aller Werktätigen», der nichts vom Terror wisse, stellt gefährdeten ideologischen Konsens und ambivalente Identität allenfalls vorübergehend her. Individueller Widerspruch zwischen der Erfahrung des terroristischen Systems und der «sozialistischen» Ideologie wird angesichts der lebensgeschichtlich verankerten Prämisse von der «historischen Mission des Proletariats» aber als welthistorisch notwendige «erpreßte Versöhnung»[81] ausgehalten. Ich-Verdopplung, Flucht in den Stalin-Mythos, «Klassenwachsamkeit» gegen den konzeptuellen Feind löst sich in einer imaginären Welt von Phobien auf. Den scheinbaren Beweis der «realen» Existenz von «Schädlingen», «Volksfeinden», «Doppelzünglern», «trotzkistisch-faschistischen Gestapozentralen» liefert dann die terroristische Verfolgung als *selffulfilling prophecy*.

Herbert Wehner beschreibt in seiner Autobiographie jene zirkuläre Verfolgungslogik und permanente Denunziation, die auch die Differenz zwischen Tätern und Opfern zunehmend aufhob: «Für sie war bereits alles, was geschah, ein Glied in einer Kette, deren Anfang sie nicht kannten.»[82]

Traumatisch verletzt durch die ständige Unterwerfung unter das kollektive Über-Ich der «Linie» bleibt den Individuen angesichts der epochalen Dichotomie (Faschismus/Sozialismus) anscheinend nur die vorsätzliche Flucht in jenes andauernde Dilemma der «doppelten Psychologie». Als «unglückliches Bewußtsein» entlehnte es Bucharin noch vor Gericht der Hegelschen Phänomenologie[83], um seine gebro-

81 So Adorno über Lukács, bei dem ihm auch das Gefühl bleibt von «einem, der hoffnungslos an seinen Ketten zerrt und sich einbildet, ihr Klirren sei der Marsch des Weltgeistes» – Theodor W. Adorno: *Erpreßte Versöhnung. Zu Georg Lukács ‹Wider den mißverstandenen Realismus›*, in: *Lehrstück Lukács*, hrsg. von Jutta Matzner, Frankfurt a. M. 1974, S. 178–206.
82 Herbert Wehner: *Zeugnis*, Bergisch-Gladbach 1985, S. 213.
83 «Dieses *unglückliche, in sich entzweite Bewußtsein* muß also, weil dieser Widerspruch seines Wesens sich *ein* Bewußtsein ist, in dem einen Bewußtsein immer auch das andere haben und so aus jedem unmittelbar, indem es zum Siege und zur Ruhe der Einheit gekommen zu sein meint, wieder ausgetrieben werden. (...)

Die Verzichtleistung auf sich konnte es allein durch diese *wirkliche* Aufopferung bewähren, denn nur in ihr verschwindet der *Betrug*, welcher in dem *inneren* Anerkennen des Dankens durch Herz, Gesinnung und Mund liegt, einem Anerkennen, welches zwar alle Macht des Fürsichseins von sich abwälzt und sie einem Geben

chene Identität vor der «absolut schwarzen Leere» nicht nur für sich zu behaupten.

Camouflage und Credo verbinden sich auch bei den Sitzungsteilnehmern zur lebensgeschichtlichen Indifferenz, die allenfalls nichtöffentlich und rückblickend aufgebrochen wird. Stilisierungen zum «Partisanen» wie bei Lukács oder gar zum alleinigen «Opfer» wie bei Huppert[84] werden dabei weder dem hierarchischen Literatur- und Rollensystem noch individuellen Verhaltensweisen gerecht. Viele überlebende Opfer des Terrors blenden in ihren veröffentlichten Autobiographien[85] den vorgängigen inquisitorischen Verfolgungsmechanismus und die Verknüpfung von innerparteilicher «Untersuchung» durch die «Kaderabteilung» und spezielle «Kommissionen» nahezu völlig aus, während ihre Haft- und Leidenszeit ausführlich dargestellt werden.

Dabei resultierte der individuelle Salto vitale, der Absprung in die ideale und imaginierte Identität von Proletariat, Partei und «Großem Plan» für die Exilierten in Moskau und Paris aus einer dichotomischen Weltsicht, die sich den Blick auf die Realität der Moskauer Prozesse mit dem optimistischen «Bewußtsein vom Endsieg» freiwillig verstellt: «Es gilt demnach ihrer Weltuntergangsstimmung die neue weite Welt der unbegrenzten Möglichkeiten vor Augen zu führen, die es zu erkämpfen gilt. Ihrem tragischen Pessimismus das unerschütterliche, *optimistische Bewußtsein* vom Endsieg entgegenzusetzen. Es ist notwendig und möglich, ihnen zu demonstrieren, daß ihr *Absprung* kein Sprung ins Dunkle, sondern der Sprung aus dem Dunklen ins

von oben zuschreibt, aber in diesem Abwälzen selbst sich die äußere Eigenheit in dem Besitze, den es nicht aufgibt, die *innere* aber in dem Bewußtsein des Entschlusses, den es selbst gefaßt, und in dem Bewußtsein seines durch es bestimmten Inhalts, den es nicht gegen einen fremden, es sinnlos erfüllenden umgetauscht hat, behält. Aber in der wirklich vollbrachten Aufopferung hat *an sich*, wie das Bewußtsein das *Tun* als das seinige aufgehoben, auch sein *Unglück* von ihm abgelassen.» Georg Wilhelm Friedrich Hegel: *Phänomenologie des Geistes*, in: ders., *Werke*, Frankfurt a. M. 1970, Bd. 3, S. 163 u. S. 176.

84 Hugo Hupperts veröffentlichte «Autobiographien» dementieren sich bei der Durchsicht seiner penibel geführten Moskauer «Tagebücher» wie auch bei der Lektüre des Stenogramms der Reinigung entweder völlig und verändern sich zugleich zur mühselig verschachtelten Camouflage.

85 Vgl. Trude Richter: *Totgesagt. Erinnerungen*. Mit Nachbemerkungen von Elisabeth Schulz-Semrau und Helmut Richter, Halle/Leipzig 1990; Waltraut Nicolas: *Viele Tausend Tage*, Stuttgart 1960.

Helle ist, aus einer todgeweihten Welt in die *Lichtwelt der Vernunft* und des Sozialismus, aus dem barbarischen *Chaos* in die neue totale *Ordnung* der menschlichen Verhältnisse.»[86]

Nicht nur für Kantorowicz, sondern auch für Lukács galt dieser «Absprung» in die Vernunft gewordene Totalität des Proletariats als «Salto vitale», der die verlorene Identität von Subjekt und Objekt, von Theorie und Praxis in der Form der kommunistischen Partei konstituiert. Gerade Lukács fordert jene «strengste Disziplin» und die Unterordnung unter den axiomatischen Gesamtwillen der «Partei», deren «bolschewistische» Organisationstheorie und militarisierte Praxis die «Aktualität der Revolution» voraussetzte. «Verdinglichung» und «Entfremdung» kapitalistischer Produktionsweise sollten durch den mystifizierten neuen Demiurgen, durch die zum Totem und Tabu geronnene «Partei» erkannt und organisiert überwunden werden.

Nimmt man jedoch die von Lukács nachträglich behauptete Rolle des «Partisanen» beim intendierten herrschaftskritischen Sinn, so läßt sich nicht nur seine regressive Ästhetik gegen den zeitgenössischen Kontext kehren. Lukács zielte 1944 scheinbar nur auf die faschistische Herrschaft, auf die «Regierungsmaschine der ‹germanischen Demokratie›», in der «jeder als Gestoßener und zugleich als Henker funktioniert». Ob sich solche Feststellungen auch gegen die stalinistische Herrschaftspraxis wenden, kann von den Nachgeborenen allenfalls unterstellt werden. Heinrich Manns «Untertan» dient Lukács als Exempel dafür, daß «sich jene hündisch begeisterte Unterwürfigkeit» in die Hierarchie so einfügt, daß «ein jeder zugleich Vorgesetzter und Subalterner, Sklavenhalter und Sklave, Hetzer und Gehetzter ist». Wahrscheinlich läßt Lukács auch der eigene Erfahrungshorizont auf Falladas «Kleiner Mann, was nun?» verweisen. Denn nicht nur hier zeigt sich, daß «dieser Herrschaftstrieb sonst Unterdrückter sich sogar bei organisierten, klassenbewußten deutschen Arbeitern auslebt».[87]

Jegliche totale und terroristische Herrschaft instrumentalisiert jenen «Sadismus, der der künstliche gezüchtete Gegenpol des Begeiste-

86 A. Kantorowicz: *In unserem Lager ist Deutschland*, Paris 1936, S. 41.
87 Georg Lukács: *Schicksalswende. Beiträge zu einer neuen deutschen Ideologie*, Berlin 1948, S. 344.

rungsrausches der Unterwürfigkeit ist».[88] Autoritäre Unterwerfung und gleichzeitige Binnen- und Außenaggression, Akzeptanz von Terror und Ethnozentrismus sind Merkmale jener «geschlossenen Gesellschaft», die den Fremden als «Feind», den Freund als «Schädling» und den Genossen als «Schwein» verfolgt. In dieser verdoppelten Isolation des Moskauer Exils fährt man durch eine «Kommandirowka» nach «draußen», d. h. ins Ausland, und muß bei der Rückkehr erst eine «Reinigung» durchlaufen.

Stalins Theorie, daß sich in der Diktatur des Proletariats der Klassenkampf «unablässig verschärfe», schuf nach der Meinung von Lukács «eine Atmosphäre des immerwährenden gegenseitigen Mißtrauens, einer gegen alle gerichteten Wachsamkeit» und die «Stimmung eines Belagerungszustandes in Permanenz».[89] In einem Brief beschreibt er 1962 – geschlagen und gewitzt durch die eigenen verschwiegenen Erfahrungen – auch die Konsequenzen, nämlich «eine ins Maßlose gesteigerte Furcht vor Feinden, vor Spionen und Diversanten, woraus ein überspanntes System des Geheimhaltens von allem entstand, was mit staatlichen Angelegenheiten irgend etwas zu tun hatte».[90]

In den mehrmals bereinigten schriftlichen Nachlässen der Autoren läßt sich kaum ausmachen, wann und wieweit Verdrängung in Selbstreflexion umschlägt. Die lebensnotwendige Schutzhülle wurde öffentlich allenfalls in überzeitlicher Gedichtform durchbrochen. Becher bilanziert in dem späten Gedicht «Mein Leben» zwar seine «höllische» und zerrissene Existenz, erlebt aber dann seine «Wandlung» und sein «Auferstehn» als naturwüchsiges Ergebnis:

Mein Leben

Mein Leben kann euch als Beispiel dienen,
und darum ist mein Leben lesenswert.
Euch ist in mir ein solcher Mensch erschienen,
Der maßlos hat vorzeiten aufbegehrt,

88 Georg Lukács: ebd., S. 347.
89 Georg Lukács: *Marxismus und Stalinismus*, Reinbek 1970, S. 184.
90 Ebd., S. 184 f.

Und Höllen waren, und er fand in ihnen
Einlaß und ist in allen eingekehrt
Und hat vernichtet und sich selbst verheert
Und riß sein Leben nieder zu Ruinen.

Ein Schlachtfeld lag ihm mitten in der Brust.
Danieder lag er. Welche Niederlagen!
Zerschlagen, hörte er die Leute sagen:
«Den Hoffnungslosen laßt verlorengehen!»

Und aus Verlorensein und aus Verlust
Ergab sich Wandlung und ein Auferstehn.

Auch Bechers Moskauer Deutschland-Dichtung ist nicht allein Reflex auf die nationale Volte der offiziellen KPD-Politik, er beschwört damit das «heimlich Reich» auch als «Heimat» eines «authentischen Daseins». Bechers im Moskauer Exil entstandene Gedichtsammlungen wie «Der Glücksucher und die sieben Lasten» sind nur vor dem dunklen Hintergrund von Faschismus *und* Stalinismus zu lesen:

Die sieben Lasten
(...)
Last des falschen Wegs: der Lasten sechste,
Wenn du gehst, von Dunkel eingefaßt.
Diese Last trägt schon heran die nächste:
Last der Ängste und die Todeslast.[91]

Benjamins hoffnungsvolles Diktum, daß der Kommunismus auf die faschistische Ästhetisierung der Politik durch die Politisierung der Kunst antworte, wird durch die in dem Stenogramm der «Reinigung» durchgängige politische Rabulistik über die richtige «Linie» in Romanen und durch den platten «Inhaltismus» der Literaturdiskussion während der vier Nachtsitzungen ästhetisch hinfällig und politisch faßbar.[92] Der «trotzkistischen» Tendenz und der politischen Abwei-

91 Johannes R. Becher: *Gedichte*, Berlin 1971, S. 158.
92 Aber auch der «siegreiche Sozialismus» maskiert sich politisch in der «Verfassungsdiskussion» zum staatlichen Gesamtkunstwerk oder wird ästhetisch politisiert, z. B. in der Becherschen «Hymne auf einen Namen». Auch Georg Lukács liefert einen hochgestimmten Beitrag zum Verfassungsentwurf der UdSSR: «Die Stalinsche Konstitution der UdSSR verankert die Resultate der bisherigen Siege

chung wird bei Strafe des Unterganges nachgespürt. Romanpersonen werden kurzschlüssig als Träger von feindlichen «Ideologien» oder «Stimmungen» ausgemacht. Diese hier unverblümt auftretende Literaturexekution blieb aber stilbildend bis hin zu den nun veröffentlichten «internen» Diskussionen und Briefwechseln des Schriftstellerverbandes der DDR.[93] Die «prinzipielle» Terminologie der «Wachsamkeit», der vernichtende Jargon des rapportierenden Eifers wurde im Moskauer Stenogramm der «Säuberung» kenntlich ausgeprägt. Das «Riechen» von «Beziehungen», die «Liquidierung» von «Schädlingen», die «Entfernung» von «Hunden» und «Schweinen» entsprang nicht nur der öffentlichen Semantik des Staatsanwalts Wyschinski.

Auf den keineswegs nur ästhetischen Hintergrund der sowjetischen «Formalismus-Debatte» und auf die spezifische Ausprägung der «Expressionismus-Debatte»[94] sei hier nur verwiesen. Die Gleichzeitigkeit des «verschönernden» sozialistischen Realismus und der terroristischen Normalität macht ihn zu einer irrealen «Ästhetik» des Schrekkens. Als «Ingenieure der Seele» lieferten die im September 1936 versammelten Schriftsteller nicht nur den schönen Schein.

des Sozialismus und schafft damit eine feste Grundlage für die endgültige Liquidierung aller Überreste der Klassengesellschaft. Ein Sieg der Freiheit, der befreiten Persönlichkeit, des Menschen, eine Erfüllung alles dessen, was die großen Revolutionäre, die großen revolutionären Massenbewegungen erträumt, wofür die besten Vertreter der Menschheit ihr Leben hingeopfert haben.» Georg Lukács: *Die neue Verfassung der UdSSR und das Problem der Persönlichkeit*, in: Internationale Literatur, Jg. 6, 1936, Heft 9, S. 53. Vgl. auch Ernst Fischer: *Die neuen Menschenrechte. Die Verfassung der Union der sozialistischen Sowjetrepubliken*, Basel 1937.

93 Joachim Walther u. a. (Hrsg.): *Protokoll eines Tribunals*, Reinbek 1991; Marianne Streisand: *Chronik einer Ausgrenzung. Protokolle, Gutachten, Briefe, Kommentare*, in: Sinn und Form, 1991, Heft 3, S. 429–486.

94 David Pike: *Lukács und Brecht*, Tübingen 1986; *Die Expressionismusdebatte. Materialien zu einer materialistischen Realismuskonzeption*, hrsg. von Hans Jürgen Schmitt, Frankfurt a. M. 1973.

Danksagung

Der Herausgeber dankt den politischen Organisationen, die die Nutzung des Zentralen Parteiarchivs der KPdSU ermöglichten. Erst durch die freundliche Überlassung von Mikrofilmaufnahmen[95] durch das ZK der KPdSU konnte diese Publikation entstehen.

Auch diese Erbschaft der Zeit kann weder der «nagenden Kritik der Mäuse» noch der «Geschichte» überlassen werden.

Gedankt sei vor allem den Mitarbeitern folgender Archive:

Institut für Theorie und Geschichte des Sozialismus beim ZK der KPdSU – Zentrales Parteiarchiv, Moskau;

Institut für Geschichte der Arbeiterbewegung – Zentrales Parteiarchiv, Berlin;

Literaturarchive der Akademie der Künste der DDR, Berlin;

Politisches Archiv des Auswärtigen Amtes, Bonn;

Arbetarrörelsens Arkiv och Bibliotek, Stockholm.

Der Dank gilt auch der Arbeitsstelle für deutsche Exilliteratur an der Universität Hamburg und der Hamburger Stiftung zur Förderung von Wissenschaft und Kultur.

Der Herausgeber bedankt sich bei den aus Moskau zurückgekehrten oder noch dort lebenden «Exilierten» sowie bei deren Familienangehörigen für die Bereitschaft, in Gesprächen den Alp ihrer Biographie zu verrücken. Die Torturen und Qualen, denen sie im Namen ihrer «Partei» und «Weltanschauung» ausgesetzt waren, pervertierten den Sozialismus zu jener Barbarei, die sie überwinden wollten. Ihren heroischen Illusionen und ihren illusionslosen Hoffnungen sei diese «Säuberung» gewidmet.

95 Im Zentralen Parteiarchiv des Moskauer Instituts für Theorie und Geschichte des Sozialismus (ehemals Institut für Marxismus-Leninismus beim ZK der KPdSU) finden sich zwei textgleiche Typoskripte des Stenogramms. Für diese Ausgabe wurde verwandt: Fond 495/op. 30/ d. 1120, 1121, 1122.

Zur Textgestaltung

Unterstreichungen im Text stammen wie in anderen Dokumenten der «Kaderabteilung» von den «untersuchenden» Mitarbeitern. Durch die Hervorhebungen bestätigen sie bestehende Verdachtsmomente oder registrieren neue.

Die weitgehend dem Hören nachempfundene Schreibweise von Eigennamen (z. B. Geus, d. i. Joyce oder Erwintschenko, d. i. Ervin Sinkó) wurde durch den Herausgeber korrigiert, offensichtliche Transkriptions- bzw. Tippfehler wurden bereinigt, unvollständige Sätze – wenn möglich – in Klammern ergänzt. Interpunktion und Orthographie des Stenogramms sind der besseren Lesbarkeit wegen den heute üblichen Regeln angepaßt worden. Die stilistischen und grammatikalischen Eigenarten dieser Mitschrift von Redebeiträgen blieben selbstverständlich unverändert.

Das Stenogramm wurde vom Herausgeber mit zahlreichen Anmerkungen versehen, um den historischen, den politischen und den personellen Kontext dieser geschlossenen Parteiversammlung transparent zu machen. Hierbei konnten weder alle textrelevanten Zusammenhänge erläutert noch für sämtliche der im Text genannten Personen biographische Hintergründe ermittelt werden.

Reinhard Müller — Herbst 1991

Biographien der Teilnehmer

Die folgenden Biographien beschränken sich auf Abbreviaturen und textbezogene Hinweise. Sie zitieren aus Autobiographien und neuzugänglichen Archivalien wie «Kaderakten» und Nachlässen. Lexika oder Handbücher können hier nicht aufgeführt werden, verwiesen wird allenfalls auf thematisch weiterführende neuere Monographien.

Bio-bibliographische Selbstdarstellungen lieferten einige der hier vorgestellten Autoren in der Zeitschrift *Das Wort*, 1937, Heft 4–5, Autobibliographien in der Zeitschrift *Internationale Literatur*, 1938, Heft 6.

Für die Rekonstruktion der Biographien konnten bisher nicht zugängliche Nachlässe (Emma Dornberger, Hugo Huppert) wie auch Aktenbestände aus dem Moskauer Komintern-Archiv, vor allem Akten der «Kaderabteilung», benutzt werden. Kurze biographische Auskünfte wurden auch vom KGB zur Verfügung gestellt. Erst eine vollständige Öffnung der Moskauer Archive wird aber genauere Rekonstruktionen der Biographien und des deutschsprachigen Exils in der Sowjetunion ermöglichen. Wo es sinnvoll erschien, wurden die biographischen Daten durch «Fremdzeugnisse», durch Beobachtungen und Erlebnisse von Zeitgenossen (kursiv) ergänzt.

Die hier zitierten Autobiographien ver- und enthüllen als nachträgliche Diskurse, neben der Mentalität wechselseitiger Abrechnung, zahlreiche Legenden, Gerüchte und Selbstrettungen. Ein Urteil darüber, wieweit solche vertrackt widersprüchliche Anamnesis mit dem Rollenverhalten während der Moskauer «Säuberung» korrespondiert, bleibt dem Leser des «Stenogramms» überlassen.

Verwiesen wird auch auf einige der verstreuten privaten und poetischen Anstrengungen der Sitzungsteilnehmer, sich der eigenen biographischen Erfahrung im Moskauer Exil zu stellen. Die inwendig ohnmächtigen Spuren lassen sich kaum anders ausmachen.

Annenkowa, Julia:
Chefredakteurin der Moskauer *Deutschen Zentralzeitung* von 1934 bis zu ihrer Verhaftung Anfang Juni 1937. Seit Anfang 1937 wegen einer Herzerkrankung im Krankenhaus.

Ihr Mann Jan Gamarnik, stellvertretender Volkskommissar für Verteidigung, begeht am 21. Juni 1937 Selbstmord. Ihm war tags zuvor vorgeworfen worden, zu den Organisatoren einer «faschistischen Verschwörung» in der Roten Armee zu gehören.

Jewgenia Ginsburg berichtet über ihr Zusammentreffen mit Julia Annenkowa im Moskauer Butyrka-Gefängnis:

«Die Frau, die mich angesprochen hat, ist Julija Annenkowa aus Moskau, ehemalige Redakteurin der deutschsprachigen Moskauer Zeitung. Sie ist Anfang Vierzig, nicht hübsch, aber sie hat ein starkes, ausdrucksvolles Gesicht. Sie sieht aus wie eine Hugenottin. In ihren Augen leuchtet eine dunkle Flamme. Sie faßt mich am Ellenbogen, führt mich zur Seite und flüstert mir zu: ‹Sie hatten absolut recht, den Fragen dieser Menschen auszuweichen. Man kann ja nicht wissen, wer ein wirklicher Volksfeind ist und wer nur einem Versehen zum Opfer gefallen ist, wie wir beide. Seien Sie auch in Zukunft vorsichtig, damit Sie nicht, ohne es zu wollen, ein wirkliches Verbrechen gegen die Partei begehen. Es ist das beste, man schweigt›...» Ewgenia Ginsburg: *Marschroute eines Lebens*, München 1986, S. 139–140.

Julia Annenkowa sieht als «orthodoxe Stalinistin» noch im Gefängnis überall «furchtbaren Verrat» und wittert in den Mitgefangenen «Volksfeinde». Nach ihrer Verurteilung erfährt sie im Straflager in Magadan, daß sich ihr zehnjähriger Sohn von der Mutter als «Verräterin» lossagte. Sie begeht Selbstmord.

Apletin, Mikhail J.:
Vizepräsident des sowjetischen Schriftstellerverbandes, Sekretär der Auslandskommission.

«Der deutsche kommunistische Dichter Johannes R. Becher verriet mir einmal unter vier Augen, Apletin wäre nichts anderes als der Leiter – oder gar nicht einmal Leiter – einer weitläufigen Abteilung der sowjetischen Geheimpolizei, welche die ausländischen Schriftsteller in der Sowjetunion – und auch außerhalb – aufs diskreteste überwachte.» Julius Hay: *Geboren 1900. Aufzeichnungen eines Revolutionärs*, München 1977, S. 167.

Ervin Sinkó berichtet, daß Apletin für die französische Ausgabe der *Internationalen Literatur* «neben dem Redakteur wie ein Literaturkommissar fungiert». Ervin Sinkó: *Roman eines Romans*, Köln 1962, S. 311.

Barta, Sándor (Alexander) (1897–1938):
gehörte zur avantgardistischen Literatur in Ungarn; 1916 erste Publikationen in der linken Zeitschrift *Ma*; Beteiligung an der ungarischen Räterepublik 1919. In der Emigration gab er zwei Zeitschriften heraus; 1924/25 Mitglied der KP Österreichs. Seine Bücher wurden bereits in den zwanziger Jahren in der Sowjetunion veröffentlicht.

1935 Sekretariatsmitglied der MORP, 1936 Parteiorganisator der deutschen Parteigruppe im Sowjetschriftstellerverband; Mitglied des Redaktionskomitees der Zeitschrift *Internationale Literatur*; letzte Veröffentlichung im Septemberheft der *Internationalen Literatur* 1937. Veröffentlichungen: *Ohne Gnade*, Roman, Kiew 1936; *Amnestie*, Erzählung, Moskau 1937.

«Eines Tages wurde der ungarische Schriftsteller Sándor Barta, der Präsident des Internationalen Schriftstellerverbandes, durch den NKWD in seiner Wohnung abgeholt. Von diesem Augenblick an erinnerte sich Apletin nicht mehr, daß er Tür an Tür mit einem Mann namens Barta gearbeitet hatte. Als Martin Andersen-Nexö nach einiger Zeit wieder in Moskau eintraf und sich nach Barta erkundigte, überhörte es Apletin so lange (genauer: er hörte statt Barta immer Barto, den Namen einer bekannten russischen Kinderschriftstellerin), bis der Alte die Wahrheit auch ungesagt verstand.» Julius Hay: a.a.O., S. 225.

Julius Hay, der noch im September 1937 Barta rezensiert, berichtet über ihn weiter in seinen Erinnerungen (ebd., S. 168): *«Sucht auch Sándor Barta nicht, er fiel der nicht enden wollenden Bartholomäusnacht zum Opfer, die in der offiziellen Parteisprache ‹Säuberung› hieß.»*

Vgl. Bartas Autobiographien und die Bibliographie in: *Iz istorij Mezhdunarodnogo objedinenija revoljutsionnykh pisatelej (MORP)*, Moskau 1969, S. 415–419.

Becher, Johannes R. (1891–1958):
ab 1912 Mitarbeiter an Pfemferts «Aktion», nach 1914 als Kriegsgegner im «Aktions-Kreis» aktiv, 1916 USPD in Jena, 1918 Eintritt in den «Spartakusbund» – «rein gefühlsmäßige Verbindung» –, 1920–22 «starke religiöse bzw. katholische Tendenzen», 1923 Annäherung an die KPD und im Schutzverband Deutscher Schriftsteller Leiter der kommunistischen Fraktion, 1926 Antikriegsroman «Levisite oder der gerechte Krieg», 1927 mit Delegation in die Sowjetunion, 1928 Gründung des BPRS und Vorsitzender; Hochverratsverfahren wegen des Romans «Levisite» und eines Gedichtbandes, kurze Inhaftierung; Begründer und Leiter der *Proletarischen Feuilleton-Korrespondenz* als Abteilung des Kommunistischen Pressedienstes der KPD, Mitarbeiter der Agitprop-Abteilung des ZK der KPD, Herausgeber und Redakteur der *Linkskurve*, Reichstagskandidat der KPD, Mitglied des Sekretariats der IVRS; Emigration über die CSR nach Moskau, Ankunft 20.4.1933, im Auftrag des EKKI Umbildung der MORP zu IVSK; 1936–45 in der Sowjetunion, Redakteur der deutschen Ausgabe der *Internationalen Literatur*, 1937 Vorsitzender der deutschen Sektion im Sowjetschriftstellerverband, 1943 Mitglied des Nationalkomitees Freies Deutschland, 1945 Rückkehr nach Berlin, Mitbegründer von *Sinn und Form*, 1945–58 Präsident des Kulturbundes, 1950–58 ZK-Mitglied der SED, 1952–54 Präsident der Akademie der Künste, 1954–58 Minister für Kultur der DDR.

In seinem 1934–37 entstandenen autobiographischen Schlüsselroman «Abschied» beschreibt Becher jenen generationstypischen Ausbruch aus dem durch den Vater dominierten bürgerlichen Elternhaus in die anarchistisch-pazifistische Rebellion. Dieses «ozeanische Gefühl» der antibürokratischen, zivilisationskritischen Empörung schlägt dann wieder in vorsätzliche Einordnung in die disziplinierten Reihen der KPD um. Der häufig suizidgefährdete Becher findet nun «Stecken und Stab» im mythologisierten Proletariat und scheinbare Erfüllung als repräsentierender Multifunktionär in der DDR. Mit zahlreichen Gedichten besingt er Stalin und die Partei. In seinem Versepos «Der Große Plan» (1931) rechtfertigte er die Erschießung der Angeklagten im inszenierten Prozeß gegen die sogenannte «Industriepartei»: «Wenn man die hier/An die Wand stellt/Ist es, um/Einen Dreck abzutun/Eine schmierige Sache.»

Becher dementiert im Exil seine expressionistischen Anfänge, wird klassizistischer «Deutschland-Dichter» und Verfasser der Nationalhymne der DDR.

«Auch unter den Deutschen unterhielt Becher keine ständigen Freundschaften; nur mit zwei ungarischen Ehepaaren war er aufrichtig befreundet: Andor und Olga Gábor, Georg und Gertrud Lukács. Diese günstige moralische Wirkung dieser vier Menschen hielt ihn in den Moskauer Jahren noch bei der Stange.» Julius Hay: a. a. O., S. 169.

«Hatte die Sache unerwarteterweise auch für ihn unangenehme Folgen, so erschrak er über die Maßen – er verfiel in eine trostlose Panik und verpetzte alles und jeden bei der Parteileitung. Mehrere Male demonstrierte er seine Zerknirschung vor der Partei durch Selbstmordversuche, von welchen einer wider Erwarten beinahe gelungen war. Die Leiter der kommunistischen Partei, von denen sich gar wenige einen Begriff davon machen konnten, wozu die Partei eigentlich Dichter braucht, fühlten dennoch, wie peinlich es wäre, ein Mitglied mit weit und breit bekanntem Namen zu verlieren, und noch dazu auf eine so skandalöse Art und Weise. Sie erwiesen sich in solchen Fällen als versöhnlich, ja sogar mitleidsvoll und vor allem freigebig.» Julius Hay: a. a. O., S. 169.

Becher richtete nach Selbstmordversuchen «zerknirschte» Briefe an die KPD-Führung. Sie finden sich in Bechers bisher unveröffentlichtem Nachlaß und sollen demnächst veröffentlicht werden.

«Wie er so die ersten Male bei uns saß, hineingelümmelt in den Polstersessel mit schiefer Schulter (krummgeschossen von seinem ersten Selbstmordversuch), glich er einem großen, schweren, leidenden Tier, das sich den unberechenbaren Launen eines fremden Herrn ausgeliefert fühlt: es wechselt sein Verhalten, um Schlägen zu entgehen.» Ruth von Mayenburg: *Blaues Blut und rote Fahnen*, Wien 1969, S. 259.

Als Präsident sitzt Becher 1953 Sitzungen des Kulturbundes vor, in denen er sich ebenso wie als Minister als linientreu erweist, wie 1957 im «Falle» Janka. Vgl. Walter Janka: *Spuren eines Lebens*, Berlin 1991.

In erst kürzlich veröffentlichten Gedichten reflektierte er zumindest privatim diese aufgeherrschte und akzeptierte Konformität, der er sich vor 1933 als freiwilliger «Parteisoldat» und im ausweglosen Moskauer Exil bei Strafe des Untergangs unterwarf: «Gebranntes Kind/Wem einmal das Rückgrat gebrochen wurde/Der ist kaum dazu zu bewegen/Eine aufrechte Haltung einzunehmen/Denn die Erinnerung/An das gebrochene Rückgrat/Schreckte ihn/Auch dann noch/Wenn die Bruchstelle längst verheilt ist/Und keinerlei Anlaß mehr gegeben ist/Sich das Rückgrat zu brechen.»

Nach dem XX. Parteitag der KPdSU (1956) entfernt das «gebrannte Kind» Becher sieben Fragmente aus dem Druckmanuskript des Skizzenbandes «Das poetische Prinzip». Erst 1988 wurden diese Selbstreflexionen veröffentlicht: «Ich muß nicht mehr schweigen. Ich brauche nicht das Gefühl zu haben, weiterhin mitschuldig zu werden dadurch, daß ich schweige. (...) Aber ebenfalls möchte ich nicht verschweigen, daß in demselben Maße, wie ich Stalin verehrte und liebte, ich von Grauen ergriffen worden bin angesichts gewisser Vorgänge, die ich in der Sowjetunion erleben mußte. Ich kann mich darauf nicht hinausreden, daß ich davon nichts gewußt hätte. Ich kann auch nicht behaupten, daß ich davon nichts wissen wollte. Ich ahnte nicht nur, ich wußte.»

In diesen wieder der eigenen «Selbstzensur» unterworfenen Notizen skizziert Becher, daß 1937 in Moskau eine «dschungelhafte Atmosphäre» herrschte, worin «keiner dem andern mehr traut». Sein Held, ein «romanschreibender Autor», wird zum Denunzianten, der noch davon überzeugt ist, daß er «einer guten Sache dient (...), wenn auch mit verwerflichen Mitteln».

Seine eigene Biographie als «Parteisoldat» vor Augen, beschreibt er seine aporetische Existenz: «Unsere Jahrhunderttragödie, an tragischem Gehalt der antiken überlegen, besteht nicht darin, daß Menschen, die Verschiedenes wollen, miteinander in einen unauflösbaren Konflikt geraten, sondern diese unsere moderne (sozialistische) Tragödie zeigt sich darin, daß Menschen, die dasselbe wollen, die eines Willens sind, in solchen tödlichen Widerspruch verstrickt werden, daß das tragische Ende, wenn nicht beider, so des einen unausweichlich ist.»

Vgl. jetzt zu Bechers Biographie: Tamara Motyljowa: *Bechers geistige Tragödie*, in: Kunst und Literatur, 1989, S. 579–589; Matias Mieth: *«Der Mensch, der nicht geschunden wird, wird nicht erzogen.» Joh. R. Becher und die Gewalt des Stalinismus*, in: Weimarer Beiträge, 1991, S. 764–771; Nikola Knoth: *Johannes R. Becher 1956/57 – eine DDR-Misere? Dokumentarischer Bericht*, in: Deutschland-Archiv, 1991, S. 502–511; *SED und Intellektuelle in der DDR der fünfziger Jahre. Kulturbund-Protokolle*, hrsg. von Magdalena Heider und Kerstin Thöns, Köln 1990; vgl. auch Dokumenten-Anhang.

S.F.
V.

Lieber Leser,

wir möchten mit Ihnen in lebendigem Austausch bleiben und Sie regelmäßig über unsere Verlagsarbeit und unsere Neuerscheinungen orientieren. Daher bitten wir Sie, diese Karte ausgefüllt an uns zurückzusenden.

Ihr S. Fischer Verlag

Ihr Name und Ihre Anschrift:

Anschriften Ihrer Freunde:

Lesen Sie »DIE NEUE RUNDSCHAU«?

Die Neue Rundschau ist in ihrer umfassenden, weltoffenen Art ein kritischer Führer durch alle Bezirke und Probleme der gegenwärtigen Kultur, eine freie Tribüne des modernen Lebens und Geistes.

Vierteljahresschrift. Einzelheft DM 4,-. Jahresabonnement DM 14,-, für Studierende DM 8,-

Bredel, Willi (1901–1964):
Metalldreher, 1917 Eintritt in die sozialdemokratische Arbeiterjugend, bis 1920 «Freie proletarische Jugend», 1920 KPD, 1923 wegen Teilnahme am Hamburger Aufstand zu zwei Jahren Haft verurteilt; Redakteur der *Hamburger Volkszeitung*, führendes Mitglied im BPRS und im «Volksfilmverband». Lukács wirft Bredel 1931 in einer Rezension der Romane «Maschinenfabrik N & K» und «Rosenhofstraße» mangelnde Dialektik vor; 1930–32 wegen «literarischem Hochverrat» in Haft; 1933 in Hamburg abermals verhaftet, 13 Monate Haft im KZ Fuhlsbüttel; autobiographischer Roman «Die Prüfung»; 1934 Emigration über die CSR in die Sowjetunion, Leiter der deutschen Sektion der IVRS 1934/35, 1936 Herausgeber von *Das Wort*, 1937 Spanien, Kommissar des Thälmann-Bataillons der Internationalen Brigaden, 1943 Mitbegründer des Nationalkomitees Freies Deutschland, 1945 Rückkehr, ZK-Instrukteur, Aufbau des «Kulturbundes», Zeitschriftenredakteur, ZK-Mitglied, 1962 Präsident der Akademie der Künste.

Scheinbar ungebrochen vertritt Bredel nach 1945 auf Parteitagen, ZK-Sitzungen und auf Kulturkonferenzen der SED sowie in programmatischen Artikeln für das *Neue Deutschland* und den *Sonntag* die offizielle politische «Linie» der SED und propagiert die Schreib- und Denkweise des «sozialistischen Realismus». Während Becher wenigstens nur schweigt, veröffentlicht Bredel zum Beispiel «Die nicht zum Zuge kamen. Nachträgliche Bemerkungen zum Prozeß gegen Wolfgang Harich» (*Neues Deutschland*, 22.3.1957).

«Willi (Bredel) und Erich (Weinert) waren für uns die Verkörperung der besten Kräfte, der moralischen und schöpferischen Stärke des deutschen Volkes. Sie halfen uns nicht nur unmittelbar in unserem antifaschistischen Krieg; ihre wertvolle agitatorische Arbeit, die auf Herzen und Hirne der deutschen Soldaten wirkte, half, Tausenden auf beiden Seiten der Front das Leben zu retten. Und vielen von uns halfen sie auch, den lebendigen Geist des Internationalismus zu erhalten, den Glauben an das wahre Deutschland und an die künftige Brüderlichkeit der Völker. Indem wir das alles in uns aufnahmen, konnten wir auch die harten Prüfungen bestehen, die uns der Stalinkult auferlegte. Wir fanden die Kraft, uns selbst treu zu bleiben und echte Kommunisten zu sein. Auch Willi war von dieser Art. Wenn ich heute in seinen Büchern blättere, höre ich seine vertraute Stimme, sehe ich sein Gesicht vor mir. Kümmernis beschleicht das Herz, eine Kümmernis ganz eigener Art.»

Lew Kopelew: *Willi Bredel*, in: Sinn und Form, Sonderheft Willi Bredel, 1965, S. 280.

Bredel berichtete Walter Janka 1956 über Heino Meyer (Most) und das Schicksal seiner Familie. *«Von solchen Vorkommnissen in der Sowjetunion will Bredel bis dahin keine Ahnung gehabt haben. (...) Diese Tragödie hatte mir Bredel ein paar Wochen vor meiner Verhaftung erzählt. Auch seine erste Frau war zugegen. Als ich mich verabschiedete, fragte ich Bredel: ‹Wirst du irgendwann darüber schreiben? Die Geschichte ist ein faszinierender Stoff.› Bredel sah mich lange an, bis er mit ‹Nein› antwortete.»*

Walter Janka: *Spuren eines Lebens*, S. 308.

Dornberger, Emma (1896–?):
veröffentlicht 1932 zusammen mit ihrem Mann Paul Dornberger: «Frauen führen Krieg»; bespr. in der *Linkskurve* 1932/H. 8; 1932 in die Sowjetunion, als 2. Vertreterin des BPRS in Moskau. Andor Gábor stellt Emma Dornberger als «neue Arbeiterschriftstellerin» in der *DZZ* (12.5.1933) vor. «Frauen führen Krieg» erscheint 1934 auch in der Moskauer *VEEGAR*, Gedichte in der *Internationalen Literatur*; Studium an der KUNMS; nach der «Reinigung» im September 1936 verliert sie ihren Arbeitsplatz und flüchtet nach Sibirien, Ankunft am 8. Dezember 1936, anfangs Lehrerin; am 20. November 1937 wird ihr Lebensgefährte Willy zusammen mit 14 deutschen Bergleuten verhaftet. Emma Dornberger verliert auch hier ihren Arbeitsplatz, da «sie Willy's Frau sei»; 1938 Arbeit als Buchhalterin in einem Bergwerk, Rückkehr in die DDR nach 1948.

Aus dem Tagebuch Emma Dornbergers:

17. Juni 1935:
Sowjetland! Du Land der Freuden!
Freie Männer, freie Fraun,
freie Kinder ohne Leiden
Stolz auf dich o Heimat schaun!

25./26.3.1936:
Olga und Andor ⟨Gábor⟩ sind zwei Menschen, die in den letzten sieben Jahren meines Lebens eine große Rolle gespielt haben. (...) Vom ersten Augenblick an fühlte ich mich in Gegenwart der beiden Menschen sehr wohl. (...) Nie kam es in den Jahren vor, daß Olga

und Andor keine Zeit für mich hatten. (...) Mit meinen ersten Gedichten ging ich zu ihnen und auch hier immer zur Hilfe bereit, ich brauchte gar nicht zu telefonieren. Ich war eben da, und ich fühlte immer, alles ist gut und hier ist ein Stückchen Heimat.

August 1936:
Und jetzt das andere – der Prozeß gegen die internationale Konterrevolution in Gestalt der Trotzki-Sinowjew-Mörder. Der Prozeßverlauf deckt alles auf – Gestapo im Bunde mit Trotzki, wahrhaftig ein würdiges Paar! Für mich und für alle eine große Lehre! Schon 1934/35 hörten wir immer und glaubten zu verstehen, was es heißt: Klassenwachsamkeit = neue Formen des Klassenkampfes! Wie wenig wissen wir deutsche Genossen davon. Mitten unter uns, in der nächsten Umgebung da sitzen Feinde und wir sehen nichts, glauben fast nicht an diese Möglichkeit, bis vor uns dieser Prozeß abrollt. Wieder Versammlungen, einmütige Entschließung auf Todesstrafe. Hoffentlich sind wirklich alle Fäden aufgedeckt.

17. September 1936: Wie gut ist es, daß ich dieses stille Zimmer habe! Um 10 Jahre fühle ich mich älter seit den letzten Tagen. Was und wie stürzt plötzlich alles über mir zusammen! Ich flüchte mich allein in mein Zimmer, die Kinder sind zu Hause, fast kann ich nicht mehr. Was alles in diesen vierzehn Tagen auf mich einstürmte, ich glaube, es ist zuviel für mich. Ich hatte doch schon einmal das Gefühl, als ob sich etwas auf mich zuwälze, irgendein großer Koloß, dem ich nicht entgehen könne. Es war damals im Juni, als ich plötzlich hörte, daß A. Br.⟨ustawitzki⟩ verhaftet sei. Vor lauter feiger Angst, von einem Koloß erdrückt zu werden, flüchtete ich in den Gedanken: es ist ja alles nicht möglich. Man wird ihn entlassen! Es kann doch nicht stimmen, das alles, das Furchtbare. Dann während dieser Zeit des Wartens, kam der Prozeß mit seinen furchtbaren Enthüllungen. Mitten in den Reihen der Partei haben die Feinde gesessen, mitten unter uns allen. Und rechtzeitig hat eine Hand zugepackt, ehe die Feinde ihr Werk fortsetzen konnten, das sie damals bei Genossen Kirow begannen. Und wenn ich nun im Laufe des Monats sah, wie sich zwei der Hauptfeinde – David und Emel – das Vertrauen unserer besten Parteigenossen erschleichen konnten, so wird mir langsam, viel zu langsam klar, daß also auch ich betrogen wurde von einem Menschen, der sich Genosse nannte.

Indem ich das jetzt niederschreibe, spüre ich die ganze Schwere. Wenn es stimmt, daß Br⟨ustawitzki⟩ ein Konterrevolutionär oder sogar ein Spitzel ist – dann trifft mich eine ungeheure Schuld. Ich habe seit meiner Ankunft in Moskau, d. h. seit 1932 mit ihm freundschaftliche Beziehungen. Ich habe sie direkt gehabt bis zu seiner Fahrt nach Leningrad und indirekt bis zum Juni dieses Jahres durch meinen Briefverkehr und meinen Besuch bei ihm und Erna.

Mir schwindelt der Kopf. Es ist kaum auszudenken. Die erste Strafe habe ich schon, ich wurde sofort entlassen. Es ist die größte Schmach, die mich bisher traf. Was wird noch folgen? (...)

Noch nicht einmal diese eine Sache steht allein, es reiht sich eine Vernachlässigung an die andere. Meine Fehlerkette ist bereits so, daß sie mich zu erdrücken droht. Und zu allem kommt noch, daß niemand da ist, mit dem ich sprechen kann. Fast jeder ist mit sich beschäftigt. Trifft nicht jeden eine ähnliche Schuld? Sind nicht fast alle mit dem einen oder andren bekannt und war nicht jeder blind, der um mich herum sitzt. Was wird aus mir, wenn die Genossen kein Vertrauen mehr zu mir haben?

27.12.1937
Heute Antwort der deutschen Sektion der Komintern erhalten. Sie können nichts machen, in allen Fragen soll ich mich an die Sowjetbehörden wenden.

Tagebücher Emma Dornberger, IfGA/ZPA NL 206/2.

Fabri, Ernst (1891–1966):
österreichischer Schriftsteller, in der Arbeiterjugendbewegung Österreichs auf dem linksoppositionellen Flügel, 1918 Mitglied im Wiener Arbeiterrat, 1921 als Mitglied der Arbeitsgemeinschaft Revolutionärer Sozialdemokraten zur KPÖ, Parteifunktionär, 1930 Mitbegründer und Vorsitzender des BPRS Österreich, 1931 Teilnahme an der Charkower Konferenz der IVRS, Kandidat für das Präsidium der VRS, 1932 Emigration in die Sowjetunion, Kulturredakteur der *DZZ* bis 1938, 1938 kurzzeitig verhaftet und Ausschluß aus dem sowjetischen Schriftstellerverband; während des Krieges Mitarbeit bei Radio Moskau; lebte bis 1966 in Moskau.

«Auch Ernst Fabri scheint geholfen zu haben. Er war bereits etwa zwei Wochen vor der Großrazzia auf die Zeitung in Haft und soll alle

zehn Minuten an seine Zellentür geklopft haben, um den NKWD mit immer neuen Informationen und Denunziationen zu versorgen.» David Pike: *Deutsche Schriftsteller im sowjetischen Exil 1933–1945*, Frankfurt a. M. 1981, S. 466.

Zur Biographie vgl. K. Fabri: *Ernst Fabri*, in: Iz istorij MORP, Moskau 1969, S. 363–366.

Gábor, Andor (1884–1953)
ungarischer Schriftsteller und Journalist, populärer Satiriker, 1919 nach Niederschlagung der ungarischen Räterepublik verhaftet; im Wiener Exil Anschluß an die KP Ungarns, Mitarbeiter der Parteizeitung *Proletar*, 1924 Frankreich, 1925 Berlin, Mitarbeiter in der «Roten Hilfe», Beiträge für die *Rote Fahne* und Feuilleton-Korrespondent der *Prawda*, Mitbegründer des BPRS und Mitherausgeber der *Linkskurve*, führende Rolle bei der Programmdiskussion im BPRS, Zusammenstellung einer Broschüre über den «Menschewiken»-Prozeß: «Spione und Saboteure vor dem Volksgericht in Moskau», Berlin 1931; 1934 in die Sowjetunion, Leiter der «Arbeitsgemeinschaft für erzählende Prosa» in der deutschen Länderkommission der IVRS.

Hugo Huppert fordert 1937 Herbert Wehner auf, eine Rezension eines Novellenbandes Gábors («Souper im Hubertus») für die *DZZ* zu schreiben. Diese Kritik wurde von Ulbricht als «polizeiliche Anzeige» (J. Hay) gewertet. In einer hochnotpeinlichen Sitzung wird der «Fall» Gábor behandelt. Hay beschreibt die Reaktion der Anwesenden: *«Entscheidend wäre eine Stellungnahme Johannes R. Bechers gewesen. Er aber saß da, knallrot im Gesicht, legte Wert darauf, daß er sich selbst für bodenlos niederträchtig hielt und meldete sich nicht zu Wort. Bredel tat, als merke er nichts von der Gefahr, die Gábor drohte, und machte allerlei Witze.»* (Julius Hay, a. a. O., S. 220)

Gábors 1937 nicht veröffentlichte Rezension von Bredels «Dein unbekannter Bruder» wird im Oktober 1940 erneut zum Gegenstand heftigster Auseinandersetzungen in der deutschen Sektion des Sowjetschriftstellerverbandes.

Am 1938 ist Gábor Chefredakteur der Moskauer ungarischen Emigrationszeitung *Neue Stimme*, Mitarbeit am Kossuth-Sender während des Zweiten Weltkriegs. 1945 Rückkehr nach Ungarn, Chefredakteur einer satirischen Zeitung.

«Zu denen, welchen ich viel zu danken habe, wenn ich in meiner

Dichtung einigermaßen aller Unarten ledig wurde (und es waren wohl mehr als Unarten), die ich mir entweder gedankenlos oder als besonders originell zulegte, zu solchen meinen ‹Reinigern und Peinigern› darf ich wohl meinen lieben alten Freund Andor Gábor zählen. Er wurde in der Tat für mich in seiner unerbittlichen Strenge ein ‹furchtbarer› Mensch, ein ‹scheußlicher› Kerl, eine Art Geißel, ein ‹schrecklicher› Lehrer.» Johannes R. Becher: *Gesammelte Werke*, Bd. 13, Berlin und Weimar 1972, S. 332.

«Gábor war ein sehr eigenartiger Mensch. Am liebsten hätte er alle Leute vor solchen Situationen bewahrt. Er selbst jedoch war in dieser Hinsicht sehr mutig. Beispielsweise korrespondierte er ständig mit Inhaftierten, schickte ihnen ständig Lebensmittel usw. Und überhaupt, Andor Gábor war ein selten anständiger Mensch.» Georg Lukács: *Gelebtes Denken. Eine Autobiographie im Dialog*, Frankfurt a. M. 1981, S. 162.

«Wer zeichnet die Tragödie von Andor Gábor auf? Wer sieht dieses Schicksalsdrama, dieses Charakterdrama, und wer wagt es darzustellen? Er starb, und die Todesursache hieß Lungenentzündung. Aber er starb vor allem, weil kein menschlicher Organismus eine solche Enttäuschung in sich tragen und damit lächelnd weiterleben konnte.»
Julius Hay: a. a. O., S. 307.

Günther, Hans (1899–1938):
Tischlerlehre, Studium der Volkswirtschaft und Jura, 1923/24 Promotionen in Volkswirtschaft und Jura, Geschäftsführer in der Aktiengesellschaft des Vaters bis 1929, 1930 KPD-Mitglied, 1930 Mitarbeit am Frankfurter Institut für Sozialforschung, Beiträge für KPD-Zeitungen; seit 1931 in Berlin in der Marxistischen Arbeiterschule (MASCH) als Kursuslehrer, Reportagen und Feuilletonbeiträge in der *Roten Fahne*, Mitarbeiter in der Agitprop-Abteilung der KPD, Mitglied im BPRS, Beiträge für *Die Linkskurve*, als BPRS-Vertreter durch die Reichsfraktionsleitung zur IVRS nach Moskau «kommandiert», Ankunft am 5. 10. 1932, Redakteur der deutschen Ausgabe der *Internationalen Literatur*, dann stellvertretender Redakteur, abgelöst durch Karl Schmückle; Gutachter für die VEEGAR, Leiter der «Arbeitsgemeinschaft für Theorie und Kritik», 1933 als BPRS-Vertreter in Prag, Vorbereitung der *Neuen Deutschen Blätter*; nach einer Empfehlung Dimitroffs erscheint als Kritik der faschistischen

Ideologie «Der Herren eigener Geist», Moskau (VEEGAR) 1935, in der Günther, ebenso wie in Beiträgen in der *Internationalen Literatur*, heftig gegen Blochs Ungleichzeitigkeitsthese polemisiert. Veröffentlichung einer Erzählung «In Sachen Bertram», Kiew 1936. Nach den Säuberungs-Sitzungen wird Hans Günther am 4.11.1936 vom NKWD verhaftet, am 28.1.1937 aus der KPD ausgeschlossen, am 16.10.1937 von einem Sondergericht des NKWD unter der Beschuldigung «konterrevolutionärer-trotzkistischer Tätigkeit» zu fünf Jahren Lagerhaft verurteilt. Nach einer Mitteilung des KGB (1990) starb Hans Günther in der Haft am 6.10.1938. Wie Trude Richter berichtet, verstarb er in einem Durchgangslager in Wladiwostok an Typhus.

Am 4.11.1936 wurde die Frau Hans Günthers, Trude Richter (d. i. Erna Barnick) ebenfalls verhaftet. Sie wird gleichfalls am 16.10.1937 von einem Sondergericht des NKWD wegen «konterrevolutionärer-trotzkistischer Tätigkeit» zu fünf Jahren Lagerhaft verurteilt. Nach ihrer Freilassung 1946 wird sie 1949 erneut verhaftet und zur Zwangsansiedlung in Magadan verurteilt. Sie kommt erst 1954 frei, lebte 1955 in Moskau und seit 1956 in Leipzig.

«Nicht ohne Grund schrieb ich, daß Günther ein Engel sei, ein deutscher Engel, gründlich, gewissenhaft und ernst. Er spricht so bedächtig, als formulierte er dauernd Thesen. Wie telefonisch vereinbart, durfte ich ihm schon eine halbe Stunde später im Café Puschkin gegenübersitzen. Er ist ein hochgewachsener Mensch mit einem fleischigen Gesicht. Er trägt eine große Hornbrille. Beim Reden, seine Stimme schnarrt ein wenig, pflegt er gelegentlich ohne ersichtlichen Grund die Rechte zu heben und den Zeigefinger auszustrecken, als wolle er jemand, der sich zügellos benehmen könnte, vorbeugend zur Ordnung rufen. Er spricht in abgerundeten Sätzen, man hört fast die Kommata, die Semikolons und den Punkt. Ein Mensch, der, wie man zu sagen pflegt, nur unerschütterliche Überzeugungen hat und jederzeit in der Lage ist, sie methodisch zu begründen; vereinzelte Seitenblicke von ihm, mit denen er die Wirkung seiner Worte kontrolliert, lassen aber erkennen, daß er doch nicht so unerschütterlich selbstsicher ist, wie er wirken und sich selbst gern einreden möchte. Wenn er sagt ‹ich meine›, dann spricht er das nicht aus wie jemand, der seine Meinung mitteilt; er betont es so apodiktisch, daß es sich wie ‹das ist so› anhört. Ich fand seine Entschiedenheit bestürzend. Daß Günther ein gutmütiger Mensch ist, den es freut, anderen eine Freude bereiten zu können, geht

aus der Reihenfolge hervor, in der er mir seine Ansichten mitteilte. Er wird unbedingt empfehlen, daß die ‹Optimisten› erscheinen.» Ervin Sinkó, *Roman eines Romans*, S. 214–215.

Halpern, Olga (1886–1965)
Übersetzerin aus dem Russischen, lebte mit ihrem Mann Andor Gábor in den zwanziger Jahren in Berlin; Mitglied im BPRS, Übersetzung von Gladkows Roman «Zement» und Scholochows «Der stille Don», Emigration über die CSR in die UdSSR, Beiträge in *Internationale Literatur* und *Das Wort*, 1938 Sekretärin der deutschen Länderkommission im Sowjetschriftstellerverband; im Oktober 1940 wird sie nach einer «Diskussion» über eine 1937 (!) nicht erschienene Kritik von Andor Gábor zu Willi Bredels «Dein unbekannter Bruder» als Sekretärin entlassen, nach 1945 in Ungarn. Sie initiierte eine 10bändige Ausgabe der Werke Andor Gábors.

Hay, Julius (1900–1975):
Ungarischer Schriftsteller, Teilnahme an Antikriegsdemonstrationen; in der ungarischen Räterepublik als Jugendpropagandist im von Georg Lukács geleiteten Volkskommissariat für Unterricht; seit 1919 Mitglied der KP Ungarns, ab 1920 Studium in Dresden; erste Theaterstücke; vorübergehend Mitglied der KPD, BPRS-Mitglied; anläßlich der Uraufführung von «Gott, Kaiser und Bauer» provozieren SA-Leute einen Theaterskandal; 1933 Emigration nach Wien, nach Februaraufstand verhaftet und ausgewiesen, über Prag und Zürich in die Sowjetunion; nach Anlaufschwierigkeiten wird er mit seinem Stück «Haben» zu einem vielgespielten Autor des «sozialistischen Realismus»; Ende 1937 erscheint sein «Wachsamkeitsstück»: «Tanjka macht die Augen auf», Beiträge in *Das Wort*, *Internationale Literatur*; 1945 Rückkehr nach Ungarn, Direktor der staatlichen Filmateliers; 1956 wird er wegen Teilnahme am ungarischen Aufstand zu sechs Jahren Gefängnis verurteilt, nach internationalen Protesten 1960 amnestiert. Er übersiedelt 1965 nach Ascona; verfaßte «Der Großinquisitor» (1968) und die Autobiographie «Geboren 1900».

«Und wo lag mein Damaskus? Wo bin ich aus einem Saulus ein Paulus geworden? Ich glaube, nirgends. Und eben dafür sollte ich büßen. Jahrzehntelang schon ging ich und hastete und trottete ich denselben Weg, immer denselben Weg, den ich als Weg zum Sozialismus kannte. Andere aber, die sich die Partei nannten, verließen diesen engen Pfad. Sie wählten die Straße der Macht und Gewalt und sagten, diese Straße führe zum Sozialismus, zum Kommunismus.

Unsereiner wurde beschimpft, ins Zuchthaus gesperrt und mit dem Tode bedroht, weil er versucht hatte, den Pfad, den jene anderen verlassen hatten, weiter zu verfolgen.

Sie haben ihr Ziel nicht erreicht, und ich habe mein Ziel nicht erreicht. Aber *ich* gebe zu, daß dieses Ziel unerreichbar ist. Für die Verwirklichung meiner Träume muß die Welt sich einen anderen, einen noch nicht bekannten Weg suchen.» Julius Hay: *Geboren 1900*, a. a. O., S. 378.

Huppert, Hugo (1902–1982):
Studium von 1921 bis 25 in Wien bei Carl Grünberg und Hans Kelsen, Promotion über «Das Majoritätsproblem und die Klassengesellschaft». 1921 Eintritt in den Kommunistischen Jugendverband Österreichs, Mitglied in der »Freien Vereinigung Sozialistischer Studenten», Referent im Kommunistischen Jugendverband; 1925 nach Paris, arbeitslos, ab August 1926 Mitarbeit im «Balkan-Komitee», Übersetzer in der französischen Ausgabe der *Inprekorr*; zurück nach Wien und erneut arbeitslos, Mitarbeit an der Wiener und Berliner *Roten Fahne*, Feuilletons und Korrespondenzen. Im Februar 1928 richtet Huppert ein Bewerbungsschreiben an Ryasanow, den Leiter des Moskauer Marx-Engels-Instituts; seit 30. 1. 1928 in Moskau, seine Frau Milka war bereits vorher nach Moskau versetzt worden. Sie stirbt 1928 bei einer Exkursion nach Mittelasien an Schwarzen Pokken. Huppert arbeitet am Marx-Engels-Institut in der Korrespondenz-Abteilung, übersetzt und erstellt Register; Redaktionsabteilung des Marx-Engels-Archivs. Nach einer sechswöchigen Reise im Auftrag des Moskauer Komitees der KPdSU stellt Huppert am 10. 2. 1931 bei seiner Rückkehr ins Institut fest: «Dennoch war für Huppert keine Arbeit gering, öd und erniedrigend genug, darum war für Huppert keine Arbeit vorhanden. Wissenschaftliche Redaktion machen die Schmückles unter sich, da lassen sie cliquenfremde Leute nicht heran.»

Unter dem Pseudonym «Karl Stürmer» veröffentlicht Huppert

1931 im Moskauer Zentralen Völker-Verlag zwei Bändchen mit Erzählungen. Da seine Überführung von der KPÖ zur KPdSU nicht möglich ist, wird er von Zellensitzungen der KPdSU im Marx-Engels-Institut ausgeschlossen; Mitglied der KPdSU erst seit 6. 12. 1930.

Nach dem «Menschewiki-Prozeß» wird das Marx-Engels-Institut von der GPU am 13. 3. 1931 besetzt und 127 Mitarbeiter (Anne Bernfeld-Schmückle, Karl Schmückle, Kurt Nixdorf u. a.) und der Leiter David Ryasanow entlassen. Huppert trägt in sein Tagebuch ein, daß die Reinigungskommission die «Schmückle-Clique», die «gesamte deutsche Ryasaniden-Sippe» mit «eisernem Besen ausgefegt» habe. Er verbleibt als «einziger Kommunist», wird zum «Vertrauensmann», dem alle «Arbeitsmaterialien» ausgehändigt werden. Er erhält u. a. auch die «Arbeitsmaterialien» zum MEGA-Band der «ökonomisch-philosophischen Manuskripte», die er «druckfertig» macht. In seine «Tagebücher» trägt Huppert ein: «Die Arbeit ödet mich an. Sie ist nicht mein Beruf. Ich füge mich der Disziplin.»

Stalins Sekretär Towstucha wird stellvertr. Direktor des Marx-Engels-Instituts. Huppert ist 1931 gleichzeitig Dozent an dem «Moskauer Institut für neuere Sprachen» und schreibt Enzyklopädie-Artikel; im März 1931 «Kommandierung» an die «Kohlenfront», außerordentlicher Instrukteur für Kohlegruben des Moskauer Komitees der KPdSU, am 1. Juli 1931 Arbeitsbeginn im Lenin-Institut, Mitarbeit in der deutschen «MAPP-Sektion», Beiträge für *Iswestija*, *DZZ*, enge Zusammenarbeit mit Gustav Brand und David Schellenberg; ins Büro der IVRS kooptiert, Registerarbeiten für den Bd. 4 der MEGA. Im Juli 1932 beginnt Huppert im «Institut der Roten Professur» mit dem Literaturstudium, im September 1932 scheidet er aus dem «Marx-Engels-Lenin-Institut» aus und wird zusammen mit Hans Günther als stellvertr. Redakteur für die deutsche Ausgabe der *Internationalen Literatur* tätig; seit 1934 Kulturredakteur in der *DZZ*. Neben zahllosen Gedichten und Rezensionen veröffentlicht Huppert «Sibirische Mannschaft» (1934).

Ab Mitte April 1936 löst Huppert als stellvertretender Redakteur der *Internationalen Literatur* Karl Schmückle ab. Von Johannes R. Becher wird er in der Redaktion weitgehend ignoriert. In der *Internationalen Literatur* (1936, H. 9) wird von Huppert der erste Moskauer Schauprozeß unter der Überschrift: «Der Ring ist geschlossen!» kommentiert. 1937 notiert Huppert in sein Tagebuch: «Warum muß ich auf Befehl Journalist, auf Befehl Propagandist sein, wo ich es nach meiner Veranlagung gar nicht bin! Ich bin Dichter, und der Sozialismus braucht Dichter!» (2.2.1937) Gleichzeitig bis 1938 Kulturredakteur der *DZZ*.

Anfang 1937 werden zu Huppert fünf Eingaben (u.a. Joh. R. Becher) bei den zuständigen «Instanzen» eingereicht. Huppert wird von Ulbricht 1937 zu einem «kleineren verantwortlichen Kreis» der kommunistischen «Literaten» zugezogen. Nachdem Pieck und die KPD-Vertretung Gábors Novellensammlung «vernichtend» kritisiert haben, fordert Huppert Herbert Wehner auf, für die *DZZ* eine Rezension zu schreiben. Ins Tagebuch notiert Huppert: «Hoffentlich kommt das zustande, das würde reinigend wirken auf unsere literarische Atmosphäre und eine wohltuende Ernüchterung über die Clique Lukács–Gábor bringen, die neuerdings den ewig schwankenden Becher vollkommen beherrscht und immer mehr auch auf Barta einzuwirken beginnt.»

Gábor entgeht nur durch eine Intervention Dimitroffs der drohenden Verhaftung. Nach einer unter dem Pseudonym «Karl Stürmer» veröffentlichten Breitseite gegen die Führung der deutschen Sektion des Sowjetschriftstellerverbandes wird Huppert, nach einer Sitzung der Deutschen Sektion am 14.2.1938, in der *DZZ* vom 17.2.1938 öffentlich angeprangert. Seine «Versuche der Prinzipienlosigkeit und der Beantwortung berechtigter Kritik mit unwürdigen Mitteln» werden «einmütig aufs schärfste verurteilt».

Huppert wird aus der deutschen Kommission des Sowjetschriftstellerverbandes und dem Redaktionskollegium der *Internationalen Literatur* ausgeschlossen; vom 12.3.1938 bis 27.4.1939 ist er in Untersuchungshaft. «Schuldfrei und reingewaschen» (Huppert) entlassen, übersetzt er dann Majakowski und lehrt als Dozent am Gorki-Institut für Weltliteratur. Nach 1941 arbeitete Huppert als Propagandist unter deutschen Kriegsgefangenen; als Major der Roten Armee kommt er 1945 nach Wien, Kulturredakteur der *Österreichischen Zeitung*. 1949 in die Sowjetunion «kommandiert», lebte er in Tbilissi und kehrte erst 1956 nach Österreich zurück.

Den Prozeß gegen Radek u. a. kommentiert Huppert in seinen Tagebüchern: «Unfaßbarer Abgrund, in den man blickt; graues Haar kann man bekommen, wenn man bedenkt, welche Schurkerei am Werke war und unsichtbar, schlau getarnt mitten im Herzen von Partei und Staat. (...) Trotzki hat mit Rudolf Heß paktiert! Unser Horizont wird weiter, geradliniger, die Front der beiden Welten vereinfacht sich.» Tagebücher in: Literaturarchive der Akademie der Künste der DDR, NL Hugo Huppert.

«Der Schriftsteller Hugo Huppert, der seit vielen Jahren in der Sowjetunion gelebt hatte und Sowjetbürgerschaftsrecht besaß, war nach seiner Verhaftung von den Schriftstellern, die nicht verhaftet waren, als Inkarnation aller Schmutzigkeit, Sowjetfeindschaft, Cliquentreiberei und geheimen Verbindungen zum Faschismus hingestellt worden. Jeder, der sich durch irgend etwas benachteiligt fühlte, versuchte, Huppert dafür verantwortlich zu machen. Er hatte die schlechten Rezensionen lanciert; er hatte darauf hingewirkt, daß Verträge annulliert worden waren, er hatte den Ruf dieses und jenes Schriftstellers bei den russischen Redaktionen untergraben. Man stellte Denkschriften zusammen und bewies schließlich, daß Hupperts ganze Vergangenheit in Dunkel gehüllt sei und daß seine Angaben über seine Parteizugehörigkeit gefälscht seien. Huppert war einer der wenigen Menschen, die nach einigen Jahren Untersuchungshaft wieder freigelassen wurden. Nach seiner Freilassung forderte er, gestützt auf die entsprechenden Erklärungen, die er vom NKWD bekommen hatte, wieder in seine alten Rechte eingesetzt zu werden. Die Schriftsteller, die niemals eine authentische Erklärung der Behörden über die seinerzeit für seine Verhaftung maßgebenden Gründe hatten, die aber – nach allgemeinem Brauch – eine gewaltige Kampagne gegen den Volksfeind Huppert geführt hatten, wurden nun ohne daß sie von irgendeiner Stelle Aufklärung über die ganze Angelegenheit Huppert bekommen hätten, vor die unangenehme Notwendigkeit gestellt, die Hand Hupperts, die sie maßlos bespuckt hatten, wieder zu ergreifen, sie taten es.» Herbert Wehner: *Zeugnis*, S. 244

Julius Hay erinnert sich an einen Mann, dessen Namen er nicht einmal andeutungsweise wiedergeben will:

«Er galt als deutscher Schriftsteller und gehörte zu Bechers Umgebung. Er war kein beliebter Mann; als er eines Tages verhaftet wurde, wunderte sich niemand. Endlich ein Fall, den ein denkender Mensch verstand. Man wußte zwar nicht, was die unmittelbare Ursache seiner Verhaftung war, aber mit seinem schlechten Charakter, seiner Bösartigkeit, seiner widerlichen Denkungsart konnte man ihm allerhand zutrauen.

Nur der weise Andor Gábor sagte nein. Dieser Mann wird zurückkommen. Wenn einer von den Verhafteten ungeschoren davonkommt und bald wieder unter uns herumlaufen wird, so wird er *es sein. ‹Ver-*

steht ihr? Wen interessiert da, ob er ein Schuft ist? Er gehört zu einer Welt, die viel stärker ist als unsere Logik und unsere Moral. Man wird ihn bald zurückschicken, und er wird in größerer Sicherheit leben, als wir alle.› Ich weiß nicht mehr, ob es Monate dauerte oder Wochen, bis das Telefon läutete: er war wieder unter uns, eingebildeter, hochnäsiger, menschenfresserischer denn je.» Julius Hay: *Geboren 1900*, a.a.O., S. 228

Wie Briefe Hupperts an Bredel belegen, suchte Huppert mehrmals Rückendeckung gegen Becher bei Willi Bredel, den er bereits bei seiner Ankunft in Moskau als «Cicerone» betreute. So schreibt Huppert im Juni 1936, nachdem er als stellvertretender Redakteur der *Internationalen Literatur* anstelle von Schmückle «eingesetzt» wurde, daß Becher ihn «konsequent ignoriere» und daß bei Becher eine «alte Abneigung oder neue Einflüsterung» mitgesprochen haben muß. Huppert trifft die Entscheidung, 1955 nicht in die Akademie der Künste aufgenommen zu werden, nicht unerwartet. «Hans der Entscheider, ist ja nie mein Fürsprech gewesen und wird es wohl in diesem Leben nie mehr werden.» Hupperts Briefe befinden sich in den Literaturarchiven der Akademie der Künste der DDR und im Willi-Bredel-Archiv.

Zu Huppert vgl. Johann Holzner: *Geglückte Integration in der UdSSR – gestörte Integration in Österreich. Anmerkungen zu Hugo Huppert*, in: Wolfgang Frühwald, W. Schieder (Hrsg.), *Leben im Exil*, Hamburg 1981, S. 122–130.

Kast, Peter (d. i. Preissner, Carl) (1894–1959):
Kunstschlosser, im Ersten Weltkrieg Marinesoldat, Haft wegen Befehlsverweigerung, 1918 Mitglied im Arbeiter- und Soldatenrat Emden, 1918 Mitglied im Spartakusbund und in der KPD, Reporter und Arbeiterkorrespondent, 1928 Mitglied im BPRS, 1928–32 verantwortl. Redakteur der *Roten Fahne*, 1932 nach dreimonatiger Haft in die CSR, nach Ausweisung in die UdSSR; 1936–39 Teilnahme in den Internationalen Brigaden, nach Internierung in St. Cyprien Flucht in die Schweiz, erneute Internierung; 1945 Rückkehr nach Berlin, Kulturredaktion des *Vorwärts*, dann Schriftsteller in der DDR.

Kurella, Alfred (1895–1975):
Studium an Kunstgewerbeschule, Maler und Graphiker, 1910 Eintritt in die Wandervogelbewegung, wo er zum «linken kulturreformatorischen» Flügel gehörte, im Ersten Weltkrieg anfangs Freiwilliger, dann Pazifist; einem Hochverratsverfahren entzieht sich Kurella durch Illegalität; Begründer der Münchner Ortsgruppe der «Freien Sozialistischen Jugend», 1918 Mitglied der KPD, 1919 als Kurier der KPD nach Moskau, Zusammentreffen mit Lenin, Angehöriger der Leitung des Russischen Kommunistischen Jugendverbandes, Vorbereitung der Gründung der Kommunistischen Jugendinternationale; als Vertreter des Russischen Kommunistischen Jugendverbandes setzt Kurella die «Linie» der Komintern gegen den auf Autonomie und Distanz zur Moskauer Komintern bedachten Willi Münzenberg durch. In seinem Lebenslauf vermerkt Kurella 1954, daß dieser Kampf dazu führte, daß «Münzenberg aus der Jugendbewegung ausgeschaltet wurde».

Als Sekretär der Kommunistischen Jugendinternationale war Kurella in zahlreichen Ländern tätig, 1924 Mitglied der KPdSU, in Frankreich Gründer und Leiter einer Parteischule, 1926–28 stellvertretender Leiter der Agitprop-Abteilung der Komintern in Moskau, 1928/29 Leiter der Abteilung Bildende Kunst im Volkskommissariat für Volksbildung; nach «ultralinken, formalistischen Fehlern» (Kurella) Rückkehr nach Deutschland zur Bewährung an der Basis, Publizist z. B. in der *AIZ* und Vorträge in der MASCH; nach einer Italienreise publiziert Kurella 1931 «Mussolini ohne Maske», 1930 strenge Rüge durch die KPD, Mitglied im BPRS, Beiträge in der *Linkskurve*, 1932 auf Vorschlag der Komintern Sekretär des «Internationalen Komitees zum Kampf gegen den imperialistischen Krieg», aus Paris abberufen.

Kurella wird 1934 «Gehilfe» Dimitroffs; wegen Teilnahme an einem geselligen Abend ehemaliger Funktionäre der Kommunistischen Jugendinternationale erhält Kurella eine strenge Rüge und wird aus dem Komintern-Apparat entlassen; nach Verhaftung seines Bruders Heinrich erhält er von der KPD die Auflage, nur mehr unter seinen Pseudonymen Bernhard Ziegler und Viktor Röbig zu publizieren; Beiträge zu Expressionismusdebatte in *Das Wort*, Redaktionsmitglied der *Internationalen Literatur*, Angestellter der bibliographischen Abteilung der Moskauer Staatsbibliothek, 1941 «Oberredakteur» in der politischen Hauptverwaltung der Roten Armee.

1943 arbeitete Kurella im «Institut 99» beim ZK der KPdSU. Von hier aus wurde die Arbeit des Nationalkomitees Freies Deutschland geleitet; stellvertr. Chefredakteur der Zeitung *Freies Deutschland*, bei Kriegsende Übersiedlung in das kaukasische Bergdorf Ps'chu; verfaßte dort «Ich lebe in Moskau» (1947) und war als Übersetzer tätig, 1949 freier Schriftsteller in Moskau, erst 1954 Rückkehr in die DDR, Direktor des Leipziger Literaturinstituts, Vizepräsident der Deutschen Akademie der Künste, Vorstandsmitglied im Schriftstellerverband: 1957–63 Leiter der Kulturkommission des Politbüros des ZK der SED, 1958–63 Kandidat des Politbüros der SED und ZK-Sekretär, maßgeblich an der Durchsetzung des «sozialistischen Realismus» und bei vielen SED-Interventionen in der Kulturpolitik beteiligt.

Das Moskauer Exil versucht Kurella im biographischen Roman «Das Zauberkraut Moly» zu verarbeiten, dessen erster Teil «Kleiner Stein im großen Spiel» 1961 erschienen ist. Die Gefährten des Odysseus, die von Kirke in Schweine verwandelt wurden, weigerten sich, mit dem Gegengift, dem «Kraut Moly», wieder in Menschen verwandelt zu werden. Von diesem Roman, der nach Kurellas Aussagen bereits in Moskau 1939–41 entstand, erschien nur der erste Teil.

In einem jüngst veröffentlichten Briefwechsel mit der nach Leipzig verbannten Dodo Garai, die ihm ausführlich über ihre Lagerhaft und das Schicksal ihres Mannes berichtet, verweist Kurella 1973 darauf, daß er «später Einzelheiten zu diesem Thema» schreiben wolle.

«Ich sprach mit Kolzow über den Fall Schmückle. Er hatte keine besonders hohe Meinung von den Emigranten, obwohl eine sein Bett teilte. (...) Er verachtete Alfred Kurella, vermutlich weil er wußte, welche unsauberen Funktionen der stotternde Essayist übernommen hatte.» Gustav Regler: *Das Ohr des Malchus*, a. a. O., S. 339

«Bei den Reinigungsprozessen nach der ungarischen Revolte, also seit 1957, wurde Kurella zum Großinquisitor. Sonderbarerweise hat er immer wieder um mein Vertrauen geworben. Ich bewahre sie noch, diese Briefe: ebenso wie seine pfäffischen Angriffe im ‹Sonntag›. Er war vermutlich ein Zerrissener.» Hans Mayer: *Der Turm von Babel. Erinnerungen an eine Deutsche Demokratische Republik*, Frankfurt a. M. 1991, S. 206

Lukács, Georg (1885–1971):
ungarischer Philosoph und Literaturkritiker, Studium in Budapest, Heidelberg, Berlin, 1918 Mitglied der KP Ungarns, Volkskommissar in der ungarischen Räterepublik, Flucht nach Wien, Herausgeber der offensivtheoretisch geprägten, «ultralinken» Zeitschrift *Kommunismus*, bis 1929 ZK-Mitglied der KP Ungarns, 1921 Teilnehmer am 3. Weltkongreß der Kommunistischen Internationale, 1923 «Geschichte und Klassenbewußtsein»; 1928, nach Vorlage seiner «Blum-Thesen», wurde Lukács «Rechtsopportunismus» vorgeworfen; nach «Selbstkritik» arbeitete Lukács 1930/31 am Moskauer Marx-Engels-Institut. Huppert notiert in seinem Tagebuch: «*Hier hat der Revisionist Lukács seit dem Vorjahr ein reiches Asyl und bequeme Schreibmöglichkeiten gefunden.*»

Bei der Besetzung durch die GPU im Frühjahr 1931 und der folgenden «Säuberung» wird Lukács wie nahezu alle anderen Mitarbeiter entlassen, 1931–33 in Berlin, Mitglied des BPRS; in zahlreichen Beiträgen für die *Linkskurve* Polemik gegen proletkultische und materialästhetische Literatur, Montage-Technik und Reportage-Romane (u. a. Bredel und Ottwalt); Entwicklung eines totalitätsorientierten, inhaltsästhetischen «Realismus» mit normativem Bezug auf Engelsche Definitionen und die Prosa des 19. Jahrhunderts.

1933 Emigration in die Sowjetunion, Hegel-Studien und Kritik der faschistischen Ideologie, zahlreiche Beiträge in *Internationale Literatur*, *Das Wort*, *Literaturny i kritik*, seit Januar 1937 Leiter des theoretisch-kritischen Teils der *Internationalen Literatur*, Mitglied des Redaktionskomitees 1936–38, Mitarbeit an der Akademie der Wissenschaften der UdSSR und des Gorki-Instituts.

In seinen autobiographischen Notizen erinnert sich Lukács: «Persönlich: nicht ohne Schwere (2 Verhaftungen). Trotzdem: menschlich harmonischstes: Verhältnis zu G. ‹Gertrud›. Nicht ‹Verschönerung›, nichts von ‹Optimismus›.»

Lukács war zwischen dem 29. 6. und 26. 8. 1941 in Haft. Nach einer Intervention von Dimitroff wurden Lukács und László Rudas aus der Haft entlassen. 1944 Rückkehr nach Ungarn, nach massiven Revisionismusvorwürfen zieht sich Lukács auf die rein «ideologische Position» zurück; 1956 beim Budapester Aufstand Erziehungs- und Kulturminister in der Regierung Nagy, nach der Niederschlagung nach Rumänien deportiert, 1957 Rückkehr nach Ungarn, Ausarbeitung seines ontologischen Spätwerkes und Kritik des Stalinismus.

«Lukács ist wieder da. Am 26. August wurde er entlassen. Man entschuldigte sich sogar bei ihm, es habe eine Verwechslung vorgelegen. Er sah schlecht aus, aber er sagte, es gehe ihm gut, und es sei vielleicht sogar nützlich, auch das kennengelernt zu haben. Natürlich konnte es wirkliche Verwechslung gewesen sein, merkwürdig war nur, daß man auch einen anderen bekannten ungarischen Genossen entließ. Vielleicht war doch eine Intervention Dimitroffs wirksam geworden.» Hedda Zinner: *Selbstbefragung*, S. 132

Vgl. Georg Lukács: *Moskauer Schriften*, hrsg. von Frank Benseler, Frankfurt a. M. 1981; László Sziklai: *Georg Lukács und seine Zeit. 1930–1945*, Weimar 1986; László Sziklai: *Georg Lukács und seine Zeit*, Berlin/Weimar 1990; István Hermann: *Georg Lukács. Sein Leben und sein Werk*, Wien 1986; László Illés: *Georg Lukács' Bemühungen um eine Realismustheorie*, in: Literaturtheorie und Literaturkritik in der frühsowjetischen Diskussion, hrsg. von Anton Hiersche und Edward Kowalski, Berlin/Weimar 1990, S. 538–572.

Most, d. i. Meyer, Heinrich (1904–1938):
Lehrerseminar, 1922 KPD-Mitglied, nach öffentlichen Auftritten für die KPD Berufsverbot als Lehrer, 1925 Redakteur bei der *Hamburger Volkszeitung*, 1926 Mitglied der Hamburger Bezirksleitung der KPD, 1927 als verantw. Redakteur zu einem Jahr Festungshaft verurteilt, danach Parteisekretär in Hamburg, 1929 Chefredakteur der *Hamburger Volkszeitung*, 1931/32 Bürgerschaftsabgeordneter in Hamburg, 1932 Sekretär und enger Mitarbeiter des Parteivorsitzenden Thälmann, im Dezember 1932 verhaftet, bis Herbst 1934 im Konzentrationslager; im Februar 1935 Emigration in die Sowjetunion, Sekretär des Politbüros der KPD, Teilnahme an der sog. «Brüsseler Konferenz» bei Moskau, Mitarbeiter im Sekretariat des EKKI, nach Entlassung aus dem EKKI Gutachter für den Staatsverlag für Unterricht und Pädagogik und Mitarbeit in der Redaktion *Das Wort*, Beiträge in *Das Wort* unter seinem Decknamen «Heinrich Most». Im August 1937 verhaftet, vom MKOG am 3. September 1938 zum Tode verurteilt und erschossen.

«Durch den geschäftigen, geschäftstüchtigen H. Meyer managten die Politbüroleute die Unterbringung zahlloser Artikel über deutsche Themen in der russischen Presse, durch die sie nicht nur Geld, sondern auch Popularität einzuheimsen erwarteten. Meyer trat bei

vielen Gelegenheiten als der Schatten und Mentor des damals mit einem Buch «Die Prüfung» bekannt gewordenen Willi Bredel auf. Meyer schrieb und verschaffte Bredel Rezensionen, und Bredel führte Meyer dort ein, wo der es nötig hatte.» Herbert Wehner: *Das Zeugnis*, S. 152f.

Ottwalt, Ernst, d. i. Ernst Gottwaldt Nicolas (1901–1943): Jurastudium, Bankangestellter, freier Journalist, Bekanntschaft mit Brecht, Wendung zum Kommunismus, 1931 KPD-Mitglied, zusammen mit Brecht Drehbuch zu «Kuhle Wampe»; nach Veröffentlichung seines Justizromans «Denn sie wissen was sie tun» polemisiert Lukács gegen dessen Montage- und Reportagetechnik in der *Linkskurve*. Vgl. zum weiteren Lebenslauf die im Dokumentenanhang abgedruckte «Kader-Akte» Ottwalts.

Am 4. 11. 1936 kommt die Kommission zur «Überführung» zu dem Urteil, daß Ottwalt nicht als Mitglied oder Kandidat in die KPdSU «überführt» werden kann. Seine Akten werden zur weiteren Untersuchung der Kaderabteilung zugeleitet. Im November 1936 wird Ottwalt zusammen mit seiner Frau Traute Nicolas, die später nach Deutschland an die Gestapo ausgeliefert wird, verhaftet. Am 1. 12. 1936 wird er bereits zum Ausschluß aus der KPD vorgeschlagen, am 28. 1. 1937 vom Politbüro aus der KPD ausgeschlossen. 1939 wird er zu fünf Jahren Lagerhaft verurteilt. Am 23. 8. 1943 kommt er in einem sibirischen Lager ums Leben.

«Zwei deutsche Schriftsteller waren verhaftet worden: Ernst Ottwalt und Hans Günther. Beide kluge, sympathische Kollegen, beide hielten wir bis dahin für gute Genossen. Nach der Verhaftung versuchten alle, in dem früheren Leben der beiden Gründe für die Verhaftungen zu finden. Ottwalt war der Sohn eines Pfarrers, kämpfte, achtzehnjährig zwar, aber dennoch, während der Novemberrevolution und im Kapp-Putsch gegen das revolutionäre Proletariat, gehörte dem «Freikorps Halle» an, leistete für die Putschisten Spitzeldienste. Voraussetzungen, die eine Verhaftung rechtfertigten? Aber Ottwalt hatte gerade über diese Zeit, über die Brutalität der Freikorps, über die Feme, sehr offen und ausführlich geschrieben. Er hatte vor der Verführung Jugendlicher durch nationalistische Demagogie gewarnt. Er selbst hatte den Weg zu den Arbeitern gefunden, war Mitglied der KPD geworden, war vor den Nazis in die Sowjetunion geflohen. Er hatte Bücher veröffentlicht, die

bewiesen, daß seine Wandlung kein Lippenbekenntnis sein konnte.» Hedda Zinner: *Selbstbefragung*, Berlin 1989, S. 101

Ähnliche Vermutungen, daß Ottwalt als Spitzel verdächtigt wurde, weil er eine Novelle, «Der Spitzel», veröffentlicht hatte, stellte Julius Hay in seinen Erinnerungen an. Die Kaderakten zu Ernst Ottwalt enthalten mehrere «Aussagen» über seine Tätigkeit bei der Reichswehr, die sich zwar als Namensverwechslungen erweisen, aber weiter verfolgt werden. Wie aus Aktennotizen der Kommunistischen Universität des Westens hervorgeht, arbeitete Ottwalt für die «BB-Familie», einen geheimen «Apparat» für Betriebs- und Militärspionage. Der ausgestreute Spitzelverdacht und die Zugehörigkeit zu diesem «Apparat» können zur Verhaftung Ottwalts beigetragen haben.

Vgl. zu Ottwalt: Andreas W. Mytze: *Ottwalt*, Berlin 1977; Karl Josef Verding: *Fiction und Nonfiction. Georg Lukács und Ernst Ottwalt*, Frankfurt a. M. 1986; Simone Barck: *Achtung vor dem Material. Zur dokumentarischen Schreibweise bei Ernst Ottwalt*, in: *Wer schreibt, handelt. Strategien und Verfahren literarischer Arbeit vor und nach 1933*, hrsg. von Silvia Schlenstedt, Berlin/Weimar 1986, S. 84–118.

Regler, Gustav (1898–1963):
Kriegsteilnahme als Offizier, 1919 Verteidigung der Münchner Räterepublik, Dr. phil., Journalist u. Schriftsteller, 1928 KPD-Mitglied, 1933 Emigration ins Saargebiet, dann nach Frankreich, zahlreiche Beiträge in antifaschistischen Zeitungen und Zeitschriften, Mitarbeit am «Braunbuch über Reichstagsbrand und Hitlerterror, 1934 Teilnahme am 1. Allunionskongreß der Sowjetschriftsteller in Moskau, 1935 Internationaler Schriftstellerkongreß zur Verteidigung der Kultur, Rüge wegen seines allzu kämpferischen Auftretens vor dem Kongreß; Regler antwortete auf diese Rüge mit einem Spottgedicht.

1936 vorübergehend Aufenthalt in Moskau, Mitarbeit bei der Redigierung des Protokolls des 1. Moskauer Schauprozesses, 1937 Internationale Brigade in Spanien und Schriftstellerkongreß in Madrid, 1939 Internierung in Le Vernet, im Lager Distanzierung vom Stalinismus; über die USA Einreise nach Mexiko, Vorstand der «Liga für deutsche Kultur», als «Verräter» von der KPD stigmatisiert; 1952 Rückkehr in die Bundesrepublik.

Vgl. seine Autobiographie: *Das Ohr des Malchus*, Köln 1958.

«Gustav Regler, den ich im Saargebiet kennengelernt hatte, wo er mit

dem Optimismus eines Mannes aufgetreten war, der sich auf beste Beziehungen zu Béla Kun und anderen gewichtigen Moskauer Persönlichkeiten verlassen zu können glaubte, tauchte in Paris ebenfalls kurz in meinem Gesichtskreis auf. Er wirkte völlig verworren und war ganz ohne seine frühere Sicherheit. Aus seinen unzusammenhängenden und widerspruchsvollen, mehr andeutenden als ausführenden Erzählungen gewann ich den Eindruck, daß er in Moskau in einen fürchterlichen Zwiespalt gezwungen worden war. Angesichts der brutalen Härte und Wucht, mit der dort die Anklagen gegen Sinowjew, Kamenew und andere, die mit dem Mord an Kirow und anderen Anschlägen gegen den Sowjetstaat in Verbindung gebracht worden waren, hinausgeschleudert wurden, fühlte Regler das Fundament, auf dem er bisher sicher gehen und bauen zu können geglaubt hatte, bersten. Er wußte noch nicht, ob er die Beschuldigungen der Anklage im einzelnen als auf Tatsachen beruhend anerkennen durfte. Aber selbst wenn es sich um Tatsachen handelt, bedeutete für ihn ihre Enthüllung eine so schreckliche Offenbarung innerer Verhältnisse der Sowjetunion und der Kommunistischen Internationale, daß ihm vor deren Auswirkungen auf die europäische Intelligenz schauderte. Deshalb hatte er, als man an ihn herangetreten war, an der Redigierung von Prozeßberichten für die Auslandspresse teilgenommen, um – wie er sagte – das Gröbste zu verhindern.»

Herbert Wehner: *Das Zeugnis*, S. 207

Wangenheim, Gustav von (1895–1975):
Schauspielschüler bei Max Reinhardt, 1915 wegen Augenverletzung Entlassung aus dem Militärdienst, im antimilitaristischen «Aktions»-Kreis um Franz Pfemfert, 1918 USPD, seit 1917 erste Stücke und Sprechchöre, 1922 KPD, 1923 Zentraler Sprechchor der KPD in Berlin, Bühnenengagements, zahlreiche Stücke, Kurzszenen, Revuen für Agitprop-Theatergruppen, Regisseur und Autor für das von ihm geleitete Theaterkollektiv «Truppe 1931», «Montage-Stücke» z. B. «Die Mausefalle».

Emigration in die Sowjetunion im August 1933, 1934/35 Künstlerischer Leiter des «Deutschen Theaters ‹Kolonne Links›» in Moskau, Szenario und Regie für den Dimitroff-Film «Der Kämpfer», Beiträge in der *Internationalen Literatur*, 1941–43 in Kasan und Taschkent, 1943–45 in Moskau, Mitglied des Nationalkomitees Freies Deutschland, Sprecher bei Radio Moskau, 1945 Rückkehr nach Berlin, SED-Mitglied, Theaterstücke für die «Jugend», Schauspieler und Schriftsteller.

«In der Zeit der großen Prozesse erhielt ich die ernsteste Lehre meines Lebens. Ich erlebte zu meinem größten Erstaunen, wie schwach meine Wachsamkeit entwickelt war. Ich lernte den schweren Kampf der Sowjetunion und der Partei der Bolschewiki gegen die verbrecherischen Feinde kennen. Der Mord an Kirow war das erste Signal, und der Mord an Gorki gehört zu den tiefsten Erschütterungen meines Lebens. Ich litt unter den vielen, zum Teil gerade auf den ersten Augenblick unfaßbar erscheinenden Verhaftungen bekannter und nahestehender Menschen, die bis zu dieser Stunde meine Genossen gewesen waren. Fast die gesamte ‹Kolonne links› gehörte dazu, meine beiden Assistenten beim Dimitroff-Film, verschiedene Schauspieler usw. Ich befand mich in dieser Zeit in einer ungeheuren seelischen Erregung, und (es) wurde mir zutiefst klar, wie verantwortlich jedes Wort, jeder Satz und jede kleinste Handlung eines Kommunisten ist. Parteilichkeit in allem, was ich denke und tue. Das war für mich die ernste Lehre aus jener Zeit. Ich hatte noch ein ernstes Erlebnis damals, das ich in diesem Lebenslauf erwähnen möchte. Wie die Erstarkung der bolschewistischen Partei und der Sowjetunion im Krieg und im Aufbau gezeigt hat, ist es damals gelungen, die Nester der vom Genossen Stalin im ZK-Plenum, Anfang März 1937, gekennzeichneten Feinde zu zerstören. Wir schwebten damals noch in Unklarheit und ahnten dumpf, was uns Stalin dann erst lehrte: ‹Der gegenwärtige Trotzkismus ist nicht eine gegensätzliche Strömung in der Arbeiterklasse, sondern eine prinzipien- und ideelose Bande von Schädlingen, Diversanten, Kundschaftern, Spionen, Mördern, eine Bande geschworener Feinde der Arbeiterklasse, die im Solde der Spione ausländischer Staaten arbeiten.› Da wir aber erlebt hatten, daß sich scheinbar bis ins Konzentrationslager treu verhaltende Genossen als korrumpierte Subjekte entpuppten, daß andererseits verhaftete Genossen nach einer gewissen Zeit rehabilitiert in die Freiheit zurückkehrten, drängte sich damals jedem ehrlichen Parteigenossen die Lehre und die Pflicht auf, Wachsamkeit mit Mut zum Vertrauen zu verbinden. Ich lernte, mir trotz alledem das Vertrauen zu guten Genossen zu bewahren. Andererseits mußte ich, wie viele andere, die Möglichkeit fürchten, bei einer Sicherheitsmaßnahme im Zusammenhang mit meinen verschiedenen, nicht immer bis ins letzte prüfbaren

Bekanntschaften ebenfalls in Mitleidenschaft gezogen zu werden. Ich sah die Möglichkeit, Vertrauen zu erwerben, für den Parteimenschen nur in der restlosen Bereitschaft, der Partei jederzeit über alles die volle Wahrheit zu sagen. Damals führte mich das zu einem scharfen Zusammenstoß mit einem sowjetischen Untersuchungsrichter, im Haus der NKWD in der Lubjanka, dem ich die Unterschrift unter sein, meiner Meinung nach, nicht in meinem Sinne geführtes Protokoll[1] verweigerte. Daß er meine Haltung anerkannte und daß sich sein ursprüngliches Mißtrauen mir gegenüber daraufhin in Vertrauen verwandelte, hat mir in dieser schweren Zeit als entscheidende Lehre gedient und zum besseren Verständnis der bolschewistischen Maßnahmen und Praktiken gedient.» Aus dem Lebenslauf des «Parteimenschen» Wangenheim (1951), Literaturarchive der Akademie der Künste der DDR, Wangenheim-Archiv.

Weber, d. i. Wiatrek, Heinrich (1896–1945):
Arbeiter in Bau-, Glas- und Metallbetrieben, 1913 Schiffsjunge, «ohne Beteiligung an revolutionären Bewegungen» als Unterseebootsmann 1919 aus Militärdienst entlassen, Eisenbahnarbeiter, seit 1927 als Schwerkriegsbeschädigter Rentner, 1922 KPD-Mitglied, Stadtrat in Gleiwitz, Gaukassierer des RFB, Bezirkskassierer der KPD, ab 1930 Mitglied der Bezirksleitung und des Sekretariats der KPD in Oberschlesien, 1928 «Anlehnung an Versöhnler», 1932 «vertretungsweise» Organisations- und Agitationsleiter in Oberschlesien, vom November 1932 bis Oktober 1934 zur Leninschule nach Moskau «kommandiert» (Deckname: Heinrich Kisch), ab November 1934 in der illegalen KPD Leiter des Bezirks Niederrhein und Mitglied der «Konzentrationsleitung» für den Westen, Teilnehmer am VII. Weltkongreß der Komintern (1935) und an der «Brüsseler Konferenz» der KPD in Moskau (Deckname: Fritz Weber), danach Leiter der Deutschen Vertretung bei der Komintern; nach einer Komintern-Sitzung im September 1936 abgelöst, zwei Monate «Gesundheitsurlaub», ab 1937 Leiter der Abschnittsleitung Nord in Kopenhagen, 1939 Teilnahme an der sog. «Berner Konferenz» der KPD bei Paris, 1939/40 Beschluß der Komintern, in Deutschland eine neue «operative» Par-

1 Vgl. auch Wangenheims «Protokoll» zu Carola Neher im Dokumentenanhang, Dok. Nr. 5.

teileitung aufzubauen, der neben Wiatrek, Knöchel und Mewis auch Herbert Wehner angehören sollte; Anfang 1940 Auflösung der Abschnittsleitung Nord, 19. Mai 1941 Festnahme in Kopenhagen, Haft im Hamburger Zuchthaus Fuhlsbüttel; 17. 5. 1943 Todesurteil durch den Volksgerichtshof; wie Mithäftlinge berichten, nach Folter und Todesurteil als «Komintern-Experte» zur Mitarbeit bei der Gestapo erpreßt, 1944 im Zuchthaus Brandenburg-Görden in Vollstreckungshaft, März 1945 Vollstreckungsanordnung.

«Weber, der seit der Parteikonferenz deutscher Parteivertreter beim EKKI gewesen war, machte auf mich den Eindruck eines geprügelten und kopfscheu gewordenen Menschen. Er bereitete sich auf seine Abreise vor und schien von der Aussicht, wegkommen zu können, erleichtert zu sein. Allmählich erfuhr ich einiges über die Vorgeschichte, die seiner Depression zugrunde lag. In den Versammlungen der Mitarbeiter des Apparates des EKKI, die unmittelbar nach dem Bekanntwerden der Verhaftungen Davids und anderer abgehalten worden waren, hatte auch Weber sogenannte bolschewistische Selbstkritik üben müssen. Das bedeutete in diesem Falle, daß er sich dafür an die Brust zu schlagen hatte, nicht durch eigene Wachsamkeit zur Entlarvung des Volksfeindes David beigetragen zu haben und nachträglich auf alle denkbaren Eigenschaften oder Handlungen Davids als auf Glieder in der Kette seiner Verbrechen einzugehen. Weber hatte jedoch gesagt, daß weder er noch irgendein anderer geahnt habe, daß der Genosse David ein volksfeindlicher Terrorist sei. Manuilski hatte mit einer scharfen Zurechtweisung Webers, wegen des Wortes Genosse in Verbindung zum Namen David, das Signal sich rasch bis zum Siedepunkt steigernden Entrüstung gegen Weber gegeben. Weber stammelte in seiner Verwirrung, daß er natürlich gemeint habe: der ehemalige Genosse David. Manuilski hetzte jedoch sein Wild noch weiter, indem er deklarierte, daß von David auch nicht von einem ehemaligen Genossen die Rede sein könnte.»

Herbert Wehner: *Das Zeugnis*, S. 212–213

Weinert, Erich (1890–1953):
Maschinenschlosser, Zeichenlehrer, 1914–18 Infanterieoffizier, Hilfslehrer, arbeitslos, Schauspieler, Kabarettist, 1924 bei Piscators «Rotem Rummel»; veröffentlicht politische Gedichte in zahlreichen linken Zeitungen und Zeitschriften, seit 1924 in über 2000 Veranstal-

tungen als Rezitator, seit 1927 Vorstandsmitglied des BPRS und Redaktionsmitglied der *Linkskurve*, 1929 KPD-Mitglied, 1931 Reise in die UdSSR, KPD-Reichstagskandidat, 1933 Vortragsreise in die Schweiz; nach Haftbefehl in Deutschland über Frankreich und das Saargebiet im August 1935 Emigration in die Sowjetunion, 1935 Teilnahme am Pariser Schriftstellerkongreß als «Fraktionsleiter der deutschen Schriftsteller», Redaktionsmitglied der *Internationalen Literatur*, Teilnehmer am Madrider Schriftstellerkongreß 1937, als Mitarbeiter des pol. Kommissariats der XI. Internationalen Brigade in Spanien 1937–39, 1939 Internierung in Frankreich, 1939 Emigration in die Sowjetunion, Arbeit im Archiv, dann Mitarbeit am Rundfunk und in der Presse; mit Walter Ulbricht und Willi Bredel bei Stalingrad in der antifaschistischen Frontpropaganda, 1943 Mitbegründer des Nationalkomitees Freies Deutschland und dessen Präsident, Anfang 1946 Rückkehr nach Deutschland, Vizepräsident der Zentralverwaltung für Volksbildung, 1950 Gründungsmitglied der Deutschen Akademie der Künste.

«Becher hatte Todfeinde unter den Moskauer Emigranten: wohl nicht unverschuldet. Erich Weinert, der vorzügliche Lyriker einer politischen Agitation im Kampf gegen das Dritte Reich und gegen Kriegsende der Präsident eines Nationalkomitees Freies Deutschland, hat den Mitemigranten Becher bis zum Schluß trotz aller Parteimitgliedschaft und gemeinsamen Prominenz inbrünstig gehaßt.» Hans Mayer, *Der Turm von Babel*, a. a. O., S. 109

Wolf, Friedrich (1888–1953):
1914–18 Truppenarzt, 1918 Kriegsdienstverweigerung, Mitglied des zentralen Arbeiter- und Soldatenrates in Sachsen, USPD-Mitglied, 1920/21 Stadtarzt in Remscheid, 1921/22 als Siedler auf dem Barkenhof Heinrich Vogelers, 1922–28 als Armenarzt in Süddeutschland, 1928 Eintritt in die KPD, 1927–33 Arzt und Schriftsteller in Stuttgart, Agitationsstücke wie «Cyankali», «Die Matrosen von Cattaro», «Der arme Konrad»; mehrere Verhaftungen wegen «Vergehen gegen § 218», 1930 und 1931 Reisen in die Sowjetunion, 1931 Gründung des «Spieltrupps Südwest», 1933 Emigration über Österreich, die Schweiz, Frankreich in die Sowjetunion, 1935 Reise in die USA, 1936 Skandinavienreise, im Dezember 1936 Ausreisegesuch an Pieck, im April 1937 wird sein Ausreiseersuchen von Apletin befür-

wortet, Pieck wendet sich an Dimitroff; im November 1937 erneutes Ausreisegesuch an Pieck, um als Truppenarzt in Spanien eingesetzt zu werden, 1938 endlich nach Paris, wo er nach Auflösung der Internationalen Brigaden verbleibt, 1939 bei Kriegsausbruch verhaftet, Internierung im Lager La Vernet bis Ende 1940, nach Erteilung der sowjetischen Staatsbürgerschaft im März 1941 Rückkehr in die Sowjetunion, seit 1941 Mitarbeiter in der politischen Hauptverwaltung der Roten Armee, 1943 Mitglied des Nationalkomitees, Mitarbeit im «Institut 99», dem nach der formellen Auflösung der Komintern gegründeten «Informbüro»; 1945 Rückkehr nach Deutschland, 1950–52 Botschafter der DDR in Polen.

In zwei Briefen aus Engels in der Wolgarepublik an seine Frau Else schildert Wolf im Oktober 1937 das Schicksal von Lotte Rayß, deren Mann verhaftet wurde: «Außer Richters und Lotte habe ich keinen bisher gesehen und habe auch kein Verlangen danach. Lotte hat es jetzt verflucht schwer. Ich habe ihren Mann noch einen Tag gesehen. Bereits am nächsten Tag war er den Weg gegangen, den so viele heute gehen. Für Lotte ist das doppelt hart. Wenn sie jetzt ihre Stellung im Verlag einbüßen würde, mit ihren kleinen Gören, aber da sie geschieden, liegt eigentlich gar kein Grund hierfür vor.»

«Meinen ersten Brief von hier wirst du haben. Ach ist das ein Leben. Lottes Jugend ist auch zum Teufel, und ich mache da ab und zu Jom Kippur[2], bin doch ein dickes Teil mitschuld, daß sie es jetzt so schwer hat. Sie selbst lehnt diese Auffassung übrigens strikt ab, findet daß alles richtig ist. Aber das ist so ein betäubender Heroismus. Tatsache ist, daß sie jetzt mit ihren zwei Kindern allein dasitzt. (...) Man möchte manchmal heulen, wenn man diese Kinder sieht.» Literaturarchive der Akademie der Künste der DDR, Friedrich-Wolf-Archiv, Mappe 280.

«Friedrich Wolf gehörte zu den seltenen Menschen, die jederzeit bereit waren, einem eine Blutspende von unverfälschtem Optimismus zu verabreichen. Sicher war das seiner großen, offenen Naivität zu verdanken. Eine strahlende Kritiklosigkeit den eigenen Werken gegenüber war in ihm mit einer fast blinden Parteitreue vereint. Er hatte Vertrauen zu sich selbst, weil er der Partei folgte, und er hing an der Partei, weil diese ihm vertraute.»

Julius Hay: *Geboren 1900*, a.a.O., S. 258

2 Wichtigster jüdischer Buß- und Fastentag, Tag der Sühnungen.

Der «Fall» Karl Schmückle

Karl Schmückle, geb. 9.9.1898 in Enzklösterle-Gompelscheuer im württembergischen Schwarzwald, 1913–16 Seminarist in Maulbronn und Blaubeuren, Berufsziel: Theologie; 1917 Infanterist; im Dresdener Lazarett wird Schmückle «zum ersten Mal mit kommunistischen Anschauungen bekannt»; 1918 in Ulm Mitglied des Soldatenrates, des «Roten Soldatenbundes» und des Spartakusbundes, 1919 KPD-Mitglied, Frühjahr 1919–20 Tübinger Stift, Studium der Philosophie und Theologie u. a. mit Carlo Schmidt und Heinrich Süßkind, Mitglied einer kommunistischen Studentengruppe; nach Beratung mit Clara Zetkin Studium der «politischen Ökonomie und des Marxismus» in Berlin, u. a. bei Gustav Mayer und Heinrich Cunow, 1921–23 Studium in Jena bei Karl Korsch, Promotion: «Logisch-historische Elemente der Utopie» (1924); Pfingsten 1923 vermutlich Teilnahme an der «Marxistischen Arbeitswoche» in Geraberg (u. a. Korsch, Lukács, Wittfogel, Pollock, Sorge), seit September 1923 Redakteur bei verschiedenen KPD-Zeitungen in Solingen, Remscheid, Breslau, Berlin und Düsseldorf, 1925 Angestellter der «Druckabteilung» des ZK der KPD in Berlin.

Durch Parteibeschluß in die Sowjetunion zum Marx-Engels-Institut als Mitarbeiter David Ryasanows delegiert, trifft er in Moskau am 2. Dezember 1925 ein; 1926 Mitglied der KPdSU. Als wissenschaftlicher Mitarbeiter Leiter der «Deutschen Gruppe» in der Redaktionsabteilung der Marx-Engels-Gesamtausgabe (MEGA), Sekretär der MEGA und Mitarbeit bei der Texterstellung und Herausgabe mehrerer MEGA-Bände, 1927 umfangreiche Rezensionen des ersten MEGA-Bandes in der *Roten Fahne*. 1928 veröffentlichte Schmückle eine zweiteilige Studie zur «Kritik des deutschen Historismus» in der Zeitschrift *Unter dem Banner des Marxismus*, deren zweiter Teil zur Kritik Friedrich Meineckes nur mehr in der russischen Ausgabe erschien.

1929 Übersetzung und Herausgabe von Lenin: Sämtliche Werke, Bd. 18, und von Plechanow: «Die Grundprobleme des Marxismus».

1929 Parteirüge wegen «versöhnlerischer Ansichten», 1930 Studie zur Staatstheorie von Thomas Hobbes.

Anfang 1931: «Säuberung» des Marx-Engels-Instituts, Besetzung durch die GPU, Entlassung des Leiters Ryasanow und von 127 Mitarbeitern, darunter Schmückle und seine Frau Änne Bernfeld-Schmückle. 1932 Mitglied der deutschen Länderkommission der IVRS, 1931–34 Redakteur und verantwortlicher Sekretär der *DZZ*. 1933 veröffentlicht Schmückle eine umfangreiche Studie, die aus der Edition der Marxschen Frühschriften hervorgeht: «Der junge Marx und die bürgerliche Gesellschaft»; 1933 Herausgabe von Luxemburg-, Liebknecht- und Zetkin-Texten, 1934 bis 15.4.1935 stellvertretender Redakteur der deutschen Ausgabe der *Internationalen Literatur*; vom 31.1.1934 bis 1.12.1934 im Moskauer Büro der MORP, zusammen mit dem befreundeten Johannes R. Becher Vorbereitung des Pariser Kongresses zur Verteidigung der Kultur; im September 1935 wird eine geplante zweimonatige Auslandsreise zur Vorbereitung eines Buches «über den proletarischen Humanismus, den proletarischen Realismus und den antifaschistischen Kampf» abgelehnt; zahlreiche Essays in *Das Wort*, *Internationale Literatur* zur Literatur-, Humanismus- und Bündnisdebatte, letzter Beitrag in der *DZZ* am 9.8.1936: «Söhne Spaniens», Verlagsmitarbeiter im «Goslitisdat» (Staatsverlag).

Am 27.8.1936 wird Schmückle in der *Literaturnaja gazeta* zusammen mit anderen Mitgliedern des sowjetischen Schriftstellerverbandes als «Parteifeind» gebrandmarkt. Am 2.10.1936 wird Schmückle aus der KPdSU «wegen politischer Schwankungen und Verbindung mit trotzkistischen Volksfeinden» ausgeschlossen. Am 8.1.1937 richtet Schmückle einen Brief an das ZK der KPD und Wilhelm Pieck, in dem er bittet, «in den Reihen der Internationalen Brigade am bewaffneten Kampf gegen den faschistischen Feind teilzunehmen». In diesem Schreiben berichtet er auch zum Stande seiner «Parteiangelegenheit»: «Meine Parteiorganisation hat am 2. Oktober beschlossen, mich auszuschließen, und zwar aus folgenden Gründen: 1. Wegen meiner alten politischen Schwankungen (bezieht sich auf meine Zugehörigkeit zu den Ultralinken von Ende 1923 bis Sommer 1925 und auf den Verweis, den ich 1929 bei der Parteireinigung wegen versöhnlerischer Ansichten in den damaligen Fragen der KPD erhalten habe); 2. wegen Verbindung mit parteifeindlichen Elementen (bezieht sich auf mein früheres Verhältnis mit zu Heinrich Süßkind und Kurt Nixdorf, wofür ich Anfang 1935 von meinem Parteikomitee eine – nicht in die Parteipapiere eingetragene – strenge Rüge erhalten habe; vgl.

meine damals an die Komintern abgegebene Erklärung); 3. wegen Preisgabe von Parteigeheimnissen an ein Nichtmitglied der KPdSU (B). (Der letzere Punkt bildete den unmittelbaren Anlaß zu dem Parteiausschluß. Ich hatte Johannes R. Becher Angelegenheiten, die in geschlossener Parteiversammlung bzw. in der Sitzung meines Parteikomitees verhandelt wurden, mitgeteilt.) – Ich vermerke, daß die Gründe für meinen Ausschluß, die seinerzeit die ‹DZZ› und die ‹Literaturnaja gazeta› angeben, nicht der Wahrheit entsprechen.

Gegen meinen Parteiausschluß habe ich bei der Kommission für Parteikontrolle Appellation eingereicht. Die Appellation ist im Augenblick noch nicht entschieden, wird aber voraussichtlich in allernächster Zeit entschieden werden. Ich hoffe, daß ich in Bälde wiederhergestellt werde. Ich werde Euch über den Fortgang der Sache informieren.

Angesichts meiner schwierigen Situation bitte ich Euch, bei Prüfung dieses Gesuchs, bei solchen Genossen, die mich persönlich näher kennen, Auskünfte über mich einzuziehen: Ich nenne hier vor allem den Gen. Willi Bredel, ferner Alfred Fedin, Mitglied der KPdSU (B), früher Zellensekretär und Redakteur bei der DZZ, Tel. E 1.26.92, Ernst Fabri (DZZ).»

Am 30.11.1937 wird Karl Schmückle vom NKWD in der Umgebung Moskaus (Moskauer Oblast) verhaftet. In einer Sitzung der «Kleinen Kommission» der KPD, zu der u.a. Wilhelm Pieck, Wilhelm Florin, Kurt Funk, d.i. Herbert Wehner, Philipp Dengel, Karl Kunert, d.i. Walter Hähnel gehören, wird dies im Januar 1938 zur Kenntnis genommen.

Am 24. Januar 1938 wurde Schmückle von einer «Kommission des NKWD und der Staatsanwaltschaft» der «Spionagetätigkeit» beschuldigt und zum Tode durch Erschießen verurteilt. Das Urteil dieser «Sonderkommission» wurde am 14. März 1938 vollstreckt.

Schmückles Lebensgefährtin Anne Bernfeld-Salomon wird 1941 beim Vorrücken der faschistischen deutschen Truppen nach Andishan in Usbekistan evakuiert. Aus Verzweiflung nimmt sie sich dort das Leben. Der 1928 geborene Sohn Michael Schmückle wächst zunächst in einem Kinderheim auf und wird später von Sophie Liebknecht, der Witwe Karl Liebknechts, in ihre Familie aufgenommen. Nach 1945 arbeitete er als Diplomingenieur für Bergbau und später als Journalist. 1983 wird er in die DDR eingeladen, wo er 1987 verstirbt.

Für die vorstehende Kurzbiographie konnten «Kaderakten» aus dem Komintern-Archiv, briefliche Mitteilungen von Albert Schmückle (1974) und Manfred Schmückle (1988) sowie schriftliche Auskünfte des KGB (1990) genutzt werden. Der Herausgeber plant eine Edition der Aufsätze und Schriften Schmückles.

Stenogramm der geschlossenen Parteiversammlung der deutschen Kommission des Sowjet-Schriftstellerverbandes

(4. bis 9.9.1936)

Vorbemerkung

Das vorliegende Stenogramm wurde in der geschlossenen Parteiversammlung der deutschen Kommission des Sowjet-Schriftstellerverbandes aufgenommen. Die Versammlung fand an vier durch einen freien Tag unterbrochenen Sitzungstagen (4.9., 5.9., 7.9., 8.9.) statt. Die stenographische Aufnahme begann erst nach den Reden des Parteiorg.[1] Gen. Barta (WKP/B) und des Genossen Gábor.

Teilnehmer[2] der Sitzung:
Gen. Apletin, ⟨Michail⟩ (Sowjet-Schriftstellerverband)
Gen. Barta, Alexander (WKP/B), Parteiorg.
Gen. Becher, Johannes R.
Gen. Bredel, Willi
Gen. Dornberger, Emma

1 Parteiorganisator, d.h. Leiter einer Parteigruppe. Die «deutsche Kommission» bildete als Parteigruppe eine Unterorganisation in der Parteizelle des sowjetischen Schriftstellerverbandes. Mit der deutschen Kommission wurde die fraktionelle und «führende» Rolle der Kommunisten in «Massenorganisationen» wie dem sowjetischen Schriftstellerverband fortgesetzt. Eine ähnliche kommunistische Fraktion (Komfraktion) existierte auch im «Bund proletarisch-revolutionärer Schriftsteller». Der «deutschen Länderkommission» des sowjetischen Schriftstellerverbandes, auch «Deutsche Sektion» genannt, gehörten auch wenige, handverlesene Nichtmitglieder von der KPD an, z.B. Adam Scharrer und Theodor Plivier.
2 Zu den Teilnehmern vgl. die vorangestellten Kurzbiographien.

Gen. Fabri, Ernst
Gen. Gábor, Andor
Gen. Günther, ⟨Hans⟩
Gen. Hay, ⟨Julius⟩
Gen. Huppert, Hugo
Gen. Kast, Peter
Gen. Kurella, Alfred
Gen. Lukács, Georg (mit Ausnahme des letzten Tages)
Gen. Ottwalt, Ernst
Gen. Regler ⟨Gustav⟩
Gen. Wangenheim, ⟨Gustav von⟩
Gen. Weinert, Erich
Gen. Wolf, Friedrich

Außerdem: Genosse Weber ⟨d. i. Wiatrek, Heinrich⟩
Genosse Most ⟨d. i. Meyer, Heinrich⟩
Genossin Annenkowa, ⟨Julia⟩ (zeitweilig)

Wegen Urlaub entschuldigt:
Gen. Bálazs, Belá
Gen. Leschnitzer, ⟨Franz⟩
Gen. Richter, Trude

Sitzung der deutschen Schriftsteller am 4.9.1936

Gen. **Günther**:

Ich habe mich gleich als erster nach Genossen Gábor gemeldet, weil in dem Bericht mein Name ziemlich oft vorkommt. Ich war mit der Absicht hierhergekommen, mehr zu allgemeinen und prinzipiellen Fragen zu sprechen. Nach dem Bericht des Genossen Gábor und nach dem Wunsch des Genossen Weber wird es viel richtiger sein, wenn ich über mich persönlich und das ganze Verhalten zu den verschiedenen Fragen spreche. Ich werde meinen Bericht sehr persönlich aufbauen, und zwar will ich es so machen: Genosse Barta ist davon ausgegangen, daß sich eine ganze Reihe konterrevolutionäre Parteifeinde eingeschlichen haben. Ich betrachte es als meine Aufgabe, meine Beziehungen[3] und mein Verhalten zu diesen verschiedenen Fragen darzulegen und zu den Dingen zu kommen, die mich unmittelbar angehen. Selbstverständlich kann ich nicht zu allen diesen 6–7 Fällen[4] sprechen, denn zu allen diesen Leuten habe ich keine persönlichen Beziehungen gehabt.

Ich beginne mit dem Fall Gles[5], weil ich wahrscheinlich mit dem am

3 «Beziehungen» gehört ebenso wie «Verbindung» zum Kanon des innerparteilichen Verdachts. Schon briefliche Verbindungen zur eigenen Familie in Deutschland oder im Exil galten der Kaderabteilung als verdächtig und wurden in den Akten peinlichst registriert. In den für die Kaderabteilung geschriebenen Lebensläufen hatten die kommunistischen Exilanten alle «Verbindungen» und «Beziehungen» vor und nach 1933 offenzulegen. In den vom NKWD fabrizierten Anklageschriften und Urteilen (vgl. im Dokumentenanhang: Carola Neher) wurden diese parteiamtlichen Denunziationen und Selbstbeschuldigungen zum Instrument des Justizterrors.

4 In der kriminalisierenden Sprache normativer Literaturpolitik werden bereits 1931 auf der zweiten Konferenz der revolutionären Schriftsteller zahlreiche «Fälle» verhandelt, so z. B. der «Fall Barbusse», der «Fall Istrati», der «Fall Sinclair». Hier wird der «unversöhnliche Kampf» gegen feindliche Strömungen wie «kleinbürgerlichen Pazifismus» und «sozialfaschistische Literatur» und gegen «rechte und linke Abweichungen» gefordert. Vgl. *Literatur der Weltrevolution*, 1931, Sonderheft.

5 **Sally Gles, d. i. Samuel Glesel**, geb. 1910, Schriftsteller, 1930 KPD, Mitarbeit an der *Roten Fahne* und *Welt am Abend*, im April 1932 in die Sowjetunion. Eine

schnellsten fertig werde. Ihr habt alle das Gutachten aus dem Jahre 1933 gehört. Selbstverständlich will ich das Gutachten in keiner Weise in Schutz nehmen. Es ist ein Fehler gewesen, daß ich damals das Gutachten gegeben habe. Ich habe Gles für keinen Unbegabten gehalten und die Entwicklung nicht vorausgesehen. Wie das Gutachten im einzelnen zustande gekommen ist, ist nicht mehr interessant. Ich könnte erwähnen, daß ich erst 3–4 Monate in der Sowjetunion war, und ich bemerke, (daß ich) bis zu dem Augenblick mit Literatur nicht mehr zu (tun) hatte, sondern rein politische Aufgaben zu erledigen hatte, so daß mein kritisches Urteil nicht so war, wie es heute ist. Das hat mit dazu beigetragen, daß ich kein richtiges Urteil über das Drama von Gles gehabt habe. Ich habe damals im schärfsten Kampf gegen die ganze Illés-Clique[6] gestanden. Wir wußten, daß Gles, der damals nicht solche Schweinereien gemacht hat, unterdrückt wurde.

Gen. **Barta**:
Ich habe Dokumente vorgelesen, wo das Gegenteil drinstand.

Gen. **Günther**:
Das kann nur später gewesen sein. Ein anderer Faktor ist, daß ich nicht mein persönliches Urteil, sondern das Urteil der literarischen Kommission schrieb, die übereinstimmend, mit Ausnahme von Fabri, zu der Meinung kam, daß das Drama brauchbar ist. Und aufgrund dieser allgemeinen Ansicht der literarischen Kommission habe

vernichtende Rezension Otto Ungers in der *DZZ* vom 26.11.1935 löste den «Fall Gles» aus. Erich Weinert verriß dann in der *DZZ* vom 24.5.1936 ein Theaterstück von Gles als «Schandfleck der deutschen Literatur». Daraufhin wurde Gles aus dem Schriftstellerverband ausgeschlossen und am 3.9.1937 in Leningrad verhaftet. Seine Frau Elisabeth wurde ebenfalls verhaftet und nach Karaganda deportiert. Der 13jährige Sohn Alexander wurde zur Bergwerksarbeit zwangsverpflichtet. Über ihr Schicksal berichtet Elfriede Brüning: *Lästige Zeugen. Tonbandgespräche mit Opfern der Stalinzeit*, Halle/Leipzig 1990, S. 13–69.

6 **Bela Illés**, Generalsekretär der «Internationalen Vereinigung revolutionärer Schriftsteller» (IVRS), die als «Armee proletarischer Schriftsteller» und «rote Literaturinternationale» die «proletarische Literatur» als «Waffe im Klassenkampf» definierte. Scharfe Abgrenzung von «bürgerlicher Kultur» und von sozialdemokratischen und «linksbürgerlichen» Schriftstellern korrespondierte mit einer proletkultischen Literaturpraxis, die jeweils am «parteilichen Standpunkt» gemessen wurde. Nach der Auflösung der «Russischen Vereinigung Proletarischer Schriftsteller» (RAPP) durch einen ZK-Beschluß (1932) wurde auch Illés aus der «IVRS» und aus der Redaktion der Zeitschrift *Internationale Literatur* verdrängt. 1936 war Illés bereits Unperson.

ich diese Meinung niedergelegt. Hätte ich eine andere Meinung hineingeschrieben, so hätte ich die Meinung der literarischen Kommission gefälscht. Das sind Erklärungen, keine Entschuldigungen. Das ist alles ganz klar, und der Fehler, der mit diesem Gutachten von mir gemacht worden ist, ist nicht zu bemänteln.

Zum Fall Schmückle.[7] Wenn es auch ein bißchen überheblich klingt, in diesem Falle bin ich überzeugt, daß ich von Anfang an die richtige Linie durchgeführt habe und in diesem Punkt mir an Wachsamkeit[8] nichts vorwerfe. Ich bin der erste gewesen, der den Kampf aufgegriffen hat. Und das zu einer Zeit, als Schmückle sich auf alle möglichen Genossen stützen und berufen konnte. Da bin ich der erste gewesen, der gegen ihn losgegangen ist[9] und in großer Zellenversammlung eine Rede gehalten hat und ihm eine ganze Reihe opportunistischer, versöhnlerischer Dinge vorgeworfen hat. Diese Rede ist zum Anlaß genommen worden, um den Fall zu untersuchen, und hat mit einer Rüge geendet, die Schmückle bekommen hat. Da Schmückle eine Selbstkritik[10] abgegeben hat, ist der Fall erledigt gewesen. Ich erwähne jetzt ein Faktum für die Verantwortung, die Ge-

7 Vgl. zu Schmückle: Der «Fall» Karl Schmückle, in diesem Band, S. 76ff.
8 Der Terminus «Wachsamkeit» gehört wie «Linie», «Stimmung», «Entlarvung» etc. zur Verfolgungspraxis und Vernichtungssemantik des Stalinismus, dessen Versatzstücke auch von den «Meistern des Worts» kolportiert werden. Rückblikkend sieht Lukács 1962 in der Stalinschen Theorie von der «unablässigen Verschärfung des Klassenkampfes» die Ursache für die «gegen alle gerichtete Wachsamkeit». Georg Lukács: *Brief an Alberto Carocci*, in: ders., *Marxismus und Stalinismus. Ausgewählte Schriften*, Bd. IV, Reinbek 1970, S. 184–185.
9 Hans Günther wurde als stellvertretender Redakteur der deutschen Ausgabe der *Internationalen Literatur* von Karl Schmückle abgelöst. Diese Funktionsenthebung trug wahrscheinlich auch dazu bei, daß Günther gegen Schmückle «losgegangen» ist.
10 Das Ritual der öffentlichen oder schriftlich abgegebenen «Selbstkritik» wurde in den innerparteilichen Machtkämpfen zum approbierten Mittel der Unterwerfung jeglicher Opposition, die die Axiome der «Generallinie» individuell oder als Gruppe in Frage stellte. «Kritik» und «Selbstkritik», anfangs noch als Exkommunikation und «Zivilhinrichtung» (Bucharin) des politischen Opponenten praktiziert, geriet in den Säuberungen der dreißiger Jahre zum tödlichen Verdikt. Schon 1928 wurde von Stalin die Abrechnung mit der Opposition in KPdSU und Komintern und der gleichzeitig inszenierte Schachty-Prozeß mit einer Kampagne zur «bolschewistischen Selbstkritik» als «Losung des Tages» verbunden. Vgl. Josef W. Stalin: *Über die Arbeiten des vereinigten Aprilplenums des ZK und der ZKK*, Referat in der Versammlung des Aktivs der Moskauer Organisation der KPdSU (B), 13. April 1928, in: ders., *Werke*, Berlin 1954, Bd. 11, S. 26–35.

nossen haben. Nun hat zwar damals mein Name auf der Zeitschrift «Internationale Literatur» nicht gestanden, ich bin vom Genossen Dinamow[11] ausgestrichen worden, weil ich sie im Zusammenhang mit der Angelegenheit Schmückle angegriffen habe. Ich habe einen Brief an das ZK geschrieben, wo ich nachzuweisen versucht habe, daß in der Zeitschrift eine gewisse reaktionäre Ideologie von Schmückle eingeführt wurde. Ich habe mir erneut den Haß des Chefredakteurs zugezogen. Das hat mich nicht gestört. Ich bin weitergegangen, und es hat sich eine gewisse versöhnliche Stimmung gegenüber Schmückle gezeigt. Ich erinnere mich, daß anfangs vom Genossen Becher der Vorschlag gemacht wurde, Schmückle in die Redaktion hineinzunehmen. Ich habe widersprochen. Ich muß auch den Fall erwähnen, weil Genosse Barta kein einziges selbstkritisches Wort gesagt hat. Genosse Barta ist derjenige gewesen, der vor wenigen Wochen auf einer Zellenversammlung ein Gesuch von Schmückle, ihm seine damaligen Parteistrafen zu erlassen, sich ausdrücklich dafür eingesetzt hat. Ich bin der einzige gewesen, der gesagt hat: Nach meiner Meinung darf die Rüge nicht gestrichen werden. Ich habe allerdings, als alle Genossen gegen mich gesprochen haben – es ist eine stark besuchte Versammlung gewesen –, mich bekehren lassen und dann dafür gestimmt. Ich erwähne das nicht, um zu sagen, ich bin ein ganz besonders kluger Kopf gewesen, sondern ich werde nachher genug Fehler aufzudecken haben, so kann ich auch darauf verweisen, daß ich (in) einer Angelegenheit richtig gehandelt habe. Es gibt eine ganze Reihe anderer Genossen, die genauso den Kampf gegen Schmückle geführt haben. So wie Bredel, Gábor und andere habe ich den Kampf geführt. Ich erwähne das, weil man meiner Meinung (nach) daraus mehr allgemeinere Lehren ziehen kann. Und man soll die Fälle nicht nur darlegen, damit der einzelne Selbstkritik übt und die Fälle als solche darstellt, sondern der weitere Zweck ist, daß wir alle etwas lernen, allgemeine Lehren ziehen.

Mein Eindruck ist, daß man uns im Falle Schmückle es nicht leicht gemacht hat, Klassenwachsamkeit zu zeigen. Schmückle hat sich auf

11 **Sergej S. Dinamow**, Chefredakteur der Zeitschrift *Internationale Literatur*, dem in mehreren Sprachen erscheinenden Zentralorgan der «Internationalen Vereinigung Revolutionärer Schriftsteller» (IVRS); im Frühjahr 1936, nach der Auflösung der IVRS, als Chefredakteur «abgelöst». Als eigentlicher Chefeditor der *Internationalen Literatur* fungierte 1937 der Direktor des Staatsverlages für schöne Literatur Nikolaj N. Nakarjow.

weit mehr Genossen stützen können als diese Genossen. Sie sind meistens in der Mehrzahl gewesen gegenüber denjenigen Genossen, die Schmückle mit Recht angegriffen haben. Ich erinnere an die Zellensitzung, wo wir den ganzen Fall Schmückle untersucht haben, wo er zwei-, dreimal versucht hat, uns zu belügen, und erst durch den Aufmarsch von Zeugen überführt werden mußte und dann zugab, wo er Behauptungen meist mit äußerster Bestimmtheit abgab, und dann Genossen auftraten und Schmückle seine Worte zurücknahm. Die Genossen sind ausgegangen davon, daß Genossen von der Komintern – Schwab[12], Reimann[13] – mit allen möglichen Mätzchen versucht haben, den Genossen Schmückle zu retten und Parteistrafen von ihm abzuwenden. Selbstverständlich ist dieselbe Geschichte mit Heinrich Süßkind[14] gewesen. Ich gehöre mit zu denjenigen, der gegen ihn den stärksten Kampf geführt hat, als er wieder auftauchte. Es ist selbstverständlich keine Frage, wie Heinrich[15] mit Schmückle zusammengearbeitet hat, um Schmückle zu stützen. Traurig ist, daß das alle Genossen unter Berufung auf die Komintern getan haben. Heinrich ist nicht aufgetreten, ohne sich auf die Komintern zu berufen. Ich bin, z. B. als

12 **Sepp Schwab** (1897–1975), 1933–35 Mitarbeiter im Deutschlandreferat des EKKI.
13 **Paul Reimann** (1902–1976), 1921 KPD-Mitglied, 1923 KP der Tschechoslowakei, Chefredakteur, ZK-Mitglied der KPTsch., 1928–35 Mitglied des EKKI, Kandidat des EKKI-Präsidiums; 1933 wegen «Rechtsabweichung» nach Moskau kommandiert, Pol-Leiter im Büro der IVRS; 1936 Rückkehr in die Tschechoslowakei, 1939 Emigration über Polen nach England; 1945 Rückkehr in die Tschechoslowakei, 1952 Hauptzeuge der Anklage im Slansky-Prozeß; als Germanist an der Vorbereitung der Kafka-Konferenz von 1963 und am «Prager Frühling» beteiligt, 1970 Ausschluß aus der KPTsch und Berufsverbot.
14 **Heinrich Süßkind**, geb. 30.10.1895 in Kolomyia (Polen), KPD-Mitglied seit 1919, 1925–28 Chefredakteur der *Roten Fahne*, 1929 als «Versöhnler» abgesetzt und zur «Bewährung» Fünfergruppenkassierer und Gewerkschaftsobmann in Berlin, 1934 Sekretär der Komintern-Kommission zum Kampf gegen Krieg und Faschismus, Pol-Leiter der IVRS, 1935 durch ZK der KPD und Internationale Kontrollkommission der Komintern wegen «Doppelzüngigkeit» für ein Jahr aus der KPD ausgeschlossen. In einem Dossier der Kaderabteilung (vgl. Anhang, Dok. Nr. 1) und in Berichten des «Nachrichten-Apparates» der KPD werden ihm «Verbindungen» zu «Versöhnlern» in der Sowjetunion und im Ausland vorgeworfen. Im August 1936 wird er verhaftet, am 3. Sept. 1936 von der KPD ausgeschlossen und am 3. Oktober durch das MKOG zum Tode durch Erschießen verurteilt. Vgl. zur Biographie Süßkinds und zur Politik der «Versöhnler» auch Heinz Brandt: *Ein Traum, der nicht entführbar ist*, München 1967.
15 Heinrich, d. i. im folgenden immer Heinrich Süßkind.

Heinrich einmal auf einer Sitzung aufgetreten ist, mich angegriffen hat, und ich ihm schärfstens geantwortet habe, am nächsten Tag zur Komintern gegangen, zu Kun[16], mit dem Resultat, daß das ein paar Wochen später zurückgezogen war. Ähnlich ist die Sache mit Reimann gewesen, der sich für Schmückle eingesetzt hat. Auch Schwab hat keine einwandfreie Haltung gehabt. Genauso ähnlich liegt der Fall mit de Leeuw[17]. Es ist ganz klar, daß alle diese Dinge den Kampf erschwert haben. Von Rechts wegen hätten wir ins Mauseloch kriechen und Schmückle als denjenigen, der die Linie der Komintern vertritt, betrachten müssen. Daß ich mir die Chefredaktion der «Internationalen Literatur» zum Feind gemacht habe, das ist keine Kleinigkeit, ich werde fast in jeder Nummer der deutschen Ausgabe der «Internationalen Literatur» gedruckt, aber bis heute erscheint nichts in der französischen oder englischen Ausgabe, in der die alte Chefredaktion und stellvertretende Redaktion sitzt. Wegen all dieser Sachen bin ich heute als Mitarbeiter aus der Liste gestrichen.

Ich glaube, Genossen, auch ich werde noch viele Fehler in puncto Wachsamkeit zugeben müssen. Aber daß wir ganz nachlässig gewesen wären, kann man nicht sagen, wo wir gegen eine Masse sogenannter Autoritäten haben ankämpfen müssen. Selbstverständlich kann das

16 **Béla Kun** (1886–1939), als Kriegsgefangener Teilnahme an der Oktoberrevolution, 1918 Vorsitzender der Ungarischen Kommunistischen Partei, 1919 Organisator und Kommissar für Außenpolitik der Ungarischen Räterepublik, im selben Jahr über Österreich nach Moskau, 1921 und erneut seit 1931 Präsidiumsmitglied des EKKI, zahlreiche Komintern-Funktionen, zunehmender Einfluß in der Komintern seit 1928, als Komintern-Sekretär der Abteilung «Krieg, Faschismus und Sozialdemokratie» zuständig auch für antifaschistische «Bündnispolitik» und «Intellektuellenarbeit». Verfasser zahlreicher Broschüren wie: *Die II. Internationale in Auflösung*, Moskau 1933 oder *Die Februarkämpfe in Österreich und ihre Lehren*, Moskau 1934.

Auf dem 7. Weltkongreß der Komintern noch als Mitglied des EKKI gewählt, wurde er bereits im Sommer 1936 von allen Funktionen in der KP Ungarns und der Komintern entbunden und zum Verlagsdirektor degradiert; am 28. Juni 1937 verhaftet, am 29. 8. 1937 vom MKOG wegen angeblicher «konterrevolutionärer Tätigkeit» zum Tode verurteilt und am 30. 11. 1939 erschossen.

Über die Präsidiumssitzung des EKKI, die zur Verhaftung Bela Kuns führte, berichtet Arvo Tuominen, der ehemalige Generalsekretär der KP Finnlands. Vgl. Arvo Tuominen: *Stalins Schatten über Finnland. Erinnerungen des ehemaligen Führers der finnischen Kommunisten*, Freiburg i. Br. 1986, S. 150–153.

17 **Alex S. de Leeuw** (1899–1942), Publizist, Beiträge in der *Internationalen Literatur*, ZK-Mitglied der KP Holland, ermordet im KZ Amersfoort.

nicht genügen, daß wir uns in der Komintern bei den zuständigen Instanzen erkundigen. Aber das darf uns nicht veranlassen, daß wir uns in dem Sinne darauf verlassen können, wenn wir einen günstigen Bescheid bekommen, daß wir sagen: Also ist der Genosse sakrosankt. Ich habe den Eindruck, daß sich Becher hat davon leiten lassen, daß er sich von diesem Gesichtspunkt hat leiten lassen, diese Genossen gelten in der Komintern, also kann ich diesen Genossen ohne weiteres vertrauen. Das war meiner Meinung nach nicht die richtige Einstellung. In erster Linie muß man sich auf sich selbst verlassen. Ich bin der Meinung, daß wir lernen sollen. Möge ein noch so günstiger Bescheid gegeben werden, das hat nicht zu bedeuten, daß wir die Augen zu schließen haben, sondern wir haben trotzdem den Genossen weiter zu beobachten und wachsam zu sein. Wenn wir über irgendwelche Dinge stutzig werden, haben wir das auszusprechen, ungeachtet auch dessen, daß an höheren Instanzen dies noch nicht bekannt ist.

Gen. **Barta**:
Was geschah konkret in deinem Fall, im Fall Brand[18]?

Gen. **Günther**:
Im Falle Schmückle ist es klar, da habe ich einen ununterbrochenen Kampf geführt. Es gibt 4 oder 5 Erklärungen von mir. Genauso liegt der Fall Heinrich. Ich habe ihn sofort der Komintern, Genossen Kun, gemeldet, der zuständig war, außerdem Meldung[19] in der MORP gemacht. Alle diese Dokumente besitze ich noch in der Kopie. Jetzt gehe ich zum nächsten Fall über. Das ist der Fall Brand. Im großen und ganzen kann ich sagen, daß meine Beteiligung auf keiner anderen Linie verlaufen ist als meine Beteiligng zum Fall Schmückle, zum Fall

18 **Gustav Brand** (geb. 1902), Schriftsteller, KPD-Mitglied 1922–23, Mitglied der KPTsch 1923–26, seit 1926 in der UdSSR, Fabrikarbeiter in der Ukraine, seit 1928 Mitarbeiter der «Deutschen Zentral-Zeitung». Seit 1926 Mitglied der KPdSU, 1936 verhaftet, weiteres Schicksal unbekannt.
19 Hans Günther liefert mit seinen «Meldungen», wie andere Sitzungsteilnehmer auch, bei der «Internationalen Vereinigung Revolutionärer Schriftsteller» (russ. Abkürzung MORP) Beweisstücke für jene exorzistische Kette des gegenseitigen Verdachts, die 1936 tödliche Konsequenzen nach sich zog. Die babylonischen Papiertürme von «Meldungen», «Dossiers», «Berichten» und «Kaderakten» erschlugen dann zuletzt auch die anzeigenden Individuen und die Mitarbeiter von «Instanzen».

Heinrich. Ich bin mit dem Fall Brand zum erstenmal bekanntgemacht worden, als ich offiziell das Manuskript des Romans bekam und man mich ersuchte, das Manuskript zu lesen und mich vorzubereiten auf die Sitzung, wo ich meine Meinung sagen sollte. Das ist gewesen, als bereits die lobende Rezension des Genossen Gábor vorlag. Damals bin ich herangetreten mit der Auffassung: Es gibt widerstreitende Meinungen. Du bist Literaturkritiker. Lies das Manuskript, und was du feststellst, ist für dich maßgebend. Ich habe das Manuskript gelesen und bin zu der Meinung gekommen, daß es sehr schwere trotzkistische Fehler enthalte. Und obwohl ich bis dahin in Freundschaft zu Gábor gestanden habe, bin ich aufgestanden, habe diese meine Meinung begründet und konkret aufgezeigt, in welchen Kapiteln dieser Trotzkismus wirklich besteht. Und ich habe erklärt, daß es unmöglich ist, das Manuskript in dieser Form zu drucken, und habe scharfe Worte gegen Gábor gesagt. Niemals kann ich sagen, daß ich nicht wachsam gewesen sei. Es ist so, wie mir alle anderen Genossen sagten, daß ich die klarste Analyse gegeben habe, die alle anderen Redner, mit Ausnahme von Gábor, akzeptiert haben. Warum erwähne ich das so breit? Weil hier ein Punkt ist in der Erklärung des Genossen Gábor, der nicht ganz stimmt. Gábor hat gesagt, daß er sich stark beeinflussen hat lassen, weil er die Front gegen sich hatte, die aus Reimann, Süßkind bestanden hat. Die Front in der Brand-Sache hat nie aus diesen Leuten bestanden, sondern aus Genossen Barta, der sich gegen den Roman erklärte mit der Begründung, er ist trotzkistisch. Daß das nicht erfunden ist, brauche ich nicht zu beweisen. Z. B. Genosse Barta ist dabei gewesen, auch Becher und andere Genossen. Genossen, die Tatsache, daß Reimann und Süßkind auch gegen den Roman von Brand waren, hat mich nicht im geringsten Maße beeinflußt, deswegen muß ich dafür sein. Ich habe deswegen den Kampf gegen Reimann und Süßkind nicht aufgegeben, sondern diese weiter bekämpft. Deswegen, weil diese dafür gestimmt haben, war der Roman Brands nicht mehr oder weniger trotzkistisch.

Jetzt geht die Sache weiter. Was ist auf der Sitzung beschlossen worden? Das ist eine Sache, die Gábor nicht zur Sprache gebracht hat, die man aber erwähnen muß. Am Ende der Sitzung wurde beschlossen, der Roman ist trotzkistisch, meine Analyse ist zugrunde gelegt und begründet worden. Zweitens: Der Roman wird als eine Art Bekenntnis eines Trotzkisten, der zur Partei zurückführen wollte, betrachtet. Deshalb, und niemand hat an der Ehrlichkeit dieses Wollens gezweifelt, wurde eine Kommission eingesetzt, die mit Brand sprechen sollte und die versuchen sollte, ihn zu einer Umarbeitung zu bringen.

Gen. **Barta**:
Wer war alles in dieser Kommission?

Gen. **Günther**:
Wer alles drin war, weiß ich nicht mehr. Ich weiß, daß ich drin war. Ich glaube Illés noch, in erster Linie. Daß Illés und ich in dieser Kommission waren, weiß ich bestimmt.

Darauf ist es zu Besprechungen zwischen Brand und mir und zwischen Brand und Illés gekommen, und zwar aufgrund des Auftrages, den ich bekommen hatte. Ich habe Brand genauso offen meine Meinung gesagt und ihm klipp und klar auseinandergelegt, worin der Trotzkismus besteht. Ich will das nicht hier im einzelnen aufführen. Brand hat sich damals so verhalten, daß er gesagt hat, die Entwicklung, die der Trotzkismus inzwischen genommen hat, sei ihm nicht bekannt. Seit er in der Sowjetunion sei, habe er nichts mehr gehört. Ich habe ihm gesagt als erstes: Die heutige Einstellung des Trotzkismus ist die, daß er eine Trennung zwischen der Sowjetunion als solcher und der sogenannten Bürokratie macht, nach meiner Meinung eine sehr wichtige Angelegenheit, als sich aus dieser Ideologie der Übergang zum heutigen Banditentum ohne weiteres erklärt. Das ist nur ein Schritt bis zum individuellen Terror. Ich habe Brand überführt, daß davon ganz deutliche Dinge in seinem Roman sind, daß die Parteimitglieder fast ausnahmslos irgendwie defekte Abirrungen haben. Allein ein wirklicher Bolschewik, der die Parteilinie nicht nur vertritt, sondern mit Herz und Seele dabei ist, von einem solchen war in dem ganzen Roman keine Rede. Und der einzige, der sich wirklich zum Bekenntnis der Sowjetunion entwickelt hat, ist ein ausländischer Arbeiter, der ein Parteiloser ist, während alle Parteigenossen irgendwie defekte Menschen waren. Brand hat damals erklärt, er sieht das ein und will die ganze Sache ändern. Er hat bestimmte Vorschläge gemacht, und wir haben angenommen, er würde an der Umarbeitung sitzen. Außerdem haben wir mit ihm gesprochen über verschiedene lumpenproletarische Elemente.

Was habe ich weiter für Beziehungen gehabt? Erstens, daß ich im Auftrage der Partei mit ihm sprechen mußte. Zweitens die Tatsache, daß ich Leiter der Arbeitsgemeinschaft[20] war, hat dazu geführt, daß Brand zu mir gekommen ist und mit mir über dieses oder jedes gesprochen hat. Das ist bis in die letzte Zeit (so) gewesen. Das ist kein Einzelfall, sondern es geht mir genauso wie Genossen Gábor. Zu mir kommen jede Woche 3–4 Genossen, die Rat haben wollen, und einer von denen ist Brand gewesen. Was wir in all diesen verschiedenen Gesprächen behandelten, sind allgemeine literaturtheoretische Fragen gewesen. Also z. B. die Frage der Nachahmung von Joyce[21]. Ich habe ihm das auch ausreden müssen. Parteifeindliche Äußerungen sind während der ganzen Zeit nicht gefallen.

Gen. **Barta**:
Hat er sich nicht auch über die Stachanowbewegung[22] geäußert?

Gen. **Günther**:
Aber keineswegs in irgendeinem negativen Sinne. Das einzige, was mir aufgefallen ist, sind verschiedene lumpenproletarische Züge, sein Hang zu Kraftworten und Schweinigeleien und seine Einstellung zur Frau, daß er die Frau unterschätzt hat usw. Ich habe manchmal zwei bis drei Stunden mit ihm über diese Dinge gesprochen. Ich habe ihm

20 In der Deutschen Sektion der «Internationalen Vereinigung Revolutionärer Schriftsteller» wurden seit 1933 mehrere «Arbeitsgemeinschaften» eingeführt: Lyrik (Leitung: J. R. Becher), Prosaliteratur (Leitung: A. Gábor), Theorie und Kritik (Leitung: Hans Günther, Paul Reimann). Diese literaturpolitischen Arbeitsgemeinschaften wurden Mitte 1936 ebenso wie die politischen Arbeitskreise der KPD eingestellt. Solche Organisationsformen waren mit den Moskauer Prozessen durch den permanenten Verdacht von «Verbindungen» obsolet geworden.
21 Das «morbide Interesse» an James Joyce kritisierte der offiziöse KPdSU-Vertreter Karl Radek bereits 1934 auf dem 1. Allunionskongreß der Sowjetschriftsteller «als eine unbewußte Äußerung der Neigungen gewisser rechtsgerichteter Autoren, die sich opportunistisch mit der Revolution abgefunden haben, in Wirklichkeit aber ihre Größe nicht begreifen». Radek liefert mit seinem Redebeitrag, ähnlich wie das ZK-Mitglied Andrej Zdanov, die kanonisierten Merkmale des «sozialistischen Realismus», wie «Parteilichkeit», «Volksverbundenheit», «Widerspiegelung» und «weltweite Maßstäbe». In der Abrechung mit dem «Formalismus» wird nicht nur James Joyce das Odium der Dekadenz angehängt.
22 Vgl. dazu Robert Meier: *Die Stachanov-Bewegung 1935–1938. Der Stachanovismus als tragendes und verschärfendes Moment der Stalinisierung der sowjetischen Gesellschaft*, Stuttgart 1990. Zahlreiche heroisierende Beiträge zur Stachanov-Bewegung erschienen in der *DZZ*. Vgl. auch Josef W. Stalin: *Rede in der ersten Unionsberatung der Stachanowleute*, in: *Sowjetunion 1936. Reden und Berichte*, Moskau 1936, S. 9–27.

gesagt, daß ich seine Neigung für Schweinigeleien für unwürdig halte usw. Aber von irgendwelchen parteifeindlichen Äußerungen ist mir nichts bekanntgeworden. Jetzt kommt der andere Schritt, den ich nicht länger zu erwähnen brauche; nämlich welche Gerüchte mir zu Ohren gekommen wären, vor allem über die Auseinandersetzung zwischen Huppert, Olga[23] und Barta. Da habe ich diesen Schritt unternommen, daß ich zunächst mit der Genossin Olga zur Komintern gegangen bin, um mich zu erkundigen, um zu versuchen, einen Schritt weiter zu bringen, um Brand zu entlarven. Was wir erreicht haben, brauche ich nicht zu wiederholen.

Gen. **Barta**:
Ich habe eine Frage zu dieser Angelegenheit. Waren dort in einer Wohnung Zusammenkünfte, wo Brand und Schellenberg[24] zusammen waren, Kartenpartien usw.?

Gen. **Günther**:
Den Schellenberg habe ich überhaupt nicht gekannt. Ich habe nicht zu dieser Kommission gehört. Also habe ich ihn erst in Moskau kennengelernt, als er übersiedelte. Ich habe nur soweit Verbindung[25] gehabt,

23 Olga Halpern-Gábor.

24 **David Schellenberg** (1903–1954), geb. bei Lukaschewo im Gebiet Dnjepropetrowsk, aufgewachsen in Halbstadt in der Mennoniten-Kolonie in der Südukraine, Studium am Moskauer und Leningrader Pädagogischen Institut, Mitarbeit in der Leningrader Assoziation Proletarischer Schriftsteller. Verfasser von Erzählungen sowie den Romanen «Lechzendes Land» (1930) und «Pundmenniste» (1932); «Lechzendes Land» wurde auch in der Wiener *Roten Fahne* nachgedruckt; Herausgeber der Sammlung sowjetdeutscher Dichtung (Charkow/Kiew 1931); Sekretär der Moskauer Assoziation Proletarischer Schriftsteller 1932, Redakteur der *DZZ*, Redakteur der Zeitschrift *Der Sturmschritt*. Diese in Charkow (Ukraine) erscheinende «literarische deutsche Zeitschrift» war bereits 1934 durch eine «Brigade des Orgkomitees», bestehend aus Barta, Gábor und Huppert von angeblichen «Faschistenagenten» «gereinigt» worden. Schellenberg, 1934 an der «Entlarvung» von «Schädlingen» beteiligt, wird bereits im August 1936 aus der KPdSU ausgeschlossen und verhaftet. Nach jahrelanger Lagerhaft an der Kolyma ist er nach 1945 als Lehrer in Ost-Mutsch (Gebiet Magadan) tätig. Vgl. zu seiner Bibliographie Meir Buchsweiler, Annelore Engel-Braunschmidt, Clemens Heithuis: *Bibliographie der sowjetdeutschen Literatur von den Anfängen bis 1941*, Köln/Wien 1991; *Sammlung sowjetdeutscher Dichtung*, Charkow 1931, Reprint Hildesheim 1990 (Auslandsdeutsche Literatur der Gegenwart, Bd. 22).

25 Das stalinistische *catchword* «Verbindung» taucht in der phantasmagorischen Welt von Verschwörungsnetzen immer wieder auf. Vgl. z. B. die Fragestellungen Wyschinskis im ersten Moskauer Schauprozeß: *Prozeßbericht über die Straf-*

als er auf die Arbeitsgemeinschaft gekommen ist. Das erste Mal, daß er mit mir in Verbindung getreten ist, hat es sich um Gedichte gehandelt. Ich habe die Gedichte nie gelesen. Er sagte, daß er bei Gábor gewesen sei, der ihn sehr scharf kritisiert hätte, daß er zu Ottwalt gegangen sei, Ottwalt das ihm ausgeredet habe, und daß er einen Schiedsrichter haben möchte. Daraufhin habe ich ihm gesagt, ich will der Schiedsrichter sein, bringe die Gedichte. Die Verbindung ist so locker gewesen, daß ich nie wieder mit ihm zusammengewesen bin. Er hat mich nie wieder in dieser Sache konsultiert. Ich habe keine weiteren Verbindungen mit ihm gehabt, bis ich voriges Jahr in Gelenzowka[26] war und dort auch Schellenberg war. Er ist noch ungefähr 8–10 Tage dort geblieben. Während dieser Zeit habe ich 7 Tage im Bett gelegen. Beim Abschied kam er zu mir ans Bett, ich habe vielleicht 2–3 Stunden mit ihm sprechen können. Dabei hat es sich um Manuskripte von mir gehandelt. Weil ich krank im Bett lag, ist er und noch zwei andere Genossen, z. B. der Bruder von Hidas[27], der kleine Hidas...

Gen. **Barta**:
Hidas ist ausgeschlossen.

Gen. **Günther**:
Es sind auch andere gewesen, wie z. B. Gurewitsch. Kurz, im Erholungsheim ist auch aufgekommen, Karten zu spielen. Sie sind gekommen, und wir haben Karten gespielt. Irgendwelche politischen Gespräche habe ich nicht mit ihnen geführt. Dann bin ich zurückgekommen und habe keine Verbindung mit Schellenberg gehabt. Dann ist er einmal zusammen mit Brand bei mir gewesen, wo wir Karten gespielt haben, eben in Erinnerung daran, daß wir in Galenzewka gespielt haben.

sache des Trotzkistisch-sinowjewistischen terroristischen Zentrums, Moskau 1936, S. 83–88.

26 Wahrscheinlich Erholungsheim in Schelesnowodsk im Kaukasus.

27 **Antal Hidas** (1899–1980), ungarischer Schriftsteller, Mitglied des IVRS-Sekretariats, stellvertretender Redakteur der *Internationalen Literatur* bis zu seiner «Ablösung» im Frühjahr 1936; verheiratet mit Agnes Kun, der Tochter Béla Kuns; kehrte als Opfer der stalinistischen Repression erst in den fünfziger Jahren nach Ungarn zurück.

Gen. **Barta**:
Das ist eine ernste Frage.

Gen. **Günther**:
So sehr ernst scheint das nicht zu sein, daß ich daraus kein Geheimnis mache. Ich habe es Barta selbst erzählt. Wenn ich vielleicht zusammenfassen darf. Irgendwelche besonderen Vorwürfe kann ich mir leider im Falle Brand machen. Wo mir irgendwie Abweichungen von der Ideologie der Partei bekanntgeworden sind, habe ich sie schonungslos bekämpft, aber daß ich konkret parteifeindliche Äußerungen bei ihm feststellen konnte, davon ist keine Rede gewesen. Die Grundtatsachen seines Romans habe ich mir nicht vorgeworfen. Ich bin auch hier in meinem Urteil nicht erschüttert worden, als man mit Autoritäten kam. Als ich hörte, daß Genosse Radek[28] feststellte, daß im Roman Brands keine trotzkistischen Züge sind, habe ich gesagt, das kann mich nicht erschüttern. Daß meiner Meinung nach trotzkistische Elemente im Roman sind.

Gen. **Barta**:
Das ist richtig.

Gen. **Günther**:
So sehr ich leugne, irgendwelche konkrete politische Fehler in bezug auf Wachsamkeit gemacht zu haben, gebe ich etwas anderes zu: die Tatsache, daß bei uns 7 oder 8 konterrevolutionäre Parteifeinde, Doppelzüngler, dagewesen sind und bis zu(m) Ende kein einziger entlarvt worden ist, wenn wir auch mit an der Entlarvung beteiligt sind. Daß bis zu(m) Ende kein einziger entlarvt ist, das ist ein Faktum, das uns stutzig machen muß. Ich ziehe daraus die Lehre, daß vollständig richtiges Verhalten nicht vorhanden ist. Ich habe mir überlegt, ob ich nicht im Falle Brand, Schellenberg – obwohl ich zu den letzten gehöre, die die engste Verbindung zwischen Politik und Literatur bestreiten – doch zu viel auf Literatur eingegangen bin und über der Literatur das Politische versäumt habe, in dem Sinne, daß die Wach-

28 **Karl Radek** wurde bereits im ersten «Moskauer Schauprozeß» (19.–24. August 1936) der «verbrecherischen, konterrevolutionären Tätigkeit» bezichtigt. Gegen diese «Unperson» galt es sich nun, nicht nur für Günther, zu beweisen.
Im zweiten «Moskauer Schauprozeß» wurde Radek am 30. Januar 1937 zu zehn Jahren Gefängnis verurteilt und in der Lagerhaft durch einen vom NKWD gedungenen Kriminellen erschlagen.

samkeit noch längst nicht genügend war, und (ich) in Zukunft meine Wachsamkeit zu verdoppeln habe. Das ist für mich keine Frage und die ernsteste Lehre gewesen.

Jetzt gehe ich zum Schluß auf die Dinge ein, die mich unmittelbar berühren. Das ist die Versammlung, die im Sowjet-Schriftstellerverband stattgefunden hat, und zwar diese ausgesprochene Demonstration gegen die sinowjewistisch-trotzkistische Bande, aus der Becher und ich fortgegangen sind. Ich habe bereits eine schriftliche Erklärung abgegeben. Daß ich dort weggegangen bin, ist ein schwerer politischer Fehler gewesen. Die Erklärung liegt darin, daß ich zu wenig russisch verstehe. Ich habe zusammen mit Genossen Becher gesessen, und Becher hat mich aufgefordert, die Rede zu übersetzen, was ich schlecht übersetzte. Ich berufe mich nicht darauf. Es ist so, daß ich gut russisch lesen kann und russisch sprechen kann. Aber es ist bei mir ein Mangel: Wenn schnell russisch gesprochen wird, kann ich nichts verstehen. Schließlich hat Ottwalt noch mehr verstanden als ich. Ich habe nicht gehört, daß Genosse Stawskij[29] von Bucharin[30] und Radek gesprochen hat. Das ist mir nicht aufgefallen, was Ottwalt verstanden hat. Das ist der Grund, weswegen ich weggegangen bin.

Gen. **Barta**:
Das ist noch nicht einmal ein Grund.

Gen. **Günther**:
Ich kann mir nicht irgend etwas aus den Fingern saugen. Ich habe auch nicht die Absicht, die Schuld auf Becher abzuschieben. Das ist nicht wahr, daß ich mich durch einen anderen habe verführen lassen. Du darfst nicht vergessen, daß ich an vielen russischen Versammlungen teilgenommen habe, wo ich nichts verstanden habe. Das ist ein

29 **Wladimir Stawskij**, Sekretär des sowjetischen Schriftstellerverbandes.
30 **Nikolai I. Bucharin** (1888–1938), seit 1906 Mitglied der SDAPR, mehrmals verhaftet, 1911 Flucht aus der Verbannung ins Ausland, Zusammenarbeit mit Lenin, im Frühjahr 1917 Rückkehr nach Moskau, 1917–34 Mitglied des ZK, 1917–29 Chefredakteur der *Prawda*, seit 1919 Kandidat und Mitglied des Politbüros (1924–29) des ZK der KPdSU, Exekutivkomitee der Komintern, Akademie der Wissenschaften. Als Gegner der Politik Stalins im April 1929 als Chefredakteur entlassen und wegen «rechter Abweichung» im November 1929 aus dem Politbüro ausgeschlossen; 1934 Chefredakteur der *Iswestija*, Anfang 1937 aus dem ZK und der KPdSU ausgeschlossen, verhaftet und im dritten Schauprozeß vom 2.3. bis 13.3.1938 zum Tode verurteilt. Am 15.3.1938 wurde Bucharin, von Lenin «Liebling der Partei» genannt, erschossen.

Zustand, der einen zermürbt und wo man nicht selber aktiv teilnimmt. Das ist bei mir das einzige gewesen. Mir war in keiner Weise in dem Moment die Bedeutung der Versammlung bewußt, daß die Anwesenheit der deutschen antifaschistischen Schriftsteller von besonderer Bedeutung ist und daß es gerade auch in Anbetracht dessen ein besonderer Fehler war, daß wir hinausgegangen sind.

Gen. **Most**:
Darin liegt der eigentliche Grund.

Gen. **Günther**:
Bewußt ist mir genug gewesen. Und ich kann dir einige Genossen sagen, mit denen ich vorher gesprochen habe, daß ich das mit als das wichtigste Faktum dargestellt habe. Was ich zugebe, das ist: in dem Moment habe ich daran nicht gedacht, ist es mir nicht bewußt gewesen. Nachdem die Versammlung sich erhoben, eine Ovation für Stalin ausbrachte, haben wir angenommen, damit ist dieser Teil erledigt. Wir sind nicht darauf gekommen, daß das Telegramm ausgearbeitet und darüber abgestimmt wird. Wir haben uns eingebildet, damit ist der eigentliche, der wichtigste Teil erledigt. Wir sind vielleicht erst 20 Minuten vor Schluß weggegangen. Ich habe die Reden von Bredel, Germanetto[31] gehört. Diese Erklärungen haben nichts zu bedeuten, ich erkläre sie nur der Vollständigkeit halber. Wir haben beide die Bedeutung der Versammlung nicht einzuschätzen gewußt, und es ist ein schwerer politischer Fehler gewesen, daß wir vor Schluß der Versammlung weggegangen sind.

Jetzt kommt ein zweiter Faktor. Genosse Barta hat die Tatsache, daß wir aus der Versammlung weggegangen sind, mit einer bestimmten Stimmung, die Becher und ich gehabt haben, als wir 1933 aus Prag nach der Sowjetunion gekommen sind, in Verbindung gebracht; zweifellos hat Genosse Barta dieses Faktum nicht so scharf erwähnt, in der Absicht eine Verbindung zu konstruieren, wobei er hinzufügte, daß er nichts Näheres über diesen Vorfall weiß. Welche Bedeutung hat das? Er will unserem Weggehen ein politisches Motiv unterschieben, in dem Sinne, die Genossen Günther und Becher haben damals schon

31 **Giovanni Germanetto**, ital. Schriftsteller, zugleich Vertreter der RGI, im Redaktionskomitee der *Internationalen Literatur* bis Frühjahr 1936. Zu seiner Biographie vgl. Giovanni Germanetto: *Genosse Kupferbart*. Mit einem Vorwort von Palmiro Togliatti, Berlin 1958.

bestimmte Hemmungen gehabt, und wahrscheinlich steht das jetzt mit ihrem Weggehen in Zusammenhang, wahrscheinlich haben sie bestimmte Hemmungen gehabt. Anders kann ich mir nicht erklären, daß er diesen alten Vorfall vorgebracht hat. Gegen diese Andeutung muß ich mich schärfstens verwahren. Da ich zugegeben habe, daß das Weggehen ein so schwerer Fehler (gewesen ist), daß jemand auf den Verdacht kommen konnte, da muß etwas dahinterstecken. Daß man dies mit früheren Sachen in Verbindung bringt, muß ich aufs schärfste zurückweisen. Wenn es nötig ist, bin ich gern bereit, eine Einschätzung über den Prozeß zu geben und auf Fragen zu antworten. Ich beschränke mich darauf, zu erklären, daß meine Einstellung zum Prozeß gegen Sinowjew–Kamenew, meine Einstellung zur Beurteilung des Urteils und des Verhaltens Trotzkis nicht im geringsten von der Partei abweicht, nicht erst seit jetzt, sondern seit Jahren. Das ist meine Einstellung, vom ersten Tage unverändert bis heute. Von irgendwelchen politischen Motiven ist keine Rede.

Wie steht es mit dem Vorfall aus dem Jahre 1933? Vorher möchte ich mit Absicht über gewisse Ausdeutungen sprechen, die dieser Vorfall von 1933 auf einer Sitzung bekommen hat, auf der ich leider nicht dabei war. Man hatte schon einmal über die Frage unseres Weggehens gesprochen. Ich weiß nicht, wie Becher sich verteidigt hat. Jedenfalls habe ich gehört, daß in dieser Sitzung davon gesprochen worden sei, daß wir diesen Vorfall so auslegen würden, daß wir eigentlich Kritik geübt hätten, aber recht gehabt hätten. Also wir haben z. B. kritisiert, daß die deutsche Partei und die Arbeiterklasse eine Niederlage[32] erlitten hat und daß die Partei das nicht erkannt hat. Oder wir haben kritisiert, daß sich die deutsche Partei dem zu starr gegenübergestellt hat. Also auch ein Umstand, der auf dem 7. Weltkongreß zur Debatte gestanden hat. Ist es so gewesen, daß wir damals große Helden gewesen sind, daß wir die Reden des Genossen Dimitroff auf dem 7. Weltkongreß vorweggenommen haben? Ich erwähne das nur, wenn es solche Anspielung irgendwie gegeben hat. Ich kann gar nicht scharf genug sagen, wie ich mich davon abtrenne. Die Kritik, die wir geübt haben, als wir aus Prag kamen, war nicht nur im Zeitpunkt

32 Trotzki kommentierte 1933 die Politik der Parteibürokratie: «Sie nennt ‹Defätisten› nicht jene, die die Niederlage herbeiführten – sonst müßte sie sich selber nennen –, sondern jene, die aus der Tatsache der Niederlage die notwendigen Schlußfolgerungen ziehen.»

verfrüht, sondern überspitzter, unklarer, wie alles, was nachher in bezug auf die Haltung der deutschen Partei gesagt worden ist, so daß wir schon dadurch keinen Grund hatten. Sondern es ist klar, daß wir aus gewissen Depressionsstimmungen[33] gesprochen haben und daß selbstverständlich alles in ein schiefes, grundfalsches Licht gekommen ist, so daß unser Verhalten vollkommen falsch war. Ich muß allerdings einen gewissen Unterschied machen. Nach meiner Meinung kann man diesen Vorwurf nicht überspitzen. Niemand hat mir gesagt, daß dieses Verhalten parteifeindlich war. Um zu begründen, wie wenig wir an etwas Parteifeindliches gedacht haben, ist zu erwähnen, daß wir beide uns auf der Reise eingeredet haben, daß die Führer der Komintern zu schlecht informiert seien. Wir sind beide mit dem felsenfesten Vorsatz gefahren, zu dem Genossen Manuilski[34] vorzudringen und ihm zu sagen, was wir auf dem Herzen haben. Selbstverständlich auch zur deutschen Partei. Wir wollten zum Genossen Heckert[35]

33 Die individuelle «Abweichung» von der offiziellen Komintern- und KPD-Linie, die den Sieg des Faschismus nicht als Niederlage der Arbeiterklasse bewertete, wurde als «Depressionsstimmung» qualifiziert. Obwohl 1935 der VII. Weltkongreß sich inzwischen zur offiziellen «Einschätzung» einer «Niederlage» durchgerungen hatte, wurde den Mitgliedern diese frühere «richtige» Abweichung als «unzeitig» und «falsch», weil nicht parteioffiziell, vorgehalten. Die disziplinierte Unterwerfung unter die tabuisierte «falsche» Linie wird als «richtig» gefordert. Auch nachträglich wird das Wahrheits- und Weisungsmonopol rigide durchgesetzt und zugleich von den bußfertigen «Abweichlern» abzeptiert.

Bereits bei dem Ausschluß Bucharins aus der Komintern wurde ihm 1929 die «Propaganda des Pessimismus, der Mutlosigkeit und des Unglaubens an die Kräfte der Arbeiterklasse» und die Verbreitung von pessimistischen «Stimmungen» vorgeworfen.

34 **Dimitri S. Manuilski** (1883–1959), nach dem Sturz Bucharins von 1929 bis 34 faktischer Leiter der Komintern, 1935 als Stellvertreter Dimitroffs; Mitglied des Exekutivkomitees der Kommunistischen Internationale und ZK-Mitglied der KPdSU.

35 **Fritz Heckert** (1884–1936), Mitglied des KPD-Politbüros, seit Ende 1932 Vertreter der KPD beim EKKI; 1934 wurde er durch Hermann Schubert abgelöst, 1935 Sekretär der RGI. Bereits Anfang 1936 wurde gegen die RGI eine «Untersuchung» durchgeführt, die zu ihrer «Auflösung» führte. Heckert verstarb am 6.4.1936. Über Heckerts Tod schreibt Arvo Tuominen: «Heckert, ein angesehendes Mitglied des Exekutivkomitees der Komintern, kam in Moskau unter Umständen ums Leben, die den Verdacht rechtfertigen, auch er sei nicht eines natürlichen Todes gestorben, obwohl man ihm eine besonders feierliche Beisetzung gewährte – oder vielleicht hat man das gerade getan.» Arvo Tuominen: *Stalins Schatten über Finnland. Erinnerungen des ehemaligen Führers der finnischen Kommunisten*, Freiburg i. Br. 1986, S. 159.

gehen. Wir wollten alle diese Fragen und Zweifel, die uns geplagt haben, offen mit diesen Genossen besprechen. Von parteifeindlichen Einstellungen kann keine Rede sein und daß die Haltung, die wir eingenommen haben, objektiv gegen die deutsche Partei gerichtet war. Mit dieser Depressionsstimmung sind wir herausgerückt lediglich in einem kleinen Kreis von Genossen, die sich um die MORP[36] gruppierten, wo Ludkiewicz[37], Dinamow, Gábor, Dietrich[38], Barta usw. waren. Lediglich diese Genossen von der MORP waren es, die von diesen Stimmungen etwas gehört haben, wobei selbstverständlich uns diese Genossen schwere Vorwürfe machten. Ich habe hinterher mit Genossen Lukács und Gábor gesprochen. Ich muß feststellen, daß diese damals diejenigen gewesen sind, die mich nach eingehenden tagelangen Diskussionen überzeugten, daß das, was ich mitgebracht hatte, grundfalsch ist. Ich habe tagelang mit ihnen diskutiert, aber die ausgezeichneten Argumente und die Liebe und Sorgfalt, mit der sie auf alles eingingen, haben mich überzeugt. Ich habe sofort gegenüber

36 Internationale Vereinigung revolutionärer Schriftsteller.
37 **Stanislaw Ludkiewicz**, stellvertr. Redakteur der *Internationalen Literatur* bis Anfang 1935. Vom NKWD verhaftet. Weiteres Schicksal nicht ermittelt.
38 **Paul Dietrich**, geb. 1889, Lehrer, KPD-Mitglied seit 1920, 1923 Sekretär der «Mittelgruppe» in der KPD, ZK-Mitglied und Reichstagsabgeordneter, als «Versöhnler» 1930 nach Moskau zur Komintern «kommandiert»; Agitprop-Kommission der Komintern und durch das Politsekretariat des Exekutivkomitees der Komintern als Pol-Leiter für das Büro der «Internationalen Vereinigung Revolutionärer Schriftsteller» (Interbüro) bestimmt; Redakteur der Verlagsgenossenschaft Ausländischer Arbeiter; im Dezember 1933 ins Saargebiet als Redakteur der *Deutschen Volkszeitung*; über Paris im April 1935 nach Moskau, vor Untersuchungskommission der KPD, Beschuldigung der «Beziehung» zu «parteifeindlichen Elementen», «Kommandierung» als Redaktionssekretär zur *Roten Zeitung* in Leningrad, 1936 sowjetische Staatsbürgerschaft; im August 1937 verhaftet, kam in der Lagerhaft ums Leben. Als Pol.-Leiter in der «IVRS» war er die politisch vorgeordnete Anleitungs- und Entscheidungsinstanz der Komintern für Literaturfragen (1932/32). Diese nur dem zuständigen Sekretär des EKKI untergeordnete Funktion übten nach Dietrichs Ablösung Heinrich Süßkind und Paul Reimann aus. Vom Januar bis Dezember 1934 arbeitete Karl Schmückle im Büro der MORP. Wichtige politische Fragen, Finanz- oder Personalfragen wurden innerhalb dieser Komintern-Hierarchie durch Komintern-Sekretäre wie Knorin und Kun oder auf Bürositzungen der «Politischen Kommission des Politsekretariats» des Exekutivkomitees der Kommunistischen Internationale entschieden.

Aus dieser Politik- und Literaturhierarchie entspringt jene Verfolgungs- und Abrechnungsmentalität, die nun die «Rechtsopportunisten» und «Versöhnler» endgültig «liquidieren» will.

allen Stellen eine offene Selbstkritik über den ganzen Vorfall abgelegt, woraus hervorgeht, daß diese Depressionsstimmung nicht länger als 4 Tage gedauert hat. Paul Dietrich hat uns sofort offen gesagt, daß alles ganz falsch ist, und hat im einzelnen widerlegt, was falsch ist. Ich bin auf der Sitzung weder von Dietrich noch (von den) vielen anderen überzeugt worden. Wirklich überzeugt bin ich durch die langen Debatten geworden, die ich mit Lukács, Gábor und Genossin Halpern hatte. Selbstverständlich bin ich heute noch derselben Meinung. Die Tatsache, daß der 7. Weltkongreß war, kann mich an meiner Selbstkritik nicht behindern. Deswegen bin ich der Meinung, daß es falsch ist, daß Gen. Barta irgendwelche Parallelen herstellen will. Man muß immerhin einen Parteigenossen in seiner gesamten Parteitätigkeit nehmen. Ich bin zwar kein alter Parteimann, aber immerhin 6 Jahre, 9 Monate in der Partei, wobei ich hinzufügen will, daß es Parteigenossen gegeben hat, die pro forma Parteimitglied waren. Die Partei hat mich gekannt in Frankfurt/Main, bevor ich Parteimitglied gewesen bin. Es gibt seit dieser Zeit keinen einzigen Tag, wo meine Arbeit nicht für die Partei gewesen wäre, teils publizistischer, teils pädagogischer Art, niemals passiv, sondern ununterbrochen aktiv. Es kommt hinzu, daß ich weder vor diesem Ereignis im März 1933 noch nachher irgendwelche Abweichungen gehabt habe. Das sind schließlich Dinge, die man bei der Beurteilung mit heranziehen muß. Man kann sich nicht an diese vier bis fünf Tage klammern und demgegenüber die sechs bis sieben Jahre wirkliche Parteitätigkeit ausstreichen. Ich bin wirklich in mich gegangen und habe meine ganze Parteitätigkeit seit dem Moment sozusagen als Arbeit betrachtet, um diesen Fehler wiedergutzumachen. Ich habe zwar in der Zwischenzeit auch wieder Fehler gemacht. Aber in dieser ganzen Zeit, seit dieser Geschichte, ist in meiner Parteitätigkeit der Wille zu erkennen gewesen, den damaligen Fehler gutzumachen. Wenn man das berücksichtigt, kann es nach meiner Meinung nicht vorkommen, daß man die Tatsache des Weggehens mit der damaligen Angelegenheit in irgendeinen Zusammenhang bringt. Diesen Zusammenhang lehne ich ab, so sehr ich erkenne, daß mein Weggehen ein Fehler war. Das ist, was ich zu mir persönlich zu sagen habe.

Gen. **Apletin**:
(Von Gen. Barta übersetzt) Gen. Apletin richtet die Aufmerksamkeit der Versammlung darauf, daß es absolut notwendig ist, alle Ein-

zelheiten aufzuklären, denn wir sind zusammengekommen aufgrund der konkreten Tatsachen unseres Kampfes gegen den Liberalismus, die politische Flinkheit und das Fehlen der Notwendigkeit der Wachsamkeit, sowie diese aufgrund konkreter Tatsachen zu führen. Er schlägt vor, wenn es Gen. Günther kann, konkret mitzuteilen, was er im Zusammenhang mit Gles und Brustawitzki[39], mit denen er seit 1933 zu tun hatte und für die er auch eingetreten ist, aussagen kann.

Gen. **Günther**:
Im Fall Gles habe ich gesagt, was zu sagen ist. Ich hatte keine andere Verbindung mit ihm gehabt. Ich mußte ihm das Gutachten geben, und seit dieser Zeit habe ich keine Verbindung mehr mit ihm gehabt. Sogar wenn er von Leningrad nach Moskau gekommen ist, habe ich ihn nur auf den Sitzungen gesehen, aber niemals mit ihm zusammengesessen.

Mit Brustawitzki steht die Sache so: Ich bin seinerzeit als Vertreter des Bundes revolutionärer Schriftsteller nach Moskau geschickt worden. Es gab noch einen zweiten Vertreter des deutschen Vertreters, der mehr organisatorische Angelegenheiten regelte, und zu diesem zweiten Vertreter war die Genossin Emma Dornberger bestimmt worden. Gen. Dornberger hat den Brustawitzki gekannt. Wie sie ihn kennengelernt hat, weiß ich nicht. Ich habe ihn durch Dornberger kennengelernt, weiß, daß er Mitarbeiter in der deutschen Länderkommission der MORP war.

Gen. **Barta**:
Wie kam er hinein?

Gen. **Dornberger**:
Wie wir kamen, war er schon drin.

Gen. **Ottwalt**:
Ist im Oktober 1933 nicht ein offizieller Beschluß gefaßt worden, daß Brustawitzki nicht mehr an den Sitzungen teilnehmen soll?

Gen. **Günther**:
Nein, ich kann mich nicht erinnern. Dann ist folgendes gewesen: Gen. Dornberger hat vorgeschlagen, sie möchte ein paar Wochen

39 **Abraham Brustawitzki**, geb. 1909, polnischer Schriftsteller, seit 1931 Mitglied der KPD. 1932 UdSSR, 1936 verhaftet.

nach Deutschland zu irgendeinem bestimmten Zweck in Urlaub fahren.

Gen. **Dornberger**:
Im Januar 1933.

Gen. **Günther**:
Wahrscheinlich. Diesen Vorschlag von Emma habe ich akzeptiert, besonders weil Brustawitzki als Vertreter keine politisch wichtige Arbeit zu machen hatte, sondern es sich nur um technische Arbeiten handelte. Während dieser Zeit habe ich mit Brustawitzki mich schwer überworfen. In erster Linie war ich mit seiner Arbeit unzufrieden, und außerdem hat er viel Intrigen gemacht, hinter meinem Rücken sich an Illés gewandt und weiter versucht, auf Kosten des Kampfes zwischen mir und Illés sich eine besondere Position zu schaffen. Es hat einen offenen Bruch zwischen uns gegeben, und von dieser Zeit an haben die Beziehungen zwischen mir und Brustawitzki aufgehört. Als sich herausstellte, daß Genossin Dornberger nicht mehr die zweite Vertreterin sein wird, bin ich mit Huppert zusammengetreten und habe an Gen. Becher geschrieben, daß Huppert den zweiten Vertreter mache. Seit dieser Zeit ist zwischen Brustawitzki und mir überhaupt kein Verkehr mehr gewesen. Er hat mich auch nicht konsultiert. Er hat an ein bis zwei Sitzungen der Arbeitsgemeinschaft teilgenommen, und ich habe vielleicht vier bis sechs Worte mit ihm gewechselt. Sonst hat keine Beziehung bestanden. In der Zeit, als er Feuilleton-Redakteur der «Roten Zeitung» war, habe ich Manuskripte geschickt, die er gebraucht hat. Sonst existieren keine Beziehungen.

Gen. **Apletin**:
(Übersetzt von Gen. Barta) Der Sinn ist folgender: In den Dokumenten der MORP gibt es einen Brief, aus dem hervorgeht, Brustawitzki wurde durch die Genossin Dornberger empfohlen. Es geht hervor, daß Huppert, von der kommunistischen Fraktion vorgeschlagen, durch den Gen. Günther sabotiert wurde, und er Brustawitzki vorgeschlagen hat, und zwar wie man sich darauf berufen hat, daß dort ein Beschluß der kommunistischen Fraktion vorhanden ist, welcher Huppert empfiehlt, erklärte Günther, daß das eine Privatsache sei und ihm nicht bekannt sei, daß es ein offizielles Dokument sein soll.

Gen. **Günther**:
So kann das unmöglich stimmen, wie Gen. Apletin sagt. Ich bin nie

dagegen gewesen, sondern habe sogar gemeinsam mit Huppert einen Brief aufgesetzt an den Bund bzw. an die kommunistische Fraktion des Bundes in Deutschland, wo wir den Vorschlag gemacht haben, man solle Gen. Huppert als zweiten Vertreter einsetzen. Es kann sein, daß folgende Geschichte vorgekommen ist, an die ich mich nicht erinnern kann. Es ist möglich, daß die Frage darum ging, daß wir diesen Brief nicht der kommunistischen Fraktion der MORP mitgeteilt haben. Das hatte seine besonderen Gründe, weil in dem ausgesprochenen Fraktionskampf, in dem ich zur Illés-Gruppe gestanden habe, es möglich ist, daß ich diesen Brief nicht Gen. Illés mitgeteilt habe, weil ich hätte erwarten müssen, daß er diesen Vorschlag irgendwie zu sabotieren versuchen wird. Deswegen haben wir die Tatsache, daß wir nach Deutschland geschrieben und Huppert vorgeschlagen haben, Illés nicht gesagt.

Gen. **Barta**:
Gen. Apletin fragt, ob du gesagt hast, daß das ein Privatbrief war, (am) 20. Febr. 1933.

Gen. **Fabri**:
Gen. Günther hat früher davon gesprochen, daß es notwendig ist, auf der ganzen Linie immer die größte Klassenwachsamkeit zu bewahren. Hat Gen. Günther außerhalb der Kreise der Schriftsteller in der letzten Zeit mit dem sogenannten «antisowjetisch vereinigten trotzkistisch-sinojewschen Zentrum» Verbindung gehabt?

Gen. **Günther**:
Ich besinne mich nicht.

Gen. **Fabri**:
Du hast Kontakt gehabt mit anderen Genossen?

Gen. **Günther**:
Du meinst den Fall Emel[40] ? Emel kenne ich von Deutschland her,

40 **Alexander Emel, d. i. Moissej Lurje** (1897–1936), Historiker, 1922 KPD-Mitglied, 1925 Lehrer an der Lenin-Schule der Komintern, 1926/27 Linke Opposition in der KPD, im Dezember 1927 Ausschluß aus der KPD, 1928 Wiederaufnahme, stellvertretender Leiter der Agitpropabteilung der KPD, Leitung der Reichsparteischule der KPD, Redaktion der Zeitschrift *Der Propagandist*. Emel wurde 1931 von Thälmann der «opportunistischen Abweichung» bezichtigt und seiner Funktionen enthoben. 1933 Emigration in die Sowjetunion, Redakteur in der Verlags-

und zwar bin ich seinerzeit in die Propagandaabteilung des ZK kommandiert worden. Da saßen Gen. Kraus[41] als Leiter und der damalige Gen. Emel. Ich habe wenig in Berlin zu tun gehabt, weil meine Tätigkeit darin bestand, außerhalb Kurse zu geben. Meine Tätigkeit bestand darin, daß ich 14 Tage außerhalb Berlins war und auf drei bis vier Tage nach Berlin (kam), um Besprechungen durchzuführen. Da habe ich nicht sehr viel mit Emel zu tun gehabt, aber ab und zu ihm Berichte übergeben. Dann kam der Fall, der Genossen Most und Weber bestimmt in Erinnerung ist, daß Kraus und Emel abgesetzt wurden aufgrund der Artikel, die im «Propagandist»[42] erschienen waren. Als Nachfolger wurde der Genosse Noffke[43] bestimmt. Von diesem Augenblick habe ich jede Beziehung mit Emel verloren und hatte nur mit Noffke zu tun bis zu dem Augenblick, wo ich nach Moskau abkommandiert wurde. Meine Tätigkeit hatte sich etwas geändert, ich war mehr in Berlin und bin weniger hinausgefahren. Ich habe den «Propagandist» mit redigiert und manchmal mehr als den vierten Teil des Heftes selber geschrieben. Aber das ist erst von dem Moment an, wo Noffke da war. Dann habe ich von Emel überhaupt nichts mehr gehört, und hier in der SU habe ich ihn zum erstenmal wiedergese-

abteilung der Komintern und dann Dozent an der Moskauer Universität. Bei der «Parteireinigung» 1933 wurde er trotz «Selbstkritik» nicht in die KPdSU überführt. Nach einer umfangreichen «Untersuchung» im Jahre 1933 war er für den ersten Moskauer Schauprozeß (1936) als «Opfer» disponiert. Stalin selbst fügte der ursprünglichen Anklageschrift vier weitere Namen (u. a. M. Lurje) hinzu, die daraufhin ebenfalls angeklagt wurden. Am 24. 8. 1936 wurde Lurje zum Tode verurteilt und erschossen. Auch seine Ehefrau IsabellaKoigen wurde 1936 verhaftet. Ihr weiteres Schicksal ist noch unbekannt.

41 **Kraus, d. i. Joseph Winternitz** (1896–1952), weiterer Deckname: Lenz, ZK-Mitglied und Leiter der Propagandaabteilung des ZK der KPD, 1931 zusammen mit Emel abgelöst. Emigration in die CSR und nach England. 1948 Rückkehr nach Deutschland, 1950 abgelöst als Direktor des Marx-Engels-Instituts wegen Unterstützung einer «Kampagne der Imperialisten und Tito-Agenten gegen Stalin»; um der drohenden Verhaftung zu entgehen, erneute Übersiedlung nach England.

42 *Der Propagandist.* Monatszeitschrift für die Propaganda des Marxismus-Leninismus, hrsg. von der KPD. Nach Stalins vernichtendem Brief an die Zeitschrift *Proletarskaja Rewoluzija* hatte Thälmann Ende 1931 in einem Artikel der Zeitschrift *Der Propagandist* Emel mehrere «opportunistische Verfälschungen» vorgeworfen. Der bereits hier stigmatisierte Alexander Emel (d. i. Moissej Lurje) wurde 1936 im ersten Moskauer Schauprozeß zum Tode verurteilt.

43 **Ernst Noffke** (1903–1973), 1923 KPD-Mitglied und hauptamtlicher Funktionär, 1933 Emigration in die Sowjetunion, Verlagsmitarbeiter; 1937 verhaftet und Lagerhaft, kehrte 1952 nach Berlin zurück.

hen. Ich glaube, das war der Fall, als ich in Galenzewka war. Aber nicht in Galenzewka, sondern 8–10 Kilometer entfernt liegt ein anderes Erholungsheim. Wir Schriftsteller, die wir in dem Haus des Litfonds untergebracht waren, sind dorthin gegangen, weil es dort verschiedenes zu kaufen gab. Eines Tages, es mag kurz nach dem 7. Weltkongreß[44] gewesen sein, kam ich wieder nach dem Erholungsheim und wurde plötzlich von Emel angerufen. Er erklärte, er sei eben angekommen usw. Selbstverständlich habe ich gefragt, was kannst du vom 7. Weltkongreß erzählen. Er hat nicht sehr viel erzählt, nur sehr persönliche Eindrücke. Am meisten ist er darauf eingegangen, wie Gen. Dimitroff sich als Sohn der bulgarischen Arbeiterklasse bekannt hat, und Emel tat ganz begeistert. Er erzählte, das sei eine großartige Wirkung gewesen, als das Gen. Dimitroff gesagt hat, und der ganze Saal habe Beifall geklatscht. Zwei Tage später bin ich dann noch einmal hingegangen, und da hat sich herausgestellt, daß Emel schon abgereist war. Er mußte seinen Urlaub abbrechen. Dann habe ich ihn wieder einmal auf der Straße getroffen. Er rief mich an, er möchte verschiedenes mit mir sprechen. Wir haben uns im Café «Sport» verabredet. Emel erzählte, er sei bei den Genossen Weber und Pieck[45] gewesen, er möchte, daß der Kampf gegen die Ideologie des Faschismus schärfer geführt werde usw. Ich habe gesagt, daß mein Eindruck ganz genauso ist und daß ich schon vor drei bis vier Monaten ein ganzes Exposé ausgearbeitet und der Propagandaabteilung überreicht habe, daß gar nichts erfolgt ist und daß man von der Komintern nichts geäußert hat. Von dieser Sache weiß auch Gen. Most. Darauf sagte Emel, er werde Schritte unternehmen. Er hat mit Gen. Weber und Pieck gesprochen, und man solle sich bescheiden, und er würde mich mit auf die Liste setzen. Ich erklärte: Bitte schön, wenn du das durchsetzen kannst, den ideologischen Kampf mehr zu forcieren, werde ich jederzeit zur Verfügung stehen und schreiben, was die Partei von mir verlangt. Ich weiß, daß Gen. Weber mir das selber von sich aus bestätigt hat, daß Emel bei ihm gewesen war und dies besprochen hat. Er hat sich auch auf Gen. Pieck berufen, und Pieck habe ihm auch erklärt, daß er diese Sache unterstützen werde.

44 Der VII. und letzte Weltkongreß der Kommunistischen Internationale fand vom 25. Juli bis 20. August 1935 in Moskau statt.
45 **Wilhelm Pieck** (1876–1960), Mitbegründer der KPD, seit 1935 Vorsitzender der KPD in Moskau.

Gen. **Most**:
Das war schon geschwindelt.

Gen. **Bredel**:
Hat er erzählt, daß er auf dem Kongreß gewesen ist?

Gen. **Günther**:
Mir hat er erzählt, er sei selber auf dem Kongreß gewesen.

Gen. **Apletin**:
(Übersetzt von Gen. Barta) Offizielles Protokoll des Sekretariats vom ... «In der Frage der zwei deutschen Vertretungen wurde vereinbart, daß diese entweder parteilose, aber bekannte Schriftsteller oder bekannte Parteiarbeiter sein müssen.» Nichtsdestoweniger schlug Günther als zweiten deutschen Vertreter vor, Brustawitzki zu ernennen, der kein Schriftsteller ist und erst seit 1931 in der Partei. Günther hat einen Brief von Dornberger bekommen, in welchem sie Mitteilungen über die Ernennung von Brustawitzki als zweiten Vertreter des deutschen Bundes gemacht hat. Bald nachher kam auch ein zweiter Brief im Namen der Komfraktion an das Sekretariat, in welchem vorgeschlagen wurde, als zweiten Vertreter des Bundes Gen. Huppert zu ernennen. Diesen Brief des Bundes hat Günther der Fraktion übergeben, er erklärte, daß dieser Brief ein privater sei. Günther behauptet, daß er die Brustawitzkis als Vertreter nicht gefordert hat. Er hat nur in seinem Brief an den Bund hingewiesen, daß Dornberger als zweite Vertreterin ernannt ist, daß die Dornberger durch Brustawitzki vertreten wird. Was Huppert anbetrifft, so kann man in Anbetracht des privaten Charakters des Briefes dies nicht als offiziellen Beschluß des Bundes, sondern als einen Vorschlag ansehen.

Gen. **Dornberger**:
Das war so. Ich fuhr offiziell in Urlaub. Ich habe mit dem Gedanken gespielt, daß ich in Berlin bleibe und von der Arbeit in der Sowjetunion entbunden werde. Ich hatte Brustawitzki vorgeschlagen, da es sich um technische Arbeiten handelte. In Berlin habe ich in der Fraktionssitzung das den Genossen gesagt. Damals habe ich das den Genossen gesagt, daß ich Brustawitzki vorgeschlagen habe, und die kommunistische Fraktion hat in der ersten Sitzung nicht dagegen protestiert. Es hat dann aufgrund des Briefwechsels zwischen Becher und Günther eine Sitzung stattgefunden, wo ich hörte, daß ein anderer Genosse vorgeschlagen wird.

Gen. **Barta**:
Haben die deutschen Genossen im Bund Huppert vorgeschlagen?

Gen. **Dornberger**:
Nein, in der ersten Sitzung nicht. Alle deutschen Genossen kannten Brustawitzki nicht. Ich kam mit Günther Oktober 1932 als erstem Vertreter nach Moskau, und ich war zweiter Vertreter.

Folgende Genossen gehörten zur Kommission:

Dietrich, Brustow[46], Brand, Schneider[47], Günther, Dornberger, Laszlo[48], Huppert, Maselowa[49], Gles, Fabri.

Die Hälfte davon sind nicht mehr da. Das war die deutsche Länderkommission, und ich glaube, kein Mensch kann mir noch einen dazu sagen. Ich habe damals Genossen Brustawitzki als Vertretung vorgeschlagen, weil es sich nur darum handelte, daß er diese Arbeit durchführte, bis meine Beurlaubung beendet war. Da Brustawitzki an die-

46 A. Brustow (d. i.: Abraham Brustawitzki) referierte in der Moskauer Gruppe der deutschen Schriftsteller (MAPP) in der Sowjetunion über J. R. Becher, *DZZ*, 17. 4. 1934.

47 **Joseph Schneider** (1882–1939), Kapitän zur See, Schriftsteller, KPD-Mitglied seit 1920; emigriert nach den Märzkämpfen 1921 in die Sowjetunion, 1921 KPdSU-Mitglied, Redakteur der *VEEGAR*; 1932 bilanziert er «Fünfzehn Jahre sowjetdeutsche Literatur» in der *Internationalen Literatur*; 1936 inhaftiert und 1939 in Lagerhaft ums Leben gekommen.

48 **Raoul Laszlo (Pseudonym A. Rudolf)**, ungarischer Schriftsteller, KPD- und KPF-Mitglied; nach Ausweisung aus Frankreich 1931 über die Schweiz in die Sowjetunion, in Moskau Mitarbeiter im Büro des «Bundes der Freunde der Sowjetunion», Mitglied der deutschen Länderkommission der IVRS, Feuilleton-Redakteur bei der Leningrader *Roten Zeitung*; Ende 1935 Ausreise aus der Sowjetunion, Zusammenarbeit mit André Gide. Nach der Veröffentlichung seines autobiographischen «Tatsachenromans» *Abschied von Sovietrußland* (Zürich 1936) gerät Laszlo ins Visier der stalinistischen Verfolgungsmaschinerie. Er wird in internen Dossiers der KPD als trotzkistisches «Subjekt» und «Organisator der Antikomintern» perhorresziert. In einer «Sondernummer» der KPD-Zeitschrift *Die Internationale* wird 1937 die Verfolgung öffentlich: «Einer der Führenden in der Prager Trotzkistenclique ist Rudolf alias Laszlov, ein direkter Agent der faschistischen Antikomintern.» Nach einem Wohnungseinbruch bei Laszlo erscheint unter dem inzwischen aufgelösten Pseudonym «Peter Thur» die Broschüre «Aus der Hexenküche der Antikomintern» (1937).

Laszlo, der 1936 auch ein Buch über den ersten Moskauer Prozeß veröffentlichte, wird 1940 in Frankreich unter bisher nicht geklärten Todesumständen aufgefunden. Eine Ermordnug durch den NKWD kann ebenso wie bei dem Tod Willi Münzenbergs nicht ausgeschlossen werden.

49 Gemeint ist wahrscheinlich: Tamara Motyljowa.

ser Länderkommission teilnahm und immer sehr aktiv teilnahm – er war damals sehr aktiv –, habe ich ihn als meinen Vertreter vorgeschlagen. Ich habe ihn ebensowenig gekannt wie Günther.

Gen. **Ottwalt**:
Ich weiß weder von einem Vorschlag Brustawitzi noch von einem Vorschlag Huppert. Dieser angebliche Beschluß der Reichsfraktionsleitung[50] ist nie ein Beschluß gewesen, weder von Brustawitzki noch von Huppert.

Gen. **Becher**:
Ich erinnere mich, daß wir gegen die Ernennung von Huppert, weil er kein deutscher Schriftsteller ist, irgendeinmal protestiert haben.

Gen. **Ottwalt**:
Wenn es diese fragliche Sitzung war. Brustawitzki ist im Jahre 1932 auf der Tour eines Delegierten des «Internationalen Bundes der Opfer des Krieges und der Arbeit» hier hängengeblieben und kam dann in die Länderkommission. Ich bin 6 Wochen in Moskau gewesen und konnte feststellen, daß drei wichtige Angaben über seine Parteitätigkeit nicht stimmen konnten. Dann wurde der Beschluß gefaßt, ihm das Betreten des Gebäudes zu verbieten. Dann ist Brustawitzki nach Leningrad gefahren, und wir haben uns nicht mehr darum gekümmert. Ich war in Moskau vom 1. Oktober bis zum 14. November 1933.

Gen. **Günther**:
Von diesem Protokoll höre ich zum ersten Mal, obwohl ich damals Mitglied des Sekretariats war. Zweitens muß nach meiner Meinung in dem Protokoll irgendein Fehler sein, denn es steht Unsinn drin. Im Anfang steht, daß ich Brustawitzki vorgeschlagen habe und irgendeinen Brief abgeschickt habe, in dem ich Huppert vorschlage. Es ist möglich, daß das ein Versehen der Stenotypistin oder irgend etwas anderes war. Es ist Tatsache, als Gen. Dornberger weggefahren ist, da war ich einverstanden, daß Brustawitzki der Vertreter der Gen. Dornberger für die Zeit ist, wo sie sich auf Urlaub befindet. Ich weiß, daß ich mich mit dieser Sache einverstanden erklärt habe, nachdem ich mit der Partei gesprochen hatte, mit den Genossen Dietrich und

50 Reichsleitung der kommunistischen Fraktion im «Bund proletarisch-revolutionärer Schriftsteller».

Heckert, die beide keine Bedenken hatten. Die Frage, ob er definitiv zweiter Vertreter werde, hat überhaupt nicht gestanden, sondern daß Brustawitzki die Gen. Dornberger während ihres Urlaubes vertritt.

Gen. **Annenkowa**:
Ich weiß, auf dem Schriftstellerkongreß, als ich das erste Mal Brustawitzki gesehen habe, frug ich Gen. Heckert. Da hat mir Gen. Heckert gesagt: Vorsicht, der Mann ist mehr als verdächtig.

Gen. **Günther**:
Ungefähr eineinhalb Jahre später habe ich das gehört. Denn damals hatte es sich schon herausgestellt, daß er auf dunklen Wegen hierhergekommen ist. Ich habe ausführlich erklärt, er hat die Vertretung der Genossin Dornberger übernommen. Während dieser Zeit war ich absolut unzufrieden mit ihm. Dann hat sich als fraglich herausgestellt, wer anstelle von Dornberger den Posten des zweiten Vertreters einnehmen wird. Folglich bin ich mit Genossen Huppert in Verbindung getreten. Ich glaube, Huppert, du bist so liebenswürdig zu bestätigen, daß ich mit dir darüber gesprochen habe, nämlich im Februar 1933. Kurz bevor Hitler zur Macht kam, hat diese Frage gestanden. Ich habe deswegen einen Brief an den Genossen Becher nach Deutschland geschrieben. Soviel ich weiß, haben wir ihn in der Wohnung Hupperts geschrieben, warum wir Huppert für den geeigneten zweiten Vertreter halten. Auf diesen Vorschlag habe ich von Genossen Becher eine Antwort erhalten. Soviel ich weiß, hat damals noch folgende Frage gestanden. Wir hatten verlangt, daß über die Ernennung Hupperts zum zweiten Vertreter ein Beschluß der deutschen Komfraktion gefaßt wird, weil wir sonst bei Illés nicht durchgekommen wären, ja die Lage sehr schlecht für Huppert gestanden hätte. Es ist kein Brief der Komfraktion gekommen, sondern ein persönlicher Brief des Genossen Becher[51], daß er damit einverstanden sei.

51 Am 30.9.1932 richtete Johannes R. Becher folgenden Brief an die kommunistische Fraktion der IVRS:

«Werte Genossen, am 5.10. trifft vormittags der Genosse Günther in Moskau ein, den wir neben dem Genossen Biha (siehe Anm. 126, S. 155) und der Genossin Dornberger als unseren Vertreter bestimmt haben. Genosse Biha ist erkrankt und genötigt, einen längeren Erholungsurlaub anzutreten. Er wird vor dem 15. Januar nicht nach Moskau kommen können. Gen. Dornberger ist z. Zt. in der UdSSR und wird gleich ihre Funktion antreten können, ohne vorher nach Deutschland zurück-

Gen. **Lukács**:
Ich kann mich nicht daran erinnern, daß die Frage dieses zweiten Vertreters je in einer Sitzung gestanden hätte.

Gen. **Ottwalt**:
Einmal kam die Genossin Dornberger nach dem Graphischen Klub. Von irgendeiner zweiten oder dritten Vertretung in Moskau ist mir nichts bekannt.

Gen. **Günther**:
Warum der Brief als ein Privatbrief von mir nicht abgegeben wurde, kann ich damit erklären, daß Becher sich persönlich mit Huppert einverstanden erklärt hat. Diesen Brief habe ich nicht übergeben, weil es ein Privatbrief von Becher war. Die Genossen können bestätigen, daß es überhaupt ein Übel war, daß Gen. Becher die Korrespondenz als Privatkorrespondenz betrachtete. Deswegen wollte ich den Brief nicht übergeben, weil sie (die Illés-Gruppe) sofort abgelehnt hätten. Sie hätten sich nur einverstanden erklärt, wenn ein offizieller Brief der deutschen Komfraktion gekommen wäre. Das hat nichts mit Brustawitzki zu tun. Ich habe eisern dafür gekämpft, daß Huppert kommt. Ich möchte nicht, daß durch diese Hin- und Herredereien Unklarheit entsteht. Ich habe mit Brustawitzki gebrochen und nicht die geringste Beziehung gehabt.

Gen. **Huppert**:
Als Gen. Günther mit dem Vorschlag an mich herangetreten ist, die zweite Vertretung des Bundes anzunehmen, habe ich zugestimmt. Das war vor Hitler. Wir haben damals lange darüber beraten, weil wir in scharfem Fraktionskampf gegen Illés und Ludkiewicz standen. Wir wollten einen kleinen Block von deutschen Kommunisten schaffen, die imstande wären, anzurennen gegen die nach unserer damaligen richtigen Meinung schädliche Politik der Clique Ludkiewicz–Dinamow–Illés. Wir dachten das so zu tun, daß meine Kandidatur, die vorgeschlagen wurde von Gen. Günther, in Berlin auf einer Fraktionssitzung zur Sprache käme, die über den zweiten Vertreter bestimmen sollte, in dem Sinne, daß ich mit Günther die Arbeit mache. Dazu war ein Fraktionsbeschluß in Berlin notwendig. Wir waren

zukommen. Reichsfraktionsleitung J. R. Becher», in: Joh.-R.-Becher-Archiv, Literaturarchive der Akademie der Künste der DDR.

beide an diesem Fraktionsbeschluß interessiert, damit die Situation geändert würde. Das ist Gen. Becher bekannt, ebenso, wie man in einem solchen Brief schreiben kann, der unterwegs der Polizei bekannt werden kann. Wir haben uns sehr gewundert, daß Gen. Becher mit der Begründung ablehnte, daß ich kein Deutscher sei. Ich möchte kategorisch betonen, daß Gen. Günther damals absolut in keiner Weise mit Brustawitzki in Verbindung stand, der während irgendwelcher technischer Arbeiten in der Redaktion der «IL» derartige intrigenmäßige Unehrlichkeit erwiesen hat, so daß kein anderer als Gen. Günther in allerschärfster Weise, auch persönlich, Brustawitzki ins Gebet nahm und buchstäblich platt an die Wand drückte. Brustawitzki hatte die Fraktionsgeschichte auszunützen versucht. Günther hat damals nichts mit Brustawitzki zu tun gehabt. Auch später ist mir nichts bekanntgeworden.

Gen. **Barta**:
Damit schließen wir vielleicht diese Frage. Es ist unklar, wie Brustawitzki in die Länderkommission gekommen ist. Es ist ebenso unklar oder klar wie bei Brand, Schneider, Laszlo.

Gen. **Günther**:
Auf das, was Gen. Annenkowa sagte: Ich weiß, nachdem ich den vollkommenen Bruch mit Brustawitzki gehabt habe, habe ich Gen. Dietrich die ganze Geschichte erzählt und weiß, daß Dietrich sie Gen. Heckert weitererzählt hat. Mit Dietrich habe ich ständig in Verbindung gestanden. Ich weiß, daß er meine positive Einstellung weitergegeben hat.

Gen. **Barta**:
Wer war der verantwortliche Leiter?

Gen. **Günther**:
Genosse Paul Dietrich. Es ist möglich, daß die Untersuchung in der Komintern, die zur vollständigen Änderung des Urteils führte, mit darauf zurückzuführen ist, daß ich als erster festgestellt habe, daß Brustawitzki in der Arbeit vollkommen unbrauchbar ist usw. Der Gedanke, daß ich ihn zum zweiten Vertreter machen wollte, ist direkt verrückt.

Gen. **Dornberger**:
Genosse Günther hat im ersten Satz gesagt, daß Schwab und Rei-

mann hier waren und Schmückle verteidigt haben. War das damals, als die Prüfung der «IL»-Redaktion war?

Gen. **Günther**:
Das waren drei Zellensitzungen in kurzen Zeitabständen, wo ausschließlich der Fall Schmückle behandelt wurde und er die Rüge bekam. Auf der ersten Sitzung leugnete Schmückle alles ab. In der letzten Sitzung haben sie sich für ihn eingesetzt.

Gen. **Fabri**:
War die Stimmung in Prag derart, daß die deutsche Partei bei der Ergreifung der Macht durch Hitler Fehler gemacht habe, und worin unterscheidet sich diese Stimmung von den Anschauungen der Gruppe Neumann[52]?

Gen. **Weber**:
Ich bin der Meinung, daß es gut ist, wenn man sich gegenseitig kennt. Sind das während deiner Zugehörigkeit zur Partei die einzigen Depressionserscheinungen gewesen? Und wenn nicht, gab es andere und aus welchen Ursachen?

Gen. **Günther**:
Es sind die einzigen Depressionserscheinungen gewesen, die ich während der ganzen Zeit gehabt habe.

52 **Heinz Neumann** (1902–1937), 1919 KPD-Mitglied, Redakteur, 1924–28 in der Moskauer Vertretung der KPD beim EKKI, führend beteiligt an Durchsetzung der stalinistischen «Bolschewisierung» der KPD, 1927 Organisator des Kantoner Aufstands, 1928 nach Deutschland, 1929 Chefredakteur der *Roten Fahne*, Mitglied des ZK und Kandidat des Politbüros; 1932 unterlag Neumann in den innerparteilichen Fraktions- und Cliquenkämpfen und wurde aller Funktionen enthoben; 1932/33 als Komintern-Emissär nach Spanien geschickt; nach Verhaftung in der Schweiz 1934 kam er 1935 in die Sowjetunion. Bereits als «Abweichler» verfemt, arbeitete er als Übersetzer. Am 27.4.1937 wurde er verhaftet und am 26.11.1937 zum Tode verurteilt. 1934 listete ein Komintern-Dossier zehn «Abweichungen» Neumanns auf. In veröffentlichten und internen Unterwerfungserklärungen bezichtigt sich Neumann, daß seine Fehler «nicht nur eine Abweichung von der deutschen Parteilinie, sondern auch von der Stalinschen Generallinie darstellen». Seine Frau Margarethe Buber Neumann wird 1938 verhaftet und 1940 aus der Sowjetunion ausgewiesen. Bis 1945 im KZ Ravensbrück. Vgl. dazu: Reinhard Müller: *Linie und Häresie. Lebensläufe aus den Kaderakten der Komintern (II)*, in: Exil, 1991, Heft 1, S. 46–69.

Gen. **Weber**:
Hast du nach deiner Königsberger Tätigkeit nicht irgendwelche ähnlichen Depressionserscheinungen gehabt?

Gen. **Günther**:
Nein, ich bin von Königsberg nach Berlin zurückgekommen, habe mit Genossen Budich[53] verhandelt, wobei wir einig waren, daß ich als Propagandaleiter zur «Roten Fahne» gehen soll. Ich habe bei der Unterredung erzählt, daß mich die rein geschäftliche Tätigkeit nicht befriedigt hat, weil ich mich mehr nach ideologischer Tätigkeit sehne und nicht nach rein kaufmännischer. Darauf ist zur Sprache gekommen, daß in der «Roten Fahne» eine Propagandaabteilung eingerichtet werden sollte, ein Mittelding zwischen geschäftlicher und literarischer Tätigkeit. Das war Anfang oder Mitte 1932. Ich hatte dann noch Urlaub zu beanspruchen und bin 8–10 Tage nach dem Harz gefahren. Als ich zurückkam, stellte sich heraus, daß aus pekuniären Gründen es mit der Propagandaabteilung nichts würde. Darauf habe ich eine Unterredung mit Gen. Eugen[54] und Schneller[55] gehabt, und die haben den Beschluß gefaßt, weil ich den Wunsch hatte, aus der rein geschäftlichen Tätigkeit herauszukommen, ich sollte zur Propagandaabteilung des ZK gehen und den Kursuslehrer machen. Von Depression ist keine Rede.

Mit der Neumann-Gruppe habe ich nicht die geringste Verbindung gehabt. Als Hauptsächliches spielt dabei folgender Umstand noch eine Rolle, daß ich die Machtergreifung der Faschisten hier in Moskau erlebt habe. Weil ich 4–5 Monate schon aus Deutschland weg war

53 **Willi Budich** (1890–1938), seit 1918 Mitglied des Spartakusbundes und der KPD, bis Juli 1920 Leiter der Militärorganisation der KPD, Oberbezirksleiter der KPD; 1922 Flucht in die Sowjetunion, Sekretär der deutschen Ländergruppe des EKKI; nach Rückkehr 1930–32 Leiter der KPD-Verlagszentrale, bis 1933 Leiter der Geschäfts- und Finanzkommission der KPD; am 3. April 1933 in Berlin verhaftet; nach Entlassung aus dem Gefängnis über Prag in die Sowjetunion, Mitarbeit in der Exekutive der IRH; am 19.9.1936 verhaftet, am 29.3.1938 zum Tode verurteilt und erschossen.
54 **Eugen Schönhaar** (1898–1934), seit 1919 Mitglied der KPD, Leiter des Mitteleuropäischen Büros der Roten Hilfe, seit 1929 ZK-Mitarbeiter; 1933 in Berlin verhaftet und am 1.1.1934 von der Gestapo ermordet.
55 **Ernst Schneller** (1890–1944), 1925 Mitglied des Politbüros der KPD; nach der «Wittorf-Affäre» in die Geschäftsabteilung der KPD abgeschoben; 1933 verhaftet, 1944 im KZ Sachsenhausen erschossen.

und in Prag mit den Genossen Becher und Balk usw. zusammengetroffen bin. Mich hat das ganze Zur-Macht-Kommen erschüttert. Ich war überzeugt, daß dies eine Niederlage der Arbeiterklasse ist und Selbstkritik der Partei notwendig ist. Was mich empört hat, war, daß wir nicht von einer Niederlage der Partei sprechen durften. Das hat mir gewisse Depressionsstimmungen geschaffen, die ich hier in 3–4 Tagen restlos überwunden habe, wobei mir die Gen. Lukács und Gábor geholfen haben.

Gen. **Most**:
Welche Schlußfolgerungen sollten sich daraus ergeben?

Gen. **Günther**:
Meine Schlußfolgerungen waren die, daß Gen. Becher und ich mit maßgebenden Führern zu sprechen haben, und unsere Meinung war die, die Partei muß Selbstkritik üben. Die Frage des «Roten Volksentscheids» hat eine Rolle gespielt, und wir waren der Meinung, daß das falsch ist. Aber selbstverständlich alles in Verbindung mit Überspitzungen, Übertreibungen und mit einer Depression. Daran gibt es nicht zu beschönigen. Ich habe damals schon nichts beschönigt. Ich bin dann mit offener Selbstkritik aufgetreten.

Gen. **Barta**:
Es ist so, daß du die Sache richtig beurteilt hast. Du sprichst über solche Momente, die man als richtig betrachten könnte, aber nicht über solche, die als unrichtig zu behandeln und heute noch unrichtig sind. Worin liegen die Fehler?

Gen. **Günther**:
Daß wir die Fehler übertrieben. Darin, daß man nicht zugegeben hat, daß das Proletariat eine Niederlage erlitten hat. Aber nicht nur, daß wir vom «Roten Volksentscheid»[56] gesprochen haben, daß die Selbstkritik gelähmt war, aber nicht daß wir gegen die Partei vorgehen werden. Wir wollten zu den Genossen Manuilski und Knorin[57] gehen.

56 Nach einer Intervention Stalins beteiligte sich die KPD 1931 an einem von den Deutschnationalen und der NSDAP initiierten Volksentscheid zum Sturz der preußischen SPD-Regierung. Diese politische Konstellation sollte durch den nun als «rot» deklarierten «Volksentscheid» verwischt werden.

57 **Waldemar Knorin** (1890–1939), als «alter Bolschewik» Teilnahme an der Oktoberrevolution, seit 1922 Mitarbeiter im ZK-Apparat der KPdSU, 1928 Sekretär der KP in Weißrußland, führend an Kampagnen gegen «Trotzkisten» und

Wir haben den naiven Gedanken gehabt, zu versuchen, eine Audienz bei Stalin zu bekommen, um ihm zu sagen, das und das ist los. Aber nicht im mindesten haben wir den Gedanken gehabt, daß wir etwas Parteifeindliches unternehmen könnten.

Gen. **Most**:
Was war die politische Konzeption?

Gen. **Ottwalt**:
Wir sind nicht damit einverstanden, die Partei sollte sagen, es war eine Niederlage.

Gen. **Most**:
Das war im März und April. Dabei hat am 17. Mai die Sozialdemokratie noch für Hitler gestimmt. Ich will dir nur dabei helfen.

Gen. **Günther**:
Ich habe zugegeben, daß die Kritik damals verfrüht und auch falsch war.

Gen. **Weber**:
Gestatte eine Frage. Ich will dir auch helfen. Du sagtest, es war falsch, daß die Partei nicht einsah, daß es eine Niederlage war. Welche Gedanken hattest du darüber, warum die Arbeiterklasse eine Niederlage erlitten hat?

Gen. **Günther**:
Die Partei hat die Frage Demokratie oder Faschismus zu stark gestellt. Das alles wollte ich mit Gen. Becher besprechen.

Gen. **Barta**:
Das schaut nicht so defaitistisch aus. Das sind absolut prophetenartige Vorschläge.

Gen. **Lukács**:
Mein Eindruck war, die Genossen haben eine Reihe einzelner Momente kritisiert und sind immer darauf zurückgekommen: Übt die Partei nicht offene Selbstkritik – ich formuliere meinen Eindruck –, wird sie jede Verbindung zur Arbeiterklasse verlieren. Die Arbeiter-

«Rechte» in der KPdSU und in der Komintern beteiligt, seit 1931 Sekretär des EKKI, Direktor des Instituts der Roten Professur; 1935 auf dem VII. Weltkongroß nicht ins EKKI wiedergewählt, 1937 verhaftet und 1939 umgekommen.

klasse verliert jedes Vertrauen zur kommunistischen Partei, auf Jahrzehnte hin ist es dann nicht mehr möglich, auf die Arbeiterklasse einzuwirken. So ist mir die Linie von Günther im Kopf geblieben. Ich habe Günther damals gesagt, wenn er diese Stimmungen politisch überdenkt und zur politischen Plattform erhebt, wird er unfehlbar bei irgendeiner parteifeindlichen Gruppierung landen. Nicht, daß ich ihm vorgeworfen habe, er gehöre einer Gruppe an, sondern wenn er diese Stimmungen zu Ende denkt und daraus eine politische Plattform macht, muß eine Stellungnahme gegen die Partei entstehen, gleichgültig ob er das will oder nicht. Das ist jetzt eine Abkürzung der damaligen Ausführungen. Ich weiß nicht mehr, ob es zwei Nächte waren oder wie lange wir auf ihn eingeredet haben, daß er sein Argument fünfmal wiederholte und wir unsere wiederholten, und am Ende Günther Schritt für Schritt zurückzugehen begann und anfing einzusehen, daß seine Einstellung falsch ist. Natürlich ist das keine pünktliche Wiedergabe, sondern so, wie es in meinem Gedächtnis existiert.

Gen. **Barta**:
Hat jemand Fragen, oder will sich jemand zu dieser Sache äußern?

Gen. **Most**:
Ist Gen. Günther einverstanden mit der Charakterisierung durch Gen. Lukács?

Gen. **Günther**:
Das stimmt.

Gen. **Ottwalt**:
Hattest du nach Prag irgendeinen parteioffiziellen Auftrag?

Gen. **Günther**:
Ob ich einen offiziellen Auftrag hatte, weiß ich nicht. Ich weiß nur, daß ich mit Einverständnis der Partei gefahren bin. Später bin ich immer mit bestimmter Kommandierung gefahren.

Gen. **Barta**:
In diesem Sinne, wie Gen. Lukács erzählt hat, bist du irgendwie aufgetreten?

Gen. **Günther**:
Nein. Irgendwie Fraktionen hat es nicht gegeben, weil noch kein Schriftsteller...

Gen. ...:
Ich wollte fragen, ob diese Stimmungen individuell entstanden sind oder ob das ein allgemeines Brodeln in Prag war. Wenn das so war, ob aus dieser Stimmung bei anderen Genossen ernsthafte Abweichungen entstanden sind?

Gen. **Günther**:
Abgesehen von Genossen Becher habe ich im wesentlichen bei Kisch und Balk[58] das festgestellt. Die Stimmung war nicht vereinzelt.

Gen. **Barta**:
Wie war die Stimmung deiner Frau, der Genossin Trude Richter[59]? Wie waren ihre politischen Ansichten?

Gen. **Günther**:
Ich weiß nicht, ob ich sie schon im Februar oder März in Prag getroffen habe oder später.

Gen. **Lukács**:
Das muß März oder April gewesen sein, denn ich bin ungefähr am 20. März nach Moskau gekommen, und es gab einige Sitzungen, bevor du nach Prag gefahren bist.

Gen. **Günther**:
Die Sache ist so gewesen: Wenn ich mich recht besinne, war ich im März oder April wenige Tage mit Trude in Prag und habe sie auch später getroffen. Das war ein Monat oder ein Jahr (später), wo ich längere Zeit mit ihr zusammen war, wo wir zusammen in der Tatra waren. Aber damals waren es nur sehr wenige Tage. Ich war, als ich nach Prag kam, nicht so sehr von diesen Stimmungen angesteckt. Solange ich in Moskau war, hat mich die Nachricht, daß der Faschismus

58 Egon Erwin Kisch und Theodor Balk, d. i. Fodor Dragutin.
59 **Trude Richter, d. i. Erna Barnick** (1899–1989), Dr. phil., Gymnasiallehrerin, Heirat mit Hans Günther, 1930 KPD-Mitglied, in Berlin Sekretärin des BPRS; vom Exil in Prag aus Organisierung der illegalen Arbeit des BPRS; April 1934 Emigration in die Sowjetunion, am 4. 11. 1936 verhaftet und zu fünf Jahren Zwangsarbeit verurteilt; im Herbst 1946 entlassen, wird sie 1948 erneut verhaftet und kommt erst 1954 aus der Lagerhaft und Zwangsansiedlung in Magadan frei. Seit 1955 lebt sie in Moskau, seit 1957 in Leipzig. In ihren jüngst veröffentlichten autobiographischen Erinnerungen werden die im vorliegenden Protokoll inkriminierten «Beschuldigungen» ebenso ausgeblendet wie in einer 1972 veröffentlichten Autobiographie. Vgl. Trude Richter: *Totgesagt. Erinnerungen*, Leipzig 1990.

an die Macht gekommen ist, erschüttert. Aber es ist nicht so gewesen, daß ich irgendwelche Skrupel oder Bedenken gehabt hätte, sondern ich habe mich mit der Sowjetunion so verbunden gefühlt, daß ich keine Bedenken hatte. Die ganzen Bedenken habe ich in Prag bekommen. Keiner der Genossen hat damals eine bessere Stimmung gehabt. Ich habe mit Absicht bisher niemand anders hineinziehen wollen, damit man nicht sagen kann, ich will meine Fehler abwälzen. Kein einziger der Genossen war da, der mir gesagt hätte, du bist auf einem falschen Wege. Alle waren derselben Meinung.

Gen. **Barta**:
War das nicht eine Liquidatorenstimmung, weg von der Partei?

Gen. **Most**:
Worauf habt ihr den Sieg des Faschismus zurückgeführt? Auf eine falsche Politik, auf einen Moment des Versagens? Worauf beruhte die Erschütterung?

Gen. **Günther**:
Erstens als Faktum. Selbstverständlich sind wir nie der Meinung gewesen, daß die Sozialdemokratie schuldlos ist. Wir haben die ganze Schuld der Sozialdemokratie gesehen.

Gen. **Most**:
Das war nicht in Übereinstimmung mit dem 7. Weltkongreß.

Gen. **Günther**:
Ich habe mich dagegen verwahrt, daß man irgendwie mein Auftreten als eine Vorwegnahme des 7. Weltkongresses betrachtet. Ich muß mich (mit) aller Entschiedenheit dagegen verwahren. Wir haben auch den «Roten Volksentscheid» überspitzt, haben die Frage nicht richtig gestellt. Wir sind der Meinung gewesen, man hätte mit der Sozialdemokratie vollständige Einheitsfrontpolitik von oben machen können, auch in einer Weise, die mit dem 7. Weltkongreß nicht übereinstimmt.

Gen. **Most**:
Dieses Bestreben, die Genossen Manuilski und Stalin zu sprechen, beruhte das darauf, daß ihr das Vertrauen zur Partei selbst verloren hattet?

Gen. **Günther**:
Wir haben uns vorgestellt, daß die Genossen in Moskau viel zuwenig informiert sind und wenig Genossen aus Deutschland gekommen sind, die ihnen ein klares und ungeschminktes Bild geben.

Gen. **Most**:
Wieso warst du zu dieser Überzeugung gekommen?

Gen. **Günther**:
Die Genossen Balk, Kisch, Becher usw., die frisch aus Deutschland kamen, natürlich auch andere, die mir alles das erzählt haben.

Gen. **Barta**:
Wie ich mich erinnere, wußten wir schon davon, daß sich Genosse Becher in schlechter Stimmung in Prag befindet, und man hat den Genossen Günther weggeschickt, damit er Becher überzeuge.

Gen. **Lukács**:
Wir haben Günther auf den Weg gegeben, er muß Genossen Becher richtig bearbeiten.

Gen. **Günther**:
Abgesehen von dem Komischen bestätigt es das, was ich vorhin gesagt habe. Ich bin von Moskau in guter, gesunder Stimmung weggefahren, in der Absicht, Becher zu überzeugen usw. Die Genossen können das alle bestätigen. Und nur aufgrund der Berichte habe ich mich angesteckt.

Gen. **Most**:
Dann müssen das schauderhafte, erschütternde Sachen gewesen sein.

Gen. **Ottwalt**:
Ich habe Trude nach ihrer Rückkehr aus Prag in Berlin gesprochen und bis zu meiner Emigration laufend gesprochen. Ich erinnere mich, daß die Genossin Trude in Prag war und daß ich entsetzt war, in was für einem Zustand sie nach Hause kam. Ich halte es für richtig, hier davon zu sprechen, da diese Sachen nicht ohne Folgen gewesen sind. Ich möchte nähere Einzelheiten nicht erzählen. Aber wir waren im Winter 1933 gezwungen, die Gen. Trude von ihrer Funktion zu entheben, weil sie einen Trotzkisten in eine Sitzung illegaler ...[60] einge-

60 Fehlende Textstelle, oder: Illegaler.

schmuggelt hatte. Sie solidarisierte sich damit. Der Vertreter des ATBD[61] weigerte sich, mit den Schriftstellern zu tun zu haben, und es stellte sich heraus, daß dort ein Mann aufgetreten war, ich glaube Schlüsselstein, und mit einem Mandat eine rein trotzkistische Position bezogen hatte. Ich möchte das ausführen, weil eine derartitge Stimmung unter den Umständen und in einer derartig politisch heißen Situation öfter zu einer Schädigung der Arbeit im Lande geführt hat. Ich habe festgestellt, daß die Gen. Trude über verschiedene parteipolitisch wichtige Fragen Ende 1933 absolut parteifeindliche Einstellungen hatte.

Gen. **Günther**:
Zunächst verbindet Gen. Ottwalt die Dinge nicht richtig. Ich kann mich auf alle Einzelheiten des ersten Zusammentreffens mit Trude nicht besinnen. Wir haben in Prag über Trotzkismus gesprochen. Wir haben ein paar trotzkistische Zeitschriften gelesen, und wir waren uns beide darüber einig, damit wollen wir nichts zu tun haben.

Gen. **Bredel**:
Wieso kann die Frage so kommen: Damit wollen wir nichts zu tun haben?

Gen. **Most**:
Das widerspricht doch dem, was du vorhin gesagt hast.

Gen. **Günther**:
Selbstverständlich sind wir auf diese Frage wieder zu sprechen gekommen. Ich habe erzählt, was ich gesehen und erlebt habe. Ich habe Trude aufgrund meiner lebendigen Eindrücke erzählt, daß wenn ich mich schon in der Theorie überzeugte, daß der sozialistische Aufbau in einem Lande möglich ist, ich mich in der Praxis restlos überzeugt habe. Von vornherein war bei mir die Auffassung, daß von irgendwelcher Verbindung mit dem Trotzkismus keine Rede sein kann.

Gen. **Most**:
Diese These steht im Vordergrund der Auseinandersetzung: Man sollte sich gegen gewisse trotzkistische Tendenzen abgrenzen, nicht über die These über die Möglichkeit und Unmöglichkeit des sozialistischen Aufbaus in einem Lande.

61 Arbeiter-Theater-Bund Deutschlands (ATBD).

Gen. **Günther**:
Ich habe mit Trude ein paar Worte über die Frage Trotzkismus gesprochen. Es ist das erste Mal gewesen, daß ich sie getroffen habe, seitdem ich in Moskau war. Sie ist nach Deutschland zurückgefahren mit der Anweisung, daß sie in Deutschland ihre illegale Arbeit in der Zelle ohne jede Opposition weitermacht. Sie hat das auch getan. Ich habe gesagt, soweit das überhaupt notwendig wäre, Anweisungen zu geben, um dort die illegale Arbeit weiterzumachen.

Gen. **Most**:
Es muß doch aber eine gewisse Befürchtung bei dir gewesen sein, denn sonst bräuchtest du doch nicht sie zu warnen.

Gen. **Günther**:
Ich habe gesagt, wenn es nötig gewesen wäre, eine solche Anweisung zu geben. Von warnen ist gar keine Rede gewesen.

Gen. **Barta**:
Du hast gesagt, daß es aus irgendeinem Grunde notwendig war, ihr eine Anweisung zu geben.

Gen. **Günther**:
Es war von irgendeiner Opposition, in dem Sinne innerhalb der Partei, keine Rede. Es war selbstverständlich, daß Trude zurückfährt und ihre Arbeit wiederaufnimmt. Wir haben uns über die Frage des Trotzkismus unterhalten.

Gen. **Barta**:
Antworte auf die Frage: Waren bei Trude halbtrotzkistische, trotzkistische oder oppositionelle Stimmungen zu spüren?

Gen. **Günther**:
Nein, damals nicht. Ich will einen weiteren Fall anführen, nämlich ein halbes Jahr später, als ich wieder nach Prag gefahren bin, mit dem offiziellen Auftrag zur Gründung der «Neuen Deutschen Blätter»[62]. Damals hatte ich die Depressionsstimmung, die ich vorher in Prag hatte, überhaupt nicht mehr. Von irgendwelchen Bedenken, Skru-

62 *Neue Deutsche Blätter*, Prag, 1933–35. Zu politischen und finanziellen Hintergründen dieser Exilzeitschrift konnten in verschiedenen Archiven zahlreiche neue Dokumente erschlossen werden, die eine genauere Analyse der Redaktionspolitik Wieland Herzfeldes ermöglichen.

peln war nicht die Rede, auch nicht bei Trude. Die Sache ist so gewesen, daß wir ausschließlich über Parteiarbeit gesprochen haben. Wir sind 8–10 Tage in der Tatra gewesen, haben uns erholt, Prospekte für die «Neuen Deutschen Blätter» entworfen, (sind) nach Prag zurückgekommen und haben dort weiter gearbeitet. Die Prospekte sind verschickt worden. Dann ist das Abkommen getroffen worden zwischen Herzfelde und Trude, daß sie nach Deutschland zurückfährt. Sie hat von Herzfelde Geld mitbekommen, um dieses an die deutschen Schriftsteller als Honorare zu verteilen. Es sind Adressen gewechselt worden für Artikel, die von Deutschland aus geschrieben werden. Trude ist als Redakteurin eingesetzt worden. Also ein Beweis, daß von irgendwelchen Oppositionsstimmungen nicht die Rede gewesen ist. Als ich im März in Prag war, ist davon die Rede gewesen. Später nicht. Sie war schon selber durch die Arbeit, die sie im Lande gemacht hatte, gestärkt. So ist sie zurück nach Deutschland gefahren. Die Geschichte, von der Genosse Ottwalt erzählt, ist danach gekommen, im Dezember 1933. Jedenfalls habe ich von der ganzen Sache nichts gewußt, bis ich sie von hintenherum erfahren habe. Im Januar 1934 habe ich von dieser Sache gehört, die Genosse Ottwalt erzählt hat. Ob sie in allen Einzelheiten stimmt, will ich nicht untersuchen. Was habe ich damals unternommen? Ich kann mich hierbei auf Lukács, Gábor und Olga stützen. Wir haben beschlossen, daß sie die Verbindung mit dem Trotzkisten lösen muß, wenn sie noch irgendwelche unterhält. Ich habe ihr einen Brief geschrieben, aus dem sie das verstehen mußte. Ich habe darauf eine Antwort bekommen, daß ich mir keine Sorge zu machen brauche, die Sache sei erledigt. Es sei sogar ein Beschluß gefaßt worden, den sie mir nicht mitteilen könne, den ich aber auf anderem Wege erfahren würde. Der andere Weg, auf dem ich das erfahren habe, war: Im August 1934 war ich in Prag, wo wir eine Fraktionssitzung gemacht haben, wo Gen. Schwalm[63] da war, wo über die damalige Geschichte ein Beschluß der deutschen Fraktion vorlag, Punkt 1–3 eine Beschuldigung der deutschen Fraktion, daß die deutsche Fraktion die größte Schuld trage, weil sie die Verbindung nicht aufrechterhalten hat, so daß sie von Anfang kein Mißtrauen gegen Trude haben. Die Genossen der Fraktion haben zu drei Viertel die

63 **Hans Otto Schwalm** (1906–1969), der unter dem Pseudonym Jan Petersen im illegalen BPRS arbeitete, vertritt 1935 den BPRS als «Mann mit der Maske» auf dem Pariser Kongreß zur Verteidigung der Kultur.

Schuld auf sich genommen. Dann hat Trude ihre Selbstkritik zu dem Fall gegeben, und die Genossen haben sich darüber geäußert, den Fall als erledigt zu betrachten. Das ist dieser Beschluß der Komfraktionssitzung[64], an der Ottwalt und Becher teilgenommen haben. Damit ist der Fall erledigt gewesen. Selbstverständlich ist, daß ich Trude damals, als wir uns zum ersten Male sahen, schwere Vorwürfe gemacht habe. Sie hat diese Tatsachen im wesentlichen darauf zurückgeführt, daß sie von den deutschen Genossen losgelöst war und keine Verbindung hatte und auch, daß ihr wenig geschrieben haben, was nicht anders möglich war, eben wegen der schlechten Verbindung. Soweit die Sache mit Trude gekommen ist, steht fest, daß ich nicht im mindesten schuld habe und daß ich, als ich davon erfahren habe, alles unternommen habe, um sie auf den richtigen Weg zu führen.

Gen. **Fabri**:
Irgendwie trotzkistisch hat sie sich nicht betätigt?

Gen. **Ottwalt**:
Es war ein Mann, der auftrat mit einer Perspektive auf lange Sicht und der Notwendigkeit kleiner Kadergruppen, damit die Arbeit nicht sinnlos gerate durch Massenpropaganda. Jedenfalls eine Linie, die man als trotzkistische bezeichnen muß. Er ist aufgetreten in der Sitzung, als spreche er für die proletarischen Schriftsteller und die «Roten Studenten». Später hat sich herausgestellt, daß unter den Studenten tatsächlich Trotzkisten waren und sich einer bei uns eingeschlichen hatte. Die ganze Sache hat 6–8 Wochen gedauert, sie wurde schnell liquidiert, mit den befreundeten Verbänden ist die Sache in Ordnung gebracht. Es ist kein weiterer Schaden entstanden, als daß die Arbeit einige Wochen nicht geklappt hat.

Gen. **Günther**:
Ich habe Trude die Möglichkeit gegeben, mitzuteilen, daß sie durch Arbeit, das war auch das Ergebnis der Beratung mit Lukács, durch ernsthafte illegale Arbeit ihren Fehler wiedergutmachen soll. Soviel ich unterrichtet bin, hat sie das auch ernst genommen und hat ihre illegale Arbeit bis zu Ende gemacht.

Gen. **Barta**:
Ich habe noch eine weitere Frage, die zusammenhängt mit dem Weg-

64 Sitzung der kommunistischen Fraktion im BPRS.

gehen von dieser Versammlung. Habt ihr vorher oder nachher um diese ganze Angelegenheit keine solchen Gespräche geführt: den Prozeß[65], die Wahrhaftigkeit dieser ganzen Angelegenheit bezweifelt oder verkleinert in irgendeiner Form oder die Beschuldigungen, die gegenüber den einzelnen dort offiziell erhoben wurden. Ich spreche über dich und Gen. Becher.

Gen. **Günther**:
Nicht im mindesten.

Gen. **Bredel**:
Ich habe noch eine Frage. Wie und in welchem Auftrage ist Gen. Trude hierhergekommen?

Gen. **Günther**:
Ich habe damals von mir aus die Frage bei Gen. Heckert gestellt. Gen. Heckert hat befürwortet, und zwar, weil einige Gesuche aus der Wolgadeutschen Republik vorlagen, wo überall Lehrer für Literatur angefordert wurden, so daß Gen. Heckert sofort bereit war, darauf einzugehen. Ich habe ihn motiviert, daß ich nach so langer Trennung wieder mit Trude zusammensein möchte. Gen. Heckert war damit einverstanden. Trude hat entsprechende Schritte in Deutschland unternommen. Sie hat die Frage nicht nur bei der Komfraktion gestellt, sondern auch, ich weiß nicht mehr genau, bei der Bezirksleitung. Sie hat gefragt, ob sie nach eineinhalb Jahren Arbeit nach der Sowjetunion gehen kann.

Gen. **Bredel**:
Du bist informiert, daß die Genossen in Deutschland nicht damit einverstanden waren?

Gen. **Becher**:
Die Gen. Trude sollte zunächst für ein Jahr in die Sowjetunion gehen und nach diesem Jahr wieder nach Deutschland zurück. Wenn ich mich recht erinnere, war sie (in) Prag gemeldet und blieb gemeldet und fuhr so hierher, daß vorgesorgt wurde, daß sie nach einem Jahr wieder nach Prag zurückkommt. Ich glaube, sie war von der Schule zu irgendwelchen Studien abgemeldet. Wie mir Gen. Günther gesagt hat, war Gen. Heckert nicht damit einverstanden, nachdem Gen.

65 Gemeint ist der erste «Moskauer Schauprozeß».

Trude für ein Jahr hier war, daß sie wieder nach Deutschland zurückgeht.

Gen. **Günther**:
Wir haben beide verschiedene Schritte unternommen. Trude hat Schritte unternommen bei der Komfraktion und der Bezirksleitung. Die Genossen sind einverstanden gewesen, allerdings mit der Bedingung: auf die Dauer eines Jahres. Ich habe hier bei Gen. Heckert nie die Frage gestellt, ob Trude für ein Jahr kommen soll, sondern für ständig. Ich sage, daß Gen. Heckert von vornherein damit einverstanden war. Selbstverständlich hat Trude in Befolgung des Beschlusses in Prag alle Schritte unternommenm, um nach einem Jahr die Rückkehr zu ermöglichen. Sie hat die Arbeit hier aufgenommen, und ungefähr nach Ablauf des Jahres habe ich bei der deutschen Vertretung über die Sache gesprochen. Trude hat Auskunft gegeben über ihre Parteiarbeit, seitdem sie in der Sowjetunion ist, und daß sie das Recht hat, in der Sowjetunion zu bleiben, abgesehen davon, daß der Plan aus praktischen Gründen nicht durchführbar war. Gen. Becher wird über sich selbst berichten, er kam nach 4–5 Tagen zur restlosen Selbstkritik und ist zu Gen. Heckert gegangen. Ich bin nach 1–2 Tagen ebenso zu ihm gegangen und habe gesagt: Lieber Fritz, so und so steht die Sache, habe ihm gesagt, daß ich restlose Selbstkritik geübt habe. Dasselbe habe ich in der Zelle der MORP getan. Illés kann bezeugen, daß ich das getan habe.

Gen. **Barta**:
Damit schließe ich die heutige Sitzung.

Sitzung der deutschen Schriftsteller am 5.9.1936

Gen. **Barta**:
Wir setzen unsere Besprechung fort. Das Wort hat der Genosse Becher.

Gen. **Becher**:
Ich glaube, es ist richtig, daß ich zuerst über meine Beziehungen zu Schmückle spreche. Mit Karl Schmückle war ich weitgehend literaturpolitisch und menschlich befreundet. Es ist für mich außerordentlich schwer, mir selbst über den Fall klarzuwerden und vor allen Dingen mir klarzuwerden, welche Fehler ich in den Fragen der Wachsamkeit begangen habe, weil ich nicht konkret weiß, was gegen Schmückle vorliegt, sondern sozusagen weiter nichts kenne als die Veröffentlichung in der «DZZ». Es ist mir nicht einfach, darüber klarzuwerden, ob Schmückle mit Personen Verkehr gehabt hat, die auch ich nicht kannte, oder ob er Verbindungen mit Leuten hatte, ohne mir etwas zu sagen, sozusagen eine Doppelrolle spielte, ohne mich zu unterrichten.

Es ist richtig, um diese ganzen Beziehungen zu klären, etwas historisch vorwegzunehmen. Im Jahre 1933 lernte ich Schmückle in der Redaktion der «DZZ» kennen. Soviel ich weiß, war er damals Sekretär der «DZZ», was sich nicht darauf beschränkte, daß er nur technische Arbeiten machte, sondern ich hatte den Eindruck, daß Schmückle dort auch politische Artikel schrieb. Insbesondere wurde ich davon unterrichtet, daß er und Fabri den Kampf gegen die Gruppe Frischbutter[66] usw. führten. In dieser Zeit spielte der Abdruck eines Gedichtes auf Ernst Thälmann eine besondere Rolle. Ich reichte ein Gedicht ein, betitelt «Ernst Thälmann, dem Führer der Arbeiterklasse». Dieses Gedicht erschien erst nach 14 Tagen, d. h. lange Zeit nicht. Ich sprach mit dem Gen. Fabri, er gab mir darüber keine deutliche Auskunft. Ich war der Ansicht, daß Schmückle keine rein tech-

66 Der Chefredakteur der *DZZ* Frischbutter wurde Anfang 1934 als «Faschist» bezeichnet und durch Julia Annenkowa ersetzt.

nische Funktion innehatte, sondern diese Sekretariatsarbeit auch eine weitgehende politische Arbeit war und jedenfalls er sich politisch in der Redaktion weitgehend betätigte. Ich sprach von dem Kampf, von dem ich erfuhr, den Fabri und Schmückle gegen Frischbutter usw. führten. Das Gedicht erschien 8–14 Tage nicht. Ich muß sagen, ich bekam keinen klaren Eindruck von Fabri. Jedenfalls ging ich zur Komintern und beschwerte mich bei Gen. Dietrich. Später erfuhr ich folgendes. Charakteristisch war, daß, als das Gedicht erschien, der «Führer der deutschen Arbeiterklasse» weggelassen war. Es wurde mir damals von der Redaktion mitgeteilt, daß das eine Wiederholung auf derselben Seite sei, auf derselben Seite würde schon einmal «Führer der deutschen Arbeiterklasse» stehen, und es würde nicht gut sein, wenn das zweimal auf derselben Seite stände. Ich erfuhr später, daß das Gedicht in der Affäre Frischbutter eine Rolle spielte. In dem Kampf gegen diese Gruppe lernte ich Schmückle kennen. Ich sprach über Schmückle ausführlich sowohl mit dem Gen. Heckert als auch mit dem Gen. Knorin. Ich muß sagen, daß beide Genossen außerordentlich positiv über Schmückle sprachen, und ich erinnere mich ganz deutlich der Worte des Gen. Heckert, der sagte, Schmückle ist einer der wenigen Marxisten, die wir in der Partei haben. Es wäre gut, du würdest dich ihm anschließen und dich in literaturpolitischen Fragen auf ihn verlassen. Es war eine außerordentlich warme, eindeutige und positive Antwort, die ich von Gen. Heckert über Schmückle erhielt. Als Schmückle von Lukiewicz in die MORP[67] geholt wurde, hat es zwischen der Gen. Annenkowa und mir ziemliche Auseinandersetzungen gegeben. Gen. Annenkowa sagte, sie würde Schmückle unter keinen Umständen von der «DZZ» weggehen lassen. Der Eindruck, den ich von der Gen. Annenkowa über Schmückle erhielt, war, er ist ein brauchbarer Arbeiter, den sie ungern gehen ließ, und wie sie sagte: Du wirst um ihn kämpfen müssen, wenn du ihn für die MORP haben willst. Ich weise darauf hin, daß später, als ich nicht hier war, Schmückle eine Auslandsreise von Gen. Pieck erhielt, und erst später, als irgend etwas wegen der Silone-Geschichte[68] gemacht wurde,

67 Schmückle arbeitete während des Jahres 1934 im Büro der MORP als Verbindungsmann zur Komintern und war, wie der umfangreiche Briefwechsel mit Joh. R. Becher zeigt, entscheidend an der Vorbereitung des Pariser Kongresses zur Verteidigung der Kultur beteiligt. Vgl. Joh.-R.-Becher-Archiv, S. 940, 942, 943, 944, 945.

68 **Ignazio Silone, d. i. Secondino Tranquilli** (1900–1978), Vorsitzender der italie-

lud mich die Kaderabteilung zu sich und frug mich, ob Schmückle, wenn man ihm eine Auslandsreise genehmige, mit Trotzkisten in der Schweiz Verbindung aufnehmen würde. Nach bestem Gewissen sagte ich, daß ich es für ausgeschlossen halte, daß er mit Trotzkisten in der Schweiz Verbindung aufnehmen würde. Ich wußte, daß er vom Genossen Vaucher[69] eingeladen wurde, von dem ich nicht den geringsten Verdacht hatte, daß er Trotzkist ist. In der späteren Zeit wurde Schmückle von der «DZZ» weiter als Mitarbeiter verwendet, und zwar erinnere ich mich, daß er mir eines Tages erzählte, daß er zu einer – wie man sagt – besonders delikaten Angelegenheit verwendet würde, zum Besuch dieser Stalinschen Division, über deren Besuch Schmückle eine Reportage in der «DZZ» veröffentlicht hat. Gen. Annenkowa und Gen. Fabri schätze ich in erster Linie als Genossen, die sich sehr genau diejenigen Genossen ansehen, die in der «DZZ» zu Worte kommen. Aus diesem ganzen Umkreis der Einschätzung von Schmückle kam ich nicht im mindesten auf den Gedanken, daß es sich um einen Menschen handelt, der schamlos die Partei beschwindelte und beschwindelt. Ich sehe nicht klar, wie ich mich zurechtfinden kann. Ich war gewohnt, daß ich mich in bestimmten Fragen, in der Frage der Parteizuverlässigkeit usw., mich unbedingt an bestimmte Genossen halten kann, die ich aufgrund ihrer ganzen Vergangenheit als für mich autoritär in allen Fragen der Partei halte[70].

nischen Sozialistischen Jugend, führend beteiligt an der Gründung der Kommunistischen Jugendinternationale und am antifaschistischen Kampf der KP Italiens, bereits 1927 Differenz zu Stalin, wird 1931 aus der KP ausgeschlossen; verfaßte im schweizerischen Bergdorf Fontana Martina Faschismusanalysen und mehrere Romane, kritisierte das stalinistische Herrschaftssystem und die Moskauer Prozesse; nach 1945 Rückkehr nach Italien, Chefredakteur von *Avanti*, Sozialdemokrat und Präsident des italienischen PEN-Clubs. Silone, der für die Zeitschrift *Das Wort* gewonnen werden sollte, protestierte mit einem «Offenen Brief» gegen den ersten Moskauer «Schauprozeß». Für ihn war sein Protest «ein notwendiger Akt antifaschistischer Folgerichtigkeit», denn wenn er schweigen würde, «hätte er nicht mehr Mut, eine einzige Zeile gegen die faschistischen Diktaturen zu schreiben». Vgl. zu Silone: *europäische ideen*, Heft 9; Micheal Walzer: *Zweifel und Einmischung. Gesellschaftskritik im 20. Jahrhundert*, Frankfurt 1991. Zur «Silone-Geschichte»: David Pike, *Deutsche Schriftsteller im sowjetischen Exil*, a. a. O., S. 286–288.

69 **Charles F. Vaucher**, Schweizer Sekretär der Internationalen Schriftstellervereinigung zur Verteidigung der Kultur, Beiträge in *Information* (Orprecht-Verlag) und *Heute und Morgen*.

70 Das hierarchisch aufgebaute Nomenklatur-System ist für Becher zwar hinfällig

Nachdem einige Genossen, die ich für solche Genossen anerkenne, mir solche Auskünfte gegeben hatten, selbst im Falle, daß ich in diesem oder jenem Punkte des parteimäßigen Verhaltens von Schmückle dann Zweifel gehabt hätte, die Zweifel geäußert und die Genossen anderer Ansicht gewesen wären als ich, hätte ich mich bestimmt immer in der Richtung dieser Genossen korrigiert. Ich bin der Ansicht, daß ich mich an diese Genossen halten konnte. Das Urteil ließ nicht im mindesten vermuten, daß hier solche Vorwürfe denkbar sind.

Gen. **Barta**:
War auch Süßkind unter denen, die Schmückle verteidigt haben und dir eine gute Auskunft gegeben haben?

Gen. **Becher**:
Nein, es gibt verschiedene Grade der Autorität. Die Autorität von Pieck oder Knorin steht mir höher.

Gen. **Barta**:
Du warst eng verbunden mit Süßkind?

Gen. **Becher**:
Über diese enge Verbindung mit Süßkind werde ich auch sprechen. Ich konnte nicht im mindesten ahnen auf Grund dieser...

Gen. **Barta**:
Du berufst dich auf Gen. Heckert. Aber Gen. Heckert ist inzwischen verstorben.

Gen. **Becher**:
Gen. Barta, wenn wir die Dinge registrieren, kann ich einen Genossen, der in einer sehr maßgebenden Zeit deutscher Parteivertreter war, nicht deswegen auslassen, weil er gestorben ist, sondern ich muß auch bei anderen Dingen mich auf Heckert berufen. Wenn mir ausgelegt wird, daß ich mich auf nicht bekannte Größen berufe, so teile ich mit, daß nur bis zu einem bestimmten Grade die Dinge rekonstruierbar sind. Gerade aus der Tatsache, daß Gen. Heckert Parteivertreter war, kann man daraus schließen, daß auch andere Genossen, z. B. die Gen. Knorin und Pieck, (eine) außerordentlich positive Meinung

geworden, wird aber immer noch als Schutzschild amtlicher «Autorität» gebraucht.

über Schmückle hatten und dieser Meinung organisatorisch für eine Auslandsreise Schmückles Ausdruck gaben.

Gen. **Barta**:
Aber Gen. Pieck hat diese Auslandsreise annulliert.

Gen. **Becher**:
Nein, nach meinem Wissen hat er sie nicht annulliert, sondern, nach Darstellung von Schmückle, auch die asiatische Reise... (genehmigt).

Gen. **Barta**:
Das ist die Darstellung von Schmückle!

Gen. **Becher**:
Du teilst mir mit, daß Gen. Pieck die Auslandsreise annulliert hat. Ich erfahre das hier zum ersten Male. Schmückle hat mir erzählt, er wolle nicht hinausfahren. Das war in meinem Gespräch mit Schmückle, und ich habe sehr genau nach rückwärts registriert. Es ist mir niemals aufgefallen, daß Schmückle parteifeindliche oder sowjetfeindliche Äußerungen getan hat.

Die Verbindung mit Heinrich:[71]
Heinrich kenne ich aus dem Jahr 1921, wo er als Zionist – soviel ich erinnere – in die Bewegung kam. Ich kannte ihn später als Chefredakteur der «Roten Fahne» und kannte ihn, als er hierher kam und mich mit Dietrich zusammen im Hotel «Europa» aufsuchte. Heinrich hat niemals mir gegenüber versucht, eine von der Partei abweichende Linie zu vertreten, und betont, wie er sich von Karl Volk[72] getrennt hat, und hat mich gewarnt, wenn ich ins Ausland fahre, je mit diesem Lumpen zusammenzukommen. Er hat außerordentlich betont und

71 Heinrich Süßkind.
72 **Karl Volk** (1896–1961), seit Gründung Mitglied der KPTsch, seit 1923 hauptamtlicher Funktionär der KPD als Chefredakteur und Pol.-Leiter, seit 1926 Leiter des KPD-Pressedienstes; 1928 als Chefredakteur entlassen, führender Organisator der «Versöhnler». Von der KPD-Führung und von Kippenbergers «M-Apparat» wurde die Tätigkeit der «Versöhnler» ununterbrochen verfolgt. Umfangreiche «Dossiers» und «Berichte» wurden auch nach 1933 angefertigt. In einem 1937 verfertigten «Dossier» heißt es: «Sie haben in der Parteiorganisation ihre eigene Organisation mit In- und Auslandsvertretung, und an der Spitze stand der Abenteurer und Renegat Karl Volk mit seinem trotzkistischen Anhang im Ausland» (IfGA/ZPA NL 36/495 Bl. 456).

getan, daß er seine Fehler eingesehen hat, daß es eine schlechte Parteientwicklung von ihm war usw. Heinrich war im Sekretariat von Béla Kun. Als ich hinausfuhr, sprach ich mit Kun über die Intellektuellenarbeit. Gen. Béla Kun sagte mir, in allen Fragen, die du von draußen hast und wo du nicht mit mir korrespondieren willst, wende dich an Heinrichs Adresse, gegenüber dem «Lux»[73]. Ich habe das von draußen nicht getan, obwohl ich mich erinnere, daß ich einmal aufgefordert wurde, warum ich keine Berichte schicke. Ich habe diese Berichte nicht geschickt. Meine Verbindung zu Heinrich war in dem Sinne freundschaftlich, als ich zwei- oder dreimal von ihm ins Sojusnaja eingeladen wurde, und das vierte Mal, als (ich) hinkam, sagte er, gehen wir dorthin, da ist eine kleine Gesellschaft. Diese kleine Gesellschaft bestand aus Martha Moritz[74], ihrem Mann[75], Gen. Ewert[76], Heinrich und Alice Abramowitz[77] (die Frau von Magyar[78]). Das war ungefähr zwischen 11 und ½ 12. Es war alles ziemlich angetrunken.

73 Moskauer Hotel, in dem zahlreiche Komintern-Funktionäre und Mitarbeiter wohnten. Vgl. dazu Ruth von Mayenburg: *Hotel Lux*, München 1978.
74 **Martha Moritz**, geb. 1904, seit 1921 KPD-Mitglied, nach Besuch der Lenin-Schule der Komintern wegen «Brandlerismus» ausgeschlossen, seit 1931 wieder KPD-Mitglied, tätig für das Auslandsbüro der KP Finnlands, Emigration in die Sowjetunion; 1935 bekam sie von der IKK der Komintern eine «strenge Rüge» wegen «Mangel an Parteiwachsamkeit», verhaftet im September 1937, am 8. April 1938 zum Tode verurteilt und erschossen.
75 Mitglied der KP Finnlands, Deckname: Willi Stein.
76 **Arthur Ewert** (1890–1959), Mitglied des Politbüros der KPD, führender «Versöhnler», 1928 nach Moskau kommandiert, Komintern-Mitarbeiter, 1934 als Emissär nach Brasilien, dort 1936–45 in Haft, nach schwerer Folter geisteskrank. Seine nach Deutschland ausgelieferte Frau kam im KZ Ravensbrück ums Leben. Ewert verstarb 1959 in der DDR.
77 **Alice Abramowitz** (1901–1971), 1919 KPD-Mitglied, Sekretärin im ZK der KPD, 1934 Emigration in die Sowjetunion, bereits im Mai 1935 zu viereinhalb Jahren Haft verurteilt, Lagerhaft in Karaganda, 1945–55 erneut in Haft, nach Rückkehr in der DDR verstorben. Sie wurde in bisherigen Veröffentlichungen als «Alice Madje» und zugleich als Alice Abramowitsch benannt. Vgl. *In den Fängen des NKWD. Deutsche Opfer des stalinistischen Terrors*, Berlin 1990.
78 **Lajos (Ludwig) Magyar, d. i. Lajos Milgorf** (1891–1937), ungarischer Journalist, 1922 Moskau und KPdSU-Mitglied, Leiter des Berliner Büros der sowjetischen Nachrichtenagentur ROSTA, TASS-Mitarbeiter, China-Experte in der Komintern, 1933 als Komintern-Emissär zur KPD-Auslandsleitung nach Paris, neben Luigi Longo Komintern-Beauftragter, 1935 Moskau, 1937 verhaftet und erschossen.

Gen. **Most**:
Das war diese historische Zusammenkunft?[79]

Gen. **Becher**:
Man war schon beim Kaffee angelangt. Es wurde überhaupt nichts gesprochen, nur etwas ist mir in Erinnerung. Jemand fragte Ewert nach der Perspektive der Ereignisse in Deutschland, und Ewert sagte, er lehne es ab, solche leichtsinnigen Prophezeiungen zu machen, und er mache die Perspektivgeschichte nicht mit. Das ist die einzige Äußerung, die ich aus der Zusammenkunft behalten habe. Ich muß mich leider wieder auf den Gen. Heckert berufen. Diese Zusammenkunft habe ich Gen. Heckert mitgeteilt. (...) Heckert schien bereits über diese Angelegenheit unterrichtet zu sein. Jedenfalls war seine Antwort eine derartige, daß er dieser Sache keine Bedeutung zumaß.

Eine zweite Sache. Als ich in Zürich ankam, wurde ich von Kläber[80] abgeholt und ins Restaurant gegenüber geführt, und dort saßen Lex[81] und Kern. Als ich die beiden sitzen sah, kam das Gespräch auf Baudisch[82]. Sie sagten, Baudisch ist in Wien, und dann fragte ich, was macht Volk?

Gen. **Most**:
Wie kamst du gerade auf diese Frage?

79 Die Teilnahme an diesem geselligen Abend, der hier schon als «historische Zusammenkunft» gewertet wird, zog 1935 die Bestrafung durch eine «strenge Rüge» der Komintern nach sich. Außer Arthur Ewert wurden alle Teilnehmer des Abends in den folgenden Jahren Opfer des stalinistischen Terrors. Ihre parteiamtlich in der Kaderabteilung fixierten «Abweichungen» und diese «historische Zusammenkunft» verdichtete das NKWD zu tödlichen Vorwürfen.

80 **Kurt Kläber** (1897–1959), Schriftsteller, Mitbegründer des BPRS, Herausgeber der *Linkskurve*; 1933 verhaftet; Exil in der Schweiz, 1938 Austritt aus der KPD.

81 **Lex (Adolf) Ende** (1899–1951), 1919 KPD-Mitglied, Chefredakteur verschiedener KPD-Zeitungen, 1928 als «Versöhnler» abgesetzt, 1934 Emigration, Redakteur der *Deutschen Volkszeitung* in Prag und Paris; lebte nach Flucht aus Internierungslager bis 1945 illegal in Frankreich; 1946 Chefredakteur des *Neuen Deutschland*; als ehemaliger «Versöhnler» und «Westemigrant» bereits gebrandmarkt, wurde er zusammen mit anderen SED-Mitgliedern 1950 wegen «Verbindung» zu dem Amerikaner Noel Field aus der SED ausgeschlossen. Nach seiner Degradierung zum Betriebsbuchhalter verstarb Lex Ende am 15. 1. 1951.

82 **Paul Baudisch** (1899–1977), österr. Schriftsteller, «Versöhnler», Emigration über Wien und Frankreich nach Schweden.

Gen. **Becher**:
Darauf kam die Antwort, wir haben keine Ahnung, wo er ist. Ich kann mich nicht erinnern, ob es Lex oder Kern war, der mir das sagte. Am übernächsten Tage, als ich am Züricher See spazierenging und das Kino aus war, kam breit und behäbig Karl Volk aus dem Kino heraus. Sofort kombinierte ich, daß die beiden von Volks Anwesenheit wissen und mir das nicht gesagt haben, das bedeutet etwas. Selbstverständlich habe ich, als ich hierher kam, über diese Sache gesprochen. Ich weiß nicht, ob das damals die Zusammenkunft[83] war, wo eine Plattform usw. ausgearbeitet wurde. Ich weiß nicht, ob das diese Angelegenheit war. Jedenfalls wurde das dem Gen. Heckert gemeldet.

Weiter über meine Beziehungen zu Süßkind. Heinrich sah ich, nachdem ich vor einem Jahre hierherkam, einmal auf der Twerskaja[84]. Dort gingen Schmückle, Reimann und Becher. Das war ungefähr einen Monat nach meiner Ankunft. Ich bin im November[85] angekommen. Wie gesagt, auf der Straße gingen Schmückle, Reimann und Becher. Das war ungefähr einen Monat nach meiner Ankunft. Ich erinnere mich an diese Szene, weil Reimann auffuhr: «Um Gottes willen, wenn das jemand gesehen hat.» Ich sagte, wenn das jemand gesehen hat, so konnte man sehen, daß der Gruß mir galt. Das zweite Mal sah ich Süßkind bei der Thälmann-Feier. Er kam auf mich zu und sagte: «Jetzt kannst du mir wieder die Hand geben, jetzt bin ich wieder in die Partei aufgenommen.» Ich war nicht mehr bei Süßkind und hatte keinerlei Beziehungen zu ihm.

Gen. **Barta**:
Ist dir nicht bekannt, welche Beziehungen Schmückle in der letzten Zeit gehabt hat?

83 Über diese «geheime internationale Versöhnlerkonferenz» schreibt Herbert Wehner in seinen autobiographischen Erinnerungen: «Von dieser geheimnisvollen Konferenz, als deren Tagungsort einmal Zürich, ein andermal Kopenhagen genannt wurden, war in den Jahren der Psychose noch oft die Rede.» H. Wehner: *Zeugnis*, Bergisch-Gladbach 1984, S. 193.
84 Die im Moskauer Stadtzentrum befindliche Twerskaja wurde in den dreißiger Jahren in Gorki-Straße umbenannt und trägt heute wieder den ursprünglichen Namen.
85 Becher kam im Dezember 1935 von seiner Auslandsreise zurück.

Gen. **Becher**:
Ich habe Schmückle gefragt, hast du jemals wieder Süßkind gesehen? Schmückle antwortete mir: Nein. Damit war für mich die Sache erledigt. Zu Reimann hatte ich damals Beziehungen, als die Sache, über die ich undeutlich informiert bin, gegen Reimann vorlag. Jedenfalls besuchte ich Reimann kurz danach. Es war vor ungefähr ¾ Jahr. Er sagte mir, er komme in ein Sanatorium. Seitdem habe ich ihn nicht mehr gesehen.

Die Frage der Nixdorf-Angelegenheit[86], die Frage Ryasanow[87]

86 **Kurt Nixdorf** (1903–1937), Studium der Staatswissenschaft, 1920 KPD-Mitglied, 1922 wegen Differenzen zur «Märzaktion» ausgeschlossen, nach Wiederaufnahme als Anhänger der «Mittelgruppe» in der KPD von Funktionen ausgeschlossen; 1927 ans Moskauer Marx-Engels-Institut berufen, 1928 KPdSU-Mitglied, Mitarbeiter an der Marx-Engels-Gesamtausgabe, 1929 Parteirüge wegen «Versöhnlertum», nach der Absetzung Ryasanows 1931 aus dem Marx-Engels-Institut entlassen, Dozent am Pädagogischen Institut und Redakteur bei der *Moskauer Rundschau*; bereits am 20.6.1935 zu fünf Jahren Lagerhaft verurteilt. Am 14.9.1937 vom MKOG zum Tode verurteilt und sofort erschossen.

87 **David B. Ryasanow, d.i.: David Goldendach** (1879–1938), schloß sich als Schüler den Narodniki an; nach sechs Jahren im Gefängnis und drei Jahren Verbannung emigrierte er 1901 nach Berlin; beteiligte sich an der Revolution 1905 und am Aufbau von Gewerkschaften; Studium des unveröffentlichten Marx-Engels-Nachlasses in Deutschland, Lektor an der Parteischule in Capri; in den fraktionellen Auseinanderysetzungen der russischen Sozialdemokratie behielt er eine unabhängige Position; 1915 Teilnehmer an der Zimmerwalder Konferenz, 1917 gehörte er zur Gruppe der «Meschrayonzen», die sich 1917 den Bolschewiki anschloß. 1918 Leiter des Staatsarchivs, 1920/21 trat er für unabhängige Gewerkschaften ein. 1921–31 Direktor des Marx-Engels-Instituts. Aufbau einer Bibliothek und eines Archivs zur Geschichte des Sozialismus, Herausgabe der ersten Marx-Engels-Gesamtausgabe; am 13. Febuar 1931 wird das Institut durch die GPU besetzt und drei Wochen lang durchsucht. Am 17. Februar wird Ryasanow 1931 aus der KPdSU als «Parteiverräter» ausgeschlossen und am 26.2.1931 aus dem Marx-Engels-Institut entfernt, im «Menschewistenprozeß» Anfang März 1931 der «Verbindung» zum «menschewistischen Auslandszentrum» beschuldigt, 1931 zusammen mit seiner Frau nach Sarotow verbannt; bis 1937 Bibliotheks-Mitarbeiter, am 23.6.1937 wegen «Verbindung» zu einer «rechtsopportunistischen-trotzkistischen Opposition» verhaftet; am 21.1.1938 durch das MKOG zum Tode verurteilt und erschossen. Ryasanow wurde 1931 durch Wladimir Adoratski als Direktor «ersetzt»; stellvertretender und damit eigentlicher Institutsdirektor wurde der Sekretär Stalins Iwan P. Towstucha. Vgl. zur Biographie Ryasanows jetzt W.A. Smirnow: *Der erste Direktor des Marx-Engels-Instituts, D.B. Ryasanow*, in: Voprosy istorii KPSS, 1989, Heft 9, S. 71–84. Durch mehrere Kampagnen und ZK-Beschlüsse wurde 1930/31 auch die sowjetische Philosophie stalinisiert. Vgl. dazu Wladislaw Hedeler: *Stalin und die Philosophen*, in: Deutsche Zeitschrift f. Philosophie, 1991,

wurde mir von Schmückle so dargestellt, als ob damals ein Verfahren gegen ihn gewesen und die Rüge zurückgenommen sei. In der Nixdorf-Geschichte erfuhr ich, daß in meiner Abwesenheit eine Sitzung gewesen sei und in dieser über das Verhalten Schmückles in der Nixdorf-Angelegenheit gesprochen worden sei. Ich kannte Nixdorf nicht. Schmückle hat mir die Sache so dargestellt, als ob es sich in der Nixdorf-Angelegenheit um eine Sache handelte, die sich um ein Nebeneinander von Personen drehe. Das hat er mir später so dargestellt: Dieser furchtbare Kerl, er hat mich in die ganze Angelegenheit verwickelt, nur weil er da und da[88] gewohnt hat.

Gen. **Barta**:
Das hat er schriftlich zugegeben, daß er das getan hat.

Gen. **Becher**:
Ich erfuhr von der Parteiversammlung, die hier stattgefunden hat, wo die Nixdorf-Angelegenheit und auch die Ryasanow-Angelegenheit behandelt und die Rüge gegenüber Schmückle zurückgenommen worden sei. Mir wurde mitgeteilt, daß vor zwei Monaten diese Rüge in der Nixdorf-Angelegenheit zurückgenommen worden sei. Meine Einstellung war so, daß man Schmückle wieder in die deutsche Kommission[89] hineinwählen kann und (er) auch, ohne daß er eine Stimme hat, an der Redaktionssitzung teilnehmen kann. Vorgeschlagen hat das zweimal Gen. Ottwalt.

S. 528–535. Stalins Brief an die Zeitschrift *Proletarskaja Rewoluzija* führte 1931 zu einer weiteren Welle von «Säuberungen» in der sowjetischen Geschichtswissenschaft.

88 Nixdorf und Schmückle wohnten 1935 im gleichen Haus in der Marx-Engels-Straße 3.

89 Im Arbeitsplan für Februar/März 1935 werden als Mitglieder der deutschen Kommission des IVRS vorgeschlagen: Schmückle, Ottwalt, Lukács, Gábor, Weinert, Erpenbeck, Günther und Bredel. Abgedruckt in: *Prag–Moskau. Briefe von und an Wieland Herzfelde 1933–1938*, hrsg. von Guiseppe de Siati und Thies Zemke, Kiel 1991, S. 19. Auch in dem darin abgedruckten Briefwechsel zwischen Herzfelde und Schmückle wird die Kontroll- und Anleitungsfunktion Schmückles gegenüber Herzfelde deutlich. Als Gehilfe des EKKI-Sekretärs Knorin übernimmt 1935 Smoliansky, nach der Ablösung von Reimann und Schmückle, die Verbindung zur Komintern. In der noch zu ergänzenden Sammlung mit Briefen Herzfeldes wird fälschlicherweise das Kürzel Smo. (d. i. Smoljansky) mit Heinrich Most (Meyer) identifiziert.

Gen. **Barta**:
Warum geschah das während meiner Abwesenheit?

Gen. **Ottwalt**:
Du warst drei Monate abwesend und hast während dieser Zeit an keiner Redaktionssitzung teilgenommen.

Gen. **Barta**:
Es handelt sich darum, wieso das kam.

Gen. **Ottwalt**:
Ich habe die Frage gestellt, ob es nicht an der Zeit ist, daß man Schmückle wieder heranzieht. Daß das «so» eilig war, lag daran, daß du nicht hier warst. Außerdem war es eine Tatsache, daß unter deiner Führung Schmückle die Parteirüge erteilt wurde.

Gen. **Barta**:
Unter meiner Führung wurde er von der Redaktion der «Internationalen Literatur» abgesetzt.[90]

Gen. **Becher**:
Es ist richtig. Bei der Absetzung Schmückles habe ich außerordentlichen Widerstand geleistet.

Gen. **Barta**:
Hat Schmückle sich nicht vor ungefähr zwei Jahren, als du im Ausland warst, sich brieflich an dich gewendet und dich informiert, was gegen ihn vorliegt, sowie deine Hilfe in gewisser Form in dieser Angelegenheit verlangt? Also ein Briefwechsel, wo er im wesentlichen dich über die Sachlage informiert und um deine Einmischung gebeten hat.

Gen. **Becher**:
Da kann ich mich schwer entsinnen. Ganz bestimmt hat er mich in dem Sinne orientiert, daß gegen ihn eine Hetze sei, die in Wirklichkeit mir gelte, und wo ich getroffen werden soll durch ihn und daß ich ihn im Interesse einer bestimmten literaturpolitischen Linie schützen müsse. In dieser Linie ist es möglich, daß das geschehen ist.

90 Schmückle wurde 1936 als stellvertretender Redakteur der *Internationalen Literatur* ab Heft 5 durch Hugo Huppert, veröffentlicht im Impressum, abgelöst. Die interne Absetzung ist schon früher zu datieren.

Gen. **Barta**: Das ist eine Tatsache, daß das geschehen ist.[91]

Gen. **Becher**:
In parteipolitischen Dingen, also von der Nixdorf-Angelegenheit und den Tatsachen selbst hat er mich nicht informiert.[92]

Gen. **Barta**:
Er hat dich also informiert, das ist eine Hetze gegen dich.

Gen. **Becher**:
Ich habe der Absetzung von Schmückle tatsächlich großen Widerstand entgegengesetzt. Dieser Widerstand geschah innerhalb des Redaktionskomitees und hat sich auf keine andere Stelle erstreckt. Warum? Ich hatte im Verlauf dieser Jahre einige literaturpolitische, aber niemals politische Auseinandersetzungen, da Schmückle mir gegenüber immer einwandfrei aufgetreten ist und sich gezeigt hat. Ich habe literaturpolitische Auseinandersetzungen gehabt. Ich habe damals den Genossen das nicht mitgeteilt, sondern Schmückle wird sich erinnern, daß wir über den Theaterplatz gingen, ich Schmückle wörtlich folgendes erklärt habe: Ich halte das Referat von Radek in gewissem Sinne als Fortsetzung der trotzkistischen Literatur. Es ist vielleicht richtig, offen dagegen aufzutreten.

Gen. **Barta**: Dieses Referat wurde vom Zentralkomitee bestätigt.

Gen. **Becher**:
Das war meine Meinung, über den Theaterplatz mit Schmückle gehend. Ich wollte offen gegen Radek auftreten. Die Sache war so, daß ich mich von Schmückle überzeugen ließ und daß es für einen Genossen absolut unerwünscht ist, daß das von Stetzki[93] ausgeht und daß es

91 Barta lag wahrscheinlich der offizielle und der private Briefwechsel zwischen Schmückle und Becher vor. Am 11. März schrieb Becher an Schmückle: «Nein, es fällt einem gar nicht ein, hier eine Feder zu rühren, wenn man weiß, daß, wer sie ergreift, durch sie umkommt. Mit dieser Einstellung muß unbedingt gebrochen werden.» Vgl. dazu Johannes-R.-Becher-Archiv, a. a. O., S. 831 f, 958 ff.

92 In einem Brief an Willi Bredel beschwert sich Joh. R. Becher am 19.3.1935: «Unverständlich ist es mir, wie unzulänglich und nur geheimnisvoll andeutungsweise Ihr mich über den Fall K. S. ‹Karl Schmückle› unterrichtet habt. Da kann kein Mensch daraus schlau werden, was da eigentlich vorgefallen ist, und man beginnt sich so seine besonderen Gedanken zu machen.» Johannes-R.-Becher-Archiv, S. 832.

93 **Alexej J. Stetzki**, ZK-Mitglied der KPdSU, Leiter der Abteilung für Parteipropaganda und Agitation beim ZK der KPdSU.

für Genossen absolut unerwünscht ist, daß er gegen ein Referat von Radek auftrete. Mir wurde mitgeteilt, daß das von Stetzki ausgeht und daß ein Auftreten gegen das Referat von Radek[94] nur in der Form geschehen kann, daß man bestimmte Ergänzungen dessen mache, was im Referat fehlt. Ich glaube, in dem Referat[95], das ich gehalten habe, waren einige Ergänzungen und besonders in dem Referat von Willi[96] waren die Ergänzungen noch breiter. Die zweite Auseinandersetzung hatte ich in der Frage der Kaderbehandlung und in der Frage der Einschätzung eines ganz konkreten Falles von Büchern, die noch nicht hundertprozentige Literatur, aber im Interesse der Partei wichtige Bücher sind und die Schmückle mit dem ästhetischen Maßstab gemessen hat. Das war in der Einschätzung Malraux–Brecht, Malraux–Bredel und in seiner Einschätzung von Brecht. Die Genossen werden sich erinnern, daß ich in allen Auseinandersetzungen in der Frage Malraux und Brecht nicht den Standpunkt von Schmückle vertreten habe. Stutzig wurde ich in der Redaktionsführung[97] Schmückles durch folgendes:

Genosse Ottwalt bat über etwas um Auskunft. Schmückle fuhr hoch: Darüber habe ich nicht Auskunft zu geben, das geht euch nichts an. Ich sprach darauf mit Schmückle, was dann überhaupt eine Redaktionssitzung für einen Sinn habe, wenn man die Genossen einlädt, um ihnen mitzuteilen, daß man nur Dinamow gegenüber verant-

94 Karl Radeks Referat ist abgedruckt in: *Sozialistische Realismuskonzeptionen*, Dokumente zum 1. Allunionskongreß der Sowjetschriftsteller, hrsg. von Hans-Jürgen Schmitt und Godehard Schramm, Frankfurt a. M. 1974, S. 140–213.

95 Joh. R. Bechers Referat in: *Sozialistische Realismuskonzeptionen*, a. a. O., S. 245–248.

96 Willi Bredels Referat in: *Sozialistische Realismuskonzeptionen*, a. a. O., S. 214–219.

97 Karl Schmückle war stellvertretender Redakteur der deutschen Ausgabe der *Internationalen Literatur* für den Jahrgang 4, 1934, Nr. 4–6 und für den Jahrgang 5, 1935, Nr. 8 bis zu Nr. 4 des 6. Jahrganges 1936. Anfang 1935 hatte Schmückle eine Parteirüge erhalten und war danach auch als stellvertretender Redakteur vorübergehend durch einen ZK-Beschluß abgesetzt worden. Schmückle war als Mitarbeiter in der MORP und als Verbindungsmann zur Komintern auch führend in der deutschen Kommission der IVRS tätig. Schmückle formuliert seine Wünsche gegenüber Wieland Herzfelde, dem Herausgeber der *Neuen Deutschen Blätter*, durch die Verwendung des autoritativen «Wir». Nach seiner Parteirüge Anfang 1935 und nach Bechers Ablösung durch Willi Bredel war Schmückle, nicht zuletzt durch die Eingaben Günthers und die «Untersuchungen» Hupperts, weitgehend entmachtet worden.

wortlich ist. Entweder macht man dann keine Redaktionssitzungen oder man führt die Redaktion in Zusammenarbeit mit den Genossen. Dann gab es (einen) ziemlichen Bruch in unserer Freundschaft, und zwar durch die Tatsache, daß Schmückle daraus, daß er nicht in das Redaktionskollegium kam, eine Machtfrage machte. Die Genossen erinnern sich, daß ich eine Machtfrage auch daraus machen wollte. In der Tat war das eine bestimmte Anhänglichkeit und ein Freundschaftsgefühl und noch etwas. Genosse Barta und vielleicht auch andere Genossen werden sich erinnern, daß ich die Redaktion bat, z. B. die Eingabe Günthers und die Differenzen prinzipiell[98] zu behandeln, daß ich einige Male darauf hinwies, diese Angelegenheit müßte prinzipiell behandelt werden. Ich gebe nicht zu, daß ich überzeugt war von ihrer Argumentation in der Art, daß ich darauf hinwies, daß wenn es Schmückle sagt, es schon richtig ist. Diese Argumentation bestärkte mich in der Annahme, daß es sich um eine prinzipienlose Stellung handele. Ich erinnere mich, daß Gen. Barta sagte, Schmückle ist nicht mehr da und diese prinzipielle Diskussion, wie auch andere Diskussionen...

Gen. **Barta**:
Schmückle wurde vom ZK in der Redaktion nicht bestätigt. Nachdem war es unnötig, nachträglich einen prinzipiellen Streit über alte Fragen aufzunehmen, um Schmückle wieder in die Redaktion hineinzubringen. Aber das wolltest du.

Gen. **Becher**:
Nein, es gibt ein Beispiel, wo ich leicht zu überzeugen gewesen bin, und wo ich die Genossen überzeugt habe.

Gen. **Barta**:
Du hast erklärt, falls Schmückle nicht in der Redaktion ist, lehnst du deine Redaktion ab. Das war schon nach dem Beschluß.

Gen. **Becher**:
Das habe ich gesagt, daß ich nicht der Ansicht bin, daß die prinzipielle

98 «Prinzipiell» und «prinzipienlos» werden in diesen Sitzungen als vermeintliche Gegensatzpaare einer «Weltanschauung» gebraucht, deren entleerter Nominalismus sich in eine Welt von ersten «Prinzipien», d. h. in die durch Zitate oder ZK-Beschlüsse abgeschottete «Linien», auflöst. Stalin selbst lieferte die Vorlage für diese Begriffsscholastik, wenn er im «Kampf» gegen die Abweichungen stets eine *prinzipielle* Politik» fordert. Vgl. Stalin: *Werke*, Bd. 12, S. 325.

Seite behandelt wurde und Schmückle prinzipiell unrecht hatte. Es wurde gegen Schmückle der Einwurf des Essayisten gemacht. Als Lukács mir seinen neuen Artikel gegeben hat, bin ich zu ihm gegangen und habe gesagt: Jetzt weiß ich, was man mit diesem Essayisten-Vorwurf gemeint hat. Ich gebe zu, daß es mir ungeheuer erschwert wurde, den Fall Schmückle literaturpolitisch und literarisch zu durchschauen, weil die Frage der prinzipiellen Diskussion und der prinzipiellen Auseinandersetzung nicht nur im Falle Schmückle, sondern innerhalb unserer ganzen Arbeit, und darüber habe ich auch einige Genossen gesprochen, daß die Frage der ideologischen Führung sehr mäßig ist und viele Fehler zu vermeiden und rechtzeitig zu korrigieren gewesen wären.

Gen. **Barta**:
Auch der Beschluß des ZK ist ein objektiver Grund, der dich gehindert habe, so daß du deine Arbeit niederlegen wolltest, falls Schmückle nicht in die Redaktion käme.

Gen. **Becher**:
Ich habe das aus vollkommen falsch verstandener Solidarität mit Schmückle gemacht.

Gen. **Barta**:
Warum warst du mit ihm solidarisch, als du gesehen hast, daß er dich irregeführt? Du konntest und hast dich informiert und hast dich trotzdem mit so einem Menschen solidarisiert und nicht mit dem Beschluß der Partei.

Gen. **Becher**:
Politische Gründe liegen nicht vor. Ich kann hier nur erklären, daß niemals von Schmückle und mir politische Gespräche geführt wurden, die gegen die Partei und gegen die Sowjetunion gerichtet waren. Um ein politisches Sympathisieren mit Schmückle kann es sich nicht handeln. Ich gebe zu, daß ich selber solchen Dingen gegenüber nachsichtig und gewissermaßen blind war und daß viele Genossen trotz dieser Vorwürfe über Schmückle bis zu dem Moment, wo diese Notiz über Schmückle in der «DZZ» erschien, nicht dieser Meinung waren, außer Günther.

Gen. **Huppert**:
Günther war nicht der einzige.

Gen. **Ottwalt**:
Ich schlage vor, die Fälle Heinrich und Schmückle zusammenzuziehen, so daß man bestimmte Fragen jetzt schon an Gen. Becher stellt.

Gen. **Barta**:
Wer hat Fragen?

Gen. **Günther**:
Ich möchte genaue Auskunft darüber haben, bei wem sich Gen. Becher informiert hat, als er wieder nach Moskau zurückkam, was in der Zwischenzeit mit Schmückle geschehen ist. Draußen hat er sich vielleicht nur auf Schmückle gestützt, wer hat ihn hier informiert. Nach meiner Meinung mußte er sich darüber informieren, daß Schmückle eine Rüge erteilt wurde. Bei wem hat er sich die notwendige Auskunft eingeholt?

Gen. **Ottwalt**:
Wie kommt es, daß sich Gen. Becher in diesem Punkt ausschließlich auf die Redaktion der «DZZ» verlassen hat und versäumte, mit seinen Genossen über diesen Fall zu sprechen? Eine zweite Frage ist: Gen. Becher hat gesagt, daß er trotz Aufforderung an Süßkind keine Berichte geschickt hat. Wie Becher es darstellt, hat er gegen Süßkind keinen Verdacht gehabt. Warum hat er, wenn er aufgefordert wurde, an Süßkind Berichte zu schreiben, diese Berichte nicht geschrieben? Die dritte Frage: Wie erklärt Gen. Becher das außerordentlich herzliche und energische Eintreten Süßkinds für ihn? Ich denke besonders an den Fall bei der Gen. Annenkowa, wo es Süßkind war, der sich für ihn so außerordentlich eingesetzt hat.

Gen. **Bredel**:
Ich möchte fragen, ob Gen. Becher weiß, als er von Paris zurückkam, was gegen Schmückle vorlag[99], und wie er sich das zu Herzen genommen hat, so daß er sozusagen nicht den Eindruck hatte, daß es sich um einen Cliquenstunk handelte?

99 In einem Brief vom 22.3.1935 schreibt Becher an Bredel: «Zu unserem größten Erstaunen teilst Du in einem Brief an P. mit, daß K. S. (Karl Schmückle) hart an einem Ausschluß vorbei gerutscht ist, und wunderst Dich, daß wir informiert sind. (...) Ihr habt uns in dieser Angelegenheit richtig im dunkeln sitzen lassen.» Wie Becher weiter schreibt, war er von Bredel der «Geheimniskrämerei mit Schmückle» und der Durchführung «einer zweiten Linie auf dem Literaturgebiet» bezichtigt worden.

Gen. **Günther**:
Ist es richtig, daß, als Becher das letzte Mal nach Moskau zurückkam, er besonders enge Beziehungen zu Reimann hatte und daß ihm dieser geholfen hat, ein Hotelzimmer zu bekommen. Daß er in der ersten Woche beinahe jeden zweiten Abend ins «Lux» zu Reimann gegangen ist und sich dort mit Schmückle getroffen hat. Die letzte Frage ist eine Information, die sich auf Änne Bernfeld[100] bezieht. Ich halte das für eine ziemlich wichtige Sache. Ihr wißt, daß meine Frau bis vor 8–10 Tagen mit ihr im Erholungsheim zusammen war. Änne hat Trude schwere Vorwürfe meinetwegen gemacht, warum ich so gehässig und konstant den Kampf gegen Schmückle führe. Daraufhin hat Änne Bernfeld gesagt – sie hat noch nichts gewußt, daß Süßkind verhaftet ist –, mit Nixdorf ist keine enge Verbindung gewesen. Er hat sich mehr aufgedrängt. Ganz anders liegt der Fall mit Heinrich. Er ist oft ins Haus gekommen, wir haben zusammengesessen, bis in die letzte Zeit. Seitdem ist er ständig bei uns, und es besteht die allerengste und herzlichste Freundschaft. Sie hat sich damit gebrüstet, daß Heinrich rehabilitiert sei. Ich nehme an, daß sie die Wahrheit gesagt, denn von der Verhaftung hat sie nichts gewußt. Das scheint ein Widerspruch zu sein, so daß ich besser fragen möchte, ob die Auskunft sich auf die Zeit bezieht, wo Heinrich aus der Partei ausgeschlossen war, oder auch auf die Zeit, wo Heinrich wiederhergestellt war.

Gen. **Becher**:
Ich erinnere mich ganz bestimmt, daß Schmückle Auskunft gegeben hat in dem Zeitraum von vier Monaten. Ich brauche nicht zu sagen, daß ich niemals Heinrich in der Wohnung Schmückles angetroffen habe.

Gen. **Barta**:
Wen hast du bei Schmückle angetroffen?

100 **Anne (Änne) Bernfeld-Salomon** (1892–1941), Ärztin, verheiratet in erster Ehe mit dem Psychologen Siegfried Bernfeld, 1926–31, wiss. Mitarbeiterin am Moskauer Marx-Engels-Institut, Lebensgefährtin von Karl Schmückle. 1931 Redakteurin in der *VEEGAR*, Beiträge für die *Moskauer Rundschau* und zahlreiche Rezensionen für die *Internationale Literatur*. 1941, nach der Evakuierung aus Moskaus, beging Änne Bernfeld Selbstmord. Ihr Sohn Michael kam in ein Kinderheim, lebte zunächst in der UdSSR und verstarb 1989 in Berlin/DDR.

Gen. **Becher**:
Zwei, wie er mir sagte, Asiaten, mit denen er die Reise besprach, die er machte. Sie sprachen russisch und hatten riesige Karten vor sich aufgeschlagen. Ich saß im Nebenzimmer, rauchte, und als es mir zu bunt wurde, ging ich. Das zweite Mal traf ich einen Mann, der mir unsympathisch war, dessen Namen ich vergessen habe. Das war in der alten Wohnung[101], jemand von WOKS, nämlich Rohr, den traf ich bei Schmückle. Dann einmal Hedi Gutmann.[102]

Gen. **Huppert**:
Ist Rohr Ex-Mitglied der KPD?

Gen. **Becher**:
Rohr traf ich in der alten Wohnung.

Gen. **Huppert**:
Die Frau ist Angestellte der faschistischen «Frankfurter Zeitung».

Gen. **Becher**:
Ich will sagen, daß mir bekannt war, daß die Frau Korrespondentin der «Frankfurter Zeitung» war, und zwar wurde mir gesagt, das ist eine mit Narkomindel[103] verabredete Sache, misch dich dort nicht hinein.

Gen. **Barta**:
War dir etwas bekannt über die Vergangenheit von Änne Bernfeld?

Gen. **Becher**:
1927 traf ich Änne Bernfeld im Hotel Passage, und zwar ununterbrochen in folgender Gemeinschaft: Änne Bernfeld, Bronski[104] und Höl-

101 Schmückle wohnte zuerst in der Marx-Engels-Straße 3. Er zog 1936 in das neuerrichtete Wohnhaus der Baugenossenschaft ausländischer Arbeiter «Weltoktober» in der Wystawotschnij-Straße.
102 **Hedi Gutmann** (1898–1973), als Lebensgefährtin Hanns Eislers nach Moskau gekommen, Mitarbeiterin am Marx-Engels-Institut, Hochschullehrerin. Vom NKWD wurde sie beschuldigt, daß in ihrer Wohnung der «Sitz der Moskauer Gestapo-Zentrale» sei. Am 23. Juni 1941 wurde sie verhaftet und war bis 1955 in Haft.
103 Volkskommissariat für Auswärtige Angelegenheiten.
104 **Mieczyslaw Bronski** (1882–1941), 1902 Poln. sozialdemokratische Partei, Parteijournalist, nach 1905 Emigration in die Schweiz, 1917/18 stellvertr. Volkskommissar, 1919 Organisator des Westeuropäischen Büros der Komintern; verhaftet in Kopenhagen; ab 1920 sowjetischer Botschafter in Österreich; Mitglied

lering[105], der die «AIZ» machte, und Raboldt. Diese Bekanntschaft schien mir eine richtige Wiener Bekanntschaft zu sein. Sonst weiß ich von Änne Bernfeld, daß sie Frau von Siegfried war und dieser einmal Zionist und in Paris war, daß sie im Marx-Engels-Institut arbeitet.

Gen. **Huppert**:
Änne Bernfeld waren menschewistische Fälschungen nachgewiesen, jedenfalls vorgeworfen.[106]

Gen. **Becher**:
Das erfahre ich jetzt durch Gen. Huppert. Ich weiß, daß sie Schwierigkeiten im Verlag hatte wegen eines Geldbuches.

Gen. **Wangenheim**:
Gen. Barta sprach von dem ZK-Beschluß und daß diese Sache nach

der komm. Akademie und der Akademie der Wissenschaften, «Sowjetehe» mit Susanne Leonhard; 1937 verhaftet, 1941 umgekommen.

105 **Franz Höllering** (1896–1968), in der Redaktion der *Arbeiter-Illustrierten-Zeitung (A-I-Z)*, Chefredakteur von *BZ am Mittag*, Hrsg. der Zeitschrift *Film und Volk*; Emigration über Prag in die USA.

106 Hugo Huppert verweist hier auf die Besetzung des Marx-Engels-Instituts durch die GPU im Februar 1931. Bei dieser GPU-Aktion ist Huppert als «Vertrauensperson» beteiligt und «übernimmt» von Änne Bernfeld die jahrelangen Arbeitsergebnisse Änne Bernfelds an der Marx-Engels-Gesamtausgabe (MEGA 3. Abteilung, Bd. 3). Hugo Huppert wird von dem neuen stalinistischen Institutsdirektor Adoratskij im MEGA-Band mit den «Ökonomisch-Philosophischen Manuskripten», der im Oktober 1931 abgeschlossen ist, als Textbearbeiter vorgestellt. In seinen Tagebüchern hatte Huppert noch 1930 notiert, daß er vom Institut Geld, aber keine Arbeit bekomme. Allenfalls mit der Erstellung von Registern beschäftigt, rühmt sich Huppert in seiner publizierten Autobiographie als «der erste, wahrscheinlich einzige, zuverlässige anerkannte Entzifferer und (mit meinem Institut) Herausgeber der weltwichtigen von uns offiziell als Marxens ‹Ökonomisch-Philosophische Manuskripte des Jahres 1944› bezeichneten Niederschrift». Diese von Huppert publizierten und in der Exilforschung weiterkolportierten Legenden haben mit seiner «Arbeit» an der «MEGA» nichts zu tun. Hugo Huppert war kaum als Entzifferer tätig, wie die «Editionsprotokolle» der MEGA zeigen, und sein «MEGA»-Band (3. Abt., Bd. 3) wurde ihm bei der GPU-Besetzung nahezu druckfertig von Änne Bernfeld im Februar 1931 übergeben. Die Entlassung von Änne und Karl Schmückle ist für Huppert noch 1977 «ein billiger Triumph, aber ein völlig rechtschaffener, schuldloser». In seiner vernebelnden Autobiographie «Wanduhr mit Vordergrund» (1977) werden die Institutsmitarbeiter als «politische Randgestalten» als «zwielichtige und zweifelhafte Typen» und als «konterrevolutionäre Intelligenz-Exemplare» denunziert. Die GPU taucht hier als «Sicherheitsbehörde» und «Untersuchungsamt» auf.

dem ZK-Beschluß war. Du hast vorhin gesagt, daß du eine ausführliche Diskussion vermißt hast. Meinst du, daß der ZK-Beschluß und der Inhalt dieses Beschlusses nicht bekannt war? Das ist nicht ganz verständlich.

Gen. **Becher**:
Ich wußte, daß prinzipielle Differenzen mit Schmückle waren in der Frage Malraux, in der Kaderpolitik, in dem Verhältnis zu den Sympathisierenden, und ich vermißte, daß über alle diese Fragen eine Diskussion stattfand, sondern daß diese Dinge zufällig kamen und durcheinandergingen. Ich sah einzelne Punkte. Hier hat Schmückle recht, und auf der anderen Seite sah ich, daß in zwei oder drei Punkten, ich kann mich nicht erinnern, welche Kontroversen das waren, meiner Ansicht nach der Hans (Schmückle) eine zu starre Einstellung nahm, so daß ich nicht sah, handelt es sich um eine Linie oder um sehr schwierige, in unserem Kreis nicht diskutierte Fragen.

Gen. **Ottwalt**:
Noch eine Frage. Diese betrifft die kleine Züricher Episode mit Otto Heller, Lex Ende und Robert Volk. Ich möchte fragen, ob Gen. Becher 1929, 1930 oder 1931 in dem sogenannten Versöhnlersalon[107] bei John Heartfield verkehrt hat?

Gen. **Becher**:
Nein. Die Frage Reimann: Als ich hierherkam, wurde mir mitgeteilt, daß ich von der Komintern weggeschickt worden war und folglich auch die Komintern für meine Wohnung sorgen müsse. Damals unterstand ich der Abteilung Gottwald[108]. Als ich das erste Mal mit Gen. Gottwald sprach, wurde mir Gen. Reimann als derjenige vorgestellt, der beauftragt ist, alle diese Sachen, Wohnung usw., zu erledigen.

107 Der Begriff «Versöhnlersalon» bringt die verfemte innerparteiliche Opposition in assoziative «Verbindung» mit den sowieso verdächtigen Künstlerkreisen. Diese frühe Ausgrenzung Heartfields erklärt auch seine allenfalls geduldete Existenz in der DDR in den fünfziger Jahren. Heartfield war in der DDR der erneuten Formalismusdiskussion und Agentenjagd «spurlos verschwunden», wie Stefan Heym bemerkte. Wegen seiner «Verbindungen» zu Noel Field wurde Heartfield 1951 nicht in die SED aufgenommen. Vgl. *John Heartfield*, hrsg. von der Akademie der Künste zu Berlin, Köln 1991.
108 **Klement Gottwald** (1896–1953), seit 1929 Generalsekretär der KP der Tschechoslowakei, Mitglied des Sekretariats des EKKI der Komintern seit 1935, 1948 Präsident der CSSR.

Reimann war der Vertreter Gottwalds. Er hat mir auf 8–14 Tage im «Lux» ein Zimmer verschafft, dann bekam ich Quartier im Hotel «Nowaja Moskowskaja». Als ich hierherkam, war ich einige Male bei Reimann, sicher auch einige Male mit Schmückle. Besondere literaturpolitische Fragen wurden nicht erörtert, sondern ich erinnere mich, daß Reimann einen Aufsatz über Schiller in der «Internationalen Literatur» haben sollte. Er hatte verschiedene Pläne über ein Buch, das dies behandelte. Dann erinnere ich mich, daß ich noch ein- oder zweimal mit Gottwald sprach, und dann war folgende Situation: Es wurde mir mitgeteilt, auch in Gesprächen mit Gen. Kolzow[109], daß diese Abteilung mit Literatur nichts mehr zu tun hat. Dann kam die Geschichte mit Reimann, daß er nervenkrank wurde. Ich besuchte ihn noch einmal im «Lux», wo er im Bett lag.

Gen. **Most**:
Hat er über die Ursachen seines Nervenleidens etwas gesagt?

Gen. **Becher**:
Seine Frau empfing mich an der Tür. Mach keine Gespräche über Politik oder auch nur Andeutungen, er kommt übermorgen in ein Sanatorium.

Gen. **Most**:
Auch vorher hat er nicht mit dir darüber gesprochen?

Gen. **Becher**:
Nein, kein Wort. Ich hörte nur aus Gesprächen, daß es sich um einen Redakteur aus Prag handele. Von ihm habe ich niemals ein Wort darüber gehört. Jetzt werde ich die Fragen weiter beantworten. Gen. Ottwalt hat mich gefragt, warum mir die Tatsache der Einschätzung des Schmückle durch die «DZZ» maßgebender war als durch die Genossen hier. Ich glaube, ich habe schon darauf hingewiesen, daß es nicht nur eine Einschätzung von Genossen der «DZZ» war, sondern nach meiner subjektiven Meinung eine politische Einschätzung der Genossen der Partei. Ich habe mit Gen. Knorin gesprochen und ge-

109 **Michail J. Kolzow** (1898–1942), russ. Schriftsteller und Journalist, Leiter des Jourgaz-Verlages, Sonderberichterstatter der *Prawda* in Spanien, Lebensgefährte von Maria Osten, Sekretär in der Auslandskommission des Sowjet-Schriftstellerverbandes; im Jourgaz-Verlag erscheint die Exilzeitschrift *Das Wort*. Kolzow wurde am 12. 12. 1938 verhaftet und 1942 erschossen. Vgl. auch die Biographie von Maria Osten.

fragt, um was es in der Sache Nixdorf gegangen ist und ob es sich um eine wichtige Angelegenheit handele. Gen. Knorin hat eine bestimmte Geste. Er sagte: Ach, Schriftsteller und winkte ab. Es ist richtig, ich habe mit Gen. Willi[110] darüber gesprochen, und hier liegt unbedingt ein Fehler. Als ich diese 8 Tage hierherkam, war mein Interesse keineswegs maßgebend darauf gerichtet, was ist mit Schmückle los, und was sind das für Angelegenheiten, sondern hier stand die Frage: Findet der Kongreß in Paris statt oder nicht? Ich gebe zu, daß ich den anderen Fragen nicht das Gewicht beigemessen habe, das notwendig war. Es ist für mich absolut nebensächlich gewesen, das gebe ich zu. Ich habe diese Fragen nicht so eingeschätzt, wie sie es später in politischer Hinsicht wurden.

Gen. **Barta**:
Wie erklärst du die Sache mit Süßkind, Schmückle und Reimann, daß du sozusagen unter ihrer ideologischen Führung standest? War das ein Zufall, wurdest du geführt wie ein Kind oder wie?

Gen. **Becher**:
Was die verschiedenen Leute, Reimann und Süßkind, betrifft, so weiß ich heute nicht, ob Reimann irgendwie politisch mit Süßkind in irgendeiner Beziehung stand.

Gen. **Barta**:
Hier sind sie immer zusammen aufgetreten.

Gen. **Becher**:
Ich weiß nicht, ob Reimann ein Versöhnler ist.

Gen. **Barta**:
Weißt du, was er in der tschechischen Partei gemacht hat?

Gen. **Becher**:
Ich weiß, daß er rechte und linke Fehler gemacht. Ich weiß, daß Süßkind sich über den «Pollit»[111] lustig gemacht hat und daß Sympathien nicht vorhanden waren.

110 Willi Bredel.
111 Pol.-Lit., d. i. politisch verantwortlicher Mitarbeiter der Komintern für Literaturfragen.

Gen. **Barta**:
Es handelt sich um politische Sympathien.

Gen. **Becher**:
Es ist vollkommen richtig, was die Genossen gestern gesagt haben, daß es absolut falsch wäre, auf Grund meiner damaligen depressiven Stimmungen[112], als ich aus Deutschland herausging, ich den Versuch machen würde, zu sagen, ich war für den Begriff Niederlage, und das alles ist später bestätigt worden. Ebenso falsch wäre, wenn ich erklären würde, ich habe den EKKI-Brief 1924 nicht richtig verstanden, weil damals Sinowjew Präsident der Kommunistischen Internationale war. Die Schwierigkeit besteht für mich darin, haben Süßkind, Reimann und Schmückle eine falsche literaturpolitische Linie vertreten?

Gen. **Barta**:
Wurde Süßkind von der Komintern zurückgezogen?

Gen. **Becher**:
Die Frage ist nicht die, daß ich mich verschanzen kann hinter die und die Genossen. Das Charakteristischste war bei Süßkind, daß er parteimäßig versucht hat, die Parteilinie zu vertreten. Ein sehr charakteristisches Beispiel: Bei meiner ersten schöpferischen Arbeitsgemeinschaft wollte ich ein Gedicht gegen Trotzki vorlesen. Ich zeigte es Süßkind, er las es durch und sagte mir: Nach meiner Meinung ist es dir nicht gelungen, bei diesem Gedicht genügend die aktive konterrevolutionäre Seite des Trotzkismus herauszuarbeiten. Er hat mir geraten, die aktive konterrevolutionäre Seite noch unterzubringen.

Gen. **Barta**:
Hat er dir nicht geraten, das Gedicht nicht vorzulesen?

112 Becher beschrieb diese «Stimmungen» in dem Gedicht «Die Versuchung». In einer ausführlichen Rezension des Bandes «Der Glücksucher und die sieben Lasten» schrieb Lukács 1938: «In einem sehr schönen Gedicht, ‹Die Versuchung›, das leider zu lang ist, um hier zitiert zu werden, zeigt Becher politisch richtig, dichterisch überzeugend, wie in solchen Verzweiflungsstimmungen, von denen Teile der Emigration in den kapitalistischen Ländern ergriffen werden, der Einfluß der Feinde wirksam werden kann. Und gerade dadurch, daß er den Prozeß selbst zeigt, daß er die Überwindung des Zweifels lebendig gestaltet, daß er das Resultat als wirkliches Resultat eines lebendigen Prozesses gibt, entsteht die Überzeugungskraft dieses Gedichtes.» Georg Lukács: *Johannes R. Becher. Der Glücksucher und die drei Lasten,* in: Internationale Bücherschau, Heft 1/2, S. 70.

Gen. **Becher**:
Jetzt kann ich auf Grund der Entwicklung von Süßkind nicht sagen, ob der Standpunkt von ihm falsch war, sondern ich muß sagen, sein Standpunkt war richtig. Er hat mir abgeraten, das Gedicht vorzulesen, weil es ein schlechtes Gedicht war. Jetzt kann ich nicht so argumentieren: Weil das Süßkind gesagt hat, war es falsch, sondern ich muß untersuchen, was hat er gesagt und war es trotzdem richtig. Das Gedicht ist in einer anderen Form in dem Buch «Deutschland» enthalten.

Gen. **Barta**:
Ist dort über Trotzki die Rede?

Gen. **Becher**:
Der Name Trotzki ist selbstverständlich drin.

Gen. **Hay**:
Ist das Gedicht in schärferer und deutlicherer Form erschienen, als es damals war?

Gen. **Becher**:
Nach meiner Ansicht ist das immer noch zu sehr in der Form der Verhöhnung eines Menschen, der von der Legende lebt, er sei einmal der Führer der Roten Armee gewesen. Darüber ist kein Zweifel, daß nichts darin ist, die Möglichkeiten und die Perspektiven. Ich glaube, das habe ich in meinem Aufsatz selbst kritisiert, daß diese Dinge in dieser Richtung laufen würden, wie sie hier geendet haben.

Gen. **Barta**:
Hast du das Originalgedicht nicht mehr?

Gen. **Becher**:
Nein, das habe ich nicht mehr.

Gen. **Günther**:
Wer hat Gen. Becher informiert, was in der Zeit seiner Abwesenheit mit Schmückle war?

Gen. **Barta**:
Ich habe mit dir mehrmals über die Sitzungen gesprochen. Ich habe dir den Sinn aller dieser Sachen erklärt.

Gen. **Günther**:
Becher wußte, warum Schmückle die Rüge bekommen hat?

Gen. **Barta**:
Genau wußte er das.

Gen. **Becher**:
Allerdings erfuhr ich das dann aber nicht durch euch und auch nicht durch Schmückle, sondern von Schwab, wo Schwab in einer Zelle auftrat und auf die Frage, vertritt Schmückle die richtige literaturpolitische Linie, mit ja geantwortet hat.

Gen. **Barta**:
In dieser Sitzung, bei Anwesenheit des Vertreters des Rayons[113], hat Schmückle die Rüge bekommen, trotzdem Schwab für ihn eingetreten ist. Ich erinnere mich, daß Süßkind in den höchsten Tönen von deiner Begabung gesprochen hat. Ich erinnere mich, daß Süßkind außerordentlich begeistert für Kisch war, so daß keine besondere Liebe für mich war.

Gen. **Becher**:
Das kann ich mir nicht erklären. – Ich habe nicht an Heinrich Berichte geschickt, weil ich verschlampt war und weil ich nicht wußte, wie ich an Heinrich berichten sollte. Es kamen verschiedene Dinge dazu, und ich unterließ diese Berichterstattung. Dieses Gespräch und verschiedene andere Gespräche mit Gen. Kun über diese Frage war in einer Form, als ob diese ganze Angelegenheit nicht sehr ernst zu nehmen sei. Folglich habe ich diese Angelegenheit auch nicht sehr ernst behandelt. Ich teilte mit, daß mir Heinrich die Adresse mitgeteilt hat.

Gen. **Barta**:
Wozu die Adresse, die Verbindung, wenn die Sache unernst ist?

Gen. **Becher**:
Ich habe einige Sitzungen bei Gen. Kun gehabt, wobei nichts herausgekommen ist. Ich erinnere mich, bei einer Sitzung war Gen. Ottwalt anwesend. Man hatte mit großer Mühe etwas zuwege gebracht, und aus der Sitzung ist nichts herausgekommen.

113 Vertreter des Rayonskomitees der KPdSU.

Gen. **Bredel**:
Allerdings nicht auf Verdienst des Gen. Kun, aber immerhin war etwas.

Gen. **Ottwalt**:
Neue Wege in der Antiterror-Kampagne?

Gen. **Most**:
Diese Berichte, die du auf Vorschlag von Béla Kun an Heinrich schreiben solltest, sollten das dieselben Berichte sein, in denen du deine offizielle Meinung über den Stand der Intellektuellen mitteilst, oder sollte das so sein, ein offizieller Bericht und ein zweiter für Heinrich?

Gen. **Becher**:
Soviel ich mich erinnere, hatte Gen. Kun die Abteilung Sozialdemokratie und Krieg und Faschismus. Ich sollte Berichte schreiben über Probleme der Intellektuellen und auf welche Fragen man antworten muß. Ich muß sagen, daß die ganze Fragestellung ungefähr in der Richtung ging.

Gen. **Most**:
Was kannst du gedacht haben, wenn er dir nicht als Adresse die Mochowaja[114], sondern das Zimmer von Heinrich angegeben hat?

Gen. **Becher**:
Heinrich war sein Sekretär. Ich glaube, daß ich noch das Notizbuch habe, wo Heinrich persönlich die Adresse hineingeschrieben hat. Dorthin wollte ich die Berichte über die Intellektuellenprobleme schicken.

Gen. **Barta**:
Naturgemäß wäre es gewesen, wenn du die Berichte geschickt hättest.

Gen. **Becher**:
Das war nicht meine Aufgabe, sondern bevor ich hinausfuhr, sprach ich mit Gen. Kun über einige Dinge, und Kun bat, wenn es möglich ist, über diese Dinge Bericht zu geben, evtl. Bücher, Broschüren und was ich von den Sozialdemokraten bekommen kann, an diese Adresse zu schicken. Das war absolut kein Auftrag, sondern eine Bitte, ob ich diese Gefälligkeit tun kann.

114 Wosdwishenka-Str.,/Ecke Mochowaja-Str.: Sitz der Komintern.

Gen. **Ottwalt**:
Hat Gen. Becher einmal bei Schmückle die Genossin Frumkina[115] getroffen?

Gen. **Becher**:
Das kann ich mich nicht erinnern, das könnte möglich sein. Das will ich lieber zugeben als abstreiten, weil es absolut möglich sein könnte.

Gen. **Fabri**:
Warum könnte das möglich sein?

Gen. **Becher**:
Soviel ich gehört habe, war Schmückle oder Änne Bernfeld mit Frumkina bekannt.

Gen. **Ottwalt**:
Es handelt sich um eine bestimmte Szene. Ihr erwartet Hedi Gutman.

Gen. **Becher**:
Richtig, jetzt erinnere ich mich, es stimmt.

Gen. **Most**:
Ist diese Gutmann eine Versöhnlerin?

Gen. **Ottwalt**:
Nein, das ist die Frau von Hanns Eisler, die mit Gerhart[116] über seine Frau in einem bestimmten Verhältnis steht. Die Genossin ist spät in die Partei gekommen und ist nur mit diesen Leuten in Verbindung gekommen.

115 **Maria Frumkina** (1880–1938), seit 1901 aktiv in der Jüdischen Sozialistischen Partei («Bundisten»), 1919 KPdSU-Mitglied, Teilnahme an Kongressen der Kommunistischen Internationale, seit 1925 Rektor der KUNMS, verantwortlich für die jüdische Sektion in der Komintern, Leiterin des Radiosenders der Gewerkschaften; 1937 verhaftet und Ende 1938 hingerichtet. Dasselbe Schicksal hatten ihre beiden Schwestern Rosa und Tamara.
116 **Gerhart Eisler** (1897–1968), 1918 KP Österreich, Redakteur der Zeitschrift *Kommunismus*, 1921 KPD, seit 1923 Anhänger der «Mittelgruppe», 1927 Kandidat des KPD-Politbüros, 1928 als entschiedener Gegner des «ultralinken» Kurses führender «Versöhnler», 1929 zur Bewährung als Komintern-Emissär in China und den USA (1933–36), Mitglied der KPD-Auslandsleitung in Prag und Paris, 1939–41 in Frankreich interniert, Emigration in die USA; 1948 verhaftet; Eisler wird die Ausreise aus den USA verweigert; 1949 Flucht nach Berlin/DDR, Leiter des Informationsamtes. In der Vorbereitung eines geplanten Schauprozesses wird er als «Westemigrant» und ehemaliger «Versöhnler» zu einer «Selbstkritik» gezwungen, in der er mit seiner «Vergangenheit» als «Versöhnler» abrechnet.

Gen. **Barta**:
Was für eine Szene war das?

Gen. **Becher**:
Mit den Versöhnlern kam ich das erste Mal in meiner Parteivergangenheit zusammen, als kurz nach dem EKKI-Brief Staschek, Volk und Ewert, teilweise in meinem Bezirk, teilweise in dem Bezirk, wo ich verkehrte, die Kampagne gegen die Ultralinken führte. Später, erinnere ich mich, war ich im Pressedienst. Der Leiter des Pressedienstes war Karl Volk. Ich wußte, daß sehr viele Sitzungen stattfanden, und niemals wurde ich zu einer Sitzung hinzugezogen. Auch die Einstellung von Heinrich und die damalige Einstellung von Gerhart war so, daß ist ein Dichter, dem kann man nicht über den Weg trauen. Ich erinnere mich, daß ich ein Wort gehört habe: Um Gottes willen, das wird herumgequatscht. Ich erinnere mich, daß die Betreffenden sich in reichlichem Ausmaße bei Kisch trafen. Dann erinnere ich mich, daß bei der Wittorf-Angelegenheit eine ungeheure Aufregung rings um mich war, besonders bei Karl Frank[117]. Ich muß sagen, daß ich absolut nicht in dieser Angelegenheit den Kopf verloren habe und daß ich in dieser Angelegenheit nicht im mindesten gegen Gen. Thälmann Stellung genommen habe, sondern die Linie der Partei beibehalten habe, wobei ich erfuhr, wie Schneller stand. Hier waren komplizierte Dinge, und ich erinnere mich ungefähr, wie die Sache gewesen ist. Später in meinem Hotel in Paris wohnte Dietrich. Mit Dietrich verkehrten beinahe alle unsere Schriftsteller-Genossen. Dietrich stand persönlich gut mit Holm[118], und ich wußte, wenn Hugo[119] nach Paris kam, war immer eine außerordentliche große Freude, denn es gab dann auch etwas zu essen und zu trinken. Ich wunderte mich, daß

117 **Karl Frank** (1893–1969), 1919 KPÖ, 1920 KPD, nach Parteiausschluß 1929 Übertritt KPD(O), 1932 Eintritt in die SPD, 1933 Emigration, Wien, Prag, Paris; linke sozialdem. Parteiopposition, 1939 USA; bis zu seinem Tode als Psychoanalytiker in New York tätig.
118 **Hans Holm**, Leiter des «Neuen Deutschen Verlags».
119 **Hugo Eberlein** (1887–1944), 1916 Spartakusgruppe, Mitbegründer der KPD, ZK-Mitglied, 1928/29 als «Versöhnler» und Kritiker Thälmanns «kominterniert», jahrelanger Komintern-Mitarbeiter für illegale Finanztransaktionen; im September 1935 in Straßburg verhaftet, nach der Ausweisung über die Schweiz 1936 in die Sowjetunion; Sektorleiter in der Komintern, im Juli 1937 verhaftet. Am 30.7.1941 durch MKOG zum Tode verurteilt und umgekommen.

diese Sachen[120] auch in anderer Richtung außerordentlich freimütig behandelt wurden. Ich war in der Redaktion der «Einheit»[121], und da wurde durch Gen. Groh z. B. die Ankunft von Hugo in Straßburg außerordentlich offenherzig in Gegenwart einer Stenotypistin und mir mitgeteilt und auch kurz vor der Verhaftung mit bestimmten Redensarten erzählt. Ich wußte, daß Hugo von bestimmten Leuten erwartet wurde. Für mich ist es bis heute nicht geklärt und niemals in meinem Zusammensein. Dort verkehrten Reni Begun[122] und Schröder[123]. Niemals wurde in meinem Beisein gemeinsam oder allein eine Linie vertreten, woraus ich ersehen konnte, daß die Betreffenden persönlich gegen die Partei eingestellt waren, mit einer Ausnahme, und die habe ich hier auch mitgeteilt. Als ich nach Paris kam, hatte ich einen ungeheuer heftigen Zusammenstoß mit Rosa Leviné[124], die mich mit den Worten begrüßte: «Du bist ein richtiger Agent geworden, auf wessen Geld reist du überhaupt?» Aussprüche, die beinahe identisch waren mit Nationalsozialisten. Sie warf mir ein paar Worte nach über Ernst Meyer, und damit war diese Beziehung beendet.

Gen. **Ottwalt**:
Ist die Bekanntschaft zwischen Willy Harzheim[125] und Reni Begun durch dich zustande gekommen?

Gen. **Becher**:
Diese Bekanntschaft von Harzheim und Reni Begun ist keine politische Bekanntschaft. Sie hat zu folgenden politischen Konsequenzen geführt: In einer Fraktionssitzung, an der Gábor, Lukács, Biha[126] und

120 Gemeint sind finanzielle Transaktionen Hugo Eberleins.
121 *Einheit der Weltbewegung gegen Krieg und Faschismus*, von Henri Barbusse 1935 herausgegebene Zeitung des «Weltkomitees gegen Krieg und Faschismus».
122 **Dr. Reni Begun**, 1932 auf Delegationsreise in der Sowjetunion.
123 **Max Schröder**, KPD-Publizist, Emigration nach Frankreich.
124 **Rosa Meyer-Leviné**, geb. 1890, verheiratet mit Eugen Leviné, seit 1920 in der KPD, 1922 Heirat mit dem KPD-Vorsitzenden Ernst Meyer, der als führender «Versöhnler» 1929 aus der KPD-Führung ausgeschaltet wurde, 1930/31 Aufenthalt in der Sowjetunion. Emigrierte über Prag und Paris nach England. Vgl. Rosa Meyer-Leviné: *Im inneren Kreis. Erinnerungen einer Kommunistin in Deutschland. 1920–1933,* Köln 1979.
125 **Willy Harzheim**, geb. 1904, 1923 KPD-Mitglied, Schriftsteller, BPRS-Mitglied, Redaktionssekretär der Zeitschrift *Die Linkskurve*; Emigration in die Sowjetunion, im Dezember 1937 verhaftet, verschollen.
126 **Oto Bihalji** (Ps. Peter Merin, Peter Thoene, Oto Merin) geb. 3. 1. 1904, Sekre-

Trude im Café Wörz teilnahmen – das war ungefähr im März 1933 in einem illegalen Atelier –, wurde beschlossen, daß Harzheim die Fraktionsleitung übernehmen soll, und wenn sich die Dinge in Moskau geordnet haben, hierherkommen und die Dinge besprechen soll. Bevor ich kam, war er schon da. Er half mir bei meiner Ausreise aus Deutschland. Er ist dann mit Reni Begun nach Danzig gefahren, und dort bekam er durch Vermittlung von Reni Begun, ich glaube durch das Konsulat, die Einreise. Diese Frage wurde mit Heckert verhandelt, und daraufhin wurde Harzheim zur Arbeit dorthin geschickt.

Gen. **Barta**:
Hast du mit Volk zusammen ein Theaterstück geschrieben und wann?

Gen. **Becher**:
Im Jahre 1929. Dieses Zusammenschreiben war so, daß Volk kam und erklärte, ich habe hier ein großartiges Thema, das wäre wirklich geeignet für ein Hörspiel. Das war die Geschichte «William Fox». Ich sah mir das Thema an und habe daraus ein Hörspiel gemacht, das aufgeführt worden ist.

Gen. **Barta**:
Volk war ausgeschlossen?

Gen. **Becher**:
Nein. Er war nicht mehr der Leiter des Pressedienstes, sondern Mitarbeiter der «Welt am Abend» und von «Berlin am Morgen»[127]. Er war Parteimitglied. Er arbeitete auch in Parteiblättern mit.

Gen. **Günther**:
Ich möchte Gen. Becher fragen, ob er seine Stellung damals zu der literaturpolitischen Angelegenheit etwas näher präzisieren kann?

Gen. **Becher**:
Die Stellung war folgende: Es ist mir bekannt, daß Frank wie Volk, wie Gerhart eine bestimmte politische Gruppierung darstellten und

tär des BPRS, Chefredakteur der Zeitschrift *Die Linkskurve*, Emigration nach Frankreich und Spanien; nach Zwischenaufenthalt in Moskau Leiter der Auslandsarbeit der deutschen Sektion der IVRS, dann in dem von der Komintern 1933 initiierten «Institut zum Studium des Faschismus» in Paris.

127 **Karl Volk** wurde als «Versöhnler» in die KPD-Peripherie, in den nachgeordneten «Bündnis-Bereich» von Zeitungen, die zum Münzenbergschen IAH-Konzern gehörten, abgeschoben.

ich gegen diese politische Gruppierung früher gruppenmäßig und falsch gekämpft habe, gegen die Mittelgruppe und die Brandlergruppe. Die Tatsache, daß diese drei Genossen eine politische Gruppe darstellten, machte mich außerordentlich mißtrauisch, und ich habe schon damals in einem Gedicht zum Ausdruck gebracht, daß der wirkliche Führer der Partei der Genosse Thälmann ist.

Gen. **Barta**:
Dann schließen wir diesen Teil ab und gehen weiter.

Gen. **Becher**:
Jetzt komme ich zu dem schweren politischen Fehler. Ich kann das nicht anders bezeichnen. Ich muß hinzufügen, daß ich diesen Fehler als wirkliche Schande betrachte, den ich dadurch begangen habe, daß ich aus dieser Versammlung weggegangen bin. Ich will das nicht im mindesten beschönigen, und ich will auch keine Einzelheiten ausführen. Nur wenn die Genossen das dringend verlangen. In meiner schriftlichen Erklärung habe ich Abstand genommen, diesen Fehler irgendwie als Gedankenlosigkeit darzustellen. In dieser bestimmten politischen Situation, bei der bestimmten Lage der Partei, bei der bestimmten Lage der gesamten Ereignisse, bei der gesamten Kombination der Ereignisse war das ein absolut schwerer politischer Fehler. Genossen, ich kann nur sagen, daß ich ihn nur auf diese Weise gutmachen kann und werde, wie ich es dort vorgeschlagen habe. Aber ich bin in etwas anderer Ansicht, und das ist keine Beschönigung dieses Fehlers. Ich glaube, wenn man nur den Fehler und nur den Fehler herausnimmt und nicht sieht, daß Becher, als er Masereel[128] traf, mit ihm sprach um ihm den Mechanismus des Prozesses zu erklären, überlegte, was kann man tun, um Gide[129] für diesen Prozeß zu interessieren. Es ist nicht ohne, daß Gide an dem Prozeß teilnimmt. Daß ich mit Barta gesprochen habe und Barta zu Apletin gegangen ist. Dann habe ich erfahren, daß Gide keine Karte für den Prozeß bekam.

128 Der holländische Künstler Frans Masereel besuchte 1935 und 1936 die Sowjetunion. Vgl. *Frans Masereel. 1889–1972. Über Krieg und Frieden*, hrsg. vom Kunstamt Kreuzberg u. d. Abtlg. Kulturpolitik beim DGB-Bundesvorstand, Berlin 1979.
129 Trotz dieser sorgfältigen Betreuung veröffentlicht André Gide im November 1936 seinen kritischen Reisebericht «Retour de l' U.R.S.S.», der 1937 in großer Auflage und in 14 Sprachen erschien. Die systematischen Hofierungen an Gide in der *Internationalen Literatur* und *Das Wort* schlugen 1937 in wütende Attacken um.

Als ich erfuhr, daß Gen. Huppert von der DZZ das deutsche Material des Prozesses bekam, habe ich zu Huppert gesagt, geh du zu Gide, übergib ihm persönlich das Material und versuche, mit ihm eine halbe Stunde über den Prozeß zu sprechen. Ich glaube, neben diesem außerordentlich schweren Fehler muß man noch solche einzelnen Züge darstellen. Unter anderem habe ich sofort einen Artikel geschrieben. Ich weiß nicht, ob er gut ist. Ich habe ihn möglichst rasch an die ausländische Presse geschickt, und am zweiten Tage während des Prozesses mit Gen. Jonoff[130] folgendes besprochen.

Gen. **Barta**:
Hast du den Artikel bei dir?

Gen. **Becher**:
Wie kann man als Schriftsteller diesen Prozeß darstellen, vielleicht in Form eines Epos. Wäre es nicht die beste oder größte Aufgabe, die man für die deutsche Partei leisten könnte, daß man über diese Periode des sozialistischen Aufbaus und über die Person Stalin ein großes Epos[131] schreiben könnte, und auf diese Weise ein Gegenstück zu dem Barbusse-Buch über Stalin schaffen könnte. Der Fehler bleibt aber. Und das Buch wird diesen Fehler nur zu einem bestimmten Grad korrigieren und verbessern. Nun zu dem Fehler selbst. Ich habe mich außerordentlich genau geprüft, ob nicht in der Tatsache des Hinausgehens irgendwelche Hemmungen oder Vorbehalte stecken, ob nicht irgendwie, so sehr ich mich aufgeregt habe über die Konstellation, die Barta, mit 1933 gemacht hat, ob nicht eine Spur davon wahr sein könnte?

Genossen, ich muß offen sagen, ich habe das alles nachgesehen, und da ich einmal sehr von der Psychoanalyse beeindruckt war, neigte ich dazu, das als symptomatische Fehlhandlung anzusehen: Lieber Freund, mach dir nichts vor, das war eine Entlarvung von Dingen, die dir nicht bekannt und unbewußt sind. Ich habe meine einzelnen Gespräche mit den Genossen untersucht, und ich kann nicht zu dem Er-

130 Leiter des Staatsverlages.
131 Becher verfaßte dieses hier angekündigte Stalin-Epos. Wie er in einem Bericht über seine Arbeit 1936/37 notiert, wurde das Erscheinen einer Buchausgabe von «Hymne auf einen Namen. Stalinepos in 12 Gesängen. Mit Zeichnungen von Frans Masereel» von der VEEGAR verhindert. Becher konnte 1937 in der von ihm redigierten *Internationalen Literatur* (Nr. 5) zumindest die ersten fünf «Gesänge» abdrucken.

gebnis kommen, daß das aus Hemmung geschehen ist. Etwas anderes ist da, und das berührt auch die Frage 1933. Als ich vom Prozeß las, gebe ich zu, und ich weiß nicht, ob das ein fehlerhaftes politisches Verhältnis bei mir ist oder mit spezifischen Dingen – ich möchte ein Schlagwort sagen – der Disposition[132] und ähnlichen Dingen zusammenhängt. Als ich das erste Mal vom Prozeß und den Aussagen der Angeklagten las, und das ist auch der Inhalt dieses Artikels, den ich geschrieben habe, war ich einen Moment, beinahe 2–3 Tage, fassungslos vor Entsetzen. Warum? Es waren solche Momente da, die mir so unbegreiflich erschienen, daß solche Menschen, die ich persönlich kannte – Emel kannte ich nicht –, daß solche Menschen herumliefen, daß in den Gehirnen von solchen Menschen derartige Dinge vorgehen und daß wir als Schriftsteller, als besondere Menschenkenner, in dem und dem Falle so gründlich hineingefallen sind, nicht aus bestimmten Alltagshandlungen ein Bild dieser Menschen zusammensetzen konnten. Ich muß offen sagen, daß mich das maßlos entsetzt hat, so daß ich sprechen wollte über das Überraschungsmoment des Faschismus und unsere Literatur. Ich stand diesem Prozeß gegenüber in der Form des Entsetzens, wo ich den ersten und zweiten Moment gelähmt war, so daß ich nicht sofort schreiben konnte, sicher auch nicht fähig gewesen wäre, dieses Epos zu beginnen. Nun ist die Frage die, daß ich mich von diesem Moment an, wenn ich ihn überlege und durchdenke, nach kurzer Zeit erhole. Ich glaube, ich habe mich sehr rasch von diesem einfach starren Entsetzen erholt. Ich erinnere mich, daß ich zu Genossen gesprochen habe, so ein Kerl wie Emel läuft herum, und man sieht ihn nicht als Menschen an, der irgendwie zu solchen Dingen fähig ist. Daß ich das nicht durchschaut habe, darüber war ich schockiert.

Gen. **Barta**:
Das war schwer zu durchschauen. Du hast ihn doch nur ein- oder zweimal gesehen?

Gen. **Becher**:
Nein, in Berlin habe ich ihn öfter im Karl-Liebknecht-Haus gesehen. Ich erinnere mich, daß wir eine Menge Witze machten: Da unten stehen drei Nationalsozialisten, die beobachten dich, und er erschrocken war. Nach meiner Ansicht war er ein Feigling. Ich glaube, die Genossen, die ihn kennen, haben denselben Eindruck gehabt.

132 Im Text: «Desdition»?

Meine Frau[133] hat folgende Einstellung gehabt: Sie ging 1925, nach dem EKKI-Brief[134], von der Ruth-Fischer-Gruppe[135] weg und hat Ruth Fischer[136] nie mehr gesehen. Ich erinnere mich, daß Ernst Reinhardt[137], der am längsten in der Anerkennung des EKKI-Briefes Widerstand geleistet hat, besonders, als er noch zweiter stellvertretender Redakteur in der «Roten Fahne» war, damals mit dem Gedanken spielte, ob er nicht die Fraktion weiterführen muß und ob er nicht die Frage so stellen muß, den Fraktionskampf energisch weiterzuführen, daß damals Reinhardt sagte: diese Kuh, die Lilly, kümmert sich um

133 **Lilly Korpus** (Paul), die Frau Johannes R. Bechers. Sie veröffentlichte einige Artikel und zahlreiche Übersetzungen in der *Internationalen Literatur*. Als frühere «Ultralinke» und Mitarbeiterin Münzenbergs entging sie der drohenden Verhaftung nur deswegen, weil sie Bechers Frau war. Zusammen mit Becher Rückkehr in die DDR, Chefredakteurin der *Neuen Berliner Illustrierten*.
134 Durch den am 1.9.1925 veröffentlichten «Offenen Brief» intervenierte die Komintern im Richtungs- und Führungsstreit innerhalb der KPD. Die bisherige «antimoskowitsche», «ultralinke» Parteispitze Ruth Fischer / Arkadij Maslow wurde durch Ernst Thälmann und Philipp Dengel ersetzt. In der folgenden Phase der «Bolschewisierung» der KPD wurden zahlreiche innerparteiliche Oppositionsgruppen ausgeschlossen. Vgl. auch Hermann Weber: *Die Wandlung des deutschen Kommunismus. Die Stalinisierung der KPD in der Weimarer Republik*, 2. Bde., Frankfurt a. M., 1969; *Der Stalinismus in der KPD und SED. Wurzeln, Wirkungen, Folgen*, hrsg. Historische Kommission beim Parteivorstand der PDS, Berlin 1991.
135 Wie alle anderen parteioppositionellen Gruppen ließ die KPD-Führung auch die Fischer/Maslow-Gruppe durch den «M-Apparat» überwachen und legte umfangreiche Dossiers an. Da diese Aktenbestände nach Moskau verlagert wurden, standen sie für rückwirkende Ermittlungen der «Kaderabteilung» in den dreißiger Jahren zur Verfügung. Vgl. zur Fischer/Maslow-Gruppe: IfGA/ZPA, I/2/3/64.
136 **Ruth Fischer, d. i. Elfriede Eisler** (1895–1961), Mitbegründerin der KP Österreichs, ab 1921 unter dem Parteinamen Ruth Fischer Leiterin der Berliner Parteiorganisation, seit 1924 zusammen mit Arkadij Maslow Vorsitzende der KPD, 1926 als «Ultralinke» aus der KPD ausgeschlossen, Mitbegründerin des «Leninbundes», 1933 Emigration nach Frankreich, in Paris Mitarbeit bei trotzkistischen Gruppen. Beim ersten Moskauer Prozeß wurden Fischer/Maslow zusammen mit Trotzki der Vorbereitung eines Terroranschlages auf Stalin bezichtigt. 1940 Flucht nach Kuba. Verf.: *Stalin und der deutsche Kommunismus,* 1948, Neuaufl. 1991. Vgl. auch Ruth Fischer/Arkadij Maslow: *Abtrünnig wider Willen. Aus Briefen und Manuskripten des Exils*, hrsg. von Peter Lübbe. Mit einem Vorwort von Hermann Weber, München 1990.
137 **d. i. Alexander Abusch** (1902–1982), 1919 KPD-Mitglied, Chefredakteur von KPD-Zeitungen, BPRS-Mitglied, Emigration über das Saargebiet, Prag, Frankreich nach Mexiko, 1946 Rückkehr nach Deutschland; Mitglied des Parteivorstandes der SED bis zu seiner Degradierung 1950, 1958–61 Minister für Kultur, ZK-Mitglied 1957–67.

überhaupt nichts mehr, hat alle Beziehungen aufgegeben, der Scholem[138] ist auch meschugge, und sich über den Weggang beklagte. Als meine Frau von diesem Prozeß erfuhr, hat sie gesagt, wie richtig war es, als die ersten antisowjetischen Dinge bei Maslow und Ruth Fischer auftauchten, den Trennungsstrich zu ziehen und zu sagen, ich mache nicht mehr mit.

Gen. **Barta**:
Wie war es, als sie das damals sagte?

Gen. **Becher**:
Nach dem EKKI-Brief ging sie in die «A-I-Z». Das hat sie damals, ungefähr 1926, gesagt. Ich z. B. wurde ebenfalls auf die Gefährlichkeit dieser Gruppe gestoßen, als diese Gruppe Korsch[139] unterstützte, und von Korsch ein Manifest herauskam, und ich nicht sicher weiß, ob die Frage der zweiten Partei[140] darin war und es sich als offenes Sprachrohr der Korschisten herausstellte. Damals wurde mir klar, daß diese Gruppe eine Wendung vollzieht. Die Parteibiographie meiner Frau ist folgende: Sie war seit 1917 im Spartakusbund, kam nach Berlin, wurde in Berlin Vertreterin der Ruth Fischer in der Bezirksleitung, war aber nicht im ZK. Nach dem EKKI-Brief hatte sie eine Aussprache mit Gen. Pieck und ging mit Einverständnis des Gen. Pieck von der aktiven politischen Parteiarbeit weg und wurde Chefredakteurin der «A-I-Z». Sie war 1932 mit einer Delegation in der Sowjetunion. Vor Hitler hatte sie eine schwere Gallenoperation und wurde von der «A-I-Z» beurlaubt. Von dieser Zeit an war sie ungefähr 1½ Jahre vollkommen erledigt durch ihre Magen-und-Darm-Geschichte. Sie konnte nur durch besondere Drüsenpräparate leben. In Paris war es ihr durch den Mann, mit dem sie zusammenlebte, unmöglich, Parteiarbeit zu machen. Ich habe mich erkundigt, was durch sie und Mün-

138 **Werner Scholem** (1895–1940), 1920 KPD-Mitglied, 1924 Mitglied des Politbüros der KPD; 1926 als Führer der «Ultralinken» aus der KPD ausgeschlossen; 1940 im KZ Buchenwald ermordet.
139 **Karl Korsch** (1886–1961), 1920 KPD-Mitglied, 1923 Professor, Theoretiker des «ultralinken» Flügels in der KPD, Kritiker der Komintern-Politik; 1926 KPD-Ausschluß und Gründung der Gruppe «Kommunistische Politik»; als kritischer Marxist einer der «Lehrer» Bertolt Brechts; Emigration über Dänemark in die USA.
140 Jede parteioppositionelle Strömung wurde von Stalin mit der Bezeichnung «zweite Linie» oder «zweite Partei» überzogen.

zenberg[141] bestätigt wurde, daß sie der Partei namhafte Geldbeträge überwiesen hat. Als bei Eberlein sein Notizbuch gefunden wurde, waren sofort Haussuchungen bei ihr, und es wurde gesagt, daß sie in diese Affäre hineingezogen werden sollte. Sie war bis zum heutigen Tage aus der Partei nicht ausgeschlossen.

Gen. **Barta**:
Wie kam sie in die Sowjetunion?

Gen. **Becher**:
In Paris war sie Vertreterin von Kolzow und «Jourgaz». Zugleich war sie Mitarbeiterin bei Münzenberg, d. h., sie schrieb dieses Buch «Der gelbe Fleck»[142]. Das ist ihr Buch. Ich kannte sie seit 1924, in Paris kannte ich sie ¾ Jahr. Als ich hierherkam, sprach ich mit Kolzow. Er erklärte, selbstverständlich lassen wir sie kommen. Er fragte, was ist los, ich habe das Visum noch nicht, denn mir wurde von der «DZZ» gesagt, sie wäre Mitglied des ZK der Ruth-Fischer-Zentrale gewesen. Darauf sagte ich, ihre Biographie ist so und so. Da sagte er, was sind das für Sachen. Ich habe später mit der Gen. Annenkowa darüber gesprochen, und sie erklärte, so etwas habe ich nicht gesagt. Selbstverständlich ging ich am nächsten oder übernächsten Tag zu Gen. Pieck und sprach mit ihm, welche Möglichkeit bestünde, meine Frau kommen zu lassen. Auf Grund der Eberlein-Geschichte sind die und die Vorfälle, kann meine Frau kommen? Pieck sagte, selbstverständ-

141 **Willi Münzenberg** (1889–1940), Gründer der Kommunistischen Jugendinternationale, Organisator der IAH und zahlreicher mit der IAH verbundener Verlage und Zeitschriften, ZK-Mitglied der KPD, 1933 Emigration nach Frankreich, Organisator zahlreicher Kampagnen und Kongresse, Initiator und Motor des deutschen Volksfrontausschusses in Paris; nach scharfen Differenzen mit Walter Ulbricht wird er durch den Komintern-Emissär Smeral von seinen Funktionen abgelöst; in Moskau wird eine «Untersuchung» gegen Münzenberg durchgeführt, 1939 wird er aus der KPD ausgeschlossen. Im Oktober 1940 wird er im Wald von Caugnet bei St. Marcellin tot aufgefunden. Die Ermordung Münzenbergs durch den NKWD ist nicht auszuschließen. Vgl. Tania Schlie: *«Alles für die Einheit». Zur politischen Biographie Willi Münzenbergs*, Hamburg 1990; Harald Wessel: *Münzenbergs Ende. Ein deutscher Kommunist im Widerstand gegen Hitler und Stalin*, Berlin 1990; Reinhard Müller: *Bericht des Komintern-Emissärs Bohumir Smeral über seinen Pariser Aufenthalt 1937,* in: Exilforschung. Ein internationales Jahrbuch, Bd. 9, 1991, S. 236–261.

142 *Der gelbe Fleck. Die Ausrottung von 500000 Juden*, Vorwort von Lion Feuchtwanger, Paris 1936.

lich soll sie kommen. Ich sagte ihm, Kolzow habe das Einreisevisum besorgt. Pieck erklärte, das können wir auch besorgen, oder wende dich an Gottwald, das ist deine Abteilung. Ich sprach mit Gen. Pieck später noch einmal, wo scheinbar diese sehr ... geworden war. Es war eine Sitzung der tschechischen Arbeiterdelegierten. Da sagte Gen. Pieck wörtlich: Wenn es sehr dringlich ist, dann kannst du sie mit Intourist kommen lassen, wir werden die Sache schon regeln.

Gen. **Weber**:
Ich habe einige Fragen. Erstens: Seit wann ist deine Frau hier? Zweitens: Ist ihr bekannt, wo sich ein Parteigenosse registrieren soll? Warum ist sie nicht registriert? Drittens: Welche politische Einstellung hat sie jetzt? Viertens: Billigt sie den augenblicklichen Kurs der deutschen Partei? Ist sie der Meinung, daß die von der Partei aufgestellten Losungen der Brüsseler Konferenz richtig sind?

Gen. **Bredel**:
Ich frage und bitte Gen. Apletin zuzuhören, warum Gen. Becher, als er aus Paris zurückkam, an Gen. Apletin herangetreten ist, seiner Frau das Visum zu besorgen, ausdrücklich erklärt hat, bitte nichts Gen. Bredel sagen.

Gen. **Becher**:
Ich soll das gesagt haben? Nein keineswegs.

Gen. **Bredel**:
Ich kann mitteilen, daß Gen. Bakowa erzählt hat, was ist das für eine Frau, Gen. Becher beantragt das Visum, und du sollst nichts davon wissen? Zufällig war ich Anfang 1925 im kommunistischen Pressedienst angestellt und kenne den damaligen Fritz Paul. Ich weiß, daß Lilly Paul Bezirksleiterin unter Ruth Fischer war. Es wurde der Gen. Bakowa gesagt, bitte mach von dir aus nichts, Becher soll die deutsche Partei zu Rate ziehen. Daraufhin ist Becher ein diesbezüglicher Bescheid zugegangen, und er hat sich an Gen. Pieck gewandt. Ich frage ihn, als er das erste Mal zu Gen. Pieck gegangen ist, hat er ihm gesagt, es handelt sich um Lilly.

Gen. **Becher**:
Als ich den Namen Lilly sagte, war ich erstens der Meinung, daß Gen. Pieck wußte, um wen es sich handelte, und zweitens habe ich am näch-

sten Abend die gesamte Biographie der Genossin abgegeben. Drittens: Am dritten Tage, als Genossin hier war, bin ich mit ihr zur Kaderabteilung zur Gen. Grete[143] gegangen. Dann war ich mit Gen. persönlich bei Gen. Pieck, und sie hat ungefähr ½ Stunde mit ihm über ihren Fall gesprochen. Gen. Pieck sagte ihr wörtlich: Vor Juli oder September kommen sowieso Überführungen nicht in Betracht. Ob wir überführt werden, ist überhaupt zweifelhaft. Wartet bis dahin, und dann wendet euch im Herbst wieder dorthin. Du erinnerst dich, Gen. Weber, wie die Sache mit meiner Frau ist. Jetzt ist die Sache in Ordnung zu bringen. Meine Frau hat sich an Gen. Grete gewandt, sie hat persönlich im «Lux» mit Gen. Kurt Müller[144] gesprochen und mit Gen. Pieck. Meine Frau war im Jahre 1925/26 Anhängerin von Ruth Fischer , in der letzten Zeit war auch Schmückle Anhänger. Beide haben sich nicht gekannt. Ich kenne Schmückle von Wittfogel[145].

Gen. **Ottwalt**:
Hat die Genossin in der Zelle gearbeitet? Wie ist ihre Emigration

143 **Grete Wilde** (1904–1943), 1921 KPD-Mitglied, ZK des KJVD, 1927–30 als «Erna Mertens» Studium an der Leninschule in Moskau, als Mitarbeiterin der Kaderabteilung an der «Überprüfung» der deutschen Kommunisten in Moskau beteiligt, 1934 als Komintern-Beauftragte in Österreich und der Türkei; verhaftet in der Türkei; im Herbst 1936 zur «Überprüfung» Willi Münzenbergs nach Paris; am 5. 10. 1937 verhaftet und zu acht Jahren Haft verurteilt, nach Karaganda deportiert, 1943 oder 1944 ums Leben gekommen.
144 Namensverwechslung mit Kurt («Kutschi») Müller. Hier ist aber gemeint: Albert Müller (Deckname), d. i. **Georg Brückmann**, geb. 1903, KPD-Mitglied seit 1923, 1931 nach Verurteilung Emigration in die UdSSR, «Kader-Leiter» (Kader-Müller) der deutschen Sektion im EKKI. In der «Kaderabteilung» wurden die Lebensläufe der «Politemigranten», Meldungen und Denunziationen zu «Dossiers» und Beurteilungen zusammengestellt, die die politische Grundlage für Verhaftungen und Verhöre durch das NKWD bildeten. Ebenso wie seine Mitarbeiterin Grete Wilde wurde Brückmann Ende 1938 verhaftet und 1941 durch ein Sondertribunal des NKWD zu acht Jahren Lagerhaft verurteilt. In der Lagerhaft verschollen. Ähnlich wie der NKWD-Chef Jeshow, der zugleich Mitglied des EKKI war, wird Brückmann als einer der am meisten involvierten «Täter» nun selbst «Opfer» des stalinistischen Terrors.
145 **Karl August Wittfogel** (1896–1986), 1920 KPD-Mitglied, seit 1925 Mitarbeiter am Frankfurter Institut für Sozialforschung, China-Experte der KPD, Redakteur der *Linkskurve*, 1930 Kurse in der «Marxistischen Arbeiterschule», 1933 Verhaftung und KZ, nach Entlassung über England in die USA emigriert.

zustande gekommen[146]? Ich habe mit ihr in der «A-I-Z» gearbeitet, etwa 6 Wochen. Dort hieß es, daß Gen. automatisch aus der Partei ausgeschlossen sei, weil sie noch vor Hitler emigriert sei.

Gen. **Becher**:
Die ganze Angelegenheit bezüglich meiner Frau ist abgegeben worden. Sie hat dem Gen. Pieck selbst gesagt, daß sie in Paris nicht registriert war. Gen. Münzenberg kennt den Fall. Ich habe mich hier noch bei dem Genossen Moritz[147] erkundigt. Auf die Frage des Gen. Ottwalt weiß ich, auch durch Münzenberg, daß bei ihr eine Haussuchung stattgefunden hat, weil man vermutete, daß Münzenberg bei ihr versteckt ist. Durch einen Zufall ist sie herausgekommen.

Gen. **Bredel**:
Das sind die grundsätzlich politischen Fragen. Aber vielleicht sagt uns der Genosse Becher, wie denn eigentlich die Genossin hierhergekommen ist, ob durch Vermittlung oder ob durch den Genossen Reimann Geld geschickt wurde.

Gen. **Becher**:
Sie ist von ihrem eigenen Geld hierhergekommen, es scheint aber auch Geld von Gottwald abgegangen zu sein.

Gen. ...:
Weiß der Genosse Becher, daß seine Frau Vertreter von «Jourgaz» wurde?

Gen. **Becher**:
Sie hat einen Teil der Arbeit der ganzen Welt gemacht. Ich glaube, ich habe mit dem Genossen Gustav gesprochen, und die Genossin hat gesagt, daß du die richtige Stellung hast.

Gen. **Barta**:
Warum ist sie hier nicht registiert?

146 KPD-Mitglieder durften nur mit Zustimmung der jeweiligen Leitung emigrieren. In den Fragebogen der Kaderabteilung ist dieser Zustimmung eine eigene Rubrik gewidmet.
147 Deckname, nicht ermittelt.

Gen. **Becher**:
Sie sprach mit den Genossen der Kaderabteilung, und alle drei Genossen (Pieck, Müller, Mertens[148]) haben gesagt, melde dich im Herbst, dann ist die ganze Sache klar, ob wir überführt werden, ob wir nicht überführt werden.[149]

Gen. **Barta**:
Wurde sie kassiert?

Gen. **Becher**:
Nein.

Gen. **Bredel**:
Vor einigen Monaten fuhr doch die Genossin Paul nach Wien, um das Kind zu holen, vielleicht sagt uns Gen. Becher, von wem sie das Visum bekommen hat.

Gen. **Becher**:
Sie erhielt das Visum von Kolzow, sie war aber auch in der Komintern und sprach mit Grete darüber, Grete sagte aber, daß man ihr kein Visum geben könne.

Gen. **Bredel**:
Hat man Genossin dort nicht gefragt, ob sie Parteimitglied ist?

Gen. **Becher**:
Grete sagte, ich glaube, deine Sachen sind nicht in Ordnung, in Paris warst du nicht registriert. Ich weiß nun nicht, ob du neu in die Partei eintreten mußt oder ob dir die ganze Zeit oder ein Teil angerechnet wird. Von der Komintern können wir dir kein Visum geben. Aber außerdem nehme ich an, wenn Genose Kolzow ein Visum gibt, daß er sich vorher bei der Komintern erkundigt hat. Er gab ihr den Zettel

148 Erna Mertens, d. i. Grete Wilde.
149 1936 stellten zahlreiche in die Sowjetunion exilierte KPD-Mitglieder den Antrag, in die Mitgliedschaft der KPdSU «überführt» zu werden. Bei der «Überprüfung» durch die «Kaderabteilung» wurde diese «Überführung» in zahlreichen Fällen abgelehnt. Nach der abgelehnten «Überführung» setzte das NKWD mit Verhaftungen die Untersuchungen fort. Die vom NKWD vorgebrachten «Beschuldigungen» fußten vermutlich auf den Voruntersuchungen der Kaderabteilung. Diese Hypothese ließe sich erst durch umfassenden Zugang zu den Akten des NKWD verifizieren. Autobiographische Berichte und auch die NKWD-Akten zu Carola Neher lassen jetzt schon diesen Zusammenhang deutlich werden.

nicht einmal am selben Tag, sondern erst am nächsten oder übernächsten Tag, also er hatte inzwischen Zeit, um sich zu informieren.

Gen. **Bredel**:
Wußte Kolzow, daß sie Bezirksleiterin von Berlin-Brandenburg war.

Gen. **Becher**:
Sie war nicht Mitglied des ZK, sondern nur in der Bezirksleitung. Die Genossen hier kennen ja die Genossin, sie sollen darüber sprechen.

Gen. **Bredel**:
Wie erklärt sich Gen. Becher diesen Zustand, daß die Genossin, obwohl sie seit 1917 politisch organisiert ist, sich hier in keiner Weise um die Arbeit gekümmert hat, sondern sich absolut zurückhält, lediglich ein- oder zweimal beim russischen Kursus anwesend war.

Gen. **Becher**:
Als sie hierherkam, glaubte sie eine Stellung zu finden. Das war sehr schwer, und nach meiner Meinung war es richtig, daß sie zuerst Russisch lernen wollte. Sie lernte auch täglich 4–5 Stunden Russisch. Ich wohnte mit ihr in einem Hotel. Die Genossin mußte das Essen kochen, sie war 6–7 Stunden am Tage mit reiner Hausarbeit beschäftigt. Ich glaube, und auch hier die Genossen werden es glauben, daß diese Arbeit keine befriedigende Arbeit für die Genossin ist. Nachdem wir auf die Datsche hinauszogen, war es für sie unmöglich, da sie nicht hineinfahren kann und sie vollauf mit Hausarbeiten beschäftigt ist. Zwei-, drei- oder viermal gab ich Genossin Paul Übersetzungen aus dem Französischen. Das war für sie eine Erlösung, mal eine andere Arbeit zu machen. Aber auf Grund der augenblicklichen Verhältnisse geht sie vollkommen in der Hausarbeit unter. Dann mußte das Kind hineingebracht werden, man mußte es wieder zurückholen. Sie selbst möchte gern in einem gesellschaftlichen Kreis arbeiten, aber im Augenblick ist das unmöglich.

Gen. **Weinert**:
Wie stellt sich Genossin Paul zur Generallinie der Partei?

Gen. **Apletin**:
Er sagt, Becher habe sich auch wegen des Visums an ihn gewandt. Becher kam am 28. zu ihm und verlangte stürmisch, daß man das Visum für seine Frau besorge, damit seine Frau noch an den November-Feierlichkeiten teilnehmen könne. Genosse Apletin hat aber

dann auch erfahren, daß Paul ehemalige Ruth-Fischer-Anhängerin war, und er habe dann seine Schritte verweigert. Darauf habe Gen. Becher gesagt, er lasse seine Frau in Paris nicht verhungern. Er hat dann das Visum von Romanski verlangt, Romanski hat aber auch abgelehnt. Becher hat sich dann an die Deutsche Vertretung[150] gewandt.

Gen. **Becher**:
Ruth Fischer habe ich niemals gesprochen und kennengelernt während der Zeit in Deutschland. Aber als ich das erste Mal in Paris war und über den Montparnasse ging, saßen Ruth Fischer, Maslow und Hanns Eisler an einem Tisch. Hanns Eisler winkte, ich ging heran, Maslow setzte sich ostentativ weg. Ich saß mit Ruth Fischer und ihrem Bruder, Hanns Eisler, ungefähr ¼ Stunde zusammen. Ruth Fischer fragte, ob ich ihre Kinderfibel[151] gelesen hätte, was ich verneinte. Dann ging ich weg. Das wurde von dem Genossen Scholz damals an das PB[152] gemeldet. Ich weiß nicht, mit wem ich vom PB gesprochen habe, wo ich die Erklärung abgab, meine Gespräche waren ein oder zwei Sätze mit Ruth Fischer und die übrigen mit Hanns Eisler. Ich hatte später mal eine Aussprache über Doriot[153], wo ich Piscator[154] klarmachte, daß der Ausschluß richtig war. Piscator meinte, der Ausschluß wäre falsch, denn Doriot hätte zu große Massen hinter sich, und man hätte zuerst die Massen gewinnen müssen. Als ich später über diesen Zusammenhang mit einigen Genossen sprach, habe ich erfahren, daß Ruth Fischer auf Empfehlung im Bezirk Doriot eine Arbeitsstelle bekommen hat.

150 Vertretung der KPD bei der Komintern.
151 Ruth Fischer/Friedrich Heilmann: *Deutsche Kinderfibel*, Berlin 1931.
152 Politbüro der KPD.
153 **Jacques Doriot** (1898–1945), 1923 Vorsitzender der Kommunistischen Jugend in Frankreich, Abgeordneter der KP Frankreichs, 1928 Kandidat des EKKI, 1934 ausgeschlossen; gründet die antikommunistische PPF, Bürgermeister von St. Denis; nach 1940 Kollaboration mit der Nazi-Armee. Vgl. Dieter Wolf: *Die Doriot-Bewegung. Ein Beitrag zur Geschichte des französischen Faschismus*, Stuttgart 1967.
154 **Erwin Piscator** (1893–1966), seit 1918 Mitglied des Spartakusbundes und der KPD, Schauspieler, Theaterleiter der Piscatorbühne, Mitglied des Exekutivkomitees des IRTB, Filme für Meshrabpom, Emigration nach Moskau, enge Zusammenarbeit im IRTB-Sekretariat mit Arthur Pieck; 1936 kehrte er nicht wieder nach Moskau zurück. In einem Brief an die Auslandsleitung der KPD schreibt Wilhelm Pieck am 7.9.1936 von den «sehr bedenklichen politischen Einstellungen» Piscators.

Genossin **Dornberger**:
Als ich im Januar 1933 in Berlin war – mein Mann[155] war IAH-Angestellter – ging das Gerücht herum, daß Lilly (Korpus) ihren Schreibtisch wegen des Umzugs der IAH öffnen sollte und durch eine Antwort ihres Mannes erklärt habe, daß sie mit uns nichts mehr zu tun hätte, so daß die IAH-Leute der Meinung waren, sie habe sich gleichgeschaltet und sei mit Piepenstock und einigen anderen in Berlin geblieben.

Gen. **Becher**:
Von diesem Gerücht habe ich niemals etwas gehört. Ich habe mit Münzenberg und Babette[156] ausführlich und lange darüber gesprochen, was Lilly hier arbeiten könnte, und niemals kam im geringsten dieses Gerücht auf. Ich kann nicht annehmen, daß Münzenberg ihr Arbeit gibt, wenn er davon weiß. Bevor sie weggefahren ist, wurde darüber gesprochen, daß sie evtl. von hier aus ein neues Buch mache.

Gen. **Barta**:
Eine Reihe von Genossen sind mit ihren Frauen in dieser Versammlung erschienen. Deine Frau war nicht dort.

Gen. **Becher**:
In welcher Versammlung?

Gen. **Barta**:
In der Versammlung, wo du weggegangen bist.

Gen. **Becher**:
Hier hast du mir gesagt, wo ich wegfahren sollte: Sie würde sich ungeheuer freuen, an gesellschaftlichen Arbeiten teilzunehmen. Sie ist unbefriedigt und unausgenützt in der Arbeit, in der sie steckt.

Gen. **Ottwalt**:
Ich möchte nochmals auf diese Frage zurückkommen. Ich erinnere mich ganz deutlich: In der «A-I-Z» wurde ich infolge des Ausscheidens von Lilly Korpus hineingeholt und mit ihrer Vertretung beauf-

155 **Paul Dornberger**, 1933 verhaftet und Zuchthaus, nach Freilassung 1936 Emigration über die CSR nach England. 1946 Rückkehr nach Deutschland, Theaterdirektor und Autor in der DDR.
156 **Babette Gross**, Frau Willi Münzenbergs, Vgl. Babette Gross: *Willi Münzenberg. Eine politische Biographie,* Stuttgart 1967.

tragt, zusammen mit dem verhafteten Genossen Mana Blud (?)[157]. Erstens habe ich erfahren, daß Lilly Korpus nach einem großen Krach ausgeschieden ist und zweitens diese Gerüchte bereits damals – es war ungefähr Dezember 1932 – in der konkreten Form umliefen, daß der Schreibtisch von Lilly Korpus nicht aufgeräumt wurde und daß sie durch ihren Mann jene Antwort gegeben hatte, die konkret hieß, man solle ihr am Arsch lecken. Ihr Mann war ein ungarischer Filmmann. Ich war nicht dabei, als sie telefonierte. Ich muß hier weiter erzählen, ich habe eine Freundin, die sogenannte Tante Christine, in Prag wiedergetroffen, und diese Frau sagte ganz nervös: Herr Ottwalt, was wünschen Sie von mir? Ich zog mich zurück und erfuhr, daß Frau Dr. Olden in Wien mit Frau Korpus nach Hitler gelebt habe. Meiner Ansicht nach ist das dieser Fall, wo die Genossin Korpus aus der «A-I-Z» und damit aus der deutschen Partei ausgeschieden ist. Das muß geklärt werden. Und nun sieht die ganze Geschichte plötzlich so aus, als ob sie in Freundschaft und Frieden auseinandergegangen sind und sich wiederfanden auf der Basis des «Gelben Flecks».

Gen. **Wangenheim**:
Ich kenne aus der Berliner Filmbranche den Jarzi[158] seit vielen Jahren als einen typischen Filmmann, der mit Politik überhaupt nichts zu tun hat. So stellte er sich mir dar, wenn ich mit ihm politische Worte gewechselt habe. Er hat aus Sympathie zu einem Film mir dabei geholfen. Bei allen Fragen hatte ich den Eindruck, daß er ein Mann ist, der nichts mit Politik zu tun hat. Ich muß noch etwas Konkretes dazu sagen. Im Dezember 1932, es war nach der Aufführung meines Stükkes «Hier liegt der Hund begraben» – die Aufführung war in der Zeit des BVG-Streiks, war also im November –, hatte ich mit der Genossin Korpus bei Wittfogel eine Diskussion über die nationale Frage anläßlich unseres Stückes. Wir diskutierten über die Behandlung der nationalen Frage in der Partei. Gen. Korpus sagte, daß sie einsieht, daß unsere Ansicht vollständig richtig ist, daß ihre Antipathien gegen die Behandlung der nationalen Frage auch Überbleibsel im Defaitismus hat. Also mußte ich aus den ganzen Äußerungen entnehmen, daß sie nicht der Auffassung, die Partei kann mich usw.

157 Wahrscheinlich Hör- und Übertragungsfehler. Evtl. gemeint Manni Bruck, d. i. Dr. Emanuel Bruck.

158 Wahrscheinlich: Jaroschi. Vgl. Hedda Zinner: *Selbstbefragung*, Berlin 1989, S. 59.

Gen. **Ottwalt**:
Ich erinnere mich, es gab Weinkrämpfe, Türenzuschlagen, und am nächsten Tag wurde fünfmal telefoniert: Sie kommt – sie kommt nicht, und schließlich kam sie überhaupt nicht wieder. Das Ganze spielte sich in der Form eines Riesenkrachs ab, der die Grundfesten der «A-I-Z» erschütterte. Ich habe die Genossen Leupold[159], Granzow[160] und jemand in Prag getroffen, und alle Genossen haben mir ungefähr diese Sache bestätigt. Allerdings war das kein zentrales Problem.

Gen. **Becher**:
Sie hatte in dieser Zeit ihre Operationen, die Galle wurde herausgenommen.

Gen. **Weinert**:
Wie ich erfahre, lebt Gen. Becher seit ungefähr ¾ Jahr mit ihr in kameradschaftlichem Verhältnis. Er kannte sie zwar schon früher, aber seit ¾ Jahr ist der Bund geschlossen. Hat sich Gen. Becher über ihre Biographie aus der früheren Zeit bei anderen Genossen erkundigt, oder kennt er sie nur aus ihrem Mund?

Gen. **Becher**:
Ich habe mit ihr in Deutschland ununterbrochen endlose Diskussionen gehabt. 1926 bis 1929 in der «A-I-Z» war sie unter Höllering und dann selbständig. Ich habe mit ihr gesprochen. Sie hat in der Literaturpolitik von mir verschiedene Ansichten gehabt. Sie hat Tucholsky ungeheuer geschätzt. Ich habe sie sehr scharf in der «A-I-Z» angegriffen, wie sie nach meiner Ansicht die Gedichte bringt, daß sie überaktuell ist, daß sie nur direkte Kampfgedichte bringt und sehr selten andere Gedichte. Ich habe sie sehr angegriffen wegen der Sammlung «Rote Signale»[161], die eine sehr verengte Sammlung ist.

159 **Hermann Leupold** (1900–?), 1921 KPD, 1928 Herausgeber der *A-I-Z*, 1933 Emigration CSR, 1938 England, 1946 Rückkehr nach Berlin.
160 **Kurt Granzow** (1909–1943), 1929 KPD, 1933 illegale Tätigkeit in Deutschland, 1934 Emigration nach Prag, Abwehrleiter der KPD, Mitglied der Internationalen Brigaden; nach Internierung in Frankreich nach Deutschland ausgeliefert, am 10.9.1943 hingerichtet in Berlin-Plötzensee.
161 *Rote Signale. Gedichte und Lieder*, Auswahl und Einleitung Lilly Korpus, Berlin 1931.

Gen. **Weinert**:
Ich meine die Zeit von 1933 und nachher.

Gen. **Becher**:
Ich habe mit Genossen Moritz[162], der eine bestimmte Abteilung leitete, darüber gesprochen.

Gen. **Bredel**:
Er nannte den Namen Moritz. Weiß Genosse Becher, ob Lilly mit Zustimmung des Genossen Moritz hierhergefahren ist.

Gen. **Becher**:
Nein. Er war nicht Parteivertreter. Jedenfalls ist Moritz nicht die Instanz, die darüber zu entscheiden hatte, ob Lilly fährt oder nicht. Wenn es notwendig ist, werde ich sagen, wer Moritz ist.

Die Anwesenden verzichten auf nähere Mitteilung, wer Moritz ist.

Gen. **Günther**:
Die Ereignisse 1933.

Gen. **Becher**:
Ich glaube, daß ich darüber etwas schärfer sprechen muß, als das Genosse Günther gemacht hat. Es fällt mir schwer, das so zu konstruieren, daß es ein richtiges Bild abgibt, um zu sagen, was in Deutschland 3 bis 6 Monate vor der Machtübernahme ich gearbeitet habe. Ich war in den letzten drei Monaten in der «Roten Fahne» und habe den Feuilleton-Teil gemacht. Am Tage der Reichskanzlerschaft von Hitler war ein Gedicht über Hitler veröffentlicht worden und in den nächsten Tagen noch ein anderes Gedicht: «Die Saat ging auf». In der Redaktion arbeitete Helmut Lask, der dann später als Spitzel entlarvt wurde. Chefredakteur war Genosse Knodt[163]. Im Landtag hatte ich ein Gespräch mit Pieck und sprach dann auch auf der Redaktion mit Schneller über die Beschaffung eines illegalen Quartiers. Es konnte nicht beschafft werden. Genosse Lask machte sich erbötig, mir ein

162 Deckname, nicht ermittelt.
163 **Hans Knodt**, geb. 21.3.1900, 1919 KPD-Mitglied, Chefredakteur von KPD-Zeitungen u. a. der *Roten Fahne*; 1935 nach Moskau, Mitarbeiter der Komintern; bezichtigt sich 1935 in seinem Lebenslauf der «Verbindung mit Versöhnlern»; verhaftet 1937, 1941 zu acht Jahren Arbeitslager verurteilt und in Lagerhaft umgekommen.

Zimmer zu besorgen, wenn es notwendig wäre. «Onkel Toms Hütte» war ein bestimmter Brennpunkt, und ich erinnere mich an die letzten Sitzungen, die wir gehabt haben. Es war vor dem Reichstagsbrand, vielleicht 5 oder 6 Tage vorher, oben tagen wir, und unten im Keller saß der RFB. In den letzten drei Monaten habe ich alles versucht, die Parteiarbeit so gut wie möglich zu machen. Ich wurde dann herausgebracht. Ich erkannte den Reichstagsbrand nicht als das Signal. Auch die Genossen in der Künstler-Kolonie waren absolut nicht davon überzeugt, daß er das Signal (war), sondern der Reichstag war von den Nazis angesteckt worden, das war für uns alle klar. Ich fuhr dann von Leipzig nach Wien. Als ich aus diesen Ereignissen herauskam, trat bei mir, wie ich es nicht anders beschreiben kann, ein ungeheurer Erschöpfungszustand ein. Ich traf in Wien Brentano[164] in einer ungeheuren Stimmung. Dort traf ich auch O. Katz, der aus Moskau kam. Langa war auch dabei. Otto Katz[165] trat in Wien in dem Kreis sehr parteimäßig auf. Das fand ich schlecht und war auch sehr schädigend.

Brentano machte den Vorschlag, den «Funken»[166] herauszugeben, außerdem sagte er mir noch, wie ich ihm unterstellen könnte, daß er nicht der Lenin der deutschen Partei sein könnte.

...[167]

Gen. **Becher**:
Eine neue Partei, mit Ausdrücken gegen die Führung der Partei – worüber ich später sprechen werde – worauf ich wegging.

Zuruf:
Nicht trotzkistisch?

164 **Bernhard von Brentano** (1901–1964), Journalist und Schriftsteller, Mitglied in der KPD und im Berliner BPRS, Veröffentlichungen in der *Linkskurve*, Zusammenarbeit mit Brecht; 1933 Emigration in die Schweiz, Bruch mit der KPD. Vgl. Gerhard Müller: *«Warum schreiben Sie eigentlich nicht?» Brentano in seiner Korrespondenz mit Bertolt Brecht*, in: Exil, 1990, Heft 2, S. 42–53.
165 **Otto Katz**, d.i. André Simone (1895–1952), 1922 KPD-Mitglied, führender Mitarbeiter in der IAH, nach 1933 in Frankreich Organisator zahlreicher Kampagnen und antifaschistischer Komitees, 1940 über die USA nach Mexiko, Sekretär im «Bund Freies Deutschland», Herausgeber eines Schwarzbuches über den Nazi-Terror (1943), 1946 CSR. 1952 im Slansky-Prozeß als «britischer und zionistischer Agent» zum Tode verurteilt und hingerichtet.
166 Lenins «Iskra» (Funke) war offensichtlich Vorbild bei der Titelwahl.
167 Hier wahrscheinlich Lücke im Stenogramm.

Gen. **Becher**:
Nein, es war ein tollwütiger Haß, der vollkommen nichttrotzkistisch, nicht so und nicht so war, sondern in der Form von Beschimpfungen, so daß, wenn du einen Nazi daneben gestellt hättest, nicht hättest unterscheiden können.

Gen. **Most**:
Also alle Elemente des Trotzkismus waren gegeben?

Gen. **Becher**:
Ja, sie waren gegeben[168]. Ich erinnere mich auch, daß er – sogar darüber hatte ich lange Diskussionen – aus absoluter Provokation die Unrichtigkeit der trotzkistischen These vertrat, die Rote Armee hätte im Moment der Machtübernahme durch Hitler in Deutschland einmarschieren müssen. Das bedeutete, die Sowjetunion in den Weltkrieg hineinzuziehen usw. Ich kam dann nach Prag. Ich muß sagen, da war bei mir eine absolute Depression, die damit verbunden war und daraus hervorging, daß es für mich ungeheuer schwer war, daß ich, trotzdem ich die Gelegenheit gehabt hätte zu reisen, ich niemals in meinem Leben aus Deutschland herausgegangen bin, außer als Kind nach der Schweiz, nach Österreich und Prag. Es war schwer für mich, mich von Deutschland zu trennen. Ich weiß, daß es mein einziger Wunsch war, so rasch wie möglich wieder nach Deutschland zu fahren. Ich überlegte mir, wie ich mich verkleiden kann. Diese Stimmung habe ich bei sehr vielen Genossen kennengelernt. Gen. Günther hat mich davon überzeugt, daß es zuvor notwendig war, nach Moskau zu fahren, und daß es Amoklaufen ist, ins Land hinauszufahren. Das war eine schwere Depression, die hier ausgelöst wurde und die ich dadurch verlor, daß Gen. Heckert drei- bis viermal mit mir über diese Frage sprach.

Gen. **Barta**:
Wie hat sich Schmückle in dieser Zeit verhalten?

Gen. **Becher**:
Da kannte ich ihn nicht. Ich habe Schmückle viel später kennengelernt.

168 Nach dem parteiamtlichen Einwurf des Komintern-Vertreters Heino Meyer korrigierte Becher sofort seine Feststellung, daß die Äußerungen nichttrotzkistisch waren.

Gen. **Günther**:
Das kann ich bestätigen.

Gen. **Ottwalt**:
Was für eine Rolle hat Kläber in Wien gespielt, bzw. war Gen. Becher bekannt, was für Vorschläge und Berichte Kläber nach Moskau geschickt hat?

Gen. **Becher**:
Ich habe Kläber weder in Wien noch in Prag getroffen. Ich traf Kläber ein Jahr später und wußte nicht, daß er irgendwelche Berichte nach Moskau geschrieben hat.

Gen. **Lukács**:
Ich möchte zur Charakterisierung der damaligen Anschauungen von Brentano etwas fragen, den ich nach der Machtergreifung Hitlers nicht mehr gesehen habe. Ich möchte die Genossen Becher und Ottwalt erinnern, als wir diese neugegründete Fraktionsleitung oder Arbeitsgruppe, oder wie sie hieß, wo wir alle drin waren, hat Genossin Trude Richter den Auftrag gehabt, irgendeinen Aufruf gegen den Faschismus zu schreiben? In dieser Sitzung ist da Brentano aufgetreten mit der Ansicht, es wäre wissenschaftlich absolut nicht bewiesen, daß der Faschismus kulturzerstörend ist, und die Tatsachen würden noch nicht erhärten, daß der Sozialismus einen Aufschwung der Kultur bedeuten würde? Er hat hier als Beispiel den Niedergang des russischen Kinos nach dem ersten Aufstieg angeführt. Das war in der Sitzung, die im Agis-Verlag war.

Gen. **Becher**:
Das muß man aus der ganzen Sachlage verstehen. Ich erinnere mich, daß wir eine Sitzung hatten mit Döblin, Leonhard Frank. Ich glaube, Lukács sprach dort, und alles war gut. Plötzlich stand Brecht auf und erklärte: Ich bitte, daß ich eine Schutzstaffel zu meiner Verfügung bekomme.

Gen. **Lukács**:
Ich möchte sagen, daß diese Stimmungen bei Brentano nicht Folgen der Emigration gewesen sind, sondern bei ihm schon früher vorhanden waren.

Gen. **Hay**:
Brentanos weitere Tätigkeit in Zürich, worüber ich berichten werde, ist, glaube ich, vollkommen beweiskräftig.

Gen. **Ottwalt**:
Du kannst dich erinnern, daß wir verschiedene solche Gespräche um Brentano, Silone usw. geführt haben und die Frage aufgetaucht ist, auch Schmückle war dabei, ob man mit den Trotzkisten auf dem Gebiete der Literatur zusammenarbeiten kann oder nicht. Wie war damals deine Stellungnahme in dieser Sache und die Stellungnahme von Schmückle?

Gen. **Becher**:
Meine Ansicht war folgende: Ich weiß nicht, ob ich das erste oder das zweite Mal in der Schweiz war, als ich mit Silone sprach. Ich hatte das Gefühl, daß die Arbeit des Genossen Kern[169], solange er dort war, nicht die Arbeit war, um erstens die Panikstimmung verschiedener Genossen zu beheben u. a. auch von Brentano, und zweitens, daß er den Fall Silone nicht so gesehen hat, wie ich ihn sah. Silone ist seinem Äußeren nach ein sehr scheuer und etwas zurückhaltender Mensch. Ich glaube ganz bestimmt, wenn man sich mit ihm ideologische Mühe gibt, und zwar wirklich mit stichhaltigen Gründen, daß dieser Mann absolut nicht verloren ist, sondern daß dieser Mann absolut zu gewinnen ist. Allerdings war ich der Ansicht, daß es dazu einer dauernden, intensiven Arbeit bedarf und nicht wüsten Schimpfens. Nach meiner Ansicht hat Gen. Kern zu sehr in der Richtung geringsten Widerstandes gearbeitet, daß er die Leute abgestoßen und nicht alle Mittel angewandt hat, um sie überzeugen. Damals war nach meiner Ansicht die Möglichkeit vorhanden, so eine Arbeit zu machen.

Gen. **Bredel**:
Ich möchte darin erinnern, daß wir eine Sitzung hatten, wo auch Silone anwesend war und wir prinzipiell über die Frage entschieden, ob wir bei der Schaffung dieser breiten Literaturfront auch Trotzkisten einbeziehen wollen. Wir sagten nein, dagegen linksbürgerliche ja. Dagegen trat Karl Schmückle sehr scharf auf und du im Sinne von Schmückle.

Es handelt sich hier um unsere Arbeit unter den Schriftstellern, und es stand die Frage von Silone für den Schriftstellerbund.

Gen. **Becher**:
In Paris stand auch die Frage der Einladung von Silone. Ich will zei-

169 **Rudolf Kern**, Beiträge in der *DZZ*; Biographie nicht ermittelt.

gen, wie schwierig die Sache für Silone war. Die «A-I-Z» brachte einen Artikel von Silone, auch «Fontamara»[170] wurde von uns veröffentlicht.

Gen. **Barta**:
Gab es in der Komintern ein Gespräch darüber?

Gen. **Becher**:
Ich glaube ja, über Germanetto.

Gen. **Bredel**:
Schmückle vertrat absolut den Standpunkt.

Gen. **Becher**:
Auf dem Schriftstellerkongreß zeigte sich die Unmöglichkeit. Dieses Gespräch war vorher.

Gen. Hay will über die Arbeit von Brentano in Zürich sprechen, darauf meldet sich ein Genosse zur Geschäftsleitung (!) und verlangt, daß Genosse Hay nicht jetzt, sondern später darüber berichten soll.

Gen. **Becher**:
Zur Frage des Vorwurfs, daß ich mein Parteigesicht nicht zeige.

Gen. **Günther**:
Zu der Prager Angelegenheit möchte ich zwei Fragen stellen: Genosse Becher sprach hier von den schlechten Stimmungen in Prag, darüber hat er aber kurz gesprochen. Ich weiß, daß Gen. Becher mit der festen Absicht nach Prag kam, wieder nach Deutschland zurückzufahren und nicht nach Moskau zu fahren. Ich habe ihn überzeugt, daß er unbedingt nach Moskau fahren soll, dort solle er sich sagen lassen, was jetzt zu tun ist. Wir sind nicht in parteifeindlicher Stimmung nach Moskau gefahren. Ich frage den Genossen Becher, ob er das bestätigt, was ich gestern abend gesagt habe.

Zweite Frage: Genosse Barta hat eine Parallele gezogen, weil wir beide aus der Versammlung gegangen sind und weil wir beide auch von Prag nach hier gekommen sind, und man kann sagen, daß wir so eine Art Oppositionsgemeinschaft oder Blutsbruderschaft geschlossen hätten. Das ist völliger Unsinn. Genosse Becher wird hier bestäti-

170 Silones Roman «Fontamara» erschien im Sommer 1933 ebenfalls in der *A-I-Z*.

gen, daß ich seit 1933 gegen ihn Stellung genommen habe, weil er die Stimmungen in der Sektion nicht genügend bekämpft hat. Mein Zurückfinden zur Partei war keine Phrase, sondern ich habe sehr aktiv dagegen angekämpft.

In der Angelegenheit der «Neuen Deutschen Blätter», die verbunden war mit scharfen Beschuldigungen. Wie kam es zu diesem Bruch? Ich habe Angaben darüber gemacht.

Jetzt zu seiner Freundschaft mit Schmückle. Meine persönlichen Beziehungen mit ihm habe ich deshalb abgebrochen. Ich war ein einziges Mal draußen bei ihm auf der Datsche, um gemeinsam mit ihm den Gedichtband durchzusehen.

Gen. **Becher**:
Ich kann noch deutlicher schildern 1933. Erstens bestätige ich die Äußerung von Gen. Günther und ergänze weiter, daß der Differenzpunkt die Frage der Reise von Gen. Ottwalt nach Prag war. Jetzt muß ich leider zu dem Vorwurf des Gen. Barta sprechen, ich hätte mein Parteigesicht nicht genügend gezeigt. Ich spreche deswegen sehr ungern über diesen Vorwurf, da nach meiner Ansicht es die Aufgabe des Leiters der deutschen Sektion ist, sich über das vergangene und gegenwärtige Parteigesicht eines Genossen zu informieren.

Gen. **Barta**:
Ich habe die letzte Zeit, die letzten Monate gemeint.

Gen. **Becher**:
Wenn du nicht die Frage der Vergangenheit aufwirfst, so hast du gesagt, daß in dem schärfsten Punkt der Entwicklung ich das Parteigesicht nicht gezeigt habe. Da muß ich historisch vorgehen und zeigen, wie ich versucht habe, ein revolutionäres, d. h. ein Parteigesicht zu zeigen, eines Menschen, dem umgekehrt von der Bourgeoisie und Faschismus die gegenteilige Quittung in allen möglichen Formen überreicht wird.

Ich habe versucht, mein sogenanntes revolutionäres Gesicht 1912 zu zeigen, als ich eine . . . [171] Zeitschrift herausgab und gleichzeitig die Zeitschrift «Neue Kunst». Beide waren gegen die Bourgeoisie gerichtet, anarchistisch verworren, nicht im geringsten mit dem Marxismus

171 Fehlendes Wort. Becher war 1913 Mitherausgeber der Zeitschrift *Die Revolution*.

verbunden. Nach meiner Ansicht ist die Prüfung: Wie hat er sich im Krieg 1914–1918 verhalten. Da muß ich sagen, daß ich 8 Tage kriegsbegeistert war in der Form, daß ich mit Gumbel[172] im Tattersall herumgeritten bin, um mich auf den Krieg vorzubereiten. Nach weiteren 14 Tagen, ich glaube, das war am 20. August, das war nicht so einfach – bin ich in den Münchner Kammerspielen offen gegen den Krieg aufgetreten, selbstverständlich nicht kommunistisch, sondern anarchistisch-revolutionär. Damals haben die Zeitungen groß geschrieben «Ausgebechert, ausgewerfelt» usw. Dann brauche ich nicht darzustellen, was ich während des Krieges geschrieben habe, daß ich einen Moment an der Seite der Kriegstreiber gegangen bin, wobei ich zugebe, daß meine Kriegsbekämpfung defaitistisch, antirevolutionär war. Ich glaube, es gab etwas später in der Parteigeschichte einige Dinge, wo die Parteigenossen ihr Parteigesicht zeigen konnten: Herbst 1923, 1. Mai 1929. Ich glaube, ich habe während dieser Zeit mein Parteigesicht gezeigt als ein Genosse, der so und so oft wegen Hochverrats angezeigt wurde, trotz Anzeigen hierhergefahren ist, in Tiflis seine Rede gehalten hat, die ihm ein neues Verfahren einbrachte. In dem letzten Jahre hier, das gebe ich zu und das werde ich ergänzen, habe ich erreicht, was ich lange erreichen wollte und worüber die Genossen Lukács, Olga Halpern und Gábor Bescheid wissen. Seitdem sie mich kennen, hatte ich den einen Wunsch, mich von einer bestimmten literaturpolitischen führenden Tätigkeit zu entbinden[173], weil ich glaube, daß ich weit mehr leisten kann, wenn ich auf dem Gebiet der Dichtung eine bestimmte anständige Stellung innerhalb der Literatur mir erobere. Seit einem Jahr konnte ich das durch-

172 **Emil Julius Gumbel** (1891–1965), Mathematiker, anfangs Kriegsfreiwilliger, dann Pazifist; zahlreiche Schriften über faschistische Organisationen in der Weimarer Republik; 1925–26 Mitarbeiter am Marx-Engels-Institut in Moskau; Veröffentlichung: *Vom Rußland der Gegenwart*, Berlin 1927; 1932 Entlassung von der Universität Heidelberg, Emigration nach Frankreich; führend beteiligt an der Volksfrontpolitik des Pariser Lutetia-Kreises; 1940 Emigration in die USA.

173 In einem im September 1936 verfaßten Lebenslauf schreibt Becher: «Ende 1934 auf Beschluß des EKKI zu Barbusse nach Paris geschickt (als organisatorisch verantwortlich der Komintern), um anstelle der MORP eine neue Schriftstellervereinigung zu gründen. Vorbereitung und Durchführung des Pariser Schriftstellerkongresses (verantwortlich Barbusse, Kolzow, Becher).» Nach der «Entbindung» von dieser «literaturpolitisch führenden Tätigkeit» konnte Becher, neben seiner Redakteurstätigkeit, an seinem autobiographisch geprägten Roman «Abschied» arbeiten, den er 1938 abschließt und der 1940 erscheint.

führen. Ich habe mich intensiv damit beschäftigt, ein neues Buch zu schreiben, und glaube, daß das ein Fortschritt ist. Ich bin auf dem Minsker Kongreß aufgetreten. Ich glaube, daß ich richtig aufgetreten bin. Ich bin dann in Leningrad aufgetreten, nach Tiflis gefahren und habe dort, soweit es möglich war, versucht, in unserem Interesse zu arbeiten. Ich habe selbstverständlich im Radio gesprochen und einige Male so gesprochen. Aber ich sage, bei der Durchführung bestimmter schriftstellerischer Arbeiten gebe ich zu, daß ich Fehler mache. Das sind rein subjektive Fehler, die nur mich betreffen. Ich gebe zu, daß ich mich scharf konzentrieren muß, daß ich für gesellschaftliche Arbeiten weniger getan habe, als wenn ich eine Arbeit nicht durchführen muß. Häufig sind und waren unsere Sitzungen so, daß sie nicht einmal den notwendigen Spesencharakter hatten, der selbstverständlich bei allen Sitzungen herauskommen muß. Man kann nicht immer Sitzungen verlangen, die anregen. Selbstverständlich gibt es Sitzungen, die mehr oder weniger leer sind. Dann gibt es Sitzungen, die einen Schriftsteller besonders zur Produktion begeistern. Aber meiner Ansicht nach ist in der praktischen Arbeit ein beständiges Schwanken, teilweise nur schöpferisch, dann überorganisiert. Damals habe ich einige Genossen darauf aufmerksam gemacht. Gen. Weber und Gen. Most werden sicher erinnern, daß ich mit ihnen darüber gesprochen habe, daß die ideologische Leitung und Führung fehlt. Mit den Genossen, die hier führen, kann eine hundertmal bessere Arbeit gemacht werden.

Gen. **Barta**:
Worin besteht das konkret?

Gen. **Becher**:
Die Sache ist nicht so, daß wenn (man) Kritik übt, man auch a tempo die Vorschläge macht.

Gen. **Barta**:
Worin liegt es, daß bei uns keine ideologische Führung ist?

Gen. **Becher**:
Ich habe den Eindruck, auf der einen Seite haben wir unbegrenzte Ergebnismöglichkeiten, wir haben eine große objektive Basis, um ausgezeichnet zu arbeiten. Und die Arbeit unserer Gruppe, das was hier gemacht wird, ist hier und da so, daß es dazu in schreiendstem Gegensatz steht. Hier und da sind unsere Sitzungen viel schlechter als die Sitzungen in Paris und Prag.

Gen. **Barta**:
Konkret. Wir haben ganz andere Aufgaben.

Gen. **Becher**:
Selbst die Aufgabenstellung ist nicht genügend klar und richtig. Ich kann mir vorstellen, daß auch diese Frage ein engeres Gesicht bekommt. Es ist nicht notwendig, lang und breit die Situation und die politischen Ereignisse nach (dem) 7. Weltkongreß und dem Brüsseler Kongreß auszuführen. Aber was sind die Aufgaben der antifaschistischen Literatur in der und der Epoche? Was sind die besonderen Aufgaben, die diese Gruppe im Unterschied von der Pariser Gruppe usw. durchzuführen hat? Hier werden sich ganz bestimmte Arten von Arbeit herausheben. Denn hier können Arbeiten gemacht werden, die dort nicht zu machen sind. Aber dieses Beschränken wird meiner Meinung nach ungeheuer vernachlässigt. Daher kommt es, daß der größte Teil von Vorwürfen, den du gegen andere Genossen gemacht hast, daher kommt es.

Jetzt erinnere ich mich an folgendes. Wenn Gen. Lenin eine Arbeitsgemeinschaft gemacht hat, hat er von jedem, mit dem er gesprochen hat, einen geistigen Fragebogen ausfüllen lassen, was er schafft, welche konkreten Fähigkeiten, bis zu seiner materiellen Lage. Wir dürfen nicht nur den Kampf gegen die Schematik in unsrer Literatur führen, sondern wir müssen uns selbst zueinander nicht schematisch verhalten. Aber wir verhalten uns gegeneinander zu unseren Aufgaben schematisch. Ich habe eine Menge Sitzungen miterlebt, die Erlebnisse für mich wurden und die mich abhielten von meiner Arbeit und die bestimmte unbefriedigende und depressive Eindrücke auf mich machten, die ich bei der Arbeit nicht gebrauchen kann. Ich bin der Ansicht, daß wir mit den Mitteln, die wir haben, mit den Genossen, die wir haben, die Arbeit zu korrigieren ist.

Gen. **Barta**:
Man kann nur korrigieren, wenn du das Wesen dieser Sache aufzeigst. Vielleicht kannst du es mit einem konkreten Beispiel illustrieren?

Gen. **Becher**:
Ich bin der Ansicht, daß die Arbeit der Arbeitsgemeinschaften viel zuwenig für die Leitung unserer Gruppen ausgenützt wird, daß es schwer möglich ist, eine allgemeine Meinungsbildung zu erzielen, wobei sehr viele Dinge, die mich auch stören, rechtzeitig korrigiert werden konnten.

Gen. **Günther**:
Du warst nicht dabei.

Gen. **Becher**:
Sie werden nicht ausgenutzt für unsere Arbeit.

Gen. **Barta**:
Das heißt, daß unsere Sitzungen nicht interessant genug waren, deshalb bist du nicht gekommen. Oder was soll das heißen?

Gen. **Günther**:
Genosse Barta, du willst doch nicht abstreiten, daß wir eine ganze Reihe von Sitzungen gehabt haben, die ausgingen wie das Hornberger Schießen.

Gen. **Most**:
Die Diskussion verschiebt sich, jeder einzelne soll etwas dazu sagen.

Gen. **Ottwalt**:
Genosse Barta sagt, hier seien unsaubere Geschäfte.

Gen. **Becher**:
Gen. Barta, es ist ein Irrtum, daß ich einen Artikel ins Ausland geschickt habe. Allerdings jetzt ist er weg, ich habe ihn weggeschickt und unverändert. Außerdem hast du selbst gesagt, daß der Artikel richtig sei.

Gen. **Barta**:
Ich sagte, was du über Trotzki schreibst, ist richtig, aber über die anderen Sachen müßte man noch diskutieren.

Gen. **Becher**:
Auf Grund dessen, was du mir sagtest, war ich nicht der Auffassung, daß der Artikel falsch sei.

Darauf zitiert Genosse Becher den betreffenden Satz, der falsch sein soll. Und zwar handelt es sich um die Stelle in dem Artikel, wo Becher schreibt, daß ein Schriftsteller mit besonderen Maßen gemessen werden muß.

Ich bin der Auffassung, daß der Artikel nicht falsch ist.

Gen. **Wangenheim**:
Wenn ich richtig verstehe, dann bist du der Auffassung, daß der Schriftsteller mit besonderen Maßen gemessen werden muß?

Gen. **Becher**:
Wir haben die Diskussion in nicht ganz richtige Bahnen gelenkt. In der «DZZ» steht: ...

«Ein Schriftsteller muß eine hohe, besondere Begabung haben.» In der «DZZ» steht auch, daß er mit besonderen Maßen gemessen werden muß.

Gen. **Barta**:
Die Sache ist nicht nebelhaft. Diese Theorie von dir ist nicht einmal aufgetaucht, und zwar immer dann, wenn du zu irgendwelchen Sitzungen nicht erschienen bist. Auf der Sitzung, wo wir über die Konstitution[174] sprachen, sagtest du, daß dich das einen Dreck angehe. Ich habe versucht, dich zu überreden, aber du bist nicht gekommen. Auch zu der Besprechung zum trotzkistisch-sinowjewistischen Prozeß wolltest du nicht kommen. Du bist dann doch gekommen und bist weggegangen. Der Schriftsteller muß mit anderen Maßstäben gemessen werden. Für dein politisches Verhalten hast du ein besonderes Maß angelegt.

Wir sprechen über diese Zusammenhänge und nicht im allgemeinen, sondern um diese Zusammenhänge. Selbstverständlich sind spezifische Momente vorhanden. Aber wir sprechen im Zusammenhang mit einem politischen Sinn.

Gen. **Most**:
Genossen, in diesem Tempo können wir unmöglich weitermachen. Ich meine, daß wir doch wissen, in welchem Kreis wir uns bewegen. Bei den Zwischenfragen muß man sich unbedingt darauf beschränken, den Genossen den Anstoß zu geben, über wichtige Sachen zu sprechen. Wenn wir so weitermachen, dann passiert es uns, daß sich unsere Sitzung in Einzelfragen auflöst. Die Genossen sollen alles sagen, man muß sich auseinandersetzen, um ein Gesamtbild herauszu-

174 Für die Zeitschrift *Das Wort* lieferte Heinrich Meyer 1936 unter seinem Decknamen Heinrich Most einen hymnischen Beitrag zur neuen Verfassung der Sowjetunion. Diese neue Verfassung und die kampagnenartig organisierte «Verfassungsdiskussion» bildeten allenfalls die durchsichtige Kulisse für den gleichzeitig organisierten Massenterror. Auch Georg Lukács preist in einem Vortrag zum Verfassungsentwurf «die Gesichertheit der Existenz» und die «freie Entfaltungsmöglichkeit der Persönlichkeit». Vgl. Georg Lukács: *Die neue Verfassung der UdSSR und das Problem der Persönlichkeit*, in: Internationale Literatur, Jg. 6, 1936, Heft 9, Seite 50–53.

bekommen. Wir sollen an den Gesamtcharakter unserer Sitzung denken. Was soll sonst dabei herauskommen?

Gen. **Lukács**:
Genossen. Ich muß zuerst um eure Geduld bitten, da ich mehr über allgemeine Fragen als über persönliche Fragen sprechen werde. Das hat einen höchst objektiven Grund. Ich glaube von allen Anwesenden bin ich der einzige, der nicht Mitglied dieser kommunistischen Organisation[175] ist. Ich habe an den Zellensitzungen nicht teilgenommen, und die ganze Richtung meiner Arbeit war so, daß ich an sehr vielen dieser Kämpfe, die hier waren, nicht beteiligt war. Das bedeutet nicht, daß ich die Verantwortung für die ganze Entwicklung, die hier gewesen ist, ablehnen darf und daß ich nicht ebenso stark kämpfen mußte wie jeder einzelne Genosse. Ich werde, wenn ich in der Mehrzahl spreche, so spreche nicht ich im pluralis majestatis, sondern in erster Linie von der Schuld, die ich habe. Aber ich möchte die Sache vom allgemeinen Standpunkt aus ansehen, wie sich die Linien hier, dem, der an dem täglichen Kampf nicht beteiligt war, widerspiegeln.

Ich glaube, das zentrale Problem ist das Problem des Versagens unserer Wachsamkeit. Die Fälle Süßkind sind uns bekannt. Die bisherigen Fälle sind uns bekannt, daß eine Reihe von Genossen schwere Fehler in bezug auf Wachsamkeit gemacht haben. Es taucht die Frage, auf welcher Grundlage, unter welchen Verhältnissen, unter welchen Prinzipien sind diese Fehler entstanden. Die eine Frage ist, die Fehler, die die Genossen Gábor, Becher, Günther und ich individuell gemacht haben, zu konkretisieren, Selbstkritik zu üben und die Genossen auf den richtigen Weg zu bringen. Die andere Frage ist, zu untersuchen, gibt es nicht allgemeine Fragen, die gelöst werden müssen, um die ganze Organisation, die ja aus einzelnen Menschen besteht, aber nicht nur eine Summe einzelner Menschen ist, ideologisch auf eine vollständig richtige Grundlage zu bringen. Ich will über das Allgemeine so schnell wie möglich hinwegkommen. Ich glaube, daß in der Frage der Wachsamkeit ein vollkommmen neues Problem sich zeigt, dessen Anzeichen schon im Kirow-Prozeß da waren, die aber jetzt vollständig klar hervorgetreten sind. Die Parteifeinde sind früher mit einer bestimmten ideologischen Plattform aufgetreten. Wir konn-

175 Lukács war nicht Mitglied der «Deutschen Kommission», d. h. dieser Parteigruppe im Sowjet-Schriftstellerverband.

ten analysieren: Der Mensch ist ein Bucharinist, ein Trotzkist usw. Die jetzigen Parteifeinde haben keine Plattform, sondern treten in der Maske[176] parteitreuer Menschen auf. Ich verweise darauf, daß man z. B. Nathan Lurje[177] das «Linienschiff» genannt hat, ich verweise auf den Artikel Sinowjews bei Kirows Tod. Süßkind hat nie Reden gehalten, ohne mit Stalin anzufangen und zu enden. Niemals ist bei Süßkind der Schatten aufgetaucht, daß er sich mit der Parteilinie in Opposition befinden würde. Diese Leute zu entlarven bedarf es einer komplizierten Wachsamkeit. Es handelt sich um viel raffiniertere Formen. Ich verweise darauf, daß Becher erklärte, daß Schmückle ihm nie solche Erklärungen gegeben hat usw. Diese Wachsamkeit, das ist keine Entschuldigung für uns. Aber wenn wir die Frage untersuchen, müssen wir feststellen, daß hier allgemeine Schriftstellerfragen vorhanden sind, nicht nur deutsche Schriftstellerfragen. Im russischen Verband gehen die größten Diskussionen vor sich, weil der Bandit Pikel[178] Mitglied des russischen Schriftstellerverbandes gewesen ist und ein ständiger Mitarbeiter von «Teatr» und

176 Die Argumentationsfigur der «Maske» und des «Doppelzünglers» verwendete Stalin in zahllosen Reden. Vgl. z. B. J. W. Stalin: *Über die Mängel der Parteiarbeit und die Maßnahmen zur Liquidierung der trotzkistischen und sonstigen Doppelzüngler*, Moskau 1937. Im ersten Moskauer Schauprozeß hatte der Ankläger Wyschinski das «Doppelzünglertum» als «Hauptmethode der Trotzki-Sinowjew-Leute» markiert. Wyschinski bezeichnete die Angeklagten als «Meister in der Kunst», ihre «Verbrecherphysiognomie zu maskieren», als «Leute», die ihr «Gesicht mit Masken» bedeckten.

In zwei internen Briefen an alle Mitglieder der KPdSU wurde 1935 die Verhaftung der «Doppelzüngler» festgelegt. Man könne sich «in bezug auf einen Doppelzüngler nicht auf einen Ausschluß aus der Partei beschränken, er muß verhaftet und isoliert werden». Die von Lukács geforderte «komplizierte Wachsamkeit» hatte ihre offiziellen Ursprünge und terminologischen Raster, die auch in Parteilehrbüchern verkündet wurden: «Dementsprechend äußern sich der Opportunismus und der Widerstand gegen die Generallinie der Partei selber in neuen besonders maskierten Formen. Beschönigen aller Mißstände, Lippenbekenntnisse zur Linie der Partei und ihrer Leninschen Führung, während man in der Tat die Parteilinie sabotiert und sich direkt dem Klassenfeind, dem Kulaken anschließt, das sind Methoden, zu denen jetzt die in die Partei eingedrungenen feindlichen Elemente Zuflucht nehmen. Die Reinigung der Partei ist berufen, sie von allen diesen Elementen zu befreien.» Boris M. Wolin: *Das politische Grundwissen*, Moskau 1934, S. 125.

177 Nathan Lurje (1901–36), KPD-Mitglied 1925, 1932 in die Sowjetunion, im ersten Moskauer Schauprozeß mitangeklagt, zum Tode verurteilt und erschossen.

178 **Richard V. Pikel** (1896–36), Mitarbeiter Sinowjews in der Komintern; August 1936 im Moskauer Schauprozeß angeklagt und zum Tode verurteilt.

«Nowy Mir», deren Leiter Bronski ist. Ich möchte hier gleich eine ideologische Frage aufwerfen. Ich bin der Ansicht, daß die Erhöhung des ideologischen Niveaus mit der Erhöhung der Wachsamkeit verbunden ist. Gen. Bronski, der Redakteur von «Nowy mir», ist bei den Diskussionen über den Naturalismus und die Formalisten in absolut falscher, von der Partei verurteilter Form aufgetreten, indem er sagte, Naturalisten und Formalisten seien Feinde der Sowjetmacht. Man muß schärfstens die Naturalisten und Formalisten zur Verantwortung ziehen. Ich möchte zur Erwägung stellen, ob zwischen dem blöden Radikalismus von Bronski und damit, daß Pikel Mitarbeiter seiner Zeitschrift war, nicht ein Zusammenhang besteht. Jemand, der den Kampf gegen eine falsche Ideologie so auffaßt, nicht gerade in die Arme solcher Leute fällt. Wenn es uns nicht gelingt, unser eigenes Arsenal diesem Raffinement gewachsen zu machen, so helfen unsere guten Entschlüsse nicht, morgen werden wieder Leute dasein, die das machen. Und ich glaube, es ist Tatsache, daß unser russischer Schriftstellerverband in den großen ideologischen Fragen hinter der Linie des ZK zurückgeblieben ist. Ich möchte so kurz wie möglich sein.

Wenn wir daran denken, was für ungeheuer wichtige Tatsachen, was für große ideologische Schritte seit der Begründung des Schriftstellerverbandes vom ZK der WKP gemacht wurden; ich werde ganz kurz auf die Schriften des Gen. Stalin über die Geschichtsbücher, den Beschluß des ZK über die Pädagogen, die nicht spezielle Fragen sind, sondern Fragen von ungeheurer ideologischer Bedeutung, hinweisen und damit das Niveau der Diskussionen vergleichen, die im Schriftstellerverband auf Grund des ausgezeichneten richtunggebenden Artikels in der «Prawda»[179] vor sich gehen. Dann sehen wir, daß es dem Schriftstellerverband nicht gelungen ist, in den allgemeinen ideologischen Fragen auf der Höhe der Zeit, auf der Höhe der Weisungen des ZK zu stehen. Ich möchte sagen, daß selbstverständlich ein enger Zusammenhang zwischen dem Versagen der Wachsamkeit

179 Seit März 1936 veröffentlichte die *Prawda* zahlreiche Artikel, die den «sozialistischen Realismus» offiziell kanonisierten und mit «Formalismus» und der «menschewisierenden Vulgärsoziologie» abrechneten. Vgl. dazu Hans Günther: *Die Verstaatlichung der Literatur. Entstehung und Funktionsweise des sozialistischen Realismus in der sowjetischen Literatur der 30er Jahre,* Stuttgart 1984. Mit mehreren nacheilenden Artikeln dokumentierte und verfolgte auch die *Internationale Literatur* diese offizielle Diskussion.

und dem Versagen an der ideologischen Front bei den Schriftstellern im allgemeinen besteht.

Als nächster spricht der Genosse Lukács: Er bittet, daß man ihn heute sprechen läßt, da er morgen wegfährt.[180]

Gen. **Lukács**:
Ganz kurz zu unseren Fragen: Ich habe den russischen Schriftstellerverband behandelt, weil das das Sowjetmilieu ist, zu dem wir gehören. Wir deutschen Schriftsetller stehen in einer besonderen Lage, und zwar deshalb, weil wir Emigranten sind. Ich möchte sehr scharf darauf eingehen. Dieses Emigrantenleben birgt viele Krankheiten innerhalb unserer Organisation in sich. Wir haben aus der Tatsache unserer Emigration nicht die genügenden Konsequenzen gezogen, sie artete in persönliche und krankhafte Züge aus. Wir wissen ganz genau, wie schon Marx, Engels und Lenin über die Emigration geschrieben haben und gegen diese Emigrantenpsychose ankämpften. Bei uns wurde sie nicht bekämpft. Worin besteht die zentrale Frage dieser Krankheit[181]? Sie besteht darin, daß der Emigrant nicht in einer unmittelbaren Beziehung zu den lebendigen Massenbewegungen des Proletariats steht, daß die Emigranten hier nicht genügend mit dem russischen Leben verbunden sind, es herrscht nicht der enge Kontakt. Früher hatte jedes Wort, jeder Artikel, der aus den Massen kam, sofort eine Konsequenz. Dementsprechend wurden bei den Menschen ihre Fehler sofort offenkundig, es entstand auch Verantwortungsgefühl. Diese lebendige Kontrolle ist zwar auch heute bei den Emigranten da, aber in ihrer Konsequenz sehr viel schwerer, denn sie kommt viel später zur Auswirkung. Selbstverständlich ist die Sache so, daß, wenn ein Artikel falsch geschrieben wird, er in Deutschland verheerende Konsequenzen hat. Nach ¾ Jahren hört er erst, was für Verheerungen er damit angerichtet hat.

Diese Situation des Nichtverbundenseins mit den breiten Massen hier in der Sowjetunion darf nicht länger bestehen bleiben. Es gibt nur einen Weg: die Teilnahme an der Massenbewegung. Ein Mensch wie

180 Wahrscheinlich Zwischenbemerkung der Versammlungsleitung, die hiermit offiziell das Wort an Lukács erteilt.

181 Die gesellschaftlich-politischen Ursachen dieses im Stalinismus begründeten Denunziations- und Angstklimas werden im häufig verwendeten Terminus «Emigrationspsychose» notwendigerweise ausgeblendet und als «Krankheit» dem öffentlichen, vernichtenden Verdacht ausgeliefert.

Lenin, der so intensiv mit der russischen Bewegung beschäftigt war, gab die lebendige Verbindung und sogar die führende ideologische Beeinflussung der Massenbewegung nie aus den Händen. Für uns ist als Massenbewegung das lebendige russische Leben da, und ich frage alle Genossen, die hier sind, haben wir nicht genug getan, um diese Emigrationskrankheit zu liquidieren? Ich weiß, es gibt große Schwierigkeiten wegen der russischen Sprache. Wir haben unsere Pflicht nicht getan. Wir haben in dieser Emigrantengruppe gesessen, und aus diesem Sitzen heraus kam es notwendigerweise zu einer solchen Atmosphäre der Prinzipienlosigkeit, der Intrige usw. Ich will damit nicht sagen, daß alle Differenzen prinzipienlose Differenzen sind. So spielen sich die Dinge nicht ab, daß Genossen, die in der Bewegung gute Parteiarbeiter sind, jetzt jedes Prinzipielle verlieren. Ich behaupte, daß in sehr vielen Fällen Elemente der Prinzipienlosigkeit eingedrungen sind und diese Elemente dann die Sache in eine unrichtige Bahn gelenkt haben, die entstellt haben und dadurch bei den einzelnen Genossen zu einer Entstellung der Partei geführt haben. Ich möchte sagen, wenn die Genossen gestatten, das an einem mir sehr naheliegenden Beispiel (zu) illustrieren, an dem Gen. Gábor, mit dem ich seit 18 oder 20 Jahren in einer sehr engen Beziehung stehe, den ich 1918 (?) in einer antimilitaristischen Gruppe, die sich damals in Ungarn gebildet hatte, kennenlernte, mit dem ich in der ungarischen Partei bis ungefähr 1924/25 zusammengearbeitet habe, den ich in Deutschland in den Jahren 1932 kennenlernte und jetzt hier. Wenn ich daran denke, was Gen. Gábor für uns Ungarn in den Jahren 1920/21 gewesen ist, der eine ganze Gruppe von Schriftstellern, Zeitungsschreibern bearbeitete, fast allein, Massen an guten, antifaschistischen Gedichten, Broschüren in die Welt geworfen hat und der auch in der Reinigung der Partei von Spitzeln und verdächtigen Elementen eine aktive Rolle gespielt hat. Wenn ich an die Aktivität des Gen. Gábor in Deutschland denke, wo wir die Einheitsfrontbewegung durchführten und gegen alle Abweichungen unnachsichtig gearbeitet haben, wenn ich das mit dem Fall Brand vergleiche, wenn ich die Fehler des Gen. Gábor im Falle Brand betrachte, so sehe ich eine Entstellung seiner Parteiphysiognomie. Gen. Gábor wäre in der lebendigen Bewegung so etwas unmöglich passiert. Das sei nicht zu seiner Entschuldigung gesagt, denn ein alter Parteigenosse wie Gábor hätte darüber nachdenken müssen, wo das Ungesunde seiner Existenz liegt. Ich verweise darauf, daß Gen. Gábor immer wieder davon gesprochen hat, daß die Kämpfe mit Süßkind, Schmückle und Reimann seine Perspektive in dieser Angelegenheit entstellt haben. Ich finde, das typische Zeichen dafür ist, daß es sich um eine Emigrationskrankheit handelt, denn in einer lebendigen Bewegung, wo links auf rechts stößt, wo sich lebendige Massenbewegungen herauskristallisieren, ist es selbstverständlich gleichgültig, wie sich Süßkind, Schmückle, Reimann dazu verhalten. Das Problem steht im Vordergrund. Die Tatsache, daß die Stellungnahme von Süßkind, Reimann usw. die Wachsamkeit von Gábor verdunkelt hat, ist für mich ein Symptom, daß irgend etwas Krankhaftes, Unrichtiges vorhanden ist. Dasselbe bezieht sich auf die Frage der Genossen Becher und Günther, die ich ebenfalls aus ihrer früheren Arbeit kenne und bei denen ich sagen muß, daß die Panik im April 1933 absolut nicht zu dem Bilde stimmt, das ich von beiden Genossen von Deutschland in lebendiger Arbeit mir gebildet hatte.

Aber, Genossen, diese besondere, diese schlechte Form der Emigration hat bei uns Schriftstellern noch ganz besonders schlechte Formen. Und damit kein Einverständnis in bezug auf die Schlußfolgerung entsteht – ich müßte dann einen etwas großen Umweg machen –, will ich meine Schlußfolgerungen vorwegnehmen und sagen, daß es zwei Perioden in unserer Emigration gibt. Ich spreche jetzt von dieser großen, nämlich der Periode 1933/34 und der darauffolgenden Periode. Ich muß sagen, was wiederum nicht bedeutet, daß nicht doch in einzelnen Punkten Kritik geübt werden muß, seitdem die parteimäßige Führung bei uns bei dem Gen. Barta liegt, seitdem Gen. Bredel aus dem Ausland gekommen ist, ist bestimmt ein außerordentlich großer Fortschritt in der Reinigung der Atmosphäre vorhanden. Ich möchte, wenn ich von der Emigrationsperiode spreche, betonen, daß ich von der Periode 1933/34 spreche und in dieser Periode sehr viele Wurzeln der Fehler sehe, die jetzt in der ganzen Organisation begangen worden sind. Was war diese Periode im ganzen, 1933/34? Das war die Periode der sogenannten MORP, wo die Genossen Illés, Ludkiewicz und Dinamow führten. Mit Dinamow habe ich sehr wenig zu tun gehabt. Was ich mit ihm zu tun hatte, bestimmt mich nicht in meinem Urteil. Unmittelbar zu tun haben wir mit Illés und Ludkiewicz. Dazu kam, daß zuerst Dietrich, später Süßkind und Reimann die von der Komintern bestimmten ideologischen Leiter dieser Organisation waren.

Jetzt: Wenn ich mir ein Gesamtbild über diese Zeit machen will, so würde ich das kurz gesagt so sagen, daß, nachdem in dem ganzen russischen Schriftstellerleben die Organisationsform der RAPP[182] liquidiert war, hat in der MORP die Organisationsform der RAPP noch ungehindert weitergelebt. Ihr wißt, daß Gen. Illés einer der ideologischen Wortführer der RAPP gewesen ist. Also die Fortführung der RAPP lag sozusagen bei Illés in guten Händen und nur, daß die Liquidierung der RAPP-Ideologie zur Liquidierung jeder Theorie, zur Theorie der Prinzipienlosigkeit geführt hat. Ich möchte das an einigen Ausführungen Heinrichs[183] illustrieren. In einer der wenigen Fraktionssitzungen, an denen ich die Möglichkeit hatte teilzunehmen, hat Süßkind u. a. ausgeführt: Es ist vollkommen egal, was die Schriftsteller schreiben, es ist nicht unsere Aufgabe, das zu analysieren und zu kritisieren. Es kommt darauf an, ob die Schriftsteller unsere Aufrufe unterschreiben oder nicht. Ich weiß nicht, ob ich wörtlich genau zitiere, denn diese Sitzung hat im Januar 1933 stattgefunden. Ich glaube, die Genossen, die anwesend sind, werden zugeben, daß das sinngemäß der Inhalt der Ausführungen Süßkinds gewesen ist. Das Protokoll dieser Sitzung ist verschwunden, weil diese Sitzung ein maßloser Skandal gewesen ist. Die Genossen, die damals an der Arbeit teilgenommen haben, bitte ich mich zu korrigieren, wenn ich nach 2½ Jahren, es war im Januar 1934, etwas überspringe. Die Kontrolle der Ausführungen bietet nur unser Gedächtnis.

Gen. **Günther**:
Es sind auch manche andere Protokolle verschwunden.

Gen. **Lukács**:
Im Dezember hat Gen. Becher den Gen. Gábor aufgefordert, einen Leitartikel für die «Internationale Literatur» zu schreiben. Dieser Leitartikel existierte nur im Manuskript.[184] Plötzlich wurde eine außerordentliche, erweiterte Redaktionssitzung einberufen, wo Gen. Reimann ein Referat über die Linie des Buches und die Korrektur der Linie des Buches gehalten hat. Das Referat drehte sich ausschließlich um diesen Leitartikel, den von den anwesenden 30 oder wieviel Genossen niemand gelesen hatte. Erst nachdem einige anwesende Ge-

182 Russische Vereinigung proletarischer Schriftsteller, die 1932 per ZK-Beschluß aufgelöst wurde.
183 Heinrich Süßkind.
184 Artikel erschien nicht in der Zeitschrift *Internationale Literatur.*

nossen sehr energisch darauf gedrängt haben, daß man den Leitartikel kennen muß, bevor man darüber diskutiert, haben sie eine Pause von zehn Minuten eingeschaltet, und der Artikel wurde den Genossen vorgelesen. Ich sage das nur zur Illustration der mehr als rappistischen Methoden[185], mit der die Sachen ausgeführt worden sind. Die Diskussion lief so aus, daß wenn jemand gewagt hat über das Gesamtbild des Genossen Gábor zu sprechen und zu sagen, in dem Buch gibt es auch noch andere Probleme, so wurde er zu einem Versöhnler deklariert. Die Sitzung endete damit, daß man gewissermaßen einen Ausschlußantrag gegen Gen. Gábor stellte. Die Genossen werden sich erinnern. Gen. Huppert hat in Charkow darüber gesprochen, und zwar dasselbe, was Gen. Barta uns vorgetraten hat. Gen. Barta und ich sind damals aufgetreten und haben erklärt, wir sind mit dem Artikel von Gábor nicht einverstanden. Ich kann mich an die einzelnen Punkte, wo ich nicht einverstanden gewesen bin, nicht erinnern. Es war ein Punkt, wo mir das Problem der Thematik nicht richtig schien. Wir sagten, die Frage ist zu eng gestellt, man müßte über die allgemeine Linie des Buches diskutieren. Im Rahmen dieser allgemeinen Linie müßte man die Fehler der einzelnen Genossen, darunter auch die des Gen. Gábor, beurteilen. Weil wir damals aufgetreten sind, sind in der Resolution Huppert, Gábor und ich als Versöhnler gebrandmarkt worden. Diese Sitzung war ein solcher Skandal, daß man die Resolution niemals veröffentlicht hat. Und trotz großer Anstrengungen gelang es später nie, das Protokoll zu Gesicht zu bekommen. Offenbar hat man Süßkind in der Komintern gesagt, daß 1934 solche Sitzungen unmöglich sind. Diese Stimmung, diese Art der Behandlung der Fragen, ist in der von Illés geleiteten MORP gang und gäbe gewesen. Ich darf vielleicht einen persönlichen Fall erzählen. Genosse Becher, du warst dabei.

Ich habe auf Wunsch der Genossen einen Artikel über Expressionismus[186] geschrieben. Der Artikel ist an Dietrich weitergeleitet worden, mit der Erklärung, der Artikel scheint uns rein idealistisch und kommt nicht in Frage. Gen. Becher und Illés haben mich gerufen. Ich habe erklärt, bitte schreibt Gen. Dietrich, daß das als offizielle Anschauung der Komintern gilt. Dann gibt es darüber keine Diskussion.

185 Methoden der RAPP.
186 Georg Lukács: *«Größe» und «Verfall» des Expressionismus,* in: Internationale Literatur, 1934, Heft 1, S. 153–173.

Nein, sagten die Genossen, das ist die Meinung des Gen. Dietrich. Ich sagte in grober Weise, daß meine seelische Stimmung Gen. Dietrich nicht interessieren soll, Gen. Dietrich soll sagen und Argumente bringen, daß diese und diese Gründe idealistisch sind. Dieses Auftreten hatte zu Folge, daß von Dietrich überhaupt keine Antwort eingetroffen ist. Gen. Dietrich war nicht imstande, ein so apodiktisches Urteil zu begründen. Ich glaube, jeder Genosse könnte noch 20 oder 25 solche Fälle erzählen, daß jeder ideologische Kampf, jede ehrliche Mitarbeit usw. unmöglich gemacht worden ist. Ich verweise noch darauf, daß im Frühjahr 1934 eine Konferenz der deutschen Schriftsteller[187] stattgefunden hat. Zu dieser Konferenz war ich nicht einmal als Gast eingeladen. Ich weiß nicht, was für Schriftsteller teilgenommen haben. Jedenfalls mußte das Niveau so hoch gewesen sein, daß ich nicht einmal als Gast teilnehmen konnte. Genosse Illés hat im März 1934 einen Artikel über die ungarische Literatur geschrieben, in dem sämtliche ungarischen Schriftsteller, die nicht zur engeren RAPP-Gruppe gehörten, aus der ungarischen Literatur herausgestrichen worden sind, wie z. B. um ein Beispiel zu sagen, das euch bekannt ist, daß Gen. Révai[188], der in der Komintern arbeitet, der in der Literaturbewegung vor der Dikatur eine große Rolle gespielt hat, der später, in unserer legalen literarischen Bewegung führend beteiligt war, dieser Genosse Révai war verschwunden. Dagegen ist als einziger Kritiker, den die ungarische Literatur hervorgebracht hat, der Gen. Jan Mathejka erschienen, der als Schriftsteller die einzige Eigenschaft hat, daß er zur Illés-Gruppe gehörte.

Ich gab eine Charakteristik dieser Periode. Die Genossen Weber

187 Mehrere Berichte über die «Erste Unionskonferenz der sowjetdeutschen Schriftsteller» finden sich in der *DZZ* im März 1934.

188 **Józzef Révai**, Mitbegründer der KP Ungarns, Komintern-Mitarbeiter, zählte dann 1950 zu den schärfsten Lukács-Kritikern, der beim «Aufspüren von Schlupfwinkeln des Feindes an der Kulturfront» bei Lukács eine «rechte Abweichung» verbellt. «Aristokratismus» und «Partisanentum», «Opportunismus» und «Objektivismus» werden gegeißelt, und die «Orientierung auf eine Plebejer-Demokratie» mache Lukács «gewollt oder ungewollt – zu einem besonderen Vertreter des dritten Weges». Solche dummdreiste Austreibung des «revisionistischen» Beelzebubs hielten manche bramarbasierenden «Marxisten-Leninisten» bis weit in die achtziger Jahre für Ideologiekritik – «gewollt oder ungewollt», um in der «objektivistischen» Terminologie des Stalinismus zu bleiben. Vgl. József Révai: *Die Lukács-Diskussion des Jahres 1949,* in: *Georg Lukács und der Revisionismus*, Berlin 1960, S. 9–29.

und Most waren damals nicht in Moskau. Es wird aber so aussehen, als ob ich leere Anklagen gegen dieses Regime erheben würde. Dieses Regime, behaupte ich – ich habe die Theorie von Süßkind konstruiert –, aus diesem ist diese ganze Schmückleriade in der Literatur groß geworden. Ich möchte sagen, daß zwischen ideologischen Methoden und Politik ein sehr großer Zusammenhang ist. Wenn Schmückle eine Methode vorschlug, hat Genosse Becher sie als Essayismus akzeptiert. Worin bestand aber dieser Essayismus? Darin daß er jede marxistische Darstellung und Terminologie vollständig unter den Tisch fallen ließ. Das ist, wie Schmückle sagt, der Weg, wie wir zu den parteilosen Schriftstellern kommen. Marx und Lenin haben nie gesagt, daß, wenn wir die Massen gewinnen wollen, wir ihnen Konzessionen machen müssen. Wir sollen so schreiben, daß die Nichtkommunisten uns verstehen. Aber ich frage, ist es nicht richtiger, daß man sein marxistisches Gesicht zeigt und es nicht verbirgt, als wenn man diesen Dreck produziert, der stellenweise überhaupt keinen Sinn hat[189]. Ich will damit den Genossen klarmachen, daß diese Methoden bei Gen. Hu.[190] ein Problem des Erbes sind. Wenn einzelne französische Genossen in dieser Frage einen Fehler machen, das hat die französische Partei zu korrigieren. Wir müssen die französischen Genossen darauf aufmerksam machen, daß Schmückle ein Konterrevolutionär ist. Aber in einer solchen Situation wie der augenblicklichen, wo uns persönlich und ideologisch Schriftsteller wie Mann[191] und andere uns immer näher kommen, ist es da nicht notwendig, eine klare Sprache zu führen? Das ist der Punkt, wo ich an Genossen Becher große politische Vorwürfe zu machen habe. Er hat die politischen Konsequenzen, er hat all das, was sich hinter diesen Dingen verbirgt, nicht gesehen, daß Schmückle niemals eine parteifeindliche Äußerung getan hat. Die Parteifeindlichkeit von Schmückle bestand eben in der Anpassungsfähigkeit in den verschiedenen Situationen. Schmückle trat

189 Als derber Klartext erscheint hier die volkstümliche Variante der «Expressionismus-Debatte». Auf die Verfilzung von programmatischen *Prawda*-Artikeln, sowjetischer Formalismusdiskussion und «Expressionismus-Debatte» kann hier nur verwiesen werden. In zwei Sitzungen der deutschen Sektion des sowjetischen Schriftstellerverbandes greift 1938 Walter Ulbricht persönlich als allwissender Literaturkritiker in die «Expressionismus»-Debatte ein und gibt die «Linie» aus.
190 Nicht ermittelt.
191 Heinrich Mann.

nicht offen gegen die Partei auf. Auch in seinen Artikeln ist er nicht so aufgetreten. Aber diese Tätigkeit konnte viel verbergen. Andererseits war es eine offene und klare Schädigung der wirklichen Durchführung der Einheitsfront, nämlich dieser sehr schwierigen Frage, wie wir, ohne in der alten abstoßenden, sektiererischen Weise aufzutreten, die kommunistische Idee wirklich propagieren, wie wir die Hegemonie der kommunistischen Idee innerhalb der Einheitsfront zur Geltung bringen sollen. Ich möchte unterstreichen, daß das nicht so verstanden wird, daß die Einheitsfront bedeuten würde, daß wir Kommunisten unser Gesicht zu verstecken haben, davon zeigt weder die spanische noch die französische Volksfront, wo sehr große Erfolge erreicht worden sind, eine Spur. Die französischen und spanischen Kommunisten zeigen offen ihr Gesicht und mit politischer Klugheit, je nach dem betreffenden Schritt, der zu tun ist, das Hemmende zu Fall zu bringen. Das Regime Süßkind–Schmückle ging dahin hinaus, einen Brei aus der Volksfront zu machen. Das ideologische, das anschauliche Gesicht der Kommunisten vollständig zu verbergen bedeutet, auf die Hegemonie der kommunistischen Ideologie innerhalb der Volksfront vollständig zu verzichten. Das ist aber gewissermaßen nur die ideologische Seite der Sache. Ich komme zurück auf die organisatorische Seite.

Glaubt ihr, Genossen, daß diese Sitzung, in der der Genosse Gábor ausgeschlossen, die Genossen Bárta, (?)[192] und ich gebrandmarkt werden sollten, daß das eine Zufallsmaßnahme ist. Nein, ich bin der Überzeugung, es handelt sich bei Süßkind und seinem Gewürf um einen Versuch, systematisch aus dieser Bewegung jene Genossen auszurotten, bei denen sie eine Gefahr für ihre Pläne gefürchtet haben. Diese Genossen, die entweder mit ihnen gegangen oder die ihrer Sache gegenüber blind gewesen sind, die waren für Süßkind in Ordnung. Bei Genossen, wo sie Kritik gefürchtet haben, dort sollte mit organisatorischen Maßnahmen vorgegangen werden, die sollten in irgendeiner Weise entfernt, totgemacht, politisch diffamiert werden usw. Es sollte eine Kaderpolitik geführt werden, die eine Reihe der besten Elemente der deutschen proletarischen Literatur aus der Literaturbewegung einfach ausmerzt, ausrangiert, entfernt, in irgendeiner Weise hinausbringt.

Jetzt Genossen, will ich sagen, kann selbstverständlich in einer sol-

192 Im Text: «?», wahrscheinlich Hugo Huppert.

chen Atmosphäre keine feste Literaturbewegung entstehen. Diese Atmosphäre war eine Atmosphäre der Hochzüchtung sämtlicher schlechten Seiten der Emigration, und wenn im Jahre 1934 ein besserer Geist in unserere Reihen gekommen ist – ich betone hier das Verdienst der Genossen Bredel und Bárta in dieser Hinsicht und betone, daß es für uns ein unerhörter Vorteil war, daß Süßkind aus unserer Arbeit entfernt ist –, so möchte ich sagen, unser Versagen in den Fragen der Wachsamkeit beruht darin, daß wir die Krankheiten dieser Periode noch nicht völlig liquidiert haben. Ich möchte da wieder auf den Fall des Genossen Gábor hinweisen. Genosse Gábors Fehler hängen sehr eng mit dieser Periode zusammen, aber seit dieser Periode ist (sind) 1 ½ Jahre vergangen, und Genosse Gábor ist erst gestern zu der Überzeugung gekommen, daß sein Schritt falsch war. Es zeigt sich in diesem Falle, daß die Fehler, die auf dem Boden dieser Periode gewachsen sind, von uns noch nicht vollständig liquidiert sind. – Ich möchte sagen, daß die Theorie des Genossen Becher von der besonderen Art des Schriftstellers, bei dem ich mit Freuden sehe, daß Genosse Becher in seinem Artikel schon einige Schritte nach rückwärts macht, er führt einen Rückzug, aber im Vergleich zu den Formulierungen, die du in diesem Auszug gegeben hast, ist es ein Rückzug, der falsch ist. Ich hoffe, daß du dies bald liquidieren und in einen wirklichen Rückzug eintreten wirst. Mit diesem ideologischen Korpus hängt eine sehr wichtige Parteifrage, die mit der Wachsamkeit eng verknüpft ist, zusammen, die Frage der Parteidisziplin. Lenin sagt in den «Kinderkrankheiten» und an verschiedenen anderen Stellen, daß die Grundlage der Disziplin die richtige Politik, die richtige Ideologie ist. War das in dieser früheren Periode vorhanden? Hat die Disziplin teils bloß mechanisch existiert, ist teils auf diese mechanische Disziplin eine solche Reaktion gekommen, wie wir es in der Theorie des Genossen Becher sehen? Es muß eine vollständige ideologische Gesundung, ein Ausrotten aller dieser Emigrationselemente bei uns vorhanden sein. Nur dann kann die Disziplin zu einer lebendigen Disziplin werden, zu einer solchen Disziplin, daß für uns als Kommunisten die Erfüllung der Parteiarbeit zu einer Selbstverständlichkeit, nicht zu einem drückenden, unangenehmen Gefühl wird. Denn ich glaube, Genossen, ihr habt alle aus der Becher-Rede herausgehört, daß man dieses In-die-Sitzung-Gehen und An-Sitzungen-Teilnehmen vielleicht machen muß, aber im Grunde ist es eine schreckliche Sache, die meiner Erlebnisfähigkeit, meiner dichterischen Fähigkeit widerspricht. Ich glaube, daß wir diese Dinge sehr radikal auszurotten haben.

Um auf den jetzigen Vorfall zu kommen: Das Verhalten der Genossen Becher und Günther in dieser Schriftstellersitzung ist vom Standpunkt der Parteidisziplin ein unerhörter Fall. Bei einer normal funktionierenden Parteiorganisation kann es überhaupt nicht vorkommen. Wir müssen also, und das ist eine der wichtigsten Fragen, die Disziplin in der Organisation wirklich herstellen. Und zwar meine ich jetzt damit einen solchen Arbeitsplan, eine solche Art unserer Tätigkeit, daß eben diese Ideologie der Disziplinlosigkeit – ich will nicht eine Disziplinlosigkeit sagen, aber sie liegt darin – wirklich mit den Wurzeln ausgerottet werden wird.

Genossen! Ich habe schon früher betont und möchte das jetzt, wo ich sehr scharf kritisch gesprochen habe, stark unterstreichen, daß wir in den letzten Jahren große Fortschritte gemacht haben, daß die «Internationale Literatur» nach der Entfernung von Schmückle besser geworden ist, daß «Das Wort» eine Errungenschaft der Arbeitsgemeinschaft bildet. Wir sollen heute darüber sprechen, daß diese Arbeit nicht ausreichend war, um bei uns die falsche Theorie, die ideologische Verworrenheit, alle diese Momente zu liquidieren, die dann zu einer Grundlage, zu einer wirklichen, einer echten Wachsamkeit werden soll.

Ich bin der Ansicht, wir müssen alle diese Fragen (klären), und wir werden über diese Fragen noch sehr viel zu sprechen haben. In dieser Sitzung werden wir uns sehr viel mit den einzelnen Genossen beschäftigen. Wir haben das zu tun, und das ist eine außerordentlich wichtige Frage. Denn wir haben jetzt in den einzelnen Fragen zwei Dinge zu erledigen. Erstens die Liquidation der Schädlinge, und wer verantwortlich ist, daß diese Schädlinge hier gearbeitet haben[193]. Zweitens: Die Fehler einzelner Genossen, die wir aus ihrer früheren Arbeit kennen und von denen wir wissen, daß sie mehr oder weniger schwere Fehler gemacht haben, die aber Genossen sind, mit denen wir auch in Zukunft arbeiten wollen. Wenn wir jetzt die Genossen Gábor, Günther und Becher schlagen, und wir haben sie gewaltig geschlagen und

193 Der Aufruf zur «Liquidation der Schädlinge» ist hier mit dem Vorwurf der Kontaktschuld gekoppelt. Potentiell richtet sich diese exterministische Logik gegen jeden und kehrt häufig als totales Verschwörungssyndrom in der Figur des «Netzes» wieder.

müssen sie schlagen, so wollen wir einen Gen. Becher halten, nur seine dichterische Sensibilität soll sich nicht entwickeln, ‹um› als Kompensation dafür solche Fehler zu haben. Wir wollen das Temperament und dieses Kümmern um die Kader des Gen. Gábor haben, wollen es aber nicht haben im Zusammenhang mit den Fällen von Brand usw. Es ist eine andere Aufgabe, die Genossen so zu bearbeiten, daß sie in Zukunft nützliche Mitglieder unserer Organisation werden.

Aber das möchte ich am Schluß wiederholen und zur Grundlage der Arbeit eines jeden von uns machen – ich betone von uns und spreche in allererster Reihe von mir selbst –, wenn wir uns nicht ganz intensiv mit dieser ungeheuren Massenbewegung einer ganzen Welt verknüpfen, die sich in der Sowjetunion abspielt, unter Führung der WKP(B), so werden wir niemals unsere Krankheiten heilen können. Nur dadurch, daß wir in unserem gesellschaftlichen Sein aufhören, Emigranten zu sein, und an der lebendigen Bewegung wirklich teilnehmen, so werden wir einzeln und als Organisation die Emigrationskrankheiten wirklich liquidieren.

Gen. **Huppert**:
Es fällt mir schwer zu sprechen, da Gen. Lukács mir so ziemlich alles vorweggenommen hat über die Vorgeschichte und Entwicklung unserer Krankheiten. Aber trotzdem will ich noch einiges sagen, was über das von Genossen Lukács hinausgeht. Aber in einem Punkt will ich widersprechen, er wird mir recht geben. Er sprach von der Emigranten-Psychose, von den Krankheiten, davon, daß wir in ein anderes Land, in ein anderes Milieu gekommen sind. Er machte hier, glaube ich, einen prinzipiellen Fehler. Wenn wir von einer Emigrantenpsychose sprechen, die in gewissem Grade und in wachsendem Teile unsere Gruppe ergriffen und einzelne unserer Genossen angesteckt hat, so ist ein Unterschied zu machen zwischen einer Emigrantenpsychose in Prag und Paris oder in Moskau. Wir befinden uns hier nicht in einem Exil. Wir befinden uns hier in unserer Heimat. Ich finde, daß unsere Umgebung, wohin uns der historische Zufall verschlagen hat, an uns bedeutendere Maßstäbe anlegt, als dies in einer gewöhnlichen Emigration der Fall war. Das vergrößert unsere Schuld, das erhöht die Anforderungen, und das verschärft die (...)[194], die wir an unsere

194 Fehlendes Wort, sinngemäß zu ergänzen: Maßstäbe.

Arbeit, an unsere Mißstände zu legen haben. Hier ist das Wort gefallen von der schöpferischen Produktionskrise. Barta hat das zurückgewiesen. Ich muß zugeben, daß ich von einer offenen Produktionskrise nichts gehört habe. Ich war nicht hier. Eine Krise der in der Sowjetunion lebenden Schriftsteller ist meiner Meinung nach nicht vorhanden. Genosse Barta hat recht, sie ist eine Doppeltheorie, an deren Erzeugung nicht unmittelbar feindliche Elemente beteiligt sind. Ich habe in den letzten Tagen einer Versammlung beigewohnt, wo die Genossen Regler und Kantorowicz[195] über ihre Arbeitsmöglichkeiten, über ihre Schwierigkeiten in Paris gesprochen haben. Und wenn du teilgenommen hast, so wirst du den Unterschied gemerkt haben, was für Rechte wir hier genießen und (was) unsere Genossen in Paris dagegen durchmachen. Das ist doch ein gewaltiger historischer Unterschied. Wir genießen hier die Unterstützung der Sowjetmacht und der Partei, wir bekommen hier alle Rechte und Möglichkeiten eingeräumt, wir können hier am sozialistischen Aufbau teilnehmen, und zwar in einer sehr schöpferischen Weise. Wir können hier am Aufbau des Landes teilnehmen. Aber das auferlegt uns Pflichten, die es in Prag, in der Schweiz und anderswo nicht gibt. Was ist nun eine schöpferische Atmosphäre?

Wenn man sie analysiert, kommt man auf folgende Grundtatsache. Es handelt sich um das Verhältnis des Autors zum Leser, um seine Stellung zum ihm gegebenen Milieu, um das Verhältnis des Schriftstellers zum Schriftsteller, d. h. um das innere Verhältnis innerhalb der geographisch-topographischen Gruppe. Ich kann feststellen, daß in beiden das innerliterarische Verhältnis zwischen Schriftsteller und Schriftsteller untereinander fehlt. Ich finde, daß Genosse Lukács recht hat, da haben wir große Versäumnisse, hier haben wir es nicht verstanden, die normalen Beziehungen herzustellen, zwischen unserer Autorschaft herzustellen. Ich rede vom deutschen Arbeiter und

195 **Alfred Kantorowicz** (1899–1979), Journalist, 1931 KPD-Mitglied, 1933 Emigration über die Schweiz nach Paris, Mitarbeit am «Braunbuch», Leiter der «Bibliothek des verbrannten Buches» und des «Internationalen Antifaschistischen Archivs». Beide Einrichtungen wurden nach Beschlüssen der Komintern in Moskau durch Willi Münzenberg in Paris initiiert. Teilnehmer an zahlreichen Volksfront-Aktivitäten und in den Internationalen Brigaden, nach Internierung in Frankreich 1941 Emigration in die USA, Beiträge für *Aufbau* und *Freies Deutschland*, 1945 Rückkehr nach Deutschland, Herausgeber der Zeitschrift *Ost und West*, Professor f. neuere dt. Literatur; 1957 Flucht nach Westberlin.

(von den) Kollektivbauern in der Sowjetunion, daß aus diesen wirklich für uns eine ersprießliche Perspektive erwächst und ein gewisser Kraftzuwachs zufließt. Das ist die eine Seite. Wir haben nicht die Verbindung gefunden mit dem sozialistischen Aufbau an jenen Punkten, die uns unmittelbar sprachlich am meisten angehen – das ist die sowjetdeutsch-kollektivbäuerliche Bevölkerung der Bundesrepublik[196], der autonomen und der übrigen Gebiete. Wir haben nicht die Verbindung bekommen mit jenen industriellen Arbeitern deutscher Sprache, die in der Sowjetunion in einer Quantität vorhanden sind, die sich nur in fünfstelligen Zahlen ausdrücken läßt. Genossen, aus dieser Isolierung folgten dann die Krankheiten, die Genosse Lukács geschildert hat. Wenn Genosse Becher sagt, ein Hauptmangel unserer Arbeit, unseres Zusammenlebens, des Verhältnisses des Schriftstellers zum Schriftsteller ist, daß unsere Führung, die eindeutige ideologische Leitung gefehlt hat, so bin ich damit nicht ganz einverstanden. Ich meine, daß die maßgebende Meinungsbildung uns vorgeschwebt hat in der Meinungsbildung der Partei, daß wir diese Meinungsbildung unmittelbar anwenden mußten und spezifisch anwenden müssen an (!) das Gebiet, an dem wir arbeiten. Daran fehlte es wohl. Das war die Schuld jeder Isolierung, das lag aber nicht an der organisatorischen Form und Grundlage, die von vornherein ausgeschlossene Arbeit eines Autoren für unseren Schriftstellerkreis wenigstens innerhalb der Sowjetunion. Wir haben die Beschlüsse der Partei, des 7. Weltkongresses, wir haben die laufenden Berichte der KPdSU, wir haben auch deutsche (Zeitungen), und keinerlei Sprachunkenntnis und keinerlei Isoliertheit, wenn wir nicht selbst einsehen werden, rechtfertigt und entschuldigt das Fehlen einer ideologischen Führung, einer ideologischen Haltung bei jedem einzelnen unserer Genossen. Ich möchte hier erinnern an eine Rede des Genossen Dimitroff, die er vor unseren Schriftstellern, vor allem vor uns deutschen, gehalten hat, etwa vor zwei Jahren[197]. Genosse Dimitroff war gar nicht lange von Deutschland weg, er kam fast unmittelbar von seiner Haft, vom Leipziger Prozeß. Er erzählte uns in einer beispiellosen, fesselnden,

196 Gemeint ist: «Autonome Sozialistische Sowjetrepublik der Wolgadeutschen».

197 Georgi Dimitroff: *Die revolutionäre Literatur im Kampf gegen den Faschismus*, Rede auf dem Antifaschistischen Abend im Moskauer Haus der Sowjetschriftsteller, abgedruckt in: Internationale Literatur, 1935, Heft 5, S. 8–11.

lebendigen Art, was er persönlich als Leser von uns erwartet, und er beschrieb uns in einer erschütternden Art, was er als politischer Kämpfer und Held von uns antifaschistischen Schriftstellern erwartet. Wir waren damals alle restlos ehrlich begeistert. Ich weiß nicht, inwieweit damals Beschlüsse, innerliche Entschließungen gefaßt worden sind, die Kraft genug haben, diesen gewaltigen Anstoß, diesen mächtigen Zufluß von Kräften, der ausgehen mußte und ausgegangen ist, zu realisieren <und> in unserer weiteren Arbeit zu verwenden.

Ich möchte noch auf eines hinweisen, was in der Rede des Genossen Dimitroff ebenfalls enthalten war. Daß wir als antifaschistische deutsche Schriftsteller innerhalb des russischen Milieus noch eine Pflicht haben, die die russischen Genossen nicht haben, nämlich jenes Kämpfertum vorzustellen, jene Etappe des bolschewistischen Kämpfertums, die sich zur Machtergreifung anschickt. Ihr wißt, ich kann das ausdrücken, wie ich es in einem Privatgespräch schon ausgedrückt habe. Die russischen Schriftsteller, die nationalen Schriftsteller, sie alle können sich im Jahre 1936 schon manche dichterischen Freiheiten erlauben, die wir uns nicht erlauben können. Wenn auf dem Minsker Plenum ein Pasternak auftrat und in weitgehend unrichtiger Weise für seine Anschauungen einen Maßstab hatte und ein Verhalten gegenüber der Partei in dem ihn umgebenden Sowjetmilieu, welches sich unterschied von dem Maßstab und den Kriterien von anderen Arbeitern an der ideologischen Front, Lehrern, Pädagogen usw., wenn er für sich in seiner gezierten, infantilen Art Vorrechte des genialen Kerls ausbedang und daß er ein außerordentlich sensibler Mensch sei, so ist das kein Anlaß, diese Äußerungen eines so tiefst begabten, parteilosen russischen Schriftstellers auf unser eigenes Milieu zu übertragen. Gen. Becher hat mir dort schon zugegeben, daß dort gewisse, ich möchte sagen historische Unterschiede in den Kriterien und Anforderungen vorhanden sind. Wir können uns das nicht erlauben. Infolgedessen ist die Auslegung des Marxschen Verhaltens zu Heine – ich brauche die Sache nicht näher zu analysieren – Heine sei ein sonderbarer Kauz, aber als Dichter ein nützlicher Mensch. Maxim Gorki hat im ersten Jahrzehnt verschiedene politische Fehler gemacht, die ihn von der Linie Lenins entfernt haben. Diese Nachsicht unseren großen Klassikern gegenüber, einzelnen Dichtern in der historischen Vergangenheit gibt uns keinesfalls das Recht, von einer Ausnahmestellung für Literaten innerhalb unserer revolutionären Bewegung zu sprechen. Wohin das führen kann, hat Gen. Lukács schon als Emigrationspsychose charakterisiert und als Auswirkung jener historischen Vorgeschichte, die er dargelegt hat, als er die MORP schilderte und das große Unwesen, das charakteristisch war für die MORP bis zu ihrer Auflösung. Wozu das führen kann, sehen wir in den Schwankungen der letzten Wochen und Tage, aus jenem qualifizierten Mangel an Wachsamkeit, den Gen. Lukács auch historisch gekennzeichnet hat. Das sehen wir an der Desorientierung einer Reihe von ehemals festen und maßgebenden Genossen. Das sehen wir an den Elementen einer prinzipienlosen Kaderpolitik, die beim Gen. Gábor in der letzten Zeit Raum gewonnen hat. Über Bechers und Günthers Weggang von der Versammlung brauche ich kein Wort zu verlieren. Das ist richtig gekennzeichnet von Gen. Barta und allen anderen Rednern. Die gestrigen Erklärungen Gábors und Günthers waren für meinen Begriff nicht zufriedenstellend. Sie zeugen nochmals und abermals von einer beträchtlichen Abstumpfung des politischen Gefühls im ganzen und von der in der jetzigen Zeit gebotenen Wachsamkeit im besonderen. Es wäre natürlich nicht uninteressant, die Wurzeln dieser Schwächen in großen Umrissen zu charakterisieren, von der Rolle Süßkinds, Reimanns, aber auch Dietrichs zu sprechen, die mehr als fragwürdig war bei dem Kampf, den wir gegen Illés und Ludkiewicz führten. Ich muß hier auch dem GenossenBecher den Vorwurf machen, daß er damals in keiner Weise verstanden hat, den politisch im wesentlichen richtigen Kampf, den die Genossen Lukács, Barta, Kahana[198], Günther, ich und eine Reihe anderer Genossen, Gen. Gábor gehörte damals auch dazu, gegen die Cliquenwirtschaft, gegen die politisch falsche Führung der MORP, gegen die prinzipienlosen Auswüchse des Gruppenunwesens, das war ein Ableger des Gruppenunwesens der RAPP, daß Genosse Becher nicht verstanden hat, diesen Kampf in die Wege zu leiten. Er hätte das dank seiner Autorität tun können, die dieser Kampf verdient hat. Gen. Becher hat damals großen Schwankungen unterlegen. Ich erinnere mich an einen Zeitpunkt, es war eine humoristische Episode, wo wir eine fast geheime Zusammenkunft bei Gen. Becher im Hotel «International» hatten und wo auch Gen. Dinamow anwesend war, allerdings als stillschweigender Beobachter. Denn damals war Dinamow in einer mehr als zweifelhaften Stellung, die ihn gegen Illés stellte. Denn der Machtkampf, den damals Dinamow um

198 **Mozes Kahana**, rumänischer Schriftsteller, mehrere Beiträge in der *Internationalen Literatur*.

die MORP führte, zusammen mit seinem Kumpan Ludkiewicz, hatte erst begonnen. Ludkiewicz wurde erwartet als der künftige Befreier, als dieser ehemalige polnische Reaktionär Wandurski[199] damals erschossen war. Ich will nicht erwähnen, daß er Zimmernachbar des Genossen Becher war. Jedenfalls war er damals bereits abgesägt, und seine Erschießung, die bevorstand, war uns unbekannt. Wir erwarteten von Ludkiewicz gewaltige Neuerungen und einen neuen Geist in der Bewegung. Wie wir alle erfahren haben, hat Dinamow mit seinem Kumpan Ludkiewicz dieser Beratung nur beigewohnt, um eine Waffe gegen die künftige Opposition zu haben. Tatsächlich war es so, als Dinamow die «Macht» übernahm und Ludkiewicz als Stellvertreter einsetzte, lief Illés zu ihm über. Es klingt komisch, aber es war wirklich ein parteimäßiger Kampf. Es hat sich herausgestellt, daß unsere Haltung, obwohl wir eine verschwindende Minorität waren, richtig war. Das hat sich bei Gen. Becher so ausgewirkt, daß er schwankend wurde und mit fliegenden Fahnen übergeschwenkt ist in das Lager der Machthaber, ins Lager Illés und damit die Redaktion der «International Literatur» dieser cliquenhaften, gruppenmäßigen, politisch falschen, prinzipienlosen MORP-Führung zur Verfügung gestellt hat.

Gen. **Most**:
Diese Kämpfe sind gestern Fraktionskämpfe genannt worden. Ist das bei euch eine stehende Bezeichnung? Gerade du hast sie so genannt. So etwas bürgert sich ein.

Gen. **Huppert**:
Ich habe nicht von einer politischen Fraktion gesprochen. Es handelt sich um den Kampf gegen das Gruppenunwesen. Dieser Kampf war nicht persönlich, sondern getragen von politischen Überzeugungen. Mir ist erinnerlich, daß Genosse Dinamow gewisse Genossen nicht informierte über das Wesen der ausländischen Schriftstellerschaft.

Ich möchte jetzt sprechen über den Fall Schmückle. Er war ein unbeschriebenes Blatt innerhalb unserer Literaturbewegung. Er war bekannt als «politischer Faktor» (?) aus dem Marx-Engels-Institut. Er tauchte auf immer in Begleitung von Genossen Becher, und ich möchte sagen als Berater des Genossen Becher, daß außerdem für Hans[200] Schmückle damals eine Autorität war, weil bedeutende und

199 **Witold Wandurski**.
200 «Hans», d. i. Joh. R. Becher.

maßgebende Parteiführer Schmückle eine sehr gute Charakteristik gegeben hatten. Schmückle wäre niemals so stark und schädlich geworden, wenn ihm nicht die volle Unterstützung von Becher zuteil geworden wäre. Für Becher war maßgebend und leider noch bis in die letzte Zeit, alles das, was Schmückle zu den Fragen zu sagen hatte. Schmückle war ein von Becher sehr gern gesehener Gast, und für uns waren die Zusammenkünfte unter vier Augen und die Besuche Schmückles bei Becher Anlaß zu Gesprächen darüber, daß es an der Zeit wäre, den Einfluß Bechers auf Schmückle zu unterbinden. Zur Charakteristik Schmückles möchte ich sagen, daß es mir nie begreiflich war, daß dieser Mann, der aus dem Marx-Engels-Institut herausgeworfen wurde, so lange sein Unwesen treiben konnte. Das Institut war damals 3 Wochen von der GPU besetzt. Man suchte nach Materialien, die im menschewistischen Prozeß gegen Rubin eine Rolle gespielt haben. Ich behaupte nun nicht, daß Schmückles davon Kenntnis hatten, aber ohne Ryasanow hätte Schmückle niemals etwas zu sagen gehabt. Ich will sagen, daß ich zu diesen Deutschen nicht gehört habe, die gegen diese Gruppe einen ungenügenden Kampf führten, um das parteifeindliche und sowjetfeindliche Gesicht dieser Clique zu entlarven. Aber klar war für mich, daß die Führung eine falsche war, eine prinzipienlose, daß der Block[201] der Schmückle-Leute, die eine Stütze bildeten für Ryasanow, ein Grundzweck war für das Institut als Produktionsfaktor. In diesem Institut arbeitete der Menschewik Rubin[202], der Held des berühmten Prozesses, der in Moskau stattfand. Ich will sagen, daß die Parteigruppe, die damals eine ganz kleine Parteigruppe war, ein ganz kleines Häufchen der Parteigenossen unter der Führung des ungarischen Genossen Hajdu[203], einen erbitterten Kampf führte gegen Ryasanow. Ich war damals noch nicht überführt, ich stand mit einer Reihe Genossen außerhalb der entscheidenden Versammlung, aber Schmückle stand in dieser. Ich behaupte kategorisch, daß Schmückle an der Seite von Ter-Waganjan[204] Ryasanow

201 «Block», denunziatorischer Terminus, der in zahlreichen Stalinreden und Prozesen verwandt wurde.

202 **Isaak I. Rubin** wurde 1931 wie die übrigen 13 Angeklagten des sog. «Menschewistenprozesses» wegen fingierter «Interventions- und Schädlingsarbeit» zu hohen Freiheitstrafen verurteilt.

203 **Paul Hajdu**, Mitarbeiter an der ersten Marx-Engels-Gesamtausgabe, bis 1929 Parteisekretär am Marx-Engels-Institut.

204 **Wagarchak A. Ter-Waganjan** (1893–1936), seit 1912 Bolschewik, Sekretär

unterstützt hat. Unmittelbar vor der Säuberung des Instituts wurde mir das bekannt. Nach dieser Geschichte, nach dem Hinauswurf Schmückles aus dem Institut, konnte er sich eine Stelle erschleichen in der damals faschistisch geführten «DZZ». Er fand Unterstützung in Frischbutter usw., die ihn bestimmten zum Leitartikler der Zeitung, der er gewesen ist von Ende 1931 bis zum Ende des Frischbutter-Regimes, bis zur Ausmistung und Säuberung durch die GPU.

Zwischenruf Gen. **Bredel**:
Wir mußten kämpfen, daß er befreit wurde von der «DZZ», die diese unersetzliche Kraft nicht missen wollte.

Gen. **Huppert**:
Das Netz war so dicht, daß sogar du, Julia[205], Schmückle unterstützt hast, und wenn ich etwas sagte, du gesagt hast, was sagt Schmückle dazu. Ich erwähne das, um zu charakterisieren und durch das dichte Netz der Lüge hindurchzudringen. Schmückle ist zumindest ein alter eingefleischter Opportunist, diese Meinung habe ich überall vertreten in den Versammlungen, die stattfanden nach der Reorganisierung des Instituts. Wenn er von der «DZZ» weggenommen war, so deshalb, weil er einen besseren Posten gefunden hatte, er war aber maßgebend, er kam sehr oft hin. Ich war ein alter und dir sehr bekannter Mitarbeiter der «DZZ». Ich machte Vorschläge, schrieb Artikel, verhandelte mit der Genossin Annenkowa, da war aber Schmückle im Hintergrund, der sehr maßgebend war. Das dauerte ein paar Tage und Wochen. Später war er verschwunden. Wichtig ist die Frage, wie es möglich war, daß Schmückle diesen Einfluß behalten konnte. Ich behaupte sogar, nicht allein schuld war die Zelle, die Verhandlungen führte mit den Instanzen, sondern die präzise Unterstützung des Genossen Becher, die er allerdings erklärt in einer Weise, die man eben noch untersuchen muß.

Zwischenruf Gen. **Becher**:
daß Genosse Heckert ihn außerordentlich schätzte.

des Moskauer Parteikomitees, Hrsg. der Zeitschrift *Unter dem Banner des Marxismus*, 1928 ausgeschlossen, wieder aufgenommen, 1933 erneut ausgeschlossen; 1935 verhaftet und durch Stalin 1936 auf die Liste der Angeklagten im ersten Moskauer Schauprozeß gesetzt; zum Tode verurteilt und erschossen.
205 Julia Annenkowa.

Zwischenruf:
Genosse Heckert hat erklärt, daß Schmückle Opportunist ist.

Zwischenruf Gen. **Günther**:
Ich weiß, daß Willi das auf einer Zellenversammlung vorgebracht hat.

Zwischenruf Gen. **Bredel**:
Für mich ist Schmückle ein Versöhnler von Natur.

Gen. **Annenkowa**:
Eins ist mir bekannt. Als wir damals die «DZZ» angeschaut[206] haben, war mir mitgeteilt worden, leider nicht von Gen. Heckert, sondern von Genossen, die wirklich gekämpft haben, daß Schmückle einer derjenigen war, der gegen die Faschisten gekämpft hat, zwar nicht genügend und nicht genügend konsequent. So hieß es in der Resolution. Was Gen. Heckert anbetrifft, so war die Meinung des Gen. Heckert die – ich kann nicht sagen, welchen Tag und welche Sitzung –, daß Schmückle ein politisch schwankender, aber ehrlicher Mensch sei. Bei dieser kolossal schwierigen Situation war es notwendig, daß wenigstens für die Zeit, wo die Zeitung von ein, zwei Leuten gemacht wurde, wenigstens diese Leute, zu denen man Vertrauen hatte, und das waren Fedin, Schmückle, Fabri, bei der «DZZ» bleiben sollten, wogegen sich Schmückle gesträubt hat und worauf Gen. Heckert sagte, er solle wenigstens zeitweise beide Arbeiten machen, bis Schmückle kategorisch erklärte, er wolle nicht mehr in der «DZZ» arbeiten.

Ich erinnere mich an eine entscheidende Parteisitzung, wo die erste Resolution angenommen wurde. Da erzählte Schmückle eine Reihe Tatsachen, die wirklich gegen die Faschisten[207] gerichtet waren. Wir haben ihm damals alle Vorwürfe gemacht, daß er nicht bis zu Ende gekämpft hat. Diesen Vorwurf haben wir auch gegen einige andere Genossen erhoben. Doch über die ersten Jahre der Entwicklung der «DZZ» bin ich nicht im Bilde. Wenigstens für das letzte Jahr wurde zugegeben, daß Frischbutter usw. gegen Schmückle gekämpft haben. Nebenbei ist zu bemerken, daß das nichts beweist, weil die Faschisten unter sich eine bewußte Scheinpolitik betrieben haben, nach welcher

206 «Angeschaut» bedeutet, daß eine «Säuberung» der Redaktion durchgeführt wurde, während der Chefredakteur Frischbutter als «Faschist» bezeichnet und verhaftet wurde.
207 Gemeint sind hier die bereits verhafteten Redaktionsmitglieder der «DZZ».

man urteilen konnte, in der Redaktion ist eine Clique. Wie sich später herausgestellt hat, war das weiter nichts als Scheinpolitik, und diese außerordentliche Cliquenpolitik war ganz bewußt betrieben worden. Frischbutter usw. haben sich in der Redaktion öffentlich angegriffen. Es war alles durcheinander. Das war eine ganz bewußte Politik. Wenn man das Gesicht Schmückles von diesem Standpunkt aus beurteilt, so hat sein Kampf nichts zu sagen.

Gen. **Huppert**:
Aus dieser Situation ist mir bekannt, daß es Schmückle glänzend verstanden hat, sich in das Vertrauen führender und einflußreicher Genossen einzuschleichen. Wir haben für ihn ein Wort geprägt: Mastdarmakrobat. Er brauchte immer, als echter Versöhnler und eingefleischter Opportunist, einen maßgebenden Schützer, den er gewissermaßen zum Berater machte, auf den er sich stützen konnte. Er fand diese Schützer. Ich ziehe keine Parallele mit Ryasanow. Er fand die Schützer wieder in der «Internationalen Literatur» bei dem Gen. Becher und dem ehrenwerten Gen. Dinamow.

Gen. **Annenkowa**:
Warum wird hier so über den Gen. Dinamow gesprochen? Ist Dinamow Mitglied der Partei oder nicht?

Gen. **Huppert**:
Um keinen Mißverständnissen Raum zu geben, möchte ich feststellen, daß nach meiner Behauptung einer der Hauptstützen des Cliquenunwesens Dinamow war. Ich ziehe alles darüber hinausgehende in meinem Ton zurück.

Gen. **Barta**:
Ich bitte die selbstkritischen Bemerkungen fortzusetzen. Wir haben nicht nur das Recht, sondern auch die Pflicht, über alles zu sprechen, was wir wissen.

Gen. **Huppert**:
Ich bitte um Entschuldigung über den Ton. Ich möchte präzisieren: Gen. Dinamow ist nach meiner Meinung...

Gen. **Annenkowa**:
Ich kenne den Genossen nicht näher, aber hier wird in einem Ton über ihn gesprochen, als sei er ein Konterrevolutionär. Ich nehme den

Mann nicht in Schutz, aber, soweit er Parteigenosse ist, muß man von ihm als Genossen sprechen.

Gen. **Barta**:
Genosse Dinamow ist Parteimitglied und hat verantwortliche Arbeit.

Gen. **Huppert**:
Ich erkläre zum dritten Male, daß ich Dinamow hier immer als Genossen angesprochen habe und das Wort Kumpan für Ludkiewicz galt. Ich habe aber das volle Recht, an der Haltung eines Mitgliedes der WKP scharfe Ausführungen zu machen. Ich habe präzisiert, daß ich sagte, Dinamow hat in einer fragwürdigen Art sich in unserem Kampf gegen die Ludkiewicz-Illés-Leute hineingedrängt. Er hat in der Haltung eines Genossen, der vom ZK kommen und aufräumen wird, sich gewissermaßen zur Verfügung gestellt. Aber, als er in der MORP Anfang 1932 maßgebend wurde, ist er sofort dazu übergegangen, die herrschende Ludkiewicz-Illés-Clique mit allen Mitteln zu stützen, auch mit sehr anrüchigen Mitteln. Mein Ausscheiden aus der Redaktion[208] war ein Dekret von Dinamow. Angeblich, weil er kein Geld mehr für die Gehaltsauszahlungen zur Verfügung hatte. Ich möchte daran erinnern, als Gen. Becher nach Moskau kam, hat Dinamow mit Illés beschlossen, daß Huppert entlassen werden mußte, weil sonst kein Geld für Becher vorhanden wäre. Ich mußte fast fristlos die Redaktion verlassen, alles mit der Begründung, es seien keine Gelder vorhanden. Ich habe im Verlauf der ganzen Jahre mit großer Mühe ein bis zwei Artikel untergebracht. Ich sage das, damit das festgestellt wird, an dieser Politik hat Genosse Dinamow mit Schuld.

Gen. **Bredel**:
Ich will auch noch etwas über Dinamow sagen.

Gen. **Huppert**:
Gen. Dinamow, der an der Spitze des französisch-englischen Bruderorgans[209] steht, läßt sich nicht sehen. Ich habe ihn noch nie gesehen. Er leitet von oben. Es ist eine wichtige Tatsache, daß unsere Beiträge

208 Huppert war 1933 in Heft Nr. 2 als redaktioneller Mitarbeiter geführt. Er arbeitete 1933 an der Herausgabe mehrerer Hefte mit.
209 Die in mehreren Sprachen erscheinenden Ausgaben der *Internationalen Literatur* unterscheiden sich inhaltlich beträchtlich.

keinen Eingang in die Bruderorgane finden. Ich kann keinen Beitrag unterbringen. Alle meine Vorschläge wurden abgelehnt. Jetzt kam der Zeitpunkt, wo Schmückle in die MORP kam mit der Unterstützung von Becher und hier sofort Boden fand. Er erkannte sofort, daß er die Leute um Illés unterstützen muß, und ohne irgendeinen Vorbehalt ist er gleich zu seinen Leuten übergegangen, weil ihm das vorteilhaft schien. Er erschlich sich auch das Vertrauen von führenden Genossen, z. B. von Genossen Heckert. Nichts wurde von ihm entschieden, ohne Heckert zu erwähnen.

Gen. **Lukács**:
Illés sagte immer, er habe alles von Kaganowitsch[210] und Stalin.

Gen. **Huppert**:
Wir konnten weder den Genossen Kaganowitsch noch irgendeinen anderen erreichen. Offenbar ist es festgestellt worden, daß Genosse Heckert nicht damit einverstanden war.

Ich gehe jetzt über zu Gábor: Ich habe schon gesprochen über unsere Versuche, die schädliche prinzipielle Führung der MORP in irgendeiner Weise zu beseitigen. Wie versuchten diese Genossen Illés und seine Helfer zu beseitigen?
Zwischenruf: (Name unbekannt)

Gen. **Huppert**:
Ich bin noch nicht fertig, aber absolut steht es dir ja frei, den Genossen Huppert zu entlarven. Genosse Gábor hat einen richtigen Standpunkt vertreten zur Entlarvung dieser damaligen Schriftstellerorganisation, aber die Kaderpolitik war keine richtige, sie war falsch. Anfang 1934 auf dem Schriftstellerkongreß[211] sagte Gábor: Wozu diese Streitigkeiten, ihr seid eine Generation, liebet einander.

210 **Lasar M. Kaganowitsch**, seit 1924 ZK-Mitglied der KPdSU, 1930 Mitglied des Politbüros, 1933 Leiter der Kontrollkommission der KPdSU, Mitorganisator des Massenterrors, 1937 Volkskommissar für Schwerindustrie.
211 Im Februar 1934 fand in Engels eine Konferenz der wolgadeutschen Schriftsteller und im März 1934 in Moskau eine Konferenz der sowjetdeutschen Schriftsteller statt. Vgl. *Von der zweiten Konferenz der wolgadeutschen Schriftsteller*, in: Der Kämpfer, 1934, Heft 2/3, S. 15–46; *Von der 1. Unionskonferenz sowjetdeutscher Schriftsteller*, in: Der Sturmschritt, 1934, Heft 4, S. 317–330, 414–427; Heft 5, S. 452–461, 505–534; Hugo Huppert: *Nach der ersten Unionskonferenz der sowjetdeutschen Schriftsteller*, in: Internationale Literatur, 4. Jg., 1934, Heft 3, S. 134–141.

Gen. **Gábor**:
Es ging um Leningrad.

Gen. **Huppert**:
Wir haben gegen ihn polemisiert, weil wir alle Leute lieben sollen. Ich muß daran erinnern, daß meine Haltung richtig war über die deutsche Schriftstellerbewegung, daß ich sehr einfach gesprochen habe. Ein Protokoll wurde nicht geführt, es würde aber genügend Spuren enthalten. Wenn jemand widersprechen will, bitte sehr. Ich habe auch über die Produktion von Brand gesprochen. Ich habe gesagt, daß ähnlich wie bei Schellenberg nach unserer Untersuchung des «Sturmschritt»-Falles[212] sie unpolitisch sind. Wir haben ihn auf der Konferenz entlarvt und haben Brand in die Umgebung von Schellenberg gebracht. Über Erich Müller[213] habe ich auch gesprochen. Er war ein Verfasser von politisch mindestens fragwürdigen Novellen. Ich habe mir erlaubt, den Müller zu charakterisieren. Er war sehr wütend und betrachtete sich als politischen Schriftsteller. Der Schlag war ein Schlag ins Gesicht.

Was Brand zu sagen hatte, ist wohl allen noch bekannt. Man hat diese Rede eine «Brand»-Rede genannt. Es war nichts enthalten als Schimpferei. Trotzdem hat Genosse Gábor bei dem Standpunkte gestanden, liebet einander. Als wir die Stiegen hinuntergingen, sagte er

212 *Der Sturmschritt. Litjournal* – Organ der deutschen Sektion des Allukrainischen Verbandes Proletarischer Bauernschrifsteller «Pflug», Charkow. Vgl. dazu Annelore Engel-Braunschmidt: *Sowjetdeutsche Literatur im Aufbruch: Die Zeitschrift ‹Der Sturmschritt› zwischen kultureller Autonomie und dem Würgegriff Stalins,* in: Germano-Slavica 4, 1983, S. 169–190; David Pike: *Deutsche Schriftsteller im sowjetischen Exil 1933–1945*, Frankfurt a. M., 1981, S. 180–184.

213 **Erich Müller**, geb. 1897 in München, 1918/19 als deutscher Freikorps-Leutnant in der Ukraine, Schriftsteller, Dr. phil., KPD-Mitglied, Verfasser: *Ewig in Aufruhr, 18 Porträts deutscher Rebellen*, Berlin 1928; Sowjetunion 1930, Beiträge auch in *Neue Deutsche Blätter*. Nach der Veröffentlichung seines Romanfragments «Abschied von Rußland» in der Zeitschrift *Der Sturmschritt* (1933, Heft 6) wird Müller 1934 von David Schellenberg ebenfalls im *Sturmschritt* (1934, Heft 2/3) kritisiert. Erich Müller wurde bereits im Sommer 1935 in Leningrad verhaftet, Haft im NKWD-Lager Kotlass; am 21.4.1936 wird seine Ausweisung beschlossen, im Oktober 1936 wird Müller als deutscher Staatsangehöriger ausgewiesen.

Die Verhaftungen deutschsprachiger Schriftsteller setzten schon wesentlich früher als bisher in der Forschungsliteratur angenommen in Leningrad und in der Ukraine ein. Karl Schmückle wurde keineswegs als erster deutscher Schriftsteller – wie bisher angenommen – verhaftet, sondern erst am 30.11.1937.

zu mir, ihr seid doch eine Generation. Ich habe einen ganz bestimmten Fall im Auge. Das Motiv, Genossen, von dieser Generation, das eine Theorie von Gábor war, hat sich bis in die letzte Zeit erhalten. Ich möchte erinnern, daß Genosse Gábor hier vor einigen Wochen, es war schon nach der Verhaftung von Brand, mir vorgeworfen hat, in einer schon mehr als anrüchigen Weise, persönliche Motive, die mich seinerzeit veranlaßt hätten, gegen alle Gleichaltrigen aufzutreten. Ich war gegen Brand wie gegen viele andere. Du konntest keinen einzigen Namen nennen, als Vertreter einer Generation. Es war so, daß mir vorgeworfen wurde ein prinzipieller Kampf gegen alle Konkurrenten meiner Generation. Ich bin gleichaltrig mit Brand, es ist vielleicht ein Unterschied von einem Jahr. Ich habe den Kampf geführt gegen Brand, ohne mich zu erinnern, daß er gleichaltrig mit mir ist. Es ist Jahrgang 1902. Ich erinnere an die Sitzung, die wir vor einigen Tagen hier gehabt haben. Ich habe mit Olga gesprochen und zum erstenmal, als ich sie gesehen hatte, davon gesprochen, daß sie auch davon informiert ist, daß er verhaftet ist. Als ich das sah, habe ich mit ihr gesprochen, erinnerst du dich an jene Zusammenkunft hier. Ich stand damals auch gegen dich, Ottwalt. Ich kann es nicht anders tun, ich war ganz isoliert in einer Diskussion, von der ich hier gestern gesprochen habe. Ich muß nochmals davon sprechen, auch wenn es langweilig und unangenehm ist. Es war eine Diskussion 1935.

Zwischenruf:
Am 3. Juli 1935.

Gen. **Huppert**:
Es waren anwesend die Genossen Barta, Gábor, Halpern, Ottwalt und ich. Damals, als die Rede auf Brand kam, wurden wir ziemlich erregt, wobei sich diese Front eindeutig bildete, es war keinerlei Protokoll geführt, wobei mich die Genossen annageln wollten, jetzt mußt du raus mit der Sprache, was hast du gegen Brand, wie wagst du es, gegen ein Mitglied des Sowjet-Schriftstellerverbandes ohne wirkliche Beweise derartige Anschuldigungen auszusprechen, wie wagst du es, deinen Kollegen in dieser maßlosen und unerhörten und in jeder Weise unstatthaften Weise anzuschwärzen, ohne Beweise zu haben. Ich habe damals gesprochen von Wachsamkeit und habe gesagt, auch wenn man nicht alle Beweise in der Hand hat, darf man doch Schritte unternehmen, die die Beweise erbringen werden. Genosse Barta

hatte den Standpunkt vertreten, du kannst zu den Instanzen gehen, die das angeht, und das habe ich getan.[214]

Gen. **Ottwalt**:
Hat die Sitzung mit einem Beschluß geendet?

Gen. **Barta**:
Es waren drei oder vier Genossen, es war keine Sitzung. Es war eine Diskussion, zufälligerweise diskutierte eine Gruppe.

Gen. **Huppert**:
Ich habe es gemeldet, wo es hingehört, und dann vergingen einige Monate. Ich hatte verschiedene Unannehmlichkeiten, wurde vor verschiedene Instanzen zitiert. Als die Geschichte vorbei war und ich Olga an das Gespräch erinnerte, hat Olga in keiner Weise selbstkritisch zugegeben, daß sie und auch Gábor sich geirrt haben, sondern gesagt, es gäbe Fälle von Rehabilitierungen bei Verhaftungen. Dann sprach ich mit ihr darüber, und sie hat nichts Eiligeres zu tun gehabt, als darauf hinzuweisen, daß er rehabilitiert werde. Kein Wort der Selbstkritik, kein Wort der Einsicht, daß das damals falsch gewesen ist.

Gen. **Halpern**:
Es ist nicht richtig gewesen, daß ihr uns nichts gesagt habt.

Gen. **Barta**:
Nachdem Brand verhaftet war, wie konnte dieser Gedanke auftauchen?

Gen. **Huppert**:
Der erste Gedanke, er wird rehabilitiert. Auf derselben Linie liegt das Verhalten des Genossen Gábor, der ein paar selbstkritische Worte gesprochen hat, die mir nicht genügend erscheinen. Im Grunde sprach er von 99 Löffeln, die er nicht gestohlen hat. Das ist eine Selbstverteidigung im unrichtigen Sinne und (zum) unrichtigen Zeitpunkt. Ich möchte feststellen, auch auf die Gefahr hin, zu weit zu gehen, daß Brand zum intimsten Freundeskreis des Gen. Gábor und der Gen. Olga gehört hat, daß ich Brand getroffen habe, wenn ich dorthin gegangen bin.

214 Mit seinem «politischen Riecher» hat Huppert offensichtlich beim NKWD auch eine Meldung über Brand gemacht.

Gen. **Gábor**:
Was hast du dort gesucht?

Gen. **Huppert**:
Ich war nicht oft dort, aber wenn ich da war, fand ich Brand anwesend. Er gehörte offenbar dorthin. Ich sage aufrichtig, und wenn ich übertreibe, so kann die Übertreibung nicht sehr weit gehen, und es ist nützlich für unsere Sache, das zu sagen: daß Brand nur einer war von denen, die Gábor aus Gründen seiner Allerweltkaderpolitik, die eine Mäzenaten-Politik war, mit der er für sich auch Reklame machte und aus der er politisches Kapital schlagen will, um sich scharte; die er unterstützt, damit die Leute für ihn politisches Kapital bilden. Man kann sich auch verrechnen. Ich kann mich auf Gespräche mit Brand berufen, der sich immer wieder darauf berufen hat, daß andere ihn besser kennen, z. B. ein einflußreicher und achtbarer Genosse wie Gen. Gábor. Das hat mir Brand ins Gesicht geschleudert als stärkstes Argument gegen meinen Einwand. Brand ist zum Glück nicht mehr unter uns[215], und es ist müßig, von seiner Vergangenheit zu sprechen, die Gábor mindestens so gut kennt wie ich. Brand hat sich im Ausland und hier aushalten lassen, und da kommt man und erhebt gegen mich den Vorwurf: Wie wagst du zu fragen, wovon der Mann lebt.

Gen. **Halpern**:
Seine Frau hat übersetzt.

Gen. **Huppert**:
Kein anderer als Genossin Olga hat gesagt, es geht dich nichts an, wovon er lebt. In jenem Gespräch, wo wir zu fünft zusammen waren, habe ich darüber gesprochen, was für Einkommensquellen Brand hat. Man müßte sich interessieren, wovon der Mann lebt. Dabei wurde mir einmütig von Gábor und Halpern geantwortet...

Gen. **Barta**:
Er hat wirklich diese Frage aufgeworfen. Es wurde von Genossin Hal

215 In seiner Autobiographie «Wanduhr mit Vordergrund» bezichtigt Huppert 1977 die «beiden fragwürdigen Zeitgenossen», «Kleinbürger» und «Jämmerlinge» Brand und Schellenberg einer «gehässigen Denunziation», die zu seiner eigenen Verhaftung (1938) geführt habe. Wer sich 1936 Brands Verhaftung rühmt, scheint Huppert entfallen zu sein.

pern geantwortet, daß die Frau übersetzt und außerdem Brand einen Vertrag mit GICHL[216] hat, wo er 500–600 Rubel bekommt.

Gen. **Lukács**:
Ich will nur eine tatsächliche Berichtigung geben. Ich glaube, von den hier lebenden Genossen bin ich am häufigsten zu Gábor gekommen. Ich muß sagen, daß ich Brand nicht häufiger gesehen habe als irgendeinen anderen Genossen. Wenn das wahr wäre, daß Brand als Freund gelebt hat, hätte ich Brand jedesmal bei Gábor treffen müssen. Das widerspricht den Tatsachen, die ich bei Gábor erlebt habe, und widerspricht dem, wie Gábor in Privatgesprächen über Brand gesprochen hat. Er hat über Brand nie anders gesprochen als über einen jungen Schriftsteller, dem er helfen will. Daß das ein Fehler ist, ist eine andere Sache. Ob seine Kaderpolitik richtig ist, ist ebenfalls eine andere Sache. Aber es handelt sich hier um die Tatsache, daß zwischen Brand und Gábor keine intimen Beziehungen bestanden haben.

Gen. **Ottwalt**:
Was hat der Kommunist Huppert dagegen unternommen? Gegen das Schwindelunternehmen des reklamesüchtigen Politikers? Welche Schritte hat er unternommen, um das zu bekämpfen auf der Linie der deutschen Partei?

Gen. **Huppert**:
Ich hatte keine Möglichkeit, wesentlich Einfluß zu nehmen, sowohl auf die Zeitschrift als auch auf die Kommission.

Gen. **Lukács**:
Du bist fünf Monate stellvertretender Redakteur[217] gewesen.

Gen. **Huppert**:
Wenn ich noch weiter ausholen muß, kann ich nochmals sprechen vom Jahre 1933, von jener Sitzung im Falle Gles, wo die Haltung dieser sogenannten Generation eindeutig war. Damals habe ich eine eindeutige Haltung gegen diese Generation eingenommen, mit Hinblick auf diesen Block Erich Müller usw. Ich kann mich erinnern an eine unter deinem Vorsitz stattgefundene Vorlesung von Maier[218], Schel-

216 Abkürzung für: «Staatsverlag für schöne Literatur».
217 Hugo Huppert hatte 1936 Karl Schmückle als stellvertretenden Redakteur der *Internationalen Literatur* abgelöst.
218 Der österreichische Schriftsteller Erich Maier.

lenberg, Gles, Brand, Brustawitzki und auch Laszlo. Die saßen wirklich in einem Winkel und erhoben ein Geheul. Ihr Wortführer war Erich Müller. Und es war tatsächlich Gábor, der mich unterstützte, weil ihm die Novelle gefiel.

Zuruf:
Wieso sind es dann seine Kader?

Gen. **Huppert**:
Ich sage, sogar Gábor, dem meine Novelle gefiel, obwohl ich nicht zu seinen Kadern gehörte. Es wurde mir von euch sehr übelgenommen, weil ich euch zuwenig besuchte.

Gen. **Ottwalt**:
Was hast du 1935/36 getan? Nichts.

Gen. **Huppert**:
Ich war leider sehr oft nicht anwesend, weil ich zu den Leuten gehörte, die nicht eingeladen wurden.

Gen. **Lukács**:
Die Arbeitsgemeinschaften wurden doch in der «DZZ» veröffentlicht.

Gen. **Huppert**:
Ich rede nicht von den Sitzungen, sondern von der Möglichkeit des Kampfes gegen den Leiter der Kaderpolitik. Ich habe mit ihm gesprochen.

Gen. **Gábor**:
Darum hat mich das gestern überrascht.

Gen. **Huppert**:
Es ist nutzlos, zu versuchen, die Sache auf ein anderes Geleis zu bringen. Ich werde niemals zugeben, daß ich gegen diese Art Kaderpolitik seit 1933 nicht gekämpft habe. Da hört sich doch manches auf. Bei der Aufnahme in den Schriftstellerverband war meine Haltung eindeutig, oder nicht?

Gen. **Ottwalt**:
Dann hast du den Kampf eingestellt.

Gen. **Huppert**:
Ich habe niemals eingestellt, sondern radikal fortgesetzt.

Gen. **Barta**:
Es ist absolut klar, daß Gen. Huppert in einer Reihe von Fällen einen richtigen Standpunkt eingenommen hat. Es ist für uns eine Linie der Kritik der Kaderpolitik, aber ihr fordert eine formelle Kritik.

Gen. **Huppert**:
Es würde mich freuen, wenn meine Einwände gegen die Kaderpolitik heuchlerische sind. Ich halte es für erwiesen, durch Gen. Barta, durch Gen. Günther und durch die Mitteilung von Gen. Fabri, daß ich einen richtigen und dauernden Kampf gegen die Kaderpolitik des Gen. Gábor geführt, deren dunkelster und übelster Punkt Brand war. Der andere war Gles.

Gen. **Gábor**:
Ich bin der einzige Kritiker von Gles.

Gen. **Huppert**:
Du warst die moralische Stütze von Schellenberg, als er nach Moskau kam.

Gen. **Barta**:
Genossen, die Erregung ist zu groß. Bitte nehmt Platz, Genossen. Dann bitte ich nicht zu stören. Wir werden in organisierter Form Fragen stellen.

Gen. **Huppert**:
Ich kann mich sogar erinnern, da ich ziemlich alt bin in dieser Gruppe, an das Wort von den «Jungen». Das wurde geprägt, glaube ich, von Brand. Es war aktuell während des Sowjet-Schriftstellerkongresses. Einige Genossen werden sich erinnern, daß man von der Opposition der «Jungen» sprach, der angehörten in erster Linie Erich Müller, dann Brand, Schellenberg, Brustawitzki und leider Emma Dornberger und Laszlo. Ich sauge mir das nicht aus den Fingern, sondern reproduziere Dinge, die ich genau im Gedächtnis habe.

Gen. **Most**:
Wer sagte das Wort von den «Jungen»?

Gen. **Huppert**:
Brand prägte das Wort von den «Jungen» und auch: «Wir werden es den Literaturbonzen schon zeigen.» Damals waren sie auch gegen Schmückle scharf, weil er Redakteur der «Internationalen Literatur»

war und sie überhaupt nicht druckte. Das war damals auch «Kampf». Jedenfalls gehörten zu dieser Gruppe Laszlo und Dornberger. Ich sehe darin nichts Anrüchiges, weil es tatsächlich historisch da war. Selbst wenn ich wieder isoliert dastehe, werde ich nicht ein Wort zurücknehmen, daß die Gruppe da war und sich stark stützte auf Gen. Gábor als Ratgeber und Mäzen.

Gen. **Gábor**:
Das sind drei Leute, die ich von der Literatur wegjagte, weil ich sie als untalentiert entlarvte. Das sind Brustawitzki, Laszlo und Gles.

Gen. **Huppert**:
Du hast es ja wissen müssen. Behaupte nicht, daß du die Leute vom Schreiben abgebracht hast.

Gen. **Gábor**:
Ich selbst habe sie weggejagt.

Gen. **Huppert**:
Gábor behauptete, er habe sich nicht (durchsetzen) können, weil Leute wie Süßkind, Reimann, Schmückle tatsächlich gegen Brand standen. Seltsame Erinnerung, sich darauf zu berufen, daß Leute, die kompromittiert sind, die ausgemistet und entlarvt sind, damals für einen vierten waren, der ebenfalls entlarvt ist. War es mir, dem Kommunisten Gábor so schwer, dann muß ich doch den Brand doch erst recht unterstützen. Ich frage dich: Gab es nicht Genossen, ich war nicht einer von den Leuten, die für dich anrüchig waren, wie Süßkind, Schmückle, die sehr scharf Stellung genommen haben gegen Brand?

Gen. **Gábor**:
Mein Fehler ist größer, weil Genossen, die anrüchig waren, andere trotzdem den richtigen Standpunkt gefunden haben.

Gen. **Huppert**:
Ich erinnere mich noch an die «Rote Zeitung»[219] von Leningrad, die damals einen Artikel von Brand veröffentlichte, und zwar mit der Unterschrift von Gábor[220]. Im Text kam die Stelle vor: «Ein Schriftsteller von großem Format». Er wurde ohne dein Wissen abgedruckt.

219 *Rote Zeitung*. Organ des Leningrader Gebietsrates der Gewerkschaften, (später: *Leningrader deutsche Zeitung*) Jg. 1, 1930 bis Jg. 6, 1936.
220 In seinem autobiographischen Roman «Abschied von Sowjetrußland» schil-

Hier lag eine Fälschung vor. Ich frage dich: Hast du damals an die Redaktion eine geharnischte Erklärung geschrieben?

Gen. **Gábor**:
Ja, das habe ich gemacht, aber sie wurde nicht veröffentlicht. Dieser Brief war zwei Seiten lang. Der Leiter war damals Brustawitzki.

Gen. **Huppert**:
Im Juni 1934 war ich in Leningrad. Der Vorsitzende war kein anderer als Laszlo. Die Zeitschrift konntest du nicht zwingen, diesen Brief zu veröffentlichen? Ich frage dich: Warum hast du dich so furchtbar bemüht, daß du solche Autoritäten wie Radek im Falle Brand angerufen hast und informiert hast?

Gen. **Gábor**:
Ich habe sie nicht informiert, ich habe ihnen das Manuskript in die Hand gegeben.

Gen. **Huppert**:
Diese Unterredung mit Radek und Kropotkin wurde in russischer Sprache geführt. Judin[221] wiederholte die Worte von Radek ironisch, die Versammlung war eindeutig gegen Brand. Nachher begann in dieser Versammlung ein Flüstern, und tatsächlich fielen auch nachher einige Genossen um. Entscheidend ist, daß die Anrufung Radeks und Kropotkins durch Gábor und Halpern erfolgte. Gladkow und Brand haben in diesem Sinne gesprochen, daß man etwas von oben unternehmen muß.

Gen. **Halpern**:
Ich habe mit den Genossen überhaupt nicht gesprochen, das ist eine gemeine Lüge.

Gen. **Annenkowa**:
Bei dem Gespräch, was ich mit Kropotkin führte, war die Genosssin Halpern anwesend, und sie hat mich überreden wollen, daß wir einen schweren politischen Fehler machen würden.

dert Raoul Laszlo diese weitreichende Redaktionsepisode. A. Rudolf (d. i. Raoul Laszlo): *Abschied von Sovietrußland*, 2. Aufl. Zürich 1936, S. 323–324.

221 **Pavel F. Judin** (1899–1968), 1932–38 Direktor des «Instituts der Roten Professur», Chefredakteur der Zeitschrift *Literaturnyi kritik*, zu deren Mitarbeitern auch Lukács gehörte, Leiter des Instituts für Philosophie der Akademie der Wissenschaften der UdSSR, 1953 Stellvertreter des Hohen Kommissars in Deutschland.

Gen. **Halpern**:
Diese Kritik ist auf Grund des Lesens nicht des ganzen Romans, sondern nur eines Teiles geschehen. Also kann die Kritik keine richtige sein.

Gen. **Annenkowa**:
Das ist ein formeller Standpunkt. Der Artikel war von Schellenberg, der Konterrevolutionär ist.

Gen. **Barta**:
Nach meiner Meinung hatte Reimann die Sache gelesen.

Gen. **Halpern**:
Das war ein sozialdemokratischer Roman. In dem Artikel stand: Das ist sozialdemokratische Schmuggelware, und über Trotzkismus stand keine Zeile drin.

Gen. **Ottwalt**:
Was ist eigentlich los? Ich kenne den Artikel überhaupt nicht.

Gen. **Fabri**:
Ich habe den Artikel.

Gen. **Huppert**:
Genossen, ich bin bald fertig. Ich bin mir absolut bewußt, daß ich die Wahrheit spreche, wenn ich sage, es ist so ein Fall, wo man nicht die Beweiskette schließen kann, die andere Instanzen schließen können. Immer wieder wurde mir von Genossen Gábor der Vorwurf gemacht, Hugo, wie kannst du so etwas sagen, wo du nichts beweisen kannst. Ich habe mit Gábor niemals einen erbitterten Krieg geführt, sehr ernsthaft habe ich ihm meine Meinung gesagt. Es kam zu einem wirklichen Wortkrieg, der gewisse Formen wahrte. Man muß die ganze Wahrheit sagen.

Genosse Gábor, ich habe gesprochen von der politischen Nase. Es gibt so etwas wie einen politischen Riecher. Ich habe versucht, das politisch auszuführen. Es gelang mir vielleicht nicht ganz, vielleicht wird es mir auch jetzt nicht gelingen. Also ich will sagen, wenn ein Genosse nicht genügend Anhaltspunkte hat und Anhaltspunkte hat für die Zweifel, die ihm auftauchen in bezug auf die politische Sauberkeit irgendeines anderen, irgendeines Parteimitgliedes oder Nicht-Parteimitgliedes, hat er das Recht, diese Dinge ohne Beschönigung, ohne Einschränkung mutig auszusprechen, überall aufzuschreiben, in

5 Exemplaren[222] aufzuschreiben, auszusprechen auf Sitzungen, sogar auf Versammlungen, wenn die Sitzungen geeignet sind, oder erst dann, wenn er die sogenannte Beweiskette auf dem politischen Indizienwege geschlossen ist?

Es geht nicht, daß diese Form aufrechterhalten wird, auch anderen Genossen gegenüber, man darf die Genossen nicht entmutigen, diese Wachsamkeit zu realisieren. Ich habe nicht oder weniger Wachsamkeit als andere Genossen. Wenn sie den Riecher haben, so muß man sie ermutigen, das auszusprechen, was sie denken, und nicht ihnen den Mut nehmen. Wir werden euch vor Parteiinstanzen zitieren dafür, wenn ihr ehrbare Leute verleumdet, wenn ihr nicht beweisen könnt, daß sie Parteifeinde sein könnten.

Wie ist das mit der Wachsamkeit? Dann Verständnis zu zeigen gegenüber den Instanzen und Genossen, die es angeht, wenn man nicht die dokumentarische Beweiskette in Händen hat, oder soll man ohne Einschränkung ehrlich aussprechen, was man denkt, sogar auf die Gefahr hin, über die Stränge zu hauen und irgend jemand vielleicht Unrecht zu tun. Genosse Fabri hat oft eine sehr heftige Art, eine Art, die Genosse Gábor ihm so übelgenommen hat, daß er ihn einen Wurm genannt hat. Ich bin überzeugt, daß das einer ehrlichen Empörung entsprang. Von Fabri, der ein Mann ist, der wachsam ist, hat

222 Huppert verweist hier auf die offensichtlich übliche Praxis, die denunziatorischen Beschuldigungen bei mehreren «Instanzen» einzureichen. Dazu gehören sicherlich neben NKWD und «Kaderabteilung» auch die «Meldung» bei der KPD-Führung und der KPdSU, bei der «Deutschen Vertretung bei der Komintern» und bei dem «Parteiorg.» des Schriftstellerverbandes. Wie die noch keineswegs ausreichend interpretierten Sitzungsprotokolle der «Kleinen Kommission» der KPD und zahlreiche Notizbücher Wilhelm Piecks belegen, beschäftigte sich die Moskauer KPD-Führung ständig mit «Fällen» und installierte neben den ständigen Ausschlüssen noch laufend Kommissionen zur «Untersuchung» und «Aufdeckung» weiterer «Fälle». Routinemäßig wurden alle untersucht, die von «draußen», d. h. aus Deutschland oder aus Exilländern, kamen. So hatte sich z. B. Herbert Wehner dreier solcher Untersuchungsverfahren mit ausführlichen Befragungen (44 Fragen) zu unterziehen. Erst bei erfolgreicher «Reinigung» durch die Untersuchungskommission wurde man wieder voll in den Parteiapparat integriert. Bei diesen «Untersuchungen» lieferten die Untersuchten zahlreiche neue «Meldungen» zu bereits laufenden oder neuproduzierten «Fällen». Dabei verdichteten sich politische Animositäten, persönliche Rivalitäten und individuelle Überlebensstrategien zu tödlichen und wechselseitigen Abrechnungen. Das hierdurch produzierte Klima der ständigen Angst und des permanenten Verdachts bildete ein wesentliches Element des stalinistischen Terrors.

man, bloß weil hinter ihm die Autorität der «DZZ» steht, gesagt, daß er sich feige auf die «DZZ» stützt. Es war damals ein großer Lärm, daraus hat sich die Auflösung der Versammlung ergeben. Du warst der schuldige Teil, Gábor. Wobei ich natürlich sagen will, daß ich überzeugt bin, daß Genosse Gábor diese Kaderpolitik nicht betrieben hat als ein Agent des Faschismus. Aber wozu führt das? Es führt zur Unterstützung der Konterrevolution[223], es verhindert die Entlarvung von Feinden, es entmutigt die Genossen. – Ich werde jetzt einmal meinen politischen Riecher sprechen lassen, auch gegen Ottwalt, wenn du willst.

Zwischenruf Gen. **Ottwalt**:
Du hast heute den Versuch gemacht, das habe ich gesagt, als einen Beweis deines Riechers, ohne von deinen Fehlern zu sprechen.

Gen. **Huppert**:
Natürlich begehe ich Fehler. Ich weiß nicht genau, worauf du anspielst, ich bitte dich, mir zu helfen, ich möchte restlos Selbstkritik üben.

223 Diese «Beweisführung» durch die Unterstellung, «irgend etwas führe zur Unterstützung der Konterrevolution» gehört zu den klassischen Argumentationsrastern des Stalinismus, der den Opponenten zum «gewollten oder ungewollten» Handlanger und damit zum Deliquenten und Feind macht. Vgl. auch Georgi Dimitroff: *Gemeine Terroristen in Schutz nehmen, bedeutet dem Faschismus helfen,* in: DZZ, 27.8.1936. Die Stellung zu den Moskauer Prozessen wurde in zahlreichen Zeitschriften- und Zeitungsartikeln, aber auch in zahlreichen Broschüren und Büchern zum «Prüfstein» der antifaschistischen Volksfront deklariert. Vgl. Ernst Fischer: *Vernichtet den Trotzkismus,* Straßburg 1937; *Faschismus, Trotzkismus und die internationale Solidaritätsbewegung*, Straßburg 1937; Max Seydewitz: *Stalin oder Trotzki. Die UdSSR und der Trotzkismus. Eine zeitgeschichtliche Untersuchung*, London 1938. In einer Rezension des Buches von Max Seydewitz schrieb Herbert Wehner: «Was die Sowjetmacht auf diesem Gebiet bisher geleistet hat, diente nicht allein ihrer unmittelbaren Verteidigung; die Aushebung und Vernichtung der trotzkistischen Nester in der Sowjetunion gehört zu den wertvollsten Diensten, die von der an der Macht befindlichen Arbeiterklasse der internationalen Arbeiterbewegung und der ganzen fortschrittlichen Menschheit geleistet worden sind.» Kurt Funk (d. i. Herbert Wehner): *Ein Sozialdemokrat über die Sowjetunion und die internationale Arbeiterbewegung*, in: Internationale Bücherschau, 1938, Heft 4/5, S. 90.

Gen. **Barta**:
Laß ihn sprechen über die Fehler von anderen.[224]

Gen. **Huppert**:
Ich möchte Schluß machen mit dieser Angelegenheit. Ich halte natürlich Gen. Gábor nicht für einen Feind. Aber ich halte diese politische Allerweltskaderei, dieses Mäzenatentum, dieses Suchen nach Generationen, dieses Liebet-Einander für objektiv sehr schädlich und für doppelt schädlich im jetzigen Zeitpunkt. Jetzt sind uns allen sozusagen die Schuppen von den Augen gefallen, und es ist keine Kunst, Dinge zu entlarven, wo sie schon entlarvt sind. Aber ich glaube, daß Gen. Gábor in dem, was er gestern gesagt hat, nicht bewiesen hat, daß ihm die letzten Schuppen von den Augen gefallen sind. Ich vermisse in seiner schriftlichen Erklärung den Ton bolschewistischer Selbstkritik, die restlose Aufdeckung der eigenen Fehler, die restlose Aufdekkung dieser apolitischen und deswegen schädlichen Kaderpolitik. Ich nehme an, daß Gen. Gábor das Wort ergreifen wird, um zu diesen Dingen Stellung zu nehmen. Damit schließe ich diesen Punkt.

Gen. **Wangenheim**:
Ich habe nichts verstanden. Was ist außer dem Fall Brand ein Lehrbeweis für die schädliche Kaderpolitik des Gábor?

Gen. **Huppert**:
Ich kann heute nicht die sogenannte Kette schließen[225] aus der Gruppe der «Jungen», die sich mit Unrecht berufen hat auf Gen. Gábor, auf seine Arbeitsgemeinschaft, auf seine Methodik, auf seine Liebe zu dieser Arbeit und Gruppe und zu den persönlichen Repräsentanten. Ich wiederhole hier und allen gegenüber, daß ich sie als Allerweltskaderpolitik formuliere. Ich sage, um klar zu formulieren, daß in den Jahren 1932 bis 1934 eine formlose Gruppe von Leuten existiert hat, die einander sichtlich und regelmäßig und systematisch unterstützt haben. Das war Erich Müller, den du für den großen Novellisten gehalten hast. Du hast den Satz geprägt: «Da geschieht doch ein Schriftsteller, da tut sich ein Schriftsteller.» Also auch ein Format,

224 Da Huppert mit der Rückendeckung des NKWD spricht, wird er vom Versammlungsleiter Barta vom Ritual der Selbstkritik befreit.
225 Hupperts Artikel über den ersten Moskauer Schauprozeß (*Internationale Literatur*, 1936, Heft 9) verwendet schon als Überschrift einen Satz Wyschinskis: «Die Kette ist geschlossen.»

dieser Erich Müller, von dem du zwei, drei Novellen kanntest, in dem der preußische Militärtyp charakterisiert wurde, der vorgeblich den Bolschewiki am nächsten stand.

Gen. **Gábor**:
Das gehörte zur Entlarvung von Schellenberg.

Gen. **Huppert**:
Das bedeutet nicht, daß Gen. Gábor, als ich mit den Genossen Lukács und Barta gegen die gemeinsame Gesinnungslinie auftrat, da habe ich Barta in Schutz genommen und gesagt, Gen. Gábor hat in der Ukraine an einer nützlichen Entlarvung der von Schellenberg geleiteten Redaktion teilgenommen. Ich wiederhole nochmals, als Schellenberg nach Moskau kam, galt diese Entlarvung für dich nicht mehr.

Gen. **Gábor**:
Aber Ottwalt hat dir gesagt, wie ihm Schellenberg gesagt hat, das sind faschistische Gedankengänge, da hat Ottwalt lächelnd «ach geht's» gesagt, und ich habe ihm es ausgeredet.

Gen. **Huppert**:
Ich spreche von den «Jungen» Müller und Schellenberg.

Gen. **Ottwalt**:
Du sprichst von 1932–34. Aber die Arbeitsgemeinschaften gehen bis in das Jahr 1936.

Gen. **Barta**:
Vielleicht kannst du das Verhältnis des Gen. Gábor zu jedem einzelnen aufzählen.

Gen. **Huppert**:
Ich wiederhole, daß ich nichts beweisen kann. Ich kann mich nur auf meine langjährige Kenntnis dieser Gruppe stützen. Und das ideologische Zentrum dieser Gruppe ist Gen. Gábor. Er war bedeutend älter als diese Gruppe. Er war der Leiter der Arbeitsgemeinschaft, von denen einer wegfuhr.

Gen. **Gábor**:
Habe ich dich nicht verteidigt gegen diese Leute?

Gen. **Huppert**:
Na, sehr mau!

Gen. **Gábor**:
Ich habe gebrüllt wie ein Löwe.

Gen. **Barta**:
Das ist eine wichtige politische Frage, die Gen. Wangenheim vorgestellt hat. Kannst du außer dem Fall Brand solche andere vorbringen, die in engem Zusammenhang die Mitarbeit oder Verteidigung von diesen anderen beweisen können oder Hinweise geben können?

Gen. **Huppert**:
Nein. Ich kann nur sagen, daß diese Gruppe sich um die Arbeitsgemeinschaft gruppiert hat und er nach meiner festen Überzeugung der Mentor dieser Gruppe gewesen ist.

Gen. **Most**:
Vielleicht kannst du nach deiner Meinung ganz klar das Prinzipienlose oder die falschen Prinzipien seiner Kaderpolitik vortragen. Das ist für die Führung unbedingt notwendig.

Gen. **Huppert**:
Ich habe gesagt, daß Gen. Gábor, ich glaube auch zugegebenermaßen und sogar mit einem gewissen Stolz, eine Kaderpolitik betrieben hat, die quantitativ war. Es handelt sich nicht um die Klarstellung in erster Linie des politisch-ideologischen Gesichtes dieser Generation, die ihn Konsultationen heischend, lernend, diskutierend umgab, sondern daß es möglichst viele seien, auch daß sie sehr aktiv waren, daß sie seine Arbeitsgemeinschaft besuchen. Die Arbeitsgemeinschaft war dazu da, daß man sie besuchte. Es handelte sich einmal darum, daß eine Generation existierte, deren Mentor Gábor gewesen ist.

Gen. **Most**:
Wie hätte er handeln sollen?

Gen. **Barta**:
Im Falle von Schellenberg, sagen wir in Charkow.

Gen. **Huppert**:
Maßgebend ist, daß man nicht bloß Kaderpolitik macht, indem man das Individuum unter die Lupe nimmt, sondern wer in der Presse publiziert, (dem) ist politisch auf den Puls zu fühlen.

Gen. **Ottwalt**:
Du erinnerst dich, daß wir durch den Beschluß die Arbeitsgemeinschaft auf eine neue Grundlage gestellt haben. Es ist festgestellt, daß die Arbeitsgemeinschaft mit anderer und deiner Schuld – oder ich möchte sagen – durch mangelhafte Organisierung der Arbeitsgemeinschaft, diese Verantwortung trägst du mit.

Gen. **Barta**:
Uns interessieren konkrete Fälle. Wir haben über Brand gesprochen, jetzt über Schellenberg, dann über Laszlo.

Gen. **Most**:
Nachdem Genosse Huppert erklärt hat, daß es sich für ihn um den Fall Brand handelt und er im übrigen nur eine allgemeine Einschätzung der Gesamttätigkeit von Andor Gábor gibt, wollen wir ihn nicht überführen, daß er in jedem einzelnen Fall Näheres weiß. Aber worin bestehen die Vorwürfe, die er Gábor macht? Er muß das positiv sagen. Wenn ich ihn richtig verstehe, läuft es im Grunde darauf hinaus, Gábor hat in der Führung seiner Arbeitsgemeinschaft wesentlich darauf gesehen, sind irgendwelche literarischen Talente vorhanden, und hat darüber die Wachsamkeit gegenüber den Leuten sehr vernachlässigt. Das hat er im Fall Brand getan, und das war die gesamte Einstellung überhaupt.

Gen. **Huppert**:
Ich nenne das Allerweltspolitik.

Gen. **Barta**:
Der Sinn ist das, was Genosse Most präzisiert. Der Fall Brand ist absolut klar. Eine Überschätzung durch seine literarischen Eigenschaften und dadurch politische Blindheit und Nichterkennen des Wesens des politischen Wesens von Brand. In der Angelegenheit Laszlo, Gles und Brustawitzki, nachdem sich Gábor mit der literarischen Tätigkeit dieser Leute bekannt machte, hat er ihnen den Rat gegeben, sich nicht mehr mit Literatur zu beschäftigen. Wiederum nur eine rein literarische Betrachtung der Angelegenheit. Es kam zu dieser negativen Beurteilung aufgrund der Literatur und hatte keine politischen Gründe. Nun die dritte Kategorie, wo politische Gründe mitspielten. Das war die Angelegenheit Schellenberg, wo Gen. Gabor mit uns in Charkow eine richtige politische Arbeit geleistet hat.

Gen. **Huppert**:
Das ist richtig, wobei ich das wiederhole, wenn ich von Prinzipienlosigkeit spreche. Das falsche Prinzip bestand in der quantitativen Form. Und was falsch war, ist nicht nur der Mangel an Wachsamkeit, sondern die apolitische Methode der Kadererziehung, wenn du willst eine formalistische Methode der Kadererziehung, denn die Leute, die Gen. Gábor abgelehnt hat, hat er aus literarischen Gründen abgelehnt.

Gen. **Barta**:
Als Gen. Gábor in der Brigade[226] war, hat er auch politisiche Momente in Betracht gezogen. Als er allein war, hat er nur aus literarischen Gründen geurteilt.

Gen. **Huppert**:
Es gab eine Zeit im Frühjahr, wo ich Gelegenheit hatte, über Brand ein Gutachten abzugeben im Zusammenhang mit einer Brigadenarbeit während meines Studiums in der «Roten Professur». Ich kam in eine Brigade hinein, die eingesetzt war von der Zentralen Kontrollkommission zur Überprüfung der gesamten Tätigkeit auf der Linie der «Internationalen Literatur» und auf der Linie der Übersetzungen der deutschen Romane für den russischen Leser[227]. Damals wurde ich mit der Nase darauf gestoßen, mein Urteil abzugeben über den Roman Brands und über die Arbeit Schmückles in der ⟨«Internationalen Literatur»⟩.[228]

Habe ich vielleicht eine Indiskretion begangen und mich einer unerlaubten Handlung schuldig gemacht, wenn ich auf die Brigadenarbeit zu sprechen kam? Ihr glaubt nicht, daß ich meine Meinung da-

226 Gemeint ist eine «Brigade» zur «Literaturüberprüfung». Solche inquisitorischen Brigaden wurden z. B. für die parteiamtliche «Reorganisation» der sowjetdeutschen Literatur oder von Zeitschriften wie der *Internationalen Literatur* oder *Der Sturmschritt* eingesetzt. Die 1934 von der Brigade (Huppert, Barta, Gábor) durchgeführten «Säuberungen» in der sowjetdeutschen Literatur der Ukraine sind die literaturpolitische Variante des stalinistischen Massenterrors in der Ukraine. Vgl. den Artikel *Mißstände und Aufgaben (Besuch des Unionsorg. Komitees der Sowjetschriftsteller in Charkow)*, in: Sturmschritt, 1934, Heft 2/3, S. 298–302. Nach dem gleichen Muster löste der Kirow-Mord eine «Überprüfung» der Leningrader Literatur aus.
227 Vgl. zu den Buchtiteln und Auflagehöhen der Übersetzungen: *Exil in der UdSSR, a. a. O., Bd. 1, S. 295–302.*
228 «Internationalen Literatur», ergänzt durch den Herausgeber.

mals ehrlich geäußert habe über Schmückle und Brand. Laßt euch sagen, daß ich abgeschlossen hatte eine lange Arbeit mit der Brigade, mit dem Genossen Gilbras verantwortliche Arbeit für die Kontrollkommission der WKP, wo ich meine Meinung über die politischen Qualitäten von Brand mitteilte. Gábor und Halpern fielen über mich her und sagten: Mit solchen Methoden arbeitest du, gehst in die Verlagsanstalten und hintertreibst die Arbeiten deiner persönlichen Freunde. Die Sache wurde so dargestellt, daß ich hinterhältigerweise die Arbeit anderer Genossen verhindert habe. Man behauptet ja jetzt wieder, das dies alles nicht stimmt, also bin ich wieder mal der Lügner.

Über Leschnitzer[229]:

Wir haben über das Lehrbuch von Leschnitzer[230] eine Erklärung verfaßt, die sich im wesentlichen solidarisch erklärte. Wir haben außerdem eine Erklärung abgegeben, daß das Lehrbuch falsch sei. Ich als Redaktionsmitglied er «DZZ» fühlte mich damals nicht dazu in der Lage, weil ich erst meine Meinung in der Zeitung dazu sagen wollte. In der Sitzung der Redaktion habe ich den Standpunkt vertreten, daß das Lehrbuch falsch ist, die Erklärung der Schriftsteller ist richtig. Der Schriftstellerkern hat sich damals nicht genügend objektiv ausgesprochen. Meine Erklärung damals war ehrlich, aber falsch. Das hat Leschnitzer Mut gegeben, mit den schmutzigsten Beschimpfungen gegen die Zeitung im Namen der Schriftsteller aufzutreten. Ich habe es leider nicht vorausgesehen. Das war ein schwerer Fehler, und (ich) gab das voll und ganz zu. Der Fall Leschnitzer ist absolut klar. Ich halte ihn aber nicht für einen Feind, aber für einen Wirrkopf, der großen Schaden anrichten kann, wenn er nicht zur Parteidisziplin angehalten wird. Ich möchte jetzt noch zwei Worte sagen zu der Losge-

229 **Franz Leschnitzer** (1905–1967), linker Pazifist, 1931 KPD-Mitglied, BPRS-Mitglied, 1933 Emigration über Österreich und CSR in die UdSSR, seit 1938 redaktioneller Mitarbeiter der *Internationalen Literatur*, 1959 Rückkehr in die DDR.

230 Von Franz Leschnitzer wurde 1935 im Staatsverlag für Lehrbücher und Pädagogik ein Literaturgeschichtliches Lesebuch für die 4. Klasse der Mittelschulen herausgegeben. 1936 hatte er zusammen mit Jolan Kelen-Fried ein «Literatur-historisches Lesebuch» zusammengestellt. Obwohl das Buch bereits gesetzt war, wurden den Verfassern im Anschluß an die sowjetische Literaturdebatte «vulgärsoziologische Darlegungen» vorgeworfen. Zu Konsultationen wurde auch Georg Lukács zugezogen. Jolan Kelen-Fried, Leiterin der deutschen Sektion des staatlichen Lehrbuchverlages, wurde ebenso wie ihr Mann verhaftet. Gutachten zum Lesebuch in: IfGA/ZPA I 2/3/81.

löstheit von Leningrad. Ich bin mit schuld daran. Hier wurden große Schwierigkeiten gemacht. Ich habe mit dem Genossen Fabri darüber gesprochen. Ich habe nicht genügend darauf gedrängt, daß man jemand nach Leningrad schickt, und habe das nicht scharf genug gefordert. Ich war zweimal in Leningrad und habe das alles nicht so in der Schärfe gesehen. Meine Haltung zum «Sturmschritt» war eine ablehnende. Das war nicht mein Fehler, ich war hier, und die Redaktion befand sich in Charkow. Mein Name stand auf dem Umschlag des Redaktionskollegiums. Ich hätte sagen müssen, Schluß mit meiner Redaktionszugehörigkeit. Das habe ich aber nur aus Nachlässigkeit unterlassen, ein Mangel an Wachsamkeit. Ich deckte die Schweinereien der dortigen Redaktion nicht auf, das kam erst etwas später. Auch im Falle Brand wurde mir vorgeworfen, daß ich nicht genügend diese Entlarvung betrieb. Das war im Frühjahr 1935, und ich sehe ein, daß der Vorwurf zu Recht erfolgt, ich habe nicht genügend versucht, Brand zu entlarven. Der Genosse Gábor hat in diesem Falle recht.

Ich habe nicht mit diesen Leuten Auge um Auge den Kampf geführt. Ich habe das auf eine andere Weise getan. Ich bilde mir nicht ein, daß ich der Anlaß war für die Verhaftung von Brand und (durch mich) entlarvt wurde, daß Brand ein Feind war. Aber den politischen Riecher habe ich gehabt, und damit möchte ich schließen, weil ich noch von einer Stunkgeschichte sprechen muß...

Gen. Hans Günther hat sich hergegeben zum Werke eines ganz gemeinen Stunks, der nicht wert ist, auf eine politische Plattform gehoben zu werden, ich spreche in den Zusammenhängen, die sich ereignet haben, obwohl ich pro domo sprechen muß in meiner Angelegenheit. Ich bin zum Angriffspunkt eines Feriengesprächs zwischen Trude Richter, der Frau des Gen. Günther, und Änne Bernfeld, der Frau von Schmückle, im Erholungsheim geworden. Das Gespräch ging aus von meinen lyrischen Gedichten, an denen Änne Bernfeld alles auszusetzen hatte, und ging über in ein politisches Gespräch. Änne Bernfeld glaubte sich erinnern zu können, daß Huppert gar kein Kommunist war, und er hätte sich eingeschlichen, nachdem er im Ausland nie Parteimitglied gewesen ist und sein Parteialter gefälscht hat.

Zwischenruf:
Das stimmt nicht, daß du in der österreichischen Partei so lange Mitglied bist, wie du angegeben hast.

Gen. **Huppert**:
Ich hätte die Partei betrogen. Das geschah nach dem Ausschluß von Schmückle, das geschah in dieser heißen Atmosphäre. Wenn ich sage, daß ich mich schäme, so deshalb, weil in diesem Gespräch so etwas gesagt wurde von einer Frau, von der ich weiß, daß sie nicht nur ausgeschlossen wurde als Ryasanowistin aus dem Institut[231], sondern auch aus dem Verband hinausgeworfen wurde wegen menschewistischer Fälschungen der Auszüge des Buches von «Mutter und Kind». Ihr war bekannt, daß ich schon Gebrauch gemacht habe im Marx-Engels-Lenin-Institut, als ich vor der Partei über Schmückle und Bernfeld sprach im Zusammenhang mit der Reinigung des Instituts[232] Ich werde wahnsinnig gehaßt von den Schmückles. Daß die Parteigenossin Trude Richter in einem Feriengespräch mit Bernfeld, die doch nicht ihre Freundin ist, diese Sache so ernst nimmt, daß sie Hans Günther das mitteilt, daß er sich veranlaßt sah, das zu Papier zu bringen, ohne mir ein Wort zu sagen und schnurstracks meinen Parteigenossen hinzutragen, zu meiner Parteizelle, ohne sich zu informieren, was an dem Tratsch dran ist. Ich habe das Recht für mich verlangt in einem ganz anderen Fall. Ich erlaube mir zu behaupten, wenn Anne Bernfeld mit Trude Richter ein Gespräch aus Langeweile geführt hat und dabei gesagt wird, ja mir scheint, das ist ein Schwindler und Betrüger usw., daß Genosse Hans Günther dann zu mir kommt, zu dem er immer Vertrauen hat, und sagt, lieber Hugo, was ist da los, da wird was gesprochen, was ernst werden kann, ich habe die Absicht, der Partei das mitzuteilen, was hast du dazu zu sagen?

Ich hätte sofort aus der Tasche oder aus der Schublade ein paar Dokumente gezogen und Hans Günther gezeigt und erklärt: Wenn du

231 In seinen nichtveröffentlichten Tagebüchern schildert Huppert, wie er im März 1931 bei der Institutsbesetzung durch die GPU von seiner «Todfeindin» Anne Bernfeld-Schmückle die «Arbeitsmaterialien» zur MEGA-Ausgabe der Ökonomisch-Philosophischen Manuskripte «übernimmt». Weiter notiert er: «Wie hieb' ich sie gern in die Pfanne.» Literaturarchive der Akademie der Künste der DDR, NL Huppert.
232 In dieser während der «großen Reinigung» am 13.3.1931 gehaltenen Rede geißelt Huppert zuerst die internationalen «Verbindungen» Ryasanows, dann die «Verbindungen» Ryasanows zur Opposition in der KPD und «die Rolle der Schmückle-Clique als deutsche Hilfstruppe der Sabotage». Huppert vermerkt, daß dieser letzte Punkt das «Mißfallen» von Lukács und Franz Schiller erregte. NL Huppert.

den leisesten Zweifel hast, erkundige dich bei dem Gen. Wieden[233], dem Vertreter der KPÖ, oder hier hast du die Kopie der Empfehlung, die Gen. Koplenig[234] mir seinerzeit gegeben hat. Gen. Günther, ich bin seit 1921 Parteimitglied[235], wenn du Änne Bernfeld mehr traust als mir, dann übergib die Sache der Parteiorganisation. Ich rüge nicht die Tatsache, daß sie diese Form angenommen hat. Es ist vom Partorg. in den Rayon getragen worden.[236] Das Rayonkomitee hat sich mit der Sache extratourlich befaßt, und es war an der Reihe der neue Feind, der Feind Huppert, dem es gelungen ist, ein Parteibuch der WKP(B) zu bekommen. Was mußte das für ein Mann sein, der die ganze Komintern betrogen hat und noch heute in der WKP ist. Der Ausgangspunkt ist die Behauptung von Änne Bernfeld, also einfach ein Tratsch. Diesen Tratsch hat unterstützt, das veranlaßt mich zu schämen, Olga Halpern. Vielleicht hat sie gar nicht gewußt, daß sich das deckt mit den Aussagen von Änne Bernfeld. Sie hat sich erinnern können, daß Egon Erwin Kisch bei sich zu Hause gesagt hat, Huppert ist ein Lyriker, der mit uns sympathisiert. Das hätte vor zehn Jahren irgendwo gesagt sein können. Aber das geht doch etwas zu weit, daß Hans Günther und das Parteimitglied Olga Halpern diesen Tratsch weitertragen. Was ist gesagt worden von Änne Bernfeld im Sanatorium und von Kisch beim Nachmittagskaffee, vielleicht bei Gábor? Günther hat die Stirn besessen, zu sagen, es ist doch in deinem Interesse, daß man das aus der Welt schafft. Wie kann man das aber aus der Welt schaffen, als daß man die Zentrale Kontrollkommission selbst damit beschäftigt. Ich muß jetzt beweisen, daß ich sauber bin, und nicht Änne Bernfeld muß beweisen, daß sie

233 Ernst Fischer.
234 **Johann Koplenig** (1891–1968), führender österreichischer Kommunist, seit 1928 Mitglied des EKKI, 1935 EKKI-Präsidium, 1938 über Rotterdam nach Paris, Kooptierung ins ZK der KPD, 1939 in die UdSSR, Komintern-Mitarbeiter, 1945 Rückkehr nach Österreich, Vorsitzender der KPÖ 1946 bis 1965.
235 Hält man Hupperts eigenhändiges Bewerbungsschreiben an Ryasanow für glaubhaft, so trifft der Vorwurf Änne Bernfelds, daß er sein Parteialter gefälscht habe, zu. In diesem 1928 verfaßten Schreiben vermerkt Huppert, daß er 1921 Mitglied des Kommunistischen Jugendverbandes wurde. Er erwähnt aber keine Mitgliedschaft in der Kommunistischen Partei Österreichs oder in der KPD. NL Huppert.
Herbert Wehner verweist in seinen Erinnerungen ebenfalls darauf, daß in «Denkschriften» Behauptungen über Hupperts gefälschte «Parteizugehörigkeit» zusammengestellt wurden.
236 Parteiorganisation eines Moskauer Stadtbezirks.

recht hat. Das in diesem Augenblick, wo die ganze Sowjetöffentlichkeit mobilisiert wird, das in diesem Augenblick, wenn irgendeine parteilose dumme Gans oder eine Fälscherin, Menschewikin in irgendeinem Erholungsheim zu einer Parteigenossin eine Äußerung macht, daß dann das genügt, daß der Mann, ohne, daß man ihn fragt, ohne daß man ihn bemüht, was daran ist – du bist doch keine Klatschbase –, sofort brühwarm den Parteiinstanzen übergibt, damit der Genosse zwei Wochen Laufereien hat. Ich finde, das ist Mißbrauch der Situation der Mobilisierung der höchsten Wachsamkeit, die wir haben. Wenn das der Anlaß sein soll für solche Subjekte, wie Änne Bernfeld, irgendwelche Parteigenossen anzuschwärzen, so geht das zu weit. In Wirklichkeit ist sie das Werkzeug Schmückles gewesen, denn er hat seine parteilose Frau vorgeschickt.

Ich will nicht behaupten, daß Olga Halpern ebenfalls unter einem persönlichen Motiv gehandelt hat. Tatsache ist, daß die Angelegenheit sich schwarz auf weiß im Rayonkomitee befindet. Ich behaupte, das ist ein schändlicher Mißbrauch der Mobilisierung der Sowjetöffentlichkeit. Ich möchte diesen Fall restlos zur Sprache gebracht haben. Ich habe meine Eingabe gemacht, habe restlos meine Parteibiographie abgegeben. Ich stand vor der Notwendigkeit, das, was du von mir verlangst, jetzt meine Parteibiographie restlos darzustellen, von 1921 bis zur Übersiedlung in die Sowjetunion. Ich habe in einer Eingabe meine Charakterisierung dieser Tatsache als Mißbrauch und Denunziantentum für schmutzige Zwecke eindeutig charakterisiert.

Gen. **Günther**:
Genosse Huppert hat in harten Ausdrücken erklärt, ich hätte mich zu einem Werkzeug hergegeben, ich hätte die Stirn gehabt. Darf ich erklären, wie der Fall zustande gekommen ist? Wie Trude aus dem Urlaub gekommen ist, hat sie mir die Unterredung mit Änne Bernfeld gesagt und nicht bloß in der Form eines Tratsches. Sie hat behauptet, daß sie 1924/25 die österreichische Partei gekannt hätte. Sie hätte sehr enge Verbindungen mit der Partei gehabt. Die österreichische Partei habe ihr geraten, nicht in die Partei einzutreten. Ich kann nicht mehr erzählen, als mir Trude wiedergegeben hat. Sie hat steif und fest behauptet, Huppert habe sein Parteistage[237] gefälscht. Ich habe ihm

237 Das Parteialter, d.h. die Dauer der Mitgliedschaft in der KPdSU und KPD, besaß als Anciennitätsprinzip für das Nomenklaturwesen eine zentrale Rolle. Eine

zwei oder drei Tage später von dem Fall erzählt. Genosse Ottwalt sagte, er hätte schon früher etwas davon gehört. Darauf erwiderte er, Gábor oder Ottwalt hätten ihm etwas Ähnliches erzählt. Du bestätigst, daß ich dieses Gespräch geführt habe? Bei dieser Angelegenheit habe ich mich erinnert, daß ich ein ähnliches Gespräch mit Gábor und Halpern geführt habe, dem ich keinen Wert beilegte. Soviel ich mich erinnere, muß Huppert irgendwann einmal nach Berlin gekommen sein. Ich glaube 1928 oder 1929. Er sei als junger österreichischer Lyriker empfohlen worden. Wenn er in die Partei gekommen wäre, hätte sie es erfahren müssen, und sie seien der Überzeugung, daß sein Parteistage nicht stimmen würde. Jetzt habe ich folgendes vor Augen gehabt: Huppert hätte recht, wenn ich nur von Änne ausgegangen wäre. Dadurch, daß mich Ottwalt erinnert hat an ein ähnliches Gespräch, daß von Gábor und Halpern, die ebenfalls Parteigenossen sind, Zweifel geäußert wurden, habe ich mich für verpflichtet gehalten, zuerst zum Parteiorg. zu gehen und mit ihm zu sprechen.

Gen. **Weber**:
Warum hast du es nicht gemeldet?

Gen. **Günther**:
Ich habe mir Vorwürfe gemacht, daß ich damals die Sache ziemlich lax behandelt habe, und habe mich um so mehr verpflichtet gefühlt, gerade in der jetzigen Situation, da ich schließlich aus dem Prozeß und aus den vielen Anforderungen ein bißchen gelernt habe, da habe ich mir gesagt, ich kann die Sache nicht so lax behandeln. Selbstverständlich hat Gen. Ottwalt auch von dem Gerücht gehört. Unter diesen Umständen habe ich es für meine Parteipflicht gehalten, die Sache vor den Gen. Barta zu bringen. Dabei wurde von Gen. Barta erwähnt, daß dieser Fall schon einmal von der österreichischen Partei untersucht worden wäre und er der Meinung ist, daß es in Anbetracht der Untersuchung keinen Zweck hat, irgendwelche Schritte zu unternehmen. Jetzt kam hinzu, daß Genossin Emma[238] erklärt hat, weil er sich auf Koritschoner[239] berufen hat, das sei sein einziger Gewährsmann,

Fälschung der Parteizugehörigkeit wurde Carola Neher als schwerwiegendes «Delikt» in der Anklageschrift des MKOG vorgeworfen.

238 Emma Dornberger.

239 **Franz Koritschoner**, führender KPÖ-Funktionär des «ultralinken» Flügels, Mitarbeiter im Apparat der RGI, im April 1936 verhaftet, zu zehn Jahren Lager-

und Koritschoner sei inzwischen verhaftet worden. Anscheinend wußten Genosse Barta und Genossin Halpern, daß Koritschoner verhaftet ist. Wir kamen überein, daß das als ein neues Moment zu bewerten ist, und kamen auch überein, mit dem Zellensekretär der «DZZ» zu sprechen. Dann sagte er, es ist besser, wenn du ein paar Zeilen schreibst. Die habe ich geschrieben. Es hat mir nur daran gelegen, wirklich meine Pflicht als klassenbewußter Kommunist auszuüben, dadurch daß ich den Schlußpassus anfügte, daß ich der Meinung bin, dieses Gerücht muß aufgeklärt werden, damit man den Genossen Huppert in Schutz nehmen kann und der Sache ein Ende gemacht wird. Ich kann mich auf keine Formulierung festlegen, denn ich habe keine Abschrift.

Gen. **Barta**:
Wir wollen diese Sache hier nicht behandeln. Diese Sache mußte man sofort melden und nicht jetzt, wenn von einer dunklen Stelle aus diese Sachen jetzt auftauchen. Man hätte das sofort machen müssen. Günther will angeblich die Sache gehört haben, und er hatte Zweifel, die Sache zu klären. Man muß die Aufmerksamkeit darauf richten, daß unsere Feinde versuchen, ehrliche Kommunisten zu verleumden, und die Wachsamkeit dabei benutzen. Das ist eine Tatsache, und in diesem Falle war es keine Quelle, von der wir schöpfen konnten, insbesondere gegenüber Huppert.

Gen. **Wangenheim**:
Hier war ich eingeschaltet.[240]

Gen. **Barta**:
Ich halte es nicht für notwendig, es zu tun. Die Angelegenheit von Huppert wurde gründlich untersucht.

Gen. **Ottwalt**:
Ich weiß zwar nicht, warum meine Rede von dem Genossen Huppert so mit Ungeduld erwartet wird. Ich möchte dich bitten, dich zu revidieren. Du machst mir den Vorwurf, daß politische Fehler von Gábor

haft verurteilt; 1941 vom NKWD an die Gestapo ausgeliefert, im KZ Auschwitz ermordet. Vgl. Hans Schafranek: *Zwischen NKWD und Gestapo. Die Auslieferung deutscher und österreichischer Antifaschisten an Nazideutschland 1937–1941*, Frankfurt 1990, S. 76–77.

240 Wangenheim renommiert hier mit seiner Tätigkeit in einer «Untersuchungskommission».

nicht aufgeklärt wurden. Ich bestehe nicht darauf. So betrüblich der Anlaß unserer Unterhaltung ist, so bin ich bereit, in einer wirklich gründlichen Aussprache über alle diese Dinge zu sprechen. Das Thema der Wachsamkeit nimmt auch bei mir den größten Raum ein.

Ich will sprechen zu der Erklärung der Genossen Barta, Huppert, Gábor und außerdem über den Genossen Lukács. Aber mit dem Genossen Lukács bin ich einverstanden. Außerdem wollen die Genossen Auskunft über meine Person haben. Das Thema der Wachsamkeit ist von uns noch nicht beleuchtet worden von einer Seite, über die wir uns noch nicht ausgesprochen haben. Man muß sagen, daß jeder einzelne Genosse von uns den übrigen Parteigenossen gegenüber eine gewisse Sonderstellung einnimmt. Sehr viele Genossen kommen zu uns Schriftstellern, man sieht den Schriftsteller als eine Figur an, die innerhalb und außerhalb der Partei steht. Man weiß, daß man kameradschaftliche Besprechungen unterhält zwischen der Parteiführung. Es ist eine Tatsache, daß alle Elemente der parteifeindlichen Gruppierungen sich diese Tatsache zunutze machen. Es gibt eine ganze Reihe von Fällen, die sichtbar geworden sind.

Wenn wir heute hier von der Wachsamkeit sprechen, so will ich erinnern an das Jahr 1930. Es ist kein Zufall, daß diese Gruppen von 1930 in Moskau in Süßkind ihren Niederschlag gefunden haben. Im Jahre 1930 hatten die Versöhnler Heartfield, Ewert, Eberlein, Ende in Berlin einen politischen Salon, wo sie sich regelmäßig versammelten und alle jungen Schriftsteller zu sich heranzogen. Maria Osten[241] hat mich dort eingeführt. Ich war zweimal dort und hörte, wie Ende eine Rede von Stöcker[242] im Reichstag parodierte. Es war mir klar, daß hier etwas nicht stimmt. Ich habe mich von diesem Kreis zurück-

241 **Maria Osten d. i. Maria Greßhöner** (1909–1942), 1926 KPD-Mitglied, Volontariat im Malik-Verlag, Schriftstellerin, seit 1932 Lebensgefährtin von Michail Kolzow, 1932 Moskau, zusammen mit Kolzow zahlreiche Auslandsreisen, 1935 Teilnahme am Pariser Schriftstellerkongreß. Anfang 1936 bereitet sie im von Kolzow geleiteten Jourgaz-Verlag das Erscheinen der Zeitschrift *Das Wort* vor; im Dezember 1936 begleitet und betreut sie Feuchtwanger bei seinem Besuch in der Sowjetunion; als Sonderkorrespondentin der *DZZ* in Spanien. Nach der Verhaftung Kolzows wird von der Kleinen Kommission der KPD (Philipp Dengel, Walter Ulbricht, Herbert Wehner) eine «Untersuchung» durchgeführt (vgl. Dok. Nr. 12). Im Juni 1941 wird Maria Osten verhaftet und am 8. 8. 1942 erschossen.

242 **Walter Stöcker** (1891–1939), 1921 KPD-Vorsitzender, gemeinsam mit Heinrich Brandler, Vorsitzender der kommunistischen Reichstagsfraktion, 1933 verhaftet und im KZ Buchenwald an Typhus verstorben.

gezogen. Volk versuchte immer wieder, mich in diesem Kreis zurückzuerobern. Ich habe mit Volk nichts zu tun gehabt. Der politische Grund war, daß ich damals die Kämpfe gegen die Versöhnler in der Partei nicht mitgemacht habe, obwohl ich wußte, daß sie eine Gruppierung darstellten und einen Kampf gegen Thälmann führten.

1933 kam ich nach Moskau und wurde von Dietrich aufgenommen. Er nahm mich sehr gut auf. Im Auftrage der deutschen Sektion[243] wurde ich nach Prag geschickt, um dort die «Neuen Deutschen Blätter»[244] zu organisieren. Dietrich sollte nach Saarbrücken in die «Arbeiterzeitung» gehen. Dietrich empfahl mich später an Süßkind und sagte mir, daß ich mich nur an Süßkind wenden solle, dann würde alles in Ordnung gehen. Ich muß dazu sagen, ich habe mich damals zweifellos von Anfang an falsch benommen, und warum? Ich war damals das erste Mal in Moskau. Ich habe Süßkind und Dietrich im Büro von Béla Kun gefunden. Ich war von dem Geruch Béla Kun und Komintern so benebelt, daß ich irgendwelche politische Fragen nicht gesehen habe, daß ich nicht daran gedacht habe und keinerlei Bedeutung beigemessen habe, daß es sich um versöhnlerische Gruppierungen handeln könne, bei denen ich eine Rolle spielen könnte. Ich habe in Prag gearbeitet von 1933 bis 1934 für die «Neuen Deutschen Blätter» (nennt noch zwei Stellen)[245]. Während dieser Zeit bekam ich einen schweren Konflikt mit der MORP, der dazu führte, daß ich von allem Anfang an empört war über die Art und Weise, wie von hier aus Literaturpolitik getrieben wurde. Ich darf daran erinnern, daß die

243 Der Deutschen Sektion der Internationalen Vereinigung Revolutionärer Schriftsteller.

244 Über Ernst Ottwalts Rolle bei den *Neuen Deutschen Blättern* in Prag fehlt jeder Hinweis in Wieland Herzfeldes Einleitung zur Bibliographie der *Neuen Deutschen Blätter*. In umfangreichen, bisher unveröffentlichten Berichten analysierte Ernst Ottwalt 1934 die Tätigkeit des BPRS in Deutschland. Johannes R. Becher reichte dann diese Berichte an den Leiter der KPD-Vertretung Fritz Heckert und an den EKKI-Sekretär Waldemar Knorin weiter.

245 Ottwalt arbeitete auch für die «BB-Familie», eine auch aus KPD-Mitgliedern rekrutierte Unterorganisation des Militär-Apparates der KPD. Dieses Ressort des M-Apparates für «Betriebsbeobachtung», das Militär- und Industrieanlagen «beobachtete», arbeitete vermutlich eng mit dem NKWD und anderen sowjetischen Dienststellen zusammen. Andeutungen von Ottwalt über eine «spezielle Arbeit» weisen ebenso in jene klandestine Richtung wie auch die Beurteilung durch den Leiter des «BB-Apparates» Martin (d. i. Wilhelm Bahnik) in der Kaderakte Ernst Ottwalts. Vgl. dokumentarischer Anhang, Nr. 3.

«Neuen Deutschen Blätter» absolut von der Gnade der tschechischen Polizei abhingen und daß ich den Auftrag hatte, irgend etwas zu tun, daß die Blätter getarnt werden können, und daß man mir vorschlug, zu den österreichischen Sozialdemokraten zu gehen, um diese Direktive auszuführen, als plötzlich eine scharfe Direktive kam, die durch den Genossen Becher übermittelt wurde, man muß auf...[246] an die Sozialdemokraten gehen. Ich habe vorausgesehen und habe auch wiederholt darauf hingewiesen, daß wir auf ein Verbot zutreiben, daß wir lahmgelegt werden. Ich bekam höchstens Briefe von Illés. Ich schrieb hin, ich sehe mich außerstande und bitte, mich zu entbinden. Ich bekam dann einen Brief, komme nach Moskau, im Zusammenhang mit dem Brief wirst du entbunden sein. Ich hatte damals kein Geld. Ich ging zu Reimann und sagte, verschafft mir noch Geld. Er sagte mir, man hat mir angeboten, eine Arbeit zu übernehmen für eine tschechische Filmgesellschaft, die hier in Moskau mit dem Filmexport Geschäfte machen wollte und die bereit sei, mir 1500 Rubel zu geben. Die Arbeit könnte ich in Moskau fertigmachen. Als ich 1934 nach Moskau kam, war mein erster Weg zu Süßkind. Ich habe ihm Vorwürfe gemacht, ich habe mich von Becher verraten gefühlt – ich bin Mitte Oktober 1934 gekommen – und habe Süßkind Vorwürfe gemacht, bin in den Monaten Oktober/November jedoch sehr häufig mit Süßkind zusammengetroffen. Ich kann nicht sagen und muß das offen zugeben, ich habe nichts davon gemerkt, daß Süßkind irgendeine parteifeindliche Arbeit betrieb. Wohl habe ich bemerkt, daß ich divergenter Ansicht war mit Süßkind, und wegen dieser Differenzen haben wir Krach gehabt. Ich war so naiv, so blind, in diesen Differenzen einen wirklichen politischen Hintergrund zu sehen und habe drei Monate hindurch diesen Verkehr nicht abgebrochen, bis es zu folgender Auseinandersetzung kam. Auf einem Abend sagte Béla Kun zu mir, was hast du gegen Becher. Darauf erzählte ich, was ich damals an Vorwürfen gegen Becher zu erheben hatte, worauf Süßkind sagte, das ist nicht ernst zu nehmen, Becher und Schmückle, auf die man sich verlassen hatte, Ottwalt ist ein politischer Bankrotteur. Das ist geschehen am 19., 20. oder 21. Februar. Ich war darauf am folgenden Tag zu Süßkind gegangen. In Anwesenheit von zwei anderen Genossen kam es zu einer Auseinandersetzung, bei der ich sagte, ich glaube ihm kein Wort, er sage nicht die Wahrheit. Er saß dabei mit einem

246 Fehlendes Wort, wahrscheinlich «Abstand» zu ergänzen.

Lächeln. Darauf haben wir uns nicht wiedergesehen. Ich erwähne das deshalb, um aufzuzeigen – ich bin mir nicht bewußt, daß ich in meiner Arbeit in Prag mich habe für feindliche Stimmungen ausnutzen lassen. Ich will sagen, daß damals die Linie so ging, daß der Süßkind mit einer Zähigkeit an Becher festgehalten hat, daß alles, was ich gegen Becher sagte, an Süßkind abprallte, daß er mich zu verleumden versuchte, wie ich das bei Béla Kun festgestellt habe. Ich möchte dazu weiter sagen, daß sich literaturpolitische Differenzen und Diskussionen auch noch anderswo mit Süßkind abgespielt haben. Ich war bei Gen. Kun eingeladen, und dort fand ich vor Süßkind und Magyar. In diesem Gespräch ereignete sich eine Szene, indem ich mit Magyar in die Haare geriet, weil er sagte, es gibt nur einen proletarischen Schriftsteller und das ist Balzac. Wir gerieten in eine so heftige Debatte, daß Gen. Kun sagte, wenn wir uns schlagen wollten, so sollten wir es nicht in seinem Hause tun. Aber so weit ist es nicht gekommen. Während ich in Prag arbeitete, d. h. vom November 1933 bis zum November 1934, haben die organisierten Versuche gewisser Versöhnler, auf diese Art Einfluß zu nehmen, nicht aufgehört. Es tauchte plötzlich Volk bei mir auf, zugeführt durch Maria Osten, als der Mann, der gerade aus Deutschland kommt. Ich hatte von nichts eine Ahnung. Ich bin zum zweiten Male auf diesen Nimbus hereingefallen und bin in der Tat viel mit Volk zusammengekommen. Volk war oft in Cafés. Es war damals Schönstedt[247] in Prag, der literaturpolitische Diskussionen führte und auf Süßkind schimpfte wie ein ...[248] Ich hatte seinerzeit u. a. die Aufgabe, daß ich die Manuskripte, die ich aus dem Lande bekam – die Vermittlungsstelle hatte Trude Richter –, entweder für uns verwandte, für die «Neuen Deutschen Blätter», oder an die «Weltbühne» weitergab oder nach Saarbrücken zu Dietrich schickte. Hierbei ereignet sich folgendes, daß sich eines schönen Tages ein Manuskript fand, das ich nach flüchtiger Durchsicht an Dietrich sandte. Es stellte sich heraus, daß Volk unter Zuhilfenahme von Schönstedt dieses Manuskript unter meine Manuskripte brachte. Zur gleichen Zeit, Volk war damals nicht in Prag, verbreiteten Versöhnler das Gerücht, für die «Deutsche Volkszeitung» schreibt Volk Artikel. Das war eine der Methoden, mit denen gearbeitet wurde. Ich habe

247 **Walter Schönstedt**, geb. 1909, KPD-Mitglied, Schriftsteller, BPRS-Mitglied, 1933 Exil in Frankreich, 1935 USA.
248 Fehlende Textstelle.

von diesem Auftreten sofort der damaligen Prager Gruppenleitung Mitteilung gemacht und habe wegen Volk eine Aussprache mit Gerber[249] gehabt, der seinerzeit die Hilfe von Lenz[250] war. Darüber ist die Partei informiert gewesen. Es kam plötzlich das Gerücht, daß Volk ausgeschlossen sei. Ich stellte fest, daß Volk sich wochenlang verborgen gehalten hatte, um sich dann als «der Mann aus Deutschland» vorstellen zu lassen. Es verbreitete sich das Gerücht, Volk sei ausgeschlossen, und bevor wir eine Bestätigung erhalten konnten, war Volk aus Prag verschwunden.

Ein zweiter Versuch. Ich hatte die Aufgabe, mit Budzislawski[251] die ersten Schritte zu der sich nach und nach herausbildenden engen Zusammenarbeit einzuleiten. Da mischte sich jemand ein. Ich erfuhr davon, indem Budzislawski zu mir kam und sagte, es hat sich jemand bei mir gemeldet. Es stellte sich heraus, daß das der Blücher-Jansen ist, der ehemals Leiter der Kaderabteilung in Berlin gewesen ist. Es stellte sich heraus, daß dieser Mann illegal vor der Partei in Prag saß und versuchte, Verbindung zu bekommen. Als er mich nicht herausdrängen konnte, überbrachte er mir Artikel. Ich habe das sofort abgelehnt. Auch diese Geschichte ist seinerzeit gemeldet worden. Ich spreche aus zwei Gründen darüber. Erstens auf der selbstkritischen Linie, daß ich auf die versöhnlerische Linie literaturpolitisch geraten würde, und zweitens als deren letzte Ausläufer Reimann, Schmückle und daß diese Versuche sehr systematisch betrieben wurden.

Über den Fall Schmückle ist sehr ausführlich gesprochen worden. Ich möchte den Fall nicht wiederholen. Ich möchte nur sagen, dieser Kampf war nicht leicht. Er hat manchem von uns sogar die Freundschaft führender Parteigenossen gekostet, die uns leidenschaftliche Vorwürfe gemacht haben, weil wir den Kampf führten. In diesen Räumen hat einmal eine Diskussion über den Charakter der «Internationalen Literatur» stattgefunden. Schmückle hat das Referat gehalten, ich das Koreferat. De Leeuw hat eine Serie von Ausfällen

249 **Gerber, d. i. Rudolf Schlesinger** (1901–1969), Mitarbeiter in der Agitprop-Abteilung, 1933 Emigration in die CSR, 1935 UdSSR, Dez. 1936 Parteiausschluß, 1937 CSR, 1939 Großbritannien.
250 Lenz, d. i. Joseph Winternitz, siehe Anm. 141.
251 **Hermann Budzislawski** (1901–1978), Journalist, Mitarbeiter der *Weltbühne* und ab 1934 Chefredakteur der *Neuen Weltbühne*, Vorsitzender im Prager «Deutschen Volksfrontausschuß», 1938 Paris; nach Internierung in Frankreich 1940 in die USA; 1948 Rückkehr nach Berlin, Herausgeber der *Weltbühne*.

unternommen und behauptet, es bestehe innerhalb der MORP eine Gruppierung zwischen den deutschen und den sowjetischen Schriftstellern, weil ich gerügt hatte, daß Schmückle in bestimmten Ausgaben nur Sowjetschriftsteller zu Worte kommen ließ. In allen diesen Kämpfen hat das Schriftstellerkollektiv auf sich allein gestanden. Wir sind von niemandem unterstützt worden, aber häufig gestört worden. Eines muß ich sagen: Der Fall Schmückle ist der Paradefall, dem wir andere bedauerliche und beschämende Fälle entgegenstellen können. Hier ist ein Fall, wo wir konsequent bis zu Ende gestanden haben, wenn wir auch den Kampf nicht bis zu Ende geführt haben. Anläßlich der Überprüfung[252] hat eine Zellenversammlung stattgefunden, in der Schmückles Rüge abgenommen wurde. Ich hätte wahrscheinlich dagegen gesprochen, aber vielleicht bei der Abstimmung mich der allgemeinen Meinung, der Abnahme der Rüge, angeschlossen. Genosse Barta fragt, war das so eilig mit Schmückle? Ich hatte Schmückle vorgeschlagen, damit er wieder am Redaktionskollegium teilnehme. Es war mir bekannt, daß Schmückle seit seinem Ausscheiden eine sehr umfangreiche, planvolle Minierarbeit an bestimmten Stellen geleistet hat. Schmückle tauchte auf als Hauptrezensent für deutsche, österreichische usw. Arbeiten. Die VEEGAR war überfüllt und überlaufen mit Rezensionen von Schmückle. Ich habe einen Versuch gemacht und einen Lockvogel steigen lassen. Ich habe als Redakteur der VEEGAR Bücher den ortsüblichen Weg gehen lassen, und immer kamen Rezensionen von Schmückle. Ich habe mit Bork[253] gesprochen, und ich muß ihm nachsagen, daß er sofort auf meine Unterhaltung hin das abgestoppt hat und Schmückle nicht mehr oder nur in dem Rahmen wie alle anderen Schriftsteller in Frage kam. Ich wußte weiter, daß Schmückle in der «Wsemirnaja Biblioteka»[254] im Verlaufe von

252 Die «Überprüfung» der Zeitschrift *Internationale Literatur* durch die Brigade der Kontrollkommission der KPdSU, der Huppert angehörte, führte im Frühjahr 1936 zur Ablösung zahlreicher Redaktionsmitglieder, darunter war auch Karl Schmückle.

253 **Bork, d. i. Otto Unger**, geb. 1893, 1919 KPD-Mitglied, Versöhnler, 1934 Emigration in die Sowjetunion, Leiter der deutschen Sektion in der VEEGAR; im November 1937 verhaftet, am 19. 3. 1938 zum Tode verurteilt und erschossen. Vgl. zu seiner Biographie Reinhard Müller: Linie und Häresie, in: Exil 1991, Heft 1, S. 63–67.

254 Im Moskauer Jourgaz-Verlag erschienen bis 1938 in der Reihe «Weltbibliothek» zahlreiche Übersetzungen auch von deutschen Autoren.

zwei bis vier Monaten so etwas wie ein Literaturchef geworden war. Schmückle schrieb Vorreden zu Romanen. Er schrieb über Gott und alle Welt. Ich habe die Genossin Tschernjawskaja darauf aufmerksam gemacht und hatte das Gefühl, daß Schmückle jetzt erst recht die Zeit zur schädlichen Arbeit benutzte. Ich hatte das Gefühl, zieht ihn heran und verbraucht ihn. Gen. Bredel war derselben Meinung. Daß es Genosse Barta nicht ist, erklärt sich daraus, daß der Gen. Barta während drei bis vier Monaten aufgrund seines Urlaubes an Redaktionssitzungen nicht teilgenommen hat. Jedenfalls glaube ich, diese Bemerkung, warum mußte das so eilig sein, aufgeklärt zu haben. Ich glaube, wir haben einen Fehler gemacht, indem wir Schmückle Zeit gelassen haben, sich durch alle möglichen Hintertüren einzuschleichen, so daß mein Vorschlag, ihn in der deutschen Kommission zuzulassen, richtig gewesen ist. Und das ist auch heute noch meine Meinung.

Der Fall Brustawitzki. Ich bin bereit, jedes Maß an persönlicher Verantwortlichkeit, an mangelnder Wachsamkeit zu tragen. Im Falle Brustawitzki muß ich das ablehnen. Ich muß mir vorwerfen, nicht energisch genug gehandelt zu haben. Es war nach der Sitzung in der «DZZ». Als wir über Leschnitzer und am Schluß über Gles gesprochen haben. Ich habe sofort am nächsten Tag gesagt, das ist der Standpunkt, den ich dauernd vertreten habe und heute noch vertrete. Gen. Barta hat in seinem Referat gesagt, es ist zuviel organisiert worden. Leider ist in bestimmten Fällen zuwenig organisiert worden und daß ich für diese wenigen Fälle nicht verantwortlich sein will. Als wir feststellten, daß wir in Leningrad aufräumen müssen, hat Gen. Barta statt seiner Unterschrift erklärt, eine Reise kostet Geld. Den Schlüssel zum Geldschrank hat der Gen. Barta. Nachdem ich immer wieder sagte, alles, was in dem entferntesten Umkreis passiert, geht auf unsere persönliche Verantwortung, war es in diesem Falle so, daß Becher und ich nach Leningrad fahren sollten. Aber wären wir in Leningrad gewesen, so wäre es möglich gewesen, den Brustawitzki zu entlarven, wie wir das bereits in Moskau vor drei Jahren getan hatten. Als ich nach Moskau kam, fand ich Brustawitzki.

Gen. **Gábor**:
Ich habe das gemacht.

Gen. **Ottwalt**:
Ich lernte den Brustawitzki hier in Moskau kennen und roch, daß er stank, ein Hund, der sich überall hineindrängt, der einem nicht in die

Augen sehen konnte. Außerdem log er. Wir hatten ein Gespräch, und in diesem Gespräch kamen drei Lügen zum Vorschein. Ich kannte die Redaktion der «Welt am Abend»[255], und dort arbeitete er, ich wußte auch von seiner Teilnahme an der «Jungen Volksbühne»[256]. Aber hier wußte ich, daß er lügt, daß mit dem guten Mann etwas nicht in Ordnung ist. Ich habe sofort eine Meldung an die Kaderabteilung der KI zu Händen des Genossen Müller[257] gemacht – Oktober 1933. Dietrich hatte ich auch informiert. Später traf ich den Brustawitzki noch einmal und wußte, er hatte mir gesagt, er stamme aus Magdeburg. Wie es der Zufall will, traf ich einen Bekannten aus Magdeburg und frug denselben: Sag mal, kennst du einen Brustawitzki aus Magdeburg? Es stellte sich heraus, daß Brustawitzki aus einem Drecksnest bei Magdeburg stammt, wo ebenfalls dieser Bekannte wohnte. Meiner Meinung nach hätte man Brustawitzki nicht nach Leningrad lassen dürfen. Ich muß sagen: Wir haben hier die Wachsamkeit außer acht gelassen.

Gen. **Barta**:
Mit wem hast du darüber gesprochen?

Gen. **Ottwalt**:
Mit der Kaderabteilung der KI, und außerdem war die Sache so, daß nach 3–4 Wochen bekannt war, was mit Brustawitzki und Gles los ist. Man sollte die Leningrader Gruppe liquidieren.

Jetzt über Schellenberg: Ich kam nach Moskau, und zu mir kam ein Mann mit Locken. Er war sehr lang und hieß Schellenberg. Mein erstes Gefühl war das eines tiefen Entsetzens über die Tatsache, daß ein Genosse diesen Burschen mit einer politischen Arbeit betraute. Er machte den Eindruck eines Wirrkopfes. Ich konnte nicht verstehen, wie solch ein Mann den «Sturmschritt» machen konnte. Ein Dummkopf, ein Wirrkopf war er. Ein Mensch, der zu jeder Arbeit zu dämlich ist, aber für jedes konterrevolutionäre Element eine willkommene Beute ist. Ich scheine mich eben geirrt zu haben. Ich schien

255 Unter der Führung Willi Münzenbergs übernahm die «Internationale Arbeiterhilfe» 1926 die Berliner Tageszeitung *Die Welt am Abend*, die nach außen ihre Unabhängigkeit betonte.
256 Nach dem Ausschluß aus der Berliner Volksbühne 1930 gegründetes «proletarisch-revolutionäres» Theaterkollektiv.
257 **Müller, d. i. Georg Brückmann**, Leiter der deutschen Sektion in der Kaderabteilung der Komintern.

mich darin geirrt zu haben, es schien, daß er ein aktiver Konterrevolutionär gewesen ist. Der Schellenberg brachte mir ein paar Gedichte. Sie waren so spottschlecht, daß mir übel wurde. Er rief dauernd an, ob ich sie schon gelesen hätte. Ich sagte nein, trotzdem ich sie schon gelesen hatte, er kam aber doch, und ich habe ihm die ganzen Dinger zusammengehauen. Er sagte mit dem Blick eines treuen Hundes, siehst du darin faschistische Ideologie? Ich sagte, ich sehe den blanken Blödsinn. Da war er schon ganz begeistert, ja Gábor hat mir gesagt, darin ist faschistische Ideologie. Derselbe Schellenberg sagte, schreib mir eine Rezension, worauf ich sagte, bist du verrückt geworden, schäm dich, daß du so einen Quatsch schreibst. Von da ab ging er einen großen Bogen um mich rum. Das ist der Fall Schellenberg.

Brand ist einer von diesen Fällen Brustawitzkis. Als ich den Mann zum erstenmal sah – die schiefen Augen, die angewachsenen Ohrläppchen –, ich sagte mir, hier stimmt etwas nicht. Ich erinnere an die Sitzung am 3. Juni 35, die in den Räumen der MORP stattfand. Es war eine der ersten Sitzungen, an der ich als Mitglied des Schriftstellerverbandes teilnahm. Hier wurde die Linie der Arbeit für das halbe Jahr besprochen. Plötzlich fiel der Name Brand in die Debatte. Ich hatte schon gehört, daß der Roman von Brand voller trotzkistischer Fehler sein sollte, ich hatte deshalb den Roman gelesen. Es wurde gesagt, gegen den Brand, Mitglied des Sowjet-Schriftstellerverbandes, bestehen die Verdachtsgründe, daß er ein Konterrevolutionär ist. Ich bin aufgefordert und habe gesagt, es muß untersucht werden. Huppert, ich erinnere dich, du sagtest, laß mir noch 8 Tage Zeit. Dann ist Brand verhaftet worden. Meiner Ansicht nach ist das ein unmögliches Verhalten. Ich habe noch oft daran gedacht. Wenn der Brand noch vor 9 bis 10 Monaten mir auf der Straße begegnete, dann mußte ich an dich denken. Was war meine Verfehlung in diesem Fall? Es war, daß ich nicht mit der mir zu Gebote stehenden Leidenschaft darauf gedrungen habe, daß der Fall geklärt werden muß, daß ein Mensch mit dem Blick usw. neben uns, zwischen uns, unter uns sitzt; darauf erbot sich Hugo[258], die Sache aufzurollen, und wir baten Barta, er wolle von sich aus den Fall untersuchen oder an die betreffenden Stellen herangehen. Damit endigte diese Sache. Die Angelegenheit war heftig, weil Hugo einen etwas erhabenen Ton hatte. Das kam daher, weil wir vor-

258 Hugo Huppert; als Spezialist fürs «Aufrollen» tritt er auch hier wieder mit den betreffenden Stellen, d. h. dem NKWD, in «Verbindung».

her einen häßlichen Zusammenstoß hatten, an dem ich Schuld hatte. Ich gebe zu, das war meine Schuld. Also, ich gebe zu, das war meine Schuld. Am nächsten Tage ereignete sich folgendes: Genossin Annenkowa fragte mich in einem ziemlich inquisitorischen Tone: Was für Beziehungen hast du zu Brand, und wie kommst du dazu, ihn zu schützen? Ich habe mich dagegen verwahrt und bezeichnete die Mitteilung, ich hätte Brand geschützt, als eine Verleumdung. Da ich wußte, daß weder Genosse Gábor noch Genossin Olga usw. auf der «DZZ» waren, mußte Huppert der Denunziant sein. Dann kam es zwei oder drei Tage später zu einer Besprechung in den Räumen der «DZZ» zwischen Annenkowa, Huppert und mir. Huppert replizierte seinen Vorwurf nach der Richtung, ich hätte Brand nicht geschützt, hätte subjektiv das Beste gewollt, sei aber objektiv für Brand eingetreten. Es habe sich in der MORP um den Fall Brand ein Gruppenkampf abgespielt, bei dem sich Genosse Barta als Versöhnler gezeigt hat. Genosse Barta ging mit ziemlich eleganter Handbewegung darüber hinweg. Genossin Annenkowa hat mir ein Dokument gezeigt, in dem Brand sich als Trotzkist bezeichnet. Ich habe ein übriges getan und bin zu Reimann gegangen. Ich gehe zu Reimann und sage: Ich bitte dich ernstlich, was ist mit Brand? Darauf erzählte mir Reimann folgendes: Nach den Akten der KPTsch läßt sich nicht feststellen, daß der Mann Mitglied der KPTsch gewesen ist. Es heiße aber, er sei ausgeschlossen worden wegen des Vertriebes pornographischer Schriften. Ich stellte fest, daß kein Mensch über die Sache orientiert war. Ich schrieb einen Brief an den Genossen Martschenko, in dem ich mitteilte, ich weiß nicht, was hier los ist. Der Mann ist Mitglied des Schriftstellerverbandes, prüft die Sache. Was konnten wir mit Brand tun? Ich spreche von den Jahren 1934–36. Mit der Formulierung in der «DZZ» bin ich gar nicht einverstanden. Scharf bewacht, mißtrauisch beobachtet, war er am Rande unserer Organisation, aber in der Tat Mitglied des Sowjet-Schriftstellerverbandes. Auf die Tatsache seiner Mitgliedschaft aber hatte niemand von uns einen Einfluß. Genosse Barta, unterrichte mich, wenn es statuarisch möglich ist, daß die deutsche Sektion[259] auftreten konnte mit der Erklärung, schmeißt den Mann hinaus. Denn die Tatsache, daß er Trotzkist ist, hat er bei uns nicht verschwiegen. Auch lag ja sein Roman vor. Nach Monaten ging ich zu Martschenko und habe mit ihm gesprochen. Was ist los? Ich

259 Deutsche Sektion des Sowjet-Schriftstellerverbandes.

habe keine Antwort bekommen, darauf sagte er: Beruhigen Sie sich, die Sache ist in Ordnung. Ich bin gern bereit, alle Vorwürfe über mangelnde Wachsamkeit entgegenzunehmen, aber ich bin mir im unklaren, was wir organisieren und hätten tun müssen. Es handelt sich nicht um eine polemische Frage, sondern um eine Auskunft. Es lebt bei uns ein Schriftsteller, von dem das Gerücht umgeht, er war Mitglied der KPTsch. Jeder ist über den Mann unterrichtet. Aber alle acht Tage kommt er hier ins Zimmer, steht an diesem und jenem Tisch und geht wieder weg.

Gen. **Barta**:
Ist er Parteimitglied?

Gen. **Ottwalt**:
Darüber ist Genosse Apletin informiert. Aber was ist, was habe ich zu tun, wenn der Mann ein Schwein ist? Ich weiß es wirklich nicht.

Gen. **Barta**:
Auf wessen Grundlage haben sie energisch empfohlen, ihn aufzunehmen? Zweimal wurde das abgelehnt.

Gen. **Ottwalt**:
Es scheint eine kleine und nicht uninteressante Gedächtnisstörung bei ihnen zu sein. Es handelt sich wahrscheinlich darum, daß wir im Prinzip doch mit den Empfehlungen zu leichtsinnig umgegangen sind. Wir haben den Fabri behandelt, wir haben den Fall Maria Osten besprochen, von der ein Buch vorlag, und wir haben den Fall Zinner[260] besprochen, den wir auch etwas liberal behandelt haben, indem wir sie aufgrund der literarischen Qualifikation empfohlen haben. Es kam die Eingabe Hausner. Ich habe über Hausner Auskunft gegeben und gesagt, daß auch Bredel darüber sprechen wird. Bredel hat eine Rezension geschrieben, aufgrund deren ein Buch von Hausner von einem Verlag angenommen worden ist. Vorher, soweit ich mich erinnere, waren Genossen Barta und Apletin dabei, wo er selber mit fliegender Feder zwei Bogen vollgeschrieben hat.

260 **Hedda Zinner**, geb. 1905, Schauspielerin, Schriftstellerin, 1929 KPD- und BPRS-Mitglied, Reporterin der *Roten Fahne*, 1933 über Prag in die UdSSR, Mitarbeiterin der Zeitschrift *Das Wort*; Rückkehr nach Berlin 1945. Vgl. Hedda Zinner: *Selbstbefragung*, Berlin 1989.

Gen. **Barta**:
Er hat zweimal eine Eingabe eingereicht, die ich gar auf die(!) Kommissionsitzung gestellt habe.

Gen. **Bredel**:
Es ist aufgeklärt. Ich war dabei.

Gen. **Barta**:
Dann kam Hausner zu mir und sagte, daß er mit dir gesprochen habe, und du hast erklärt, es ist alles in Ordnung.

Gen. **Ottwalt**:
Das ist doch reiner Quatsch.

Gen. **Barta**:
Du bist zu mir gekommen und hast dich ziemlich positiv über diesen jungen tschechischen Schriftsteller geäußert und ihn mir sozusagen empfohlen. Du hast auch ungefähr auf der Sitzung in diesem Sinne gesprochen.

Gen. **Ottwalt**:
Ich möchte noch einmal darauf hinweisen, daß ich sogar mit Genossen Bredel bei Genossen Apletin war und alles, was zu sagen war, gesagt habe, weil ich der einzige bin, der ihn aus Deutschland und aus Prag kennt.

Gen. **Bredel**:
Als ich das Buch bekam, fragte ich, ob du ihn kennst und ob er tschechischer Parteigenosse ist.

Gen. **Ottwalt**:
Er hat lange Jahre in Berlin gelebt. Die Familie wurde ausgewiesen, gleich nach Hitler. Da kam Hausner nach Prag und trat in die KPTsch ein und kam aber wenige Monate später hierher. Ich fragte ihn, was ist mit dir? Hast du dich bei der tschechischen Partei angemeldet? Er gab die Auskunft, er sei mit den Genossen zusammen, aber für eine Überführung komme ich nicht in Frage.

Gen. **Günther**:
Ich habe vor ein paar Monaten ein Buch von ihm rezensiert, aber das war sehr schlecht.

Gen. **Barta**:
Du warst bei Gen. Apletin? Aus welchem Grunde hast du ihn empfohlen?

Gen. **Ottwalt**:
Bei dem Besuch von Hausner hast du gesagt, daß er nichts geschrieben habe. Darauf habe Bredel gesagt, wenn die literarische Qualifikation in Frage kommt, müßte man ihn auch aufnehmen, aber das ist unmöglich. Und, Genossen, ich muß offen sagen, wir haben aus diesen Fehlern zweierlei zu lernen. Die eine Lehre haben wir gezogen: die Arbeitsgemeinschaften des Genossen Gábor und des Genossen Günther sind in unverantwortlich laschen und losen Formen geführt worden. Es besteht jetzt ein Beschluß. Ich möchte sagen, daß Brand wie Schellenberg die Möglichkeit hatten, an der Arbeitsgemeinschaft teilzunehmen. Wir haben einen festen Zirkel einrichten wollen, so daß wir ablehnen oder aufnehmen konnten, wen wir wollten. Daß diese Leute sich in der Arbeitsgemeinschaft aufhalten konnten, lag eben an der losen Form. Die zweite Frage ist die, daß wir noch einmal im Rahmen der deutschen Kommission besprechen, in welcher Form, nach welchen politischen Gesichtspunkten werden künftighin die Aufnahmen in den Sowjet-Schriftstellerverband durchgeführt. Ich muß sagen, daß wir auch hier lange genug mit der politischen Führung[261] und Festigung gewartet haben.

Gen. **Wolf**:
Soviel ich weiß, gibt es bei dem Sowjet-Schriftstellerverband eine Kontrollkommission. Es besteht die Möglichkeit, gerade aufgrund der letzten Ereignisse, alle zweifelhaften Elemente dort anzumelden. Es werden jeden Tag Kontrollkommissionen gebildet, die nicht allein über Fälle beschließen, die innerhalb des Verbandes zweifelhaft sind, sondern die ständige Kommissionen bleiben werden.

Gen. **Ottwalt**:
Ich möchte noch etwas sagen: Im Referat des Genossen Barta hat nicht nur die Wachsamkeit einen breiten Raum eingenommen, sondern auch die Verstärkung unserer Arbeit. Man muß darüber sehr

261 Ottwalt formuliert hier den Selektions- und Führungsanspruch der Parteigruppe, d. h. der «deutschen Kommission» für den sowjetischen Schriftstellerverband.

ernsthaft sprechen. Ich habe vermißt, daß man nicht gesagt hat, wie die Sachen bei uns stehen. Wir werden unseren Aufgaben erst dann gerecht werden, wenn wir uns wirklich schöpferisch betätigen. Aber diese schöpferische Atmosphäre ist nicht da. Ich bin nicht damit einverstanden, daß der Genosse Barta einfach darüber hinweggegangen ist. Wie ist denn die Arbeit unserer deutschen Sowjetschriftsteller? Wenn wir die «Sowjet-Literatur»[262] aufschlagen, dann hat man den Eindruck, daß wir Schriftsteller einen breiten Raum einnehmen. Das ist nicht ganz so. Wir sehen, daß unsere Genossen meistens mit kürzeren Arbeiten vertreten sind als unsere bürgerlichen Antifaschisten, die große und entscheidende Sachen schreiben. Das zeigt, daß wir die großen und entscheidenden Sachen den bürgerlichen Antifaschisten überlassen. Man muß über diese Fragen hier sprechen. Wenn wir nach Deutschland zurückkommen, was haben wir dann aufzuweisen? Gute Bücher, Bücher der Wahrheit, aber Genossen, wenn wir kommen und stellen uns vor unsere Leser und wiegen unseren Einfluß gegen den Einfluß der bürgerlichen Berufsgenossen ab, so wird es bestimmt nicht gut für uns aussehen. Aber Genossen, wer arbeitet wirklich von uns an größeren Sachen? Bredel hat «Die Prüfung»[263] geschrieben, der Genosse Scharrer[264] arbeitet an einem Almanach, Plivier[265] arbeitet ebenfalls. Aber wie arbeitet er? Dieses Buch ist zwar ein Abenteuerroman, aber für den antifaschistischen Kampf ist es bedeutungslos. Das ist nicht richtig, das verzerrt das Bild. Bredel ist von uns der einzige, der die Energie aufbringt, sich an größere Arbeiten heranzumachen. Ich habe diesen Atem nicht. Versteht mich bitte recht. Die Theorie von ...[266] eines Schriftstellers lasse ich vollkom-

262 Literaturzeitschrift.
263 Willi Bredel: *Die Prüfung. Roman aus einem Konzentrationslager*, Prag 1934
264 **Adam Scharrer** (1889–1948), anfangs KPD- dann KAPD-Mitglied, Schriftsteller, über Prag Emigration in die Sowjetunion. Mitarbeit am Radio, nach 1945 Rückkehr, Mitbegründer des Kulturbundes.
265 **Theodor Plivier** (1892–1955), Schriftsteller, BPRS-Mitglied, Emigration über Schweden in die UdSSR, wohnt in der Wolgarepublik; entgeht 1938 einer drohenden Verhaftung durch Intervention Johannes R. Bechers; Beiträge in zahlreichen Exilzeitschriften und Zeitungen; 1945–47 Weimar, Flucht nach München, dann Schweiz.
266 Fehlendes Wort, sinngemäß zu ergänzen: Besonderheit. In der sowjetischen Literaturdiskussion der dreißiger Jahre wurde über die von der «Weltanschauung» abzutrennende Besonderheit des Künstlers eine erbitterte Debatte zwischen den «Blagodarsty» und den «Voprekisty» geführt.

men beiseite. Das Ziel eines Sowjet-Schriftstellers steht: Er schreibt Meisterwerke. Aber wo sind unsere 100prozentigen Schriftsteller? Wir haben Bredel, er hat bei uns allen eine Autorität, wir haben aber auch 3–6 Jahre den Genossen Becher, obwohl ich nicht mit allem von ihm einverstanden bin. Aber deshalb sage ich nicht, Becher ist schlecht. Aber man darf sie nicht alle über einen Kamm scheren. Wir müssen von der Tatsache ausgehen, daß jeder von uns einen Brocken kleinbürgerlichen Ballast mit sich herumschleppt. Die 100 Prozent, die der Sowjet-Schriftsteller hat, haben wir nicht, wir müssen mit dem vorliebnehmen, was wir haben. Der Sowjet-Schriftsteller schreibt literarische Meisterwerke. Wir wollen arbeiten. Wir haben politische Fehler gemacht, wir haben Schwierigkeiten bei der Produktion, und außerdem machen wir noch politische Fehler. ... [267] die Theorie einer Produktionskrise aufgestellt, daß man sagt, diese Theorie wird hier verfochten. Es ist festgestellt, daß wir unter uns Schriftstellern eine Erscheinung haben, die wir als Produktionskrise bezeichnen können. Genossen, bitte, ohne jede Deklamation. Wir sind ernsthaft damit beschäftigt, uns mit sehr schwierigen Fragen unserer Literatur auseinanderzusetzen. Ich sage, es gibt bedenkliche Anzeichen einer Produktionskrise. Ich stelle fest, daß der Genosse Wolf Kurzgeschichten schreibt von fragwürdiger Qualität.

Zwischenruf **Wolf**:
Du bist sogar derjenige, der absolut ohne jeden Vorbehalt zugegeben hat, daß du dich in einer derartigen Krise befindest.

Gen. **Ottwalt**:
Ich spreche sofort von mir. Es ist abwegig, daß ihr nicht sehen wollt eine Tatsache, die besteht. Wir können nach Hause gehen, wenn wir nicht ernsthaft sehen wollen, was vor uns geht. – Ich bitte, mich nicht dauernd zu unterbrechen. Ich verstehe nicht, was du für einen Grund siehst, mich zu überprüfen. –

Nach dem Faschismus sind zwei große Romane geschrieben worden «Der letzte Zivilist» [268] von Glaeser und «Der Roman einer deutschen Familie» von Brentano [269], beide von Renegaten. Wo sind wir?

267 Unvollständiger Satz, sinngemäß zu ergänzen: «Hier wurde».
268 Ernst Glaeser: *Der letzte Zivilist*, Zürich 1935. In 14 Sprachen übersetzt.
269 Bernhard von Brentano: *Theodor Chindler. Der Roman einer deutschen Familie*, Zürich 1936.

Ich stelle fest, es gibt zwei Romane von zwei Renegaten, von Glaeser und Brentano. Diesen Romanen steht von uns vom heutigen Deutschland nichts gegenüber. Anerkenne, daß du damit nicht einverstanden bist (*Zu Wolf – Durcheinander*).

Gen. **Most**:
Was diese Produktionskrise betrifft: Ich halte es für wichtiges Ergebnis der letzten Sitzung, daß die Genossen sich ausnahmslos ausgesprochen haben über ihre Produktion und sogar die Ausführungen von Wolf es gewesen sind, die zu einer weiteren Diskussion geführt haben, wobei auf Produktionskrise hingewiesen wurde. Das ist eine Tatsache. Es geht aus dem Protokoll hervor. Man gewinnt kein Bild daraus, aber es wurden hier Dinge gesagt, die einzelnen Genossen sprachen über ihre Lage, über die Schwierigkeiten der Produktion, und es wurde dann eine solche Formulierung hingeworfen: Produktionskrise. Der einzige dagegen war Genosse Günther. Kurella hat mehr für seine eigene Person gesprochen. Im allgemeinen waren die Genossen der Meinung, daß das krisenhafte Erscheinungen sind. Ich habe in meinen Bemerkungen geäußert, wir haben es mit krisenhaften Erscheinungen[270] zu tun. Das war das Ergebnis dieses Abends. Man soll nicht von einer Theorie sprechen. Wir wollten diese Diskussion weiterführen, und das Gute war, daß die Genossen herausgekommen sind, über die Schwierigkeiten in ihrer Produktion zu sprechen.

Gen. **Ottwalt**:
Ich spreche jetzt über eine sehr ernsthafte und sehr persönliche Sache. Ich verlange die Achtung vor dem, was ich jetzt sagen will. Ich kann nicht sprechen, wenn ich die Empfindung habe, ich muß mich zur Wehr setzen.

Gen. **Barta**:
Man kann nicht mit allem einverstanden sein.

Gen. **Ottwalt**:
Dann kannst du es nachher machen. Ich finde das ganz selbstverständlich, das gehört in unsere heutige Unterhaltung, wenn wir über

270 Heinrich Meyer gibt als Vertreter der Komintern die amtliche Lesart aus, daß es sich nur um «krisenhafte Erscheinungen» handle. Mit dieser Sophistik konnte die jeweilige Führung sich politisch eskamotieren und die Schuld einzelnen Sündenböcken zuschreiben.

Wachsamkeit, wenn wir über die schöpferische Atmosphäre sprechen.

Ich habe einen Roman. Dieser Roman erscheint nicht und wird nicht fertig. Ihr habt das Recht zu fragen, wie kommt das? Sind das politische Gründe? Wirst du mit dem Problem des Faschismus nicht fertig? Du, Kommunist Ottwalt, äußere dich darüber. Ich muß da wieder folgendes sagen: Dieser Roman gibt verschiedene Elemente, und die werde ich auseinandersetzen. Ich bin mit dem Roman in eine für mich selbst schwierige Situation geraten. Ich ging aus dem Lande heraus und hatte den Plan, kurz, schnell und eilig eine Art Reportageroman über diese Zeit zu schreiben. Dazwischen kam, daß ich zwei Artikelserien schreiben mußte, Broschüren schreiben mußte, eine Schweden-Norwegen-Reise machen mußte, und plötzlich sah ich, daß ich Bankrott gemacht hatte. Ich sah, daß es kein Reportageroman wird, ich wollte alles darstellen. Ich wollte die Tätigkeit des Faschismus so darstellen, daß sie allen verständlich ist. Mit einer so emotionalen Überzeugungskraft, daß sie durchschlagend ist. Das ist die Krise von mir gewesen. Ich habe im Jahre 1934 neu angefangen, und ich muß ganz ehrlich sagen, ich habe den Atem verloren. Ich kann nicht. Es handelt sich darum, die Entwicklung des Faschismus von 1932 bis zum 30. Juli 1934[271] aufzuzeigen. Aber ich kann mir nicht die Ruhe verschaffen, ich kann mich nicht auf diese Arbeit konzentrieren. Ich bin ja kein Faultier von Hause aus, ich habe in diesem letzten Jahr sehr viel produziert. Ich habe drei große Novellen veröffentlicht, mehrere große Artikel, eine Fülle von antifaschistischen Glossen geschrieben, und wenn ich das alles ansehe, so muß ich mir sagen, viel Besseres konnte ich in dem Augenblick nicht schreiben. Aber ich habe einfach nicht die Konzentration, mich an eine Arbeit hinzusetzen, bevor ich nicht weiß, daß ich vier Wochen daran bleibe. Ich brauche acht Tage, um mein Leben zu reproduzieren, zum Lesen von alten Zeitungsausschnitten und alten Berichten, bevor ich anfangen kann zu schreiben, bevor ich wieder fühle, wie das ist. Das ist nicht leicht.

Gen. **Wolf**:
Und diese acht Tage sind nicht vorhanden?

271 30. Juli 1934, Verhaftungs- und Mordwelle in Deutschland, sog. «Röhm-Affäre».

Gen. **Ottwalt**:
Ich kann sie mir nicht nehmen. Aber wenn ich dann an die Arbeit herangehe, habe ich nur den Atem für zwei Tage, und dann bin ich gezwungen, dies und das zu tun. Ich kann nicht. Wir wollen das nicht überschätzen. Es ist ein Problem, und dieses Problem muß man sehen. Am 25. März habe ich mein Parteibillet[272] bekommen. Ich bekam die Verpflichtung, mich ausschließlich auf mein Buch zu konzentrieren. Ich habe gekämpft um diese vier Monate. Ich wurde aufgefordert, Moskau nicht zu verlassen, weil ich dringend für eine Sache gebraucht würde. Das hat sich 4½ Monate hingezogen. Jetzt kann ich fahren. Aber jetzt beginnt unsere Arbeit am Sowjetdeutschen Buche[273], und damit werde ich vier Monate zu tun haben. Nebenbei habe ich in der VEEGAR-Bücherei[274] zu tun.

Gen. **Barta**:
Die Arbeit am Sowjetdeutschen Buch wird nicht den ganzen Tag in Anspruch nehmen.

Gen. **Ottwalt**:
Ich gebe keinen Satz her, den ich nicht vollkommen durchgearbeitet habe. Ich brauche für einen Bogen acht Stunden. Wenn ich vierzig Bogen zu redigieren habe, sind das 320 Arbeitsstunden. Man kann sagen, das ist übertrieben gewissenhaft. Aber ich kann nicht anders. Das ist ein kleiner Punkt, nicht wichtig, aber man muß ihn wirklich sehen. Versteht mich recht, ich stelle mich hin als tragischer Held. Ich schreibe in 14 Tagen 20 Seiten, um dann 30 Seiten wegzuwerfen, weil nämlich der Anschluß vorher auch nicht stimmt. Ich meine, wenn diese Sache langweilt, brauche ich nicht mehr zu sprechen.

Gen. **Wangenheim**:
Ich finde, daß du einen wunden Punkt berührst, der mich seit vielen Jahren beschäftigt. Das ist meine einzige Parteischwierigkeit.

272 Mitgliedsbuch der KPdSU.
273 Wie ausführliche Aktennotizen ausweisen, war dieser geplante Sammelband, an dem sich zahlreiche exilierte Schriftsteller beteiligen sollten, im Frühjahr 1937 nahezu fertiggestellt. Das Erscheinen konnte bisher bibliographisch nicht nachgewiesen werden. Vgl. IfGA/ZPA I 2/707/112.
274 Ernst Ottwalt war Herausgeber der VEEGAR-Bücherei. Hier erschienen bis Anfang 1937 insgesamt neun Titel, u. a. von Fabri, Bredel, Ottwalt, Barta, Kast, Wolf, Gábor.

Gen. **Ottwalt**:
Das ist keine große Sache, aber irgendwo, in einem anderen Zusammenhang hat Gen. Becher auch darüber gesprochen. Ich will mich nicht auf meine Sensibilität berufen. Wenn Gen. Barta mich dauernd unterbricht, oder wenn Gen. Huppert sagte, er läßt die politischen Bücher sprechen, und ich frage darauf, was ist los, so erhalte ich die Antwort, es ist gar nichts los.

Jetzt mein Verhältnis zur «DZZ» oder das Verhältnis der «DZZ» zu den deutschen Schriftstellern. Ich habe bereits seit 6 Monaten immer wieder die Frage gestellt, soll das alles so bleiben? Ich leide an meiner Arbeitskraft unter folgendem: Wenn z. B. ein Mensch wie Gen. Fabri bei der Aufzählung der Mitarbeiter des «Wort» meinen Namen vergißt. Welche Nichtachtung einer literarischen Arbeit kommt da zum Ausdruck. Wenn z. B. Gen. Fabri eine umfangreiche Erzählung von mir übersieht, und die Autorität der «DZZ» steht hinter ihm. Diese Unterschätzung der literarischen Arbeit, diese außerordentlich schädliche und unverantwortliche Arbeit, darüber müßte man sprechen. Im gleichen Zusammenhang etwas anderes. Ihr wißt genau, in was für einer schwierigen Situation wir sind, weil wir uns Hals über Kopf in das Sowjetleben stürzen wollen. Es gibt Genossen, die können das vereinigen, die Beschäftigung mit den Problemen des deutschen Faschismus und den Problemen des Sowjetlebens. Aber eine ideale Vereinigung habe ich noch nicht gesehen, daß unsere Genossen wirklich diese Nähe zum Sowjetleben erworben haben, ohne den antifaschistischen Kampf auf ihrem speziellen Gebiet zu verringern. Das ist ein Problem. In dieser Situation stehen wir und dürfen uns nichts vormachen. Ich schreibe sehr viele antifaschistische Glossen. Zur gleichen Zeit sehe ich, daß Genosse Lukács eine große ideologische Sache[275] schreibt. Wenn Genosse Lukács über Friedrich Schiller[276] schreibt, so leistet er auf verschiedenen Umwegen ebenfalls antifaschistische Arbeit. Ich habe die Auffassung, daß wir in eine schwierige Situation kommen und das noch nicht verstanden haben, die Verbindung zwischen der unmittelbar operativen Arbeit und schwierigen Problemen herzustellen. In

275 «Der junge Hegel» (erschien 1948) und «Der historische Roman» (1937 russ.).
276 Georg Lukács: *Schillers Theorie der modernen Literatur*, in: Internationale Literatur, Jg. 7, 1936, Heft 3, S. 97–111, und Heft 4, S. 110–123.

der roten «Internationale»[277] gibt es neuerdings einen Kulturteil. In diesem Kulturteil stehen Sachen, die einfach falsch sind. Ich las eine Kritik über Heinrich Mann, wo ein vollkommen blödsinniger Vergleich gemacht wird zwischen dem Reichstagsbrand und der Bartholomäusnacht. Ich sprach darüber, daß wir den Leuten zeigen müssen, wer Heinrich Mann ist. Hier ist ein Gebiet, wo wir noch nicht arbeiten. Auf meine Hinweise erhielt ich die Antwort: Ach geh, das wird doch nicht ernst genommen. Plötzlich schicken mir die Genossen Abdrucke aus der «Internationalen Literatur». Wo hat schon einmal in der «Roten Fahne» über kulturpolitische Fragen etwas gestanden? Wo hat sie sich der aggressiven Glossen der Schriftsteller bedient? Ich spreche nicht an die Adresse der Genossen von der «DZZ». Der Feuilletonteil der «DZZ», der die Größe und die gewaltige Kraft der Sowjetunion widerspiegeln soll, wird so geführt, daß langsam bei gewissen Genossen – ich gehöre nicht dazu – eine gewisse Müdigkeit eintritt. Hier wird unsere Arbeit nicht ernst genommen, wird nicht gewertet. Ich weiß, daß das nicht der Fall ist. Ich spreche nicht davon, daß das eine einmalige und ewige Wahrheit ist. Ich spreche davon, daß es eine große Anzahl Probleme gibt, um die wir uns herumgedrückt haben. Ich glaube, Genosse Barta, wenn wir einen stärkeren Aspekt unserer Kommissionsarbeit auf diese schöpferische Frage legen, müssen wir auf diese Dinge stoßen. Selbstverständlich sind diese ganzen Dinge keine zufällige Erscheinung und haben ihre tiefen politischen Wurzeln. Wir haben uns schon bemüht, diesen Wurzeln nachzugehen. Hier möchte ich wiederholen, was Gen. Becher gesagt hat, diese mangelnde politische Führung, diese Zersplitterung und daß das Ganze etwas auseinandergeht. Das ist sehr schwer für unsere Arbeit. Ich möchte erinnern, daß nicht die Arbeitsgemeinschaften von Gábor und Günther in der Redaktionssitzung der «Internationalen Literatur» fortgeführt werden. Jeder Genosse von uns hat die Empfindung, es muß etwas getan werden. Wir haben nach dem VII. Kongreß[278] falsch und teilweise übertrieben versucht klarzustellen, was für uns der VII. Weltkongreß und

277 *Die Internationale.* Zeitschrift für Theorie und Praxis des Marxismus. Die theoretische Zeitschrift der KPD erschien 1933 bis 1939, zuerst in Prag und Paris.
278 VII. Weltkongreß der Kommunistischen Internationale (25. Juli bis 20. August 1935). Auch hier werden – ähnlich wie bei Friedrich Wolf – die Ergebnisse des VII. Weltkongresses zumindest relativiert. Vgl. zur offiziellen KPD-Politik Arnold Sywottek: *Deutsche Volksdemokratie. Studien zur politischen Konzeption der KPD*

die Brüsseler Parteikonferenz bedeutet. Wir haben Ansätze gemacht, sind aber steckengeblieben. Warum? Ich könnte auch versuchen, eine Antwort darauf zu geben, aber das würde zu lange dauern. Aber ich glaube, es ist im Augenblick genug erreicht, wenn ihr diese Frage seht und nicht mit einer Handbewegung darüber hinweggeht.

Gen. Wolf schlägt vor, da sein Referat dieselben Fragen behandelt, die auch Ottwalt in seinem Referat behandelt hat, ihm als nächsten Redner das Wort zu erteilen.

Gen. Ottwalt wünscht, daß man ihm Fragen stellt.

Gen. **Wolf**:
Zu den persönlichen Fragen habe ich nur kurz zu sagen: Mein Name kommt in Verbindung mit der Frage Gles. Er hat sich auf einen Brief von mir berufen. Ich will hier feststellen, daß ich Mitte 1934 ein Stück von Gles gesehen habe, und zwar ein Agitpropstück. Ich bin zwar damals ein bißchen zu liberal an die ganze Sache herangegangen. Die Darstellung der Figuren in diesem Stück wirkt nicht überzeugend und vor allem nicht überzeugend für die sozialdemokratischen Genossen, die wir für uns gewinnen wollen. Ich habe aber das Stück für die Agitpropbühne empfohlen. Ich habe leider das Stück nicht noch einmal durchgelesen. Aber wie es auch sei, die Kritik und die Empfehlung waren zu schnell und oberflächlich abgegeben worden. Ich stelle meinen Fehler selbstkritisch fest. Es treten viele junge Schriftsteller an uns heran und wollen von uns Auskunft haben. Es ist sehr schwer, etwas zu Papier zu bringen, ich meine ein Werturteil. Gerade in der Literatur wurden die meisten Fehlurteile abgegeben. Es gibt viele Beispiele. In der letzten Sitzung, die hier stattfand – ich will an den Punkt anknüpfen, von dem Genosse Most berichtete, und zwar die Frage der schöpferischen Probleme – und wo die Frage der Schwierigkeiten unserer Schriftsteller behandelt wurde, wurde mir vorgeworfen, daß ich zu schnell arbeite.

Zwischenruf eines Genossen:
Wolf soll konkret sprechen.

1933–1946, Düsseldorf 1971; Horst Duhnke: *Die KPD von 1933 bis 1945*, Köln 1972.

Gen. **Wolf**:
Ich habe das Wort und bitte mich fünf Minuten zusammenhängend sprechen zu lassen. Die Schwierigkeiten, von denen hier gesprochen wurde, sind bei uns Schriftstellern vorhanden. Ob man sie nun Produktionskrise oder anders nennt, Tatsache ist, daß sie vorhanden sind. Wir haben festgestellt, daß wir von der einen Seite gedrängt werden. Hier sind akute Probleme. Man sagt: Eure Genossen kämpfen in Deutschland, und was tut ihr hier? ... [279] daß auf der einen Seite getrennt werden, hier sind akute Probleme, ihr könnt kämpfen in Deutschland illegal, und was tut ihr? Diese alte Frage. Genosse Dimitroff hat im April 1934 gesagt, dieser gewaltige Stoff des Reichstagsbrandes, des Leipziger Prozesses, wo findet sich bei uns Schriftstellern schon seine Gestaltung? Ich habe damals gesagt, daß wir uns nicht erst auf Anordnung des Genossen Dimitroff für die Frage interessiert haben. Ich glaube, wir kamen von beiden Seiten her, Genosse Kurella, wir haben eine Aussprache gehabt. Kurella und Wangenheim haben diesen großen historischen Vorgang aufgenommen und auf ihre Weise gestaltet, also Genosse Ottwalt, wenn du sagst, wie sollen wir dereinst unseren Genossen mit offenen Augen in Deutschland gegenübertreten, mit welchen Leistungen, was haben wir bisher gemacht, haben wir bisher zu den Problemen des Faschismus, des Antifaschismus Stellung genommen? Jawohl, wir haben das getan. Ob das Meisterleistungen sind im Weltmaßstabe, darüber entscheiden wir noch nicht, auch du nicht, Ottwalt. Es gab Fehlurteile über ganz große Werke, ich erinnere an Gottfried Keller.

Zwischenruf **Ottwalt**:
Das Kunstwerk, das eine eminente Überzeugung hat, die alles etwa Entgegengestellte beiseite räumt.

Gen. **Wolf**:
Ein Kunstwerk wie «Don Quijote» oder «Simplizissimus», das alle fünfhundert Jahre einmal vorkommt. Ich nehme an, daß bei den Vorgängen in Spanien, in Deutschland dieses Kunstwerk auch von uns geschaffen wird. Man muß sagen, daß es für jeden Schriftsteller schon einmal das erste ist, das erste große Problem, welches soll und welches kann er behandeln. Bei der letzten Sitzung wurde erwähnt, die erwähnten Schriftsteller in Paris, sie haben eine Menge Bücher ge-

279 Fehlender Satzanfang.

schrieben. Sie haben Sachen geschrieben, die bis zu einem gewissen Grade eine Flucht vor der Wirklichkeit darstellen. Interessant ist die Frage der Hugenotten, des Heinrich IV., des Ignatius von Loyola. Eine andere Frage sei der deutsche Bauernkrieg, nicht weil der deutsche Bauernkrieg eine ganz aktuelle Bedeutung hat im antifaschistischen Kampf, für uns als revolutionäre Schriftsteller steht die Frage so, daß wir an die aktuellen gegenwärtigen Probleme in Deutschland nicht herantreten können. Bredel hat das mit Erfolg getan, auch Langhoff[280]. Ich glaube auch Wangenheim, und ich glaube im «Professor Mamlock»[281] habe auch ich das mit Erfolg getan. Mit einem gewissen Recht habt ihr damals gesagt, wie kann sich der Genosse Wolf bereits heranwagen an einen Stoff nach drei Monaten nach dem Weltkongreß, nach der Brüsseler Konferenz, wo der Weltkongreß noch die Frage stelle, es ist zwar ehrenvoll zu sterben für die Partei, aber ehrenvoller zu leben. Wie kann er es wagen, wo Genosse Manuilski sagte, wie schwierig ist die Situation in Deutschland, ich kann sie nicht einmal verstehen. Dem Sinne nach war es so.

Gen. **Weber**:
Das kannst du nachlesen in seiner Rede, die er in Leningrad gehalten hat.[282]

Gen. **Wolf**:
Zweitens ist es für uns augenblicklich ideologisch und künstlerisch ganz unmöglich, an die Gestaltung dieser Probleme heranzutreten. Es ist ein Wagnis, ein Risiko, man schreibt so etwas in die Luft, ganz umsonst. Aber ich glaube, daß wir antifaschistischen Schriftsteller dieses Risiko auf uns nehmen müssen, um den unkristallisierten Stoff zu gestalten. Jetzt erlebe ich folgendes: Ich gehe von meiner eigenen Produktion aus, weil sich daran die Sache am besten erörtern läßt. Wie kam die Frage des «Trojanischen Pferdes»[283] an mich heran? Ich

280 Wolfgang Langhoff: *Die Moorsoldaten. 13 Monate Konzentrationslager*, Zürich 1935.
281 Uraufführung in jiddischer Sprache 1934 in Warschau, deutsche Uraufführung in Zürich, Verfilmung 1938 in Moskau.
282 Dimitri S. Manuilski: *Die Ergebnisse des VII.. Weltkongresses der Kommunistischen Internationale*, Moskau/Leningrad 1935.
283 Friedrich Wolf: *Das Trojanische Pferd. Ein Stück vom Kampf der Jugend in Deutschland*, Anhang: Regiekommentar, Moskau 1937.

sage mir: Du bist hier als deutscher Dramatiker, das sind ungeheure Dinge, die in Deutschland vorgehen. Kann man diese Sache nicht gestalten, kann man darüber nicht ein Stück schreiben, kannst du nicht eine Kurzszene geben, setz dich dahinter. Ich wollte zwar eine Kurzszene schreiben, und ihr könnt nachlesen, daß an den amerikanischen Theatern eine große Bewegung für Kurzszenen ist. Ich habe mich an die Kurzszene herangemacht, ursprünglich für die MORT, die Tschechoslowakei und die Schweiz. Unglücklicherweise bin ich auf den Fall 175 gestoßen, wo diese Zelle in der Arbeitsfront dieses neue Stück spielt und habe das benutzt als Spiel im Spiel, wie im Hamlet, zur Feststellung der Sympathisierenden. Ich schrieb und schrieb, und die Sache wurde immer länger. Es geschah das Unglück, daß ein Stück daraus wurde. Ich glaube, hier liegt wirklich ein großes schöpferisches Manko. Ich habe das Stück leider euch nicht vorgelesen. Ich glaube, daß wir mehr schöpferische Beratungen haben müssen. Ich habe das Stück bei der MORT vorgelesen, und es gab ernste große Meinungsverschiedenheiten. Ich habe das Stück dann zur Komintern gegeben, und auch hier entstanden große Meinungsverschiedenheiten, zum Teil vollkommene Ablehnung, zum Teil teilweise Ablehnung. Dann wurde es in der MORT auf eine Sitzung gestellt. Es wurden Gegenvorschläge gemacht. Ich habe Gen. Most die Frage gestellt, ob Abänderungen möglich sind. Wir haben darüber diskutiert, daß der Schluß falsch ist, daß das heroische Sterben nicht auf der Parteilinie liegt. Ich habe den Schluß geändert[284]. Jedenfalls schien das sogar vom Dramaturgenstandpunkt aus richtig. Dieser Satz des Gen. Pieck auf der Brüsseler Konferenz gab ein neues Moment, eine neue Perspektive: nicht heroisch zu sterben wie Winkelried mit dem Speer in der Brust. Das Stück war tatsächlich zu schnell und zu flüchtig geschrieben. Im übrigen, Genosse Ottwalt, nach der fünften Durcharbeitung, weil du sagst, ich arbeite zu schnell. Jedenfalls habe ich das Stück dann so hier bei «Glawlit»[285] und den Theatern eingereicht und heute von dem Kritiker der «Prawda» und «Glawlit» ein sehr gutes Visum bekommen. Das will noch nicht sa-

284 Der Schluß wurde mit einer Einführung auch abgedruckt in: *Internationale Literatur*, Jg. 7, 1937, Heft 2, S. 21–31. In einem Brief hatte sich Friedrich Wolf an Dimitroff gewandt, um mit ihm den Schluß des «Trojanischen Pferdes» zu beraten. IfGA/ZPA NL 36/532.

285 Zensurbehörde, eigentlich: Hauptverwaltung für die Wahrung staatlicher Geheimnisse in der Literatur.

gen, daß das Stück politisch einwandfrei ist, denn der Kritiker der «Prawda» kennt nicht eindeutig die Verhältnisse in Deutschland. Ich muß den Genossen Weber ernsthaft bitten, daß er mir hilft. Ich erinnere daran, daß sogar Genosse Stalin eine Nacht mit dem Genossen Dowtschenko verbracht hat bei dem Film «Aerograd». Ich habe vor kurzem gelesen, daß Genosse Postyschew[286] an die Gebr. Wassiljew[287] ein Telegramm geschickt hat, er stelle sich zur Verfügung, weil er diese künstlerischen für hochpolitische Probleme halte. Ich glaube, daß die Möglichkeit, ein Stück gegen den deutschen Faschismus und über den Kampf der deutschen Jugend hier in der Sowjetunion zu spielen, eine so wichtige politische Chance ist, auch der Massenerziehungs-Arbeit, d. h. der Aufklärung darüber, was in Deutschland vorgeht, daß ihr mir ungeheuer helfen müßt. Ich bin bereit, alle politischen Mängel, die vorhanden sind, auszubessern, obwohl die Proben schon laufen, sowohl in Moskau als auch in Leningrad und Swerdlowsk. Ich möchte nicht, daß eine falsche Linie hineinkommt.

Ich glaube, daß es eine Anzahl Produktionsschwierigkeiten gibt. Wenn ich damals das Wort Produktionskrise gebraucht habe, so war das übertrieben, und Gen. Ottwalt meint sicher nicht, daß diese Krise uns lähmt und schockiert. So sehr ich mit Gen. Ottwalt in vielem nicht übereinstimme, muß ich zugeben, daß für uns diese Probleme der emigrierten Schriftsteller in der Sowjetunion tatsächlich nicht mit einem Ruck zu beseitigen sind. Ich will folgendes erzählen: Gerade bei diesem Stück habe ich erlebt, daß einige erklärten, das Stück sei zu einfach, und andere sagen, das Stück ist zu kompliziert.

Gen. **Weber**:
Gemessen an dem Kampf in Deutschland ist es zu einfach.

Gen. **Wolf**:
Gemessen an dem, was vorgeht, denn so einen Faschismus gab es überhaupt noch nicht in der Welt. Aber sie drücken auf mich, es zu vereinfachen. Ich wehre mich dagegen. Ich habe damals mit dem

286 **Pawel P. Postyschew**, Kandidat des Politbüros der KPdSU, führte in der Ukraine in Stalins Auftrag umfangreiche «Säuberungen» durch, am 24.2.1939 erschossen.
287 Pseudonym für die namensgleichen sowjetischen Filmregisseure **Georgi und Sergej Wassiljew**, die zahlreiche mit «Staatspreisen» ausgezeichnete Dokumentarfilme lieferten, wie «Tschapajew» (1934) und das Stalin-Epos «Die Verteidigung von Zaritzyn» (1941).

Gen. Frido, als ich zur Uraufführung von «Fortsetzung folgt» war, darüber gesprochen, das Stücke, die schwarz-weiß sind, grundfalsch sind. Da kommen die Faschisten, wollen ihre Mäntel herunterreißen, und dann kommt ein Arbeiter, der Medizinistudent ist, und schmettert sie mit Faustschlägen zu Boden. Das Stück ist das große Erfolgsstück über den deutschen Faschismus in der Sowjetunion, geschrieben von einer Leningrader Genossin Bronstein, die keine Ahnung von Deutschland hat. So besteht die Möglichkeit, in der Sowjetunion in dem Sinne eine internationale Erziehungsarbeit und Massenarbeit zu leisten. Infolgedessen ist es schwer, unsere Stücke zu hundert Prozent richtig zu bringen, es ist schon viel, wenn sie zu 75 Prozent richtig gespielt werden.

Ich sagte schon, daß bei der Frage der Produktionsschwierigkeiten eine der Hauptfragen die Thematik ist. Genosse Ottwalt hat das auch berührt. Wir sind tatsächlich abgewiesen von Deutschland und sind noch nicht verwurzelt in der Sowjetunion. Das ist diese Frage, die Genosse Lukács als eine der zentralen Fragen unserer Emigrationskrankheit bezeichnet hat, daß wir mit der Massenbewegung hier noch nicht verbunden sind. Das ist die eine Seite. Und es ist zweifellos ein Fehler, den wir revidieren müssen und der entsteht, daß wir so langsam Russisch lernen. Als ich in Amerika war, habe ich nach drei Wochen schon englische Vorträge gehalten. Zum Teil sind wir genötigt, deutsch zu denken und zu schreiben. Das ist eine große Frage. Auf der anderen Seite haben wir vielleicht noch nicht die Probleme herausgesucht, die Übergangsprobleme sind. Ich habe den Versuch gemacht, ein sowjetdeutsches Problem zu nehmen, indem ich die deutsche Okkupation der Ukraine 1918[288] wählte. Ich kenne die deutsche Armee, weil ich vier Jahre lang Soldat war. Ich habe versucht, durch zwei längere Reisen durch die Ukraine mich damit bekannt zu machen, und ich werde versuchen, mich mit dem sowjetrussischen Problem bekannt zu machen. Ich habe versucht, eine russische illegale Parteiarbeiterin darzustellen. Gen. Wischnewski[289] hat mir gesagt, daß mir das nicht gelungen ist, diese Szene ist vollkommen falsch.

Gen. **Bredel**:
Frag doch mal einen anderen.

288 Dazu erschien in einem Komintern-Verlag die Dokumentation: *Die deutsche Okkupation in der Ukraine. Geheimdokumente*, Straßburg 1937.
289 **Wsewolod Wischnewski** (1900–1951), sowjetischer Dramatiker, eng mit Friedrich Wolf befreundet.

Gen. **Wolf**:
Jedenfalls die Schwierigkeiten unserer Produktion, eine russische Parteiarbeiterin psychologisch realistisch richtig darzustellen, ist für uns, die wir nicht mit russischen Frauen verheiratet sind, auch dann schwierig. Es gibt natürlich noch andere Fragen, z. B. die Frage der Übersetzung.

Gen. **Barta**:
Bringe bitte die einzelnen Fälle und deine Stellungnahme zu diesen Fragen.

Gen. **Wolf**:
Da muß ich sagen, ich habe zu Schellenberg, weil ich oft verreist war und nicht in die Arbeitsgemeinschaft gekommen bin, überhaupt keine Beziehung gehabt. Brand kenne ich überhaupt nicht direkt.

Gen. **Bredel**:
Du bist fein heraus, weil du nie dabei warst.

Gen. **Wolf**:
Zur Frage unserer Atmosphäre. Das ist die Frage der Kritik, und sie kann uns nur helfen. Es gibt eine produktive und eine unproduktive Kritik. Bei der letzten Sitzung wurde gesagt, und zwar von dem Genossen Most, daß ich keine Kritik vertragen könne. In diesem einen Falle hattest du recht. Ich hatte damals eine Stinkwut auf dich, aber das ist mein Temperament. Ich habe nachher alles befolgt, als ich einmal darüber nachdachte.

Meine Stärke liegt auf dem dramatischen Gebiet. Ich habe eine Novelle von mir eingereicht, die auch gedruckt wird.

Gen. **Barta**:
Bitte konkretisieren.

Gen. **Wolf**:
Ich will hier mein Gesicht zeigen. Bredel, du fandest die Novelle damals gut, Ottwalt sagte, sie sei schlecht. Ich will nur sagen, daß diese Form und der Ton der Kritik nicht richtig ist und eine schlechte Atmosphäre schafft. Ich muß hier heute noch einmal auf «Floridsdorf» zurückkommen, und zwar auf die Szene mit Bauer[290]. Diese Szene an

290 **Otto Bauer** (1881–1938), Führer und Theoretiker der österreichischen Sozialdemokratie und der II. Internationale, nach der Niederschlagung des Februaraufstandes emigirierte er 1934 nach Paris.

den beiden Telefonen ist ein Kabarettscherz[291], weil Bauer an dem einen Telefon den Arbeitern sagt, weiterkämpfen, an dem anderen Telefon verhandelt er mit der Regierung. Genossen, ich habe den Versuch gemacht, mein Gesicht zu zeigen, aber die Genossen nehmen das nicht ernst und lachen dauernd.

Gen. **Most**:
Was die Wachsamkeit betrifft, kannst du uns nicht erzählen, welche Lehren du hieraus gezogen hast? Was weißt du über Schellenberg und dessen Umgebung?

Gen. **Wolf**:
Mein Fehler bestand darin, daß ich zu isoliert lebte, ich habe an den Sitzungen, die hier stattfanden, fast nie teilgenommen. Ich war aber auch sehr viel fort. Zuletzt war ich in Skandinavien. Es passierte mir jetzt vor kurzem folgender Fall.

In Kiew wurde mir der Genosse Schmidt empfohlen. Ich ging zu ihm mit dem Genossen Kunitz[292]. Dieser Genosse Schmidt ist ein alter Bolschewik und hat alles mitgemacht. Er hat mit mir über alles gesprochen. Er wurde jetzt verhaftet. Ich sprach mit Wischnewski darüber. Wenn ich mir heute überlege, was haben wir eigentlich besprochen, so erinnere ich mich nur noch daran: «Ihr ganzen revolutionären Schriftsteller geht zu Puschkin.» Wenn ich es mir heute überlege, ist da ein möglicher Ansatzpunkt. Das ist das einzige, was ich persönlich erlebt habe. Daß ich meine Lehre aus diesen Dingen ziehe, ist selbstverständlich. Auf der anderen Seite habe ich bei einigen Genossen, nicht nur bei deutschen Genossen, eine gewisse Panik beobachtet, daß sie kaum mehr wagen, deutschen Genossen die Hand zu geben. Es kam ein Genosse aus Leningrad, er hat einen Genossen gefragt, kann man mit dem Genossen Wolf noch verkehren? Ich habe

291 Oskar Maria Graf nannte in einem Brief an Karl Schmückle (27.9.1935) «Floridsdorf» ein «läppisches Schmachtstück», das den «Bemühungen um die wahre Einheitsfront wieder einmal einen Stoß gegeben» habe. Friedrich Wolf intervenierte daraufhin mit ausführlichen Eingaben sowohl bei der Komintern wie bei der MORP. An einer «Besprechung» zu Wolfs «Floridsdorf» nehmen dann 1935 u.a. Ernst Ottwalt, Fritz Brügel, Paul Reimann, Ernst Fischer und Sergej Tretjakow teil. Hier nennt Ottwalt die Szenen mit Otto Bauer einen «Kabarettspaß mit zwei Telephonen». Friedrich-Wolf-Archiv, Literaturarchive der Akademie der Künste der DDR.
292 Joshua Kunitz.

dann, als mir mein Freund das sagte, sobald er kam, ernst mit ihm gesprochen, ich verstehe deine Bedenken, aber du sollst mich direkt fragen. Wenn nichts gegen mich vorliegt, so kannst du mich direkt fragen. Diese Frage, wem kann man noch trauen, solche Sache habe ich erlebt. Das habe ich zur Frage der Wachsamkeit zu sagen. Selbstverständlich werde ich lernen, vor allem, weil ungeheuer viel Briefe kommen aus Deutschland. Es ist kaum mehr möglich, die Briefe zu beantworten, weil ich nicht weiß, sind es provokatorische Briefe oder was.

Sitzung der deutschen Schriftsteller am 7.9.1936

Gen. **Barta**:
Ich eröffne die Sitzung. Gen. Wolf hat sich mit der Bitte an mich gewandt, ihm noch 15 Minuten Redezeit zu geben, da er noch etwas Wesentliches zu sagen habe. Es fehlen bis jetzt noch die Genossen Gábor, Fabri und die Genossin Annenkowa. Genosse Lukács ist entschuldigt. Gen. Wolf wird nun für 15 Minuten das Wort erhalten; nachher kommen die Fragen an die Genossen Ottwalt und Wolf, und dann hat das Wort der Genosse Bredel.

Gen. **Wolf**:
Genossen! Daß ich heute nochmals das Wort ergreife, hängt zusammen mit dem Leitartikel der «Prawda» über Otto Bauer[293]. Ich möchte euch bitten, daß ihr mir Aufmerksamkeit schenkt, wenn es euch auch zunächst etwas abwegig oder außenseitig literarisch erscheint. Aber ihr werdet im Verlauf der ganzen Deduktion sehen, wie eng Literatur und Politik verbunden sind. Ich will einige typische Stellen vorlesen.

Gen. **Bredel**:
Wir kennen alle.

Gen. **Wolf**:
Also, ich habe das Wort Doppelzüngler für Otto Bauer gebraucht. Darauf fiel eine Bemerkung «Doppelzüngler»? Wenn ihr diesen letzten Aufsatz genau gelesen habt, so bezeichnet die «Prawda» das Verhalten Otto Bauers als Doppelzünglertum, als Verteidigung der trotzkistischen Terroristen, und zwar aus den Gründen, weil er vorgibt,

293 Otto Bauer hatte gegen den Moskauer Prozeß in einem am 29. August veröffentlichten Artikel «Die Erschießungen in Moskau» protestiert. Nicht nur die Prawda, auch die «DZZ» fiel am 6. 9. 1936 mit dem Artikel «Reformistische Advokaten gemeiner Mörder» über Otto Bauer her. Auch in einem Artikel Georgi Dimitroffs werden die Invektiven gegen die Sozialistische Internationale veröffentlicht. Vergl. Georgi Dimitroff: *Gemeine Terroristen in Schutz nehmen, bedeutet, dem Faschismus helfen*, in: DZZ, 27. 8. 1936.

daß er für die Verteidigung der Sowjetunion bis zum letzten Blutstropfen ist. Weiter geht aus dem Verhalten der «Prawda» hervor, daß dieses Verhalten Bauers typisch ist, daß es nicht eine Erregung, eine Emotion, sondern ein Typus ist. Ich möchte verweisen auf die «Kinderkrankheiten», wo Lenin Otto Bauer, Friedrich Adler und Renaudel[294] als einzige mit Namen nennt und als Teilnehmer dieses Banditentums, weil sie sich verbinden mit den Bürgerlichen gegen die Arbeiterklasse. Ein drittes, sehr interessantes, ich möchte sagen lebenswichtiges Signal für mich war der bekannte Artikel von Gottwald «Kann man auf zwei Stühlen sitzen?»[295] Das ist der Aufruf in der «Kommunistischen Internationale». Hier sagt Gottwald folgendes: «Einen offenen feindseligen Standpunkt gegenüber der Sowjetunion nimmt Otto Bauer ein.» Dieser Artikel handelt darum, ob die Sowjetunion Terror braucht, ob diese Form der Gewalt in der fortgeschrittenen Sowjetunion notwendig ist. Das ist der Tonus. Eine typische Doppelzünglerei. Und er verlangt, daß man den Druck wegnimmt von den Massen – nicht weniger und nicht mehr, d. h. daß in der Sowjetunion die Diktatur des Proletariats abgebaut werden soll, weil sie eine Terrordiktatur darstellt. Diese Sache signalisiert Genosse Gottwald. Genosse Gottwald sagt im Schluß: «Ein ehrlicher Makler zwischen sozialistischer und kommunistischer Internationale kann solche Forderungen nicht stellen.»

Warum sage ich das alles? Und ich bitte, wenn ich meinen eigenen Fall anführe, so nur, weil er mir als typischer Fall erscheint und als Fall der Wachsamkeit. Ihr wißt, daß ich dieses Stück über Floridsdorf geschrieben habe. Dieses Stück ist ein schweres Stück. Es hat als Grundlage den Zweifrontenkampf der Arbeiter, den Kampf gegen den Austrofaschismus, die Heimwehr und Dollfuß. Auf der anderen Seite den ebenso wichtigen Kampf gegen Otto Bauer als Typus, nicht gegen Otto Bauer als Vorsitzender der SPÖ, wie er heute ist, und als Doppelzünglertypus. Ich habe in diesem Stück, das eine große Ökonomie erfordert, zwei Otto-Bauer-Szenen geschrieben. Dabei ist

294 Lenin nennt noch weitere Namen. Vgl. Wladimir I. Lenin: *Der «linke Radikalismus» – die Kinderkrankheit im Kommunismus*, in: ders., Werke, Bd. 30, Berlin 1959, S. 21–22. Auch in einer Eingabe an die Komintern verweist F. Wolf auf das «bekannte Banditengleichnis» Lenins, auf das er sich dann aber wiederum nicht berufen will.

295 Klement Gottwald: *Kann man zwischen zwei Stühlen sitzen?*, in: Kommunistische Internationale 1935, S. 1868–1873.

eine, wie die Schutzbündler von Otto Bauer eine Aufklärung verlangen. In dieser Szene arbeitet Otto Bauer mit den feinsten Mitteln, d. h., er sagt selbstverständlich den Arbeitern, ihr sollt angreifen, aber nicht im jetztigen Zeitpunkt. Und als der eine Arbeiter fragt, was sollen wir mit den Waffen machen, sagt er: Laßt sie liegen, verbergt sie nicht zu tief. In diesem Satz versuche ich das Doppelzünglertum Otto Bauers darzustellen. Jetzt kommt diese Szene mit den beiden Telefonen. Und jetzt kommen wir zur strittigen Szene, die ich anführe, um zu beweisen, wie schwierig die genaue Analyse der literarischen Probleme auch von der politischen Seite ist. Diese Szene, wie überhaupt die Otto-Bauer-Szenen, habe ich geschrieben, nachdem ich vier Abende und Nächte mit Ernst Fischer[296], seiner Frau und seinem Bruder zusammensaß. Ich besitze darüber ein Manuskript, das ein halbes Buch ist. So viel habe ich vollgeschrieben, um über die Figur Otto Bauer Bescheid zu wissen, den ich nicht kannte. Ich habe außerdem mit zwanzig Schutzbündlern gesprochen. Ich kann nicht sagen, wie viele Nächte ich mit ihnen zusammengesessen habe. Jedenfalls haben die Vorarbeiten ein halbes Jahr gedauert. Und alle haben bestätigt, dieses doppelzünglerische, dieses verlogene, dieses unwahrhafte Verhalten des hochbegabten Demagogen Otto Bauer. Aufgrund dieser konkreten Berichte habe ich die Szenen geschrieben. Jetzt kommt inzwischen das Problem der Einheitsfront. Und das ist ein sehr interessanter Fall. Es kam der VII. Weltkongreß, und das war für viele von uns Schriftstellern, für unsere Thematik, eine neue Sachlage. Es kam das Problem der Einheitsfront. Es wurde plötzlich von Ernst Fischer gesagt, diese Szene richte Empörung an, sie hat bereits Empörung angerichtet, es fragt sich nur, wo. Diese Szene, wo Otto Bauer als Doppelzüngler angesehen wird, muß unter allen Umständen gestrichen werden. Wir hatten im «Lux» sehr lange gesprochen. Ich hatte gesagt, ich bin bereit, diese Szene zu streichen. Ich habe damals Ernst Fischer folgendes gefragt, wenn diese Geschichte

296 **Ernst Fischer** (1899–1972), österr. Schriftsteller, linker Flügel der SPÖ, nach den Februarkämpfen 1934 KPÖ-Mitglied, ab 1934 in Moskau, KPÖ-Vertreter bei der Komintern, Redakteur der *Kommunistischen Internationale*, Moskauer Rundfunk, nach 1945 in Österreich Staatssekretär, Mitglied des Politbüros der KPÖ; nach Protest gegen den Einmarsch der Truppen des Warschauer Paktes in die CSSR 1969 Ausschluß aus der KPÖ.
Vgl. Ernst Fischer: *Erinnerungen und Reflexionen*, Reinbek 1969; Ruth von Mayenburg: *Blaues Blut und rote Fahnen*, Wien 1969.

mit diesen zwei Telefonen wirklich ein Kabarettspaß ist, so sehe ich ein, daß man diese Sache streichen muß. Darauf hat er gesagt, ja, sie ist nicht derart typisch, sie ist nicht bezeichnend für Otto Bauer. Jetzt muß ich dich historisch fragen, jetzt kommen wir auf die Frage, stimmt es, daß Otto Bauer von 1914 an jedes Jahr die Arbeiterschaft verraten hat? Die österreichischen Genossen und auch die deutschen, die österreichische Geschichte kennen, werden sagen können, welchen schamlosen Verrat er beging, es war nicht nur 1927/28, es fing an 1919, Jahr für Jahr, schon in dem Moment, wo sie bei der Ungarischen Revolution nicht losschlugen – und Ernst Fischer sagte mir, ja, du kannst die Szene nicht bringen, er ist kein Doppelzüngler, er irrt, aber er ist ein ehrlicher Mensch. Ich habe gesagt, Ernst, überlege die Tatsache, Otto Bauer ist kein Blödian, die Arbeiter kämpfen in Floridsdorf links, der Kampf ist im Gange, und in diesem Moment führt er Verhandlungen und schlägt vor, daß er selbst noch in einer Kommission mit der Regierung arbeite, und am anderen Telefon sagt er den Schutzbündlern, er sei auf ihrer Seite, sie sollen durchhalten. Das ist so ein ungeheuerlicher Verrat, daß man das als Judaskuß betrachten kann. Das ist ein historischer Verrat, wie wir ihn in der Geschichte sehr selten haben. Ich frage die deutschen Genossen, können wir, wenn wir schreiben über Deutschland, Noske weglassen, Severing, das Bielefelder Abkommen, können wir sie weglassen? Wir können es nicht. Das geht klar aus den Worten des Genossen Dimitroff hervor, also, ich habe gehandelt, und das ist politisch ungeheuer wichtig, wie mir ein gewisses literarisches Gefühl sagte, wenn diese Tatsache besteht, wenn die Arbeiterschaft im Kampfe steht, daß in diesem Moment Otto Bauer spricht von ...[297], das ist genau dasselbe, wenn Léon Blum[298] spricht von Neutralität. Ihr seht diese Wiederholung der Tatsachen, daß dieser Fall kein Zufall ist. Ich bin stolz darauf, daß ich diese Szene so geschrieben habe, daß ich sie für das Theater durchgefochten habe. Abgesehen von dem einen Stück wird «Floridsdorf» das erste politische Stück von den neuen Stücken sein, die hier gespielt werden sollen. Siehst du, Ottwalt, ich will nicht persönlich mit

297 Fehlendes Wort, sinngemäß zu ergänzen: Abbruch.

298 **Léon Blum** (1872–1950) Schriftsteller, führender franz. Sozialist, zwischen 1936 und 1938 Ministerpräsident der Volksfrontregierung; 1940 verhaftet und an Deutschland ausgeliefert, bis 1945 KZ-Haft; 1946/47 französischer Ministerpräsident.

dir polemisieren, du hast den Eindruck, daß es sich hier um eine grundsätzliche Frage handelt. Ich habe auf den Pieck eine Stinkwut[299] gehabt. Ich habe nicht gewußt, daß die «Prawda» diesen Leitartikel brachte, vielleicht äußerst du dich dazu, ob diese Szene eine typische Szene ist, eine Szene des Klassenverrats, des Doppelzünglertums, eine Szene, die genausogut jetzt Léon Blum passieren könnte. Wer gestern das deutsche Radio gehört hat, der hat gehört, wie gesagt wurde: Mit Freuden stellen wir fest, daß Blum sich von dem Einfluß der Komintern loszulösen beginnt, es war dort eine Abordnung der Kriegsbetriebe, die Sitzung wurde 40 Minuten unterbrochen, und der Sprecher sagt, daß Blum sich nicht aus seiner Rolle hat bringen lassen.

Ich möchte jetzt hier noch erklären. Ich hätte jetzt noch etwas selbstkritisch gesagt. Ich will jetzt kurz zu einer Sache kommen, weil Ernst Fischer damit beteiligt ist. Ich muß mit ihm sprechen, er hat mir geholfen, und zweitens weil ich glaube, daß er mit einem Irrtum befallen war. Es war eine Sitzung, als Predow hier war. Es wurde diskutiert über «Floridsdorf» und den «Wind»[300] von Anna Seghers. Ich habe es sehr bedauert, daß ich nicht da war, auch über den Ton hätte ich etwas zu sagen. Ottwalt nennt die Szene mit den zwei Telefonen einen Kabarettspaß, die Darstellung für ganz schlecht, für falsch, Otto Bauer ist als Hanswurst dargestellt, es geht da gemütlich zu. Ernst Fischer erklärte er mitschuldig an Floridsdorf, da er Wolf viel Anekdoten erzählt hat. Wenn das eine Anekdote ist, dann muß ich sie streichen,

299 In seinen Redebeiträgen auf dem VII. Weltkongreß der Kommunistischen Internationale und auf der «Brüsseler Konferenz» der KPD hatte Wilhelm Pieck 1935 die «ultralinke» Politik der KPD, vor allem die Verhinderung einer «Einheitsfront» mit der SPD, kritisiert. Dabei ist festzustellen, daß die bisher unveröffentlichten Wortprotokolle des VII. Weltkongresses an vielen Stellen mit den ab 1935 gedruckten Redetexten nicht übereinstimmen, wie erste Autopsien des Herausgebers im Komintern-Archiv ergaben. Der Hinweis von Friedrich Wolf auf den *Prawda*-Artikel und den Beitrag Gottwalds belegt zudem, daß intern – nahezu synchron zum stalinistischen Massenterror – die «Linie» wieder zum kaum revidierten, antisozialdemokratischen Kurs zurückkehrte. Wolf, der, wie er festhält, eine «Stinkwut» auf Piecks öffentliche Kurskorrektor hatte, liefert mit seiner Rede ebenso ein Beispiel für die seismographische Befindlichkeit jener Literatur, die nun wieder ihre parteiamtliche Legitimation durch offiziöse Artikel erfährt. Durch die von Wolf ins Feld geführte Rückendeckung der *Prawda* hat sich über Nacht seine Stigmatisierung und Selbststilisierung als vielbeschäftigter, belächelter Außenseiter erledigt.

300 Gemeint ist wahrscheinlich Anna Seghers: *Der Weg durch den Februar*, Paris (Ed. du Carrefours) und Moskau (VEEGAR) 1935.

wenn es die historische Anekdote des von Berlin ist, wenn es solche Stellen sind, die typisch sind, dann sind es keine Anekdoten. Fischer erklärte das als Anatom, er habe nicht genug mit mir zusammengearbeitet, es sei noch nicht die Form gefunden, eine Geschichte der Februarkämpfe zu schreiben, und der Inhalt, die Problemstellung der österreichischen Februarkämpfe ist, wie wird eine revolutionäre Masse verhindert. Wenn er darunter versteht: verhindert anzugreifen. Diese bekannte Sache, was Engels sagt. Wir schrieben, daß die Defensive der Tod des revolutionären Kampfes ist. Vielleicht meint er dieses Problem von Führer und Masse. Dann hat Brügel[301] zwei Schriftstellerkategorien angeführt. Er findet, daß gerade die deutschen Schriftsteller zu sehr Bürger sind, zu parteipolitisch und daß Jessenin und Blok[302] das Gegenstück sind. Dazu braucht man nichts weiter zu sagen.

Ich möchte folgende zwei Grundprobleme für Otto Bauer zugrunde legen, und zwar zur Frage der Wachsamkeit. Es ist kein Zufall, daß die «Prawda» sagt, es ist nicht das erste Mal, sondern fortlaufend war er der Gegner der Sowjetunion. Und es ist kein Zufall, daß die «Prawda» Otto Bauer einen Doppelzüngler nennt, also einen der schwersten Tadel, den man einem Menschen in der Sowjetunion gegenwärtig machen kann. Diese sinnfällige Handlung in alten Dramen hat man so und so gemacht.

Gen. **Ottwalt**:
Shakespeare hat Menschen dargestellt.

Gen. **Wolf**:
Ich lade dich ein, wir werden das sehen im November. Es soll zu den Oktoberfeierlichkeiten gespielt werden. Ein absolutes Urteil in der Kritik des Geschmacks gibt es nicht. Ich habe bereits berühmte Fehlurteile angeführt. Wir sprechen von dem politischen Verhalten. Ist es ein zufälliges oder ein typisches? Davon hängt es ab, ob die Szene anekdotisch ist oder zufällig, kann man diese Szene bringen oder nicht?

301 **Fritz Brügel** (1897–1955), österr. Publizist, nach Februarkämpfen CSR, 1936 Moskau, 1938 nach Frankreich.
302 Im Typoskript: Bloch, gemeint sind aber **Alexandr Blok** (1880–1921) und **Sergej Jessenin** (1895–1925).

Gen. **Ottwalt**:
Darum ging es in der Diskussion. Weil die Szene nicht gestaltet ist, habe ich gesagt, es ist ein Kabarettspaß.

Gen. **Wolf**:
Jedenfalls hat damals Fischer das Wort anekdotenhaft geäußert, und das ist für mich sehr wichtig. Die zweite Frage ist für mich, daß die künstlerische, schöpferische Arbeit nicht von der politischen zu trennen ist. Also, wenn ich hier die Otto-Bauer-Szene weglasse, so begehe ich meiner Meinung nach einen politischen Fehler, weil ich den Hauptgegenspieler, Otto Bauer selbst, den Opportunisten versöhnlerisch beiseite lasse. Ich muß den Fall Otto Bauer trotz der Einheitsfront in seiner ganzen Schärfe aufrollen. Für die deutschen Genossen wird dieses Problem kommen in der Frage Severing und Noske. Nach dem VII. Kongreß war bei uns z. T. in der Frage der Einheitsfront eine Unorientiertheit. Man war nicht klar, darf man etwas gegen die Sozialdemokratie sagen, obwohl Genosse Dimitroff sehr klar ausgeführt hat, daß Einheitsfront eine prinzipielle und keine opportunistische Frage ist. Ich glaube, in der Frage Otto Bauer ist diese Frage behoben, und ich denke, in den deutschen Themen wird sie auch bald behoben sein.

Noch zur Frage der Selbstkritik. Der gestrige Abend war eigentlich ein sehr heiterer Abend. Aber wir waren alle sehr müde, und ich bin deshalb nicht beleidigt. Ich habe infolgedessen sehr kurz zu mir selbst gesprochen. Selbstkritisch habe ich zugegeben den Fehler mit dem Brief an Gles. Ich hätte viel mehr sprechen sollen über Isolierung und daß wir keinen Kontakt miteinander haben und meiner Wachsamkeit gegenüber Schellenberg einfach der materielle Boden fehlte. Ich konnte nicht genügend beobachten, wobei mir einfällt, daß er zu mir kam wegen einer Kartothekkarte, die auszufüllen war. Selbstkritisch möchte ich sagen, daß ich versäumt habe, an den sehr interessanten Arbeitsgemeinschaften teilzunehmen. An den Schulungskursen und Politkursen habe ich teilgenommen, soweit ich hier war. Ich vermisse trotzdem eine gründliche politische Schulung. Wir haben natürlich über Parteigeschichte gesprochen. Ich kenne die wesentlichsten Leninbände: «Empiriokritizismus», das Jahr 1920, das Jahr 1905[303].

303 Friedrich Wolf benutzte offensichtlich die deutsche Ausgabe Sämtlicher Werke Lenins, die vom Marx-Engels-Lenin-Institut nach der zweiten russischen Ausgabe herausgegeben wurde.

Speziell bei dem Stück «Floridsdorf» beschäftigte ich mich mit Strategie und Taktik, besonders mit dem Dezemberaufstand in Moskau. Aber im großen und ganzen fehlt mir eine wirklich marxistische Schulung. Für uns ist das Problem ein Zeitproblem. Aber das ist keine Entschuldigung, kein objektiver Grund. Ich will sagen, daß ich ernsthaft vorhabe, diese Bresche zu liquidieren, weil ich mir ernsthaft vorgenommen habe, ein halbes Jahr möglichst wenig zu schreiben. Weiter habe ich ernsthaft vor, daß ich wirklich etwas besser Russisch lerne. Denn ohne Kenntnis der russischen Sprache ist eine Bekanntschaft mit den hiesigen Massen und den auftauchenden Problemen der Sowjetunion einfach nicht möglich. Daß wir uns bloß auf die Deutschen an der Wolga und in der Ukraine[304] beschränken, ist ein Unding. Diese Hauptbresche möchte ich im kommenden Winter liquidieren.

Ich komme zum Fall Schmückle, den ich x-mal traf, der aber nicht persönlich bei mir war. Ich habe nicht den leisesten Verdacht irgendeiner Verräterei gehabt. Hatte ich einen Zusammenstoß, so war das Bredels und mein Referat auf dem ersten Schriftstellerkongreß[305]. Da hat Radek eine Rede gehalten, die wir alle für alle für oberflächlich hielten. Ich habe Radek gefragt, ob er außer den deutschen antifaschistischen Schriftstellern Marchwitza, Grünberg, Kläber nicht auch Renn, Kisch und Bredel kennt. Er erklärte, daß er sie nicht kenne, und sagte – das weiß ich genau –, muß man die kennen? Da konnte man mit ihm natürlich nicht weiter sprechen. Daraufhin war zwischen uns ein Gespräch, und Bredel und ich haben am selben Vormittag die Substanzlosigkeit des Radekschen Vortrages angegriffen. Gen. Bredel hat ihn noch schärfer angegriffen als ich. Meine Forderung bestand darin, das war, was Wischnewski mit Donnerstimme in den Saal schrie, eine Unterstützung der deutschen proletarischen Schriftstellergruppe ist eine Unterstützung des deutschen Proletariats. Schmückle stürzte sich auf mich mit der Erklärung, du bist vollkommen wahnsinnig. Er hat mir beweisen wollen, daß das falsch ist.

304 Vgl. Meir Buchsweiler: *Volksdeutsche in der Ukraine am Vorabend und Beginn des zweiten Weltkriegs – ein Fall doppelter Loyalität?*, Gerlingen 1984 (= Schriftenreihe des Instituts für Deutsche Geschichte, Tel Aviv, Bd. 7).

305 Vgl. die Reden Radeks, Wolfs und Bredels in: *Sozialistische Realismuskonzeption. Dokumente zum 1. Allunionskongreß der Sowjetschriftsteller*, hrsg. von H. J. Schmit u. G. Schramm, Frankfurt a. M. 1974.

Das ist eigentlich mein einziger persönlicher Zusammenstoß mit Schmückle. Vorerst ist das alles. Ich glaube, ihr werdet noch Fragen stellen.

Gen. **Barta**:
Wer hat an die Genossen Ottwalt und Wolf Fragen zu stellen?

Es werden Fragen gestellt an die Genossen Ottwalt und Wolf.

Gen. **Huppert**:
Ich wollte schon gestern in meiner Rede eine Sache berühren, die ich vergessen habe. Es handelt sich um ein Gespräch mit Ottwalt in der Redaktion der «DZZ», geführt voriges Jahr, jedenfalls nicht lange nach der Ankunft ⟨Ottwalts⟩ aus Prag, als er häufig in der «DZZ» weilte. Dieses Gespräch hat sich mir so eingeprägt, es hat in mir einen sehr unangenehmen Eindruck hinterlassen durch die Eigenart dieses Gesprächs. Genosse Ottwalt sagte mir, er hätte unter vier Augen mit mir zu sprechen. Interessiert, was er mir zu berichten hätte, ging ich mit ihm. Das Gespräch dauerte nicht lange und bestand in folgender Mitteilung: Was hast du, Huppert, mit Becher gehabt? Ich: gar nichts, wir haben mehr oder minder kameradschaftliche Beziehungen. Ja, wie kommt es, daß Genosse Becher auf seiner Durchreise durch Prag in der Redaktion der «Neuen Deutschen Blätter» in Anwesenheit von Herzfelde und L... über dich so abfällig geäußert hat, daß es fast einem guten Rat gleichkam, mit Huppert nichts mehr zu tun zu haben als Autor.[306] Ich glaube, daß das vielleicht übertrieben ist, aber die Mitteilung von Ottwalt veranlaßte mich, ihm zu erzählen, ja, das ist möglich, wir hatten mit Becher Zusammenstöße, ganz persönlicher, nicht tiefergehender Natur, es handelte sich um die Frage Schmückle. Es wundert mich, daß Becher imstande war, hinter meinem Rücken in einer so unstatthaften Weise sich dahingehend zu äußern, daß ich nicht zu drucken sei, daß man mit mir nichts zu tun haben sollte. Damit schloß das Gespräch, und ich habe es nicht vergessen, weil es auf mir einen sehr schweren Druck hinterließ. Ich kam erst sehr spät dazu, Becher zu stellen, um ihn zu fragen, wie war das und warum. Er hat mir erklärt, daß das den Tatsachen nicht ent-

306 Über seine jahrzehntelange Animosität gegen Becher geben Briefe Hupperts (1936 und 1956) an Willi Bredel ebenso detaillierte Auskunft wie auch Hupperts Tagebücher, seine veröffentlichte Autobiographie «Wanduhr mit Vordergrund» und die Skizze «Schattenriß auf Kalkgrund».

spricht, welches Interesse könnte Ottwalt gehabt haben, mich in dieser durchaus unbegreiflichen Art auseinanderzubringen. Kein Mensch hätte sich anders verhalten, als eine Wut zu haben. Wenn es wahr ist, dann müßte jetzt die Gelegenheit sein, diese Angelegenheit zu klären. Ich halte sie nicht für einen gewöhnlichen Stunk.

Gen. **Regler**:
Ich habe festgestellt, daß tatsächlich zum Teil die Dinge ungeheuer scharf gestellt werden. Natürlich kommt es in schwierigen politischen Situationen vor, daß sie nach 2 Jahren noch die Atmosphäre nicht klären können und die Situation stören. Weil ich leider weggehen muß[307], weil ich sagen möchte, daß gerade wir den westlichen Genossen erzählen können, wieviel ich profitiert habe, und Genossen, deshalb will ich sagen, daß das Niveau gewahrt bleibt.

Gen. **Huppert**:
Ich muß offen sagen, daß mir diese Fragestellung unverständlich ist. Ich glaube, daß das zu den politischen Mitteln, die Arbeit zu stören, auch das gehört, daß man zwischen aktiven Genossen Unfrieden sät. Um das ein für allemal unmöglich zu machen, müssen solche Dinge ausgesprochen und auch geklärt werden. Ich halte das für eine prinzipielle Frage.

Gen. **Ottwalt**:
Ich erinnere mich an dieses Gespräch in der Tat. Er hat es etwas anders dargestellt, und vor allem will ich sagen, wenn Genosse Huppert sagt, welches Interesse hat Ottwalt daran, Unfrieden zu säen zwischen aktiv arbeitenden Genossen, dann finde ich das eigenartig. Ich habe Huppert gefragt, warum er in der «Internationalen Literatur» so selten arbeite, warum ich seine Gedichte in der «Internationalen Literatur» nicht mehr lese. Er gab mir eine ausweichende Antwort. Dann fragte ich ihn, hast du was mit Becher gehabt, ich kann mich an den Wortlaut nicht mehr erinnern. Als Huppert das verneinte, habe ich ihm davon Mitteilung gemacht: Ich erinnere mich, daß Becher schlecht gesprochen habe von dir, daß Becher in der Redaktion der «Neuen Deutschen Blätter» gezögert habe, um die Karelische Rhap-

307 Gustav Regler beschreibt in seinen Erinnerungen die nächtlichen Sitzungen aus anderer Perspektive. Vgl. Gustav Regler: *Das Ohr des Malchus*, Köln 1958, S. 347 (zitiert in der Einleitung zu diesem Band).

sodie des Genossen Huppert abzudrucken. Ich habe sie gegen Herzfelde durchsetzen müssen. Ich sehe mich außerstande, auf die Frage weiter zu antworten. Es war eine Information für mich. Er sagte sehr richtig, es hat sich vor 2 Jahren abgespielt, und es wäre besser gewesen, wir hätten das vor 2 Jahren besprochen. – Irgendwie in der Art, daß Becher in Prag gesagt hat, man solle Huppert nicht drucken, das ist völlig ausgeschlossen, und auch, daß ich mir derartiges aus den Fingern gesogen hatte.

Gen. **Becher**:

Ich schäme mich, mich dagegen verteidigen zu müssen. Es ist vollkommen ausgeschlossen, daß ich Anweisung gegeben habe – weder in Prag noch in Paris –, Huppert nicht zu drucken. Und mich wundert es auch, daß solche Dinge so lange herumgeschleppt werden, und du machst Günther den Vorwurf, daß er die Sache in die Parteizelle getragen hat, und jetzt trägst du, Huppert, als mein engster Mitarbeiter, die Sache bis vorgestern seit zwei Jahren mit dir herum, ohne zu uns zu kommen und zu sagen, Becher, Ottwalt, was ist da losgewesen.

Gen. **Barta**:

Wir nehmen die Sache zur Kenntnis. Eine Diskussion ist nicht notwendig. Wer hat noch eine andere Frage?

Gen. **Günther**:

Ich habe den Eindruck gehabt, daß Genosse Ottwalt in seinem Bericht ein bißchen zu kurz gesprochen hat, was er von Heinrich[308] weiß, über seine Begegnung mit Heinrich. Das eine persönliche Gespräch weiß ich, über das er viel ausführlicher sprechen kann. Ich glaube, daß es gut wäre, wenn er darüber ausführlicher sprechen würde und die Dinge, die er mir gesagt hat, auch hier vorträgt, z. B. die Begegnung Heinrichs mit Annenkowa, bei der du dabei warst.

Gen. **Bredel**:

Eine Frage vorerst: Und zwar hat mir Ernst[309] vor einigen Wochen oder Monaten erzählt, daß er auch einige Begegnungen mit dem Genossen Neumann[310] hatte und Gespräche über Literatur. Es wäre wichtig, wenn er auch darüber etwas sagen würde.

308 Heinrich Süßkind.

309 Ernst Ottwalt.

310 **Heinz Neumann**, bereits im «Lux» isoliert, schreibt anonyme Beiträge für *Redisdat*, ein von Otto Winzer geleitetes Literatur- und Übersetzungsbüro, über

Gen. **Dornberger**:
Ich habe noch eine Frage: Vor einigen Wochen waren hier eine Menge Adressen, die Gen. Ottwalt hatte und die er sehr verspätet abgegeben hat. Zwischen Gen. Becher und einer Redaktion waren große Telefonate wegen dieser Adressen. Genosse Ottwalt hat dann die Adressen gebracht, aber es war etwas unklar. Vielleicht kann Genosse Ottwalt sagen, wo die Adressen gewesen sind.

Gen. **Weinert**:
Gen. Ottwalt hat von der sogenannten Produktionskrise gesprochen. Ich entsinne mich, daß auf einer Sitzung einer der wesentlichen Faktoren der sogenannten Produktionskrise die absolut ungesunde und verwesende Atmosphäre ist, in der wir unsere Arbeit leisten. Genosse Ottwalt hat in seinem Bericht über diese Atmosphäre nichts gesagt. Es wäre wichtig, wenn er sagt, worin er die Gründe der Atmosphäre sieht, in der wir leben.

Gen. **Bredel**:
Ich habe noch eine Frage: Obgleich ich einiges weiß, weiß ich es ungenau. Zwischen ihm und der «DZZ» besteht seit Monaten ein Kriegszustand. Ich möchte wissen, was vorgeht, was die Grundlage dieses Kriegszustandes ist und wie man zu einem vernünftigen Ende dieses Kriegszustandes kommen kann.

Gen. **Fabri**:
Ich wollte eigentlich später im Zusammenhang mit meinen Ausführungen Fragen aufwerfen. Aber ich bin gezwungen, das schon jetzt zu tun. Und zwar sprach Genosse Huppert zu der politischen Methode des persönlichen Stunks. Hier gibt es eine ganze Reihe von bestimmten Fällen, wo Ottwalt aufklären soll, inwieweit es persönlicher Stunk ist oder politische Taktik, Unfrieden zwischen einzelne Genossen zu säen, indem er einerseits Sachen aufbauscht oder Dinge einfach erfindet. Ich werde Dinge anbringen, und zwar, daß persönlicher Stunk durch Unwahrheiten und Erfindungen gemacht wird. Genosse Bredel sagte mir eines Tages: «Was hast du gemacht?» Hans Günther schreibt einen Artikel über den «Kämpfer», und den einzig positiven Satz über Leschnitzer hast du, ohne Günther zu fragen, gestrichen.

dessen Tätigkeit ebenso wie über viele andere Moskauer «Instanzen» und Büros bisher noch kaum etwas bekannt ist.

Das kann ich nicht glauben, sage ich, denn ich kenne Günther als ehrlichen Menschen. Ich brachte den Artikel nicht, weil Günther nicht in Moskau war, wartete, bis Günther kommt, und als er hier war, sagte ich ihm, hier hast du die Borschüre über Weerth[311], und zeigte ihm sieben bis acht Fehler. Günter sagte, der Satz ist nicht aufrechtzuerhalten, und hat ihn gestrichen. Darauf ging Günther zu Ottwalt, und Ottwalt behauptet dann gegenüber Bredel, das nie erzählt zu haben. Das ist ein Fall, um einzelne Leute von hinten politisch zu diskreditieren.

Die zweite Sache:

Genosse Becher kommt mit der ersten Nummer «Das Wort» und sagt, wenn ich «Das Wort» vor mir habe, weiß ich beiläufig, wie die nächsten acht Nummern aussehen werden, was ich von den kommenden Nummern der «Internationalen Literatur» nicht sagen kann, weil ich vor Überraschungen nicht gefeit bin. Damit geht Ottwalt zu Bredel und sagt, daß Becher erklärt habe, man könne sich vorstellen, wie die nächsten Nummern aussehen werden, nur, um Stunk zwischen Bredel und Becher zu machen.

Ein anderer Vorfall: In Moskau sind die Redakteure der wolgadeutschen Zeitungen und Zeitschriften, gute Genossen, manche primitiv. Sie kommen nach Moskau, um zu lernen, und sind glücklich, wenn sie Leute wie Weinert, Becher und Bredel sehen. Nun kommt die Zusammenkunft der Verlagsgenossenschaft ausländischer Arbeiter. Es ist nur Ottwalt anwesend. Er steht auf und beginnt zu sprechen. Ja, Genossen, es ist sehr traurig, daß von den Moskauer Schriftstellern außer mir es niemand für wert gehalten hat, herzukommen. Dabei war Bredel auf der Datsche und hatte die Einladung zu spät bekommen. Anderen ging es ähnlich. Also eine Sache des persönlichen Stunks.

Nun, Genossen, noch eine Sache. Es gab eine sehr unerquickliche Szene, wahrlich nicht durch mich verschuldet. Durch ein Mißverständnis wurden eine Reihe von Genossen verständigt, zum Empfang[312] der Flieger, der Genossen Tschkalow usw. zu kommen. Ich habe niemand eingeladen. Ich habe versucht, den Genossen zu erklären, warum sie nicht in den Saal kommen könnten. Auf einmal sagt

311 Franz Leschnitzer (Hrsg.): *Georg Weerth. Gedichte*, Engels 1935.

312 Die Teilnahme an staatlichen Empfängen signalisierte auch die Stellung in der offiziellen Nomenklatur.

Genosse Ottwalt, tu deine dreckigen Pfoten weg. Ottwalt sagt, ich hätte ihn bei der Brust gepackt. Alle wissen, daß das nicht der Fall ist. Ich habe noch nie jemand an der Brust gepackt, ich denke nicht daran. Ich fragte: «Willst du das politisch auswerten?» Worauf Ottwalt zurückgab: «Nein, Fabri wäscht sich nicht die Hände.» Wenn ich mich heute auf dieses niedrige Niveau begeben würde, könnte ich sagen, er sei ein hoffnungsloser Alkoholiker. Ich sage das nicht, weil ich mich nicht auf dieses Niveau herabbegeben will. Jetzt kommen die Genossen und sind erschrocken, wenn ich so etwas sage. Keiner der Genossen hat das verstanden, und das ist das Gemeine an der Sache mit diesen niederträchtigen Dingen, a) den Genossen politisch zu diskreditieren, b) die Institution und die Partei zu diskreditieren, in denen diese Menschen in einer bestimmten Richtung zu Exponenten gemacht werden. Das ist die systematische Art, die ich an einer Reihe von Beispielen noch belegen kann. Genosse Ottwalt kommt von Charkow, wo er mit dem Genossen Barta und Genossen Weinert war, und sagt: Es ist eine Schweinerei, diesem Gles muß man das Handwerk legen, so ein Hallodri. Jedenfalls, er spuckt in den höchsten Tönen.

Dann ist die Sitzung mit Leschnitzer. Als die Leschnitzer-Sitzung vorbei war, kommen eine Reihe Genossen und sagen, den Leschnitzer hättet ihr nicht angreifen sollen, aber den Gles, der hat's verdient, zu diesen gehört in erster Linie Ottwalt. Schon als Gles angegriffen wird, nutzt er die Gelegenheit aus, um der Mann zu sein, der die ganze Angelegenheit groß aufzieht und aufbauscht. Wir haben Ottwalt in der Sitzung gehört und wie er hier in der Sitzung zu seinem früheren Standpunkt steht. Wir haben weiter gehört, wie Ernst Ottwalt eine Szene dargestellt bekommt, wie Schellenberg zu ihm kam. Er hätte hier erzählen müssen, daß er mir persönlich schwere Vorwürfe gemacht hat, weil ich Schellenberg nicht gedruckt habe und den Wolf Weiss[313]. Es hat zum Beispiel, Genossen, Herr Ottwalt vergessen, daß er sich bei mir für Gábor eingesetzt hat, wie ich feststellen muß, denn

313 **Wolfgang Weiss**, geb. 1910, KPD-Mitglied, zur Arbeit als Traktorist in die Sowjetunion, Journalist, Rundfunksprecher bei Radio Moskau, bereits am 17. Mai 1935 verhaftet, angeklagt der «Spionage» und der «Verbindung mit Trotzkisten»; ausgewiesen am 21. Oktober 1935, Emigration in die Tschechoslowakei. 1938 setzte sich Trotzki für das Erscheinen seiner Autobiographie «Ich gestehe» ein. Auszüge publizierte Robert Bekgran 1938 in der in New York erscheinenden anarchistischen Zeitschrift *Gegen den Strom*.

Gábor hat, so wie ich gehört habe, sich immer beschränkt gehabt, ein Literaturberater für Schellenberg zu sein, während Ottwalt aktiv eingetreten ist. Schellenberg hat viel auf ihn gegeben, er ist nie an mich herangetreten, er hat sich niemals aktiv eingesetzt, Schellenberg zu drucken, er hat literarisch mit ihm gearbeitet. Ottwalt hat das getan, selbstverständlich für Schellenberg wie für Helmut Weiss[314]. Einmal bist du gekommen, du hast immer ganz speziell auf Schellenberg hingewiesen, entweder war dann Ottwalt nicht ehrlich zu Schellenberg gewesen, oder er war nicht ehrlich zu mir, weil ich Schellenberg nicht drucke, in einem der beiden Fälle war Ottwalt unehrlich. Dann, Genossen, noch eine Frage. Ich kenne nicht die politische Vergangenheit der Maria Osten, aber in seiner Rede hat Ottwalt wiederholt gesprochen, daß Osten verkehrt hätte in dem Versöhnlersalon von Heartfield. Wie ist die Geschichte, was wollte Ottwalt damit sagen? Wollte er, Genossen, uns gegenüber feststellen und signalisieren, daß Osten in Verbindung gestanden hat mit den Versöhnlern? Dann ist es die verdammte Pflicht und Schuldigkeit, das hier zu sagen. Oder will er andeuten, daß er in zufälligem Zusammenhang gestanden ist mit diesen Versöhnlern, dann ist es erst recht zu wenig, was er sagt. Ich mache Ottwalt nicht den Vorwurf, daß er nicht alle Leute nennt, mit denen er in Verbindung gestanden ist. Wir wissen, daß er von Prag mit der Mühsam[315] bekannt war, mit der Carola Neher[316]. Er spricht kein

314 **Helmut Weiss**, geb. 1913, KPD-Mitglied. Agitpropgruppe, bis 1933 zahlreiche Beiträge für die KPD-Presse und in der *Linkskurve*, 1934 Emigration in die Sowjetunion, Beiträge in *Zwei Welten*, *Der Sturmschritt*, *Der Gegenangriff*. 1937 erschien noch ein Erzählungsband «Heer im Dunkeln». Lebte nach 1945 in Estland als Musiker.

315 **Kreszentia (Zensl) Mühsam**, geb. 1884, Ehefrau des Anarchisten Erich Mühsam, der im KZ Oranienburg ermordet wurde, emigrierte nach Prag, dann Moskau; wurde im April 1936 verhaftet; nach internationalen Protesten freigelassen, im Haus der MORP in Quarantäne, 1937 erneut verhaftet. Sie blieb bis nach Stalins Tod (1953) in sowjetischen Gefängnissen, durfte dann in die DDR ausreisen, wo sie am 10.3.1962 in Berlin verstarb. Vgl. Rudolf Rocker: *Der Leidensweg von Zensl Mühsam*, Frankfurt/a.M. 1949.

316 **Carola Neher**, geb. 2.12.1905, Schauspielerin, Engagements am Deutschen Theater in Berlin und am Wiener Burgtheater, spielte in vielen Brecht-Stücken wie z.B. der «Dreigroschenoper»; wahrscheinlich Mitglied der RGO-Sparte Theater, seit 1933 befreundet mit dem rumänischen Ingenieur und KPD-Mitglied Anatol Becker. Im November 1932 Gastspiel in Wien; da polizeilich gesucht und von Kollegen als Kommunistin denunziert, Emigration über Prag in die Sowjetunion, Schauspielunterricht für das von Wangenheim geleitete «Deutsche Theater Ko-

Wort davon, daß er mit diesen Leuten zusammen war, spricht aber 5- bis 6mal oder 2- bis 3mal von Maria Osten. Es ist die absolute Offenheit, die die Zelle verlangen muß von den Leuten, die ihr angehören. Darüber soll sich der Genosse Ottwalt äußern.[317]

Gen. **Wangenheim**:
Ich habe eine Frage, die in ähnlicher Richtung geht, obwohl sie nicht so spannungsgeladen ist, was ich für sehr wichtig für die ganze Sache halte. Ich stehe mit Ottwalt sehr gut, obwohl er eine solche Sache hat, die mich sehr gewundert hat, ich habe die Sache einschlafen lassen, das war das gesündeste. Ich will damit sagen, wenn wir solche Dinge alle herausholen wollten, solche Sachen kommen unter Künstlern vor und ich glaube, auch unter Politikern. Bei mir war die Sache so, daß Bredel zu mir gekommen ist und gesagt hat, hör mal, du hast dich schweinemäßig benommen gegen einen Genossen, der im Konzentrationslager war, das hat mir Ottwalt gesagt. Das war gegen Mansfeld[318], den ich angegriffen habe. Das war für mich schmerzhaft, daß ein Mensch wie Bredel, vor dem ich Respekt habe, mir das sagt. Ich hätte das nicht angeführt, aber deshalb, um zu zeigen, daß die Praxis bewiesen hat, daß es meiner Ansicht nach ein Fehler von Ottwalt ist, daß er seine Zunge so sehr gehenläßt. Ich habe daraus keine persönliche Geschichte gemacht. Ich glaube, daß wir ein bißchen so handeln

lonne Links» in Moskau, wenige Auftritte z. B. bei Brecht/Weill-Abenden; bei der «Überprüfung» ihres Antrages für den Eintritt in die KPdSU wird im März 1936 durch die «Kaderabteilung» ihre Mitgliedschaft in der KPD bezweifelt. Die «Untersuchung» führt zu ihrer Verhaftung am 25. Juli August 1936. Sie wird ebenso wie ihr Mann Anatol Becker als «trotzkistische Agentin» beschuldigt, nachdem von Wangenheim während der «Reinigung» und beim NKWD entsprechende «Aussagen» gemacht wurden (vgl. Dok. Nr. 6). Am 16. 7. 1937 wird sie durch das MKOG zu zehn Jahren Haft verurteilt. Nach der Haft in den Moskauer Gefängnissen Lubjanka und Butyrka und im Gefangenenlager Kasan stirbt sie am 26. Juni 1942 an Typhus im Lager Sol-Ilezk bei Orjol (Orenburg). Ihr Mann Anatol Becker wurde bereits im April 1936 verhaftet und 1937 erschossen. Ihr 1934 geborener Sohn Georg Becker wuchs in einem sowjetischen Kinderheim auf, ohne anfangs das Schicksal seiner Eltern zu kennen. Vgl. Claus Leggewie: *Nachgetragenes Mitleid*, Göttingen 1991.

317 Fabri nutzt hier die Logik des wechselseitigen Verdachtes, um seinen Intimfeind Ottwalt anzuprangern.

318 **Ernst Mansfeld**, geb. 1908, 1928 KPD-Mitglied, 1933 Emigration in die Sowjetunion, Mitarbeit bei Meschrabpom, verhaftet und verurteilt vor September 1936.

müssen. Ich will nur fragen, ob du dies gesagt hast. Ferner möchte ich die Frage stellen: Du kennst die Neher, du kennst die Mühsam, wir haben uns dort getroffen, kennst du Wollenberg[319], ist das eine zufällige Bemerkung von Piscator über Dorice[320], wie weit kennst du Neher aus deinen Beziehungen, aus dem Kreis von Brecht, die Beziehungen von Brecht zu Herz...[321] usw., usw. Was ist dir davon bekannt?

Gen. **Becher**:
Ich möchte eine Frage an Gen. Ottwalt stellen. Ich glaube, daß ich eine Frage (habe), die, weil sie über den Kreis der Parteigenossen hinausgeht, nicht ganz unwichtig ist. Es handelt sich um folgendes: Die Lilli Dammert, die enge Freundin von Feuchtwanger, sagte, was ist los zwischen dir und Maria Osten? Maria hat in Anwesenheit von Busch[322] in den ungeheuerlichsten Tönen über dich geschimpft. Da mir bekannt ist, daß du Parteigenosse bist, geht das doch eigentlich nicht. Ich habe Ottwalt gebeten, da er die Genossin Maria Osten kennt und sie mit mir nicht so gut steht, ihr mitzuteilen, daß es nicht zweckmäßig ist, vor Parteilosen so etwas zu sagen, besonders wenn diese nur acht Tage hier sind durch Intourist. Sie solle ihre Antipathien nicht so kraß äußern. Darauf erfolgte etwas, was sehr merkwürdig ist. Lilli wurde von Busch abgerufen, sie möchte sich vorsich-

319 **Erich Wollenberg** (1892–1973), führende Teilnahme an der Münchner Räterepublik 1919, Tätigkeit im illegalen Militär-Apparat der KPD, 1924 Militärschule und Bataillonskommandeur in Moskau, militärischer Leiter des illegalen RFB in Deutschland, Verfasser eines Memorandums gegen Walter Ulbricht, nach Moskau abgeschoben, durch die IKK der Komintern aus der KPD ausgeschlossen; 1934 Flucht aus der Sowjetunion nach Prag. Als «trotzkistischer Gestapo-Agent» vom «Apparat» verfolgt, nach 1945 Publizist.

320 Gemeint ist evtl. Jacques Doriot.

321 Zu ergänzen: Herzfelde. **Wieland Herzfelde** (1896–1988), Leiter des Malik- und des Faust-Verlages, Herausgeber der Zeitschrift *Neue deutsche Blätter*.

322 **Ernst Busch** (1900–1980), Schauspieler, «Barrikadentauber», seit 4. 10. 1935 in Moskau, zahlreiche Radiosendungen und Liederabende, Schauspieler in Wangenheims «Der Kämpfer», Anfang 1937 nach Spanien zusammen mit Maria Osten, Internationale Brigaden. Da er weder ein amerikanisches noch ein sowjetisches Visum erhielt, wurde er 1940 in Frankreich verhaftet und interniert, 1943 an die Gestapo ausgeliefert; Zuchthaus Brandenburg bis 1945, danach «Deutsches Theater» in Berlin und «Berliner Ensemble»; während der «Formalismuskampagne» in der DDR seit 1951 angegriffen, jahrelanges Sendeverbot, erst nach 1956 mit Orden dekoriert. Vgl. Ludwig Hoffmann/Karl Siebig: *Ernst Busch. Eine Biographie in Texten/Bildern und Dokumenten*, Berlin 1989.

tig gegenüber mir benehmen, da daraus Unannehmlichkeiten kommen könnten. Ich war deprimiert, redete ihr das aber aus. Ich wollte Gen. Ottwalt fragen, was hast du ihr gesagt, daß diese merkwürdige Reaktion erfolgt ist?

Gen. **Ottwalt**:
Ich möchte zunächst zu dem kommen, was Genosse Fabri gesagt hat. Ich möchte völlig umpolemisch, nicht im Tone eines Untersuchungsrichters, sondern so ruhig wie möglich antworten. Ich möchte eingangs darauf hinweisen, daß es mir richtig zu sein scheint, was Genosse Regler mit seinem Zwischenruf gesagt hat. Es überrascht mich, daß gewisse Formulierungen der Genossen Huppert und Fabri aufkommen, daß ich persönlichen Stunk aufbringe, Interesse daran hätte, Unfrieden zwischen den Kommunisten zu säen. Ich habe mit dem Genossen Fabri schwere politische Differenzen. Ich habe über diese meine Differenzen niemanden im unklaren gelassen, am allerwenigsten den Genossen Fabri. Wenn sich Genosse Fabri erinnert, wird er bestätigen können, um was es sich handelt. Ich habe dem Genossen Fabri gegenüber den Vorwurf erhoben, daß er die Wachsamkeit falsch auffaßt. Ich habe gesagt, daß die äußerste, schärfste Wachsamkeit diese notwendige Vorbedingung jeder Literatur- und Kaderpolitik ist, daß aber nur die Ausübung einer Wachsamkeit noch keine Literatur- und noch keine Kaderpolitik ist. Ich habe gesagt, die Aufgabe, nur wachsam und nichts als wachsam zu sein, hat das Volkskommissariat für Innere Angelegenheiten und nicht die Feuilleton-Redaktion der «DZZ». Ich habe Genossen Fabri nach der Rückkehr aus der Ukraine gesagt, nicht nur, es ist eine Schweinerei, was du mit den in der Ukraine lebenden Schriftstellern treibst. Ich habe genannt Kontschak[323] und Lura. Dann haben wir uns mit den zuständigen Parteiinstanzen unterhalten, daß unsere jungen Sowjetschriftsteller und sie selbst Hilfe bedürfen und ihnen diese von niemand gegeben würde. Wir haben uns mit diesen jungen Sowjetschriftstellern unterhalten und sie gefragt, warum schickt ihr nichts an die DZZ? Ich habe zur Antwort bekommen, das hat keinen Zweck, darauf bekommen wir nie eine Antwort. Als ich von der Ukraine zurückkam, war einer meiner ersten Wege in die Redaktion der «DZZ», wo ich mit

323 Vgl. Kontschaks autobiographische Erinnerungen: Ernst Kontschak: *Unvergeßliche Begegnungen*, Alma-Ata 1975.

Greve[324], der die Genossin Annenkowa vertrat, ein eineinhalbstündiges Referat hatte und Greve sich Notizen machte und ich ihm eine erschöpfende Auskunft gab. U. a. habe ich die Tatsache erwähnt, daß die Feuilleton-Redaktion offenbar ihre Pflicht der Führung und der Leitung der sowjetdeutschen Literaturkader völlig vernachlässigt. Der Zufall wollte, daß, als ich von Greve nach unten ging, mir Fabri begegnete. Da ereignete sich dieses Gespräch, von dem Fabri einen Teil gesagt hat. Die Antwort Fabris war, sieh nach, es gibt in der Redaktion der «DZZ» ein dickes Buch, wo jeder eingeschrieben wird. Zweitens: ohne Übergang, daß nie ein Brief angekommen sei, gestern habe er einen Brief an Kontschak geschrieben und vorgestern eine Sache gebracht. Er ist ein unglücklicher Mensch, er kommt immer mit Leuten zusammen, die lügen. Es war nicht das erste Mal. Wenn ich zu Genosse Fabri gekommen bin und ihn fragte, was macht (ihr) mit dem oder dem, so hat er eine Ausrede gehabt oder auf die legendäre Mappe verwiesen, wo alles drinliegt. Aber in der «DZZ» sieht man das nicht, und auch bei den Sowjetschriftstellern sieht man es nicht. Ich möchte fragen, wo ist in den letzten Wochen darüber etwas erschienen? Wollen wir sagen, es ist gar nichts da, es entwickelt sich keine sowjetdeutsche Literatur? Bitte, schlagt die «DZZ» auf. Wann ist durch die «DZZ» ein noch so bescheidenes Talent gefördert worden? Das ist ein schwerer politischer Vorwurf, den ich gegen den Genossen Fabri und immer und eisern vertreten werde.

Um diesen Vorwurf gruppieren sich einige Dinge. Ich möchte mich nicht auf die Linie begeben, hier ist persönlicher Stunk, sondern erklären, daß Gen. Fabri die ernsten politischen Fragen überhaupt nicht versteht oder für Geschwätz hält. Es handelt sich darum, daß Genosse Fabri, der in unseren Räumen eine außerordentliche Unterstützung bei uns finden könnte, diese Unterstützung ungenügend in Anspruch nimmt und die Redaktionsführung, soweit sie die Feuilleton-Redaktion betrifft, unverantwortlich leichtfertig und gering gewesen ist.

Ich möchte zu dem einzelnen kommen. Wenn er dies alles anschaut

324 **Richard Greve**, geb. 17.3.1897, KPD-Mitglied seit 1920, Teilnehmer am Hamburger Aufstand, 1925 in die Sowjetunion, 1925 KPdSU-Mitglied und Eintritt in die Rote Armee, Redakteur der *Roten Zeitung* in Leningrad, seit Oktober 1933 an der *Deutschen Zentral-Zeitung*, stellvertretender Chefredakteur und Leiter der Landabteilung, im Oktober 1937 verhaftet. Wahrscheinlich umgekommen.

als die politische Methode des persönlichen Stunks oder, wie er an anderer Stelle sagt, der politischen Taktik des Aufbauschens und der Erfindung. Und der Fabri hat mir eine Reihe Fälle genannt. Die Hetze gegen die deutschen Schriftsteller in der Sitzung des «Verlages der ausländischen Arbeiter». Das Ergebnis der «Hetze» liegt in Nummer 3 der Zeitschrift «Das Wort» vor, und zwar unter dem Titel «Hunger an der Wolga»[325]. Ich bitte festzustellen, daß Gen. Fabri mein Auftreten in diesem Fall und an diesem Abend als Hetze bezeichnete. Ich habe zufällig oder nicht zufällig, oder in weiser Voraussicht, das Protokoll über die Sitzung vom 21. Januar aufgehoben. Anwesend waren Löffler[326], Weber, Gábor, Ottwalt, Bi[327], Fedin[328] und Fabri aus der «DZZ». Das war eine sehr ernsthafte Sitzung, wo wir eine Reihe der wichtigsten zentralen brennenden Fragen besprochen haben, wie wir die Rayons-Presse unterstützen können. Punkt 6–9 des Protokolls betrifft direkt Genossen Fabri. *(Genosse Ottwalt zitiert Punkt 6–9.)* So ging unsere sachliche Arbeit mit den Rayons-Redakteuren vor sich. Ich weiß nicht, was der Genosse Fabri auf der «DZZ» getan hat, um diese Sache durchzusetzen. Ich weiß, daß ich von den Genossen beauftragt wurde, das Referat über die antifaschistische Literatur zu halten. Ich glaube, ich kann es wirklich halten – ein sachlicher und wohlfundierter Vorteil eines Menschen, der sich sehr ernst und gewissenhaft mit den Sachen beschäftigt. Nachdem die Genossen Redakteure dies verlangt haben, nachdem festgelegt war, wie sie herkommen und wie sie sich freuen, hierüber etwas zu hören, fällt dieser Abend aus, angeblich aus Zeitmangel, und das, nachdem die Genossen noch 14 Tage nach Abschluß des Kurses herumgelaufen sind.

Das ist die allgemeine Atmosphäre, in der sich auch folgendes begeben hat. Es wird eingeladen von der «VEEGAR» zu einer nochmaligen Besprechung. Ich war an diesem Abend anwesend, ich hatte 2 bis 3 Genossen Bescheid gesagt, sie sind aber nicht gekommen. Die

325 Der Artikel, in dem der «Kulturhunger» behandelt wird, rührte allein durch seine Überschrift an das Tabu der Stalinschen Zwangskollektivierung in der Ukraine, die zum Hungertod von fünf bis sieben Millionen Menschen geführt hatte. Über die zum Tabu erklärte Hungersnot durfte kein Wort in der sowjetischen Presse erscheinen. Vgl. Robert Conquest: *Ernte des Todes. Stalins Holocaust in der Ukraine 1929–1933*, Berlin 1990.

326 **Robert Löffler**, KPÖ-Mitglied, arbeitete in Charkow.

327 wahrscheinlich **Georg Biletzki**, KPD-Mitglied, 1937 verhaftet.

328 **Alfred Fedin**.

Genossen haben mich gefragt, und ich begann mein Doklad[329], ja, es tut mir wirklich leid, daß nur ich von den Moskauer Schriftstellern anwesend bin. Der Genosse Most war zugegen. Das ist der Fall, nun noch ein Fall, den der Genosse Fabri bezeichnet als den Versuch, persönlich Unfrieden zwischen einzelne Genossen zu säen, ist die Nummer des «Worts», wo der Genosse Becher den guten Witz gemacht hat. Ich höre das zum erstenmal hier. Mir ist davon nichts bekannt. Das ist eine ernsthafte Geschichte gewesen...

Zwischenruf **Bredel**:
Ich persönlich habe diesen Witz, ohne die richtige Änderung zu kennen, in der Veränderung fortgeführt bei der «Internationalen Literatur».

Gen. **Fabri**:
Es hieß: Dies Kind, kein Engel ist so rein.

Gen. **Bredel**:
Einen Fall führt Fabri an, das betrifft den Artikel von Günther über... Da muß ich sagen, in Wirklichkeit war die Sache so, daß Günther mir selbst im Café erklärt hat, als ich ihm Vorwürfe machte, daß er gewissermaßen literarische Leichenschändung an Leschnitzer begeht, er hätte einen positiven Satz über Leschnitzer, der sei gestrichen worden ohne sein Zutun.

Zuruf **Günther**:
Ausgeschlossen!

Gen. **Ottwalt**:
Ich habe mit Günther gesprochen, der Fall war mir nicht neu. Du hast den Artikel geschrieben, nachher sei Fabri gekommen, daß dort Fehler seien. Ich habe dich gefragt, streichst du den Satz? Darauf sagtest du, Fabri wäre mit diesem Artikel zu einem mysteriösen Parteispezialisten gegangen, und der hätte festgestellt, da seien Fehler drin, und deshalb habe ich diesen Satz gestrichen. So ist mir der Tatbestand bekannt.

Gen. **Fabri**:
Ich bitte zu protokollieren: Dies Kind, kein Engel ist so rein.

329 Russ.: Referat, Vortrag.

Gen. **Ottwalt**:
Nachdem das aufgeklärt war, hat Genosse Fabri gesagt, also hat Ottwalt wieder geklatscht. Erinnere dich daran.

Gen. **Günther**:
Ja. Darf ich dazu etwas sagen? Erstens gibt Genosse Ottwalt zu, daß ich, als ich über den Fall gesprochen habe, daß ich den Satz mit Einverständnis des Gen. Fabri gestrichen habe, nachdem ich überzeugt war, daß er ein besserer Spezialist ist und das besser beurteilen kann und Leschnitzer Fehler gemacht hat. Es ist unmöglich, daß ich irgend jemandem, auch nicht Gen. Bredel, gesagt habe, der Satz sei ohne mein Wissen gestrichen worden.

Gen. **Bredel**:
Das war an dem Tag, wo wir über die Verfassung sprachen. Du gibst zu, daß wir darüber gesprochen haben, und ich frage, als wir über diesen Satz sprachen, hast du es auf Fabri abgeschoben und gesagt, du hättest aus der Zeitung gesehen, daß Fabri den Satz gestrichen hat.

Gen. **Günther**:
Wie kann ich es abgeschoben haben auf Fabri, ich sagte, Gen. Fabri hat mir den Satz gezeigt, und in Gegenwart des Genossen Fabri habe ich den Satz gestrichen.

Gen. **Ottwalt**:
Das ist ein weiterer Fall, daß Genosse Ottwalt Unfrieden sät zwischen politisch aktiven Genossen.

Jetzt komme ich zu dem weiteren Abend der «DZZ». Was war los? Wir waren eingeladen zur «DZZ». Ich bekam die Einladung von der Genossin Dornberger. U. a. war ... schon eingeladen. Günther sagte, natürlich mußt du hingehen. Darauf ging ich zu Becher und fragte, was soll ich tun? Genosse Becher sagte, es wäre eine Dummheit, wenn du nicht hingehst. Dann ging ich als vorsichtiger Mensch zu Genossen Bredel. Plötzlich sah ich bei ihm eine gedruckte Einladung, während ich nur eine geschriebene hatte. Bredel sagte zu mir: Ich würde kommen. Also kam ich. Die Vorfälle sind bekannt. Ich wurde zu dem Abend zugelassen. Wir kamen um 8 Uhr, die Flieger kamen um ½10 Uhr, und etwa 1½ Stunden lang standen wir Eingeladenen und Nichteingeladenen um die «DZZ», und um uns herum stand Fabri, der nichts davon wußte und auch heute nichts weiß. Um ½8 Uhr ist Genosse Fabri von Genossin Dornberger informiert worden, daß die Genossen kommen. Genosse Fabri sieht, es kommen ungefähr 12 deutsche Schriftsteller. Er weiß, sie sind nicht eingeladen, und sagt, es muß etwas nicht stimmen. Er bemüht sich, das Mißverständnis aus dem Weg zu räumen, und schweigt 1½ Stunden lang.

Als ich aus diesem wieder herauskam, sagte ich, für mich ist der Fall klar, einmal eingeladen, einmal gekommen, aber es ist eine Flegelei, daß man einen alten Genossen wie den Genossen Lukács von einem Portier wegjagen läßt. Dann schoß Fabri dazwischen und schrie mich an, was versteckst du dich hinter dem Genossen Lukács. Ich sagte zu ihm, halt doch den Mund. Dann drängte er mich an die Seite und fing an, mich an dem Hemd anzufassen. Es standen 8 Genossen herum. Ich sagte zu Fabri, faß mich nicht an. Er schrie: Faß mich nicht an. Ich sagte dann noch einmal, nimm deine Pfoten hinweg. Dann fing Fabri (an): Das werden sie mir büßen, das kommt vor eine Parteizelle. Sie werden noch sehen, was ich von einem Ottwalt mache. Er hat ein volltönendes Organ. Das hat er voll eingesetzt. So hat sich der Fall abgespielt. Er machte noch mehr. Es war so, daß er zu mir kam und sagte, ich bitte um Entschuldigung, wir wollen das vergessen. Jawohl, lieber Fabri, dieser Fall soll erledigt sein. Das war der 4. oder 5. Versuch einer politischen Diskreditierung des Genossen Fabri. Nicht davon (zu) reden, daß er gesagt hat, hoffnungsloser Alkoholiker.

Gen. **Fabri**:
Phantasie!

Gen. **Ottwalt**:
Der Genosse Fabri hat hier gegen mich als politischen Vorwurf erhoben: Er hat gesagt, daß ich 5- bis 6mal – es waren 2- bis 3mal – den Namen Osten in meiner Rede genannt habe. Ich habe mich für verpflichtet gehalten, alles zu sagen, was ich über die organisatorischen Versuche, (sich) auf dem Wege der Literaturpolitik in die Politik einzuschleichen, weiß. Wie bin ich mit ihnen zusammengekommen? In dem Versöhnlersalon da ist die Genossin Osten gewesen. Fabri ist nicht die Instanz – all die Sachen sind längst gemeldet.[330] Was wollte er damit sagen?

Zu Punkt 2: Ich wollte nicht andeuten, ich wollte über die Genossin Osten sagen, daß sie nicht nur in Berlin die allerengsten Beziehungen zu der Versöhnlerfraktion unterhalten hat – Volk, Ende, Ewert,

330 Vgl. dokumentarischer Anhang, Nr. 12.

Eberlein –, sondern, daß die Genossin Osten auf einer Auslandsreise mir sogar den Volk ins Haus geschleppt hat unter falschen Vorspiegelungen. Das war Februar 33. Volk befand sich zu der damaligen Zeit bereits drei Wochen lang in Prag. Ich hatte diesen Mann, wo man sich alle Eckstein lang trifft, nie in Prag gesehen. Maria Osten kam heute aus Paris an, und morgen stand sie schon mit Volk in meiner Wohnung. Das hielt ich für wichtig, mitzuteilen. Wenn noch irgendwelche Informationen nötig sind, so stehe ich zur Verfügung. Mit der Genossin Maria Osten, unter deren Schwatzhaftigkeit ich sehr zu leiden habe, hat sich folgendes ereignet. Becher kommt zu mir und sagt, zu mir ist die Lilli Dammert gekommen und hat gesagt, Maria, was tust du da, wenn wir schmutzige Wäsche zu waschen haben, tun wir das hier, sieh dich vor, laß die Sache sein. Weiter weiß ich nichts mehr, nur, daß der Genosse... ein paar Tage später ankam und sagte, was hast du gemacht, der Busch kommt zur Dammert und faucht die Dammert an. – Ich habe die Warnung von Becher an die Osten weitergegeben.

Der Genosse Fabri hat von meinem Kampf gegen die «DZZ» gesprochen. Zum Fall Schellenberg: Ich habe nie etwas anderes von Schellenberg gelesen als die «Urlaubsfahrt ins Kollektiv». Ich habe in «Narodnaja Kniga»[331] mir ein Heft von 1932 gekauft und fand darin zufällig ein Gedicht von Schellenberg. Ich möchte dich bitten, Fabri, was habe ich empfohlen zu drucken? Ich weiß nichts von dem Mann. – Er hat den Genossen Kontschak im Zusammenhang mit Schellenberg genannt. Das ist ein sehr sauberer Komsomolzenschriftsteller in der südlichen Ukraine. Wir wollen mit diesen politischen Methoden des Unfriedenstiftens zwischen Genossen Schluß machen.

Der Fall Weiss: Es trieb sich hier in Moskau herum ein völlig verwahrloster Junge, ein gewisser Weiss. Er hatte folgende Biographie. Er war in Berlin Jungkommunist gewesen, der in Verbindung gestanden hat zu Ernst Busch. Busch hatte ihn 1932 nach Moskau geschickt zur Bearbeitung einer Broschüre über Jungbauern in der Sowjetunion. Ich lernte ihn kennen in dem Komintern-Sender als Redakteur. Ich habe ihn hier kennengelernt, er saß dort und korrigierte. Dieser Weiss ist dann in der Folgezeit mehrmals bei mir gewesen. Er verließ den Rundfunk. Er war verwahrlost, für eine politische Sache nicht ganz normal. Ich habe ihm gesagt, was ist mit dir, wie steht deine

331 Volksbuchhandlung.

Parteisache, hast du dich um Arbeit bemüht usw., usw. Und als ich sah, daß dieser Mann hier versackte, Genosse Fabri, daß dieser Mann zu versacken drohte, habe ich ihm gesagt, du fährst nicht, reiche das Manuskript ein. Ich habe ein Manuskript von Weiss gelesen und habe gesehen, daß er begabt ist. Er reichte das Manuskript ein, aber es wurde nicht gedruckt. Weiss fuhr von hier nach Leningrad und wurde dann verhaftet.[332]

Gen. **Fabri**:
Acht Tage nach unserem Gespräch in Moskau.

Gen. **Ottwalt**:
Das stimmt nicht, er war 6–7 Wochen aus meinem Gesichtskreis. Das ist der Fall. Das ist der Fall Weiss, mein Eingreifen für einen aktiven Konterrevolutionär.

Gen. **Günther**:
Du sagst, du hättest dich für Schellenberg eingesetzt. Ich entsinne mich auf folgendes: Ich habe dich irgendwo getroffen, und du wolltest mir von diesem Gedichtzyklus «Auf Urlaubsfahrt ins Kollektiv» erzählen. – Ich habe von der Sache gehört, darauf hast du irgendwo angefangen zu sagen, daß Gen. Gábor darin faschistische Ideologie feststellt, das scheint mir, aber die Sache nicht richtig angefaßt hat. So kann man das nicht machen. Darauf habe ich gesagt, Schellenberg wird mir den Gedichtzyklus geben, und habe damit die Unterredung beendet. Du hast ihn nicht empfohlen, davon kann keine Rede sein.

Gen. **Ottwalt**:
Ja, davon ist keine Rede.

Ich wollte dazu folgendes sagen: Dieser Fall berührt den zentralen Punkt, wo ich mit der politischen Arbeit des Genossen Fabri nicht einverstanden war und bin. Fabri wird sich mit diesen Vorwürfen auseinandersetzen müssen. Dieser Vorwurf gehört in dieses Kapitel, von Schellenberg war niemals die Rede.

Offenbar kennt er alle möglichen Leute, über die er nicht gesprochen hat, z. B. Zenzi Mühsam. Im Auftrag des ZK der Kommunistischen Partei Deutschlands bin ich im Jahre 1934 zu Zenzi Mühsam geschickt worden, um zu sehen, ob ich sie nicht dem Einfluß Wollen-

332 Weiss wurde am 17. 5. 1935 verhaftet.

bergs entziehen kann. Im Auftrage bin ich mehrmals bei ihr gewesen. Mühsam ist nach Moskau gekommen. Daß die deutsche Partei von der Anwesenheit Zenzi Mühsams in Moskau erfuhr, verdankt sie dem bloßen Zufall, daß zu mir eine russische Übersetzerin gelaufen kam und mir sagte, die Mühsam will sie sprechen. Ich bin sofort ins «Dom Wostoka» gefahren, und es stellte sich heraus, daß sie bereits 8 Wochen in diesem Hotel saß, besoffen war und sich in einem Zustand der totalen Auflösung befand. Ich bin zu Genossen Bredel gegangen und habe ihm gesagt, das ist eine ungeheure Schweinerei. Man hat die Frau herübergeholt, und niemand kümmert sich um sie, daß man Werner Hirsch[333] gebeten hat, sie ausfindig zu machen, daß die Frau unkontrolliert und unbearbeitet als die Witwe des Anarchisten Erich Mühsam sich hier aufgehalten hat. Ich habe mich des Falles angenommen, damit ein Gedichtauswahlband von dem ermordeten Antifaschisten Erich Mühsam erscheine, der aber bereits seit einem Jahr liegt und durch unverantwortliche politische Schlamperei liegt, weil niemand die Verantwortung für die Herausgabe übernehmen wollte. Ich habe mit Krebs[334] und Bork[335] Besprechungen gehabt. Günther hat diesen Band gelesen. Ich habe gesagt, dieser Auswahlband ist schlecht, aber es wäre ein schlechtes Zeichen, wenn man sogar den Anarchisten Mühsam nicht drucken kann, und im weiteren Verlauf der Angelegenheit bin ich von dem russischen Verlag «Junge Garde» gebeten worden, zu einem Gedichtband von Erich Mühsam das Vorwort zu schreiben. Dieses Vorwort ist geschrieben worden und befindet sich mit einem ausführlichen Bericht bei der Kaderabteilung der Komintern. Das ist der Fall Mühsam, über den ich nicht gesprochen habe.

Nun zu Carola Neher, die nie in meiner Wohnung gewesen ist, wohl aber ständiger Gast der Redaktion der «DZZ», Genosse Fabri, und zwar möchte ich dazu einen Fall hinzufügen, der mich empört hat. Als ich das 15. oder 16. Mal versuchte, die Genossin Annenkowa in meiner persönlichen Angelegenheit zu sprechen, fand ich bei ihr Carola

333 **Werner Hirsch**, geb. 1899, KPD-Mitglied seit 1919, Chefredakteur des KPD-Zentralorgans *Rote Fahne*, 1933 verhaftet, zusammen mit Erich Mühsam im KZ Oranienburg inhaftiert, 1934 aus Haft entlassen, Emigration in die Sowjetunion; am 10.11.1937 zu zehn Jahren Lagerhaft verurteilt, im Lager umgekommen.
334 **Michail E. Krebs**, auch: Kreps (1895–1937), Leiter der Verlagsabteilung der Komintern, 1937 verhaftet und umgekommen.
335 Bork, d. i. Otto Unger.

Neher. Ich setzte mich 20 Minuten in den Vorraum, dann ließ ich den Sekretär sagen, ich muß gehen. Annenkowa sagte, ich habe noch ein wichtiges Gespräch. Carola Neher sagte zu mir, gehen wir zusammen, und erzählte, sie habe der Genossin Annenkowa ihre ganze Ehegeschichte richtig erzählt. Genosse Wangenheim wird bestätigen können, daß ich erstaunt war. Wichtiger als ein Gespräch mit mir war der Vertreterin der «DZZ» die Unterhaltung über die Ehegeschichten von Carola Neher. Ich habe die Neher in hiesigen Lokalen getroffen, und es ist vorgekommen, daß wir an einem Tisch gesessen haben. Es ist folgendes passiert: Als Ottwalt(?) in Prag war, sind in demselben Hotel in Prag Wollenberg und Mühsam abgestiegen. Diese Tatsache ist dem Apparat[336] und der Prager Gruppenleitung bekannt. Um so größer war mein Entsetzen, daß man Zenzi Mühsam acht Wochen hat hier herumsitzen lassen. Sie erzählte, sie bemühe sich seit 6 Wochen, die Genossin Stassowa[337] zu sprechen, könnte sie aber nicht erreichen.

Gen. **Wangenheim**:
Ich frage nach dem Kraus?[338]

Gen. **Ottwalt**:
Ich weiß aus damaliger Zeit nichts. Ich weiß, daß sie dort wohnte. Wir haben sie dort getroffen, als ich in Ausführung des politischen Auftrages von der Mühsam herunterging. Die Mühsam wohnte im 2. Stock, die Neher im 1. Stock. Die Neher war am deutschen Nationaltheater in Prag.

Meiner Ansicht nach ist das folgendermaßen: Ich habe mit Wangenheim darüber gesprochen. Ich kenne die Neher nur von der Bühne. Und einmal habe ich sie mit Brecht, Wangenheim und Gene-

336 «Apparat» meint hier den illegalen M-Apparat der KPD, der u. a. zur Spitzelabwehr und für die «Überwachung» der Partei diente. Mit unermüdlicher Intransingenz verfolgte dieser «Apparat» auch nach 1933 die Tätigkeit von «Abweichlern», «Versöhnlern», «Trotzkisten» in Deutschland und im Exil. Vgl. Franz Feuchtwanger: *Der militärpolitische Apparat der KPD in den Jahren 1928–1935. Erinnerungen*, in: Int. wiss. Korrespondenz z. Gesch. d. Arbeiterbewegung, 17. Jg., 1981, Heft 4, S. 485–533.

337 **Jelena Stassowa** (1873–1966), Vorsitzende der «Internationalen Roten Hilfe», seit 1935 Mitglied der Internationalen Kontrollkommission der Komintern.

338 Deckname, d. i. Joseph Winternitz.

ralmusikdirektor Scherchen[339] gesehen. Das war das einzige Mal, dann habe ich sie in Prag gesehen und hier kennengelernt. Die Neher trat 1932 in Deutschland kaum mehr auf. Sie war früher mit Brecht befreundet gewesen, und ich glaube, Helene Weigel ist es gewesen, die mir sagte, die Neher sei in die Partei eingetreten und mache nichts weiter, als daß sie die Zelle Wannsee kassierte. Ich kenne die Neher wie gesagt gar nicht. Sie war die Frau von Scherchen, und wenn ich mich recht erinnere, war sie egalwegs schwanger mit Fehlgeburten und war in Wannsee. Ich weiß darüber nichts, denn ich kenne sie nicht. Genosse Wangenheim hat eine Frage gestellt über Doriot, darüber kann ich nichts sagen.

Gen. **Weber**:
Ich halte das aus einem besonderen Grund für wichtig. Vielleicht können die Genossen Näheres über die Neher sagen.

Gen. **Halpern**:
Wir haben in Berlin eine besondere Organisation der geistigen Berufe gehabt, wo überhaupt kein Mensch wußte, daß es Kommunisten sind.[340] Alles war in Sparten eingeteilt, und die Vorsitzenden waren absolut bürgerliche Leute. Wir hatten Lehrer, Ingenieure, Ärzte usw. und wollten auch eine Sparte für die Schauspieler einrichten. Wir haben uns durch Mittelsmänner an Elisabeth Bergner gewandt, aber da war nichts zu machen. Dann haben wir uns durch Mittelsmänner im Oktober oder November an Carola Neher gewandt. Ich weiß bestimmt von diesem Mittelsmann, daß, wenn Carola Neher Kommunistin gewesen wäre, wäre etwas daraus geworden. Damals war sie nicht Parteimitglied.

Gen. **Hay**:
Mir wurde Ende 1932 von Hans Otto[341] über Carola Neher, die ich nicht persönlich gekannt habe, gesagt, sie wäre stark sympathisierend, aber keine Parteigenossin.

339 **Hermann Scherchen** (1891–1966), Dirigent, Komponist, Zusammenarbeit mit Arnold Schönberg, 1933 Emigration.

340 Klub der Geistesarbeiter. Vgl. Mitteilungen des Klubs der Geistesarbeiter, in: *Unsere Zeit*, Hrsg. Willi Münzenberg, 1933.

341 **Hans Otto** (1900–1933), Schauspieler, 1923 KPD-Mitglied, Vorsitzender des Arbeiter-Theaterbundes im Bezirk Berlin, Leiter der Gruppe Film, Bühne, Musik der Revolutionären Gewerkschaftsopposition, 1933 gekündigt; am 14. November 1933 verhaftet und von der SA ermordet.

Gen. **Wangenheim**:
Ich kann mir vorstellen, daß hier insofern ein Mißverständnis von Gen. Ottwalt vorliegt, als sie RGO-Mitglied war. Es ist insofern nicht unwichtig, als es heißt, daß sie selbst zu der Frage eindeutig Stellung[342] genommen hat.

Gen. **Ottwalt**:
Zum Fall Neher: Ich bin, als die Neher im «Savoy» wohnte, ein- oder zweimal bei ihr gewesen, sie wollte Sachen im Rundfunk verlesen. Ich traf dort bei ihr einmal den Genossen T...?, der jetzt in Engels gewesen ist. Ich hatte daraufhin einen sehr komischen Eindruck, mit was für Leuten gehst du um, sagte ich ihr. Sie hat versucht, mich mit dem Becker[343] zusammenzubringen, Tomzi, bei diesem Brechtabend, wo im Hintergrund ein gut angezogener Mann saß und immer sehr übelnahm. Ich habe mir den Mann angesehen. Ich habe ihn von allem Anfang an gemieden wie die Pest und habe allen Versuchen den striktesten Widerstand entgegengesetzt.

Allerdings muß ich sagen, ich habe die Neher noch an anderen Stellen gesprochen. Das war in der Wohnung von Maria Osten, wo Neher ein und aus ging. Wo die Carola Neher aus und ein ging, Genosse Fabri, tagtäglich anzutreffen, schreib es dir genau auf. Soviel ich weiß, hat Maria Osten auf Grund irgendwelcher Geschichten Carola Neher das Leben in Moskau ermöglicht, und ich weiß, daß das Zimmer im «Savoy», in dem Neher gewohnt hat, von Maria Osten gemietet ist auf den Namen Kolzow. Das weiß ich. Ich möchte sagen, daß das selbstverständlich keine Enthüllungen sind, die ich hier mache, Genosse Fabri. Ich bin lange genug Kommunist und weiß, wie man sich verhält. Vielleicht hätte ich nicht darüber gesprochen, wenn du mir nicht den Tip gegeben hättest.

Zu Brecht: Ihr wißt, daß ich im Jahre 1931 mit Brecht ziemlich eng zusammengearbeitet habe, und zwar haben wir zusammen den Film

342 Vgl. dazu auch die Aussagen Wangenheims und die Anklageschrift gegen Carola Neher im dokumentarischen Anhang. Wangenheim war offensichtlich über den Fortgang der «Untersuchungen» gegen Carola Neher informiert. Die Untersuchungen setzten in der Kaderabteilung damit ein, daß die Angabe zur KPD-Mitgliedschaft, die sie in ihrem handgeschriebenen Lebenslauf vom 20. März 1936 gemacht hatte, überprüft wurde.

343 **Anatol Becker** (1903–1937), Ingenieur, 1930 KPD, 1933 Emigration mit Carola Neher nach Prag, Ende 1933 Sowjetunion, verhaftet im April 1936, zum Tode verurteilt und erschossen.

«Kuhle Wampe» geschrieben – was dabei herausgekommen ist, das war nicht mein Manuskript, ich wurde außerdem rausgeschmissen. Man bat mich, beim ZK der KPD, ein paar einleitende Worte zu sprechen. Aus dem Kollektivgeist heraus habe ich das getan und habe alle Vorwürfe, die Schneller, Peterson und Schrecker auf mein Haupt schleuderten, hingenommen, weil ich in diesem Kreise der einzige Kommunist war – mit Ausnahme von Eisler, der rechtzeitig krank geworden war. Ich habe sehr eng mit Brecht zusammengearbeitet. Wir haben versucht, der «Jungen Volksbühne» neues Blut einzupumpen. Wir haben die Revue geschrieben «Wir sind ja so zufrieden», wo die Arbeit zu 90% auf mir lag. Ich bin sehr häufig bei Brecht gewesen. Um Brecht herum gruppierte sich damals schon ein Kreis. Dieser Kreis war interessant insofern, als er uns und die Politik berührte, da waren zwei Figuren, und zwar Fritz Sternberg[344] und Bernhard von Brentano. Ich war, als ich emigriert hatte, ich hatte einen Auftrag für die Freidenker[345] zu erledigen, in Norwegen, Schweden, fuhr nach Kopenhagen(?), wo auch Brecht wohnte, Brecht mietete sich ein Fischerhaus, und der erste und einzige war Korsch[346], der dort war. Ich habe zweimal versucht, mit Korsch zu sprechen, das war unmöglich. Er war damals ein völlig deprimierter Mensch, der sich nicht auf die geringste Formulierung festlegte. Wenn man über die Perspektive des deutschen Faschismus sprach, war er nicht mehr zu haben. Ich weiß natürlich, Brecht ist ein Mensch, und das war schon immer so, er hat Marx wirklich gelesen und Lenin. Zwischen Marx, Lenin und Brecht stehen Sternberg und Korsch. Wenn Marx und Lenin tot sind, Sternberg und Korsch leben, so bleibt für Brecht die Verbindung aufrechterhalten. Man kann bei ihm von einem 100% ehrlichen Antifaschisten sprechen. Ich habe von Brecht ehrliche Kritik gesehen. Ich wurde in Berlin, da ich von dem Brechtkreis kam, und aus diesem

344 **Fritz Sternberg** (1895–1963), Wirtschaftstheoretiker in der Nachfolge Rosa Luxemburgs, 1926 veröffentlichte er im Malik-Verlag «Der Imperialismus», Autor in der *Weltbühne*, SAP-Mitglied, Emigration Schweiz, Frankreich, USA.
345 Wahrscheinlich war Ottwalt auch als Emissär für die «Internationale der proletarischen Freidenker», eine der von der Komintern geführten internationalen «Massenorganisationen», tätig.
346 im Text «Kurz». Karl Korsch besuchte Bertolt Brecht im dänischen Skovsbostrand zum erstenmal Ende 1933. 1934 und vor allem 1935 hielt er sich längere Zeit bei Brecht auf.

war seinerzeit durch ein Prikass[347] des ZK Brentano und ich in die «Linkskurve» eingesetzt, hatte ich gegen die Gleichsetzung Brecht – Ottwalt zu kämpfen. Ich habe mit Brentano, als ich in der Emigration war, zwei, drei Briefe gewechselt. Mit diesen Briefen bin ich zu Brecht gegangen und habe gesagt, was soll man mit dem Mann machen? Darauf sagte Brecht – ich saß an meiner Maschine –, schreib noch einen Satz dazu. «Lieber Brentano, ich habe den Eindruck, Sie würden Kommunist sein, wenn Ihnen die Sowjetunion nicht so ungeheuer groß erscheinen würde. Herzlichen Gruß, Ihr alter Brecht.» Das war die Linie, die er damals schon eingeschlagen hat, davon ist er nicht abgegangen.

Ich bin aber zwei- oder dreimal mit ihm im großen Kreis zusammengetroffen und habe mit Neumann[348] persönliche Gespräche gehabt. Neumann schickte seinen Freund Heinrich Kurella und machte mir den Vorschlag, einen Abend bei mir zu veranstalten, und hatte eine Liste der Einzuladenden vorgeschlagen und ein paar Frauen, die er kennenlernen wollte. Ich habe Kurella energisch gesagt, daß und warum das Angebot von Neumann bei mir auf erbitterten Widerstand stößt. Neumann sind diese Charakterisierungen hinterbracht, die ich in vollkommen betrunkenem Zustand gemacht habe. Ich habe gesagt, er ist ein ehrgeiziger Karrierist. Er äußerte: Ich habe den Ehrgeiz, Hilfsredakteur bei der Verlagsgenossenschaft ausländischer Arbeiter zu werden. Ein widerliches Konjunkturschwein nannte mich Neumann. Zum Zeichen, daß ich das nicht übelnehme, habe ich ihn in den «Lux» gebracht. Wir hatten uns in der Wohnung des Genossen Heini[349] getroffen. Ein zweites Mal habe ich ihn auf der Straße getroffen, er entschuldigte sich und sagte, wir wollen eine Flasche «Narsan»[350] trinken. Ich hatte den Eindruck, er wolle sich bei mir entschuldigen, und ich sagte, bitte schön, komm. Wir haben einmal zwei Stunden in der Bar Nr. 1 am Strastnoj[351] gesessen, und da haben sich die Narsanflaschen als einige Flaschen Porter herausgestellt. Dabei sprach Neumann über Literatur mit mir. Ich sagte ihm, er solle mir

347 Russ.: Befehl. In den militaristisch geprägten Jargon der KPD wurde schnell der «Parteibefehl» aufgenommen.

348 Heinz Neumann.

349 Der «Versöhnler» Heinrich Süßkind hatte sich inzwischen mit dem als «ultralinks» stigmatisierten Heinz Neumann befreundet.

350 Mineralwasser.

351 Strastnoj boulevard, Straße im Moskauer Zentrum.

von sich aus sagen, wie er heute, wie er vor mir sitze, und ohne jeden Parteihintergrund und ohne Zellensitzung, sondern aus welchen politischen Erwägungen heraus er zu der Parole gekommen ist «Schlagt die Faschisten, wo ihr sie trefft!». Er sagte, ich bin etwas hinten hinuntergefallen. Ich sollte, wenn ich über den Faschismus schriebe, nicht den Fehler machen, die Spaltung der deutschen Arbeiterklasse und die Fehler des Genossen Neumann zusammenbringen.

Gen. **Most**:
Da war er nicht betrunken?

Gen. **Ottwalt**:
Da war er schon wieder besoffen. Er kann gar nichts vertragen. Er hat bei dem ersten Glas meist schon genug.

Zuruf:
Er tut manchmal so.

Gen. **Ottwalt**:
Ja, ja, das weiß ich. Etwas ist an dem Gespräch interessant. Er sagte, du bist doch mit Süßkind einmal befreundet gewesen. Da sagte ich, das ist sehr lange her, und noch vor seinem Ausschluß, im Gegensatz zu anderen Leuten, Genosse Fabri, die sich erst nach dem Ausschluß mit ihm verkracht haben. Bei diesem Gespräch sagte er, er habe mit Süßkind gesprochen, und dann mit Betonung: Süßkind ist ein wirklicher Bolschewik. Ich widersprach, aber es hatte keinen Zweck. Das Gespräch war absolut bedeutungslos geworden, mit Ausnahme von dem Satz, der mir in Erinnerung geblieben ist und den ich hier weitergebe.

Gen. **Günther**:
Meine Frage hast du noch nicht beantwortet.

Gen. **Most**:
Über die politische Perspektive Neumanns hast du keinen Eindruck gewonnen?

Gen. **Ottwalt**:
Sie ging ungefähr in folgender Richtung. Wir sprachen über Frankreich und Spanien. Von dem unmittelbaren jetzigen Spanien konnte keine Rede sein. Neumann sprach ungefähr nach folgender Richtung: Zwischen Demokratie und Diktatur könne evtl. eine bestimmte Zwi-

schenstufe notwendig sein, so könne er sich das theoretisch denken, daß es vor der Diktatur so etwas wie eine revolutionäre Demokratie gebe. Das war der Kreis, in dem sich das Gespräch bewegte, über Deutschland wurde überhaupt nicht gesprochen. Er sprach über die französische Partei mit der größten Hochachtung und sagte Einzelheiten. Ich wußte nicht, daß eine große Reihe französischer Parteiführer nicht zu 100% Franzosen sind, sondern Flamen, Basken usw. Er sprach darüber, daß er es besonders schön fände oder sagen müßte, wie gut die Genossen verständen, daß gegenseitig einer den anderen als kollektive Führung in den Vordergrund schiebe.

Gen. **Most**:
Hat er das mit Selbstkritik verbunden?

Gen. **Ottwalt**:
Hätte er es mit Selbstkritik verbunden, so hätte ich es gemerkt. Er sprach in dem ruhigen Tone der akademischen Berichterstattung. Persönliche Beziehungen dazu habe ich nicht bemerkt.

Das sind meine Beziehungen mit dem Genossen Neumann. Das erste Mal ist nicht zu qualifizieren und nicht ernst zu nehmen. Er war so betrunken, daß er auf der Straße kaum gehen konnte.

Genosse Günther hat eine Frage gestellt, wann und wie ich mit Süßkind zusammengekommen bin. Hier tut es mir leid, daß Genossin Annenkowa nicht da ist, denn ich muß verschiedene Kleinigkeiten erwähnen, die Genossin Annenkowa betreffen. Ich kann mich nicht genau erinnern, was ich vorgestern in meinen Beziehungen zu Süßkind ausgelassen habe. Es kann sein, daß ich etwas wiederhole. Ich sagte, wie ich ihn kennenlernte, nämlich durch Dietrich und daß die Verbindung ausschließlich auf literaturpolitischen Beziehungen basierte. Süßkind hat meine literarischen Qualitäten mir gegenüber, und ich weiß, auch anderen gegenüber, immer außerordentlich aufgepustet. Es war in der Zeit, daß von meinem Roman eine kleine Sache vorlag, «Die Generalversammlung»[352], die nachgedruckt und in fast alle Sprachen übersetzt wurde. Ich glaube, daß diese Kurzgeschichte, wo die soziale Demagogie aufgezeigt wird und wo die Genossen sich fast ausschließlich und nur mit dem Terror beschäftigten, daß diese kleine Erzählung gar nicht unwichtig war. Süßkind war von einer au-

352 Ernst Ottwalt: *Die Generalversammlung*, in: Neue Deutsche Blätter, Jg. 1, 1933/34, Heft 1, S. 37–48.

ßerordentlichen Herzlichkeit und Freundlichkeit mir gegenüber. Und ich sagte, daß mich die Atmosphäre im Büro des Genossen Kun und die Persönlichkeit des Genossen und wie er über die Fragen der Ideologie und Literatur gesprochen hat, faszinierte – der Ausdruck ist etwas stark, aber es war nicht viel weniger –, so daß ich irgendwelche Bedenken in der Frage der Wachsamkeit überhaupt nicht gespürt habe. Ich bin mit Süßkind in der Wohnung des Genossen Béla Kun etwa zweimal gewesen. Süßkind war bei mir auf der sogenannten Datsche, war in meiner Wohnung in der «Moskowskaja»[353]; er ist zusammengekommen, mit denen er sonst auch zusammengekommen war: Béla Kun, Huszar Iwans[354], Tamara[355], Sauerland[356], Annenkowa, Scharrer[357], Plivier, jedenfalls alles Leute, die er auch außerhalb meiner Wohnung treffen konnte. Ich erwähne das deswegen, weil Süßkind Wert legte auf die Veranstaltung der «Wetscher», was ich darauf zurückführte, daß er gern umsonst rauchte und trank. Ich konnte kein anderes politisches Motiv dahinter sehen, denn diese Genossen waren ihm zu jeder Zeit vollkommen erreichbar, auch ohne mich. Ich bin bei Süßkind auch wiederholt im «Sojusnaja» gewesen. Ich habe Süßkind mehrfach in der Redaktion der «DZZ» getroffen, das ist den Genossen von der «DZZ» bekannt. Süßkind ist seinerzeit sehr häufig dagewesen, und es wurden in meiner Gegenwart wiederholt Leitartikel der «DZZ» mit Süßkind besprochen – politische Leitartikel der «DZZ».

Ich kann mich allerdings an Einzelheiten nicht erinnern und weiß jetzt nicht genau anzugeben, bei welchem konkreten Fall. Ich glaube aber, bei dem Kirow-Mord bin ich die ganzen Tage von morgens bis

353 Das «Grand-Hotel» lag an der Bolschaja Moskowskaja.
354 Wahrscheinlich Joris Ivens, Schreibfehler im Typoskript.
355 Wahrscheinlich Tamara Motyljowa.
356 **Kurt Sauerland,** geb. 12.1.1905, 1923 KPD-Mitglied, ab 1929 Chefredakteur der Zeitschrift *Roter Aufbau*, zahlreiche Instruktionsreisen in Westeuropa zum Organisationsaufbau der IAH, 1930 Ausweisung aus England, sein Buch «Der dialektische Materialismus» (1932) wurde in der KPD-Presse scharf kritisiert; 1933 in Paris Redakteur von *Unsere Zeit* und Sekretär der «Liga gegen den Imperialismus», im August 1934 durch die Komintern in die Sowjetunion «kommandiert», Referent bei der Komintern; am 15. Mai 1937 verhaftet, am 22. März 1938 zum Tode verurteilt und am gleichen Tage erschossen.
357 **Adam Scharrer** (1899–1948), Schriftsteller, seit 1920 Mitglied der anarchosyndikalistischen KAPD, 1933 Emigration in die CSR, 1935 Sowjetunion, Beitr. in der *DZZ* und in der *Internationalen Literatur*, Rückkehr nach Schwerin.

abends auf der «DZZ» gewesen und schrieb einen Artikel «Dank an Kirow», der den Beifall von Süßkind fand und der Genossin Annenkowa. Ich erinnere mich auch weiter, daß Süßkind, Annenkowa, Heller[358] und ich um 4 Uhr gemeinsam an der Bahre von Kirow defiliert, und an diesem Tage, erinnere ich mich, daß Annenkowa mit Süßkind wiederholt über die Leitartikel gesprochen hat. Den Verlauf der Diskussion kann ich nicht wiedergeben, weil das Gespräch ins Russische umschlug, die Genossin Annenkowa und Süßkind unterhielten sich in meiner Gegenwart in russischer Sprache. Ich habe da nichts bei gefunden, erst beim 5. Mal habe ich das für unmöglich gehalten, denn sie wußten, daß ich von der russischen Sprache überhaupt nichts verstand. Die Genossin Annenkowa ist sonst mit Süßkind persönlich in einem sehr engen Verhältnis gewesen, das auf mich nach außen hin den Eindruck eines freundschaftlichen Verhältnisses machte. Ich schloß das aus folgender Tatsache: Einmal war ich im Büro des Genossen Béla Kun und wollte Süßkind sprechen. Da sagte mir die Sekretärin, Süßkind sei schwer krank. Darauf kam der Genosse Béla Kun dazu: Ich höre, Heinrich ist krank, er sagte, das wird schon nicht so schlimm sein. Ich bin von der Komintern aus zu ihm gegangen und fand die Genossin Annenkowa auf dem Bettrand sitzend, ihm einen Krankenbesuch machend. Ich erinnere mich an diese Szene besonders deshalb, weil hier Süßkind mir wieder einmal die leidenschaftlichsten Vorwürfe machte über mein damaliges schlechtes Verhältnis zum Genossen Becher und meine Position, die ich hier in den Räumen der MORP und bei Béla Kun in der damals beliebten Internationalen Literaturpolitik hatte; weil ich damals einen unangenehmen Eindruck hatte, der sich wieder verwischt hatte durch das freundschaftliche Verhältnis der Genossin Annenkowa zu mir, daß die Genossin Annenkowa es vermied, in dieser Angelegenheit Stellung zu nehmen. Es handelte sich dabei um folgendes: Ich erinnere mich, daß ich Süßkind in sehr ironischem Ton – er hatte mich provoziert – etwa 1 bis 1½ Stunden lang alles aufzählte, was ich in den letzten Jahren in

358 **Otto Heller** (1897–1945), Schriftsteller, Mitglied der KP Tsch. seit 1921, Redakteur *Welt am Abend*, 1933 Emigration über die CSR und die Schweiz in die UdSSR; 1934–36 außenpol. Redakteur bei *DZZ*, 1936 Frankreich, Redakteur der Komintern-Zeitung *Europäische Stimmen*, 1938 abgelöst als Münzenberg-Anhänger, Spanien, Internierung in La Vernet, nach Flucht Mitarbeit in der Résistance; 1943 Verhaftung durch die Gestapo, 1944 KZ Auschwitz, 1945 im KZ Ebensee umgekommen.

der Literaturpolitik? und was der Genosse Becher für falsch und schädlich hielt. Es waren damals Fälle, zu denen ich heute noch schärfer stehe als damals.

Gen. **Bredel**:
Es war Süßkind, der sagte, es gab nur ein antifaschistisches Buch. Er schrieb eine Rezension an die «DZZ».

Gen. **Ottwalt**:
Die dort an diesem Tage u. a. besprochen wurde. Bei diesem Gespräch schleuderte ich dem Süßkind alle meine Vorwürfe ins Gesicht, die sehr massiver Natur waren, teilweise gegen Reimann, gegen Becher, gegen Ludkiewicz. Annenkowa saß dabei, und ich hatte den Wunsch, da ich im Vollgefühl meines Bewußtseins war, daß ich eine richtige literaturpolitische Linie gegen eine falsche war, Bundesgenossen zu bekommen.

Bei den Vorwürfen handelte es sich um folgendes: Ich sprach hier schon davon, daß ich das Jahr 1933/34 über in Prag mit der Kontrolle der «Neuen Deutschen Blätter» beauftragt war und der Aufrechterhaltung der Verbindung mit Deutschland, daß die Arbeit in Deutschland schwach, ja überhaupt nicht unterstützt wurde. Ich habe unzählige Briefe nach Moskau geschrieben und hier aus den Räumen der MORP ganz lahme Erklärungen, es gibt Schwierigkeiten, man würde die Frage demnächst stellen usw., erhielt. Ich habe öffentlich gesprochen in einer Zellensitzung und mußte mir Vorwürfe machen lassen, weil ich behauptet hatte, daß die von Schmückle eingeschlagene Literaturpolitik zu einer Unterdrückung der im Lande arbeitenden Kader führen müsse und daß dieses Verhalten erwächst aus einer fehlerhaften Einstellung der Gesamtarbeit in Deutschland.

Damals, als ich nach Moskau kam, hatte ich mit den Genossen Ludkiewicz und Becher über die Lage im Lande gesprochen, und außerdem hatte ich noch Vorschläge eingereicht. Der Genosse Becher fuhr dann kurz darauf nach Prag, und es ereignete sich folgendes: Plötzlich wurde von Weiskopf[359] und Herzfelde eine Sitzung einberufen zur innerdeutschen Arbeit, obwohl ich erst vier Wochen von Moskau weg

359 **Franz Carl Weiskopf** (1900–1955), tschechoslowakischer Schriftsteller, 1928 Berlin, BPRS-Mitglied, 1933 Emigration nach Prag, Chefredakteur der *AIZ*, 1938 Frankreich, dann USA, 1950–52 CSR-Botschafter in Peking, lebt seit 1953 in der DDR.

war. Diese Sitzung war deshalb sehr schlecht, weil, ohne daß mich die Genossen vorher gefragt hätten, sie behaupteten, mit der Abrechnung stimme etwas bei mir nicht. Sie beschlossen, mir einen Brief zu schreiben. Einen Brief bekam ich direkt, und einen anderen erhielt ich erst acht Wochen später von der deutschen Vertretung der Komintern. Dieser zweite Brief machte seine Runde, erst ging er nach Prag, von Prag nach Paris und dann von Paris nach Moskau, also kurz und gut bekam ich ihn schließlich nach 8 Wochen ausgehändigt. Jetzt stellte sich heraus, daß an der ganzen Geschichte nicht ein wahres Wort war.

Gen. **Becher**:
Kann die Sitzung damals nicht von dem tschechischen Vertreter Fritz einberufen worden sein?

Gen. **Ottwalt**:
Ja, das ist möglich. Ich habe nämlich ein Paket[360] mitgenommen und habe ein Paket bei dem Genossen Herzfelde hinterlegt. Genosse Herzfelde las nun plötzlich die Briefe, die ich an die MORP geschickt hatte. Ich habe weiter in der Unterhaltung mich über die persönliche Stellungnahme des Genossen Becher gegen meine Person beschwert. Es waren folgende Fälle: In Prag hatte ich von der dortigen Leitung den Auftrag erhalten, mich mit einem österreichischen Sozialdemokraten in Verbindung zu setzen, der in Prag bleiben sollte. Ich erhielt den Auftrag, mich um diesen Mann zu kümmern. Eines Tages plötzlich fragt mich dieser österreichische Sozialdemokrat: «Darf ich Sie etwas fragen? Haben Sie mit Ihrer Partei Differenzen?» Ich stellte ihn gleich zur Rede und fragte, wie er dazu komme. Daraufhin zeigte er mir einen Brief von Ruth Körner. Becher sagte mir damals, ich sei hier nicht gut angesehen. Ich sagte ihm, daß hier ein Stunk vorliege.

Gen. **Barta**:
Nicht so ausführlich, die wichtigen Momente.

Gen. **Ottwalt**:
Ich rekonstruiere ein Gespräch zwischen Süßkind und Annenkowa. Ich möchte bitten, daß man mich reden läßt.

360 D. h. eine Geldsendung.

Gen. **Most**:
Der Genosse Regler bittet, daß man ihn sprechen läßt, da er um 8 Uhr im Hotel sein muß. Machen wir bitte eine Unterbrechung.

Gen. **Regler**:
Einiges zu den Fällen aus dem Westen. Ich will etwas Grundsätzliches sagen und darf wohl persönlich die Situation meiner letzten Wochen schildern.

Wie ihr wißt, kam ich mit dem Genossen Kantorowicz von Paris, um über alle Fragen mit dem Genossen Kolzow zu sprechen, und zwar über die Werbung der sympathisierenden Intellektuellen, über die Vereinigung der internationalen Kultur.[361] Leider war Genosse Kolzow weggeflogen. Wir mußten unsere Besprechung verschieben, das war aber ein Schlag, weil wir mit einer Masse von Problemen gekommen sind. Einiges konnten wir dennoch besprechen. Wir machten eine Sitzung mit den Genossen der deutschen Sektion. Aber das reicht nicht aus. Außerdem hatten wir eine Sitzung, auf (der) wir ganz am Schluß das wichtige Problem, die Schaffung eines antifaschistischen Handbuchs, aus der Diskussion streichen mußten, weil keine Zeit mehr war. Das kleine Diskussionsmaterial soll angenommen werden. Ich bitte nun hier die Genossen, daß sie sich dieser Sache annehmen und sie unterstützen.

Außerdem möchte ich hier sagen, daß die Hilfsaktion für die Schriftsteller drüben im Westen großen Anklang gefunden hat. Man spricht hier nurmehr vom Olga-Speck[362]. Außer dieser solidarischen Hilfe muß man sich auf ideologischem Gebiet mehr um die Schriftsteller im Westen kümmern. In der heutigen verschärften Situation ist es sehr schwer, eine Liebhaberkorrespondenz nach dem Westen zu führen. Man muß auch wissen, welche Dinge man herüberschreiben kann, um nicht in die Hände der Feinde zu fallen. Immer aufpassen und nicht in eine Bequemlichkeit verfallen.

361 Nach den Vorstellungen Joh. R. Bechers sollte die IVRS in eine «unsichtbare Organisation» umgewandelt und ein «Weltkongreß auf dem Gebiete der Literatur» vorbereitet werden. Ende 1935 wurden die IVRS und ihre einzelnen Sektionen aufgelöst. Die in Paris 1935 gegründete «Internationale Schriftstellervereinigung zur Verteidigung der Kultur» besaß entsprechend der neuen Funktionsbestimmung und veränderten Komintern-Strategie nurmehr ein «Büro» und organisierte 1937 und 1938 Schriftstellerkongresse in Spanien und Paris.
362 Von Olga Halpern-Gábor geleitete Hilfsaktion mit Lebensmittelpaketen. Vgl. dazu *Exil in der UdSSR*, Bd. 1, a. a. O., S. 342–343.

Ich sehe diese Gefahr sehr groß. In den letzten Monaten sehr stark, und sie war im Laufe 1934/35 auf gegenseitige Bequemlichkeit zurückzuführen. Das ist ein Wort, daß die politische Verbindung nicht nachläßt.

Dann komme ich auf einen wichtigen Punkt, den ich streifen werde. Ihr wißt, daß dieser Prozeß ausgenutzt wird von allen Splittergruppen, allen Feinden der Sowjetunion. Aber auch, daß er nicht nur dort den Abgrund mehr aufreißt, sondern tatsächlich auch schwankende Sympathisierende mit sehr vielen liberalen Elementen noch mitreißen wird. Ich habe nie gezögert, in diesen wenigen Tagen auch russischen Genossen mit aller Offenheit zu sagen, und ich darf sagen, daß ich es als ehrendes Vertrauen[363] angesehen habe, daß ich zugezogen worden bin, um bei der Redaktion des deutschen Textes der Prozeßberichte[364] mit beizutragen. Ihr wißt wahrscheinlich einiges, was drüben gesagt worden ist. Ich fürchte, daß in den nächsten Wochen, da ich der einzige bin, der als direkter Teilnehmer die Atmosphäre zeigen kann, ich sehr viel in Anspruch genommen sein werde. Es wird die Aufgabe sein, drüben zu sondieren, wer getroffen ist von den Vergiftungsversuchen der Feinde. Ich weiß, wie schwer das ist mitzuteilen. Ich weiß trotzdem, daß es notwendig ist, daß die Zeitschriften, sowohl die «Internationale Literatur» wie «Das Wort», Informationen in dieser Richtung verlangen, und sei es auf dem Weg durch Kuriere. Aber das wird eine der wichtigsten Fragen der nächsten Monate sein. Nachdem ich einiges gelesen habe, was Freunde oder sogenannte Freunde schreiben, wird das nicht ein besonders schwerer Fall werden. Es ist so, daß wir durch unsere Sprachkenntnis und durch die Volksfront sehr stark in den Massen gewonnen haben, daß wir überzeugt sind, daß der Prozeß in keiner Weise bei den Arbeitermassen so gewirkt hat, wie der Brief der II. Internationale vorgibt. Wie gesagt, ich bin sehr optimistisch. Aber man soll das Problem sehen und sich überlegen. Es gibt noch die zweite Aufgabe für uns in Frankreich, die gleichzeitig mit den Intellektuellen- und allen Schriftstellerfragen ver-

363 Herbert Wehner überlieferte ebenfalls die Beteiligung Reglers an der Redigierung der Prozeßberichte. Vgl. dazu die Biographie Reglers in diesem Band.

364 Erschienen seit dem 19. August 1936 täglich in der *DZZ*, dann als Buchausgabe: *Prozeßberichte über die Strafsache des trotzkistisch-sinowjewistischen Zentrums*, Moskau 1936. Vgl. jetzt zu den Hintergründen des Prozesses und zur Folterung der Angeklagten: *Über das sogenannte antisowjetische vereinigte trotzkistisch-sinowjewistische Zentrum*, in: Iswestija ZK KPSS, 1989, Heft 8, S. 78–94.

bunden ist. Es ist der Riecher der Nazis, daß sowohl durch die Radikalsozialisten die Mittelklasse als auch durch Léon Blum und andere Morgenluft für den hundertprozentigen Nationalismus gekommen ist. Allerdings durch die Erfahrungen, die die französischen Kommunisten gemacht haben, wird das nicht mehr so leicht sein wie in Deutschland. Aber es ist unsere Aufgabe, diese Tendenz, die mit diesem Besuch scheinbar verbunden ist, zu bekämpfen. Ihr wißt, daß im «Völkischen Beobachter» Blum gelobt wird, weil er von Moskau abrückt. Das ist Aufgabe der deutschen Emigration. Hier gibt es wieder ein Problem. Wir sind tatsächlich drüben im Nachteil, denn es fehlt effektiv an Material und Tatsachen, daß wir in Deutschland schlechter orientiert sind. Mit der Schriftstellerorganisation ist jetzt der Kontakt ausgezeichnet, und jetzt ist eingehendes Material über Deutschland da. Aber es ist notwendig, daß entweder Geld bewilligt wird, damit einfach die Nazi-Zeitungen und solches Material beschafft werden kann, und außerdem ist ein Austausch notwendig. Dann wird die Volksfront in Frankreich in den nächsten Monaten eine gewisse Arbeit zu leisten haben, und sie wird vor sehr schweren Problemen stehen. Ich glaube es sagen zu können, daß ich über die russischen Dinge nichts Spezielles sagen kann und daß es nicht im Rahmen meiner fünf Minuten liegt, eine Selbstkritik der westlichen Dinge zu bringen. Ich habe sehr viel gelernt aus den Fällen Gles, Brustawitzki und besonders von dem, was von den Genossen gesagt worden ist. Ich habe das ganz große Problem des Falles Brand gesehen, wo dort das Problem der sogenannten Schmuggelwaren auftauchte, ein Problem, das uns im Westen interessieren muß, weil wir wissen müssen, ob nicht bereits der Versuch, aus der schlechten Schwarzweiß-Zeichnung zur rein literarischen Schilderung von Gegnern zu kommen, nicht zu konterrevolutionären Gefahren führen kann. Dieses Problem ist mir angedeutet gewesen in der bewegten Schilderung des Genossen Gábor und soweit Persönliches vorlag. Auch dieses Moment werdet ihr wahrscheinlich viel häufiger diskutieren, denn ihr seid nach der Richtung so gut wie in einer belagerten Festung. Wir sind dagegen mehr unter dem Einfluß einer legalen Stimmung. Ich bin in diesen 4 Wochen ungemein härter[365] geworden und habe einen Schrecken bekommen

365 Diese öffentliche Zustimmung ermöglichte Regler, ebenso wie die Mitarbeit an der Redigierung der Prozeßberichte, die Rückkehr nach Paris. Sein 1936 veröffentlichter Roman «Die Saat» dokumentiert aber eher, historisch camoufliert, sei-

wie der Reiter über den Bodensee. Laut dem Gedicht ist er am See zusammengebrochen. Ich fahre sehr gestärkt zurück. Ich darf sagen, es herrscht bei uns im Westen in der Fraktion der Schriftsteller eine große Kameradschaft, größer als bei euch. Sie ist durch die Notwendigkeit bedingt. Es herrscht allerdings ein schwächeres ideologisches Niveau. Ich sage nicht, daß das Niveau hier hundertprozentig ist. Das ist, was wir erreichen wollen. Das kommt, weil ihr in der Nähe von Tausenden Kadermenschen seid, während wir nach einem Jahr zum erstenmal einen Vertreter des Polbüros in unserer Wohnung gehabt haben. D. h., es ist ideologisch bei uns deshalb besonders schwierig, weil wir Volksfrontaufgaben haben. Wenn man plötzlich an einem Tisch sitzt, links mit Willi[366], Ludwig[367], rechts mit Breitscheid[368], und gegenüber Berthold Jacob[369] sitzen sieht und am anderen Ende Leopold Schwarzschild[370] mit seinem hundertprozentigen Skeptizismus und plötzlich Kuttner[371] aufsteht und von Grzesinski[372] spricht, den

nen Ablösungsprozeß vom Stalinismus. Vgl. dazu die neuedierte Textausgabe, Gustav Regler: *Die Saat. Roman aus den Bauernkriegen*, Frankfurt a. M. 1991 (Bibliothek der Exilliteratur, hrsg. von Hans Albert Walter) und die Interpretation von Hans Albert Walter: *Von der Freiheit eines kommunistischen Christenmenschen*, Frankfurt a. M. 1991.

366 Willi Münzenberg.

367 **Emil Ludwig** (1881–1948), Schriftsteller, 1932 Übersiedelung in die Schweiz.

368 **Rudolf Breitscheid** (1874–1944), SPD-Reichstagsabgeordneter, Vorsitzender der sozialdem. Reichstagsfraktion, 1933 Emigration in die Schweiz, Paris, Mitarbeit im Pariser Volksfrontausschuß, 1941 an die Gestapo ausgeliefert; 1944 im KZ Buchenwald bei einem alliierten Bombenangriff umgekommen.

369 **Berthold Jacob** (1898–1944), Publizist, als Pazifist und Mitarbeiter der *Weltbühne* verurteilt, bereits 1932 Emigration nach Straßburg, 1935 durch Gestapo-Agenten aus der Schweiz entführt, nach internationalen Protesten Rückführung nach Basel, Mitarbeit im Pariser Volksfrontausschuß, 1939 Internierung in Le Vernet, 1941 in Spanien erneut von Gestapo-Agenten nach Berlin entführt, Gestapo-Haft. 1944 im Berliner Jüdischen Krankenhaus an Haftfolgen verstorben.

370 **Leopold Schwarzschild** (1891–1951), linksliberaler Publizist und Mitherausgeber der Zeitschrift *Das Tagebuch*, 1933 Emigration über Wien, Prag nach Paris; Hrsg. der Zeitschrift *Das Neue Tagebuch*; nach anfänglicher Mitarbeit im Pariser Volksfrontausschuß distanziert sich Schwarzschild, vor allem unter dem Eindruck der Moskauer Prozesse, von der Volksfront, der Sowjetunion und der KPD; 1940 Emigration in die USA.

371 **Erich Kuttner** (1887–1942), Schriftsteller, SPD-Mitglied, Vertreter des rechten Parteiflügels, Emigration Paris, Amsterdam; Teilnahme am Pariser Volksfrontausschuß, Spanien, illegal in Holland, 1942 verhaftet, im KZ Mauthausen erschossen.

372 **Albert Grzesinski** (1879–1947), Polizeipräsident in Berlin, preußischer In-

man unbedingt heranziehen müsse, so ist die Situation oft unbequem, Genossen, die einen in jene Bequemlichkeit einer Treibhausluft bringt. Ich bin der Meinung, daß man solche Dinge auch in einem Brief, unbeschadet der Situation, bringen kann, denn es ist eine Frage der Taktik, die das Wort so formuliert, daß solche Dinge nicht auffallen.

Ich schließe mit einem Gedanken an die Genossen Most und Weber und bitte, soweit es mich persönlich betrifft, diesen Gedanken für eine verstärkte und größere Anteilnahme des Polbüros der Partei an die Schriftsteller- und Künstlerfragen von mir aus zu übermitteln.

Gen. **Barta**:
Ich glaube, daß ich im Namen aller Anwesenden spreche, wenn ich Genossen Regler bitte, unseren revolutionären Gruß an alle in der Emigration lebenden Genossen zu übergeben und sie zu versichern, daß wir ihrer gedenken und bereit sind, ihnen zu helfen.

Ich glaube, daß ich im Namen aller Anwesenden spreche, wenn ich den Genossen Regler bitte, unseren revolutionären Gruß allen unseren Genossen revolutionären Schriftstellern, antifaschistischen Kämpfern in der Emigration zu übermitteln und sie zu versichern, daß wir in der Richtung, in der Genosse Regler gesprochen hat, alles tun werden, weiterhin unsere Zusammenarbeit zu gestalten und jede materielle und ideologische Hilfe zukommen zu lassen.

Genosse Regler, wir wünschen dir gute Fahrt und gute Arbeit.

Gen. **Ottwalt**:
Bei diesem Gespräch erinnere ich mich deutlich noch an folgendes, daß in diesem Gespräch zwischen mir und Süßkind, bei dem die Genossin Annenkowa stumme Zuschauerin war, ein Punkt berührt wurde, der mir schon in Prag aufgefallen war, das war die Frage, was sich Genossen unter Einheitsfront vorstellten. Es kam ein sehr scharf gehaltener Brief aus Moskau, man solle vorsichtig sein, in der Beschäftigung damit, österreichischen Sozialdemokraten das Wort in den «Neuen Deutschen Blättern» zu geben. So beginnt praktisch das Ende der Einheitsfrontpolitik. Ich erinnere mich weiter: Ich habe im Dezember 1933 einen sehr gut erhaltenen, aber sehr falschen Artikel über Thomas Mann geschrieben, es fanden sich dort recht heftige op-

nenminister, 1933 Emigration in die Schweiz, Mitunterzeichner des Volksfrontaufrufs; 1937 über Peru in die USA.

portunistische Entgleisungen, aber ich glaube, Genossen, das, was ich gewollt habe, war richtig. Da mußte ich erleben, daß Reimann noch am 28. Mai des Jahres 1934 in der «Rundschau»[373] einen Artikel über die «Neuen Deutschen Blätter» schrieb – ich erinnere mich nicht an einzelne Formulierungen, nur an eine: Genosse Ottwalt versucht Mann zu analysieren, anstatt ihn, wie es seine Pflicht gewesen wäre, als Konterrevolutionär zu signalisieren. Geschehen im Mai 1934. Als ich das erste Mal darauf Reimann traf, klopfte er mir auf die Schulter und sagte, du wirst aus deinem Sektierertum auch noch mal rauskommen. Ihr seht, das waren Kleinigkeiten, und ich freue mich, daß ich in allen diesen Dingen von Anfang an, wo ich mich durch Süßkinds Liebenswürdigkeiten habe bluffen lassen, nicht von der politischen Linie abgegangen zu sein. Ich habe Süßkind in der Redaktion der «DZZ» getroffen, und bei dieser Gelegenheit bin ich mit ihm zusammengekommen. Ich habe davon gesprochen, daß wir im Dezember 1934 einen großen Krach miteinander hatten, der damit endete, daß unsere Beziehungen abgebrochen wurden, durch eine Bemerkung des Genossen Béla Kun. Es fiel das Wort Resektion gegen den Genossen Becher ... Ich bin außerstande, in diesem Ton zu sprechen. Ich ging zu Süßkind und setzte ihm die Pistole auf die Brust. Ich ging runter zu Stenbock[374] und fand dort noch sitzend Werner Hirsch. Ich habe ihm die Dinge gesagt, wie ich sie vorgestern hier angegeben habe. Das ist zur Beantwortung deiner Frage (an Fabri), daß ich hier etwas verschweige, daß meine Selbstkritik nicht ehrlich ist. Ich wünsche nur, daß meine Selbstkritik genau so ehrlich und offen ist wie ich das meine.

Ich bin nach dem Ausschluß von Süßkind nicht mehr mit ihm zusammengekommen als einmal, wie folgt: Es muß Mai–Juni 35 gewesen sein, da ging ich eines Abends mit der Genossin Annenkowa von der «DZZ» durch die Gorkowo[375], dort trafen wir am «Lux» Süßkind. Ich erinnere mich, daß Süßkind von der anderen Seite herüberkam. Sie blieb stehen und sagte zu mir, sollen wir ihn nicht ranrufen? Dann ging ich und rief ihn heran. Darauf gingen wir gemeinsam nach

373 *Rundschau über Politik, Wirtschaft und Arbeiterbewegung*, 1932 gegründetes Organ der Kommunistischen Internationale, das 1933 die *Internationale Pressekorrespondenz* ersetzte.

374 **Graf Alexander Stenbock-Fermor** (1902–1972), im russischen Bürgerkrieg auf der Seite der Weißgardisten, Schriftsteller, BPRS-Mitglied, 1933 verhaftet; Widerstandsgruppe zusammen mit dem «nationalbolschewistischen» Beppo Römer.

375 Gorkistraße im Moskauer Zentrum, vorher Twerskaja.

Hause, das heißt, wir brachten die Genossin Annenkowa nach Hause. Ich erinnere mich genau, das Gespräch drehte sich um eine Beleuchtung, ein grünliches Licht. Im Ton war absolute Herzlichkeit und Freundschaft, die von Süßkind aus referiert war. Dann verabschiedet sich Süßkind, wir gingen mehrmals auf und ab am Strastnoj[376]. Ich brachte Annenkowa nach Hause. Die Gespräche waren belanglos. Ich weiß nicht, ob das nun als Fehler zu werten ist, daß wir da mit ihm gesprochen haben, jedenfalls, wir haben mit ihm gesprochen.

Gen. Günther hält die Behauptung aufrecht.

Gen. **Most**:
Die Genossen sollen sich hier nicht als Anwalt eines anderen Genossen aufspielen.

Gen. **Becher**:
Man muß einige Sachen aufklären. Genosse Ottwalt hat von zwei bis drei Fragen gesprochen.

Ist dir bekannt, daß die «Neuen Deutschen Blätter» auf Initiative der MORP von dem Genossen Günther und mir gegründet wurden mit einem besonderen Teil der illegalen Stimme aus Deutschland. Für diesen Teil bekamen wir besondere Beiträge. Das ist ein Zeichen dafür, daß diesem Teil ein besonderes Gewicht beigelegt wurde. Weißt du, daß die damals gemachte Besprechung nicht unsere Schuld war?

Ist dir bekannt, als ich nach Brünn kam, daß ein Genosse zu mir kam und sagte, was hast du mit deinem Gedicht angestellt?

Außerdem hieß es, daß die österreichische Sozialdemokratie an den «Neuen Deutschen Blättern» beteiligt werden sollte.

Ist dir bekannt, daß eine Verabredung mit Stern[377] stattgefunden hat, ist dir außerdem bekannt, daß er gegen mich war, gegen bestimmte opportunistische Ansichten von mir war, und daß sie gipfelten in der Einstellung zur Sozialdemokratie?

Gen. **Ottwalt**:
Von der letzteren Sache ist mir nichts bekannt.

376 Strastnoj boulevard, Moskauer Straße.
377 **Josef Luitpold Stern**, österreichischer Sozialdemokrat, Vorsitzender der «Vereinigung sozialistischer Schriftsteller», Leiter des Arbeiterbildungsinstituts der Sozialistischen Partei Österreichs; 1934 Emigration in die Tschechoslowakei.

Gen. **Becher**:
Der Artikel von Reimann und mein Brief war doch grundverschieden.

Gen. **Ottwalt**:
Ja, das ist es ja eben, alle Einstellungen waren verschieden. Ich hörte, ich sei ein opportunistisches Schwein und Herzfelde knüpfe Verbindungen mit der österreichischen Sozialdemokratie an. Ich bat, daß man mich meiner Funktion entheben solle. Die MORP teilte mir daraufhin mit, wir versichern dir unser volles Vertrauen. Da wurde ich stutzig. Denn man muß doch sehen, daß schwere Beschuldigungen erhoben worden waren. Genosse Becher machte sich zum Sprachrohr dieser Strömung, und so kann ich vielleicht ein Werturteil über das Verhalten von Genossen Becher abgeben. Aber politisch gesehen, ändert sich nichts. Es handelt sich um die Lage im Lande. Auf der einen Seite die Möglichkeit, mit den «Neuen Deutschen Blättern» bei unseren Genossen im Lande als Agitationszentrum zu wirken. Nun war die Sache so, dieses Agitationszentrum hat sich nicht bewährt, und ich habe gesehen, daß im Jahre 1934 unsere Möglichkeiten sich nicht ausbreiteten. Es handelte sich auch nicht nur darum, Geld nach Prag zu schicken, sondern auch bestimmte Verbindungen herzustellen. Damals wurde ein Programm von 12 Punkten aufgestellt. Es ist nicht mehr aufzufinden. Einige Punkte wurden von dem Genossen Becher in Prag durchgeführt. Es handelt sich nicht darum, für diesen oder jenen Genossen eine materielle Hilfe durchzusetzen. Wir haben die Möglichkeiten gesehen, politische Arbeit zu leisten, und sie sollte viel nutzen.

Ein anderer Fall: Es erscheint kurz nach dem Reichstagsbrand ein Mann. Er hatte eine hohe Stelle in Berlin. Er war eine große materielle Hilfe für die Partei. Aber diese Fragen sind von der Partei vernachlässigt worden. Ich war selbst bei Heckert, aber trotzdem wurde nichts gemacht.

Jetzt, was die Fragen des Genossen Günther anbelangt:

Genossin Trude[378] wurde von ihrer Funktion enthoben. Sie machte ihre Arbeit gut. Wir hatten eine Versammlung, es kam ein Mann und hielt uns ein trotzkistisches Referat. Ich sagte, bloß weg mit dem Mann. Wer hatte ihn geschickt? Trude! Weg auch mit Trude! Das

378 Trude Richter.

konnten die draußen nicht sehen. Von opportunistischen Strömungen in Prag war mir nichts bekannt. Später wurde ich als politischer Beauftragter in ein Unternehmen[379] gesteckt, das von Herzfelde finanziert wurde. Eines Tages kam Herzfelde und erklärte mir, daß wir pleite sind. Daraufhin fuhr dann Herzfelde nach Wien, um mit dem Leiter der Bildungszentrale über Geld zu verhandeln. Meiner Meinung nach holte er auch dort 3 Millionen Schilling heraus. Aber die Sache führt zu keinem Abschluß.

Gen. **Most**:
Das fehlte noch.

Gen. **Ottwalt**:
Das ist politisch verantwortlich.

Gen. **Günther**:
Noch eine Frage. Genosse Ottwalt hat eben wieder von dem Fall Brand gesprochen. Er sprach von einer Versammlung, wo ein Mann mit einem trotzkistischen Referat auftrat. Das gibt ein falsches Bild. Trude ist doch deutsches Parteimitglied? Trude kam aus Prag, wo sie im Beisein von Herzfelde bestimmte Aufträge erhielt. Sie ist dorthin gefahren, um die Artikel zu holen.

Gen. **Günther**:
Und als solche ist sie hinausgefahren, um dort die Artikel zu sammeln. Dafür hat sie Geld bekommen usw. Diese Aufgabe hat sie dort erledigt. In der Zwischenzeit war mit der ganzen Arbeit Biha beauftragt. Von ihm hat sie folgenden Auftrag bekommen. Er hat Trude den Auftrag gegeben, er war der Maßgebende für die Gruppe der deutschen Schriftsteller. Sie soll zusammen mit Genossen Nettelbeck[380] bestimmte Aufgaben in der IfA[381] machen. Diesen Nettelbeck hat sie vorher nicht gekannt. Es war also ein Auftrag der Partei, mit ihm in Verbindung zu kommen. Er war bestimmt von der Partei durch den Genossen Biha. Man hat gesagt, er hat verantwortlich die Arbeit

379 Gemeint ist wahrscheinlich der als Nachfolger des Malik-Verlages gegründete «Faust-Verlag».
380 **Walter Nettelbeck**, Journalist, nach Reise in die UdSSR im Mai 1933 Ausschluß aus der KPD, im Herbst 1933 Anschluß an linksoppositionelle, trotzkistische Gruppe.
381 Interessengemeinschaft für Arbeiterkultur (IfA). Organisatorische Zusammenfassung verschiedener mit der KPD verbundener Kulturorganisationen.

in der IfA zu machen. Sie hat ihn als denjenigen Funktionär angesehen, an den sie sich zu wenden hat. Nettelbeck ist zwölf Jahre Parteimitglied gewesen. Von Trotzkismus ist bei ihm nie die Rede gewesen. Ich glaube, das ist ein wesentliches Element. Sonst sieht die Sache so aus, als ob Trude Trotzkistin gewesen wäre und die Verbindung mit Trotzkisten gesucht hätte. Davon ist keine Rede, sondern sie war beauftragt, mit diesem zwölfjährigen Parteimitglied die Arbeit zu machen. In der Arbeit hat sich Nettelbeck zum Trotzkisten entwickelt. Und es kann erwiesen gelten, daß sich Trude nicht hundertprozentig mit ihm identifizierte und sich vor allem in der Beurteilung der Sowjetunion schärfstens abgrenzte. Das ist der Grund gewesen, weshalb ich soviel über diese Unterredung mit Trude gesprochen habe. Ihr werdet euch erinnern, daß ich mit Trude in Prag über die Theorie des Sozialismus in einem Lande gesprochen habe. Obwohl wir die Theorie abgelehnt haben, hat sich Trude interessiert, was ich praktisch kennengelernt habe. Ich bringe diese Erklärung, weil ich glaube, daß Genosse Ottwalt diese Erklärung bestätigen kann, daß das über Nettelbeck auf Wahrheit beruht und daß die Arbeit Trudes weder vorher noch nachher davon beeindruckt war und ihre Arbeit gut war.

Gen. **Most**:
Was ist über die Entwicklung des Nettelbeck bekannt?

Gen. **Günther**:
Es besteht die Möglichkeit, daß er weiter Trotzkist ist oder zur Partei zurückgefunden hat. Ich weiß es nicht, und Trude weiß es auch nicht. Nachdem sich herausgestellt hat, daß der Mann ein trotzkistisches Referat gehalten hat, was Trude nicht gewußt hat. Und nachdem sie Verbindung bekommen hat mit Schwalm usw., hat Trude eingesehen, daß diese Beziehung falsch war, und Selbstkritik abgelegt, nie aber mit ihm zusammengewesen. Sie ist noch ein dreiviertel Jahr in Deutschland gewesen, hat aber nie mit ihm zusammengearbeitet. Ob er sich weiter zum Trotzkismus entwickelt oder zur Partei gefunden hat, kann ich nicht behaupten.

Gen. **Fabri**:
Genosse Ottwalt sprach von vorübergehenden trotzkistischen Stimmungen bei Trude.

Gen. **Günther**:
Wieweit sie diesen Stimmungen unterlegen ist, kann ich nicht genau

sagen, denn ich war gar nicht dabei. Ich bin davon überrascht worden. Ich habe von dieser Sache auf Grund der Berichte[382] des Genossen Ottwalt gehört, den (!) er von Prag nach hier gemacht hat. Wie ich darauf reagierte, kann vielleicht Genosse Gábor bestätigen. Ich möchte, daß Genosse Ottwalt noch einmal bestätigt, daß meine Angaben über Nettelbeck richtig sind.

Gen. **Ottwalt**:
Das kann ich, soweit mir der Fall bekannt ist. Ich kenne Nettelbeck nicht. Trude war, als ich sie das letzte Mal sah, etwas verwirrt. Ich habe keinerlei Annahme zu bezweifeln, daß man ihr den Mann geschickt hat. Nach dieser Darstellung scheint mein Eingreifen etwas verfrüht gewesen zu sein. Ich muß sagen, daß nur von trotzkistischen Stimmungen keine Rede ist, sondern es ist sogar so weit gegangen, daß Trude «Unser Weg»[383] von Trotzki weitergegeben hat, nicht etwa mit dem Bemerken, so kämpft man gegen die Trotzkisten, sondern es wurde mir mitgeteilt, daß sie das einfach weitergegeben habe.

Zuruf: Wann war das?

Gen. **Ottwalt**:
Ich habe davon im Dezember 1933 erfahren. Es habe sich um ein paar Wochen gehandelt, sagte Trude. Das ließe sich bestätigen nach folgender Richtung. Ich hatte mein Gespräch mit den Genossen vom ATB. Dazu kamen Genossen von Berlin. Man sagte: Du mußt sofort das und das abgeben, du übernimmst die Leitung der Redaktion[384] der

382 Erst jetzt wurden einige dieser Berichte Ottwalts im Archiv des Berliner Instituts für Geschichte der Arbeiterbewegung zugänglich. Für die Untersuchung Christoph Heins zur Geschichte des BPRS standen diese Berichte Ottwalts noch nicht zur Verfügung. Vgl. IfGA/ZPA I 2/3/347.

383 Gemeint ist wahrscheinlich nicht die in Kopenhagen erscheinende trotzkistische Zeitschrift *Unser Weg*, sondern die in Prag seit 1933 herausgegebene Halbmonatsschrift der deutschen Sektion der Internationalen Opposition *Unser Wort*. Vgl. Liselotte Maas: *Handbuch der deutschen Exilpresse 1933–1945*, München 1978, Bd. 2, S. 565–567.

384 Ottwalt wurde offensichtlich zum politischen Instrukteur mit Kontrollfunktionen ernannt und war damit «Vorgesetzter» Herzfeldes, der als Redakteur der Zeitschrift fungierte. Weder in den veröffentlichten Erinnerungen Herzfeldes noch in der Forschungsliteratur finden sich bisher Hinweise auf diese sorgfältig abgeschirmte Anbindung an KPD und Komintern. Auf Grund zahlreicher neuer Archivfunde können jetzt auch die finanziellen und politischen Hintergründe der *Neuen Deutschen Blätter* analysiert werden.

«Neuen Deutschen Blätter». Sprich mit der Genossin. Und seht zu, wie ihr das beibringen könnt, daß ihr nicht wieder verliert. Er hatte eine kleine persönliche Spannung mit Trude. Er sagte, daß Trude leicht darüber hinweggekommen sei. Ich war der Meinung, daß sie nach dieser Schwankung nicht mehr für die Arbeit in Frage kam. Ich kann bestätigen, soweit die Sammlung von Material in Frage kam, hat sie vollkommen vorwurfsfrei gearbeitet. Von der Arbeit ist mir nichts bekannt.

Gen. **Most**:
Woher weiß Genosse Ottwalt, daß sie trotzkistische Literatur verbreitet hat?

Gen. **Ottwalt**:
Das hat Trude selbst zugegeben.

Gen. **Wangenheim**:
Du hast vorhin gesagt, du hast es von jemand gehört?

Gen. **Ottwalt**:
Durch den Genossen, dem sie das gegeben hat.

Gen. **Most**:
Wann hast du mit ihr gesprochen?

Gen. **Ottwalt**:
Damals habe ich in Prag nur mit ihr schriftlich verkehren können. Dann, hier in Moskau, habe ich sie gesprochen. Trude ist längst über alle diese Sachen weg. Ich habe den Eindruck, als ob ein persönliches Ressentiment zurückgeblieben sei, das gerade ich angreife und vielleicht zu scharf angreife und über den Rahmen meiner Befugnisse hinausgehe.

Gen. **Most**:
In der Erklärung hat diese Tatsache keine Rolle gespielt.

Gen. **Ottwalt**:
Diese Erklärung war schwierig. Diese Erklärung ist von draußen hereingekommen, war eine Erklärung der Fraktion. In der Stadt ist das und das geschehen, Trude hat trotzkistische Abweichungen gehabt, die Fraktion erklärt sich zu einem gewissen Grade mitschuldig. Die Fraktion billigt die Anweisung und führt sie durch. Trude wird im Rahmen der bisherigen Arbeit mitarbeiten.

Gen. **Becher**:
Darauf erfolgte ein Jahr Beurlaubung?

Gen. **Ottwalt**:
Nein, das war viel später.

Zusammenfassend kann ich sagen: Ich kann im wesentlichen das bestätigen, was er gesagt hat, mit der Einschränkung, ich kenne Nettelbeck nicht, weiß nur, daß er länger Parteimitglied war, kann über die Arbeit der Genossin Trude nach ihrer Funktion[senthebung] keine Auskunft geben.

Gen. **Günther**:
Die Sache mit dem Vertrauensverhältnis war nicht ganz so.

Gen. **Ottwalt**:
Ich kann das aufklären, die Genossin Trude hat mir erzählt, daß bei einer Fraktionssitzung, die bei dem Genossen Schwalm stattgefunden hat, sie ihm ein Flugblatt in die Tasche gesteckt hat. Sie hat den Ausdruck verwandt, in die Tasche gegeben. Ich habe den Eindruck gehabt, daß sie bedrückt gewesen ist, hier scheint doch was dran zu sein.

Gen. **Günther**:
Mir hat sie erzählt: Ich habe es ihm zu informativen Zwecken gegeben, und sie sagte, daß sie diesen späteren Stimmungen insoweit unterlegen ist, als sie interne Politik der Partei betraf.

Gen. **Ottwalt**:
Ich möchte dazu sagen, daß der Genosse, mit dem das geschehen ist, daß das der Mann mit der schwarzen Brille[385] ist, sich in Zürich befindet und durch die Partei zu erreichen ist.

Der Fall «DZZ»:

Ihr wart anwesend bei der Sitzung im Falle Leschnitzer. Ich erinnere die Genossen daran, daß die Genossin Annenkowa gesagt hat, es ist prinzipiell kein Mitarbeiter der «DZZ» ausgeschlossen. Ich wollte zu Annenkowa gehen, meinen Fall zu besprechen. Das wurde von der Genossin Annenkowa sabotiert. Zweimal war sie gegen mich aufgetreten, und ich hatte Befürchtungen, ob dieser Fall sich bis zum Schluß in den Räumen der «DZZ» durchführen läßt. Ich habe am

385 **Jan Petersen** war 1935 auf dem Pariser Schriftstellerkongreß als Illegaler mit einer «Maske» oder einer schwarzen Brille aufgetreten.

28. März ein sehr umfangreiches Protokoll aufgesetzt. Wenn ich mit Günther zur Annenkowa gehen würde, wollte ich ihr dieses Schriftstück geben und ihr sagen, dies ist das, was ich dazu sagen wollte. Dies ist mein Verhältnis zur «DZZ». Ich habe diese Erklärung nicht abgeben können. Als ich den Genossen Günther bat, er möchte mit der Genossin Annenkowa sprechen, wann wir kommen können, teilte sie mir mit, sie hätte gesagt, der Fall Leschnitzer wäre in ein sehr schwieriges Stadium getreten, eine Mitarbeit von Ottwalt an der «DZZ» käme nicht in Frage, ich könnte die Sache im Rahmen der Parteiorganisation aufrollen. Ich habe das Dokument nicht abgeben können und habe das als ein Beweis angesehen, daß Annenkowa an einer Aufklärung dieses Falles augenscheinlich nichts gelegen war. Ich habe es bei mir behalten und habe Günther den Durchschlag gegeben. In einer Sitzung in der letzten Zeit habe ich den Genossen Barta gefragt, was geschieht in meinem Fall und der «DZZ»? Da sagte er, die Sache wird untersucht. Ich habe dem Genossen Barta die Erklärung überreicht. Ich glaube, Genosse Barta hat diese Erklärung, sie ist konzentriert, und ich werde diese Erklärung vorlesen. Die Anwesenheit der Genossin Annenkowa ist nicht notwendig, weil ihr dieses Dokument vorgelegt werden kann. Ich mache den Vorschlag, dieses Dokument vorzulesen mit einem weiteren Brief, den ich an Barta gerichtet habe.

Gen. **Most**:
Ich schlage vor, auf Wunsch des Genossen Ottwalt dieses Dokument dem Protokoll beizugeben.

Gen. **Ottwalt**:
Ich möchte bitten – ich habe an den Genossen Barta als dem Vorsitzenden noch einmal einen Brief geschrieben, in dem ich einige Fälle[386] festgestellt habe, worin ich die politische Auswirkung dieses Verhältnisses zur «DZZ» sehe –, diesen kurzen Brief vorzulesen.

Gen. **Günther**:
Ich habe zunächst die Genossin Annenkowa antelefoniert, und dar-

386 Auch hier wird deutlich, daß spätere Opfer wie Ottwalt ständig «Meldungen» über andere produzierten. Die Terrormaschinerie verschlang aber gleichwohl die Denunzierten wie den Denunzianten, der selbst wiederum von anderen als «Fall» bei den «Instanzen» angegeben wurde. Wechselseitige Verfolgung und chaotisch reproduzierte Angst bilden dadurch zentrale Elemente der Logik des scheinbar irrationalen Terrorsystems.

auf fing sie am Telefon ungeduldig an, der Fall ist jetzt nicht aktuell, also komme schnell her. Da wollte sie auf die Sache Ottwalt überhaupt nicht eingehen, sie lenkte über zur Leschnitzer-Sache. Ich kam hartnäckig wieder zurück auf den Fall Ottwalt. Darauf hat sie sich über Ottwalt beschwert, daß man ein Manuskript bei ihm bestellt habe, was er nicht zur Zeit abgeliefert hat, und sie sagte, wir sind eine Tageszeitung, wir brauchen Mitarbeiter, die pünktlich auf die Minute ihr Manuskript abliefern, und Genossen wie Ottwalt, die sich an so was nicht gewöhnen können, können als Mitarbeiter nicht in Frage kommen. In Zusammenhang mit seiner Unpünktlichkeit sagte sie, Ottwalt ist ein unzuverlässiger Mensch.

Gen. **Ottwalt**:
Das ist mir nicht bekannt. Ich bin überrascht. Seit März habe ich nicht einmal, sondern dreimal erzählt, warum ein Widerstreit in den Auffassungen vorhanden ist. Ich habe gesagt, meine Mitarbeit kommt nicht in Frage. Die Genossin Annenkowa hat gesagt, es gibt bekannte russische Schriftsteller, die auch bei der russischen «Prawda» nicht mitarbeiten können.

Gen. **Günther**:
Sie hat nicht gesagt, daß du nicht mitarbeiten kannst, sondern Ottwalt ist unzuverlässig; solange er sich nicht bessert, kann er nicht mitarbeiten.

Gen. **Ottwalt**:
Ich möchte widersprechen. Wenn Annenkowa so etwas sagt, muß sie das ja auch verantworten. Wie kann man so etwas sagen, der Genosse Ottwalt ist unzuverlässig. Monatelang habe ich regelmäßig meine Artikel abgeliefert, und nur deshalb, weil ich ein einziges Mal einen Artikel nicht abliefern konnte, deshalb bin ich unzuverlässig, deshalb muß ich mich bessern und deshalb kann ich vorläufig nicht mitarbeiten. Warum kam der Genosse Günther nicht früher damit, warum sagte er mir nicht früher, was los ist?

Gen. **Günther**:
Ich behaupte, daß ich damals mit dir darüber gesprochen habe. Du gebrauchtest damals dieselbe Argumentation, ein einziges Mal habe ich den Artikel nicht liefern können, und 158mal habe ich die Artikel pünktlich abgeliefert. Es sei unverschämt, die Frage so zu stellen, daß ich wegen Unzuverlässigkeit nicht mehr an der «DZZ» mitarbeiten

könne. Der Fall sollte dann später in der Parteiorganisation behandelt werden. Auch Genosse Barta sagte mir, daß der Fall Ottwalt[387] nur auf dem Wege der Parteiorganisation erledigt werden kann.

Gen. **Barta**:
Über die Angelegenheit haben wir viermal gesprochen, wo Ottwalt immer mit derselben Version auftrat. Aber du bist nicht dagegen aufgetreten. Das können alle Genossen bestätigen.

Gen. **Bredel**:
Du hast gesagt, die Mitarbeit ist nicht erwünscht.

Gen. **Barta**:
Auch darüber, was in der Parteiorganisation behandelt werden soll, darüber hast du nicht gesprochen.

Gen. **Ottwalt**:
Ich lege Wert darauf, daß dieser Fall, der seit 6 Monaten ungeklärt verläuft, geklärt wird. Heute erfahre ich wiederum eine neue Version. Pflicht des Genossen Barta wäre es gewesen, mit mir zur «DZZ» zu gehen.

Ich kämpfe darum, daß man mir endlich klipp und klar sagt, was los ist. Was habt ihr für politische Beschuldigungen gegen mich? Ich stelle fest, daß alles leere Ausflüchte sind, auch Genosse Fabri kam immer mit leeren Ausflüchten. So geht man nun mit einem Menschen um, der einen Namen in der Öffentlichkeit hat. Ich kämpfe um meine Ehre. Ich fordere von dem Genossen Fabri, daß er aufsteht und erklärt, warum Genosse Ottwalt nicht zur Mitarbeit an der «DZZ» aufgefordert wurde. Ich habe mehrmals meine Mitarbeit angeboten.

Es passiert noch folgende Sache: Genosse Fabri schreibt einen Artikel[388] und zählt in diesem Artikel mehrere Schriftsteller auf, die an der neuen Zeitung mitarbeiten, aber den Namen Ottwalt vergißt er. Wozu führt das? 20 Genossen kommen und sagen, Ottwalt, was ist los, warum arbeitest du nicht an der neuen Zeitung mit? Ich sage, wieso, warum, natürlich arbeite ich mit. Darauf erklären sie mir, ja

387 Vgl. zum «Fall Ottwalt» die Be- oder Verurteilung der Kaderabteilung. Dokumentarischer Anhang Nr. 3.
388 Ernst Fabri: *«Das Wort». Eine neue antifaschistische Zeitschrift*, in: DZZ, Jg. 11, Nr. 178, 4.8.1936.

warum nennt dich die «DZZ» nicht, die anderen Mitarbeiter wurden doch alle von ihr aufgezählt. Es ist zuviel von mir drin, eine Novelle, drei Buchbesprechungen, dies und jenes, viel zuviel. Gen. Fabri gelang es aber, meinen Namen zu vergessen. Diese sozusagen Nichtachtung, die da zum Ausdruck kommt, daß ein Genosse seinen Namen mißbraucht, um so gegen einen politisch völlig unbescholtenen Parteigenossen vorzugehen. In der gesamten deutschen Presse, soweit sie nicht faschistisch ist, ist die volle Ausbürgerungsliste mit den Namen Ottwalt und Günther veröffentlicht worden. Diese Ausbürgerungsliste ist von den bürgerlichen Zeitungen veröffentlicht worden, von der «DZZ» nicht. Genosse Günther hat Fabri zur Rede gestellt und ihn gefragt, ob sie nicht veröffentlicht worden sei, weil der Name Ottwalt darin steht. Fabri schwieg und lächelte.

Gen. **Barta**:
Solche Ausdrücke: Dreckigste Methoden der kapitalistischen Presse sind für eine Sowjetzeitung nicht zu gebrauchen.

Gen. **Ottwalt**:
Ich bitte zu entschuldigen. Wenn Fabri einen politischen Grund sieht, den Namen Ottwalt in der «DZZ» nicht zu nennen, dann möge er aufstehen und sagen, wir haben Ottwalt das und das vorzuwerfen. Gen. Fabri ist nicht einmal nur zur Rede gestellt worden, warum unterschlägst du Arbeiten des Genossen Ottwalt? Und Fabri antwortete, das habe ich vergessen. Ich beziehe mich auf Genossen Bredel. Ich kann ein solches Verhalten nicht qualifizieren, und es erinnert mich an die Methoden der kapitalistischen Presse. Damit sage ich nichts gegen die Redaktion der «DZZ» und die Sowjetpresse, sondern gegen so einen Redakteur. Genosse Fabri soll aufstehen, Genossin Annenkowa soll kommen. Ich kenne meine Fehler als Mensch, als Schriftsteller und Kommunist sehr genau. All eurer Kritik leiste ich nicht den geringsten Widerstand. Aber man soll nicht mit der Ausrede kommen, ich hätte Artikel nicht rechtzeitig abgegeben. Nur Ottwalt soll geschlachtet werden.[389] Was ist die Sache mit dem «Wort»,

389 Wie aus dem Dossier der Kaderabteilung (vgl. Dokumentenanhang) hervorgeht, wurden anläßlich der beantragten «Überführung» Ottwalts in der KPD ausgedehnte Befragungen durchgeführt. Da ihn der frühere Leiter der «BB-Familie» Wilhelm Bahnik (d. i. Martin) davon informierte, war Ottwalt auch während der nächtlichen «Säuberungen» in der deutschen Kommission zunehmend bewußt geworden, daß er «geschlachtet» werden sollte.

was mit den Rayon-Redakteuren? Ich habe keine Meinung dafür, ich kann das nicht politisch qualifizieren, wenn ein verantwortlicher Mitarbeiter der «DZZ», wie Genosse Kern, in öffentlicher Versammlung erklärt, während an der Wolga das und das passiert, haben unsere Schriftsteller nichts anderes zu tun, als auf der Twerskaja spazierenzugehen. Oder ich kenne unter allen in Moskau lebenden Schriftstellern nur zwei moralisch einwandfreie Leute. Alle diese Sachen sind eben persönlicher Stunk, Diskreditierung politisch aktiver Genossen. Aber das geht nicht von Ottwalt aus, das ist politisch nicht faßbar und kann nicht von mir qualifiziert werden.

Gen. **Günther**:
Ich will ein Wort zu den Vorwürfen sagen, von denen seit Monaten Genosse Ottwalt dieselbe Darstellung gegeben hat. Ich besinne mich nicht, daß Genosse Ottwalt eine so ausführliche Darstellung gegeben hätte, sondern nur kurz über das Resultat seiner Unterredung mit der Genossin Annenkowa berichtete, daß seine weitere Mitarbeit unerwünscht sei. Heute, da Genosse Ottwalt eine ausführliche Darstellung gibt, habe ich widersprechen müssen, daß er den Teil nicht erwähnte: Ottwalt ist ein unzuverlässiger Mensch, liefert die Artikel nicht rechtzeitig ab, und Genossin Annenkowa hat keinen Zweifel darüber gelassen, daß sie ihn für unverbesserlich hält, daraus muß Genosse Ottwalt die Konsequenzen ziehen.

Gen. **Ottwalt**:
Das ist dem Sinn nach dasselbe, was ich gesagt habe.

Gen. **Weinert**:
Ich habe eine Frage zu stellen. Die Klärung des Verhältnisses zwischen Genossen Ottwalt und der «DZZ» ist meines Erachtens absolut unvollständig. Wir müssen erfahren, ob die Differenzen mit der «DZZ» nicht weiter zurückliegende Ursachen haben. Ich erinnere mich, daß bei dem Parteibericht Gen. Ottwalt sehr viel sagte und doch nicht erschöpfend war.

Gen. **Ottwalt**:
Das liegt in jenem Dokument vor.

Gen. **Barta**:
Wir werden es zu Protokoll[390] geben.

Gen. **Fabri**:
Ich möchte einige Sachen richtigstellen, die von Genossen aufgestellt wurden und der Richtigstellung bedürfen. Ich möchte zuerst sagen, daß ich eine Reihe von Fällen angeführt habe, nicht um zu zeigen, daß Ottwalt in einer Reihe von Fragen persönliche Dinge verbreitet hat, die nicht mehr zutreffen, sondern daß ich gegen die Atmosphäre des persönlichen Stunks bin und mich dazu nicht hergebe, daß er gegen andere hetzt. Was war die Taktik Ottwalts in all diesen Dingen? Ich werde später etwas mehr zu sagen haben, in welcher Form Ottwalt systematisch gegen mich vorgeht. Das beeinflußt mich nicht in meiner Wertschätzung des Formates des Schriftstellers Ottwalt. Ich halte mich unbedingt an die Wahrheit. Genosse Ottwalt hat versucht, plötzlich ein politisches Mäntelchen zu finden, wenn er sagt, zwischen mir und Fabri bestehen schwere politische Differenzen. Als Genosse Ottwalt aus der Ukraine zurückkam und fragte, warum bringt ihr nichts von Kontschak, habe ich geantwortet – und das ist vielleicht von ihm ein Gedächtnisfehler, zumindest in der Praxis eine Einstellung –, ich habe von Kontschak und Laszlo noch nie eine Arbeit zugestellt bekommen. Ich bekomme keine Briefe direkt, jeder geht durch das Einlaufbuch. Ich bekomme täglich 8–10 Briefe von Schriftstellern. Ich habe von Kontschak und Laszlo noch nie einen Beitrag bekommen. Siehst du, komisch ist es, wenn Laszlo sich bei dir beschwert. Ich habe zufällig von Laszlo einen Privatbrief bekommen wegen einer Schule, die er besuchen will. Die berühmte gelbe Mappe, die Genosse Ottwalt von Genossen Most entlehnt hat, zur Zeit, als die «DZZ» verstopft war, die hat Ottwalt mit seiner Phantasie dazuerfunden. Ich kenne 8–10 junge Schriftsteller, nenne Müller, den alten Fast, Kontschak und Laszlo[391]. Laszlo wird der ewige Anfänger genannt. Daß Kontschak nicht in der Rayonspresse durchgehen...

390 Dieses Dokument konnte wie andere im Stenogramm erwähnte Anlagen noch nicht im Moskauer Komintern-Archiv eingesehen werden.
391 Wahrscheinlich ist hier mit Laszlo nicht Raoul Laszlo, sondern der ungarische Schriftsteller **László F. Boros** gemeint; KPD-Mitglied seit 1919, 1936 aus der KPD ausgeschlossen. 1938 wurde von ihm ein Buch in der VEEGAR publiziert. Am 12.3.1938 wurde er verhaftet.

Gen. **Ottwalt**:
Weißt du, daß der Rayonssekretär aus der Partei ausgeschlossen worden ist?

Gen. **Fabri**:
Aber um das dreht es sich nicht. Ich kann nur drucken, was ich bekommen habe. Wenn eine Sache uns entspricht, wird sie veröffentlicht. Das halte ich voll und ganz aufrecht, Ottwalt hat mir den Vorwurf gemacht, daß ich von Schellenberg nichts gedruckt habe. Ich stelle richtig das Gespräch über Wolf Weiss. Er sagte selbst, der Genosse Ottwalt, daß er sich dem Wolf Weiss zugesagt hat, als Wolf Weiss vom Radio fortgegangen war. Der Mann hat schwere politische Exzesse in Leningrad gemacht, kam wieder nach Moskau und wohnte dort im Hotel «Oktober». Er wohnte dort zusammen im selben Zimmer mit dem Provokateur und Spion Laszlo. Ich habe abgelehnt, Wolf Weiss abzudrucken, und 8 Tage später wurde er in Moskau verhaftet. Meine proletarische Ehre, das sind die Fakten, Wolf Weiss hat mit dem Provokateur und Spion Laszlo im selben Zimmer gewohnt.

Gen. **Ottwalt**:
Hast du Ottwalt aufgeklärt, daß er mit ihm zusammenwohnt? Hat Genosse Fabri in diesem Augenblick dem Genossen Ottwalt gesagt als Kommunist, als der Mann mit der 30jährigen proletarischen Ehre, der Mann geht mit einem Provokateur um, oder was hat er getan? Er hat mir ein Manuskript gegeben und gesagt, das ist politisch nicht gut.

Gen. **Fabri**:
Ich war natürlich nicht im Hotel «Oktober», ich habe das später erfahren, ich wußte das zu der Zeit nicht. Das ist Methode von Ottwalt, so hat er das den ganzen Abend getan, er stand auf, begann anzuschreien, begann abzuwinken, und dann, Genossen – ich muß Tatsachen feststellen – Wangenheim, aber so schrei ich nicht wie Ottwalt – und dann, Genossen, legt der Genosse Ottwalt mir in den Mund, als oder Fabri hat gewußt, daß der Mann mit einem Spitzel zusammensitzt, wo ich erklärt habe, ich habe das nach der Verhaftung erfahren. Daß dieser Weiss ein vollkommen verlumptes Element ist, hat Ottwalt gewußt. Ottwalt hat sich lächerlich gemacht wegen meiner Klassenwachsamkeit. Der Heller, erklärt von Ottwalt. Wir urteilen als Parteigenossen, wenn wir Menschen haben, die moralisch zersetzt sind, so wissen wir, diese können morgen dem Klassenfeind dienen,

und, Genossen, Ottwalt hat selbst gesagt, er wußte, daß der Mann zersetzt ist. Ich wußte das, und solche Menschen hat man nicht in der «DZZ» zu propagieren, zu publizieren. Wir haben die Veröffentlichung abgelehnt. Ottwalt sagte selbst, er wußte, daß er ein verlumptes Element ist. Die nächste Frage. Genosse Ottwalt war in der Zeit in der «DZZ» und wußte Bescheid im Gegensatz zu dem Dreh des Genossen Ottwalt. Ottwalt wußte ganz genau die Vorgänge, er soll sich nicht wie ein neugeborenes Kind stellen.

Gen. **Wangenheim**:
Warum hast du ihm, wie es Ottwalt scheint, in provokatorischer Absicht, als Beweisgrund dafür, daß er mit einem Konterrevolutionär was zu tun hat und dadurch bei uns den Eindruck erwecken mußte, daß eine politische Unsauberkeit von Ottwalt ist, daß er bei Kenntnis dieser Tatsache, die du auch erst später gewußt hast... aus welchem Grunde hast du das gesagt?

Gen. **Fabri**:
Ich habe festgestellt, Ottwalt hat behauptet, der Mann ist in Leningrad verhaftet, darum habe ich es gesagt, der Mann ist nicht in Leningrad, sondern hier in dem Zimmer, wo er mit einem Konterrevolutionär zusammengearbeitet hat.

Dann, Genossen, möchte ich auf eines aufmerksam machen, wie Ottwalt reagiert darauf – die anderen Schriftsteller sind nicht hergekommen, daß er einen Artikel über sie geschrieben hat usw. Das war großartig. Ich spreche davon, daß du dich hast einweihen wollen, als den guten Mann, der für sie Herz hat, daß das dieselbe Methode ist. Genossen, vielleicht werden es die einzelnen so empfohlen haben. Genosse Becher hat eine unnötige Art. Ich glaube, daß solche Sachen gesagt werden müssen, schlechte Gewohnheiten, die Genossen haben. Jeder Genosse hat Fehler, wenn jemand kommt und sagt, er hat keine Fehler, so hat er keine Selbstkritik gemacht. Ich möchte auf diese Dinge nicht eingehen, ich wollte auch nicht davon sprechen, mit dieser berühmten dreckigen Pfote.

Gen. **Barta**:
...in so einer Form, wie alle anderen Genossen, Fragen stellen, Erklärungen kann man abgeben – kurze sachliche Fragen und Erklärungen.

Gen. **Most**:
Ich bin der Meinung, daß es völlig aussichtslos erscheint, diesen ganzen Komplex des Genossen Ottwalt und der «DZZ» überhaupt richtigzustellen. Das würde ins uferlose gehen. Das Dokument liegt vor. Es wird sich feststellen lassen, was richtig ist oder nicht. Jetzt soll man nur Fragen stellen, Gegenfragen usw.

Gen. **Fabri**:
Ich gebe die Erklärung ab: Mich hat früher der Genosse apostrophiert, und ich, Genosse Fabri, war mit Süßkind nicht erst nach seinem Ausschluß verkracht. Ich stelle fest, daß ich mit dem Mann nie in Beziehung gestanden habe. Ich gebe weiter die offizielle Erklärung ab, daß Süßkind nach dem Ausschluß nie die Räume der «DZZ» betreten hat. Ich gebe außerdem die Erklärung ab, daß es unrichtig ist, daß Süßkind eine ganze Reihe von Leitartikeln in der «DZZ» inspiriert und geschrieben hat.

Gen. **Ottwalt**:
Das kann Fabri gar nicht wissen!

Gen. **Fabri**:
Ich stelle fest, daß ich mit dem Genossen Süßkind keine Beziehungen unterhielt. Ich gebe die Erklärung ab, daß Süßkind nach seinem Ausschluß aus der Partei nicht die Redaktion betreten hat. Außerdem die Erklärung, daß es unrichtig ist, daß Süßkind eine ganze Reihe von Leitartikeln geschrieben hat.

Gen. **Most**:
Genossen, jeder hat hier das Recht, zu sagen, was er will.

Gen. **Fabri**:
Ich will zu meinen persönlichen Sachen sprechen.

Gen. **Weinert**:
Genosse Ottwalt sagte, es herrsche hier eine furchtbare Atmosphäre, man könne nicht arbeiten. Er sagte das in einer furchtbaren Erregung, als sei er angegriffen worden. Er sagte, es gibt nur einen, der mich nicht bescheißt, und das ist der Genosse Ottwalt. Was ist eigentlich los?

Gen. **Ottwalt**:
Selbstverständlich war diese Äußerung nicht im Zusammenhang mit

den Artikeln gefallen. Es wäre manchmal besser, man säße auf der Insel Udd, sagte ich. Aber ich will nur noch sagen, daß ihr selbst einen Teil dieser Atmosphäre hier jetzt miterlebt habt. Ich will ja nur, daß diese Vorwürfe, die man mir gemacht hat, hier auch wirklich untersucht werden.

Und wie steht die Sache mit dem Arbeiterjungen Weiss? Soll man zusehen, wie dieser Arbeiterjunge hier vor die Hunde geht? Fabri hat gesagt, das Manuskript von ihm sei schlecht, ich habe es gelesen, es war nicht schlecht. Das ist eine sehr ernsthafte Frage. Aber es ist ganz klar, man sagt, Finger weg, durch ein falsches Verhalten kann man dem Klassenfeind in die Hände treiben. Das ist ein Diskussionspunkt. Ich habe den Fall hier vorgebracht, und ihr seht, was man daraus macht. Hier wurde behauptet, daß Weiss mit Laszlo zusammengewohnt habe. Der Weiss hat sicher nicht mit Laszlo zusammengewohnt, ich kenne die Zimmer, es hatte nur ein Bett.

Gen. **Fabri**:
Also du warst doch bei ihm?

Gen. **Ottwalt**:
Warum diese Staatsanwaltsmethoden?

Gen. **Fabri**:
Du mußt die Wahrheit sagen.

Gen. **Kast**:
Wußtest du, daß er mit dem verstorbenen Genossen Slang[392] in homosexueller[393] Beziehung gestanden hat?

Gen. **Ottwalt**:
Davon habe ich nichts gewußt. Das Manuskript ist schlecht. Zur Frage des Genossen Erich: Ich begehe ständig Fehler, aber in dieser Situation, wo eine politische Meinung gegen die andere geht, kann ein Mensch einen politischen Fehler machen.

Zum Thema Selbstkritik:

Ihr kennt mein Leben. Das Leben ging nicht ohne Spuren an mir vorüber. Wenn ich jetzt nicht klar von Genosse zu Genosse sprechen

392 **Slang, d. i. Fritz Hampel**, KPD-Mitglied und Journalist, verstarb 1932.
393 Homosexualität galt im restriktiven Moralkatalog der KPD als «Abweichung» und wurde deswegen auch an anderen Stellen des Stenogramms vermerkt.

kann, so kann mir passieren, daß ich in einer Situation plötzlich zu einem Parteilosen eine Bemerkung machen kann, die mir den Hals bricht. Das nenne ich Atmosphäre.[394] Wollen wir uns nicht lieber gegenseitig helfen?

Gen. **Wolf**:
Ich bedauere, aber auch ich leide sehr unter dieser Atmosphäre. Ich bin dir gegenüber empfindlicher, Genosse Ottwalt. Du sprichst wie ein Maschinengewehr.

Aber eine Frage: Wie kam dieses Verhältnis mit der «DZZ» zustande?

Gen. **Barta**:
Ich möchte die Genossen bitten, Fragen zu stellen.

Gen. **Wolf**:
Was hast du selbstkritisch zu sagen, wie diese Atmosphäre entstanden ist?

Gen. **Ottwalt**:
Ich hatte eine Auseinandersetzung mit Gen. Annenkowa, wie sie jeden Tag in der Redaktion vorkommen kann. Es war mein Unglück, daß Genossin Annenkowa auf Urlaub ging, und als sie wiederkam, kamen wir nicht zurecht. Nun fängt die Sache an. Ich fing an, Fehler zu begehen. Ich fing an, persönliche Umgangsformen plötzlich übelzunehmen, was ich früher nicht gemacht hatte. Plötzlich fing ich an übelzunehmen. Ich hatte fünfmal versucht, für die «DZZ» zu arbeiten. Und jetzt kamen die guten Freunde. Eine besondere Rolle spielte Maria Osten. Hier Tratsch und da Tratsch, und plötzlich war der Fall da. Jetzt habe ich Naivling geglaubt, daß anläßlich des Falles Leschnitzer wir über alle Fälle sprechen würden. Jedenfalls schlug ich auf den Tisch, und am nächsten Tag kam Herzfelde und sagte, was hast du für eine Suppe eingerührt? Was von da kommt, kommt von dir. Ich sei der einzige gewesen, der an dem Abend ruhig und vernünftig gesprochen hat. Ich verlange nicht, daß jemand mir ein Ehrenzeugnis als hundertprozentigem Kommunisten gibt. Ich verlange, daß wenn man mich politisch isoliert, mir einen politischen Grund dafür gibt.

394 Der hochnotpeinlich befragte Ottwalt beschreibt an dieser Stelle die Moskauer «Atmosphäre» allzu treffend, auch ihn tödlich betreffend. Eine falsche, d. h. richtige Bemerkung konnte einem «den Hals brechen».

Gen. **Most**:
Was hat mit seiner Frage der böse Wolf getan?

Gen. **Weber**:
Welche Frauen sollten zu dem Wetscher bei Neumann eingeladen werden?

Gen. **Ottwalt**:
Es waren die Genossin Trude Taube und Erika Bergmann. Die eine ist die alte Stenotypistin des Genossen Teddy[395] und die andere die Frau des Arztes. Ich weigerte mich, weil beide Genossinnen in engem Kontakt mit ihm standen und weil ich befürchtete, daß ich (in) irgendeine Sache hineingezogen werden sollte.

Gen. **Barta**:
Du sprachst davon, daß dich Süßkind beauftragt hat, Wetscher zu organisieren, und er dir eine Liste der Einzuladenden übergeben habe.

Gen. **Ottwalt**:
Nein, so weit ging das nicht. Es handelte sich immer um denselben Kreis. Es waren Béla Kun, Süßkind, Tamara Motyljowa[396], Joris Ivens[397].

Gen. **Weinert**:
Wann war das?

Gen. **Ottwalt**:
Ich bin Anfang Oktober in die Sowjetunion gekommen, es kann Ende Dezember 1934 gewesen sein.

Gen. **Wangenheim**:
Die Zeit ist nicht unwichtig.

395 **Ernst Thälmann** (1886–1944), KPD-Vorsitzender, im KZ Buchenwald auf Befehl Himmlers ermordet.
396 **Tamara Motyljowa**, geb. 1910, sowj. Schriftstellerin, Mitglied in der Deutschen Kommission der IVRS, als Literaturkritikerin Beiträge in der *Internationalen Literatur*.
397 **Joris Ivens**, holländischer Filmregisseur, der in der Sowjetunion emphatische Filme wie «Der Komsomol» drehte und auch zahlreiche Beiträge für die *Deutsche Zentral-Zeitung* lieferte. Vgl. Klaus Kreimeier: *Joris Ivens. Ein Filmer an den Fronten der Weltrevolution*, Berlin 1977; Petra Lataster: *Gespräch mit Joris Ivens*, in: Sinn und Form, 1986, S. 344–359.

Gen. **Ottwalt**:
Joris Ivens, Annenkowa, Maria Osten waren auch einmal da. Eine schwedische Journalistin, die im Büro Kun ⟨arbeitete⟩, Makelius, Stenbock, einmal Sauerland mit seiner Frau, dann Genosse Plivier, Piscator mit Frau, und ich glaube, das waren alle. Das sind ungefähr 20 Personen. Auf zwei Wetscher gehen nicht mehr.

Gen. **Bredel**:
Ich war auch einmal da.

Gen. **Ottwalt**:
Richtig, Bredel und auch Kantorowicz. Es waren Leute, mit denen Süßkind auch anderswo hätte zusammenkommen können, so daß ich den Eindruck hatte, es handelt sich bei Süßkind um einen Nassauertyp.

Gen. **Gábor**:
Als Genosse Fabri früher den Genossen Ottwalt fragte und einmal Schellenberg und Wolf im Zusammenhang mit Genossen Ottwalt gebracht, hat er gemeint, daß Ottwalt Verbindung mit Schellenberg oder Weiss hätte?

Gen. **Fabri**:
Als auf der letzten Sitzung Genosse Ottwalt seine Selbstkritik gab, hat er gesagt, daß er nie mit einem solchen Menschen zu tun gehabt hat, mit Schellenberg einmal. Da habe ich das Recht gehabt, die Namen anzuführen.

Gen. **Barta**:
Um Mißverständnisse zu vermeiden, unsere Zusammenkunft ist keine Tschistka.[398]

Gen. **Ottwalt**:
Wenn ich höre, daß ich über Belanglosigkeiten sprechen soll, über den verhafteten Weiss, den ich erkannte und von dessen Verhaftung ich eher wußte als Genosse Fabri, daß Heinrich[399] Leute verschwiegen hat, mit denen er umgegangen ist, dann bin ich gezwungen, noch zwei

398 Das Ritual und Klima der Parteireinigung (russ. tschistka) ähnelte offensichtlich diesen nächtlichen «Sitzungen». Dies fiel sogar dem offiziellen Inquisitor Barta auf.
399 Heinrich Süßkind.

Stunden in meinem Gedächtnis zurückzugehen. Aber es handelt sich um folgendes, und das sollte Genosse Barta den Genossen vorhalten: Ob Genosse Fabri durch mein Verhalten im Falle Weiss oder im Falle Schellenberg – daß hier eine Gedächtnisstörung von Fabri ist, ist mir neu –, ob Fabri hier einen politischen Fehler erkennt.

Gen. **Barta**:
Er hat erklärt, daß er keinen politischen Fehler sieht. Wer hat noch Fragen?

Gen. **Wangenheim**:
Ich möchte fragen, ob dir bekannt ist, daß von verschiedenen Wetschern, die du in Moskau gemacht hast, Gerüchte umgegangen sind, daß dort Schlägereien gewesen seien. Das heißt, daß dieser Alkoholismus, den ich nicht als Stunk, sondern als Fakt betrachte ...

Gen. **Ottwalt**:
Als angeblichen Fakt.

Gen. **Wangenheim**:
Zum Beispiel im Hotel «Metropol».

Gen. **Ottwalt**:
In meiner Wohnung hat sich niemals jemand geschlagen.

Gen. **Barta**:
Vielleicht hat man jemand geschlagen.

Gen. **Ottwalt**:
Nein, auch nicht, das hätte ich gemerkt. Es hat sich einmal, ich weiß, worauf das abzielt, am 4. Dezember 1935 in der Wohnung des Genossen Granach[400] eine Szene abgespielt, die man als Exzeß bezeichnen

400 **Alexander Granach** (1890–1945), Schauspieler, 1933 Emigration, Schweiz, Polen, 1935 Sowjetunion, Rundfunkbeiträge zusammen mit Carola Neher, Mitarbeit an Wangenheims Film «Der Kämpfer», Beiträge für die *DZZ*, Direktor des jüdischen Nationaltheaters in Kiew; im November 1937 verhaftet, nach Intervention von Lion Feuchtwanger bei Stalin im Dezember entlassen, danach Zürich, Paris und New York. In den Akten der «Kaderabteilung» findet sich folgende Notiz:
«Betr. A. Granach 26.9.1936
Zur Zeit in Kiew am jüdischen Theater. Keine Angaben über ihn, da parteilos. Es ist bekannt, daß er bis zum Jahre 1932 bei der Zeitschrift «Die Aktion», die trotzki-

kann. Ich habe mich schlecht benommen, es kam zu einer Schlägerei zwischen guten alten Genossen, die am nächsten Tag aber sagten, wir wollen alles vergessen sein lassen. Es handelt sich um Piscator[401]. Osten und Busch machten sich über Piscator im stierbesoffenen Zustande lustig. Piscator wurde händelsüchtig, und Osten und Busch drangen auf Piscator ein.

Ich habe das eine Weile mit angehört, bin dann dazwischengegangen und habe so heftige Ausdrücke gebracht, die Busch und Rodenberg[402] in Harnisch brachten. Der Rest des Abends verging in unexzessiven Umgangsformen. Das ist seit vielen Monaten erledigt. Es war ein russischer Parteigenosse anwesend, er hat sich nett benommen, mit dem habe ich auch gesprochen, es war Schnigork.

Wegen der Adressen: Der Genosse Becher hat mir einmal, und zwar auf dem Wege von hier nach dem Verlag, einen ganzen Haufen Materialien gegeben, darunter einen Haufen Adressen. Das war nachmittags an einem freien Tag. Ich habe die Sachen in meine Mappe gesteckt, hatte 25 Sachen zu erledigen und hatte vergessen, diese Adressen abzugeben. Ich habe sie bei mir zu Hause behalten, habe sie am nächsten Tage wieder in meine Mappe gesteckt, bin am 3. Tag wieder damit rumgeschleppt, und am 5. Tage erfahre ich, daß die Adressen nicht abgegeben sind. Ich habe diese Adressen nicht. Ich stellte fest, daß diese Adressen liegengeblieben sind mit anderen Sachen in der Redaktion «Das Wort».

stisch-syndikalistisch ist, Geldeinzahlungen für den Pressefonds machte. Weiterhin unterstützt er finanziell den früheren Anarchisten, jetzt Trotzkisten Pfemfert, diese Verbindung soll heute noch bestehen. Er machte verschiedene trotzkistische parteifeindliche Äußerungen auf verschiedenen Künstlerfeiern. In Kiew war er zusammen mit einem Freund, der als Trotzkist verhaftet wurde, Name unbekannt. Bei demselben soll er zeitweise gewohnt haben. Einreise in die SU erfolgte 1934 auf Grund eines Vertrages mit der Meshrabpom-Film.»

401 Erwin Piscator.

402 **Hans Rodenberg** (1895–1978), Schauspieler und Regisseur, 1927 Mitglied der KPD, Piscator-Bühne, 1931 Sekretär der RGO, Industriegruppe Film, Bühne, Musik; 1932–35 stellvertr. Direktor von Meshrabpom-Film in Moskau; Verf.: *Das Gewissen*, Moskau 1939; Rundfunksprecher und Journalist am Moskauer Rundfunk; 1948 Rückkehr nach Berlin, DEFA-Direktor, ZK-Mitglied der SED, Stellvertreter des Ministers für Kultur. Susanne Leonhard benennt Rodenberg als NKWD-Agenten, der ihre Privatgespräche protokolliert und beim NKWD abgeliefert habe. Susanne Leonhard: *Gestohlenes Leben. Als Sozialistin in Stalins Gulag*, Frankfurt a. M. 1978, S. 56–58.

Gen. **Barta**:
War das nicht einfach so, du hast sie dem «Wort» übergeben?

Gen. **Ottwalt**:
Ich habe den Genossen Becher angebrüllt, falls die Adressen jetzt noch auftauchen, sollten sie nicht angenommen werden. Ich komme hin, und da sagt mir die Sekretärin, ich nehme sie nicht an. Ich habe mich aufgepustet und habe gesagt, es sieht bald so aus, als hätte ich sie an die deutsche Botschaft abgegeben.

Gen. **Bredel**:
Ich möchte die Genossen der Redaktion der «Internationalen Literatur» beruhigen, daß die Redaktion «Das Wort» von diesen Adressen keinen Gebrauch gemacht hat.

Gen. **Becher**:
Ernst, welches sind die Voraussetzungen, daß du deinen Roman zu Ende schreibst, und wann sind die Möglichkeiten vorhanden bis zur Vollendung deines Romans?

Gen. **Ottwalt**:
Diese Möglichkeiten sind in dem Augenblick gegeben, wo ich die Möglichkeit habe, daß ich mich 4 Monate in mein Hotelzimmer setze, ohne Essen, Schlafen und Rauchen meinen Roman schreiben kann. Und das ist eine sehr ernste Frage. Ich brauche allein für meinen Lebensunterhalt, für reines Essen und Wohnen, 1250,– Rubel. Um das zusammenschreiben zu können, bin ich gezwungen, dauernd Artikel zu schreiben. Andern geht das ebenso.[403] Und, Genossen, der Genosse Günther schreibt lauter kleine und kleinste Buchkritiken, aber ich weiß, daß der Genosse Günther uns mehr zu geben hat als diesen kleinen Dreck, aber er kann es nicht.

Gen. **Wolf**:
Du sagtest, daß die Partei dich befreit habe für 4 Monate für deinen Roman.

403 Hugo Huppert beispielsweise führte über seine Einkünfte aus Honoraren, Stipendien, Doppel-Gehalt als Redakteur der *Internationalen Literatur* und der *DZZ* penibel Buch. Sein Jahreseinkommen betrug 1935: 18824 Rubel und 1936: 24870 Rubel.

Gen. **Ottwalt**:
Da kam dazwischen eine Anweisung von der Kaderabteilung der Partei, zu einem bestimmten Zweck[404] hierzubleiben. Diese Zeit ist zu Ende, jetzt habe ich das Geld auch nicht.

Ich habe 3000,– Rubel Vorschuß bekommen für einen Roman; von Vorschuß zu leben ist vollkommen unmöglich. Ich gebe zu, ich habe vielleicht eine falsche Arbeitsmethode. In Berlin konnte ich arbeiten, ich war nicht an einen Termin gebunden. Jetzt die Tatsache, daß ich 4 Wochen an meinem Buch gearbeitet habe, kommt dazu, daß ich jetzt schon 14 Tage gepumpt habe.

Gen. **Hay**:
Ich habe wiederholt von verschiedenen Seiten gehört, Genosse Ottwalt hätte mit Meshrabpom etwas zu tun gehabt, wo Genosse Ottwalt Meshrabpom-Film sehr vertragsbrüchig behandelt und übers Ohr gehauen hat. Was ist davon wahr?

Gen. **Ottwalt**:
Ich bin unter falschen Voraussetzungen von Meshrabpom-Film in die Sowjetunion gelockt worden. Ich sollte das Drehbuch für einen antifaschistischen Film schreiben, dabei wurde gesagt, a) SA-Leute nicht, es darf dies und dies nicht gemacht werden. Das war Oktober 1933. Ich sagte, dann kann man doch keinen antifaschistischen Film machen. Ja, das kann man irgendwie einkleiden. Piscator und ich sollten das machen. Ich habe wie ein Kind beim Teich gestanden, ich wußte nicht, was ich dabei tun sollte. Jetzt haben wir ein Exposé gemacht, dieses wurde genehmigt. Es wurde ein Drehbuch aufgestellt und umgeschrieben, es wurden Änderungen vorgenommen – ein viertes oder fünftes Mal bin ich bereit, einen Krach zu machen. Dann sagte Genosse Samsonow[405], ich glaube, der Stoff ist in der Anlage falsch. Dann verbiete ich mir jede weitere Belästigung. Das habe ich getan, die 8000,– Rubel gehen auf Meshrabpom-Film, die mich mit einer völlig sinn- und nutzlosen Arbeit hingehalten hatte.

Gen. **Barta**:
Wer hat Fragen an den Genossen Wolf?

404 Wahrscheinlich, um die während der Untersuchung der Kaderabteilung gegen ihn gemachten «Vorwürfe» zu verfolgen.
405 Direktor von Meshrabpom-Film.

Gen. **Bredel**:
Ich möchte fragen, warum der Genosse Wolf in seinen Ausführungen nicht selbstkritischer darauf eingegangen ist, warum er eine ganze Zeitlang sich an unserer politischen und gesellschaftlichen Arbeit nicht beteiligt hat?

Gen. **Barta**:
Wer hat noch Fragen?

Gen. **Wolf**:
Ich muß sagen, die Frage ist berechtigt, und ich muß auch zugeben und ich habe auch schon selbstkritisch festgestellt, daß ich zu isoliert lebte. Die Arbeitsgemeinschaften habe ich nicht besucht, und ich verspreche euch, daß es anders wird. Genossen Günther habe ich erklärt, daß ich bedaure, daß er sein Stück «Spitzel» nicht geschrieben hat, dann hätte er die Frage von einem ganz anderen Standpunkt aus gestellt. Ich weiß, daß in der Sowjetunion ein Stück bis zu drei Jahren dauert. Ich erinnere an das Stück «Buljär» (??)[406], das vier Jahre dauerte und dann verboten wurde. Ihr wißt alle, daß in der Sowjetdramatik und Regie die größte und schwierigste Arbeit die Probenarbeit ist. Ich brauche nicht daran zu erinnern. Ein Stück zu schreiben ist die kleinste Arbeit, aber dann beginnen die Varianten. Die Proben zu meinem Stück begannen, aber leider mußte ich wegfahren und konnte nicht bei der Premiere anwesend sein. Ende April fand die Premiere endlich statt, obwohl sie im Februar schon stattfinden sollte. Die «Matrosen von Cattaro» habe ich gesehen. Die Arbeit an diesem Stück begann September 1934 und dauerte bis März 1935. Jeden Tag war ich im Theater. Man sagte mir auch, ob die Faschisten denn wirklich so seien, wie sie dargestellt würden, ob sie wirklich die Leute schlagen würden, hier wäre es zwar 1905/07 auch so gewesen, aber daß es heute in Deutschland, so in Deutschland sei, glaubten sie nicht. Ich habe nächtelang mit den Regisseuren gerungen, um wirklich etwas von den deutschen Ereignissen hineinzubringen.

Gen. **Bredel**:
Du willst also sagen, daß du wenig Zeit gehabt hast.

Gen. **Wolf**:
Ich will versuchen, die Sache zu ändern. Ich werde mich in Zukunft

406 «Buljär (??)», nicht ermittelt.

bei den Arbeitsgemeinschaften einfinden. Ich bitte die Genossen, mich bis zum 9. November von jeder Arbeit zu befreien, weil ich bis zum 9. im Wachtangow-Theater arbeiten muß und mir wenig Zeit übrigbleibt.

Gen. **Most**:
Das ist keine ausreichende Arbeit. Was gedenkst du zu tun, um einen besseren Kontakt mit den Genossen zu bekommen?

Gen. **Wolf**:
Meine politische Schulung ist auch schuld daran. Wir haben zwar Kurse gehabt, ich habe auch daran teilgenommen, aber sie genügen nicht.

Gen. **Barta**:
Am 15. September gibt es neue Kurse. Willst du daran teilnehmen?

Gen. **Wolf**:
Wie ihr wißt, leide ich auch noch an Rheumatismus. Ich bitte die Genossen, mich bis zum 9. 11. von jeder Arbeit zu befreien.

Gen. **Barta**:
Das war bei dir immer so.

Gen. **Wolf**:
Dann sage du mir, Barta, wie ich bei 30 Stunden täglich alles bewältigen soll.

Gen. **Barta**:
Du mußt unbedingt an den Kursen teilnehmen.

Gen. **Wolf**:
Das kann ich nicht versprechen. Ich muß unbeding bei der Probe zu dem neuen Stück dabeisein. Das Theater bringt zum ersten Male so ein Stück. Ehrlich versprechen kann ich euch, daß ich unbedingt nach diesem Stück an den Politkursen teilnehmen werde.

Gen. **Most**:
Wie du selbst siehst, bedarf es eines engeren Kontakts mit den anderen Genossen. Was willst du tun, um aus dieser Isolierung herauszukommen?

Gen. **Wolf**:
Ich habe eine große gesellschaftliche Arbeit geleistet, und zwar in den Betrieben.

Gen. **Most**:
Du hast engen Kontakt mit russischen Genossen?

Gen. **Wolf**:
Ja, ich habe sehr viel mit russischen Genossen in Betrieben gearbeitet. Meine mangelhafte politische Schulung stört mich, ich werde das auch zu liquidieren versuchen. Außerdem werde ich mich noch mit Russisch befassen.

Gen. **Most**:
Ich meine, diese regelmäßige Teilnahme an den Kursen ist nicht das Entscheidende. Wenn du an Kursen fehlen mußt, so ist das nicht das wichtigste. Der ganze Kontakt muß verbessert werden. Es ist nicht nur, daß du bei den Kursen anwesend bist, sondern es ist etwas mehr, das fühlst du selbst, und das muß zu gewissen Konsequenzen führen. Deine Sache ist, das selber zu sagen.

Gen. **Wolf**:
Ich will sagen, was ich vorhabe. Ich will selbstverständlich regelmäßig an Politkursen teilnehmen. Ich empfinde es als einen Mangel, und das ist meine Schuld, daß ich zuwenig künstlerischen Kontakt mit den Genossen habe. Ich muß zu meiner Schande sagen, daß im kapitalistischen Deutschland vielleicht ein künstlerischer Kontakt vorhanden war zu demokratischen Theaterdirektoren wie Falkenberg, Mausch, der heute Faschist ist, auch zu Wangenheims «Kolonne links», daß Produktionsberatungen stattfanden. Man muß mit der Bezeichnung Faschist vorsichtig sein, auch Agnes Straub ist keine Faschistin, obwohl sie spielt. Ich möchte folgendes rein praktisch annehmen: Ich plane wieder ein Stück. Ich möchte aber nicht das fertige Stück vorlesen, sondern wie es im Anfangsstadium ist. Dann kommt ein Moment, wo man mit niemand sprechen kann und wo man sich, wie die alten Hottentottenweiber, in den Kral zurückzieht. Im Anfang halte ich es für notwendig, daß wir über das Stück sprechen. Ich weiß nicht, ob du das meinst, aber vielleicht ist das eine Möglichkeit.

Gen. **Most**:
Du hast dein «Trojanisches Pferd» geschrieben, aber zu einer Diskussion ist es nicht gekommen. Das ist ein anormaler Zustand, und aus dem mußt du heraus.

Gen. **Wolf**:
Das war ein anormaler Fall.

Gen. **Most**:
Diese Stimmung mußt du analysieren, damit mußt du fertig werden.

Gen. **Wolf**:
Vielleicht hängt das mit meinem seltenen Auftreten zusammen.

Die anwesenden Genossen lachen verschiedentlich über die Ausführungen des Genossen Wolf.

Gen. **Most**:
Gestern hast du dies auf Übermüdung zurückgeführt. Aber das kommt heute nicht in Frage.

Gen. **Wolf**:
Wir kennen uns zuwenig. Aber das wird ganz interessant sein, auch für andere und für mich nützlich. Diese Atmosphäre, von der Genosse Ottwalt sprach, welchen Grund sie hat, ist eine andere Sache, diese Entfremdungsatmosphäre, um sie zu beseitigen, ist kameradschaftlicher Kontakt nötig, zum Teil führe ich das darauf zurück, daß meine Arbeit als Dramatiker etwas abseits liegt. Diese drei Punkte kann ich versprechen, aber nach dem 9. November, vielleicht vorher, Teilnahme an Politkursen, an der Arbeitsgemeinschaft und an den Produktionsberatungen.

Gen. **Most**:
Und bis zum 9. November?

Gen. **Wolf**:
Es kann sein, was ein ungewöhnlicher Zufall ist, daß statt 20 nur 9 Varianten durchgesprochen werden. Ich kann sagen, daß Wischnewski und ich dauernd über den Varianten brütend sind.

Gen. **Barta**:
Sind keine weiteren Fragen? Das ist nicht der Fall. Dann hat Genosse Bredel das Wort. Nach ihm folgt die Genossin Dornberger.

Gen. **Bredel**:
Genossen! Ich habe mir vorgenommen, einige längere Ausführungen zu machen. Aber ich möchte gleich von vornherein sagen, es werden sich bei diesem Generalbericht, den wir und alle zu geben haben,

einige Dinge wiederholen. Ich werde sie so kurz wie möglich formulieren und ohne viel Umschweife darlegen.

Bevor ich anfange, Genossen, möchte ich erinnern, in welcher Situation wir hier zu den Generalberichten, die wir zu geben haben, zusammenkommen, und zwar im Zusammenhang damit, daß beim Bekanntwerden des Prozesses einige Genossen doch die Bedeutung dieser hoch- und höchstpolitischen Angelegenheit nicht richtig erkannt haben. Wir sind hier Schriftsteller, hat sich nicht jeder von uns die Frage vorgelegt: Was wäre, wenn eines dieser großen geplanten Attentate dieser Bande so oder so geglückt wäre. In welcher politischen Situation ständen wir, wenn es den Schuften oder Konterrevolutionären wie David[407] gelungen wäre, auf dem VII. Weltkongreß wirklich auf den Genossen Stalin zu schießen? Erst wenn wir uns vergegenwärtigen, was es bedeutet hätte, in dieser kriegsschwangeren Atmosphäre mit all den Dingen im sozialistischen Aufbau in der Sowjetunion, erst dann haben wir die volle Bedeutung der politischen Ereignisse, in denen wir stehen und zu denen wir als Schriftsteller Stellung nehmen wollen. Was wäre gekommen, Genossen, frage ich, wenn nicht die wachsame GPU zugegriffen hätte. Es wäre der Krieg ausgebrochen, und diese Schufte, die teilweise einflußreiche Persön-

407 Fritz David, d. i. Ilja Krugljanski (1897–1936), geb. bei Wilna, 1917–1920 Mitglied der SDAP (R), kam 1926 nach Deutschland, 1926 KPD-Mitglied, 1928 Gewerkschaftsredakteur der *Roten Fahne*, 1932 ZK-Mitarbeiter für theoretische Fragen, 1933 Emigration in die UdSSR, Mitarbeiter Wilhelm Piecks. Im Juni 1936 wird durch eine Kommission seine Überführung in die KPdSU abgelehnt und seine «menschewistische» Vergangenheit festgestellt. Im ersten Schauprozeß am 24. 8. 1936 zum Tode verurteilt und erschossen.

In einem Brief an die KPD-Auslandsleitung vom 4. 9. 1936 beschreibt Pieck die durch den ersten Prozeß ausgelöste Untersuchung in der Komintern und übt «Selbstkritik»: «Es ist klar, daß ich durch meinen Widerstand gegen die im vorigen Sommer geforderte Entfernung Davids von der Kominternarbeit eine schwere Verantwortung auf mich geladen habe, und das ist auch in der EKKI-Sekretariats-Sitzung in der Form zum Ausdruck gebracht worden, daß ich die Hauptverantwortung für das Verbleiben Davids im Komintern-Apparat trage. In Verbindung damit wurde die Frage der Zuverlässigkeit der Umgebung der Führung der KPD und auch meiner Person gestellt. Es wurde eine Kommission eingesetzt, die neben anderen Aufgaben der Säuberung und Sicherung des KI-Apparates und der internationalen Institutionen auch die Umgebung der Führung der KPD und meiner Umgebung nachprüfen soll. Die Kommission hat ihre Arbei sofort aufgenommen und wir, besonders ich, werden alles tun, um die Kommission bei der Durchführung ihrer Aufgaben zu unterstützen.» IfGA/ZPA I 2/3/286, Bl. 177.

lichkeiten waren, hätten auf die Niederlage, auf den Zusammenbruch der Roten Armee hingearbeitet. Erst wenn wir uns das vergegenwärtigen, wird die hohe politische Bedeutung, die sich im Zusammenhang mit dieser Angelegenheit jeder Kommunist gegeben hat, klar. Ich persönlich bin bei verschiedensten Kombinationen nicht genannt worden. Ich erkläre ganz offen, ich fühle mich absolut mitschuldig, daß unter uns Schriftstellern in Moskau verschiedene ausgesprochene Konterrevolutionäre bestehen konnten, ohne daß wir rechtzeitig mit allem, was dazugehört, hier so und so und dort so und so der Partei und anderen Organisationen mitgeholfen hätten, wirkliche Feinde des Sozialismus zu kennzeichnen. Die Tatsache, daß einer der Hauptangeklagten wie Pikel Mitglied des Schriftstellerverbandes sein und einflußreiche Positionen einnehmen konnte, das ist eine Tatsache, an der ich mich mitverantwortlich zu fühlen habe.

Wer sind diese offenen Konterrevolutionäre, diese offenen Gegner, die in unseren Reihen so oder so gestanden haben?

Brand, Brustawitzki, Müller, Schellenberg und die Parteifeinde Schmückle, Schneider, Gles.

Ich möchte meine Ausführungen beginnen mit einer Darlegung meiner Versäumnisse, mit einer Kritik an meinen Fehlern, die ich in der Zusammenarbeit mit euch in Moskau mir vorzuwerfen habe. Und dann erst möchte ich auf einige andere Fragen, wie unsere Aufgaben und dergleichen, zu sprechen kommen.

Genossen, wie war die Sache Schneider? Ich habe den Fehler begangen, den wir alle begangen haben, daß wir Schneider als Hanswurst betrachtet haben, daß wir ihn nicht ernst genommen haben, ich erinnere an eine Sitzung. Ganz bewußt haben Ottwalt und ich uns nicht vor Lachen gehalten über den Unsinn, den er da redete, aber die Tatsache, daß wir ihn geduldet haben, ist unser Fehler. Der Mann hat sich nach außen hin als Schriftsteller ausgegeben, hat uns kompromittiert, in die größten Verlegenheiten gebracht bei den russischen Genossen, er wurde betrachtet als einer der deutschen Schriftsteller in Moskau, ohne ihn hart und schroff zu erledigen. Das ist erst auf Grund einer Buchbesprechung des Genossen Günther erfolgt.

Wie war die Sache mit Gles? Ich erkläre ganz offen, daß ich nach wie vor der Ansicht bin, daß die Art, wie nun Gles erledigt worden ist, mir immer noch nicht die richtige scheint. Ich sage ganz offen, die «DZZ»-Kritik des Genossen Weinert halte ich nach wie vor für falsch. Der Titel stellte eine enorme Aufzählung der antifaschistischen Literatur dar. Ich halte es für verfehlt, oberflächlich und einseitig. Aber das wichtigste, daß dieser Gles überhaupt so aufkommen konnte – die Schuld lag bei den Instanzen, der MORP und MORT, das wurde nicht in der nötigen Art und Weise getan, wenn man das an die Öffentlichkeit bringen wollte. Ich will ganz kurz erzählen meine Bekanntschaft mit Gles. Ich kam von Prag hierher zum Schriftstellerkongreß, hielt dort meine ominöse Rede gegen Radek, und auf den Wandelgängen kommt ein Genosse auf mich zu und sagte, du hast den Genossen Gles vergessen aufzuzählen als den proletarischen Schriftsteller. Ich sagte ihm, Genosse, den kenn ich ja gar nicht. Das bin ich. Ja, ja, aber ich lerne dich jetzt erst kennen. Was hast du denn geschrieben? Ich habe einen Roman in der Fortsetzung in der «Welt am Abend», verschiedene Kurzstücke – du bist noch nicht lange in der Sowjetunion. Beschämt zog ich ab. Im Saal drückt mir einer den «Sturmschritt» mit einem Gedicht über Münnichreiter unter den Arm. Darüber steht der Name Gles. Ich renne vor Wut durch die Wandelgänge, Gles zu erwischen, ich treffe ihn und frage ihn, ist dieses Gedicht von dir? – Ja – Dann bin ich heilfroh, dich nicht genannt zu haben. Er hat noch bessere, sagte er mir. In der Unterhaltung sagte er, die Schriftsteller müssen doch wie Künstler zusammenhalten. Ich sagte ihm, ich habe einen so hohen Begriff von dem Namen Künstler, wir haben sicher nicht den Begriff, uns Künstler zu nennen. Er sagte noch, ich bin schon 3½ Jahre bei der Literatur.

Das waren meine ersten Eindrücke von Gles. Ich hatte sie erzählt. Trotzdem muß ich sagen, wir haben uns alle und auch in Sachen Gles schwere Versäumnisse vorzuwerfen. Ottwalt und ich haben uns Gedanken darüber gemacht, auf welchen Umwegen er hierhergekommen ist und was er für ein zweifelhaftes Schriftstellerdasein führt, und wir haben gesagt, ach was, sich mit Dreck befassen. Fest steht, wenn wir von uns aus die Sache angegriffen hätten, daß er rechtzeitig in seinem Traum als Schriftsteller entlarvt wurde auf einer Linie, die die heutige Basis wäre, wenn hier so ein Gles stände und müßte reden, dem Antwort stehen, dann würden wir es erkennen und Maßnahmen ergreifen. Das ist unterblieben. Ich war selbst zu lau und lasch. Wir hätten ihn 2 Jahre eher entlarven können, als es geschehen ist.

Und nun, Genossen, komme ich zu einem Fall, über den schon viel gesprochen ist. Das ist die Sache Schmückle, die wesentlich komplizierter ist, und ich muß da erzählen, als ich als ein Neuling in euren Kreis hier überhaupt von Prag nach Moskau kam, und nur auf Grund der Tatsache, daß ich im Konzentrationslager war, herausgestellt wurde, hatte man die Sorge, was machen wir mit Bredel? Da wurde allen Ernstes von Ludkiewicz, Becher und Schmückle der Vorschlag gemacht, in die Redaktion des «Sturmschritt» zu gehen und die Leitung zu übernehmen. Genossen, was bedeutet das? Ich war damals längst nicht so gescheit wie heute, aber immerhin so gescheit, daß ich mir sagte, da stimmt was nicht, das sind Vorschläge von Genossen, die es nicht sehr gut mit dir meinen, denn gerade unten im «Sturmschritt» in der Ukraine waren brennende politische Angelegenheiten zu klären, dort war ein derartig heißes Gebiet, daß Genossen, die sich jahrelang in der Sowjetunion aufgehalten haben, es nicht gewagt hätten, die Arbeit zu übernehmen. Ich kam frisch hierher und sollte auf diese Position geschoben werden. Ich habe mich dagegen gewandt und gesagt, das kommt nicht in Frage.

Eine andere Sache. Als ich dann das Referat des Genossen Radek las auf diesem Kongreß, da war ich sehr unzufrieden damit und sagte, da muß unbedingt einer sprechen. Trotzdem ich während der ganzen Kongreßzeit meinen Roman fertig geschrieben habe, habe ich die Diskussionsrede im Hoppla-Hopp ausgearbeitet, aber Schmückle sagte, halte diese Rede nicht. Dir, der du gerade aus dem Konzentrationslager kommst, wird man nichts tun, aber unser guter Freund Hans wird den Kopf hinhalten müssen. Ich habe mit dem Kopf des Genossen Hans gespielt und bin selbstverständlich den absolut parteimäßigen Weg gegangen, habe dieselbe dem Organisationsbüro des Kongresses vorgelegt, der Zelle usw. Das ist alles klar, aber dieselben Tendenzen, wie bei Wolf, so war die ganze damalige Situation, wir müssen viel bescheidener sein, lediglich nicht der Genosse Radek, er spricht im direkten Auftrag von Stalin, was weiß ich. Und nun, Genossen, will ich euch ganz kurz die Situation in wenigen Worten schildern. Ich war ein Genosse, der nun immerhin eine ganze Zeitlang im Lager war, kurze Zeit in Prag und dann hierherkam, bisher nur als Parteifunktionär gearbeitet hatte – für mich war das ein neues Terrain, als Schriftsteller zu arbeiten. Ich wurde bestimmt durch den Genossen Knorin[408] hier als Vertreter in Moskau der deutschen Sektion der MORP.

Der Genosse Becher fuhr (nach) Paris, der Genosse Schmückle blieb als sein Vertreter hier zurück. Ich muß sagen, daß der Genosse

408 Waldemar Knorin.

Reimann, der sonst jeden Tag kam, monatelang sich nicht sehen ließ. Sie wollten damit vielleicht erreichen, daß ich mich in eine Sackgasse hineinmanövrieren sollte. Das ist nicht gelungen. Ich möchte aber daran erinnern, wie wir dann einen langen Kampf gegen den Opportunismus führten, ebenso auch gegen die Auffassungen des ehemaligen Genossen Schmückle.

Gen. **Barta**:
Wie kam Schmückle ins Sekretariat?

Gen. **Bredel**:
Das war eine große Streitfrage. Das war so: Der Genosse Becher fuhr nach Paris[409], ich galt als sein Vertreter und war Mitglied des Sekretariats[410]. Schmückle erhob Anspruch, Mitglied des Sekretariats zu sein. Aber dagegen wurde scharf Stellung genommen. Von uns wurde das abgelehnt. Er berief sich aber auf Knorin[411] und wurde dann hinzugezogen. Im Falle Schmückle ist uns unsere Wachsamkeit wirklich schwer gemacht worden. Ich will das an einigen Beispielen beweisen. Genosse Schmückle konnte sich restlos auf die Unterstützung der Genossen Knorin, Heckert, Reimann, Schwab, de Leeuw berufen, ebenso auf die russischen Genossen Dinamow, Metallow[412]. Er genoß das vollste Vertrauen all dieser Genossen. Das ging sogar soweit, daß Genosse Dinamow mich überhaupt nicht sah und alles mit dem Genossen Schmückle erledigte. Ich sagte Ludkiewicz, wenn Dinamow dabei ist, komme ich einfach nicht mehr. Daraufhin hat Ludkiewicz mit Dinamow gesprochen, und das nächste Mal hat er mich herzlich begrüßt. Aber beim nächsten Mal hatte er das schon wieder vergessen. Ein anderer Fall: Wir hatten eine Sitzung, und ein Referent unserer russischen Bruderpartei war anwesend, der scharf gegen Schmückle auftrat, der sich auch darüber wunderte, wie ein Mann wie Schmückle hier anwesend sein kann.

409 Gemeint ist offenbar die zweite Reise Bechers nach Westeuropa im Herbst 1934.
410 Sekretariat der IVRS.
411 Wilhelm Knorin war Mitglied des Präsidiums und des Sekretariats des EKKI. Auf dem VII. Weltkongreß der Komintern (1935) wurde Knorin nicht mehr in diese Funktionen gewählt.
412 Jakow M. Metallow.

Gen. **Barta**:
Er war nicht Vertreter der russischen Bruderpartei, er war Mitglied unserer Sektion.

Gen. **Bredel**:
Das wurde aber damals nicht so gesagt. Dann der Besuch bei Heckert, solange er Parteivertreter war, der sehr viel auf das Urteil von Schmückle gab und mir aber auch jederzeit Gehör gab. Dann als Genosse Heckert bei der Profintern arbeitete und nicht mehr Parteivertreter war, wurde eine Sitzung bei Heckert in der Profintern einberufen. Ich legte Wert darauf, daß Barta an dieser Sitzung teilnehmen sollte. Aber die Einladung kam nicht. Bei Heckert waren dann anwesend: Schmückle, Schwab und Ludkiewicz. Hier stellte Genosse Heckert die Frage, was ist eigentlich los, was soll die Sache mit Schmückle? Genosse Ludkiewicz legte dann die Dinge klar. Genosse Heckert meinte, daß man doch vernünftig sein solle. Auch Schwab redete auf mich ein. Ich muß offen erklären, ich hielt Schmückle für einen Versöhnler aus Natur. Wir müssen ihn anders anpassen und ihn unter politische Kontrolle stellen. Sie waren mit meiner Stellungnahme sehr unzufrieden. Wir gingen so auseinander. Aber, Genossen, ich verheimliche das eine nicht, und ich glaube, ich habe mit dem Genossen Ottwalt vor längerer Zeit darüber gesprochen, daß ich den Eindruck hatte, daß bei dem ganzen Kampf gegen Schmückle eine persönliche Frontstellung mitspielte. Es herrschte hier manchmal auch ein falscher Ton. Wir hätten es aber geschickter und schneller verstehen müssen, diesen Schmückle in seinem halben Verschweigen kalt zu stellen. Es kamen aber noch persönliche Momente hinzu. Ich habe den Eindruck, das hat die Aufdeckung der politischen Entlarvung Schmückles geschafft und den Prozeß seiner Entlarvung herausge[zögert].

Ich muß heute selbstbekennerisch erklären, daß ich diesen harten Ausdruck gebrauchte «Versöhnler aus Veranlagung». Ich muß sagen, daß ich mir im Falle Schmückle eine gewisse liberale, tolerante, duldende Haltung gegenüber Schmückle zum Vorwurf machen kann. Die Genossen wissen, was es hin und wieder für heftige Auseinandersetzungen gab, daß bei der ernsten Angelegenheit der Diskussion über Malraux[413] plötzlich der Schmückle, wie von der Tarantel gesto-

413 Die *Internationale Literatur* veröffentlichte seit 1934 Artikel von André Mal-

chen, feststellte, ich wäre Sektierer. Und daß wir bei Sachen, wo wir eine sabotageartige Tätigkeit feststellen konnten, noch nicht rücksichtslos genug und nicht energischer eingeschritten sind. Ich muß allerdings sagen, daß das auch mir von anderer Seite etwas schwer gemacht wurde, und ich muß die «DZZ» erwähnen. Gerade in der letzten Zeit, kurz vor dem Ausschluß, war Schmückle der weitaus am meisten gedruckte Schriftsteller der Deutschen in Moskau. Er war derjenige, der zu der Besichtigung der Division mitgenommen wurde, ich aber mußte ablehnen aus gewissen Gründen, obwohl ich auch eingeladen war. Außer unserem hochgeschätzten Genossen Lukács war auch Schmückle zum Tschakalowabend eingeladen.[414]

Gen. **Barta**:
Das ist wahr.

Gen. **Bredel**:
Das sind Dinge, die zu meiner Lauheit und Toleranz Schmückle gegenüber beigetragen haben. Ich hätte doch viel politischer und energischer und rücksichtsloser gegen Schmückle auftreten sollen. In diesem Zusammenhang wird nachher noch etwas von mir gesagt werden.

Ich möchte weitergehen, in welchen Fällen ich mir Vorwürfe zu machen habe. Da gibt es einen Hausner. Ich weiß nur, daß er eines Tages kam und sagte, er war beim Verlag «Junge Garde».

Gen. **Halpern**:
Er war vor ein paar Tagen hier.

Gen. **Bredel**:
Ich sollte seine Arbeit, die er geschrieben hatte über den Prager Alltag, durchsehen und begutachten. Ich habe die Arbeit durchgesehen, viel schwarzweiß und eine primitive Art der Darlegung, eine falsche Behandlung der Gewerkschaftsfrage. Ich habe gesagt, trotzdem wäre sie interessant als ein Einblick in das Jungarbeiterleben in der Tschechoslowakei, wenn sie gründlich politisch und literarisch überarbeitet wird. Sie wurde überarbeitet und wurde wesentlich besser. Ich sollte ein Vorwort dazu schreiben, was ich ablehnte. Wenn die Arbeit er-

raux und ein Interview mit ihm. Seine Rede auf dem Pariser Schriftstellerkongreß wurde 1935 ebenfalls in der *Internationalen Literatur* abgedruckt.

414 Auch hier wird deutlich, welche Rolle Einladungen für die Positionsbestimmung in der Literaturhierarchie hatten.

schienen ist oder erscheint, so wird sie ohne dieses Vorwort erscheinen. Hausner sagte, Genosse Ottwalt kann über mich Auskunft geben. Genosse Ottwalt erklärte, er kenne ihn, er war in Prag und in Deutschland ein Genosse und sei gut. Irgendwie war er sowohl Genossen Ottwalt als auch mir nicht ganz koscher. Ich sagte: Wollen wir nicht irgendwie fragen, wie er lebt, wovon er lebt, und was spielt er für eine Rolle. Wir sind zu Genossen Apletin gegangen und haben ihm dargelegt, was wir von diesem Genossen halten.

Ich möchte jetzt etwas zur Brand-Angelegenheit sagen. Diese ganzen Dinge um Brand spielen hauptsächlich 1933/34. Ich habe diese Kämpfe um Brand nicht mitgemacht, ich kam später. Ich habe ihn 2- bis 3mal gesehen. Ich war einmal, weil er mich zehnmal eingeladen hatte, in seiner Wohnung. Er hat mir seine Wohnung gezeigt und von seiner Prunkbibliothek gesprochen, in der Fuchs' «Sittengeschichte»[415] sogar in ganz raffinierten Auswahlbänden vorhanden war. Das war eigentlich alles, was ich mit Brand zu tun hatte, weil mir Genossin Annenkowa dauernd in den Ohren lag, paß mir auf, mit dem ist etwas nicht in Ordnung. Oder Genosse Barta, um hier der Wachsamkeit Genüge zu tun, hat eine schriftliche Darlegung gegeben und an die entsprechenden Instanzen weitergeleitet.

In Verbindung mit der Brand-Angelegenheit komme ich zu den Vorwürfen, die gegen Genossen Gábor erhoben werden. Ich möchte ganz kurz sagen, daß mir irgendwie ein Widerspruch vorhanden zu sein scheint zwischen der Erklärung des Genossen Gábor und dem Kommentar, den er dazu gegeben hat. Daß da irgendwie meines Erachtens eine nicht ganz klare Angelegenheit vorliegt. Ich denke, Genosse Gábor müßte sich da noch einmal prüfen. Ich bin absolut und mit voller Entschiedenheit gegen die Art, wie Genosse Huppert die Vorwürfe gegen Gábor erhebt. Ich kann ihnen nicht beistimmen oder sie anerkennen. Ich bin nicht der Meinung, daß Genosse Gábor mit der Arbeitsgemeinschaft einen Reklamefeldzug für sich machen wollte, ich bin nicht der Meinung, daß Genosse Gábor die Absicht hatte, sich einen Kreis Jünger zu schaffen. Ich bin der Meinung, daß Genosse Gábor, trotz der schweren Versäumnisse, zu denen er sich bekennt, sich ehrlich bemüht hat, in unserem Sinne proletarische Literatur zu leisten, bin aber der Meinung, daß er das nicht

415 Die Illustrierte Sittengeschichte von Eduard Fuchs erschien seit 1909 mit drei Ergänzungsbänden.

immer richtig gemacht hat. Es würde zu weit führen, das im Gesamtzusammenhang ausführlicher darzulegen. Ich will vorher zu der Differenz zwischen der Erklärung und dem Kommentar sagen, daß es meines Erachtens nicht richtig ist, wenn Gábor sagt, daß er sich bemüht hat, die Angelegenheit Brand aus rein objektiver Einstellung heraus darzustellen, und das geschah, um die Sache zu klären. Ich glaube, da sind sehr ernste Momente in dem Auftreten und in dem Eintreten des Genossen Gábor für Brand, wo er glaubte, den ehemaligen Genossen Brand vor falschen Anklagen und Verleumdungen schützen zu müssen. Da sind doch irgendwie gewisse Unterschiede, die man bedenken muß. Ich bin der Meinung, die Kaderpolitik ist in gewissem Sinne anzugreifen. Auch wie Genosse Huppert sie angegriffen hat, in einer etwas zu starken Überschätzung des beginnenden Talents in seiner Arbeitsgemeinschaft, in einem Zu-viel-Hermachen einer gelungenen literarischen Sache und in einer nicht genügend ernsten kritischen und verantwortungsbewußten Erziehung eines jungen Schriftstellers. Wenn Genosse Gábor bei einer Sitzung gesagt hat, daß die Genossin Dornberger durch ein gutes Gedicht sich das Anrecht erworben hat, (sich) zehn Jahre lang Schriftstellerin zu nennen, so bin ich absolut nicht dieser Meinung und habe das auch gesagt. Ich glaube, diese Einstellung ist eine falsche Einstellung. Man könnte in diesem Zusammenhang mehr sagen. Aber ich sage das nicht. Ich möchte nicht sehr weit eingehen auf das, was Günther in der Angelegenheit Brand gesagt hat. Ich bin der Meinung, daß er in seinen Ausführungen nicht ganz mutig im Bekennen eigener Versäumnisse und Mängel war.

Gen. **Barta**:
Er hat doch selbst die Arbeitsgemeinschaft geführt.

Gen. **Bredel**:
Interessant ist mir eine Sache, die vielleicht nur als ein falscher Zungenschlag oder kuriose Darstellung der Sache zu werten ist, wenn der Genosse Günther in einem Gespräch über Trotzkismus dem Brand plausibel machen muß, welche Einstellung er hat, so ist das eine falsche Politik, das ist falsch, einen Menschen zu bekehren.

Gen. **Most**:
Und dabei Fehler machen.

Gen. **Bredel**:
Ich habe schon gesagt, daß ich mit den scharfen und absolut ungerechtfertigten Anklagen des Genossen Huppert nicht einverstanden sein kann nach dem Gang der Sache. Er stellte sehr richtig nach der vorzüglichen Diskussionsrede des Genossen Lukács fest, daß man fester mit dem Sowjetleben verbunden sein muß am sozialistischen Aufbau, daß man sich als Kommunist einstellen und einleben muß, alles richtig. Aber der Genosse Huppert ist schon lange hier, beherrscht die russische Sprache – ich stelle ihm die Frage, wo er denn nun eigentlich in diesem Strom des sozialistischen Lebens eingeschaltet ist, wie er es sein könnte. Genossen, ich will hier sagen, vor den Genossen Weber und Most – schade, daß die Genossin Annenkowa nicht da ist –, ich war ein Jahr Leiter der deutschen Sektion der MORP.[416] Aber außer Schmückle, bei dem uns die Wachsamkeit schwergemacht wurde, ist keines von diesen Schweinen in der deutschen Kommission der MORP in irgendeiner verantwortlichen Position gewesen. Sie haben an der Peripherie geschwommen und sich breitgemacht. Unsere Versäumnisse bestehen darin, daß wir die Peripherie nicht gesäubert haben und uns hiermit belastet haben. Wo sie erschienen, das waren die Arbeitsgemeinschaften, in diesen aber auch nur als Teilnehmer, und Teilnehmer konnte damals jeder sein. Wir haben darin viel zu spät selbstkritisch erkannt, daß das unmöglich ist, und werden in Zukunft unsere Arbeitsgemeinschaften anders organisieren. Ich behaupte, wenn wir eine gute Parteiarbeit geleistet hätten, hätten wir diese Arbeitsgemeinschaften durchführen können. Wir können sie durchführen, wenn wir unter uns ein Granitblock von Kommunisten sind, die wissen, was sie wollen, die sich einer auf den anderen stützen, die politisch klar sehen – dann kann man das Risiko eingehen, in eine Arbeitsgemeinschaft jeden heranzuziehen. Weil dies nicht besteht, müssen wir vorsichtiger sein, müssen wir die organisatorische Basis ganz anders organisieren.

Es wäre noch sehr viel zu sagen über die Erfahrungen der Arbeitsgemeinschaften, bei vielen, vielen positiven Dingen, die sie gezeigt haben, und was sie den einzelnen Genossen gegeben haben, ob sie die richtigen Methoden waren, die Arbeitsgemeinschaften zu führen. Ich habe starke Bedenken, aber das sind Diskussionen, die wir woanders

416 Bredel leitete die deutsche Sektion der IVRS vom Herbst 1934 bis zu ihrer Auflösung nach dem Pariser Schriftstellerkongreß.

zu beraten haben. Ich glaube, daß die Art, wie sie durchgeführt wurden von Gábor wie Günther, von Günther ganz besonders, viel zu unpädagogisch, viel zu oberlehrerhaft – von der Unfehlbarkeit des Leiters abgesehen – geleitet und geführt worden sind.

Über Produktionskrise wollte ich was sagen, Most hat Barta schon darauf hingewiesen, daß wir darüber gesprochen haben. Ich glaube, daß Barta zugeben muß, daß er nicht ganz kompetent ist, darüber zu urteilen, er ist schon so lange in der Sowjetunion, er hat diese kleinen Momente, mit denen wir zu ringen haben, längst hinter sich. Ich möchte hier sagen, daß diese Krisenerscheinungen absolut nichts zu tun haben mit irgendwelcher Genügsamkeit oder Faulheit, oder Vorwänden, nicht mehr zu arbeiten, sondern im Gegenteil wird er gerade diese Krisenmomente benutzen, um noch schärfer, härter, kritischer an sich zu arbeiten, um für seine Arbeit zu schaffen. Ich war in der MORP in den Jahren 1935/36. Ich freue mich, daß der Genosse Lukács in seinen Ausführungen gesagt hat, es ist durch meine Einwirkung ein etwas anderer Ton in die ganze Arbeit gekommen. Ihr wißt selber, wie die frühere Arbeit aus Intrigen, aus Gruppengeschichten bestand, und meine Einstellung von vornherein war die, nicht mit dieser heuchlerischen Herzlichkeit zu kommen, aber mit dem rauhen Ton der Wasserkante, ohne Hintergedanken, zu sagen, was ist. Vielleicht war ich zu rauh, aber das ist immer noch besser, als sich in der alten Art sich gegenseitig die Arbeit zu erschweren. Und ich möchte sagen, daß doch eigentlich in diesem Jahr große Ansätze gemacht wurden und auch einige Erfolge zu verzeichnen sind, die ganze Arbeit unserer Genossen auf eine politische Ebene zu stellen, besseren Kontakt zu haben mit den Leuten der Komintern, nicht persönlich, sondern mit allen Genossen, mit den Vertretern der Komintern und der Partei. Ich muß auch noch sagen, daß ich etwas mit der Zenzi Mühsam zu schaffen gehabt habe. Viele Tage wurde ich von Vertretern der Meshrabpom-Film bestürmt – morgens, mittags, abends –, ich soll einen Mühsam-Film schreiben. Ich habe mich gewehrt mit Händen und Füßen, das ist eine faule, dumme Sache, ich will nicht drin sein, raus, raus. Ich wurde auf ganz hohe Einwirkung verpflichtet, ich soll mich daranmachen und soll ein Drehbuch für einen Mühsam-Film schreiben. Der Genosse Granach sollte ihn drehen, im «Metropol» war die erste Zusammenkunft, wo die Zenzi saß und nun dem Willi Bredel den Film erklären wollte, der für ihren erschlagenen Mann gedreht werden sollte. – Also so ein Denkmal muß es werden auf unseren Erich. – Ich sagte gar nichts. Aber dann sagte ich: Ich bin der Meinung, das soll so ein Denkmal werden auf die antifaschistischen Kämpfer in Deutschland und auch auf Erich. Und schon war der erste Konflikt da. Ich war dann bei dem Genossen Samsonow[417], wir haben geredet hin und her. Ich habe dann ein Exposé gemacht, und bevor ich weiterarbeiten konnte, fuhr ich weg, habe aber auch im Ausland Material gesammelt, und jetzt, wo die politische Sache so steht, kommt die Meshrabpom, oder die Bankrotteure, die Bankrottverwalter von Meshrabpom, und erklären, der Mühsam-Film kommt nicht in Frage, der Genosse Bredel soll 3070,– Rubel bis zum 7. September zurückzahlen, dabei 700 Rubel mehr, als ich bekommen habe. Das ist eine verdammt undankbare Arbeit mit der Meschrabpom-Film, ich habe es gleich gewußt, es ist meine Schuld, daß ich darauf eingegangen bin. Das ist meine Angelegenheit mit Zenzi Mühsam.

Gen. **Weber**:
Du hast doch einen Brief, der doch sehr interessant ist.

Gen. **Bredel**:
Am 1. September hatte ich das Manuskript liefern sollen. Ich möchte weitergehen und Stellung nehmen zu den Ausführungen einzelner Genossen. Wir haben ausführlich gesprochen in verschiedenen Sitzungen, und ich möchte hier nichts wiederholen. Genosse Becher hat Auffassungen vertreten, die meines Erachtens von ihm sehr gründlich überlegt hätten werden müssen. Sie führen zu falschen politischen Konsequenzen. Wenn er das Wort von Pasternak übernahm, daß der Schriftsteller mit anderen Maßen zu messen ist, und wir das berücksichtigen, so liegt darin ja, ganz platt gesehen, eine gewisse Wahrheit. Wahr ist, daß es in der kommunistischen Bewegung zwischen Berufsgruppen Unterschiede gibt, aber in den Grundfragen, da gibt es keine Unterschiede. Und wenn hier Unterschiede kommen, dann kommen wir in die Verantwortungslosigkeit, in die Disziplinlosigkeit. Wir müssen von jedem Kommunisten restlosen Einsatz für die Partei verlangen. Genosse Stalin sagte, daß die Kommunisten Menschen aus besonderem Guß[418] sind, und gerade

417 Direktor von Meshrabpom-Film.
418 Nach dem Tode Lenins hatte Stalin in seiner Rede vor dem 2. Sowjetkongreß am 26. 1. 1924 dieses «besondere» Menschenbild als notwendige Voraussetzung für den personalisierten Kultus geprägt: «Wir Kommunisten sind Menschen von

wir Schriftsteller müssen beweisen, daß wir Kommunisten aus besonderem Guß sein wollen.

Genosse Becher hat nach seinen eigenen Darlegungen uns erzählt, wie er in kritischen Momenten immer einige Tage schwankte, so damals im Tattersall, dann später 1933 sei er deprimiert gewesen, und 1936 hat er dieses ungeheure Ereignis des Prozesses der Banditen nicht gleich in der ganzen politischen Bedeutung erkannt. Ich bin der Meinung, daß ein Kommunist gerade in kritischen Zeiten seinen Mann stehen muß, gerade in schwierigen Augenblicken muß er zu reagieren wissen und dafür sorgen, daß das Interesse der Partei gewahrt bleiben muß. Haben wir nicht einen Genossen gehabt, der aus besonderem Guß war, den Genossen Schehr[419], der es vermochte, die Partei auf die Illegalität umzustellen. Hätten wir nicht einen solchen stahlharten Genossen in der deutschen Parteiführung gehabt, dann wären wir vielleicht bald unter den Schlitten gekommen und hätten die Partei nicht auf die Illegalität umstellen können. Ich möchte sagen, daß ich es bedaure, daß Genosse Becher nicht offen genug diese Seite betont hat, wo er aufzuholen hat und wo er selbst sich noch Rechenschaft zu geben hat, ob er in Paris sich auch so verhalten hat und seine Aufträge durchgeführt hat. Darüber müßte er noch sprechen.

Anschließend möchte ich auf die Ausführungen des Genossen Ottwalt eingehen. Ich habe mich gewundert, daß er die Linie des Genossen Becher in seinen Ausführungen vertrat. Wenn Genosse Ottwalt sich hinstellt und sagt: Wo ist der hundertprozentige Kommunist, und seht ihr nicht den 100prozentigen, der große literarische Kunstwerke schafft, so schreibt demnach der schlechte Kommunist gut und der gute Kommunist schlecht. Du selbst hast gesagt, Genossen, wo haben wir sozialkritische Romane geschrieben, nur kein Kommunist ist in der Lage, einen sozialkritischen Roman zu schreiben. Nur so sind die Ausführungen des Genossen Ottwalt zu verstehen. Sie führen zu politisch schädlichen Konsequenzen. Aber ich möchte jetzt Ottwalt

besonderem Schlag. Wir sind aus besonderem Material geformt. Wir sind diejenigen, die die Armee des großen proletarischen Strategen bilden, die Armee des Genossen Lenin. Es gibt nichts Höheres als die Ehre, dieser Armee anzugehören.» Josef W. Stalin: *Werke*, Berlin 1952, Bd. 6, S. 41.

419 **John Schehr** (1896–1934), seit 1932 Mitglied des Politbüros der KPD, seit Mai 1933 illegale Landesleitung der KPD, im November 1933 verhaftet, 1. Februar 1934 in der Berliner Gestapo-Zentrale ermordet.

sagen, daß mir ein Roman von Bodo Uhse weltanschaulich und literarisch wichtiger ist als ein Roman von Glaeser oder Brentano, daß mir ebenfalls die Romane von Anna Seghers und der Roman von Hans Marchwitza lieber sind als die Romane von Glaeser und Brentano. Der Genosse Ottwalt hat sich in eine falsche Position hineingeritten.

Ich will vorausschicken, daß ich glaube, sehr großes Verständnis für die Sensibilität, für die Empfindsamkeit eines Schriftstellers zu haben, auch eines solchen wie Genossen Ernst, der von Statur einer deutschen Eiche gleicht. Trotzdem sage ich offen, ich halte es für einen Kommunisten nach vier Jahren Hitlerdiktatur reichlich beschämend, ich habe einige gute Novellen, einige gute Glossen geschrieben und mehr nicht.

Gen. **Ottwalt**:
Und zwei Jahre Parteiarbeit gemacht.

Gen. **Bredel**:
Ernst, ein Genosse von deinen Gaben und von deinem Können hat als Kommunist die Verpflichtung der kommunistischen Partei etwas anderes vorzulegen als einige gute Novellen und Glossen. Du kannst mehr liefern. Die Partei hungert, die Volksfront braucht solche Sachen. Du mußt als großer Schriftsteller mit größerem politischen Ernst an die Sache herangehen. Selbst, wo wir alle deine große Begabung kennen und schätzen, wo du selbst wie deine Arbeit unter deinen Händen gewachsen bist, du überschätzt dich, solange du uns nicht etwas zeigst. Ich habe die «Prüfung» geschrieben, zu der ich wohl rein schriftstellerisch am kritischsten stehe, und du sagst, die «Prüfung» wird zehn Jahre bestehen. Das Buch, das du schreiben willst, soll hundert Jahre bestehen. In dieser Aufzeigung ist ein kleiner Rechenfehler. Die «Prüfung» ist da, dein Buch ist noch nicht da. Mein Buch lebt zehn Jahre, aber deins soll erst noch geboren werden. Ich glaube, daß wir uns auch mit diesen Fragen zu befassen und dem Genossen Ottwalt zu helfen haben, daß er das durchführen kann. Ich bin nicht der Meinung, daß es in der Sowjetunion mit ihm so schlecht geht, wie es scheinen möge. Genosse Ottwalt hat die Möglichkeit gehabt, vom ersten Monat, als er hier war, an seinem Roman zu arbeiten. Und ich werde dazu verschiedene Schwierigkeiten aufzeigen, über die ich gleich sprechen werde. Eine gewisse Schwierigkeit, über die wir im einzelnen schon gesprochen haben, ist eine schlechte Sache, die sich in der letzten Zeit aber gebessert hat. Das ist, in der Parteiarbeit war

ein gewisses Durcheinanderarbeiten, so daß die einzelnen Genossen mehr oder weniger ihre eigenen Wege gingen. Es fehlte der Zusammenhalt, und es fehlte die Grundlage dessen, was die Voraussetzung für eine schöpferische Atmosphäre ist. Dazu kam, daß es an Vertrauen und Kameradschaftlichkeit gefehlt hat und Dinge auftauchten, die bestimmt Schriftsteller hemmen. Erlaubt mir, daß ich in diesem Zusammenhang eine Frage behandle, die bestimmt sehr schädlich wirkt. Ich als glücklicher Besitzer einer Wohnung will sagen, daß die ganze Wohnungsangelegenheit bestimmt die schöpferische Atmosphäre erschwert, daß es besser sein könnte, daß bessere Voraussetzungen für die Arbeit vorhanden wären, wenn diese Frage gelöst wäre. Ich freue mich, daß das gesagt werden kann, wo Genosse Apletin und die Genossen von der Komintern dabei sind. Wenn Genossen Hunderte von Rubeln aufbringen müssen, nur damit sie mit ihrer Frau ein Zimmer bewohnen können, wo ein Schriftsteller ein Arbeitszimmer für sich allein braucht, um überhaupt arbeiten zu können, hätten uns die Sowjetschriftsteller viel energischer helfen müssen, als sie es getan haben. Und wir hätten unsere Ansprüche viel energischer geltend machen müssen.

Aber, Genossen, selbst diese kritische Situation in der Wohnungsfrage ist meines Erachtens nicht ausreichend, um jeden Genossen im Nachlassen seiner schöpferischen Tätigkeit als Schriftsteller irgendwie zu entschuldigen. Entschuldigt, es kommt selten vor, aber heute in eurem Kreise erlaubt, daß ich von mir selber spreche und mir die Backen streichle. Aber es kommt wirklich selten vor. Als ich aus Deutschland kam, habe ich angefangen, die «Prüfung» zu schreiben. Zwei Nachmittagsstunden, vom Mittag- bis zum Abendessen, bei der Familie Herzfelde. Dann im Atelier einer befreundeten Malerin im 7. Stock, wo ich infolge der Sommerhitze splitternackend vor der Schreibmaschine gesessen habe. Dann habe ich den Rest in der Eisenbahn von Prag nach Moskau und den Schluß während der Sitzung des Sowjetschriftsteller-Kongresses geschrieben, wo ich fast in jeder Sitzung war, wo ich auf der Sitzung selber gesprochen habe. Am Schluß hatte ich meinen Roman fertig, und zwar fertig, weil ich nicht irgendwie als Kommunist zu mir sagte, es ist eine politisch wichtige Sache, sondern darüber mußte geschrieben und schnell geschrieben werden.

Ich muß eine Frage aufwerfen, was ich bei manchem Genossen vermisse. Ich sage, weil auch eine Besessenheit in mir war, weil es mir unter den Fingern brannte und weil ich literarisch selber gehetzt wurde durch das, was ich schrieb und auf Papier bringen wollte. Ich möchte nicht, daß das so gedeutet wird: Aha, das ist der primitive, hemmungslose Prolet, der darauf losschreibt. Ich war mir der Verantwortung bewußt, aber ich mußte in diesem Hetztempo arbeiten, damit das, was ich erlebt hatte, nicht verlorenging.

Gen. **Wolf**:
Du platztest von dem Erlebnis?

Gen. **Bredel**:
Ich platzte von dem Erlebnis. Hinzu kam, daß ich noch sehr viel mehr wußte und zu diesem Thema zu sagen gehabt hätte, aus Erlebnisgründen, als Funktionär in der kommunistischen Partei und in der Arbeiterbewegung. Infolgedessen habe ich ziemlich kurz darauf einen Vertrag mit dem russischen Verlag «Junge Garde» über diese Erzählungen abgeschlossen. Über Selbstkritik könnte man sprechen, und ich wäre für Anregungen sehr dankbar. Ich hatte die Verpflichtung, bis zum 31. Januar zu liefern. Ich wohnte eine Zeitlang mit vier Menschen in einem Hotelzimmer, und ich habe in neun Monaten rund 10000,– Rubel Miete zahlen müssen. So habe ich gesessen und geschrieben bis nachts 3 oder 4 Uhr, habe aber meinen Vertrag mit dem russischen Verlag der «Jungen Garde» am 30. und 31. Januar erfüllt. Das sind alles Dinge, die wir in diesem Zusammenhang zur Sprache bringen wollen. Nicht, weil ich allein politisch die Verpflichtung sah, sondern weil ich als Schriftsteller schreibe, der veröffentlicht wird, weil ich glaube, daß ich als Schriftsteller, was in mir brennt, schreiben muß. Ich habe vom Genossen Ottwalt einmal den Ausdruck gehört, er schreibe ungern. Ich muß erklären, ich kann mir nicht vorstellen, daß ein Schriftsteller ungern schreibt. Ich schreibe mit Begeisterung und mehr, als veröffentlicht wird. Es ist mir eine Lust und ein Vergnügen zu schreiben. Wenn ich mit Zwang und Hemmungen und Beschwerden an die Arbeit herangehen sollte, das kann ich mir nicht vorstellen, dann arbeite ich auch nicht. Selbstkritisch will ich über die «Prüfung» und über das, was ich geschrieben habe, in diesem Rahmen nichts zu sagen. Ich will nur eins noch erwähnen. Die Genossen werden mir zugeben, daß ich auch in der Vergangenheit sehr viel Arbeit hatte. Hatten wir alle. In der letzten Zeit habe ich noch mehr als verschiedene andere Genossen. Die «Internationale Literatur» wird gemacht von einer wirklichen Redaktionskommission, «Das Wort» habe ich so gut wie allein. Inwiefern ich mich auf die Mitarbeit der beiden ande-

ren Genossen[420] habe verlassen können, will ich hier nicht mitteilen. Ich muß mich befassen mit dem Redigieren, mit der Auswahl, mit der Beschäftigung, daß es herauskommt, und was es da für Schwierigkeiten gibt. Und außerdem bin ich noch bei den verschiedensten Anlässen, ohne daß ich eigentlich bestimmt bin von der Komintern oder der Partei, der Sprecher, sei es auf dem Tschkalow-Abend usw., wo wir als deutsche Schriftsteller etwas zu sagen haben. Diese Arbeit kann die Energie eines Schriftstellers in Anspruch nehmen. Die Genossen wissen, ich schreibe nicht an einem Roman, mit dem ich heute fertig werden will, ich arbeite an mir selber, ich lerne, und wenn ein Genosse bei mir vorbeikommt und ist es schon zwei Uhr nachts, kann er Licht in meinem Zimmer sehen. Und ich sage, Genossen, man muß sich verpflichtet fühlen als Schriftsteller, sich in seinen Stoff hineinfreuen, daß er selber nicht anders kann, als so zu arbeiten. Ich habe in diesem Sommer einen Vorteil gehabt – ich bin wenig auf dem Moskwa-Fluß gewesen, ich habe nicht alle Kinostücke gesehen, aber ich bin mit meiner Arbeit fertig geworden. Ich habe 1600 Seiten geschrieben. Das sind Dinge, die erörtert werden müssen, weil ich gerade über einen längeren Atem verfüge als ein anderer Genosse.

Ich möchte jetzt zu einem Punkt etwas sagen, und zwar zu unserem Verhältnis zur «DZZ». Ich bin der Meinung, daß eine Zeitung wie diese, die, wenn auch in minimaler Auflage, ins Ausland kommt, etwas geben muß von dem kulturvollen Aufbau in der Sowjetunion, von den Debatten und Diskussionen, von dem geistigen Leben der Sowjetschriftsteller und der Arbeit der deutschen Schriftsteller an der Kulturarbeit in der Ukraine.

Ich glaube, daß die «DZZ» es nötig hat, unsere restlose Hilfe in Anspruch zu nehmen, damit sie die Aufgaben, die ihr gestellt sind, einigermaßen erfüllen kann. Es muß zwischen unserer Arbeit an der «DZZ» und der Einstellung der Redaktion zu uns ein anderes Verhältnis geschaffen werden. Genossen, die Auslese, die meines Erachtens die «DZZ» vornimmt in bezug auf ihre Mitarbeit, erscheint mir nicht immer glücklich und richtig. Ich will nicht von dem Tschkalow-

420 Gemeint sind hier nicht die beiden Mitherausgeber Bertolt Brecht und Lion Feuchtwanger, sondern Franz Leschnitzer und Fritz Erpenbeck, die in der Moskauer Redaktion des *Wortes* mitarbeiteten. Nach seiner Entlassung aus der Komintern-Funktion arbeitete auch Heinrich Meyer (Most) bis zu seiner Verhaftung in der Redaktion der Zeitschrift *Das Wort*.

Abend anfangen, der ein sehr unangenehmer Fall war, die Redaktion hat sich selber entschuldigt. Aber hoffen wir, daß in Zukunft derartige Unannehmlichkeiten nicht wieder vorkommen. Der Genosse Fabri wird ja noch reden. Ich hoffe, er wird in selbstkritischer Weise etwas sagen zu seinem Verhältnis zu Schmückle und Reimann, die mir von Fabri als mustergültige Kommunisten hingestellt werden. Ich glaube, daß hier der Genosse Fabri etwas zu sich selber sagen müßte, und das wird er wohl auch tun. Ich glaube, daß die «DZZ» sehr viel schlechte Sachen veröffentlicht hatte, unglaubliche Thälmann-Gedichte in der Zeitung, die eine Diskreditierung waren, wo der Genosse Fabri die Verantwortung hatte. Du bist für uns der Verantwortliche.[421] Ich will nicht reden von dem «Frühling an der Wolga» von Munke – ich will sagen, was Süßkind damals über Kurz geschrieben hat, ist, heute gesehen, eine reine Schweinerei. Das sind Dinge, die, wie ich glaube, wenn ein besseres Verhältnis, ein wirklich schöpferisches Verhältnis mit der «DZZ» besteht, nicht vorkommen können.

Gen. **Ottwalt**:
Es hat hier Diskussionen gegeben über den Schein-Realismus durch Süßkind usw.

Gen. **Bredel**:
Ich muß hier sagen, daß, um dieses bessere Verhältnis zur «DZZ» herzustellen, ich sehr kurz den Genossen Gábor bitte, daß er seinen für meine Begriffe ungeheuerlichen Ausspruch in der Sitzung bei Annenkowa zurücknimmt und als groben politischen Fehler anerkennt. Ich bin der Meinung, daß du eine solche Sache als schweren politischen Fehler hier anerkennen mußt, daß wir auch die letzten Reste aus der Welt schaffen, um ein erträgliches Verhältnis zur «DZZ» herzustellen.

Ich will jetzt zum Abschluß über unsere Aufgaben, wie sie vor uns stehen, einige Worte sprechen. Wenn wir uns der Aufgaben, wie wir sie zu erfüllen haben, recht bewußt sein wollen, müssen wir immer wieder die ganze politische Konstellation, die riesigen Kämpfe unserer Genossen in Deutschland, die Ereignisse der Volksfront und alle ihre Schwierigkeiten in Frankreich, die heroischen Kämpfe in Spa-

421 Hugo Huppert macht in seiner Autobiographie Ernst Fabri zu seinem «Helfer» für den Feuilleton-Teil der *DZZ*. Vgl. Hugo Huppert: *Wanduhr mit Vordergrund*, Halle/Saale 1977, S. 474.

nien, wo jetzt Toledo gefallen sein soll, uns vor Augen führen. Wir müssen wissen, wie mit Erbitterung und Heldenmut ohnegleichen gegen die Faschisten der ganzen Welt gekämpft wird, und dann die weltpolitische Lage, die riesige Kriegsgefahr, wo die Sowjetunion bedroht ist. Genossen, wer von uns ist nicht abends, wenn er Zeitung liest oder Radio hört, beim Atlas und zeigt jeden Ort, wo gekämpft wird in Spanien. Hier in der MORP, wo die Möglichkeit wäre, eine große Karte anzubringen, ist noch keine, aber es ist schon eine Karte von Abessinien da. Wir könnten auch eine gute Karte haben, wo wir uns informieren können über Spanien, wir könnten von den Genossen in der Komintern informierende Vorträge haben. Erst dann, wenn wir mit diesen Dingen einigermaßen vertraut sind, können wir als kommunistische Schriftsteller unsere schriftstellerischen Aufgaben, die politisch sind, erfüllen. Ihr habt gehört, wie heute in seiner Abschiedsrede der Genosse Regler gesagt hat und wiederholt, was er auf seinem Abend sagte, er ist in diesen Tagen hart geworden; das ist ein erfreuliches Resultat. Aber ich erkläre auch hier, mit alledem, was mit Gestapo zusammenhängt, bin ich schon um ein Jahr eher hart geworden. Ich bin der Meinung, die Gefahr besteht, daß unsere Genossen draußen bei der Arbeit, ohne von Humanismus zu reden, irgendwie schwächlich werden, Rückzieher machen, die vollständige Härte, die sie an den Tag legen müssen, verlieren. Wir gehen heute mit größerer (...)[422] an unsere Arbeit heran, wir werden nicht jeden Faschisten enthaupten – aber wir spüren doch selber in uns noch alle diese Banditen, die unsere Genossen martern und in den Tod jagen – nur mit Vernichtungsmitteln schlagen. Aber wir müssen diesen Banditen, die unsere Genossen in Deutschland martern und ihre Spione hierherschicken, nur mit Vernichtungswellen begegnen. Wir können es nur verstehen, daß der Genosse hart geworden ist, weil er hierherkam. Wir müssen davor warnen, daß sie nicht schwächer werden. Wir werden diese Banditen vernichten, um Hunderttausenden Sowjetbürgern das Leben zu retten. Das müssen wir in den Materialien, die wir nach Paris schicken, vertreten.

Kantorowicz, der ein guter Genosse ist und viel arbeitet und mit all seiner gelegentlichen Schwäche trotzdem restlos zur Partei steht, mit ihm hatte ich ein Gespräch. Wir hörten, daß in Spanien eine Stadt gefallen war. Er sagte: Wenn Spanien in die Brüche geht, dann ist

422 Fehlendes Wort.

alles verloren. Ich sagte, Mensch, wenn in Spanien der Faschismus siegt, so müssen wir jetzt schon vorher alles tun, um das zu verhindern. Wie kann man solch eine pessimistische Haltung einnehmen. Ich habe ihm gegenüber dann gesprochen über die große Französische Revolution, wo 2000 Reaktionäre umgebracht wurden, dann von Danton, wie er das französische Volk zur Revolution begeisterte, dann über die damalige Situation in Rußland. Die halbe Ukraine von Deutschen besetzt, das ganze Sibirien in Händen Koltschaks, Judenitsch vor Leningrad, Denikin vor Moskau – und da sagt ein Kommunist – alles ist verloren. Dann ist wirklich alles verloren. Aber die Bolschewiken von damals, die waren aus dem besonderen Guß wie Stalin. Wir müssen ebenso lernen, in den kritischen Situationen unseren Mann zu stehen. Dann gibt es keine Redensarten wie: Ich muß meiner Frau Geld auf die Datsche bringen usw.

In unserer Arbeit haben wir gute Ansätze zu verzeichnen, wir helfen der Partei als Schriftsteller. Ich denke an die Vorschläge von Most in einer Sitzung, wo wir verschiedene Probleme besprachen. Ich erinnere auch an die Besprechung mit Pieck. Wir sollten in der Angelegenheit was schreiben. Die Beteiligung war schlecht. Wir müssen der Partei mehr helfen und sie mit Material überschütten. Aber wir haben versagt. Was haben wir getan in der Antiterror-Kampagne? Wie haben wir reagiert auf die Prozesse von Schulz und André?[423] Hier hätten wir schreiben müssen, um die Genossen vor der Gefahr zu retten. Wir haben längst nicht genügend getan. Wir sind eine ganze Zeit in der Sowjetunion. Wir müssen die russische Sprache lernen. Viele Genossen waren regelmäßig im Sprachkurs anwesend, aber man muß es ihnen erleichtern und ihnen die Möglichkeit schaffen, damit sie mehr Praxis bekommen.

Zum Schluß habe ich noch folgendes zu sagen: Schreiben wir als Schriftsteller Bücher, die von uns aus gesehen gleich für das Jahr 2800 geschrieben werden, oder schreiben wir Bücher, die in der besten literarischen Qualität zu den kulturellen Problemen Stellung nehmen oder zu Problemen, die dazu beitragen, dem deutschen Proletariat zu helfen, den Faschismus zu besiegen. Ich glaube, das letztere ist der

423 **Fiete Schulz** und **Etkar André**, Hamburger Kommunisten, die 1936 durch die faschistische Justiz zum Tode verurteilt wurden. Willi Bredel schrieb eine Broschüre über Etkar André, die als deutsche und französische Ausgabe verbreitet wurde.

Fall. Ich befürchte, daß Genossen sich verstecken hinter der zweiten Formulierung, und sie sagen, daß sie in zehn Jahren besser schreiben. Er hat so zu schreiben, wie er schreiben kann, und nicht 10 Jahre zu warten. Er soll die Dinge so fassen und so schreiben, daß der Faschismus in Deutschland niedergerungen wird. Wir haben viele Zeitschriften, um die wir uns kümmern können: die «DZZ», die «Wahrheit», die «Nachrichten»[424], den «Kämpfer»[425], viele Möglichkeiten tun sich für uns auf. Hätten wir keine Sowjetunion, dann stünden wir vor größeren Schwierigkeiten, um mit unserer Arbeit den Antifaschisten in Deutschland zu helfen. Wir haben nicht alles getan, um die uns gebotenen Möglichkeiten auszuwerten. Noch einmal möchte ich eingehen auf die kritische Situation. Was hätte sein können, wenn den trotzkistischen Schurken das Attentat auf Stalin geglückt wäre? Was bedeutet das weltpolitisch?

Was bedeutet das für die ganze Entwicklung in der Welt und der Sowjetgesellschaft, wenn wir den Hauptkriegstreiber, den deutschen Faschismus, niederringen wollen? Das bedeutet, daß wir uns der großen Verantwortung unseres eigenen Tuns und Trachtens und unserer eigenen Arbeit bewußt sein müssen. Ich glaube, wir haben nur das Recht, uns Kommunisten zum Beispiel zu nennen, wenn wir uns die russischen Kommunisten zum Beispiel nehmen und unermüdlich an uns als Kommunisten und Schriftsteller arbeiten. *(Beifall)*

Das Wort hat der Genosse Gábor.

Gen. **Gábor**:
Ich kann euch sagen, es tut mir körperlich weh, daß ich nicht anknüpfen kann an die begeisterten, schönen Worte, die Genosse Bredel gesagt hat, sondern gezwungen bin, in viel kleineren Angelegenheiten, in persönlichen Angelegenheiten, in einer Sache, die nicht existieren sollte, zu sprechen, das ist meine unbedachte und blöde Bemerkung in der Redaktion der «DZZ», wo wir nach der Leschnitzer-Angelegenheit mit Genossin Annenkowa am Schluß zusammengestanden haben und Genossin Annenkowa sich an mich wandte und u. a. sagte,

424 In Engels erscheinende Tageszeitung der Wolgadeutschen, die im August 1936 ebenfalls von «eingeschlichenen Feinden gereinigt» wurde. Auch diese Zeitungsredaktion wurde verhaftet.
425 *Der Kämpfer*. Monatsschrift für Literatur und Kunst der wolgadeutschen Sowjetschriftsteller; Engels; erschien bis 1938.

Genosse Gábor, wir haben so oft davon gesprochen, daß du für uns Satiren schreiben sollst, worauf ich geantwortet habe, du weißt, ich schreibe nicht für die «DZZ». Genossin Annenkowa fragte darauf, warum schreibst du nicht für die «DZZ», wenn ich dich zum Schreiben einlade? Ich erwiderte, du erinnerst dich, ich habe vor zwei Jahren eine Erklärung in der Brand-Angelegenheit geschrieben, und du hast die Erklärung nicht veröffentlicht. Ich sagte, wir Schriftsteller sind gewohnt, daß das, was wir an die Zeitung geben, veröffentlicht wird, worauf Genossin Annenkowa erwiderte, ich habe das an den Genossen Soundso weitergegeben. Ich konnte den Namen nicht zur Kenntnis nehmen. Sie sagte, sie habe es an den Habelson vom ZK gegeben, und er habe ihr gesagt, daß sie die Erklärung nicht zu drukken brauche. Darauf habe ich die Antwort gegeben: Dann soll dir der Genosse vom ZK Satiren schreiben. Daraus sind dann die legendären Worte geworden, daß die Antwort lautete: Dann soll dir das ZK Satiren schreiben. Diese meine Erklärung war eine maßlose Rindviecherei, und da ich sonst kein Rindvieh bin, sondern mich für einen klugen Menschen halte, war das ein grober politischer Fehler. So etwas darf eigentlich nicht passieren. Es ist trotzdem geschehen. Ich muß sagen, die andere Fassung: «soll das ZK Satiren schreiben», das ist ein solches Maß von Rindviecherei, die mir auch in dieser Situation nicht entschlüpft wäre. Das ist der Text, er macht die Suppe nicht fetter. Es tut mir außerordentlich leid, daß ich so etwas gesagt habe. Keinem Menschen wird es einfallen, daß ich als alter Kommunist gegen einen Beschluß des ZK etwas zu sagen habe. Ich bin leider allzu schlagfertig, und dadurch kommt es sehr oft vor, daß ich mich selber schlage. Das ist auch in diesem Falle geschehen. Wenn wir feststellen, daß so ein harter falscher Zungenschlag ein böser politischer Fehler ist, so ist damit nicht gesagt, daß das Sündenregister von mir beigelegt werden soll. Das steht wie eine unangenehme Säule irgendwo auf einer Ebene, wird betrachtet als etwas sehr Schlechtes, aber ich glaube, daß irgend etwas nicht zu meinem politischen Gesicht beitragen soll, daß ich diese Bemerkung gemacht habe. Ich bitte die Genossen, das zur Kenntnis zu nehmen.

Gen. **Ottwalt**:
Eine ganz kurze Erklärung: Ich habe gemerkt, daß ich vollkommen mißverstanden worden bin. Mir liegt daran, zu sagen, was ich inzwischen gesagt habe und was ich habe sagen wollen. Wir befinden uns

zwischen zwei Forderungen, dem hundertprozentigen Kommunisten, an dem nichts auszusetzen ist, und dem erstklassigen Kunstwerk. Augenblicklich haben wir beides noch nicht. Ich bin nicht der hundertprozentige Kommunist, und ich sehe noch nicht jenes Kunstwerk. Jetzt begehen wir den Fehler, daß wir nach dem parteimäßigen Gesicht einen Menschen unabhängig von seiner Produktion behandeln. Ich meine, wir sollten uns prüfen und gleichzeitig dafür sorgen, daß ein guter Kommunist und ein effektiv vorliegendes Werk zustande kommt. In diesem Zusammenhang habe ich mir erlaubt zu kritisieren und muß die Kritik aufrechterhalten und gegenüber Bredel ergänzen und erläutern. Ich habe die Bedeutung solcher Bücher, wie Genosse Bredel sagte, in keiner Weise herabgesetzt. Wenn ich an einem Buch arbeite und ich merke, ich kann Besseres leisten, und es hindern mich daran ein paar Umstände, die sich nicht beseitigen lassen. Er hat mir vorgeworfen, du schreibst doch für das Jahr 2800. Nein, bestimmt nicht.

Gen. **Most**:
Du bestätigst...

Gen. **Ottwalt**:
Soll ich eine Parteiarbeit früher abgeben, nur damit sie fertig ist?

Gen. **Barta**:
Wer hat Fragen an den Genossen Bredel?

Gen. **Wolf**:
Genosse Bredel, ich habe gehört, ich weiß nicht, ob es stimmt, daß heute noch Schmückle in der Redaktion war. Ich möchte fragen, ob die Entscheidung über Schmückle derart ist, daß man ihm das Betreten der Redaktion verbieten kann, oder wie man sich verhalten soll?

Gen. **Huppert**:
Schmückle ist vor drei Tagen und heute wieder hier gewesen. Vor drei Tagen war er bei dir, Genosse Barta, heute kam er zu mir mit einer faszinierenden Naivität: Er wolle den dritten Teil seines Don-Quijote-Artikels bringen und von der 8. Nummer Belegexemplare haben. Ich habe davon Abstand genommen, ihm Belegexemplare zu geben. Schmückle sagte, wenn wir den Artikel aber doch drucken wollen, so laßt den Absatz weg über Machiavelli[426], damit Punkt.

Gen. **Wolf**:
Was hast du ihm geantwortet oder antworten können?

Gen. **Huppert**:
Ich habe ihm gesagt, daß das überhaupt nicht in Frage kommt. Er sagte, notiere dir diesen Absatz. Ich habe gesagt, ich habe nicht die Absicht, das zu drucken, und notiere nichts.

Es kommt auch Hausner her, aber ich kann ihn nicht hinausschmeißen.

Gen. **Wolf**:
Wie ist die Situation?

Gen. **Wangenheim**:
Wird das zu Ende gebracht? Das ist eine Frage an Genossen Bredel oder an Genossen Barta.

Gen. **Bredel**:
Ich habe nicht das Hausrecht, aber, nach dem Ausschluß, nachdem er in der Literaturzeitung und der «DZZ» steht, war er an der Haustür und fragte, ob er hereinkommen dürfe. Selbstverständlich kommt es darauf an, wie er sich einstellt. Aber er hat die Partei belogen und vieles verschwiegen.

Gen. **Wolf**:
Das kann jedem von uns passieren, er kann kommen, und man weiß nicht, wie man sich verhalten soll.

Gen. **Barta**:
Er ist ausgeschlossen aus der Partei.[427] Es wurde veröffentlicht in der «DZZ». Selbstverständlich hat keiner von uns Grund, mit ihm zu verkehren. Er ist als ein Feind der Partei zu betrachten. Die Sache ist

426 Karl Schmückle: *Begegnungen mit Don Quijote*, in: Internationale Literatur. Jg. 6, 1936, Heft 97–111. Schmückle wollte das Machiavelli-Kapitel aus der nicht mehr veröffentlichten Fortsetzung des Don-Quijote-Artikels zurückziehen, weil im ersten Moskauer Schauprozeß Machiavelli als «geistiger Lehrer» Sinowjews und Kamenews bezeichnet wurde. Vgl. *Prozeßbericht über die Strafsache des trotzkistisch-sinowjewistischen terroristischen Zentrums*, Moskau 1936, S. 142.
427 Karl Schmückle war zu diesem Zeitpunkt noch nicht aus der KPdSU ausgeschlossen, war aber durch Veröffentlichungen in der *DZZ* und der *Literaturnaja gazeta* als Parteifeind abgestempelt und dadurch zum Paria geworden.

noch nicht beendet. Sie läuft in einer Richtung, die seine Lage nicht ändern wird. Im Gegenteil.

Gen. **Weber**:
Bei den ersten Ausführungen hast du gesagt, daß Gles auf Umwegen hierhergekommen ist.

Gen. **Ottwalt**:
Wenn ich recht erinnere, war das folgendermaßen: Gles bat um Urlaub für eine Intourist-Reise in die Sowjetunion gegen Ende 1932. Er fuhr auf Intourist hierher, er hatte ein Visum von 4 Wochen. Ich erinnere mich, daß er in der Redaktion der «Welt am Abend» einen Zuschuß für seine Reise sowie das Freibillet bekam mit dem Auftrage, etwas zu schreiben. Im Bund[428] war die Rede davon, Gles zu beurlauben oder nicht zu beurlauben. Das ist das, was ich darüber weiß. Die Sache war unklar.

Gen. **Most**:
Wollte er nicht angeblich seine Frau besuchen?

Gen. **Becher**:
Er hatte eine Empfehlung, als er zu uns kam, von der BL-Berlin[429].

Gen. **Weinert**:
Mir sagte er, ich bin schon 4 Jahre in der Sowjetunion. Es muß 1931 gewesen sein.

Gen. **Fabri**:
Soweit ich mich erinnere, kam er her, weil er seine Frau besuchen wollte, die hier gelebt hatte, und da ist er hiergeblieben.

Gen. **Wangenheim**:
Ich stelle die Frage, wo die Idee zu dem Mühsam-Film aufgetaucht ist. Das ist doch eine politische Kateridee.

Gen. **Bredel**:
Ich bin der Meinung, daß die Idee aufgekommen ist bei dem Genossen Hirsch, der doch das Vorwort[430] geschrieben hat, der irgendwel-

428 Bund proletarisch-revolutionärer Schriftsteller.
429 Von der Bezirksleitung der KPD in Berlin.
430 Kreszentia Mühsam: *Der Leidensweg Erich Mühsams*. Mit einem Vorwort von Werner Hirsch, Zürich 1935.

che Andeutungen oder Versprechungen gemacht hatte. Bei der Sitzung im «Metropol» war die Zenzi eingeweiht. Ich nehme an, das muß Werner Hirsch sein, der sich mit der Frage beschäftigt hat.

Gen. **Kurella**:
Beim GICHL bestand der Plan, einen Auswahlband von Mühsam herauszubringen, und daß die Zenzi ihre Bücher zur Verfügung gestellt hat.

Gen. **Ottwalt**:
Ich weiß, daß ein Vertrag abgeschlossen wurde, und man bat mich, ein Vorwort zu schreiben. Es waren die: Mühsam-Broschüre von Zenzi, Gedichte und Szenen von Erich, Rosa Luxemburg und der entscheidenden Männer in der deutschen Sozialdemokratie. Ich habe sie gesehen, zusammengestellt. Ich habe lediglich zu diesem gesammelten Band ein Vorwort geschrieben. Dieses habe ich noch der Geschichte[431] der Komintern eingereicht.

Gen. **Wolf**:
Es kommt heute zu mir ein Dr. Morgenroth[432], er will mir Dramen geben. In der heutigen Situation – kannst du mir etwas sagen?

Gen. **Bredel**:
Ich habe einen Brief bekommen von Bodo Uhse[433], daß man sich um diesen Mann kümmern soll.

Gen. **Gábor**:
Wenn ich mich richtig erinnere, hast du meine Arbeitsgemeinschaft tüchtig besucht. Es war einmal ein Bredel-Abend. Ich weiß nicht – ich erinnere, daß Bredel fünfmal dabeigewesen ist. Hast du irgend etwas von einer Gruppenbildung oder unrichtigen Atmosphäre gesehen?

431 Teil der Propaganda-Abteilung der Komintern, die die «Kontrolle» der Geschichtsschreibung durchführte.

432 Dr. Morgenroth, d.i. der Schriftsteller Stephan Lackner.

433 **Bodo Uhse** (1904–1963), nach konservativen und faschistischen Anfängen zur KPD, 1933 Emigration nach Paris, Teilnehmer am spanischen Bürgerkrieg; USA, Mexiko, 1949 nach Berlin, Chefredakteur des *Aufbau* und 1963 von *Sinn und Form*.

Gen. **Bredel**:
In erster Zeit, als ich meine Funktion übernahm – ich mußte mich informieren –, war ich ziemlich zahlreich zu den Arbeitsgemeinschafts-Abenden gekommen. Ich muß die Frage beantworten mit einem glatten Nein. Ich muß sagen, daß mir manche Abende nicht gefallen haben. Ich war ein Neuling, ich wollte mich nicht in den Vordergrund schieben, aber daß ich da bemerkt habe, du hättest Konterrevolutionäre begünstigt, könnte ich nicht mit Ja beantworten.

Gen. **Ottwalt**:
Hat Genosse Bredel, der doch auf der Redaktion der «DZZ» war, gehört, daß noch ein anderer Vorwurf gegen mich erhoben wurde als der, den Genosse Günther hier heute geäußert hat?

Gen. **Bredel**:
Ich muß die Frage mit Nein beantworten.

Gen. **Günther**:
Genosse Bredel hat auf den Arbeitsgemeinschaften gesprochen, daß ich eine falsche Methode angewandt habe, und mir den Vorwurf gemacht, daß ich mich oberlehrerhaft verhalten habe. Ich will mich nicht verteidigen, aber ich frage, was versteht Bredel darunter, wenn er doch von (der) eigenen Unfehlbarkeit überzeugt war?

Gen. **Barta**:
Bei jeder selbstkritischen Gelegenheit zieht man die Genossen zur Rechenschaft. Ich halte das nicht für richtig. So wird kein Genosse kurz auftreten können.

Gen. **Huppert**:
Welche Erfahrungen hat Genosse Bredel in seinem eigenen Schaffen in der Literaturarbeit der «DZZ» gemacht?

Gen. **Bredel**:
Ich muß sagen, demnach bin ich wahrscheinlich ein Begünstigter, denn von mir wurde noch alles veröffentlicht. Am 1. Mai hatte ich eine Kurzgeschichte geschrieben über das Trojanische Pferd, wo es auf jede Zeile ankam. Bei der Veröffentlichung fehlte nun am Schluß eine wichtige Zeile, die man einfach weggelassen hatte, weil sie wahrscheinlich beim Umbruch nicht alles in die Zeitung bekamen. Aber gerade auf diese entscheidende Zeile kam es an.

Gen. **Most**:
Was dort stand, war politischer Mist.

Gen. **Bredel**:
Heute in unserem Kreise muß ich bemerken, daß ich zu meiner «Prüfung» die denkbar kritischste Einstellung habe. Die Rezension, die Fabri über meinen Erzählband veröffentlicht hat, war sehr schädlich, sie hat vom antifaschistischen Kampf in Deutschland sehr wenig gegeben. Ich wundere mich, daß die «DZZ» so etwas gebracht hat, und fand es als eine politisch falsche und schlechte Handlung. Ich habe beiden Genossen, Fabri und Annenkowa, meine Auffassung gesagt.

Ich habe vorhin gesprochen, daß wir bei der Aufdeckung der Schwierigkeiten helfen wollen, sie zu beseitigen. Aber wir müssen allen Genossen helfen und auch dem Genossen Ottwalt. Der Genosse Ottwalt hat Ausführungen gemacht, daß es sich um eine Zeitspanne von vier Jahren handelt, bis er sein Buch fertiggeschrieben hat. In einer Sitzung bei Becher habe ich gesagt, daß Ottwalt ein Buch schreibt, das für den antifaschistischen Kampf große Bedeutung hat. Ich bitte die Partei, dem Genossen Ottwalt zu helfen. Soviel ich weiß, sollte er eine Putjowka[434] von drei Monaten in ein Sanatorium bekommen, wo er in aller Ruhe sein Buch beenden kann.

Gen. **Weber**:
Was Bredel sagt, stimmt, es wird auch durchgeführt werden, er wird auch eine Putjowka bekommen.

Gen. **Dornberger**:
Ich habe mich hier heute zu verantworten wegen Verletzung der Wachsamkeit im Falle Brustawitzki. Bei Prozeßbeginn hörte ich, daß er verhaftet sei. Genossen, ich muß sagen, das waren für mich schwere Tage, da ich ihn ja gerade zur Arbeit herangezogen hatte. Aber ich sah in Brustawitzki keinen Feind und keinen Spitzel. Ich kann auch nicht so leicht sagen, wie Genosse Wolf, daß ich die Leute nicht kenne, ich kenne sie eben sehr gut.

Ich bin sehr viele Jahre in der Bewegung und einige Jahre in der Schriftstellerbewegung, und ich muß selbst sagen, daß ich aktiv bin und an den Sitzungen teilnehme, wenn ich einigermaßen kann. Ich kenne alle Leute, die irgendwie Schweinereien gemacht haben. Im

434 Erlaubnis- und Überweisungsbescheinigung.

Falle Brustawitzki ist die Sache schlimmer. Mit anderen Leuten habe ich nur insoweit Kontakt gehabt, als ich in Sitzungen mit ihnen zusammengewesen bin. Ich fühle mich schuldig, und ich fühle, daß ich zur Rechenschaft gezogen werden muß.

Ich muß von Anfang an erzählen, wie ich 1932 als zweiter deutscher Vertreter[435] nach der Sowjetunion kam. Von der ersten Sitzung ab, dessen muß sich Genosse Günther entsinnen, war Brustawitzki aktiver Teilnehmer und hat in allen Diskussionen eingegriffen. Wir haben unsere Arbeiten vorgelesen, und Dietrich hat immer sehr großen Wert darauf gelegt, daß Brustawitzki sein Urteil abgab. Ich weiß, daß z. B. die Arbeiten von Schneider als der größte Mist bezeichnet und es abgelehnt wurde, daß Schneider veröffentlichte. Als ich einige Monate auf Urlaub fuhr, habe ich, weil ich Brustawitzki als aktiv einschätzte, geglaubt, man kann ihm diese technische Vertretung geben. Ich habe am 10. Oktober 1932 meine Arbeit angetreten und mußte Mitte 1933 nach Deutschland in Urlaub fahren. Ich muß sagen, daß ich das nicht ohne weiteres gemacht habe. Da ich wußte, daß Brustawitzki sich als deutscher Parteigenosse ausgab, habe ich mich an den Genossen Heckert – ich muß den Genossen hineinbringen – gewandt, der deutscher Parteivertreter war. Ich habe Genossen Heckert gefragt, ob Brustawitzki wirklich deutsches Parteimitglied war. Ich habe nach drei Tagen mitgeteilt bekommen, daß Brustawitzki in Magdeburg Parteimitglied war und daß Genosse Florin ihm die Genehmigung gegeben habe, in der Sowjetunion zu bleiben, nachdem er mit einem Krankentransport der Kriegsopfer[436] hier in einem Sanatorium gewesen war. Es stimmt, Genosse Florin hat unterschrieben, daß er hierbleiben kann. Ich hatte von Genosse Heckert die Bestätigung, daß er Parteigenosse ist, und von Genosse Florin die Erlaubnis, daß er hierbleiben kann. Seine Frau kam in den Novembertagen. Ich war mit ihr befreundet und war bis vor einigen Monaten mit ihr in Briefwechsel. Sie hat geschrieben, daß er verhaftet ist, aber damit rechnet, daß er herauskommt. Ich war nach dem Urlaub in der Wohnung des Brustawitzki. Das war im Jahre 1934, wo ich in Leningrad bei Brustawitzki gewesen bin und dort geschlafen habe. Trotzdem einige Genos-

435 Als zweiter deutscher Vertreter des «Bundes proletarisch-revolutionärer Schriftsteller».

436 Internationaler Bund der Opfer der Arbeit und des Krieges (KPD-«Massen»-Organisation).

sen wußten, daß ich nach Leningrad fuhr, haben sie mir nichts gesagt. Mir ist nicht bekannt gewesen, daß gegen Brustawitzki irgendein Verdacht vorliegt. Hier hat nicht alles geklappt. Man hätte in Sitzungen irgendwie darüber sprechen müssen. Hier stimmt etwas nicht.

Gen. **Barta**:
Es stimmt auch bei dir etwas nicht. Warum sprichst du zum erstenmal, und warum hast du nicht gleich nach der Verhaftung gesprochen?

Gen. **Dornberger**:
Unsere Parteigruppe ist aufgelöst.

Gen. **Barta**:
Zum Beispiel zu mir.

Gen. **Dornberger**:
Wir haben nicht so ein enges Verhältnis gehabt, und unsere Parteigruppe ist doch aufgelöst.

Gen. **Barta**:
Müssen wir deswegen ein engeres Verhältnis haben?

Gen. **Dornberger**:
Jawohl. Wie schwer es mir wurde, ich wußte, daß außer Brustawitzki Schellenberg verhaftet worden ist und daß man dazu Stellung nehmen muß.

Gen. **Barta**:
Du warst in einer speziellen Lage.

Gen. **Dornberger**:
Ich habe schon betont, daß ich stark damit gerechnet habe, daß man ihn entlassen wird. Mit billigen Ausreden kommt man nicht weiter. Es kamen Leute mit so einem Pinsel am Hut, da wußte man, daß sie von der I A[437] waren. Spitzel sind mir in den letzten Jahren während der Parteitätigkeit gekommen, die nach außen nicht als solche anzusehen waren. Brustawitzki hat Boheme-Allüren gehabt, aber Spitzel, das ist bestimmt nicht von Anfang zu sehen gewesen, Heckert hat auch nichts gesehen. Ich habe das auch nicht an Einzelheiten gesehen. Ich warte ab, was die Partei mit mir macht. Es liegt mir daran, aufzuklären, wie das kommt, und deswegen sage ich das. Ich habe einen Brief

437 Politische Abteilung der Polizei.

gesehen, den Brustawitzki von Heckert bekommen hat, wo Heckert ihm die Rekommandierung für die «Rote Zeitung» gab.

Gen. **Ottwald**:
Von wann war der Brief?

Gen. **Dornberger**:
Einige Wochen vor seiner Reise, ich glaube 1934. Dieses Dokument habe ich gesehen, er hat es mir im «Lux» gezeigt, daß Genosse Heckert diesen Antritt in Leningrad genehmigt.

Gen. **Barta**:
Wer war August Brandt?

Gen. **Dornberger**:
Ein früherer IAH-Sekretär, er arbeitete für die Partei.

Gen. **Wangenheim**:
Bei der Westuniversität[438]?

Gen. **Dornberger**:
Ja, ja.

Gen. **Günther**:
Wann war das genau?

Gen. **Dornberger**:
Ich kann sehr schlecht sprechen. Ich habe das auch gesehen und mich darauf verlassen. Genosse Florin kenne ich, als er noch Metallarbeiter in einer Metallfabrik in Köln war. Genosse Heckert war Parteivertreter. Ich habe mich darauf verlassen, daß die Genossen in der Komintern die Akten haben.

Gen. **Most**:
Genosse Florin hat die Empfehlung gegeben, als er Parteivertreter war?

Gen. **Dornberger**:
Ja, Brustawitzki sagte, daß Genosse Florin damals die Vertretung des Genossen Heckert machte. Ich muß bemerken, es ist nicht einfach,

438 KUNMS, d. i. Kommunistische Universität der Nationalen Minderheiten des Westens. Zahlreiche politische Emigranten besuchten die Westuniversität bis zu ihrer Schließung 1936.

wie Genosse Barta sagt, wir haben ihn von der Arbeit hier ferngehalten. Brustawitzki hat in Leningrad die Vertretung im Verlag gehabt. Ich habe dort gesprochen und vorgelesen in den Kulturhäusern. Ich habe im Radio nach Deutschland gesprochen. Er hatte die ganze Sache unter sich. Ich wußte nichts bis zu seiner Verhaftung. Ich bin in der Beziehung wirklich hineingefallen, und man muß darüber sprechen. Der Genosse Huppert hat die Frage mit Hausner aufgeworfen, daß man manchmal herangehen soll zu denjenigen und mit ihnen sprechen. Wenn ich den Verdacht habe, bin ich nicht zu ihm hingegangen, sondern habe mich erkundigt. Man kann mit so etwas sehr großen Mist machen.

Wenn Huppert sagt, was macht Hausner, man soll ihm das Haus verbieten, da habe ich geäußert, wenn man weiß, da liegt etwas vor, dann darf ich als dritte Person nicht hingehen, die Stellen, die das angeht, haben ihre Leute, die das feststellen.

Ich muß noch folgendes sagen. Genosse Gábor war von Anfang an, daß ich überhaupt geschrieben habe, mein Ratgeber. Ich habe ihm alle meine Arbeiten gebracht. Er hat mich nie gelobt, wie das heute so dargestellt wird. Ich habe sehr große Kritiken bekommen und habe daraus gelernt. Aber einer von denen, dem ich meine Arbeiten gab, war Brustawitzki. Das ganze Verhältnis war bis zum letzten nicht so, daß ich Verdacht haben konnte. Ich kann mir das alles noch nicht vorstellen. Ich wollte von der Schule[439] weg. Er sagte, das darfst du nicht, laß das. Vielleicht hat er eben nicht so plump gearbeitet, daß ich das nicht gemerkt habe. Ich will sagen, wie schwer das ist, jemandem ins Herz zu schauen – der Fall Laszlo. Ich bin in der Sache Laszlo bei der Kontrollkommission gewesen, als wenn das eine Sache der Schriftsteller gewesen wäre. Die größten Fehler haben die gemacht, die den Mann angestellt hatten ohne Papiere, er hat als Angestellter gearbeitet, und als solchen lernte ich ihn kennen. Wir haben ihn als Parteigenossen behandelt. Wir haben Sachen von ihm vorgelesen, wir haben ihn kritisiert, das war großer Mist, er ist dann auch nicht mehr gekommen. Wenn die Frage der Kaderpolitik des Genossen Gábor steht, so stellt sich der ganze Fall so leicht dar, als wenn er ein Konterrevolutionär gewesen wäre. Ich habe schon gesagt, daß ich einer der jungen Kader bin. Ich habe nie diesen Ausdruck «Die Jungen» gehört. Ich wehre mich entschieden dagegen, daß ich zusammengewor-

439 KUNMS.

fen werde mit solchen Verbrechern. Ich bin immer aktiv gewesen, bei den Schriftstellern, der «IAH», der Partei. Ich bin mit Leuten zusammengekommen, wie alle anderen auch. Wir haben immer sehr ernst gearbeitet, nie ist uns Honig um den Mund geschmiert worden. Ich stelle fest, daß außer dem Genossen Gábor sich niemals einer um mich gekümmert hat – vor zwei Monaten der Genosse Becher. Man kann nicht sagen, daß alles in den drei Jahren, was Gábor gemacht hat, Mist war. Das ist meines Erachtens leichtfertig, wie hier über Kaderpolitik gesprochen wird. Ich muß sagen, daß niemand, außer Gábor, sich um Kaderpolitik gekümmert hat.

Zu Brand:

Ich muß hier wirklich zum Genossen Gábor sprechen. ich weiß aus persönlichen Gesprächen zwischen Gábor und Olga, daß sie nie eine Freundschaft mit Brand hatten und sehr scharf mit ihm gesprochen haben und mich immer gewarnt hatten, daß er schmutzig ist mit seinen Frauengeschichten, er hat seine Frau hungern lassen, er war sehr schmutzig. Weder Gábor noch Olga und ich haben nie eine Freundschaft mit ihm gehabt.

Nun zu Heinrich[440] und Schmückle. Heinrich ist mir bekannt schon aus der Zeit der USPD. Er war sehr faul. Ich weiß, daß er einen sehr schlechten Eindruck auf mich gemacht hatte. Ich habe mit ihm nichts zu tun.

Gen. **Barta**:
Wir haben einen Brief nach Engels geschrieben an die Redaktion «Der Kämpfer». Ich habe diesen Brief dir diktiert über Brustawitzki in Zusammenhang mit einer Reihe von Artikeln im «Kämpfer». War der Brustawitzki damals schon verhaftet?

Gen. **Dornberger**:
Ich habe am 10. Juli einen Brief bekommen von der Frau, daß er verhaftet ist.

Gen. **Barta**:
Wie ist dieser Briefwechsel mit der Frau nach der Verhaftung?

Gen. **Dornberger**:
Ich habe den Brief gestern abgegeben. Die Frau schreibt, er ist verhaftet. Ich habe meinen Paß bekommen, sein Paß liegt auch hier. Es

440 Heinrich Süßkind.

muß sich aufklären. Ich habe mein Studium sofort aufgegeben – sie hat Literatur studiert –, weil sie das Zimmer bezahlen muß. Sie hat Glück gehabt, sie hat Sajom[441] gewonnen. Ich habe nicht geantwortet.

Gen. **Barta**:
Wem hast du den Brief gezeigt?

Gen. **Dornberger**:
Keinem – Olga hat mir den Rat gegeben.

Gen. **Barta**:
Du hast vor zwei Monaten erfahren, daß er verhaftet ist. Mit wem hast du darüber gesprochen?

Gen. **Dornberger**:
Das wußte ich von euch allen.

Gen. **Barta**:
Mit wem hast du darüber gesprochen? In solchen Fällen ist es Pflicht der Genossen, daß er vor einem verantwortlichen Parteiforum sagt, daß er das und das Verhältnis mit einem solchen Mann gehabt hat.

Gen. **Dornberger**:
Ich habe nirgendwo ein Blatt vor den Mund genommen, weil ich mit ihm befreundet war.

Gen. **Barta**:
Du hofftest, daß er entlassen wird, und deshalb hast du geschwiegen?

Gen. **Dornberger**:
Alle wußten, daß er verhaftet war. Die Genossen wissen, daß ich ein freundschaftliches Verhältnis gehabt habe.

Gen. **Barta**:
Du bist in der Kommission, du bist eine Kommunistin, und hast nicht gesprochen in der Hoffnung, er wird freikommen.

Gen. **Dornberger**:
Das macht den Fehler noch größer.

441 Lotteriegewinn bei der Zeichnung staatlicher Anleihen.

Gen. **Barta**:
Wie war der Briefwechsel und die Zusammenarbeit mit Brustawitzki vorher?

Gen. **Dornberger**:
Brustawitzki hat, bis er von Moskau wegging, an allen Arbeitsgemeinschaften teilgenommen. Von Leningrad schrieben wir uns. Brustawitzki sagte, es sei sehr schlecht, daß er jetzt in Leningrad ist, er sei jetzt von allem so losgetrennt von der Gruppe. Er war ein- oder zweimal hier, das wußte bestimmt auch Schellenberg. Ich schrieb ihm außerdem, was hier in der Arbeitsgemeinschaft vor sich geht. Meine Arbeiten, die ich schrieb, schickte ich ihm ein, und er sah sie durch, wie sie geschrieben sind. Er hat mich oft kritisiert.

Gen. **Barta**:
Wie kamen Sie zu der Auffassung, daß Sie abwarten wollten, obwohl Sie wußten, daß er verhaftet ist?

Gen. **Dornberger**:
Ich bin seit 1910 politisch organisiert, und es ist das erste Mal, das ich so etwas mitmachen muß. Ich fühlte mich schuldig; weil ich ihn eben gut kannte und sehr enge Beziehungen mit ihm hatte, konnte ich das nicht glauben. Ich hoffte immer noch, daß sich die Sache aufklären würde.

Gen. **Ottwalt**:
Du warst mit der Frau befreundet. Hatten beide dir nichts erzählt über ihre Tätigkeit in Deutschland, über ihre Arbeit in der Partei? Ist dir gar nichts aufgefallen?

Gen. **Dornberger**:
Sie sagten, daß sie junge Parteimitglieder sind, sie waren drei Jahre in der Partei. Man machte ihm den Vorwurf, daß er zu junges Parteimitglied sei. Ich fand das nicht so schrecklich. Er war kein Arbeiterkind, er ist Intellektueller. Die Frau von Brustawitzki war mit einer Arbeiterdelegation hier. Von Magdeburger Genossen wußte ich, daß sie gut und sehr aktiv in der Parteiorganisation gearbeitet hat. Sie arbeitete auch in der «DZZ», dort hatte sie die Reinigung mitgemacht.

Gen. **Ottwalt**:
Ist dir von Schwierigkeiten bei der Reinigung der Genossen bekannt? Du sagtest, man habe dir Vorwürfe gemacht, daß sie dir nichts sagten. Wann warst du zum ersten Male in der Arbeitsgemeinschaft?

Gen. **Dornberger**:
Mitte März.

Gen. **Ottwalt**:
Warst du mit dem Parteiapparat der MORP bekannt?

Gen. **Dornberger**:
Die einzelnen Genossen sind Kommunisten und wußten, daß ich im Bund[442] war. Einmal hatte ich eine große Auseinandersetzung mit Dengel[443], der mein Schwager ist, weil Brustawitzki von seinem Zimmer aus Heckert anrief. Er wollte nämlich mit Heckert sprechen und sagte, daß er hier bei Dengel sei, ob er nicht einmal herüberkommen könnte. Mein Schwager sagte aber gleich, daß er den Mann nicht kenne, sondern daß er mit seiner Schwägerin bekannt sei.

Gen. **Most**:
Nicht aus telefontechnischen Gründen hat er von euch aus angerufen. Das mußte doch einen Grund haben, warum er von euch aus bei Heckert anrief.

Gen. **Dornberger**:
Ich nahm an, daß es für ihn leichter war, so eher zu Heckert zu kommen.

Gen. **Most**:
Du hofftest also immer noch, daß sich die Sache aufklären würde und er wieder herauskommt? Du hättest ja der GPU helfen können.

Gen. **Dornberger**:
Ich wußte ja nichts davon.

Gen. **Barta**:
Welche Stimmungen[444] gegen Brustawitzki vorlagen, davon wußtest du nichts? Auf unseren Konferenzen wurde er ja doch auch nicht mit Glacéhandschuhen angefaßt?

442 BPRS.
443 **Philipp Dengel** (1888–1948), 1919 KPD-Mitglied, seit 1925 ZK-Mitglied, seit 1928 Mitgl. des EKKI, 1935 Mitglied der Kontrollkommission der Komintern; nach seiner Rückkehr aus Paris vom März 1937 bis Juni 1938 Vertreter der KPD bei der Komintern. Dengel erlitt am Tage des deutschen Überfalls auf die Sowjetunion einen Schlaganfall; 1947 Rückkehr nach Berlin.
444 Das Vorliegen von «Stimmungen» begründete für Barta schon das Kontaktverbot und die Errichtung einer Tabuzone um Brustawitzki.

Gen. **Dornberger**:
Von einer Versammlung wußte ich, und dort sollte Müller[445] ausgeschlossen werden. Aber auf diesem Kongreß habe ich viele technische Arbeiten erledigen müssen und habe nicht viel gehört, was dort vor sich ging. Ich weiß mehr. Ich weiß, daß Brustawitzki und seine Frau mir viel von der «Roten Zeitung» erzählten und auch über die Korrespondenzen zwischen Heinrich und dem Redakteur. Auf meinen Druck hat Frau Brustawitzki diesen Bericht an die Parteizelle weitergegeben, und zwar handelte es sich darum, daß die Frau mir sagte, Heinrich war hier, und ich sollte als Sekretärin des Redakteurs 200 Rubel ausschreiben. Das war während meines Urlaubs im Januar 1934. Diese Erklärung hat Frau Brustawitzki in der Parteizelle abgegeben, und die Parteizelle hat diesen Brief an den Redakteur, gegen den diese Anklage gerichtet war, gegeben, und Hertha Brustawitzki wurde entlassen. Die Frau hat einen Kampf geführt für ihre Wiedereinstellung. Dann weiß ich, daß Brustawitzki eine Arbeit gemacht hat für eine ausländische Bibliothek und mir erzählte, daß er derjenige ist, der dafür gesorgt hat, daß zehn konterrevolutionäre Bibliothekare entlassen wurden, die alte Adlige waren, die sich eingeschmuggelt hatten, weil sie fremde Sprachen konnten. Das sind einige positive Fälle. Dann will ich noch eins sagen. Wie ich von meinem Urlaub zurückkam, habe ich mit Genossen Dengel gesprochen über die Entlassung der Frau Brustawitzki, die ich für ungerecht hielt. Sie hatte die Buchführung und sie hatte gebucht: 200,– Rubel an Heinrich bezahlt und keine Quittung, und Hertha hat verlangt, sie solle eine Quittung schreiben. Ich sagte, es ist falsch, du mußt an die Parteizelle schreiben. Ich habe gesagt, es ist falsch, du mußt die Sache nicht ruhen lassen, du mußt dich gegen diese Entlassung wehren. Diese ganzen Dinge habe ich Genossen Dengel mitgeteilt, und vielleicht hat sie Dengel irgend jemand mitgeteilt. Ich weiß, daß Genosse Dengel den Auftrag bekam, im März nach Leningrad zu fahren, und er mir sagte, er habe einen Bericht gemacht. Ich habe die Sache gemeldet, und es ist ein Parteivertreter hingefahren und hat mit den Gewerkschaftsleuten über diese Angelegenheit gesprochen. Ich weiß, daß war im Sommer 1935, nach der Ermordung von Kirow. Dann stimmt es nicht mit der Jahreszahl, dann war ich 1935 in Ferien da, denn es war nach der Ermordung von Kirow.

445 Erich Müller.

Gen. **Huppert**:
Ich habe drei Fragen.

Gen. **Fabri**:
Ich möchte feststellen den Fall der Frau Brustawitzki. Erna Frohna[446] war angestellt unter der faschistischen Redaktion Frischbutter. Es kam zur Tschistka. Außer den Mitgliedern der WKP wurden gereinigt die Mitglieder der deutschen und österreichischen Partei. Bei einer Tschistka stellte sich heraus, daß sie erst mal überhaupt nichts mit der Partei zu tun gehabt hat, daß sie ohne Bewilligung der Partei in die Sowjetunion gekommen ist. Ihr Mann war hier. Unter dem Vorwand, ihren Mann zu besuchen, ist sie in die Sowjetunion gefahren, hätte aber zurückkehren sollen. Sie hat sich die ganzen Monate hindurch hier aufgehalten und nicht bei der Komintern gemeldet. Es waren eine andere Reihe von Momenten, auf Grund deren Erna Frohna zur Überführung in die WKP nicht zu empfehlen war. Dann wurde Erna Frohna nach der Säuberung der Redaktion von den Faschisten entlassen. In der neuen Redaktion hat sie nicht mehr arbeiten können, nur wenige Tage.

Gen. **Barta**:
Das war dir nicht bekannt?

Gen. **Dornberger**:
Ich weiß, daß eine große Säuberung war, sie hat mir gesagt, sie ist gereinigt worden.

Gen. **Most**:
Das hat sie dir bei deinen engen Beziehungen zu ihr nicht erzählt?

Gen. **Dornberger**:
Nein.

Gen. **Huppert**:
Das war allgemein bekannt.

Gen. **Dornberger**:
Im August 1933 bin ich in die Schule[447] gekommen und lebte in der Schule, so daß ich mir die Zeit für die Sitzungen habe abstehlen müs-

446 Nicht ermittelt.
447 KUNMS.

sen. Ich bin nicht ins Kino gekommen und nur zum strengen Studium. Wir haben uns nur alle paar Monate gesehen.

Gen. **Barta**:
Wäre es nicht richtiger, wenn du offen sprechen würdest? Jetzt sagst du über eine Tatsache, die allgemein bekannt ist, daß sie dir nicht bekannt ist.

Gen. **Dornberger**:
Ich kann mir nicht ankreiden, wo ich nichts anzukreiden habe. Sie war als technische Kraft sehr fleißig, und ich weiß, daß sie in jeder Wandzeitung mit Beiträgen stand. Ich weiß, daß in der Wandzeitung große Kritik geübt wurde an den Redakteuren, die . . .

Gen. **Barta**:
Du weißt nichts von der Tschistka?

Gen. **Dornberger**:
Nein, das weiß ich nicht.

Gen. **Huppert**:
Das Ergebnis der Reinigungskommission war Stadtgespräch. Aber nur gute Freunde wußten das nicht.

Gen. **Dornberger**:
Vielleicht habe ich an diesen Sitzungen nicht teilgenommen.

Gen. **Huppert**:
Also erstens dein Verhältnis zu Maria Brand, mit der du befreundet warst. Aber wie waren deine Beziehungen zu Rudolf Laszlo? Am 3. Juni 1934, als der Artikel über Brand in der «DZZ» stand, fuhr Brustawitzki Hals über Kopf nach Moskau, um hier irgend etwas zu erklären und zu berichten. Niemand konnte erfahren, bei wem er war und mit wessen Geld er nach Moskau kam. Hast du ihn im Juni 1934 in Moskau während seines Besuches, weil er einen unerwarteten Artikel über seinen besten Freund in der «DZZ» fand, gesehen oder gesprochen? Ich war gerade in Leningrad und war beim Mittagessen, als er den Artikel zu Gesicht bekam. Er wurde leichenblaß und erklärte, ich muß noch heute nach Moskau fahren. Als ich ihn fragte, in welchem Auftrage, sagte er, im Auftrage der Redaktion. Es war nicht herauszubekommen, wo er war und bei wem er sich aufgehalten hat.

Gen. **Dornberger**:
Die erste Frage: Maria Brand. Ich habe schon gesagt, daß die erste Frau von Brand sehr ausgebeutet wurde. Sie hat viel gearbeitet und sehr viel Geld verdient. Sie hat bis auf den letzten Pfennig ihr Geld ausgegeben. Sie war Stenotypistin und Schneiderin. Sie war ein gutes Menschenkind. Es ging ihr schlecht. Ich habe sie moralisch unterstützt. Da ist von einer Freundschaft, von einem Briefwechsel – ich kann mich keines Briefes erinnern –, wenn ich einer Frau den Rat gebe, sich von ihrem Mann zu trennen, soweit habe ich das gemacht –, von einer sonstigen Hilfe kann keine Rede sein, auch von keiner Freundschaft und von keinem Briefwechsel. Damals, als sie von ihrem Mann wegging, sagte sie mir, sie hat eine Arbeit in Gorki. Später hörte ich, sie lebt in Charkow. Sie kam vor einigen Wochen mit ihrem jetzigen Mann aus Charkow, mit einem jungen Schriftsteller, bis nach hier und suchte sich Arbeit. Ich habe ihr die Meinung gesagt: Sie hat doch gearbeitet, einfach die Arbeit liegenzulassen, ob sie nicht weiß, wie schwer es ist, hier zu arbeiten, außerdem als Schriftstellerin zu arbeiten. Ob sie die Weisung von Stalin kennt, den Arbeitsplatz nicht zu wechseln. Ich habe sehr ernst mit ihr gesprochen. Nachdem sie eine Wohnung bekommen hatte, frug sie mich, hast du nicht Leute, für die ich nähen kann?

Gen. **Most**:
Für Hausarbeit in meiner Wohnung. Ich habe das Telefon aufgenommen: Hier ist die Genossin Brand. Um was handelt es sich: Ihre Frau sucht eine Schneiderin. Emma Dornberger empfiehlt so etwas. Ich habe mich erkundigt und erfahre, daß du diese Frau empfohlen hast.

Gen. **Dornberger**:
Nein, Genosse Most. Ich weiß, daß die Frau herkam und nach Arbeit frug – sie hat des öfteren Genossen herbestellt. Ottwalt usw. haben sich ferngehalten, als sie einmal Wohnung hatte. Meine erste Frage war, hast du eine Nähmaschine? Darauf habe ich ihr gesagt, daß 3 Frauen an mich herangekommen sind. Ich kann schwören, daß sie gesagt, daß sie zu Hause näht, daß sie aber von den Frauen nicht verlangen kann, daß sie zur Anprobe kommen und sie zur Anprobe zu den Frauen in die Häuser komme.

Gen. **Most**:
Du hältst dein Verhalten für in Ordnung?

Gen. **Dornberger**:
Damals fand ich nichts dabei. – Sie lebt seit drei Jahren nicht mehr mit ihm zusammen.

Gen. **Fabri**:
Hast du gewußt, daß Maria Brand aus bestimmten Gründen aus der Westuniversität entlassen wurde? Unabhängig von Brustawitzki wurde Maria Brand fristlos entlassen aus der Westuniversität.

Gen. **Dornberger**:
Da war ich nicht in der Westuniversität. Ich habe mir gesagt, man muß dem unglücklichen Menschen helfen. Ich habe in der Frau keinen Konterrevolutionär gesehen.

Gen. **Barta**:
Du schickst sie in Wohnungen, wo Kominternleute wohnen und Dokumente aufbewahren.[448]

Gen. **Ottwalt**:
Die Genossin Dornberger sagte, daß ich verschiedentlich diesem Weiss[449] aus dem Wege gegangen bin. Habe ich der Genossin Emma erzählt, warum ich das tue? Ich möchte sagen, daß dieser Weiss aus der Illegalität aus Deutschland mehrere Berichte geschickt hat und sich dadurch verdächtig gemacht hat, daß er sich bereit erklärte, ein Paket mit illegaler Literatur über die Grenze nehmen zu wollen. Ich fragte ihn, wieso er das kann, dann klärte er mich auf, ich bin schon einmal auf dem Wartesaal mit der «A-I-Z» geschnappt worden, da haben sie mich wieder laufenlassen. Er hatte in der «A-I-Z» viel Gedichte veröffentlicht. Er hatte noch Geldforderungen in Prag und holte sie sich nicht ab, und ich bin in meiner Wohnung über ihn wieder irrig geworden, weil ich dachte, er ist hochgegangen. Ich kriegte dann im vorigen Jahr einen Brief von Weiss aus Charkow, und dieser war völlig überraschend für mich. Bei meinem Besuch in Charkow er-

448 Die Aura und der Kult des Geheimnisses gehörten zur Organisationspraxis der Komintern, die das Herrschaftswissen partialisierte und das «Dokument» zum Staatsgeheimnis erklärte. Da ihnen der Mechanismus des Verdachts und die Logik der Verfolgungen bekannt war, suchten sich Komintern-Funktionäre zudem vor jeglicher «Verbindung» zu schützen.
449 Helmut Weiss, vgl. seine Bibliographie. In: *Veröffentlichungen deutscher sozialistischer Schriftsteller in der revolutionären und demokratischen Presse.* Bearb. von Edith Zenker, Berlin/Weimar 1966, S. 604–612.

zählte der Weiss mir, daß er ohne Erlaubnis der Partei emigriert sei. Er kannte die Parteiorganisation. Er sei nach Berlin gefahren, und es sei ihm innerhalb von zwei Tagen gelungen, einen Sowjetpaß zu bekommen, und daß er direkt nach Charkow gekommen sei. Ich sollte ihm bestätigen, daß er von Deutschland aus gefahren ist. Ich habe seinerzeit noch in Prag vor meiner Abreise diese Geschichte gemeldet. Die Sache ist an die Dresdener Parteiorganisation direkt gemeldet worden. Ich stellte den Weiss zur Rede. Barta, Weinert und ich, wir haben an Ort und Stelle, und auch dem Knorre, dem damaligen Redakteur des «Jungsturm»[450], haben wir das gesagt. Da ich den Fall für erledigt hielt, habe ich natürlich jede Verbindung mit dem Mann abgelehnt und darauf vertraut, daß das, was bereits gemeldet (war), seine Wirkungen haben wird. Wenn ich mich recht erinnere, habe ich das der Genossin Dornberger mitgeteilt. Ich möchte die Genossin Dornberger fragen, ob sie wußte, daß der Genosse Ottwalt alles gewußt hat.

Gen. **Dornberger**:
Ja das stimmt!

Gen. **Fabri**:
Was Ottwalt gesagt hat, stimmt alles. Ich glaube, es war nach dem Kirow-Mord in der Redaktion des «Neuen Dorf».[451] Dort kam der Konterrevolutionär Beiser[452] zu mir und sagte, da ist gestern ein Genosse aus Deutschland gekommen. Er sagte mir, daß er dort die Partei nicht finden konnte, außerdem hatte es dort keine Parteizelle gegeben. Ich wußte, daß er auch in Prag war, und frug ihn, ob er dort Verbindung gefunden hat. Auch dort will er keine Verbindung bekommen haben. Außerdem erzählte er mir, daß er in Berlin in zwei Tagen einen Sowjetpaß erhalten habe. Es ist sogar möglich, daß er ihn von der Botschaft bekommen hat. Ich teile dies alles dem Genossen Müller[453] in der Komintern mit.

450 *Jungsturm*. Deutsche Komsomolzeitung, Charkow; verantwortlicher Redakteur Richard Knorre.
451 *Das Neue Dorf*. Zeitung für das deutsche Dorf, Charkow.
452 Bereits verhafteter Redakteur Beiser, deswegen als «Konterrevolutionär» bezeichnet.
453 Leiter der Kaderabteilung, d. i. Georg Brückmann.

Gen. **Most**:
Wir können hier nicht jede Sache besprechen.

Gen. **Weinert**:
Ich möchte die Genossin Emma fragen, da sie doch im freundschaftlichen Leben mit dieser Familie stand, ob sie kein Mißtrauen hegte. Ich war in Leningrad, und dort sagte man mir, daß Brustawitzki verhaftet sei. Dieser Mann war auch ein Falschspieler. Er habe seiner Frau einmal gezeigt, wie er andere Leute betrüge.

Gen. **Most**:
Genossin Dornberger sagte vorhin, daß das Auftreten Brustawitzkis bohemehaft sei, er habe unangenehme Umgangsformen. Wie stimmt das nun zusammen?

Gen. **Dornberger**:
Was stellt ihr euch unter bohemehaften Eigenschaften vor? Unter unseren Schriftstellern haben wir mehrere, die bohemehafte Eigenschaften haben. Das ist keine besondere Eigenschaft. Was die Frage des Genossen Weinert betrifft, so muß ich sagen, daß ich sie in jeder Beziehung unterstützt (habe) und ihnen half. Als ich mein Insnab-Buch[454] hatte, ließ ich sie ebenfalls darauf einkaufen. Vielleicht war ich blind, daß ich alles nicht merkte.

Gen. **Most**:
Und dann bohemehafte Eigenschaften und einen unangenehmen Charakter, auf der anderen Seite hilft man ihnen, wie paßt das zusammen?

Gen. **Dornberger**:
Ich wußte, daß er nicht intensiv arbeitete. Wenn er Geld hatte, war es gut, und wenn er keins hatte, war es auch gut. Aber ich dachte, ich könnte irgendeinen Einfluß auf ihn ausüben. Ich wußte, daß der Mann erst 23 Jahre alt war, und dachte, man könne irgendwie dem Mann helfen. Wenn ich bei ihnen war, so hatten sie ein gutes Familienverhältnis. Ich wohnte damals 14 Tage bei ihnen. Ich merkte nicht, daß zwischen ihnen ein Zerwürfnis bestand. Ich war so blind,

454 Spezielle Läden, in denen Ausländer mit Bezugsscheinen (Insnab-Buch) einkaufen konnten. Auch diese Bezugsscheine wurden nach dem Nomenklatur-Prinzip verteilt.

daß ich das gar nicht merkte. Ich brachte meine Arbeiten zu ihm, er sah sie durch und behandelte sie sehr kritisch. Er war der einzige, der sich meinen Arbeiten ernsthaft annahm, außer auch noch Genosse Gábor. Er war auch mit Genossen Huppert zusammen, wenn er in Moskau war. Er war auch an diesem Tage da, wo diese Sache stieg. Er hat auch Schuld an dieser Auseinandersetzung, weil er wichtige Stellen der Gáborschen ?[455] Sache nicht gebracht hat. Er hat einfach einige Stellen gestrichen. Er hat die Kritik überhaupt nicht gebracht.

Gen. **Barta**:
Brustawitzki war mit Brand befreundet? Die Verbindung ist also ganz klar. Brustawitzki hat immer, wenn er in Moskau war, bei Brand gewohnt, bei der neuen Frau.

Gen. **Fabri**:
Das letzte Mal hat er auch bei der neuen Frau gewohnt?

Gen. **Gábor**:
Das letzte Mal wohnte er sehr gut, und zwar in einem vornehmen Hotel.

Gen. **Dornberger**:
Er hatte eine Abkommandierung bekommen von ⟨.....⟩[456] flog dann nach Baku.

Gen. **Most**:
Antworte auf die Fragen von Gen. Huppert, wie es mit der damaligen Reise war.

Gen. **Dornberger**:
Das war, weil er kritische Stellen von Gábor gestrichen hatte, und er war sehr aufgeregt und ist viel herumgelaufen. Da war ich noch auf der Schule und habe es von meiner Schwester gehört. Ich habe schon erklärt, daß ich wegen Laszlo bei der Kontrollkommission war und zweimal vernommen wurde.

Zuruf: Aus welchem Anlaß?

455 Gemeint ist Gábors Rezension des als trotzkistisch inkriminierten Romans von Brand.
456 Fehlende Textstelle.

Gen. **Dornberger**:
Laszlo hatte in der Öffentlichkeit drüben ein großes Buch[457] veröffentlicht.

Zuruf: In der Prager Sozialdemokratie.

Gen. **Dornberger**:
Es lag vor, daß ich mit Laszlo eng befreundet war und er mich sogar als seine Frau ausgegeben hat.

Gen. **Huppert**:
Laszlo ist ein Mensch, der sich eingeschlichen hatte in die Sowjetunion. Nach der Flucht ins Ausland hatte er in der sozialdemokratischen Presse verleumderische, konterrevolutionäre Artikel veröffentlicht, und das gesamte Buch war eines der schmutzigsten Werke.

Gen. **Bredel**:
Er ist ein Schweizer Spitzel, und die Genossen Fabri, Huppert und Annenkowa werden in dem Buch genannt.

Gen. **Dornberger**:
Ich bin vor diese Kontrollkommission gekommen mit dem Endergebnis, daß mir als ausländischer Genossin, nein, es muß gesagt werden ⟨....⟩[458] sind. Die Genossen haben mir einen guten Rat gegeben, und weiter ist nichts gekommen und sogar, daß die Leute von der Gewerkschaft die größte Schuld hatten.

Gen. **Most**:
Wann hast du diesen Rat bekommen?

Gen. **Dornberger**:
Ihr müßt wissen, wann diese Geschichte war.

Gen. **Huppert**:
Es war im Frühling oder Sommer 1935.

Gen. **Dornberger**:
Ich glaube, damals lebte ich schon im «Lux».

457 Rudolf A. (d.i. Raoul Laszlo): *Abschied von Sowjetrußland.* Tatsachenroman, Zürich 1936.
458 Fehlende Textstelle.

Gen. **Fabri**:
Du warst damals noch in der Westuniversität.

Gen. **Dornberger**:
Da hat mich Genosse Fabri sozusagen vernommen. Das mit der Kontrollkommission kam später. Man zeigte mir ein Buch und fragte mich, ob ich den Mann kenne.

Gen. **Barta**:
Was für ein Verhältnis war zwischen dir und Laszlo?

Gen. **Dornberger**:
Es ist mir dort die Frage vorgelegt worden, ob ich die Frau von Laszlo wäre. Es wurde mir gesagt, daß ich mit Laszlo zusammen genannt bin: Ich habe gedacht, daß ich mit Laszlo zusammen genannt bin. Ich habe gedacht, daß das irgendwie in dem Buche stehe. Ich habe gedacht, er wird meinen Namen veröffentlicht haben. Man sagte mir, es ist von einem Genossen gemeldet worden. Das habe ich richtiggestellt, was ich hier auch richtigstellen möchte. Die Genossen, die mich von der Schule kennen, wissen, daß ich in der Schule in der Obscheschitije[459] wohnte. Und da ich mein Buch fertigstellen wollte, war es nicht möglich, dort zu arbeiten. Ich fragte, ob irgend jemand für vier Wochen ein Zimmer frei habe, damit ich dort diese vier Wochen leben könnte. So habe ich bei Genossen Gerbeles ein Zimmer bekommen für einige Zeit, und einige Zeit bei dem Genossen Günther im Zimmer gewohnt, wo er in Prag Trude besuchte. So trat auch Laszlo an mich heran. Ich glaube, das war 1933, als er in Ferien fuhr nach Batum oder Baku und im Hotel «Europa» wohnte. Er bot mir ein Zimmer an, weil er wollte, daß ihm das Zimmer gehöre, wenn er zurückkehrt. Ich habe sehr freudig zugestimmt. Ich habe ausgemacht, daß, wenn er wegfährt, daß ich dann hinkomme, und wenn er zurückkehrt, das Zimmer verlasse. Das habe ich auch der Kontrollkommission erklärt. Vielleicht hat er auch das angegeben, weil er das begründen mußte, und er hat vielleicht angegeben, daß es seine Frau war. Ich habe mit ihm nichts zu tun gehabt. Ich habe höchstens eine Tasse Kaffee mit ihm getrunken. Von einer engeren Freundschaft oder einem engeren Zusammenleben kann keine Rede sein. Ich habe zwei Nächte dort gelebt. Dann zeigte mir die Hotelverwaltung einen Brief der Kom-

459 Wohnheim.

intern, daß das Zimmer für zwei andere Gewerkschaftsangestellte gebraucht wurde, und ich habe meine Bündel gepackt. Wir haben eine Sache durchgenommen, die war sehr schlecht kritisiert. Er hat mir damals, als ich in das Hotel kommen mußte, damit ich dort wohnen konnte, eine Rechnung von der «Roten Zeitung» gezeigt unter dem Pseudonym Rudolf, wo er jeden Monat 175 Rubel nebenbei durch Artikelschreiben verdiente.

Gen. **Ottwalt**:
Kann die Genossin Dornberger sich erinnern, wann Laszlo die Sowjetunion verlassen hat?

Gen. **Dornberger**:
Ich war in Leningrad in Ferien, als mir Brustawitzki sagte, daß Laszlo über die Grenze gegangen sei und große Dreckkübel über die Sowjetunion schütte und daß er recht gehabt habe, daß Hórthy einen großen Teil Schuld daran trage. Das muß 1935 gewesen sein, vom 10. Januar bis zum 1. Februar hatte ich Ferien. Da war er schon weg. Er muß also Ende 1934 gefahren sein.

Gen. **Fabri**:
Laszlo ist ungefähr 14 Tage nach dem Kirow-Mord abgefahren. Er hatte in Leningrad die Ausreise nicht bekommen und hat sie sich in Moskau verschafft.

Gen. **Dornberger**:
Das müßte soweit stimmen.

Gen. **Fabri**:
Er war kein Sowjetbürger, hatte in Leningrad Schwierigkeiten mit der Ausreise und hat sie sich in Moskau verschafft. Bei der Kontrollkommission lag vor, daß Genosse Heckert an die «Rote Zeitung» geschrieben hat, Achtung, es ist ein Journalist. Wir haben nichts dagegen, aber Achtung, es ist ein Journalist. Sozusagen hat Genosse Heckert schon gewarnt. Es wird seinen Grund gehabt haben. Das soll er geschrieben haben, das weiß ich von Brustawitzki, daß die Parteizelle dort niemand angenommen hat, der keine schriftliche Unterlage hat.

Gen. **Most**:
Ich nehme an, daß die Genossin Dornberger sich sehr überlegt hat, was sie hier sagen wollte. Ich bin um so mehr überrascht, daß die Genossin Dornberger ihre mangelhafte Wachsamkeit zuerst an einem

einzigen Fall illustrieren wollte. Jetzt sind es schon mehr geworden. Ich möchte sie nochmals fragen, ob in ihrer Umgebung Beziehungen sind, Verhältnisse, Bekanntschaften, die vom Standpunkt der Wachsamkeit äußerst bedenklich sind, die sie hier oder an andere Stelle melden muß.

Gen. **Dornberger**:
Heute noch? Natürlich alle Fälle, die hier vorkommen. Natürlich trifft mich auch viel Schuld, wie jeden.[460] Ich habe betont, daß mich im Falle Brustawitzki besondere Schuld trifft.

Gen. **Most**:
Den Fall der Frau Brand zählst du dazu?

Gen. **Dornberger**:
Ja. – Zu Brustawitzki: Ich habe nichts bei ihm entdeckt, was ich hätte melden müssen.

Gen. **Most**:
Helmut Weiss?

Gen. **Dornberger**:
Ihn habe ich gesehen, als er kam. –

Ich habe für Helmut Weiss nichts getan. Ich habe schwer gesündigt[461], daß ich der Frau verholfen habe, ins «Lux» zu kommen.

Gen. **Most**:
Sonst nichts? – Wie ist es mit den Gesellschaften, die bei dir im «Lux» stattfinden?

Gen. **Dornberger**:
Das sind Genossen – wir machen Wanderungen –, das sind alles Genossen, die bei mir zu Hause kommen. Ich brauch mich nicht zu schämen.

460 In ihrem Tagebuch notiert Emma Dornberger die Irrationalität des nur selektiv angewandten Vorwurfs der «Beziehungen»: «Sind nicht fast alle mit dem einen oder andern bekannt?»
461 Der Selbstvorwurf der schweren Sünde deutet nicht nur auf die verinnerlichte Gleichsetzung von Partei und Kirche hin, sondern auch auf die freiwillige Unterwerfung unter das kanonisierte Bußverfahren der «Parteisäuberung».

Gen. **Ottwalt**:
Ist aus dem Kreis, den sie nennt, irgend jemand verhaftet worden?

Gen. **Dornberger**:
Ein Genosse ist damals verhaftet worden, wo ich gesagt habe, er ist ja in letzter Zeit bei mir gekommen. Wir sind jeden Sonntag zusammengewesen, dann muß er sehr schnell wieder entlassen worden sein. Ich habe das nicht gemerkt. Das ist der Mann der Frau Emma Damerius, die ich sehr gut kenne – den Mann kenne ich auch –, die ich aus der Frauenbewegung kenne, sie war ZK-Frauenabteilung-Referentin. Ihr Mann[462] war verhaftet gewesen am 29. April in der Nacht, in einer Zeit, wo ich nicht mit ihm zusammen war. Und wie ich gehört habe von seiner Frau – ich habe sie zur Rede gestellt, ich muß wissen, was ist los mit deinem Mann –, sagte sie mir, er ist am 29. April verhaftet und ist einen Tag später entlassen worden. Er hat eine Entschädigung vom Betrieb bekommen. Das weiß ich von seiner Frau.

Gen. **Most**:
Nach deiner Meinung ist mit dem Mann alles in Ordnung?

Gen. **Dornberger**:
Ich habe mit Anders[463] darüber gesprochen, die auch in diesem Kreis war. Sie hat mir versprochen zur Komintern zu gehen, um zu fragen, weil sie mit diesem Genossen über seine Frau befreundet war.

Gen. **Most**:
Warum kommt er nicht mehr?

Gen. **Dornberger**:
Diese Abende waren so, daß wir uns immer verabredet haben. Nach dem Prozeß habe ich keine Lust mehr, mit Leuten zusammenzukommen.

462 **Helmut Damerius** (1905–1985), 1923 KPD-Mitglied, 1928 Mitbegründer und Leiter der Theatergruppe «Kolonne Links», 1931 Tournee durch die Sowjetunion, Regiestudium, Mitarbeit an Wangenheims Film «Der Kämpfer»; nach der ersten Verhaftung 1936 wird Damerius am 17. 3. 1938 erneut verhaftet und zu sieben Jahren Lagerhaft verurteilt, 1945 erneute Verurteilung zu fünf Jahren Haft, nach Urteilsrevision 1948–55 in Kasachstan zwangsangesiedelt; 1956 Rückkehr nach Berlin/DDR. Vgl. Helmut Damerius: *Unter falscher Anschuldigung. 18 Jahre in Taiga und Steppe*, Berlin 1990.

463 D. i. **Martha Gärtner**, Frau von **Erwin Kohn** (Deckname Rudolf Anders). Rudolf Kohn wurde Anfang 1937 verhaftet.

Gen. **Ottwalt**:
Hat die Genossin Dornberger nachgeprüft, ob der Mann wirklich entlassen wurde?

Gen. **Dornberger**:
Ich war nachdem mit ihm zusammengekommen.

Gen. **Most**:
Über sein Fernbleiben weißt du nichts?

Gen. **Dornberger**:
Ich habe niemand eingeladen.

Gen. **Ottwalt**:
Die Genossin Dornberger zeigte mir ein Bild und sagte, dieses Bild sei letzten Sonntag aufgenommen. Ich sagte, du, war ihr Mann dabei?

Gen. **Dornberger**:
Der Mann hat die Fotografie aufgenommen mit seinem Apparat.

Gen. **Weber**:
Wer gehört zu diesem Kreis? Du sagtest doch, du brauchst dich nicht zu schämen.

Gen. **Dornberger**:
Aus diesem Kreis: Der Mann ist verhaftet worden am 29. April, da war die Frau noch in der Schule.

Dazu gehören: die Frau des Genossen Anders, Martha Gärtner. Dazu eine Genossin Salmar (?), die in der deutschen Partei war, sie ist hier nicht beschäftigt, sie zahlt ihre Beiträge bei Heß[464]. Ihr Mann ist ein Genosse, der im Kugellagerwerk arbeitet, Kurt Meier. Dann der Genosse Reissner[465] aus dem «Lux». Wir sind sehr lustig, wir singen und trinken Kaffee.

Gen. **Wangenheim**.
Trotz all dieser Fälle hat die Genossin Dornberger es nicht für ihre Pflicht gehalten, diese Fragen in der Parteiorganisation zu stellen. Du hast gesprochen mit dem Genossen X, du hast aber nichts gemeldet.

464 Sie war Mitglied im Klub ausländischer Arbeiter. Die deutsche Sektion wurde von **Leo Roth** (Deckname Heß) geleitet. Auch Leo Roth wurde im November 1936 verhaftet und am 10. November 1937 zum Tode verurteilt.
465 Kurt Meier und Reißner nicht ermittelt.

Oder hast du wirklich Schritte in dieser Angelegenheit unternommen?

Gen. **Dornberger**:
Daß diese Schriftsteller verhaftet wurden, hatte ich ja hier bei uns gehört. Dieser andere Mann[466], von dem hier die Rede war, hat nichts mehr damit zu tun. Die Genossin Anders ist zur Komintern gegangen und hat sich erkundigt, ob die Sache geklärt ist und ob man nicht weiter zu dem Mann gehen soll. Ich nahm an, daß alles aufgeklärt ist.

Dann hatten wir eine unangenehme Sache mit einer Arbeiterin, die bei mir arbeitete, die auf die Kinder von Dengels Obacht geben sollte. Sie wurde von uns behandelt wie ein Familienmitglied. Plötzlich war sie schwanger, und sie hatte eine große Krise durchgemacht, denn die Kinder sind sehr unartig. Wir haben alles versucht, daß sie sich dem Mädchen gegenüber nett verhalten. Ich selbst hatte zu der Arbeiterin ein gutes Verhältnis. Alles, was bei uns auf dem Tisch stand, bekam sie mit. Sie bekam 50,– Rubel Lohn, weil bei mir aber oft große Gesellschaften waren und sie dadurch mehr Arbeit hatte, gab ich ihr noch 10,– Rubel mehr. Eines Tages werde ich von Osrin gerufen, der mir sagt, daß in der Küche das Gerücht aufgetaucht ist, daß ich das Mädchen ausbeute. Ich wußte, daß das Mädchen sich nicht beschwert hatte, aber wahrscheinlich die anderen Mädchen. Ich habe Osrin dann gesagt, daß ich ein sehr gutes Verhältnis mit ihr habe, und die Sache wurde dann geklärt und beigelegt.

Dann sprach ich mit der Genossin Olga[467] darüber und fragte sie, wenn sie abends bei sich Gesellschaften hat, ob sie dann ihrem Mädchen extra etwas gibt. Ich sagte, daß wir alles kollektiv erledigen. Aber je weiter dann die Schwangerschaft fortschritt, um so schwerer war mit dem Mädchen auszukommen. Dann habe ich nochmals mit Olga gesprochen und sie gefragt, da zu ihr oft auch Gesellschaften kommen, ob die Genossen dem Mädchen Trinkgeld geben. Olga sagte, das hast du selbst mit dem Mädchen (zu) regeln und hat nichts mit deinen Gästen zu tun. Sie ist heute noch bei uns und im siebten Monat schwanger.

Gen. **Barta**:
Was wußten Sie, Olga, über Brustawitzki?

466 Die nicht mehr benennbare «Unperson»: Helmut Damerius.
467 Olga Halpern-Gábor.

Genossin **Halpern**:
Ich habe Emma gesagt, daß sie Briefe von Brustawitzki nicht beantworten soll. Ich nahm des weiteren an, daß die Genossin Dornberger die Sachen gemeldet hatte.

Gen. **Barta**:
Sie wissen doch, daß sie bei uns arbeitet, und es wäre Ihre Pflicht gewesen, mich darüber zu verständigen.

Gen. **Halpern**:
Ich nahm an, daß Sie davon wußten. Ich habe auch den Genossen Heß gefragt, ob die Genossin Dornberger bei uns arbeiten kann.

Gen. **Barta**:
Wenn jemand bei uns arbeitet, so bedeutet das eine Verantwortlichkeit nicht nur für heute, sondern für immer.

Gen. **Most**:
Ich möchte die Frage stellen, ob die Genossin Dornberger oder eine Person aus ihrem Kreis Beziehungen zu irgendeiner Zeit zu einer der im Prozeß gegen das trotzkistisch-sinowjewistische Zentrum genannten Personen gehabt hat.

Gen. **Dornberger**:
Ich selbst habe Emel und David[468] nur dem Namen nach gekannt. Ich habe Gott sei Dank mit den beiden nicht gesprochen.

Gen. **Most**:
Auch nicht mit den anderen, die in dem Prozesse genannt sind?

Gen. **Bredel**:
Hat die Genossin Dornberger die Prozeßberichte aufmerksam gelesen?

Gen. **Dornberger**:
Leider habe ich eine andere Geschichte, die mich aber nicht belastet. Am ersten Abend des Prozesses hörte ich in russisch den Namen fal-

468 In einem Brief an Wilhelm Florin berichtet Wilhelm Pieck über seine «Beziehungen» zu Fritz David, den er als Referenten und Ghostwriter beschäftigte: «Ich habe wirklich Vertrauen zu diesem Kerl gehabt, der es in sehr geschickter Weise verstanden hat, nicht nur mich, über seine verbrecherischen Pläne zu täuschen.» IfGA/ZPA I 2/3 250.

len, der bei diesem Prozeß eine Rolle spielt, und zwar den Namen Weiz?[469]. Ich habe mir den Kopf zerbrochen, wer dieser Mann ist, dieser Gestapospitzel.

Gen. **Most**:
Das habe ich vorhin vergessen.

Gen. **Dornberger**:
Ich habe darüber der Komintern geschrieben, und Genosse Barta hat den Brief weggebracht.

Gen. **Weinert**:
Das hat sie mir am selben Tag gesagt.

Gen. **Dornberger**:
Ich habe Gott sei Dank mit dem Mann nichts zu tun. Am nächsten Morgen las Adele aus der «Prawda» vor. Ich fragte, was ist der Mann von Beruf? Ist er Architekt? Man sagte ja. Ich fragte Martha Gärtner, heißt dieser Architekt, den wir kennen, Franz? Sie hat sich darauf besonnen und gesagt, wir wissen das nicht. 1932, als ich nach Moskau kam, habe ich kurze Zeit, wie alle Vertreter, im Hotel gewohnt. Dann wurde ich aus dem Hotel von Wantowski hinausgeschmissen, weil mir angeblich als zweiter deutscher Vertreter kein Hotel zustand. Ich habe mir eine Privatwohnung suchen müssen und habe bei Kratschkowski gewohnt, der heute im WZSPS[470] arbeitet. Die Genossen haben mir ein Bett zur Verfügung gestellt. Als ich einige Tage dort lebte, waren die Leute zu einer russischen Familie im Hause eingeladen. Ich wurde zu diesem Wetscher mitgenommen. Außer dieser Familie war mir von der Gesellschaft niemand bekannt. Ein blonder junger Mann sagte, wir kennen uns doch, du bist doch Emma aus Köln? Dieser Mann ist mit mir in der Arbeiterjugend gewesen, entweder kurz vor dem Krieg oder während der Kriegszeit. Dieser Mann sagte, du bist doch Emma, die immer im Gewerkschaftshaus Gedichte vortrug. An diesem Abend lernte ich einen Architekten Weiz kennen. Die Genossin Martha Gärtner besuchte mich in der

469 Im Prozeß gegen das «trotzkistisch-sinowjewistische Zentrum» wurde **Franz Weiz** beschuldigt, als «Vertrauensmann Himmlers» eine «Kampfgruppe» zur Ermordung von Stalin, Kaganowitsch, Woroschilow und Ordshonikidse organisiert zu haben. Vgl. Prozeßbericht, Moskau 1936, S. 27, 76f, 103.
470 Allunionsrat der Sowjetgewerkschaften.

Wohnung von Kratschkowski. Weiz war mit der russischen Familie befreundet. Die Frau war auch eine Kölnerin. Sie hat mir ihre Adresse gegeben, die ich an die Komintern weitergeleitet habe. Ich habe den Architekten und seine Frau noch einmal gesehen, und zwar bei der Frau, wo ich wohnte. Wir sind mit Frau Weiz zum Insnab kaufen gegangen, wo sie schrecklich meckerte. Den Mann habe ich noch ein zweites Mal gesehen, wo er seine Frau abholte. Weiter habe ich ihn noch nicht gesehen. Ich habe seinen Namen erst jetzt wieder im Prozeß gehört. Dann weiß ich, daß der Mann vom Urlaub aus nach Deutschland zurückfuhr auf Grund des Trusts oder des Architektenbüros. Daß er wieder zurückgekommen und zurückgekehrt ist, daß man ihn angeblich schrecklich gebeten habe zurückzukommen und alle möglichen Vergünstigungen angeboten habe. Wie wir ihn zur Rede gestellt haben, hat er gesagt, daß er alles versuche, um seiner Frau die Meckereien auszutreiben. Wir haben nie vermutet, daß hinter diesem Mann so etwas steckt. Ich weiß, daß dieser Mann später wieder weggefahren ist.

Ich habe die Genossen Architekten angegeben, die ihn näher kennen, und zwar die Kölner Genossin, die ihn näher kennengelernt haben, den Architekten Kurt Meyer[471] und Frau[472]. Man sollte sie über ihre Beziehungen fragen.

Gen. **Ottwalt**:
Wenn die Genossin Emma in diesem allen sich richtig und korrekt benommen hat, das heißt, den Weg zum Genossen Barta fand und ihm brieflich das übermittelte, war doch die günstigste Gelegenheit, dem Genossen Barta alles zu sagen. Warum ist das nicht gleich geschehen? Wie qualifiziert die Genossin Dornberger ihr jetziges Verhalten?

471 **Kurt Meyer**, geb. 27.1.1888, 1919 KPD-Mitglied, seit 1930 als Architekt in der Sowjetunion; im November 1936 verhaftet, zu acht Jahren Lagerhaft verurteilt, in einem Arbeitslager umgekommen.
472 **Gertrud Meyer** (1898–1975), 1919 KPD, zusammen mit ihrem Mann Kurt Meyer 1930 in die Sowjetunion, Dreherin, 1933 KUNMS; 21.11.1937 verhaftet, 1938 nach Deutschland ausgewiesen, 1940 verurteilt; illegaler Widerstand, 1944 erneut in Haft, nach 1945 Verfasserin mehrerer Bücher zur Geschichte des Hamburger Widerstandes. 1952 erneut aus der KPD ausgeschlossen, später wiederaufgenommen.

Gen. **Wangenheim**:
Hat der Genosse Barta sie gefragt, ob sie noch mehr weiß? Sicherlich doch.

Gen. **Barta**:
Ich habe gesagt, sie solle mir das geben.

Gen. **Dornberger**:
Ich habe das erste Mal über all diese Dinge gesprochen. Ich war schrecklich beleidigt. Ich wurde zur Rede gestellt, warum ich das hier gebe, ich müßte es zur Komintern geben. Ich hätte den Brief auch nicht Genossen Barta gegeben, sondern zur Komintern getragen.

Gen. **Ottwalt**:
Nach dem Prozeß war eine sehr erregte Stimmung. Ich erinnere mich, daß Genosse Barta nicht einmal, sondern mehrmals mit den Genossen gesprochen hat und sagte, wer irgend etwas weiß, schreibt es auf und gibt es mir.[473]

Gen. **Dornberger**:
Da weiß ich nichts von. Ich war mit der Sache so belastet, daß ich herunter war. Ich wollte, die Versammlung wäre vor vier Wochen, dann hätte ich es herunter gehabt.

Gen. **Most**:
Hast du in Berlin Beziehungen mit den Genossen unterhalten, die in der ehemaligen Bezirksleitung Bremen waren, mit Eugen Eppstein? Wenn ich mich recht erinnere, brachte er dich nach Bremen.[474]

Gen. **Dornberger**:
Ich wurde vom ZK nach Bremen überwiesen. Ich hatte mich an das ZK gewandt, weil mein erster Mann zu den Völkischen gegangen ist, ich war damals Bezirkskassierer, und ich habe mich weggemeldet, weil ich mich von meinem Mann trennen wollte. Ich bekam die Nachricht, daß eine Kassiererin in Bremen gesucht wird. Die bisherige

473 Das in jahrelanger Parteidisziplin praktizierte Melde- und Überwachungssystem schlägt in den allgegenwärtigen Terrorismus des wechselseitigen Verdachts, in epidemische Denunziation um.
474 **Eugen Eppstein** (1878–1943), KPD-Reichstagsabgeordneter, Polleiter des KPD-Bezirks Nordwest in Bremen, führender «Ultralinker»; 1928 Austritt aus der KPD und Mitbegründer des «Leninbundes», 1933 Frankreich, umgekommen im KZ Lublin-Majdanek.

Kassiererin war Ehlers-Anhängerin, also eine Rechte. Dort kam ich mit Sekretär Eppstein zusammen, mit dem ich in Köln einige Jahre zusammengearbeitet habe. Eppstein wurde aus der Partei ausgeschlossen, kam nach Berlin. Dort habe ich ihn und seine Kinder gesehen.

Gen. **Most**:
Hast du Verbindung mit ihm gehabt, als er ausgeschlossen war?

Gen. **Dornberger**:
Nein, keine Beziehungen. Wenn wir uns einmal gesehen haben, dann haben wir zusammen gesprochen. Eppstein wurde später aus der Partei ausgeschlossen. Ich habe ihn früher schon mal gesehen und auch seine Kinder gut gekannt.

Gen. **Ottwalt**:
Bestanden zwischen dem Weiz und deinem ersten Mann irgendwelche Beziehungen?

Gen. **Dornberger**:
Er war ein sehr guter Mann, er ist vollkommen zerschlagen aus der Haft zurückgekommen, er hat mir verboten, in Versammlungen zu gehen.

Gen. **Barta**:
Die IKK hatte dich aufmerksam gemacht, daß du nicht wachsam warst und wachsamer sein sollst. Wie kannst du das erklären nach dieser Mahnung, daß du nicht nur in deiner Umgebung mit dem Verkehr, sondern auch in deiner Arbeit so absolut unaufmerksam warst, daß du, trotzdem ich dich aufmerksam gemacht habe, wichtige Parteidokumente nicht abgeschlossen hast? Trotzdem ich das mehrere Male untersucht habe, habe ich Dokumente uneingeschlossen gefunden. Wie ist das? Mit deinem Verkehr mit Menschen warst du blind. Worin besteht deine bolschewistische Wachsamkeit, deine bolschewistische Parteimitgliedschaft? Worin besteht sie in Anbetracht dessen, daß wir eine deutsche Kommission[475] sind?

Gen. **Dornberger**:
Auf die Frage kann ich nicht antworten, ohne daß meine Nerven dabei nicht durchgehen. Ich bin mir nicht bewußt, daß ich irgendwas gegen die Partei gemacht habe.

475 Gemeint ist hier «Parteigruppe».

Gen. **Barta**:
Das sind Tatsachen. Es handelt sich nicht um bewußt oder unbewußt.

Gen. **Barta**:
Ich mache den Vorschlag, daß wir die Genossin von der Arbeit, die sie als verantwortliche Sekretärin leitet, bis zur endgültigen Klärung entbinden, und zwar sofort.

Wer ist damit einverstanden?

Einstimmig angenommen.[476]

Gen. **Wolf**:
In welcher Zeit wird diese Frage geklärt werden?

Gen. **Weber**:
Das hängt nicht von den Genossen ab und nicht vom Genossen Barta. Das hängt auch von der Genossin Dornberger selber ab.

Schluß der Sitzung um 2 Uhr nachts
Die Sitzung wird morgen fortgesetzt.

476 Das männliche Kesseltreiben gegen die in der literarischen und politischen Hof- und Hackordnung nachgeordnete Emma Dornberger nimmt sein einstimmiges Ende.

Sitzung der deutschen Schriftsteller am 8. 9. 1936

Gen. **Barta**:
Ich eröffne unsere heutige Sitzung und schlage als Geschäftsordnung vor, bis ½ 10 Uhr zu tagen, dann eine Pause von 1 ½ Stunden und von 11 Uhr bis zum Ende. Dann müssen wir eine längere Pause einlegen, bis die Protokolle fertig sind. Das wird ungefähr 3 bis 4 Tage dauern, dann rufen wir die Schlußsitzung zusammen.

Bevor ich Genossen Wangenheim das Wort gebe, möchte ich eine Erklärung verlesen, die Genossin Dornberger eingereicht hat.

(Genosse Barta verliest die Erklärung der Genossin Dornberger s. Anlage Nr. . . .)[477]

Dazu zwei kleine Bemerkungen, daß wir hier nicht eine Parteizelle bilden, sondern die Parteigruppe der deutschen Sektion des Sowjet-Schriftstellerverbandes und die andere, auch eine formelle Bemerkung, aber das ist eigentlich dasselbe.

Jetzt gebe ich, wenn sich niemand zu dieser Erklärung melden wird, das Wort dem Genossen Wangenheim. Als nächster Redner spricht dann Genosse Hay.

Genosse **Wangenheim**:
Genossen! Wir sollen als Kommunisten unser Gesicht zeigen, also den ganzen Menschen zeigen. Ich betrachte das, was ich im Anfang zu sagen habe, als eine Kritik am Auftreten der einzelnen Genossen. Das bedeutet, daß es nur ein Vorwort zu meiner Selbstkritik sein soll, der Versuch sein soll, mein Gesicht zu zeigen. Ich möchte anfangen bei dem sehr unerfreulichen Ergebnis des gestrigen Abends, der uns durch diese Erfahrung einen Schritt weiterbrachte. Ich habe eigentlich eine Frage. Ich habe den Namen dieser Frau Brand, von der gestern die Rede war, auch gehört. Als ich die Sache durchdachte, fragte ich meine Frau, was ist mit dieser Frau Brand, sie sagte, ja, die hat in unserer Wohnung geschlafen. Das habe ich diese Nacht erfah-

477 Anlagen zum Stenogramm wurden noch nicht aufgefunden.

ren. Ich fragte, bei wem, sie antwortete bei Hauska.[478] Ich fragte, wer hat darüber Auskunft gegeben, sie antwortete Dornberger. Sie hat die Auskunft gegeben, daß dieser Weiss ein untadelhafter, ausgezeichneter Mann ist und hat sich berufen auf Genossen Ottwalt, hat Einzelheiten der Parteitätigkeit gesagt, daß er ein hervorragender Arbeiter in der «A-I-Z» in Deutschland gewesen wäre. Ich muß sagen, daß bei der gestrigen Geschichte noch ein kleiner Akzent war. Ich bin genauso erschrocken, wie der Genosse Most durch den Telefonanruf erschrocken ist. Bei allen Dingen, die in meiner Wohnung passieren, wo Hauska so klug ist, sich zu sichern, muß ich einiges sagen, was für den Fall Weiss nicht unwichtig ist. Ich habe durch Hauska erfahren, daß das ungefähr am 10. oder 12. Juli gewesen ist, daß die bei ihnen geschlafen haben und daß die Besprechung ungefähr 10 Tage vorher war.

Gen. **Dornberger**:
Hat er Auskunft eingeholt wegen des Schlafens über Literatur?[479]

Gen. **Wangenheim**:
Ich kann das nur so weitergeben. Vielleicht stimmt es nicht. Als ich feststellte, wieso er hier geschlafen hat, hat er diese Auskunft gegeben, und er hatte keine Ahnung, was gestern hier gesprochen worden ist. Darum war ich erschrocken, als dein Name fiel. Und zwar ist noch eine komische Geschichte. Da ist ein junger Schauspieler namens Drach[480], er ist der Sohn von dem historischen Schriftsteller Drach, dem Reichswehrdrach, den wir aus Paris kennen. Das ist nicht unbekannt, aber dieser Drach hat Weiss nach Engels gebracht, diesen Weiss und Brand nach Engels, und zwar ist dieser Drach ...

Gen. **Fabri**:
Sie waren jetzt kurz dort.

478 **Hans Hauska**, geb. 1901, 1929 KPD-Mitglied, mit «Kolonne Links» 1931 in die Sowjetunion, Musiker; 20. 11. 1937 durch NKWD verhaftet, am 4. 12. 1938 ausgewiesen, am 18. 8. 1939 vom Volksgerichtshof zu anderthalb Jahren Zuchthaus verurteilt.
479 Sinngemäß gemeint: «Hat er bei dir geschlafen, um über Literatur Auskunft einzuholen?»
480 **Hans Drach**, geb. 31. 5. 1914, KJVD-Mitglied, Mai 1934 in die Sowjetunion, Schauspieler, Anfangs Mitarbeit in MORT, dann am «Deutschen Staatstheater» in Engels; verhaftet am 26. 12. 1936, Lagerhaft, am 5. 12. 1940 an die Nazis ausgeliefert.

Gen. **Wangenheim**:
Und zwar ist dieser Drach Leiter beim Haus für selbsttätige Kunst[481].

Gen. **Fabri**:
Er ist dort angestellt, aber nicht Leiter.

Gen. **Wangenheim**:
Ich zitiere das, was Hauska gesagt hat, und habe das noch nicht nachprüfen können. Sie sind nach Engels gefahren, aber dort nur 3–4 Tage gewesen. Dort hat man gesagt, seine Qualifikation reiche nicht. Hauska hat sich gesagt, was ist, wenn er wiederkommt? Heute ist man nicht gar so dumm und hat ihm gesagt, geh zur Sowjetkontrolle. Er war dort, sie schickten ihn zu Radek und dann zur Genossin Popora, das ist die Abteilungsleiterin, und diese Genossin hat ihm ein Engagement verschafft, und zwar als Kinomusiker für 800,– Rubel.

Gen. **Wolf**:
Das Bild ist natürlich bei den verschiedenen Genossen ein sehr verschiedenes. Wir lernen uns wirklich hier kennen im Flug der Reden, wir sehen uns ziemlich genau. Wenn ich jedoch die Genossen hintereinander nenne, so bin ich weit entfernt zu sagen, daß der eine gleich der andere ist, sondern, daß da sehr wohl Unterschiede sind. Aber ich muß sagen, daß ich selbst bei einem Genossen, den ich sehr schätze und von dem ich glaube, daß er die Wahrheit spricht, das steht doch im Zentrum der Dinge, wie Genosse Günther ein merkwürdiges Gefühl habe, was liegt noch dahinter. Ich habe nicht das Gefühl der restlosen Wahrhaftigkeit. Warum spricht Günther nicht über den Fall der Genossin Trude in dem Zusammenhang, warum muß er erst durch Zwischenfragen des Genossen Ottwalt dazu gebracht werden, hierüber zu sprechen? Hier ist zum mindesten doch eine falsche Auffassung, ich weiß nicht, ob ich eine übertriebene ‹Auffassung› habe, daß in einem solchen Moment doch solche Dinge unbedingt gesagt werden müssen, ohne daß man dazu aufgefordert wird. Es besteht die Möglichkeit, daß dem einen oder anderen ein Fehler im Gedächtnis entstehen kann. Ich habe sehr viele Fragen, und ich weiß nicht, ob ich etwas vergessen werde. Ich gebe mir Mühe.

Ich bin von dem, was der Genosse Gábor gesagt hat, nicht befriedigt. Ich bin der Meinung, die Veröffentlichung Brands in Leningrad

481 Gemeint ist Haus für Laienkunst.

ist eine ausgesprochene Lumperei, eine Sauerei. Ich verstehe nicht, wie nicht zwangsläufig die Folge einer solchen Sauerei ist, daß die Antipathie bis zu 100 Prozent wächst, die Beziehung zu einem solchen Menschen nicht von einer solchen Lumperei beeinflußt wird.

Ich höre zu meinem Erstaunen das ans louishafte grenzende Benehmen von Brand, daß er von einer Frau, die er verlassen hat, Geld nimmt. Und man hatte nicht die Fähigkeit zu verhindern, daß dieses Schwein an der Arbeitsgemeinschaft teilnahm. Ich finde, so einen Burschen muß man auf dem Boden der Sowjetunion eliminieren können. Das verstehe ich eben nicht. Vielleicht kann Gábor mich darüber aufklären. Ich spreche für die Zukunft. Allerdings muß ich sagen, daß das nicht so einfach ist, Genosse Barta. Man liest eine solche Sache in der «DZZ». Nach dieser Sache hat man das Gefühl, dieser Mensch ist jetzt erledigt, ich werde ihn nicht wieder zu sehen bekommen. Praktisch aber war die «DZZ» desavouiert. Praktisch erfahre ich ein Urteil von Radek. Es war allgemeiner Eindruck: Dieser Mensch arbeitet weiter, also war wohl die Sache in der «DZZ» ein Mißgriff, wenn auch aus taktischen Gründen in der «DZZ» kein Widerruf erschien. So war der Eindruck. Nun zu Olga. Ich möchte so formulieren: die Genossin Olga sah den Brand vor lauter Cliquen nicht. Dieses Überall-Cliquen-Sehen ist falsch, ist eine Krankheit. Das ist kein Einzelfall, Genossen Gábor und Olga, daß so die zweifellos bestehenden Cliquen und die verschiedene Politik solcher schädlichen Cliquen, das Bild der Realität, die nämlich hier ein Mensch war, verschleiern. Ein ganz konkreter Fall: Brand.

Ferner ist für mich ein Problem die Frage, die aufgetaucht ist, bei Dornberger in klarer Form, in abgeschwächter Form auch bei Olga der Gedanke: «Ach, der kommt ja wieder frei.» Ich habe mich nachgeprüft. Am Anfang habe ich auch gedacht, das ist doch nicht möglich, den kenne ich doch, aber ich muß sagen, damit müssen wir radikal Schluß machen. Jeder Mensch, der dialektisch funktioniert, hat alle Gedanken in seinem Kopf. Die Frage ist nur, welchen Gedanken ich rauslasse. Es ist selbstverständlich, der Mensch ist schuldig. Daneben entsteht der Gedanke, der Mensch ist unschuldig. Aber bloß der Gedanke, der ist da irgendwo, der kommt nicht zum Vorschein, so wenig wie der Gedanke, daß man vor einem neugeborenen Kind steht und weiß, der Schädel ist offen, da und die Zwangsvorstellung hat, du mußt jetzt zudrücken, das ist normal, unnormal ist nur, wenn man ihm nachgibt. Ein solcher atavistischer Gedanke ist überall möglich, aber daß er als Gedanke hinstößt, das darf überhaupt nicht mehr passieren. Genau das habe ich bei dem Genossen Becher nicht verstanden in Zusammenhang mit Schmückle. Die Einzelheiten sind mir wieder entfallen. Ich erinnere an einen ZK-Beschluß. Es war schon Klarheit und dann nachher, nachdem diese Klarheit geschaffen war, war hier eine Besprechung. Ich muß sagen, für mich steht hier der ZK-Beschluß.

Gen. **Becher**:
Es war nicht wegen Parteifeindlichkeit, es war so, daß die Redaktion[482] anders geordnet werden sollte. Es war noch nicht geklärt, daß Schmückle ein Parteifeind[483] ist.

Gen. **Wangenheim**:
Also, wenn die Redaktion geändert, geordnet werden sollte, zieht man die Folgerungen und gräbt tiefer. Und in dem Moment, wo es nicht rein literarische Fragen sind, gräbt man tiefer und läßt nicht locker in der schärfsten Kontrolle und fragt, was ist los? Diese gewisse Ahnungslosigkeit, die da noch vorhanden ist, selbst bei dem Genossen Becher, ist eine andere Geschichte.

Die Frage mit dem Artikel. Du hast den Artikel vorgelesen. Meiner Meinung nach bist du nicht ganz offen gewesen. Du hast mich sofort beeinflußt, denn wenn man ohne Gespräche über Pasternak und ähnliche Geschichten hört, kann man zweifellos zu der Meinung kommen, hier ist keine Theorie, sondern es werden Dinge gesagt, die uns allen selbstverständlich sind. Aber im Zusammenhang mit den Gesprächen sieht die Sache etwas anders aus. Ich muß sagen, daß ich keinen besonders guten Eindruck gehabt habe von dem Gegeneinander zwischen Genossen Ottwalt und Genossen Fabri. Denn über die prinzipielle Sache hinaus finde ich bei Kommunisten den Mangel an der Fähigkeit, die kleinen Drecksdinge von sich wegzustreifen. Wenn so ein Streit über kleine Dinge kommen und zu prinzipiellen Fragen werden – ist es eine prinzipielle Frage, ob Genosse Ottwalt an der

482 In der Redaktion der *Internationalen Literatur* löste Huppert Karl Schmückle Mitte April als stellvertretenden Redakteur der deutschen Ausgabe ab. Diese Ablösung erscheint im Impressum ab Heft 5.
483 Erst mit den Veröffentlichungen in der *Literaturnaja gazeta* (27.8.36) und durch den Artikel Hugo Hupperts «Fauler Liberalismus hilft dem Feind» in der *DZZ* vom 29.8.1936 war die Bezeichnung Schmückles als «Parteifeind» öffentlich und offiziell geworden.

«DZZ» mitarbeitet? –, so muß man dann die Form finden, um wegzukommen von diesen kleinen Sticheleien. Ich meine, auf beiden Seiten liegt hier Schuld, und bei den Sitzungen war es hauptsächlich Genosse Fabri, der provoziert hat. Aber ich muß auch sagen, daß durch die stichelnde Art, wie Genosse Ottwalt einen anderen hochbringen kann, er auch zu dieser unerfreulichen Situation beiträgt. Genauso habe ich nicht verstanden, wie Genosse Huppert mit seinen Formulierungen das Niveau der Diskussion einfach verändert hat. Ich liebe absolut nicht unnötige Reibereien, und man müßte sich erziehen. Man hat dauernd die Pflicht, das zu tun, weil, wenn wir einmal verschiedener literarischer Ansicht sind, oder ein schlechtes Urteil gibt über etwas, was man gemacht hat, so muß man sich sofort abreagieren und alle sachlichen oder unsachlichen Äußerungen parteigenössisch klären. Was die Genossen Weber und Most zu meinem Film gesagt haben, damit war ich absolut nicht einverstanden. Wenn man daraus gefolgert hätte, die Genossen Weber und Most sind gegen mich eingestellt, so wäre ein vollkommen falsches Bild entstanden und Verstimmung gekommen. Ich bin scharf dagegen aufgetreten, und wir haben darüber gesprochen. Ich finde, daß dies absolut möglich ist bis auf wenige Fälle. Und wo es nicht möglich ist, da stimmt bei irgendeinem Parteigenossen etwas nicht. Das ist mein Standpunkt.

Ich muß sagen, daß das Parteikameradschaftliche, Sachliche auch bei der «DZZ» nicht immer zu finden ist. Bei der «DZZ», wie Genosse Huppert sagt, wird manches überspitzt, und das sei besser als Liberalismus. Aber überspitzen erschwert oft die Sache, anstatt zu erleichtern. Ich habe diese Überspitzungen bei Genossin Annenkowa auch erlebt. Ich habe Genossin Annenkowa selber gesagt, es ist mitunter in den Formulierungen bei Genossin Annenkowa zu spüren, daß sie einen Ton hat, als wenn sie die Klassenwachsamkeit gepachtet hätte. Das bringt andere in Harnisch und macht sie gereizt. Ich finde, im selben Moment muß man ihr das sagen, wie ich das auch getan habe. Ich habe ihr gesagt, du altes bolschewistisches Mitglied mußt mir das anders sagen, sonst bin doch dagegen. Dann habe ich Genossin Annenkowa und vielen anderen Genossen zu sagen: Wenn in Künstlerkreisen Streitfragen sind, dann muß man unterscheiden, dann muß man prüfen, und zwar bei den Künstlern, die Parteigenossen sind, welcher von diesen Künstlern ist parteidiszipliniert, und man muß prüfen, wie liegen die Dinge. Ich finde, man muß es nicht so machen, daß man den besseren Künstler höher schätzen soll. In

Streitfragen muß man sich freimachen von Gefühlsurteilen. Ich habe das in der «DZZ» durchgemacht, in meiner rein sachlichen Differenz mit Piscator, die sich Jahre hinzieht. Die Folge ist gewesen, ohne daß ich den geringsten Krach mit der «DZZ» machte, nur weil ich meiner Gegnerschaft mit Piscator Ausdruck gab, daß die «DZZ» so weit ging, von den mir gesandten Arbeiten überhaupt keine Notiz zu nehmen. Ich habe nie darüber geredet, bin nicht zur Komintern gelaufen. Tatsache ist, daß ich in meinem Betrieb Otlitschnik[484] bin, meine Gruppe eine Udarnik-Gruppe[485] ist. Ich bin zu(r) «DZZ» gelaufen, habe darüber berichtet, aber die «DZZ» hat die Notiz nicht genommen. Hier handelt es sich nicht um die Eitelkeit des Genossen Wangenheim, sondern um die Tatsache, daß ausländische Künstler erste Otlitschniki sind.

Gen. **Huppert**:
Das stimmt nicht. Als du bei mir warst, ist die Sache absolut glatt gelaufen.

Gen. **Wangenheim**:
Das war wesentlich später.

Gen. **Huppert**:
Das war deine Schuld.

Gen. **Wangenheim**:
Nein, das ist nicht meine Schuld, höher als zur Genossin Annenkowa kann ich nicht gehen.

Gen. **Huppert**:
Es ist manchmal gut, nicht zu hoch zu kommen.[486]

Gen. **Wangenheim**:
Hier handelt es sich darum, ganz klar zu sagen, daß die Streitereien, die unausbleiblich sind zwischen Künstlern und in Künstlerkreisen, sachlich erledigt werden. Genauso wie im Falle Hay das Verhalten des Genossen Hay nicht richtig war. Auch dein Auftreten für die «DZZ» im Meshrabpom-Film.

484 Bestarbeiter, d. h. ein ausgezeichneter Arbeiter, in der Filmfabrik «Rot-Front».
485 Stoßbrigade.
486 Hier wird das hierarchische System und der approbierte Zynismus Hupperts deutlich.

Gen. **Huppert**:
Es handelte sich um die Diskussion über ein Filmmanuskript?

Gen. **Wangenheim**:
Bitte unterbrich mich nicht. Ich spreche von der Art des Angriffes, der dazu führte, daß Meshrabpom-Film zweifellos die Sache aufgefaßt hat als einen der Kämpfe mit Piscator. Die ganze Sache wurde geschoben in diese Form des Cliquenkampfes und nicht als Parteisache.

Gen. **Huppert**:
Ich habe nichts damit zu tun.

Gen. **Wangenheim**:
Ich will ein Beispiel geben. Da war bei einer Stelle Ali[487], der Zeichner, der auch in der «Kolonne Links» war. Dieser Ali hat bei der «DZZ» gearbeitet. Die Genossin Annenkowa belehrte mich über Wachsamkeit, ihr hättet aufpassen müssen. Das ist meiner Meinung eine falsche Art von Wachsamkeit, sie anderen in die Nase zu stopsen. Ich habe festgestellt, daß Ali als Hauptmitarbeiter der «DZZ» am 22., 23., 24., 25., 26., 27., 28.... am 1., 2., 18., 30. November (Zeichnungen geliefert hat), dann sagt sie, ich habe ihn kaum gesehen. Das geht nicht, dann entstehen unnötige Reibereien. Es ist so Grauenhaftes passiert, da halte ich es für eine der verwerflichsten Sachen, wenn einer auf den anderen abschiebt. Wir sollen unsere Genossen erziehen für kommende Fälle. Ich werde nicht erzogen, sondern komme in eine gereizte Stellung. Wenn ich aber dann merke, daß der Betreffende es nur auf mich schiebt, so bin ich scharf dagegen und muß schärfstens protestieren. Das zu dem, was gewesen ist. – Ich muß zu mir sprechen und werde sehr kurz und sehr schnell sein. Schließlich muß ich in diesem Zusammenhang sagen, daß ich aus einer alten adeligen Familie bin, aus einer Freiherrn-Familie, daß ich Gutsbesitzer war. Was bedeutet das? Ich bin mein ganzes Leben von dieser Familie völlig getrennt gewesen durch meinen Vater, Eduard von Winterstein, der als Schauspieler und schon lange Jahre vor dem Kriege als Mitglied der Berliner SPD bekannt ist. Ich bin auch in einem anderen

487 **Ali Weiss**, KPD-Mitglied, 1934 Emigration in die Sowjetunion, vor September 1936 als «Trotzkist» verhaftet, am 3.9.1936 aus der KPD ausgeschlossen, weiteres Schicksal unbekannt.

Milieu aufgewachsen. Wir sind der entartete Teil der adeligen Familie. Ich muß dazu sagen, daß mein Vater politisch ein ganz großes Kind war und nichts mit der SPD wirklich zu tun hat, daß es so verschwommen links war. Ich bin in meiner Erziehung – ich sage dieses zum ersten Male in einem solchen Kreis, weil es die Grundfragen des Gesichts betrifft. Ich habe eine Besprisorni-Zeit[488] hinter mir. Ich habe einmal – ich will sagen, daß ich einmal ein doppeltes Gesicht in meinem Leben gehabt habe. Ich war ein braver Junge äußerlich und bin sehr streng gehalten worden. Und nicht streng war ich zwei Stunden am Tage. Was ich an diesen zwei Stunden am Tage getrieben habe, geht auf keine Kuhhaut. Ich habe einen unerhörten Lebenstrieb in mir gehabt, und ich muß sagen, ich bin in teuflischsten Kreisen gewesen. Ich glaube, ich brauche darüber weiter nicht zu sprechen. Ich will nur die Tatsache feststellen, wie ist meine Befreiung aus diesen Dingen gewesen, das ist eine individuelle. Mein Vater hat es nicht gemerkt, wie ich lebte und ich, der ich frei war von aller Moral und all diesen Dingen, bin eines Tages in der Schule des Diebstahls bezichtigt worden. Ich habe diesen Diebstahl nicht begangen. Ich habe Diebereien gehabt, das waren heldenmütige Streiche, die ich mir nicht vorwarf. Jetzt wurde mir ein Diebstahl vorgehalten, den ich nicht begangen habe. An diese Zeit wurde ich durch den Prozeß wieder erinnert, und zwar hat Wyschinski[489] in seiner Rede über Kamenews Einleitung zu dem Buch von Machiavelli «Il Principe» gesprochen. Gerade dieses Buch brachte einen Umschwung bei mir. Ich bin zu keinem asozialen Gefühl gekommen. Ich erkannte damals – mit 14 Jahren –, wie man zum individuellen Terror kommt. Ihr wißt, daß das ganze Buch nur von dieser Frage handelt. Damals wurde mir klar, daß dieser Weg des Terrorismus unbedingt zum Scheitern verurteilt ist und daß die Aufgabe des Menschen ist, sich einzugliedern in die Gesellschaft.

Ich bin praktisch Landwirt geworden, war beim Militär, habe die Unterdrückung gesehen, bin im Kriege Pazifist geworden, ich war damals 19 Jahre, als ich in den Krieg ging und bin Schauspieler geworden. Ich muß noch erwähnen, daß die Zweifelhaftigkeit dieses ganzen Milieus, bei dem ich in der Besprisornizeit gewesen bin – es gehört

488 Durch Bürgerkrieg und Zwangskollektivierung verwaiste Kinder, die sich zu «Kinderbanden» zusammenschlossen.

489 In seiner Rede versucht Wyschinski Machiavellis «Il Principe» als «Ideenquelle» für Kamenew anzuführen. Prozeßbericht, a. a. O., 1936, S. 140–142.

dazu, daß man das Gesicht zeigt, es gehört dazu zu sagen, daß als Junge ein ganzes Rudel von Homosexuellen hinter mir her war, diese Dinge haben sehr viel mit diesem Milieu zu tun, und da wir wissen, welches politische Gesicht diese Dinge haben, wollte ich es nicht unerwähnt lassen. Einer der letzten Nachläufer dieser Dinge war ein Ehrengericht im Felde, wo ich freigesprochen wurde. Ich will das der Vollständigkeit halber erwähnen, weil im Zusammenhang aller dieser Dinge, ich will nicht konkret erwähnen wieso, für mich die Frage der Homosexuellen groß ist, wenn ich verschiedene Fälle, die aufgerollt worden sind, betrachte. Ich bin 1916 von Pfemfert[490], er gab «Die Aktion» heraus...

Gen. **Barta**:
Ist es absolut notwendig, daß du so weit zurückgehst. Du gibst eine sehr interessante Selbstbiographie, aber das ist nicht der Zweck.

Gen. **Wangenheim**:
Der Name Pfemfert taucht im Zusammenhang der letzten Tage wieder auf.

Gen. **Barta**:
Vielleicht kann man das ohne historischen Rückblick geben. Was du sagst, geht sehr weit zurück.

Gen. **Wangenheim**:
Dann will ich einen Sprung machen. Den meisten Genossen ist bekannt, daß ich im Jahre 1923, nach dem Schauspielerstreik, in die Partei eingetreten bin. Dann fallen im Jahre 1924/25 die ersten Auseinandersetzungen mit dem Trotzkismus. Ich muß ehrlich gestehen, daß ich damals die Frage in ihrem Umfang selbstverständlich nicht erfaßt habe, daß ich die Rede Kamenews und Sinowjews über Trotzki studiert habe. Die ersten konkreten Zusammenstöße, die ich in dieser Frage gehabt habe, waren dann im Jahre 1929/30, als ich nach Berlin kam und dort in der Fraktion des ATBD arbeitete. Dort im ATBD arbeitete Genosse Balázs[491], und ich habe mit ihm einen Zusammen-

490 **Franz Pfemfert**, Herausgeber der Zeitschrift *Aktion* (1911–32) stand 1918/19 der KPD nahe, kritisierte aber in der Folgezeit die Entwicklung der KPD und der Sowjetunion.
491 **Béla Balázs** (1884–1949), 1918 Mitglied der KP Ungarns, 1919 Emigration nach Österreich, seit 1928 künstlerischer Leiter des Arbeiter-Theater-Bundes Deutschlands, Volksfilmverband, BPRS-Mitglied, seit 1931 in der Sowjetunion

stoß gehabt in seiner Haltung in der Intellektuellenfrage und in anderen Kleinigkeiten, die in die Nähe dieser Frage gingen. Ich habe mit ihm einen politischen Kampf gehabt. Von der Parteiseite war beteiligt Genosse Meins. Hier war ein Fall, wo der Vorwurf des Trotzkismus erhoben worden war, wo aber, ich möchte das in diesem Zusammenhang betonen, eine Sache im Sande verlaufen ist. Es ist von der Parteiseite aus ein Vorwurf gegen einen Genossen erhoben worden, und zwar bin ich anstelle des Genossen Balázs künstlerischer Leiter des Bundes[492] geworden. Ich weiß nicht, was an den Vorwürfen eigentlich war oder nicht war.

Gen. **Bredel**:
Ich glaube, Gustav hat nicht begriffen, um was es geht. Was er gibt, ist eine Biographie vom ersten Tage seiner Parteimitgliedschaft an.

Gen. **Wangenheim**:
Ich spreche nur von Trotzkisten. Wo ich eine Andeutung des Trotzkismus gespürt habe, habe ich den Kampf aufgenommen.

Gen. **Barta**:
Waren Gegensätze zwischen dir und Trotzki?

Gen. **Wangenheim**:
Ich kann nicht mehr alle Einzelheiten sagen. Da von der Parteiseite einem Genossen Vorwürfe gemacht wurden, da in diesem Kampf, der prinzipielle Seiten hatte, auch andere Dinge verbunden waren, da es eine trotzkistische Angelegenheit war, hat sich damals die Partei damit beschäftigt.

Gen. **Barta**:
Mit welchem Resultat?

Gen. **Wangenheim**:
Mit keinem Resultat. Es wurde nicht festgestellt, daß Balázs einen trotzkistischen Standpunkt hat. Nein, eben nicht. Ich will festhalten,

Lehrer an der Staatlichen Filmakademie; sein Film «Karlchen, durchhalten» wurde 1936 nur in einer verstümmelten Version gezeigt, weil man in der Hauptfigur eine Verherrlichung Ruth Fischers erblickte; Beiträge in *Internationale Literatur* und *Das Wort*, 1945 Rückkehr nach Ungarn. Vgl. Theodor Venus: *Filmtheorie im Exil*, in: *Vertriebene Vernunft II. Emigration und Exil österreichischer Wissenschaft*, München 1990, S. 875–884.
492 Arbeiter-Theater-Bund Deutschlands (ATBD).

daß nichts festgehalten worden ist. Ich will sagen, daß es solche Fälle eben gibt. Ich wollte sagen, wie schwer es für uns ist, manchmal festzustellen, welche Meinung die Partei hat. Ich habe selbstverständlich während einer Tätigkeit der Truppe 1931, die ich gegründet habe, ebenfalls Parteidiskussionen gehabt. Es ist schwer, von den Dingen so hopp-weise zu sprechen. Ich müßte davon sprechen, daß sich Heinz Neumann um die «Truppe 1931» gekümmert hat, was ich in seiner Tragweite nicht gesehen habe. Es waren zusammen die Truppe und drei bis viermal Heinz Neumann[493], Remmele[494], Torgler[495] Leo Flieg[496], Golmick[497], der damals der offizielle Agitprop-Mann der Partei war. Ich weiß nicht, wer sonst noch alles. Dann glaube ich Geschke[498], der mit Torgler befreundet war. Ich wollte nur sagen, daß, was mir später klar geworden ist, daß sich diese Gruppe sehr intensiv mit dem Theater befaßt hat. Die neuen Stücke sind diskutiert worden. Da ich von Tuten und Blasen keine Ahnung hatte, ist mir nichts bewußt geworden. Ich muß sagen, daß ich und die Truppe unerhört überrascht waren, da wir die Parole «Schlagt die Faschisten, wo ihr sie trefft» viel diskutiert hatten, als wir plötzlich hörten, das ist eine Spezialangelegenheit von Heinz Neumann.

Zuruf: Das war sie leider nicht.

Gen. **Wangenheim**:
Eben, daß wir damals den Eindruck hatten, daß sie vom ZK unserer

493 Heinz Neumann war seit 1932 politisch stigmatisiert.
494 **Hermann Remmele** (1880–1939), Mitglied des Politbüros der KPD, *Die Sowjetunion*, 2 Bde., Hamburg/Berlin 1932; Ende 1932 als «Ultralinker» nach Moskau «kominterniert»; nach jahrelanger Verfemung und ständiger Überwachung durch den «Apparat» im Mai 1937 zusammen mit seiner Frau Anna verhaftet, am 7.3.1937 zum Tode verurteilt.
495 **Ernst Torgler** (1893–1963), Fraktionsführer der KPD im Reichstag, 1935 von der KPD ausgeschlossen.
496 **Leo Flieg** (1893–1939), Sekretär des Organisationsbüros der KPD, Mitglied des Politbüros der KPD, 1932 als Freund Heinz Neumanns abgelöst, Mitarbeit im Komintern-Apparat der OMS, 1935 wieder ZK-Mitglied, bis 1937 im Saargebiet, in Prag und Paris, Kassenverantwortlicher der KPD; 1937 in die Sowjetunion «kommandiert», verhaftet und am 14.3.1939 zum Tode verurteilt.
497 **Walter Gollmick** (1900–1945), Agitprop-Abteilung des ZK der KPD.
498 **Ottomar Geschke** (1882–1957), Mitglied des Politbüros der KPD, 1933 verhaftet, acht Jahre in faschistischen Zuchthäusern und in den KZs Sachsenhausen und Buchenwald.

Partei kommt und von diesen verschiedenen Gruppierungen und Gruppen keine Ahnung hatten. Ich glaube, das muß ich hier feststellen, denn eine Diskussion über den Heinz-Neumann-Fall hat bekanntlich nicht stattgefunden. Es war damals ein enger Kontakt mit führenden Parteifunktionären, die nicht gerade häufig bei uns waren, aber wir haben uns natürlich gefreut, daß führende Funktionäre sich für unsere Arbeit interessierten. Über den Neumann-Fall wurde eine Diskussion in der Partei untersagt, und so ist es auch nicht in unserer Parteizelle zu Diskussionen oder irgendwelchen Weiterungen gekommen.

Ein kleiner Nachtrag aus neuerer Zeit, weil das gefragt worden ist zur Genossin Korpus[499]. Ich habe das neulich nicht erwähnt, aber ich glaube, das ist zur Charakterisierung dieser Zeit nicht unwichtig. In diesem Gespräch bei Wittfogel, wo Lilly Korpus war, anläßlich des Stückes «Hier liegt der Hund begraben»[500], wo wir über die nationale Frage diskutierten, habe ich noch etwas vergessen. Wir sprachen über Parteimitglieder, über Arbeitermitglieder, die keine weitere Funktion haben, die jeder kennt, bei denen aber eine Erscheinung sozusagen eine Parteierscheinung ist, die sogenannten «Macken». Mir fiel auf, daß Genossin Korpus davon sprach. Psychologisch als eine Art Selbsterklärung, Selbstentschuldigung, so muß ich sagen, war hier jemand, der selber so eine Macke hatte. Macke ist eine vorübergehende Schlappheit, die sich bei aktiven Parteigenossen zeigt. 14 Tage sind sie dun und weg.

Gen. **Gábor**:
Macke heißt jüdisch: eine Art Geschwür.

Gen. **Wangenheim**:
Ich muß jetzt also sprechen, daß ich schwere Kämpfe gehabt habe in der Truppe selbst, daß ich angegriffen worden bin und die Arbeit so geführt worden ist, daß man dachte, die ganze Truppe wäre opportunistisch. Es war der Kampf um die Frage, wo unsere Zelle sein soll. Wir sollten gezwungen werden, die Zelle an eine Fabrik abzugeben. Ich habe das für einen Unfug gehalten. Die Sache war so, daß meine Emigration nicht konkret besprochen ist in einer Parteiorganisation.

499 Lilly Korpus, die Frau Joh. R. Bechers.
500 Gustav von Wangenheim: *Da liegt der Hund begraben und andere Stücke. Aus dem Repertoire der ‹Truppe 31›*, Reinbek 1974.

Am 4.1. haben wir eine Premiere gehabt, «Wer ist der Dümmste», und zwei Tage danach bin ich schwer krank geworden mit den Nieren. Dann ist am 4. März das Theater verboten worden. Wir hatten uns in der Illusion gewiegt, daß wir noch weiterarbeiten können. Wir haben in diesem Theater weiter getagt. Dann hat Goebbels sein Amt übernommen, und ich habe erklärt, wir können hier nicht weiterarbeiten, das ist Unfug. Zugleich erfahre ich von meinem Vater, daß die Nazis versuchen, die Truppe für sich zu bekommen, weil ich eine jüdische Mutter hätte. Ich habe das getan, was ich damals für richtig hielt. Bei der Parteiorganisation hat die Sache nicht geklappt. Ich habe gesagt, der mir nicht erreichbare Parteigenosse ist für mich die höchste Instanz. Wenn ich die Parteiorganisation nicht erreiche, so ist jeder Parteigenosse, mit dem ich spreche, eine Instanz. Ich bin zu dem Genossen Teschenstein gegangen und habe mit ihm meine Emigration besprochen. Ich habe nach Paris emigriert und habe dann mit demselben Genossen eine Diskussion gehabt, wobei er sagte, daß er mir die Emigration nur geraten hätte, weil ich so krank war infolge meiner Operation, das heißt also eine Anzweifelung der Berechtigung meiner Emigration. Ich verbat mir das, wobei gesagt ist, daß in Berlin eine Sitzung gewesen ist unter Führung des Genossen Meins. Ich war sehr entsetzt und habe den Genossen Meins sofort nach dieser Sache gefragt, und er sagte mir, daß die Sache nicht den Tatsachen entspricht. Die Stimmung, die Genosse Günther von Prag geschildert hat, war auch in Paris. Ich kann so formulieren, daß ich selbstverständlich in der Frage der Niederlage der Meinung war – ich war nicht pessimistisch –, daß diese Formulierung nicht von den Massen verstanden wird. Mit der Formulierung des EKKI und mit dem Heckert-Artikel[501] waren wir damals nicht einverstanden, aber ich muß sagen, es hat mich nicht einen Moment auf den Gedanken gebracht, in Opposition zu stehen. Ich habe das in der Parteizelle geäußert. Es gab einen Nie-

501 Ähnlich wie in einer EKKI-Resolution vom 1. April 1933 hatte Heckert in einem programmatischen Artikel im August 1933 formuliert: «Für die Arbeiterklasse gibt es wirklich einen Feind – das ist die faschistische Bourgeoisie und die Sozialdemokratie, ihre soziale Hauptstütze. Gegen diesen Feind muß ein entschiedener revolutionärer Einheitsfrontkampf der breitesten Massen des Proletariats geführt werden, aber nicht gemeinsam mit der Sozialdemokratischen Partei, sondern gegen sie.» Fritz Heckert: *Ist die Sozialdemokratie noch die soziale Hauptstütze der Bourgeoisie?*, in: Die Kommunistische Internationale, 1933, Heft 13, S. 586–587.

derschlag durch den Genossen Gibati. Ich war dann bald in die Sowjetunion gekommen. Nachdem wir in Paris damit gescheitert sind, das Theater in Paris wieder aufzubauen, bin ich hierher berufen worden. Ich habe erst die «Kolonne Links» übernommen und war gleichzeitig dabei, ein deutsches Theater aufzubauen. Zu prinzipiellen Differenzen mit Piscator ist es nicht gekommen. Dann fuhr ich weg, ich hatte den Vertrag von[502] Narkompros, hinauszufahren, um ein Theater zu gründen. Als ich zurückkam, existierte dieses Theater nicht mehr, ich war nicht mehr der Leiter. Ich erklärte, es wird heißen, daß ich schuld bin an dem Scheitern dieses Theaters – ich möchte betonen, daß ich auch unter der Leitung von Piscator mitarbeiten würde, daß ich in jeder Form eine antifaschistische Arbeit in der Sowjetunion unterstützen würde. Ich bin dann ausgebürgert worden, und ich muß sagen, daß ich von den Wandlungen, die ich hier in der Sowjetunion durchgemacht habe – ich will dabei erwähnen, ich habe ganz speziell die Landfrage studiert, die Frage der Mittelbauern –, für mich selbstverständlich, wie für jeden anderen, der entscheidende Wendepunkt war die Ermordung des Genossen Kirow. Nun setzt Schlag auf Schlag die Verhaftung von Genossen meiner nächsten Nähe ein. Ich habe mich geprüft, wie weit ich die Wachsamkeit verletzt habe. Selbstverständlich muß ich sagen, daß ich kein hundertprozentiger Bolschewik war, daß ich fähig war, in einem verlotterten Menschen, wie dem Ali, nur den verlotterten Menschen zu sehen, daß ich gefragt habe, wie ist es möglich, daß ein solcher Mensch verlottert in der Sowjetunion. Das kann mir nicht wieder passieren. Wir sind sogar soweit gegangen, daß wir mal gesagt haben, weil er pornographische Zeichnungen machte, dich holt noch mal die GPU. Wir haben auch nachher in unserer Kritik des Falles große Fehler gemacht. Und ich werde versuchen, diese Fehler nicht mehr zu begehen. Es kommt jetzt ein Fall, der auf ganz anderer Seite liegt. Ich möchte sagen, daß für meine Entwicklung und mein Verhalten hier mit der entscheidende Moment war die Parteistrafe des Genossen Kurella.

Mit Genossen Kurella verband mich ein besonders herzliches und freundschaftliches Verhältnis. Wir arbeiteten zusammen. Es ist eben zwangsläufig etwas, was ich mit Genossen Kurella diskutiert habe, eine Entfremdung gekommen, die eine Folge dieser politischen Mei-

502 Das Volkskommissariat für Volksaufklärung beauftragte Wangenheim mit einer Auslandsreise.

nung war. Ich begrüße, daß ich zum ersten Male im Parteikreise die Möglichkeit haben werde, das in präziser Form zu hören, was mir Genosse Kurella gesagt hat. Ich glaube, daß ich, ohne was so leicht im Untertone liegt, ohne was Genosse Kurella auch einmal ausgesprochen hat, ohne eine Bereitwilligkeit zu zeigen, den Weg des geringsten Widerstandes zu gehen. Ich bin nie den Weg des geringsten Widerstandes gegangen. Ich habe an meinem Vater unerhört gehangen. Aber als mein Vater als Sozialdemokrat gehandelt hat, daß er die Polizei gerufen hat, habe ich den privaten Verkehr mit meinem Vater gebrochen. Ich muß gerade den Genossen, die uns helfen wollen, in kommenden Fällen ein richtiges Verhältnis zu haben, erklären, es ist nicht so einfach, das zu sagen, daß es am allerschwersten ist, wenn Unklarheiten dadurch entstehen, daß Parteigenossen hier in Moskau unorganisiert in der Welt herumschwirren. Ich war z. B. damals nicht angeschlossen. Ich weiß nicht, wie die Dinge bei den Schriftstellern waren. Ich hatte nicht die Möglichkeit, im Kreise von Parteigenossen über Kurella zu sprechen. So geht es vielen Parteigenossen, allen Schauspielern, die so viel erlebt haben, sie schwirren herum und haben nicht die Möglichkeit zu einer präzisen Stellungnahme, und auch das menschliche Verhalten wird ihnen mitunter sehr erschwert. Ich habe weiter den Fall Holm[503]. Ich habe noch einen Fehler gemacht, ich habe in Genossen Kurella ein blindes Vertrauen gesetzt. Er war für mich ein großer Helfer. Seine Erfahrung und sein Wissen hat unserer Truppe, hat unserer Arbeit so viel gegeben, wie wir nötig hatten. Wir waren ihm unerhört dankbar. Es war eine Freundschaft aus der Arbeit für die Sache. Ich habe damals z. B. ohne weiteres geglaubt, daß Genosse Kurella, wenn er diese Arbeit macht, er ist im Komintern-Apparat, hier im Auftrage arbeitet, und habe erst später erfahren, daß ein Auftrag gar nicht vorhanden war, sondern die Sache seine persönliche Initiative war. Der Fehler lag darin, daß ich nicht klar war, welche Funktion er hier ausübt und welche Summe von Vertrauen ich ihm entgegenbringen darf.

Zuruf: Hat er irgendwie diesen Eindruck gefördert?

503 **Peter Holm, d. i. Georg Kaufmann**, geb. 10.4.1899, 1931 KPD-Mitglied, Mitarbeit bei Meshrabpom und Sprecher beim Moskauer Rundfunk, 1936 verhaftet. Weiteres Schicksal nicht bekannt.

Gen. **Wangenheim**:
Nein, es war meine falsche Auffassung von Parteidiskretion[504], daß ich darüber nicht gesprochen habe. Da er unter Intellektuellen und Bürgerlichen arbeitete, habe ich angenommen, er ist ein beauftragter Mensch.

Ich will auf andere Fälle kommen, auf die Reihe der Verhaftungen, die bei mir waren. Da ist zuerst der Fall Peter Holm. Ich kenne ihn aus Berlin als untergeordneten Schauspieler. Ich weiß nicht, ob ich den Fall weiter auszubreiten brauche. Es sind Dinge, die bekannt sind.

Gen. **Most**:
Nein, sprich nur über dein Verhalten, deine Schlußfolgerungen in bezug auf die Wachsamkeit, über dein parteimäßiges Verhalten.

Gen. **Wangenheim**:
Ich habe ihn für einen Trottel gehalten, für einen Menschen, der immer als hundertfünfzigprozentig Überzeugter sprach. Ich wußte um seine homosexuelle Veranlagung, wußte, daß er körperlich schwer krank war. Wir haben ihn alle für einen Rezitator gehalten. Er war immer etwas komisch. Ich muß sagen, daß ich künftig keinen Menschen mehr als nur komisch betrachten werde, daß sich vielleicht hinter der Maske der Trottelhaftigkeit sehr viel verbirgt. Ich habe seine Tschistka[505] erlebt, wo er keinen guten Eindruck machte, aber wieder einhundertfünfzigprozentig sprach. Ich weiß, daß er verhaftet ist, aber weiter weiß ich nichts. Was hat er ausgefressen? Ist er wegen Homosexualität verhaftet worden? Es ist richtig, wenn er deswegen verhaftet worden ist. Russische Genossen erzählten mir, daß er erschossen worden ist. Ich will damit folgendes sagen, wie schwer die Dinge sind. Vor drei Tagen bekam ich einen Brief von ihm, natürlich bekomme ich keinen Brief von ihm persönlich, sondern durch NKWD: Er will seinen Anzug wiederhaben.

Gen. **Most**:
Also kein Kassiber?

504 «Parteidiskretion» bedeutete, daß das Mitglied oder der Funktionär sich nur für den ihm zugewiesenen Aufgabenbereich zu interessieren hatte und gegenüber anderen Mitgliedern Diskretion wahrte.
505 Offizielle Parteireinigung. Vgl. zum Ritual der Tschistka Jemiljan Jaroslawski: *Für eine bolschewistische Prüfung und Reinigung der Parteireihen*, Moskau 1933.

Gen. **Wangenheim**:
Ich bin von Genossin Annenkowa gebeten worden, und er hat meinen Namen.

Gen. **Ottwalt**:
Da hast du wohl einen schönen Schreck bekommen?

Gen. **Wangenheim**:
Nun kommen die Fälle, die viel schwerer sind. Da ist der Fall meines Administrators und späteren Assistenten Rauschenbach. Das ist ein Wolgadeutscher, ein langjähriges Mitglied der «Kolonne Links», ein Mensch, von dem ich wußte, daß seinem Vater die halbe Wolga gehört hat. Diese Tatsache war bekannt, die hat er nie verheimlicht. In der «Kolonne Links», die verlumpt war, die verkleinbürgerlicht war, war er das gute sowjetische Element. Es war eine merkwürdige Situation: Wenn die Berliner meckerten, sagte er, nehmt euch zusammen, man kann auch auf der Erde schlafen. Ich habe keine Ahnung, was er wirklich auf dem Kerbholz hat. Tatsache ist, daß ich keine Ahnung hatte. Selbstverständlich ist, daß ich von allem, worüber ich spreche, sowie ich etwas wußte, dies weitergegeben habe. Das möchte ich nicht wiederholen, sondern das versteht sich bei jedem Fall.[506] Ich habe diesen Rauschenbach an die Meshrabpom gebracht. Ich habe meinen nächsten Assistenten, der auch verhaftet ist, das ist der Mansfeld[507], auch an den Film gebracht. Er wurde mir von der deutschen Vertretung als Parteikassierer gegeben, er wurde eingeführt vom Genossen Heß[508]. Ich muß sagen, was die Wachsamkeit betrifft, ich wußte nicht, wie ich in diesem Falle – es war ein Mensch, den ich aus Berlin kannte – wie ich wachsam sein sollte.

506 Wie das System der «Weitergabe» funktionierte, läßt sich bisher nur aus KGB-Akten Carola Nehers entnehmen. Vgl. die Aussagen Wangenheims vor dem NKWD im dokumentarischen Anhang.
507 **Ernst Mansfeld** und **Walter Rauschenbach**, Assistenten von Gustav Wangenheim, wurden während der Dreharbeiten zum Film «Der Kämpfer» verhaftet.
508 **Leo Roth (Decknamen: Ernst Heß, Viktor)**, geb. 18.3.1911, arbeitete seit 1929 im «BB-Apparat», einem konspirativen Nachrichtendienst zur «Betriebsbeobachtung»; nach Besuch der Moskauer Militärpolitischen Schule Reichsinstrukteur des «BB-Apparates», übernahm Roth von Kippenberger den «N-Apparat», der Nachrichten über NSDAP, SPD und auch über die KPD-Mitglieder sammelte; 1934 Referent an der militärpolitischen Schule in Moskau («Alfred-Schule»), arbeitete 1934 als «Apparat-Leiter» im Saargebiet eng mit Herbert Wehner zusammen; bis Dezember 1935 im sogenannten Reichsapparat, dann in Holland «Apparat-Arbeit» und «Kader-Arbeit» bis Ende 1935; polemisiert gegen Walter

Gen. **Most**:
Du meinst die deutsche Vertretung, Filiale Hess.

Gen. **Most**:
Das ist Heß, die Filiale, diese hat mit der Komintern nichts zu tun.[509]

Gen. **Wangenheim**:
Ich dachte, daß die Kassierung ein offizieller Auftrag ist. Um auf meine Selbstkritik zu kommen. Aufgrund dieser Tatsachen war ich doch berechtigt anzunehmen, jetzt wird die Sache verschärft. Dieser Mansfeld war erst bei der «Kolonne Links». Er hat uns um 10000,– Rubel geschädigt, indem er, nachdem ich ein Stück auf ihn geschrieben habe, die Sache verlassen hat. Dieser Mensch hat im letzten Moment wegen Geld, weil er woanders mehr kriegt, die Sache verlassen. Das ist Produktionsschädigung. Ich hielt es für richtig, auf der Tschistka diese Sache zu sagen, und erlebte eine Niederknüppelung für einen deutschen Kommunisten. Es tritt ein Parteigenosse auf, er habe Dokumente, in seinem Lager hat er einen Faschisten geschlagen. Eine phantastische Geschichte, die ich nicht glauben wollte, wenn nicht ein anderer Genosse das erzählt hätte. Man müßte prüfen, wer das war, ich glaube ein Genosse aus dem Stankosawod. Kurz und gut, die Sache wurde auf der Sitzung als Lappalie beiseite geschoben, er war rehabilitiert. Ich zog die Folgerung daraus, dieser Mann hat zwar Courage, aber keine... (richtige) Courage. Ich war damals auf einer richtigen Spur, wenn ich weitergegangen wäre und gedacht hätte, ich muß mir einen Fingerzeig für kommende Fälle geben. Dieser Mensch hat sehr viele Menschen dahin gebracht, es war eine ganze Serie, die mitgewirkt haben. Ich glaube, es ist nicht notwendig, hierüber noch weiter zu sprechen. Ein paar Sätze kann ich hieraus geben. Also auch Schimanski[510] hat bei mir eine Rolle gespielt im Film. Jetzt habe ich noch eine Sache vergessen, und zwar die Sa-

Ulbricht, 11.1.1936 nach Moskau, Klub ausländischer Arbeiter; verhaftet im November 1936, am 10. November zum Tode verurteilt und erschossen.
509 Zur Tätigkeit dieser formell von der Komintern abgetrennten «Filiale» vgl. Kurt Singer: *Spioner og forrädere i den andern Verdenskrig*, Kopenhagen 1947.
510 **Fritz Schimanski**, geb. 1.7.1889, 1920 KPD-Mitglied, ZK-Mitglied, aus der KPD ausgeschlossen, Mitbegründer des «Leninbundes», 1929 nach Unterwerfungserklärung wieder in die KPD aufgenommen, RGO-Funktionär, Oktober 1934 in die Sowjetunion. Nachdem er am 8. August 1936 auf einer Konferenz der Stachanow-Arbeiter die Zustände in seinem Betrieb kritisiert hatte, wird er am näch-

che, daß ich mit Friedag[511] verschiedentlich zu tun gehabt habe. Da ist so vieles bei mir, aber über den Fall Friedag möchte ich doch einiges sagen. Friedag ist mir sofort aufgefallen. Den habe ich sofort erwischt, weil er versuchte, in der «Kolonne Links» zu arbeiten. Das war kurz vor der Verhaftung. Ich (habe) das kurz vor der Verhaftung gemeldet. Es war wegen der Torgler-Geschichte. Dann, wichtig ist, daß ich zum Beispiel in einem Fall mir vorwerfe – auch wieder meine Nase –, ich hätte das riechen müssen, daß der Mann, der einen SS-Mann bei mir gespielt hatte, wirklich einer war. Ich hätte das spüren müssen, gerade als Künstler, daß er ein Faschist ist.

Dann der Fall Neher. Es ist so schwer, über diese Dinge zu sprechen, weil manches da noch nicht ganz ausgetragen ist. Ich kann erklären, daß ich alles gesagt habe an den Stellen, wo was zu sagen ist.[512] Carola Neher – ich kannte sie nicht persönlich und habe sie hier kennengelernt, weil ich hörte, sie ist hier. Zu meiner großen Überraschung hörte ich, sie ist Parteigenossin. Ich lernte sie hier kennen, ganz einfach, ganz schlicht, lernte Becker kennen, er ist ein Spitzel, wie er aussieht. Ich muß sagen, daß bei mir die Psychologie war, daß er so aussieht. Ich bin nicht auf den Gedanken gekommen, daß er einer ist. Dann ist aber folgendes passiert, obwohl mir der Becker ohne jeden Anhaltspunkt odios war. Ich habe nicht das Recht, bei jedem, der mir nicht gefällt, schweren Verdacht zu hegen. Kurze Zeit darauf hatte ich ein Gespräch mit dem Genossen Heckert, der mir sagte, daß da was nicht in Ordnung sei, und sich damals Vorwürfe machte, daß er ihm die Möglichkeit verschafft hatte, ins Ausland zu fahren. Das war nach der ersten Reise des Becker nach Prag. – Nein, ich glaube, es war später, als ich zurückkam, war das Gespräch mit dem Genossen Heckert.

Gen. **Ottwalt**:
Ich weiß, daß die Neher seinerzeit in Prag, im Sommer 1934, auf ihren Mann wartete und wieder nach Moskau fuhr, weil sie sagte, er käme nicht weg. Ich habe selbstverständlich, und hier liegt wieder ein Fehler, kein sehr nahes Verhältnis zu Carola Neher gehabt. Aber ich muß mir den Vorwurf machen, daß ich irgendwie vor mich eine Mauer

sten Tag als «Trotzkist» verhaftet. 1936 wurde seine Frau Frieda und 1937 sein Sohn Hans Schimanski verhaftet. Weiteres Schicksal der Familie unbekannt.
511 **Henry Friedag**, 1936 verhaftet, ausgewiesen aus der Sowjetunion.
512 Die Aussagen Wangenheims beim NKWD, vgl. Dok. Nr. 6.

gestellt habe, die die Klassenwachsamkeit hinderte. Der Gedanke – nein, die Neher. Es war auch psychologisch falsch. Ich habe in der ersten Zeit die Neher in bitteren Verhältnissen gesehen, es war grauenhaft. Sie schlief wirklich auf der Erde, wirklich unter den erbärmlichsten Verhältnissen, wie kaum ein Genosse in der ersten Zeit es hier gehabt hat. Sie schlief bei den Freunden ihres Mannes. Wer das war, darauf habe ich kein Gewicht gelegt. Das war irgendwo weit draußen in einem Vorort von Moskau. Damals sollte sie in die «Kolonne Links» kommen. Die kamen zusammen, weil man ihr ein Stück schreiben wollte. Berliner Atmosphäre, schlechte Atmosphäre. Das ist verständlich, was ich damit meine. Ich weiß, daß Kurella mit dabei war. Nach einer Verhandlung sagte ich: Finger weg, einfach aus dem Ton der Verhandlung heraus. Ich muß sagen, daß sie unerhört sprunghaft war, was ich mir erklärt habe auf der Grundlage der bedeutenden Schauspielerin und ihrer exzentrischen Art, Äußerungen zu tun. Wenn sie Parteimitglied ist, ist sie ein sehr junges und hat ihren Mund nicht im Zügel, Dinge, die ich nachträglich auf allen Gebieten finde. Z. B.: Na, die im Dom Prawitelstwo[513] wohnen anders. Dann war das, wenn man über die Gagenfrage sprach. Diese Frage spielte in den Kreisen der kommunistischen Künstler eine große Rolle. Ich habe das damals in Prag auch gesehen, als ich im Auftrag von Narkompros[514] sprach. Sie war in der berüchtigten Pension, und dort wollte sie mich mit Wollenberg zusammenbringen. Ich war mir der Gefahr der Sache gar nicht bewußt.

Zuruf: Mit wem verkehrte sie in dieser Pension?

Gen. **Wangenheim**:
Ich habe sie einmal besucht, und sie war schwanger. Ich hatte das Gefühl, daß sie mit den Nerven herunter ist. Ich habe auch ihre Bemerkungen in Moskau mit ihrer Nervenzerrüttung erklärt und mir gesagt, man muß nicht gleich jedes Wort auf die Waagschale legen. Also ich war dort, und dort schwärmte sie mir von Wollenberg etwas

513 Zwölfstöckiges Wohnhaus für hohe KPdSU- und Komintern-Funktionäre. Juri Trifonow beschrieb es in seinem Roman «Das Haus an der Uferstraße». Vgl. Juri Trifonow: *Das Haus an der Uferstraße*, in: *Ausgewählte Werke*, Bd. 3, Berlin 1983. Auch Arvo Tuominen beschreibt die Wohnverhältnisse in diesem architektonischen Musterbau, dessen prominente Bewohner besonders von den stalinistischen Verhaftungswellen betroffen waren.
514 Volkskommissariat für Volksbildung.

vor, aber ich hatte keine Lust, den Wollenberg kennenzulernen. Es war aus einer oppositionellen Stimmung heraus, war mir aber nicht ganz klar, wer das ist. Ich wußte nur, Wollenberg, Münchner Räterepublik, aus.

Zuruf: Das ist lange her.

Gen. **Wangenheim**:
Ja, eben. Außerdem war Zenzi Mühsam da. Ich habe sie dort besucht. Sie war in einer gaunerhaften Verfassung, so daß ich überrascht war, als sie in der Sowjetunion auftauchte. Das, was sie von sich gab, war sehr bitter. Sie schimpfte besonders auf Becher und das Gedicht. Sie tobte einfach. Dann kam Genosse Ottwalt, und ich merkte, daß Genosse Ottwalt keine Privatgespräche führte. Das war ein Nachmittagsbesuch und aus. Dann habe ich die Neher hier getroffen. Ich glaube, hier ist nicht sehr Wichtiges zu sprechen, und habe nichts Bemerkenswertes über diesen Fall zu sagen.

Den Brand habe ich selbstverständlich gekannt. Ich war nach der Veranstaltung hier, mir war nicht bekannt, daß er ein persönliches Schwein ist. Ich war in der Wohnung und dort in dem Haus der Frau. Dort bin ich zwei- oder dreimal gewesen, einmal am Sylvesterabend, wo sehr viele anwesend waren, wo das ganze Haus voll war und wo auch viele Genossen anwesend waren.

Gen. **Gábor**:
War ich da?

Gen. **Wangenheim**:
Nein.

Gen. **Günther**:
War ich da?

Gen. **Wangenheim**:
Nein.

Gen. **Kast**:
Silvester war ich dabei.

Gen. **Wangenheim**:
Ich wollte nur sagen, daß sie in meinem Haus gewohnt haben.

Gen. **Barta**:
Der Abend war bei Brand?

Gen. **Wangenheim**:
Ein Abend war bei mir, ein Abend bei Brand. Vielleicht hundert Menschen pendelten zwischen meiner Wohnung und der Wohnung von Brand hin und her.

Gen. **Barta**:
Wer waren die Stammgäste?

Gen. **Most**:
Es kamen sicherlich auch ungeladene Leute?

Gen. **Wangenheim**:
Ja. Gen. Kast z. B. kam uneingeladen. Natürlich kam zu mir niemand, den ich nicht kannte. Das möchte ich betonen. In meine Wohnung ist nie jemand gekommen, den ich nicht kannte, auch an diesem Abend nicht. Nach diesem Erlebnis des einzigen Wetschers ist die Folge davon, daß ich solche Dinge nie wieder mache. Dieses Pendeln entstand ganz plötzlich. Es war die Architektin Klein, die ich durch den früheren Dserschinski-Klub[515] kannte.

Zuruf: Brand wohnte vis-a-vis?

Gen. **Wangenheim**:
Nein, schräg gegenüber. Es handelte sich um das Haus Kusnezkij Most 20/22. Brand wohnte auch Nr. 22, aber in einem anderen Eingang. Deshalb sah ich ihn nie, weil er einen anderen Eingang benutzte. Ich habe mich nicht um ihn gekümmert, und da ich nicht mit ihm bekannt war, ihn nie gesehen. Ich habe das nie gewußt und dachte, er ist rehabilitiert. Die einzige Beziehung war, daß meine Frau ein Buch über Lilli Lehmann geborgt hat, das ich zurückgegeben habe. Das eine Mal kam er mir mit seinen Biographendingen, das ist die Beziehung zu Brand. Erich Müller kannte ich. Ich hatte nicht diese Gesellschaft gemacht.

Gen. **Günther**:
Wie ist das Pendeln möglich, mußten die Leute über die Straße gehen?

515 Im Dserschinski-Klub hielt Hugo Huppert häufig Vorträge.

Gen. **Kast**:
Ich war im Rundfunk. Da waren die Schauspieler, Ernst Busch, Voss und noch jemand, die nahmen mich mit, weil ich sagte, ich bin hier erst kurze Zeit, ich fühle mich einsam, kann ich mit euch gehen? Sie fragten mich, kennst du Wangenheim? Also schleppten sie mich nach Wangenheim, dort blieb ich eine Stunde, dann setzte dieser Pendelverkehr ein. Ich ging mit rüber und fand dort Erpenbeck[516], Zinner, Architekt Neudal, seine Frau, eine Sinologin, Brand selbst, seine Frau und noch einige, die mir nicht bekannt sind. Vielleicht kann da Erpenbeck etwas von wissen.

Gen. **Wangenheim**:
Ich wollte Erich Müller heranziehen für Kurse bei der «Kolonne Links». Ich habe das Glück gehabt, es ist mir nicht gelungen. Darüber hatte ich einige Gespräche mit ihm, aber hier. Wir sprachen auch über die Entwicklung des Theaters, er ist Spezialist.

Gen. **Most**:
Diese Häufung von Fällen soll man nicht von der lächerlichen Seite nehmen. Beim Genossen Wangenheim hat diese Häufung eine besondere Seite, das liegt nicht an seiner Person.

Gen. **Wangenheim**:
Wenn ich Erich Müller erwähne, so sage ich bloß, ich habe mit ihm verhandelt hier in diesen Räumen, nie privat, da er sich für Theater interessierte. Wir hatten einen Kursus in der MORP, hier sah ich ihn. Ich weiß nicht, in welchem Ausmaße ich sprechen soll.

Gen. **Barta**:
Konkreter, solche Fälle, wo du meinst, daß du nicht genügend wachsam warst.

Gen. **Wangenheim**:
Das ist sehr schwierig. Vielleicht kann ich durch Fragen aufmerksam gemacht werden. Es ist ja manches bekannt, worüber noch zu sprechen wäre.

516 **Fritz Erpenbeck** (1879–1975), Schriftsteller, KPD-Mitglied seit 1927, BPRS-Mitglied 1928, 1933 Emigration über Prag nach Moskau, Redakteur der Zeitschrift *Das Wort*; 1945 Rückkehr nach Berlin.

Gen. **Huppert**:
Da waren doch noch Schauspieler, die mitgewirkt haben, auch eine Schauspielerin. Aus diesem Kollektiv sind doch einige Verhaftungen vorgekommen?

Gen. **Wangenheim**:
Meine beiden Assistenten.

Gen. **Huppert**:
Die Frau von Bruno[517]?

Gen. **Wangenheim**:
Im Zusammenhang scheinbar, ich kann es nicht wissen. Die Frau von dem, der die Hauptrolle bei mir spielte, ist verhaftet, sie ist schon verurteilt, sie ist... verschickt worden, sie kann dort arbeiten. – Lucie Gehrmann. Ich habe das hier nicht erwähnt, was eine Selbstverständlichkeit ist. Ich habe, nachdem diese Fälle passierten, mich nicht beruhigt, um den nächsten Fall passieren zu lassen. Ich habe versucht, vorzubeugen, zu schützen, zu klären. Ich habe mir diese Frau vorgenommen, weil ich wußte, von diesem Jungen, er ist ein harmloser, scheinbar sehr primitiver Junge. Es ist deshalb so anstrengend, die Aufregungen waren nicht so klein, sie haben meine Arbeit betroffen. Wie aufregend die Geschichte war – ihr wißt, es war ein Dimitroff-Film.[518] Ihr wißt, was für Gefahren hier bestanden. Es ist euch doch allen bekannt, daß auch Genosse Dimitroff kommt und sich das ansieht, welche Verantwortung. Ich muß mich an den Kopf fassen, in dieser Sache wird der eine verhaftet, wo Dimitroff da war, könnt ihr euch vorstellen, was ich durchgemacht habe?

Ich habe die Frau geholt und habe sie gefragt, ob sie etwas weiß, ich habe so getan, als ob ich von dem Mann etwas wissen will. Es spielt hier eine große Rolle die Homosexualität, es spielen Erpresserdinge herein. Das war mir nicht bekannt. Wir wußten alle, daß dieser Rauschenbach ein Homosexueller war oder vom homoerotischen Typ. Er war ein sehr männlicher, er war eine Muskelfigur, ein phantastischer harter Kerl, der, wie der ganzen «Kolonne Links» bekannt war, in

517 **Bruno Schmidtsdorf**, geb. 8. 6. 1908, mit «Kolonne Links» 1931 in die Sowjetunion, wie fast alle Mitglieder der «Kolonne Links» verhaftet, weiteres Schicksal, ebenso wie das seiner verhafteten Frau, nicht bekannt.
518 Film «Der Kämpfer».

einer unerhörten Liebe zu diesem Bruno sich befand. Er liebte ihn in jeder Beziehung, aber wir haben, gerade weil wir es wußten, scharf aufgepaßt. Sie sind niemals allein gewesen auf Tournee, sie haben nie allein geschlafen, wo diese homoerotische Beziehung bekannt war. Ich habe nachgeforscht und große Gespräche in der Kolonne selbst gehabt, nie war irgend etwas bekannt. Ich muß hinzufügen, wenn ihr die Genossen der «Kolonne Links» von früher gekannt habt, so wißt ihr, daß sie so lebten, daß nichts verborgen bleiben konnte. Es konnte kein Liebesverhältnis in der Truppe sein, das nicht der ganzen Truppe bekannt gewesen wäre. Ich bin auch heute noch, nachdem ich was festgestellt habe, überzeugt, daß dieser Junge, der entschieden ablehnt und erklärt, er habe das nicht gewußt, daß der andere homosexuell war und das erst erkannt hat am Tage einer solchen Erpressung. Um diesen Rauschenbach saß ein Erpresser. Ich habe nachträglich erfahren, was mir niemand sagte. Ich habe mich früher als Leiter, wenn man solche Gespräche führte, mich nicht darum gekümmert, mich auch nicht darum gekümmert, was man in der Küche erzählte. Ich hielt das für unter meiner Würde. Heute nicht mehr.

Gen. **Most**:
Uns interessieren deine Beziehungen, inwieweit du bei den einzelnen Fällen dir Vorwürfe zu machen hast.

Gen. **Wangenheim**:
Ich hätte bei meiner Lebenskenntnis, bei dem anderen, dem Jansen – von der Existenz des Jansen erfuhr und wußte ich daher, daß er herumwiegele und tobende Krachs habe –, darüber nachdenken und alles in Beziehung bringen müssen, das habe ich daraus gelernt. Gerade weil ich diese Dinge kenne, bin ich von einer Blindheit gewesen. Ich werfe mir das als Fehler vor. Ich sehe, das ist furchtbar schwer, ist schwer zu formulieren. Erst durch eure Gegenfragen kommt man dazu zu formulieren, wo man Fehler gemacht hat. Ich glaube, über dieses Thema brauche ich nicht in Einzelheiten zu sprechen.

Jetzt eine andere Sache. Ich habe jahrelange Freundschaft mit Alexander Granach gehabt. Diese geht zurück auf das Jahr 1913, als er in Berlin auftauchte, sich die Beine brechen ließ, um zum Theater gehen zu können. Diese Tatsache hat mir ungeheuer imponiert. Dieser Mensch, der aus einer polnischen Ecke kam, er kam, wie viele

Juden, unter dem Einfluß Rudolf Rockers[519]. Granach wollte zum Theater. Das ist bei ihm die Haupttendenz. Aber im Glauben, die Hauptendenz ist, einer will ein großer Schauspieler sein, wird das zum Anknüpfungspunkt verschiedenster Art. Mit diesem Granach bin ich in schwere Differenzen gekommen, die auch ihre politischen Seiten hat, was ich der deutschen Sektion seinerzeit gemeldet habe. Es ist meiner (Meinung) nach eine große Schweinerei mit politischem Gesicht um die Frage der Besetzung der Hauptrolle im Film «Kämpfer» entstanden, und zwar um die Frage der Besetzung der Rolle der Mutter. Brecht hat dafür sorgen wollen, daß Helene Weigel diese Frau spielt. Es kommt eine konkrete Geschichte, nämlich eine Sache, die bis ins Ausland geht. Jetzt wurde ich im Zusammenhang mit dieser Geschichte von Genossen Piscator angerufen, wie ich zur Besetzung der Rolle mit Helene Weigel stünde. Ich antwortete, Kandidat hat jeder zu sein, der ein antifaschistischer Künstler ist. Es kommen verschiedene in Frage, selbstverständlich auch Weigel. Hier war die Lotte Loebinger[520]. Sie kam als erste Kandidatin in Frage. Darüber war kein Zweifel. Da ich in der Frage mißtrauisch war, sprach ich am Telefon befangen. An der anderen Seite fragte Piscator: Du meinst, daß sie zu jüdisch ist? Ich sagte, das kann sein. Aus dieser Geschichte ist eine teuflische Geschichte von Brecht gemacht worden, indem er erklärte, ich verfechte den Standpunkt, Juden dürfen in Moskau nicht spielen. Steffin[521] hat vor Parteigenossen und Parteilosen erklärt, das muß in die ausländische Presse, der Wangenheim muß aus der Partei ausgeschlossen werden. Das ist eine Sache, die ich zu Papier gebracht und dann in der Komintern abgegeben habe.

Gen. **Ottwalt**:
Es hieß: Wenn ich das meinem Freud Feuchtwanger schreibe, daß sie

519 **Rudolf Rocker** (1873–1958), führender deutscher Anarcho-Syndikalist, emigrierte in die USA.
520 **Lotte Loebinger**, Schauspielerin, 1925 KPD-Mitglied, 1927 Heirat mit Herbert Wehner, Piscator-Bühne, 1933 Emigration Polen, ausgewiesen, über CSR in die Sowjetunion, Mitglied von Wangenheims «Deutsche Theater/Kolonne Links», Rolle im Film «Der Kämpfer», Rundfunksprecherin, 1945 Berlin, Schauspielerin am Deutschen Theater und am Maxim-Gorki-Theater.
521 **Margarete Steffin**, Kontoristin, Lebensgefährtin und Mitarbeiterin Bertolt Brechts. 1941 verstarb sie, bei der Durchreise nach den USA, an Tbc in Moskau. Nach einem Zusammenbruch hatte Brecht sie in einem Moskauer Sanatorium zurückgelassen.

in Berlin nicht spielen kann, weil sie Kommunistin ist und in Moskau nicht, weil sie Jüdin ist.

Gen. **Wangenheim**:
Das Resultat ist mir nicht bekannt. Also, ich hatte das sofort festgestellt. Piscator schrieb mir noch einen Brief, worin er erklärte, du willst so etwas nicht gesagt haben? Dabei war die Äußerung von ihm. Ich habe auf der anderen Seite des Telefons gesagt, das mag sein. Er erklärte, du solltest so etwas nicht sagen, denn Brecht tobt darüber. Jetzt kommt die größte Schweinerei. Brecht sagt zu Granach, der bei mir eine Rolle spielte – Granach glaubte, er spiele den Dimitroff –, er war erschreckt, daß er einen Provokateur spielen solle. Die Weigel darf die Kommunistin nicht spielen, aber der Jude Granach darf den Provokateur spielen. Brecht sagte das dem Granach, also fünfzig Jahre Haß.

Jetzt kommt die Sache in die letzten Tage hinein. Ich war neulich, als du draußen warst auf der Datsche, bei Granach, und habe mit ihm gesprochen. Es gab einen furchtbaren Krach auf der Basis dieser politischen Bemerkung. Ich habe ihn immer gehindert, in die Partei einzutreten, das war der einzige Mensch, der ist in die Brüche gegangen, trotzdem habe ich das Bedürfnis gehabt, mal zu spüren, was mit ihm los ist. Er wußte den Fall Neher, er wußte den Fall Zenzi Mühsam, weil er draußen wohnte, dort draußen ist die Datsche von diesem Schwanberger – da draußen ist eine Datsche, die eine Rolle spielt. In diesem Zusammenhang frage ich Granach, hast du in der letzten Zeit irgendwie anläßlich der Mühsamgeschichte – du bist doch vernünftig, vorsichtig, du bist dir doch klar, was das bedeutet, du weißt doch, daß du ein Mensch bist, an den sich alles anschmiegt. Ich wollte wissen, was ist los. Er war sehr mit Pfemfert befreundet. Er antwortete mir sachlich, es ist alles in Ordnung. Nachher erzählt die Loebinger, daß Granach über mich tobt, in welchen Verdacht er mich bringt, welches Mißtrauen. Er hat bei diesem Toben folgendes gesagt, da sehen wir die Gefahr, dieser Kerl, wenn er trotzkistische Bauchschmerzen gehabt hat, ist er zu mir gekommen. Solche infame Lüge. Ich habe es selbstverständlich sofort zu Protokoll gegeben und bin nach der Besprechung dort in der Kaderabteilung mit der Genossin Loebinger zu Granach gegangen – so war das besprochen in der Kaderabteilung –, wobei er selbstverständlich zugeben mußte, daß das hanebüchener Unfug ist. Es ist so zu erklären, daß er Angst hatte, ich würde auf ihn

Verdacht haben, und hat deshalb einfach so etwas herausgeplappert. Jawohl, ich habe Pfemfert bei Granach mitunter getroffen. Mein ganzes Leben war ich der Meinung, daß mein privater Verkehr abhängig ist von der politischen Haltung von Menschen. Es läßt sich nicht verhindern, daß, wenn ich bei Granach bin, mal Pfemfert da war. Pfemfert ist ein solcher Querkopf, daß man nur faule Witze machen kann. Er hat einen solchen Kohl und ein so dummes Zeug geredet. Interessant ist, daß Granach mir erzählt hat in einer zweiten Unterhaltung, die ich geführt habe im Beisein von Loebinger bei der Zurückziehung dieser Äußerung, ihm hätte Rodenberg[522] gesagt, Pfemfert sei in Prag und sei jetzt in die Partei gekommen. Ich möchte bemerken, daß ich bei diesem Gespräch gesagt habe, daß ich selber überrascht bin, das zu hören. Es fällt mir ein, ich habe damals in Berlin den Trotzki gelesen, ich habe selbstverständlich auch diesen Quatsch «Das Testament»[523] gelesen, aber ich muß sagen, das Trotzki-Buch hat meinen Antitrotzkismus nur noch verstärkt und daß ich auch niemals den leisesten Anflug einer trotzkistischen Bemerkung gemacht haben kann. Ich habe meine erste Biographie so erzählt, daß ich auf trotzkistische intellektuelle Abende kam, weil ich selbstverständlich in Berlin sehr oft mit ihnen zu diskutieren hatte in intellektuellen Kreisen.

Sind irgendwelche Fragen zu diesem Fall?

Gen. **Bredel**:
Woher weiß Wangenheim, daß Alexander Granach am Tage der Verhaftung von Carola Neher es wußte?

Gen. **Wangenheim**:
Das war am Tage, als ihr draußen wart.

Gen. **Most**:
Ihr habt darüber gesprochen?

522 **Hans Rodenberg**, Schauspieler und Regisseur, KPD 1931, Leiter «Junge Volksbühne», 1932 in die UdSSR, Meshrabpom-Film, Mitarbeit «Radio Moskau». *Das Wort* und *Internationale Literatur*. 1948 Rückkehr nach Berlin, Intendant, DEFA-Direktor; ab 1954 ZK-Mitglied der SED.
523 Wahrscheinlich Leo Trotzki: *Die wirkliche Lage in Rußland*, Hellerau 1928. Im Anhang dieses Buches wurde Lenins sog. Testament veröffentlicht. Lenin charakterisierte darin den Generalsekretär Stalin als «rücksichtslos» und schlägt vor, ihn «von dieser Stellung zu entfernen».

Gen. **Wangenheim**:
Er hat von selbst damit angefangen. Aus unserem Kreise wußte es jeder. Die hatten vorher lange darüber diskutiert, das wissen die parteilosen Schauspieler doch.

Der Generalmusikdirektor Stiedry aus Wien kommt hierher, den treffe ich das erste Mal mit seiner Frau.[524] Wenn ihr denkt, daß das nicht bekannt ist, das ist doch selbstverständlich.

Gen. **Most**:
Was ist daran selbstverständlich? Wenn wir uns daran gewöhnen, dann ist es selbstverständlich.

Gen. **Wangenheim**:
Der Fall Mühsam. Er hat draußen in den Blättern gestanden. Die Carola Neher war doch in meinem Betrieb. Sie kann doch nicht plötzlich versackt sein. Es mußte jedem Schauspieler auffallen. Ich möchte ausdrücklich betonen, dieses Gespräch mit Granach ist nicht des Gequatsches wegen geführt worden, sondern um auf den Punkt zu kommen, ob er noch die alten Beziehungen unterhält, ob er noch zu den alten Dingen steht. Ich konnte mir vorstellen, daß ein Schauspieler wie Granach gefühlsmäßig reagiert. Er hat das nicht getan, er hat mit ihr große Szenen erlebt, Heulszenen usw. Das habe ich nicht gewußt, er hat das besser gewußt.

Mit zwei Sätzen über eine Frage, über die viel zu sprechen wäre. Ich möchte wiederholen, daß ich in der Frage der Wachsamkeit, des parteimäßigen Verhaltens Piscators, schon in Berlin bei der Partei war, zusammen mit Genossen Rottenberger, daß mir als Parteivertreter Genosse Gollmick[525] gesagt hat, es handle sich um die Verbindung mit den sozialdemokratischen Organisationen. Genosse Gollmick sagte, ihr kennt ihn, wir brauchen ihn, also ist die Sache in Ordnung. Seid Parteigenossen, wir werden das schon irgendwie regeln. Ich muß hier sagen, daß ich mit Piscator nur politische Differenzen gehabt habe, nur Meinungsverschiedenheiten über den Weg, und daß ich, wenn es nicht Piscator wäre, schon öfter über Bemerkungen von Piscator Informationen weitergegeben hätte. Ich habe über dieses Thema gewußt. Ich wollte es nur der Vollständigkeit halber behandeln.

524 **Fritz Stiedry**, verheiratet mit Erica von Wagner.
525 **Walter Gollmick** (1900–1945), ZK-Mitarbeiter, Emigration 1934, nach Gestapo-Haft in Hamburg im Februar 1945 verstorben.

Was soll hier die Wachsamkeit? Das ist eine allgemein bekannte Tatsache, daß ich über jeden Fall, z. B. den Fall Doriot, spreche. Aber über seine Redensarten, was er mitunter von sich gibt, kann man nichts weiter feststellen.

Dann gehört dazu selbstverständlich das, was durch die Atmosphäre geschaffen wird, daß ich mit einem Parteimenschen nicht als Parteigenossen reden kann. Du hast recht, du hast unrecht, Schluß. Wie auch hier wieder für die Neher eine unangreifbare Atmosphäre war. Busch weiß mehr über die Verhältnisse als wir. Er wußte die Verhaftung früher als wir. Er spricht über Dinge, die wir auch wissen. Dabei ist Busch kein Parteigenosse und wird auch nie einer werden. Und bei allen Vorzügen ist zu sagen, daß er ein ausgesprochener Hallodri ist. Aber durch diesen Kontakt mit sehr verantwortlichen Parteiarbeitern wird immer vergessen, daß er Dinge hört, die er nicht zu hören braucht. Er redet wie ein altkluges Kind über Parteiverhältnisse. Das müßte liquidiert werden. Ich glaube, daß auch in dieser Frage die Genossin Annenkowa nicht ganz unschuldig ist. Die ganze Frage ist bekannt, und ich möchte erwähnen, daß sie mir als parteiwachsamem Menschen in höchstem Grade mißfällt. Ich bin der Meinung, daß die mangelnde Parteiwachsamkeit im Falle Neher in großem Grade dem zuzuschreiben ist, daß es Russen sind, die in die höhere russische Parteisphäre hineinragen, was mir verschlossen ist. Die Neher hat sich unerhört darauf bezogen, daß sie mit Kolzow verkehrt. Sie hat mir deutlich zu spüren gegeben, welches Gewicht sie eigentlich dadurch hat, durch diesen Verkehr usw.

Um zu den Schlußdingen zu kommen. Emel kenne ich auch schon aus Berlin, wie jeder Parteigenosse ihn kennt aus dem Karl-Liebknecht-Haus. Ich habe ihn ein einziges Mal bei Granach privat getroffen, und zwar im Jahre 1921. Es muß unendlich weit zurückliegen, und er hatte damals den phantastischen Einfall, man müsse in der Sowjetunion neue Monate einführen, z. B. Monate Karl Liebknecht, Lenin, Rosa Luxemburg usw. Das ist das einzige, was ich von ihm aus Berlin weiß.

Gen. **Most**:
Studierte er damals schon in Berlin?

Gen. **Wangenheim**:
Das muß Granach wissen. Er wohnte damals gerade in der jüdischen Gasse.

Gen. **Ottwalt**:
Das ist die Übergangsstation.

Gen. **Wangenheim**:
Eben. Das hat meiner Meinung nach für Granach überhaupt nichts Belastendes. Deswegen habe ich das erwähnt. Es brauchen keinerlei politische Schwankungen zu sein. Dann habe ich Emel in Moskau im deutschen Klub getroffen wie jeder andere auch. Und ich erinnere mich, ich weiß nicht, wie lange das zurückliegt, daß Emel, aus welchem Grunde weiß ich nicht, auf mich zustürzte und sagte, ich habe einen sonderbaren Kaffee, komm zu mir Kaffee trinken. Daraus schließe ich, daß es in der Vorkaffeezeit war. Ich möchte feststellen, ich bin nicht bange, weil ich mit Emel einfach nichts zu tun hatte. Ich hatte keine Ursache. Es hätte passieren können. Ich hatte keine Ahnung, wußte nur aus den Diskussionen von den Dreschen, die er von Thälmann bekommen hat, wes Geistes Kind er war.

Ich erwähnte hier vorhin den Generalmusikdirektor Stiedry, der die Leningrader Philharmonie leitet, der Figaros Hochzeit an der Oper macht, mit dem ich gut bekannt bin. Ich erwähne einen Brief von Lilo Dammert und eine Parteigenossin aus Wien. Das sind drei Wiedergaben, wie der Prozeß draußen[526] wirkt. Lilo Dammert, die bei Feuchtwanger ist, schreibt, daß sie fast hoffnungslos mit den ganzen Leuten diskutiert. Es sei eine sehr schwere Diskussion, so daß sich dort unten um Spanien kein Mensch kümmert. Diese Parteigenossin, das ist die Schauspielerin Eisenberger, die früher bei Piscator war, die hier mit Intourist ist, sie äußerte ebenfalls solche Dinge, und auch Striedry äußerte sie.

Gen. **Barta**:
Wie steht die Sache mit Feuchtwanger?

Gen. **Wangenheim**:
Ich kann das nicht sagen, da ich den Brief nicht in der Hand gehabt habe.

526 Auch der KPD-Apparat sammelte in Paris «Stimmen zum Moskauer Prozeß», die chiffriert nach Moskau übermittelt wurden. So berichtet Herbert Wehner aus Paris: «Die Haltung der einzelnen Sozialdemokraten zum Moskauer Prozeß ist ein gewisser Prüfstein für ihre Ehrlichkeit in ihrer Zusammenarbeit mit uns.» IfGA/ZPA I 2/3/286.

Gen. **Halpern**:
Hoffnungslose Diskussionen.

Gen. **Wangenheim**:
Dasselbe sagt Stiedry, wie die Diskussion draußen ist, und dasselbe sagt die Parteigenossin Eisenberger aus Wien.

Wenn ich jetzt abschließend sagen soll, wie ich mich in dieser ganzen Sache verhalten habe, so muß ich selbstkritisch sagen, daß mir die Dinge wenn auch nicht über den Kopf gewachsen sind, daß sie aber so vielfältig waren, daß sie meine Arbeit betroffen haben, daß ich durch die Erschütterung nicht klar genug gesehen habe, daß ich aber auch viel gelernt habe, daß ich glaube, soundsoviel, was passiert ist, verhindern zu können.

Ich muß noch sagen, daß ich mich erinnere an etwas – ich stocke nur deswegen, weil ich nicht durch schlechte Formulierung einen Fehler machen will. – In meiner Einstellung zum Prozeß habe ich keinerlei Hintergedanken gehabt. Ich muß das ausdrücklich betonen. Daß ich aber hier, ich sage das, weil ich vollkommen offen sein muß, Gedanken habe über die Auswirkung nach außen. Es ist folgendes. Als ich hierherkam als deutscher Parteikommunist, habe ich im Betrieb gearbeitet im Gegensatz zu euch allen. Und dann bei Fehlern, die im Betrieb passierten, erlebte ich auf der Tschistka, wie die Menschen sich an die Brust schlagen und von sich aus sprechen, also, ich habe das und das gemacht, diese Schweinerei habe ich begangen, das habe ich begangen. Ich muß sagen, ich habe davor fassungslos gestanden. Ich habe nicht verstanden die ganze Art, dieses zu formulieren, es war mir einfach unmöglich.

Gen. **Kast**:
Das ist vollkommen fremd für uns.

Gen. **Wangenheim**:
Ich habe das in meiner ersten Zeit fälschlich als eine russische Eigenart betrachtet. Ich habe jetzt erkannt, daß das bolschewistisch ist, das heißt, das es der Zwang ist, der geistige Zwang, die geistige Macht, die zwingt, er kann nicht aus der Reihe tanzen, er muß die Wahrheit sagen, wie sie heute hier jeder sagt. Jetzt verstehe ich, daß dies nicht russisch ist, sondern bolschewistisch. Mit meiner Erinnerung an die westliche Aufnahmefähigkeit kann ich verstehen, daß die Formulierungen in dem Prozeß draußen im Westen nicht verstanden werden.

Ich will nicht, daß ich mißverstanden werde, ich habe das tief durchdacht und durchfühlt. Ich spüre dort draußen Hintergedanken, die auftauchen können, weil sie diese Form nicht fassen, nicht verstehen. So analysiere ich hier die Reaktion draußen. Nun sage ich hier, das ist das einzige, worüber ich das Bedürfnis habe zu sprechen, weil ich mir Gedanken mache, daß meiner Meinung nach – ich spreche von Intellektuellen, von einer ganz bestimmten Schicht, die wir brauchen, ich spreche nicht von den Arbeitermassen draußen – dieser Prozeß schlechte Wirkung haben wird. Ich halte es für möglich, daß Feuchtwanger und solche anders reagieren. Dies ist das einzige, worüber ich das Bedürfnis habe zu diskutieren.

Gen. **Kurella**:
Du sagst, um zu verstehen in der Voraussetzung, daß man sich im Ausland daran stoßen wird, in welcher Sprache die Angeklagten ihr Bekenntnis abgelegt haben, daß du erkannt hast, daß diese Art bolschewistisch ist. Dann hieße es, daß diese Halunken aus dem Prozeß noch mit ihren letzten Worten als Bolschewiken gelebt haben.

Gen. **Wangenheim**:
Das ist meine tiefe Erkenntnis, das, was ich hier verstehe als Bolschewik, was ich hier erlebe, die Kraft des Bolschewismus, die geistige Kraft ist so stark, daß sie uns zwingt, die Wahrheit zu sagen, und so zwingt sie diese Verbrecher, die Wahrheit zu sagen. Aber wir stehen unter dieser Macht, wir sind in diesem Keil, auch bei uns gibt es Schlacken. Das ist der einzige Punkt, über den ich zu diskutieren Bedürfnis habe. Und zum Schluß will ich wiederholen, daß ich es als eine Folge dieser Isoliertheit von den Massen zwangsläufig erkenne, bei politischer Aktivität geht der Weg zum Terror. Das war der Eingang meiner Ausführungen, das will ich am Ende sagen, bevor ich auf die Produktion komme.

Zwei Worte zu den Schwierigkeiten. Wir sind uns alle klar, diese besondere Kunst existiert nicht. Ich möchte sagen, es existiert und darf nichts existieren, wodurch uns die Wachsamkeit so schwer gemacht wird. Genosse Most, es darf nicht in dem Licht der Parteigenossen entstehen, es darf auch nicht im Witz entstehen, die Bemerkung, die manchmal unter den Parteigenossen fällt, bei Schauspielern bestimmt, das habe ich oft in Berlin erlebt und auch hier. Nein, nein, nein, sondern behandelt die Parteigenossen unter den Schauspielern als Parteigenossen und die anderen als Schauspieler. Vielleicht noch, was nachzuweisen ist an jedem einzelnen Fall konkret, aber wenn solche Kämpfe sind, bitte helft uns, den politischen Sinn herauszuschälen, und tut die Sache nicht ab mit der Erklärung, das sind nur Schauspieler. Parteiarbeiter wollen wir sein. Wenn es so ist, auch dort am Film, wird es uns leichter sein, Wachsamkeit zu üben. Ich habe schon neulich Genossen Most gesagt, in unserer Arbeit, an unserer Front ist es eine Sache, um die wir kämpfen können und die wir behalten müssen. Ich spreche zu den schöpferischen Problemen, und ihr müßt mir den Mut zum Fehler gestatten. Ich spreche von diesem Mut zum Fehler. Das wächst sich als eine politische Schädigung aus, das Nachgeben im falschen Moment gegenüber den Genossen, die uns bei der Arbeit helfen wollen. Es ist die Hauptsache, um die wir kämpfen, und was ich gegen Bredel einzuwenden habe, das ist gerade das, was bei eurer Tätigkeit genau wie bei mir ist, nämlich einmal drei Wochen Konzentration für eine Aufgabe zu haben. Das ist ein großes Problem. Das ist die Frage, die etwas schwer zu lösen ist. Ich bewundere die Fähigkeit des Genossen Bredel, zwischen Sitzungen zu schreiben. Wenn ich das Pech gehabt hätte, daß diese Versammlung drei Tage früher angefangen hätte, hätte ich zwei Monate verloren. Ich wäre aus der Konzentration gerissen worden und hätte den Faden nicht wieder anknüpfen können. So ist das, und das ist schwer. Ich muß ferner bitten, daß gerade den Schriftstellern gegenüber, wenn die Nerven zusammenhalten sollen, die Kritik organisiert wird, so daß sie mit dem Produktionsprozeß verbunden sind. Das muß ich nochmals betonen, anläßlich dieses Wetschers, der breiter besprochen worden ist. Bei mir finden keine Wetscher mehr statt, aus diesem ⟨Grund⟩ und noch einem. Ich halte es für meine Pflicht, bei aller Fröhlichkeit diese Wetscher energisch abzuschaffen. Es ist unmöglich, bei dem Genuß von Alkohol zu kontrollieren, ob eine politische Bemerkung fällt, die nicht mehr kontrolliert werden kann. Ich muß sagen, daß ich denselben Moment, wo der Alkohol dem Menschen die volle geistige Kraft nimmt, dagegen bin.

Gen. **Barta**:
Genosse Wangenheim, du sprichst schon 3½ Stunden. Ich gewähre dir nur noch 5 Minuten.

Gen. **Wangenheim**:
Ich möchte sagen, daß wir nicht liberal sein sollen. Aber jetzt kommt die andere Seite der Sache, und darüber wäre noch viel zu sprechen.

Die andere Seite ist das Feigesein: Mit dem verkehre ich nicht, ich habe etwas gerochen. Also sich verkriechen hinter Unbestimmtheiten, die wirklich noch keine sind, und sich dadurch das Leben leicht machen. Ich finde, daß es richtig ist, wenn ich mit dem Generalmusikdirektor Stiedry zusammenstehe und Kleiber kommt und sagt, guten Tag, Herr Wangenheim, und im nächsten Moment bin ich verschwunden. Das ist selbstverständlich, darüber brauche ich nicht zu reden.

Gen. **Bredel**:
Warum verschwinden?

Gen. **Wangenheim**:
Ich weiß nicht, ich bin der Meinung, daß es mir nicht zukommt als deutschem Kommunisten. Wo Menschen von irgendeiner Botschaft sind, habe ich schleunigst das Weite zu suchen?

Gen. **Most**:
Ich kann darauf weder ja noch nein sagen. Man soll das hier nicht weiter ausführen. Man muß das besonders behandeln.

Gen. **Wangenheim**:
Ich sage, daß ich den Weg des geringsten Widerstandes nehmen könnte. Ich habe aber einen gewissen Einfluß auf Kleiber. Ich war mit ihm in Deutschland organisiert. Der Mann war mir sehr dankbar. Ich habe meine Meinung zu Kleiber deutlich gesagt. Ich habe zwar kein ausdrückliches Parteimandat. Soll ich bei jeder Sache zur Partei laufen?

Gen. **Barta**:
Wenn du solche wiederholenden Sachen hast, mußt du doch mit der Partei vereinbaren, wie du dich verhalten sollst.

Gen. **Wangenheim**:
Bitte, Genosse Most, notiere, diese Sache war vereinbart, daß wir die MORT hatten und ich als Sekretär verantwortlich war. Das sind wichtige Probleme. Hier ist die Sache so, daß es sich ein Parteigenosse furchtbar leicht machen kann, indem er erklärt, ich wende mich davon ab. Das ist feige. Dann kommen die Unklarheiten. Weiss läuft hier herum. Darf man ihn aus dem Zimmer weisen? Dann eine wichtige Sache. Die Tatsache der Verhaftung. Über diese Tatsache habe

ich konkret zu sagen: Die... Gewan[527] wird verhaftet, Bruno Schmidtsdorf. Ich sagte mir, ziehe die Konsequenzen. Ich bin zur Kaderabteilung gegangen. Dort hat man ganz deutlich gesagt, die Tatsache der Verhaftung ist noch kein Urteil. Und ich höre dauernd, daß man die Tatsache der Verhaftung als Urteil ansieht. Es ist etwas anderes, wenn mir Genosse Most sagt, du, das ist ein Schwein, als wenn es mir der Parteigenosse Ottwalt sagt. Wenn es mir der Genosse Ottwalt sagt, so ist das noch lange kein Beweis. Wir müssen doch irgendeine Form finden. Ottwalt kann das irgendwie gehört haben. Entweder ist es eine Tatsache, daß man mit einem Verhafteten nicht verkehrt, oder wir ziehen daraus oft folgende Folgerung: Damit mußt du wissen, daß es ein Konterrevolutionär ist. Aber maßgebend ist mir das Urteil. Darüber müßte Klarheit geschaffen werden. Nehmen wir den Fall, in meiner Wohnung ist jemand verhaftet und nach zwei Monaten ist er wieder da. Ich meine bloß, wir ziehen daraus die Folgerung, damit mußt du wissen, daß es ein Konterrevolutionär ist. In der Besprechung mit der Kaderabteilung geht diese schwierige Lage hervor. Im übrigen ist maßgebend das Urteil. Hierüber müßte Klarheit geschaffen werden, was bedeutet, die Tatsache der Verhaftung. Es ist immerhin noch nicht der offizielle Stempel, er ist ein Konterrevolutionär. Ich möchte zum Schluß noch einmal aus meiner Erfahrung heraus, daß es notwendig ist, daß für die vielen herumziehenden Künstler in der Sowjetunion ein Punkt geschaffen wird. Helft uns, Genosse Most. Ich gebe dir ein konkretes Beispiel, daß ein Wiener, der, weil er aus der Philharmonie entlassen wird, der ein verwöhnter Bauer ist, verheiratet mit einer verwöhnten Frau, nach Engels versetzt wird, ohne eine Ahnung zu haben davon, was hier los ist in der Sowjetunion. Man kann mit diesen Parteilosen nicht immer die Komintern belästigen, aber es muß etwas geben, wenn die MORT nicht mehr da ist.

Ich möchte jetzt nur noch betonen, daß es mein ganzes Leben bedeutet, dieser Prozeß, und daß ich mir mit dem, was drum und dran hängt, manche schwere Stunde gemacht habe und daß ich als Künstler versuchen will, die Lehren zu ziehen und den Mangel an Wachsamkeit abzustellen und besser zu helfen. Und weil ich schaffender Künstler bin, will ich sagen, daß ich dabei bin, die ungeheueren Erlebnisse, die sich damit verbinden, in künstlerischer Form darzustel-

527 Nicht ermittelt.

len und das wiederum beweisen muß, daß diese Frage, wie alle anderen Fragen des Kommunismus, mein Leben bedeutet.

Gen. **Fabri**:
Ich habe eine Bitte an Wangenheim, nach welcher der parteilose Busch von der Parteigenossin Annenkowa Dinge erfahren hätte, die der Parteilose nicht zu erfahren hat. Ich bitte das zu konkretisieren.

Gen. **Most**:
Zur Geschäftsordnung. Ich bin nicht der Meinung, daß solche Fragen hier am Platze sind. Ich habe das betont und Barta hat darauf aufmerksam gemacht, daß das, was hier gesagt wird, jeder Genosse aussprechen muß auf eigenes Risiko und Verantwortung. Er hat die Verantwortung zu übernehmen. Jede falsche und unrichtige Behauptung läßt sich hier nicht sofort aufklären. Es gibt ein Protokoll. Es wird Dinge geben, die sich nachträglich noch herausstellen. Vielleicht gibt es einige Nebendinge, die untersucht werden müssen, und ich denke, die Partei wird sich damit beschäftigen. Ich hätte gestern um 1 Uhr ans Telefon gehen müssen und ihn anrufen müssen, ob er eine Empfehlung an Brustawitzki geschrieben hat. Noch während der Rede hast du telefoniert, um von der Genossin Annenkowa zu erfahren... Ich halte eine solche Methode für falsch. Ich habe hundert Fälle, ich müßte die Genossen Pieck, Manuilski usw. fragen, stimmt das und das. Wir kommen aus den Erklärungen nicht heraus. Was ist der Zweck der Auseinandersetzung hier? Jeder Genosse soll im Zusammenhang mit seiner eigenen Arbeit und Erfahrung darüber sprechen, Fehler gemacht zu haben und Fehler entdeckt zu haben. Jede einzelne Behauptung kann man nicht belegen. Dies ist eine Angelegenheit, die zur Beurteilung eines Genossen selber dient. Wir können hier ein solches System nicht durchführen, dann kommen wir nie zu Ende. Zweitens nehmen wir uns Dinge vor, die nicht unsere Aufgabe sind. Wir haben uns nicht mit einzelnen Fällen, die vorgekommen sind, zu beschäftigen, sie interessieren uns nur, als sie mit der schöpferischen Arbeit und der Parteiarbeit der Schriftsteller hier zusammenhängen. Und der Genosse Wangenheim hat recht, wenn er sagt, das weitere wird man sehen. Ich glaube, daß das die richtige Einstellung ist, wir kommen sonst nicht zu einer positiven Beurteilung der Fragen.

Gen. **Barta**:
Ich glaube, alle Genossen wissen, daß alles das, was sich abgespielt hat in den vier Sitzungen, eine interne Angelegenheit ist.

Ich möchte darauf aufmerksam machen, daß außerhalb unseres Kreises anderen Genossen nichts berichtet werden soll, desto mehr, da ich annehmen muß, daß das schon der Fall war. Ich mache die Genossen darauf aufmerksam, daß das geheimgehalten werden muß und deshalb keinem Parteimitglied darüber zu berichten ist.

Gen. **Fabri**:
Die Genossin Annenkowa liegt krank im «Lux», sie ist Teilnehmer der Sitzung.

Gen. **Most**:
Es gibt keine Übertragung der Sitzung.

Gen. **Fabri**:
Ich habe einen verhinderten Teilnehmer der Sitzung zu befragen, wenn momentan eine schwere Beschuldigung ohne jeden konkreten Beweis erhoben wird.

Gen. **Most**:
Außerhalb dieses Hauses wird nichts gemacht. Wenn wir einen solchen Genossen feststellen, wissen wir, was wir mit ihm zu tun haben.

Gen. **Barta**:
Ich schlage vor, Genossen, daß wir die Erklärung des Genossen Most zur Kenntnis nehmen und jeder sich in dieser Richtung verhalten muß. In dieser Frage wollen wir keine Diskussion durchführen.

Gen. **Becher**:
Ich glaube, Genosse Fabri, daß das ein Irrtum von dir ist. In meinem Zusammenhang wurde der Name Busch nicht genannt.

Gen. **Wangenheim**:
Ich möchte nicht diskutieren, sondern nur erklären. Ich habe von einer schweren Beschuldigung gehört, die ein Angriff und eine Kritik ist. Das wollte ich feststellen.

Gen. **Ottwalt**:
Es ist selbstverständlich, daß die Genossen, die die verschiedenen Sachen zu Protokoll gegeben haben, sich vorher genau im klaren sind, was sie sagen, und daß keine einseitigen Urteile gefällt werden. Jeder weiß, wie und ob und daß er das vertreten kann. Deshalb sind die einzelnen Vorwürfe und Zwischenfragen völlig überflüssig, denn jeder wird die Möglichkeit haben, sich dafür einzusetzen. Ich selbst

würde es für merkwürdig halten, wenn man mich im einzelnen nicht zur Rede stellt.

Gen. **Barta**:
Wer hat Fragen an Genossen Wangenheim?

Gen. **Ottwalt**:
Ich wollte dich bitten, folgendes zu erklären: Du hast häufig und an verschiedenen Stellen deiner Rede davon gesprochen, hast du laufende politische Arbeit unter den Schauspielern geleistet, die mehr oder weniger auf deine Veranlassung in die Sowjetunion gekommen sind?

Gen. **Wangenheim**: Selbstverständlich.

Gen. **Ottwalt**:
Über alle diese Fälle hast du der deutschen Vertretung geschrieben, was notwendig ist?

Gen. **Wangenheim**:
Ich habe nichts verschwiegen.

Gen. **Ottwalt**:
Du sagst, Mansfeld ist in der «Kolonne Links» gewesen. Ist Mansfeld auf deine Veranlassung in die «IAH» gekommen, oder kannst du sagen, auf welche Veranlassung?

Gen. **Wangenheim**:
Auf Misianos[528] Veranlassung. Außerdem war er dort angestellt, glaube ich.

Gen. **Barta**:
Genosse Wangenheim hat, glaube ich, ziemlich ausführlich gesprochen, so daß wir zum nächsten Redner übergehen können.

Gen. **Most**:
Genosse Wangenheim hat gesagt, daß die Partei damals eine Diskussion über das Auftreten von Neumann und Remmele untersagt hat.

528 **Francesco Misiano** (1894–1936), Gründungsmitglied der Kommunistischen Jugendinternationale, 1924 Moskau, Mitglied der KPdSU, Direktor von Meshrabpom-Film; 1935, wahrscheinlich wegen der Teilnahme an dem Abend früherer Mitglieder der Jugendinternationale, abgelöst, erkrankt und im August 1936 verstorben.

Gen. **Wangenheim**:
In dem augenblicklichen Moment.

Gen. **Most**:
Wangenheim hat vergessen hinzuzufügen, was seine Genossen getan haben, nachdem die 12. Reichskonferenz stattgefunden hatte, auf der Genosse Thälmann und andere Genossen ausführlich über alle einzelnen theoretischen und politischen Fehler der Neumann-Gruppe gesprochen und geurteilt haben. Es könnte der falsche Eindruck entstehen, als ob man untersagt habe, über die Fehler von Neumann und Remmele zu sprechen.

Gen. **Wangenheim**:
Ich wollte nur die Tatsache feststellen, weil damals nicht darüber diskutiert wurde. Dann bin ich mißverstanden worden. Es war damals nicht der Zeitpunkt, darüber zu diskutieren. Ich habe nicht festgestellt, daß bei uns überhaupt keine Diskussionen geführt worden sind oder etwa im Neumann-Sinne geführt wurden. Es hat niemand für Neumann gesprochen.

Gen. **Most**:
Wie war deine Stimmung, als die Fehler Neumanns aufgedeckt waren?

Gen. **Wangenheim**:
Nicht mehr Neumann-freundlich.

Gen. **Most**:
Neumann hat keinen besonderen Boden gefunden?

Gen. **Wangenheim**:
Nie, obwohl bei uns die Meinung war, daß Neumann sagen wollte, schaut, wie ich mich um euch kümmere, ich mache es wie Stalin, ich gehe mit dem Künstler.

Gen. **Barta**:
Genosse Hay hat das Wort. Aber diese Länge ist unmöglich. Wir werden jedem Genossen im Rahmen einer Stunde die Möglichkeit geben zu reden.

Gen. **Hay**:
Ich werde versuchen, sehr kurz zu sprechen. Wenn ich weitschweifig werde, sagt mir das. In der Frage der Wachsamkeit muß ich zunächst

sagen, daß ich ein sehr junges Parteimitglied bin, aber vom ersten Augenblick meiner Parteiarbeit, und das war 1 ½ Jahre vor meinem Eintritt in die Partei, habe ich angefangen, in den Massenorganisationen im Sinne der Kommunistischen Partei und unter Führung der Kommunistischen Fraktion zu arbeiten. Vom ersten Augenblick an habe ich unerhört viel Grund gehabt, wachsam zu sein. Ich arbeitete zunächst in der MASCH in Berlin. Daß in einer solchen Schule mehr Gegner als Freunde zu finden sind, kann man sich vorstellen. Einer unserer russischen Lehrer war der hier oft erwähnte Becker, der Mann von Carola Neher, den ich nicht näher gekannt habe als einen der vielen uninteressanten Lehrer. Zufällig ist mir der Name und das Gesicht Beckers in Erinnerung geblieben. Ich glaube, ich habe mit ihm nie gesprochen. Ich habe in einer Agitprop gearbeitet, und da hatten wir mit einer anderen Agitprop-Gruppe, die der SAP angehörte, ein Hühnchen zu rupfen. Wir wollten diese Truppe zu uns herüberziehen, aber die Partei hat es uns nachher verboten, und wir haben diese Art Gegnerarbeit eingestellt. Ich habe unmittelbar vor Hitlers Machtantritt noch einen Kampf geführt, von dem Genosse Becher weiß, mit dem damaligen Führer der «Jungen Volksbühne», Hillers, der eine Neuaufführung von meinem durch die Faschisten verhinderten «Gott, Kaiser, Bauer» sabotiert hat. Wir haben versucht, das durchzusetzen. Es ist nicht gelungen, weil Hans Schröter uns im Stich gelassen hat inmitten unserer Kampagne. Dann war ich in Wien. Der erste Mensch, den ich da getroffen habe, war Brecht. Diese Tendenzen, diese Stimmungen, von welchen sowohl Genosse Günther als (auch) Genosse Ottwalt berichtet haben, habe ich in diesem Brechtkreis auch feststellen können, also es war miesester Defaitismus[529] und

529 Noch auf dem EKKI-Plenum im Dezember 1933 behauptete Wilhelm Pieck diese «richtige» Position von Komintern und KPD: «Die Richtigkeit der Strategie und Taktik der kommunistischen Parteien im unversöhnlichen Kampf gegen den Menschewismus aller Spielarten konnte nicht besser bestätigt werden als durch die deutsche Entwicklung. Die Eroberung der Mehrheit der Arbeiterklasse durch Ausmerzung des sozialdemokratischen Masseneinflusses, besonders auch in den Gewerkschaften, der schärfste Kampf gegen alle sozialdemokratischen Einflüsse innerhalb unserer Partei, gegen alle Abarten des Opportunismus, das ist die Hauptlehre aus der Geschichte der faschistischen Machtergreifung in Deutschland.» Wilhelm Pieck: *Wir kämpfen für ein Räte-Deutschland*, in: Die Kommunistische Internationale, 1934, Heft 3, S. 237. Realistische Analyse wird hier durch die Metaphysik einer vorausgesetzten «Linie» ersetzt, die von den Parteimitgliedern als «richtig» nachzuvollziehen war. Eine Politik, die 1934 noch eine «revolu-

Liquidatorentum, und ich muß feststellen, daß nicht nur der parteilose Brecht, sondern die Parteigenossin Helene Weigel diesen Stimmungen vollkommen unterlag. Dann kam es weiter, Genossen, denn ich habe die Möglichkeit gehabt, mit Nazis zusammenzusein, mit österreichischen. Das war im Gefängnis. Da habe ich nicht sehr viel Wachsamkeit üben können, da war der Fall klar. Von Wien kam ich nach Zürich. In Zürich habe ich zum erstenmal mit Trotzkisten zu tun gehabt. In der ersten Linie mit Brentano. Da ich dies in einem anderen Zusammenhang mit der Arbeit schon erwähnt habe, wiederhole ich nicht. Die Arbeit ging, solange ich dort war, gut vonstatten, und Brentano hat kein Unheil anrichten können in diesem Kreis, wo er unter meinen Augen war. Ich habe in Zürich noch in einem Fall Wachsamkeit üben wollen, das ist aber nicht gelungen. Es ist der Fall Hans Mühlestein. Hans Mühlestein ist ein Schweizer bürgerlicher Schriftsteller, der als linksbürgerlich betrachtet wird und an unsere Arbeit herangezogen wurde. Ich habe dagegen lebhaft protestiert, weil ich ein Drama von ihm kenne aus früheren Zeiten, in welchem nicht nur die Sowjetunion und die KPD, sondern persönlich der Genosse Stalin angegriffen wird. Er tritt persönlich auf in dem Stück. Mühlestein selber spielt den Stalin. Es ist aufgeführt in Berlin. Es ist uraufgeführt in Berlin. Er hat dort einen Preis gewonnen, und nachdem er diesen gewonnen hat, hat er den Schluß geändert, indem er einen Sprechchor mit verschwommen proletkultischen Tendenzen da angesteckt hat. Da er die Form Sprechchor gewählt hat, welches doch eine proletarische Form ist, wurde gesagt, Mühlestein hat sich revidiert. Er ist nach links gegangen und hat einen Roman über die Kämpfer in Abessinien geschrieben. Es ist ein politisches Bekenntnis. Ich habe behauptet, man darf es ihm nicht glauben, und es ist ihm leicht gemacht, daß er nach dem einen Buch sofort in unsere Volksfrontkader gehört. Ich habe das Biha wiederholt gesagt. Er ist heute in der Mitarbeiterliste vom «Wort». Was er inzwischen Gutes geschrieben hat, weiß ich nicht.

tionäre Krise» und «revolutionäre Aufschwünge» postulierte, konnte abweichende Meinungen daher nur mit dem Parteijargon des «Defaitismus» und der «Depressionsstimmung» überziehen.

Gen. **Most**:
Du hast versucht, wachsam zu sein?

Gen. **Hay**:
Ich wollte ihn fernhalten, weil ich ihm nicht traute. Es ist möglich, daß ich nicht recht hatte.

Gen. **Most**:
Aber wachsam ist er gewesen.

Gen. **Hay**:
Also Genossen, das war im Ausland. In derselben Pension, wo ich gewohnt habe mit meiner Frau, wohnte noch eine junge Frau, die sich im Gespräch als eine erbitterte Gegnerin der Partei herausgestellt hat und sich einmal vor anderen anwesenden Genossen, es waren zufällig 5 Kommunisten dabei, sie wußte es nicht, ganz ekelhafte Ausfälle gegen den Genossen Thälmann erlaubt. Weiter ist aus dieser Sache nichts gefolgt. Ich habe das mit den Genossen in Zürich besprochen, und sie haben gesagt, es wäre kein wichtiger Fall, man weiß von der Frau, ich muß keine Sachen liegenlassen in der Pension. Als ich in die Sowjetunion kam, habe ich langsam, sehr langsam neue Begriffe von der Wachsamkeit und von der Notwendigkeit einer Wachsamkeit gewonnen. Ich habe eine rosige Vorstellung von den Verhältnissen gehabt, und ich konnte mir nicht vorstellen, daß man auf der Straße oder im Restaurant einen Menschen sieht, und er ist ein Parteifeind. Diese Naivität hat sich mit der Zeit beseitigen lassen durch solche Erfahrungen, die man eben gemacht hat. Von den hiesigen Genossen hat mich eine einzige Genossin, nämlich die Genossin Annenkowa, in dieser Hinsicht aufgeklärt. Sie hat mich am Anfang meines Hierseins, als ich mit ihr gesprochen habe, in irgendwelchem Zusammenhang darüber aufgeklärt, es wären an der Wolga große Prozesse, es wären faschistische Einflüsse, es wäre in der «DZZ» nicht immer alles in Ordnung. Es war vorsichtig ausgedrückt. Es war sehr richtig gesagt, und ich bin jetzt nachträglich der Genossin Annenkowa sehr dankbar. Daß hier im Schriftstellerkreis auch etwas vorgekommen ist, sogar eine ganze Menge Sachen vorgekommen sind, davon habe ich nur in der allerletzten Zeit etwas erfahren. Da will ich gleich einen Vorschlag an den Genossen Barta machen. Wenn wieder ein Genosse so wildfremd hierherkommt, muß man irgendwie aufklären, in welcher Form, das

kann ich nicht sagen. Von den erwähnten Schädlingen innerhalb unseres Kreises habe ich selbstverständlich Schmückle gekannt, aber nicht näher. Ich habe Gles zweimal gesehen, und beide Male hat er etwas Schädliches versucht. Es waren aber nur Kleinigkeiten. Es war hier in diesen Räumen. Ich wußte erst nachträglich, daß er der Gles ist. Ich wußte nicht, wie er heißt. Ich habe mit irgendwelchen Genossen über dramaturgische Fragen gesprochen, da kam ein fremder Mensch hinzu und fragte: Sagen Sie, Genosse Hay, womit erklären Sie, daß Friedrich Wolfs Stücke so großen Erfolg haben? Ich habe so eine Nase gehabt, und das war auch nicht schwer, der Mann will versuchen, irgendwelche Erklärungen auf der Linie der Konkurrenz aus dir herauszuholen. Ich habe ihm gesagt: Eins kann ich sagen, und das bezieht sich nicht nur auf Friedrich Wolf, sondern auch auf viele andere, nicht wegen seiner Mängel, sondern wegen seiner Vorzüge hat er seine Erfolge. Da war er sehr enttäuscht und hat über diese Frage nicht weiter gesprochen.

Gen. **Wolf**:
Er schrie, weh mir, ich bin erkannt.

Gen. **Hay**:
Der andere Fall war in einer Arbeitsgemeinschaft, wo ich mit der Behandlung eines Falles nicht einverstanden war und dagegen protestiert habe. Ich war ziemlich allein. Es handelte sich –

Zwischenruf: Nicht um den Film «Kämpfer»?

Gen. **Hay**:
Nein, nein, um die Novelle von Barta, wo ich gesagt habe, die beiden Genossen Günther und Ottwalt hätten diesen Fall nicht richtig angepackt und dadurch die Erziehung eines jungen Schriftsteller-Genossen nicht in die richtige Richtung geführt. Man hat mir nicht beigepflichtet. Ich weiß heute noch nicht, ob ich recht hatte oder nicht. Ein einziger Mensch hat mir recht gegeben, flüsternd, und das war Gles. Lieber Genosse, habe ich gesagt, wenn Sie der Meinung sind, dann stehen Sie auf, und sagen Sie das. Er antwortete, ich werde das auch tun, ist aber bald verschwunden. Das waren meine zwei Begegnungen mit Gles.

Brand habe ich zweimal gesehen, aber nicht einmal gesprochen.

Gen. **Gábor**:
Wenn er deine Meinung unterstützt hätte, hätte er Schaden angerichtet?

Gen. **Hay**:
Er wollte mich aufhetzen. Das waren die beiden Leute, die ich hier kennengelernt habe. Alle übrigen habe ich nicht gekannt. Ich glaube, sie waren schon verschwunden zu der Zeit, als ich hierherkam. Die Namen habe ich größtenteils hier zum ersten Male gehört.

Von den anderen Leuten, gegen welche irgend etwas Kriminelles oder Politisches vorliegt, habe ich die Frau von Schmidtsdorf gekannt. Sie hat mir diese Ljuba Hegemann (?) zugeführt. Mit ihr war ich in der ersten Zeit oft zusammen, weil sie mir gedolmetscht hat. Von einer weiteren Freundschaft kann nicht die Rede sein. Es war mir nur einfach furchtbar bequem, daß die Frau dolmetschte und mit mir herumlief.

Die Neher habe ich hier kennengelernt, und zwar auf einem offiziellen Empfang bei Kolzow. Also an sich eine Empfehlung. Trotzdem habe ich mit der Neher nichts zu tun gehabt, wohl einfach weil sie mir irgendwie nicht gefiel. Sie hat mir gleich irgendein literarisches Halbpartgeschäft vorgeschlagen. Wir sollten zusammen ein Stück schreiben, sie garantiere, daß Kolzow – sie hatte immer literarische Absichten, immer eine Hauptrolle für sich – das Stück aufführen lassen kann. Ich habe gesagt, Kolzow hat doch kein Theater. Ich habe das nicht von mir allein gesagt, sondern ich habe in der MORT darüber gesprochen, wie ist das? Und in der MORT hat mir, ich glaube Pieck, gesagt, das ist Quatsch, Kolzow ist kein Theaterdirektor, und da er keine unmittelbare Beziehung zum Theater hat, kann er auch nicht jemand empfehlen. Aber da die Sache mir nicht gefallen hat, habe ich sie selbstverständlich nicht gemacht. Darauf hat die Neher mich langsam aufgegeben.

Jetzt kommt ein anderer Fall, der schon komplizierter ist. Man geht hier im Sommer auf Datsche. Ich habe ein kleines Kind, und da ich nicht allein eine Datsche mieten kann, habe ich mir Partner für diese Datschenmiete gesucht. Die Partner habe ich mir, naiv und oberflächlich wie ich bin, angeschaut. Ich habe gesehen, der Mann ist bei der Iswestija, die Frau Redakteurin im Radio. Also kann es nicht schlimm sein. Näher gekannt habe ich die beiden nicht. Sie suchten auch eine Datsche, hatten auch ein kleines Kind, also das Kindergeschrei wird nicht stören. So ist es gekommen, daß wir in eine gemeinsame Datsche[530] gezogen sind mit Rudolf Haus[531] und Hilde Löwen[532]. In derselben Datsche, einen Stock höher, wohnte die hier öfter erwähnte Lilo Dammert mit ihrem Mann. Ich muß noch kurioserhalber erwähnen, daß Haus und Löwen Bedenken hatten, mit Parteilosen in eine Datsche zu ziehen, heutzutage weiß man nicht, wie die Leute sind. Ich habe diese Datschenangelegenheit als eine reine technische Sache aufgefaßt. Das war selbstverständlich ein großer Fehler. Es ist keine technische Angelegenheit, mit wem man wohnt. Mein zweiter Fehler war, daß ich einfach angenommen habe, wenn einer bei einem führenden Sowjetorgan arbeitet, der andere beim Radio, also unter Kontrolle steht, da muß unbedingt alles in Ordnung sein. Das ging mir überhaupt nicht in den Kopf, daß es auch notwendig ist, Wachsamkeit zu üben. Die ersten Tage dieser Sommerfrische waren sehr unerquicklich, und wir haben uns gleich mit diesen Hausbewohnern Haus und Löwen verkracht. Die Sache hatte zunächst eine rein persönliche

530 In seiner Autobiographie schildert Hay das gemeinsame Datschen-Leben mit Rudolf Haus und Hilde Löwen. Für ihre Verhaftung findet Hay noch 1977 folgende «Erklärung»: «Bei diesem Ehepaar gab es aber für das logische Denken einige Ansatzpunkte, wenn auch kümmerliche. Sie sprachen über politische Fragen mit arroganter Alleswisserei, vielleicht haben sie dabei Gedanken verbreitet, die gefährlich waren. Vor allem hielten sie Radek für ihren ‹Schutzengel›, und Radek hatte im großen Moskauer Prozeß nur das nackte Leben retten können.» Hay: *Geboren 1900*, a. a. O., S. 255.

531 **Robert Hauschild (Deckname: Rudolf Haus)**, 1919 KPD-Mitglied, Publizist, Leiter des illegalen BB-Apparats, Engels-Editor, 1932 in die Sowjetunion, Militärspezialist in der *Iswestija*, Redakteur der *DZZ*; am 31. August 1936 bereits verhaftet und zu fünf Jahren Haft verurteilt. Kurt Anders will den ihm gut bekannten «Oberst der Roten Armee» Haus noch 1939 in London gesehen haben. Vgl. Kurt Anders: *Spioner og forrädere in den andern Verdenskrig*, Kopenhagen 1947, S. 118ff.

532 **Hilde Löwen**, **d. i. Hilde Hauschild,** geb. Löwenstein, 1922 KPD, illegale Arbeit im M-Apparat zusammen mit ihrem Mann, dem Militärexperten Robert Hauschild, in Deutschland, England und Frankreich, 1932 in die Sowjetunion; Mitarbeiterin am Radiosender der Gewerkschaften; am 20. 11. 1937 verhaftet, 1940 von der Ausweisungsliste gestrichen, da «jüdischer Abstammung». In einem Brief an die «Auslandsleitung» der KPD beschreibt Wilhelm Pieck am 7. 9. 1936 die Verhaftung Robert Hauschilds: «Haus (Hauschild), der Euch aus einem Artikel in der ‹Weltbühne› in der letzten Zeit erinnerlich ist, ist ebenfalls ‹erkrankt›, auch bei seiner Frau (Hilde Löwen/Löwensohn) besteht eine sehr ernste Ansteckungsgefahr. Jedenfalls ist sie bereits von ihrer Radioarbeit entfernt.» Zu Hilde und Robert Hauschilds Biographie vgl. Reinhard Müller: *Flucht ohne Ausweg*, in: Exil, 1990, Heft 2, S. 76–95.

Natur. Später hat die Sache begonnen, etwas ernster zu werden. Es ist nämlich folgendes passiert. Ich habe für das Ino-Radio, wo die Löwen Redakteur war, zwei Artikel geschrieben mit dem Titel «Irrtümer und Wahrheiten über Wolga-Deutschland», wo ich einige Daten, die ich von meiner Reise nach der Wolgarepublik im Winter mitgebracht habe, verarbeitete. Der erste Artikel wurde gesendet in verschiedenen Sprachen und soll sehr gut gewesen sein. Daraufhin wurde bei mir der zweite bestellt, wurde auch gesendet und wurde zunächst von der Hilde Löwen sehr gut befunden. Nach einigen Tagen sagte sie, die Frumkina hätte in meinem Artikel nachträglich bucharinsche Abweichungen gefunden. Es war die Sache mit den Oblomows[533], die hier früher gelebt haben, daß die frühere Kultur von Rußland unterschätzt wird. Ich habe das in meinen Artikel nicht hineinschreiben wollen und konnte das nicht daraus herauslesen. Ich bat darum, man soll mir konkret die Fehler zeigen, die ich gemacht habe, ich will sie korrigieren. Das könnte ich nicht mehr, der Artikel wurde schon so gesendet. Aber wenigstens will ich daraus etwas lernen. Die Löwen sagte, die Frumkina lehnt das ab, ich sollte ihr die einzelnen Behauptungen, die drin sind, belegen, ich könnte sie belegen aus verschiedenen Zitaten, und sie wird dann schon meinen Standpunkt vertreten. Das habe ich abgelehnt. Ich habe gesagt, meinen Standpunkt werde ich vertreten. Wenn du meinst, ich hätte recht, dann trage deine Argumente der Frumkina vor, und ich werde meine der Frumkina vortragen. Das hat ihr nicht gepaßt. Nach einigen Tagen kam Rudolf Haus zu mir und sagte, die Angelegenheit wird schlimmer und schlimmer. Heute kam ein Genosse aus der Komintern zu mir und fragte mich, kennst du Hay, er soll einen Artikel zugunsten des deutschen Faschismus geschrieben haben und gesendet haben. Wer der Genosse war, wollte er nicht sagen, er will keinen Stunk machen. Ich habe ihm gesagt, ich werde das meiner Parteistelle weitergeben. Ja, wenn es verlangt wird, werde ich den Namen nennen, aber warum machst du solche Sache? Ich habe dies dem Genossen Stangenberg mitgeteilt, weil Barta verreist war. Barta hat den Artikel gelesen und gesagt, er findet die Fehler nicht darin. Ich habe gefragt, was ich unternehmen solle. Er sagte, die Sache sei in Ordnung. Nach gewisser Zeit habe ich

533 Figur eines Gutsbesitzers aus dem gleichnamigen Roman Gontscharows. Lenin schrieb 1922: «Rußland hat drei Revolutionen durchgemacht, aber die Oblomows sind immer noch da.»

erfahren, wie die Sache angeblich wirklich gewesen ist, und zwar von der Grete Lohde, die damals auch dort gewohnt hat. Das war folgenderweise passiert. Mein Artikel lag zur Signatur vor. Ich weiß nicht, wie viele, aber alle hatten ihn schon gelesen, die Frumkina nicht, sie tut es nicht immer, manchmal nachträglich, aber diesmal hat sie ihn gelesen und auch einen Artikel von Haus. Sie sagte, beide Artikel wären schlecht, sie erlaube nicht, daß sie gesendet werden. Das hat die Loebinger verschwiegen und hat beide gesendet. Als die Frumkina das erfahren hat, sprach sie nicht von irgendwelchen politischen Fehlern, sondern sagte folgendes: Die beiden Artikel laufen auf deine Kosten, Hilde, ich lasse das nicht bezahlen, das mußt du aus eigener Tasche bezahlen. Da kämpfte die Hilde erstens für ihre Ehre als Redakteurin und zweitens für ungefähr 250 Rubel, was die beiden Artikel ausgemacht haben. Übrigens will ich erwähnen, der Haussche Artikel enthielt unter keinen Umständen politische Fehler. Es war nur ein Kinobericht, mit Titeln über die neuesten Filme der Sowjetunion. Bemängelt hat die Frumkina, daß der neueste Film ungefähr ein halbes Jahr alt war, weil er inzwischen keine Filme angesehen hätte. Nach dieser Sache fand ich, daß die Geschichte in Ordnung ist, und habe einfach mit den Leuten weiter nicht verkehrt, nur so wie es bei Nachbarn eben ist, bis noch ein Fall vorlag, wo ich ihn als Kommunisten zur Rechenschaft ziehen mußte. Er hat einer Hausarbeiterin gedroht, er würde sie schlagen. Außerdem, daß die Hausarbeiterin parteilos ist, geschah das in Anwesenheit noch mehrerer Parteiloser. Ich habe ihn gestellt, erst hat er sich verteidigt, dann die Sache zugegeben und sich entschuldigt. Nichtsdestoweniger machten beide Leute auf mich einen sehr unsauberen Eindruck, welchen ersten Eindruck ich deswegen nicht glauben wollte, weil ich persönlich mit ihnen nicht gut stand und dachte, vielleicht übertreibe ich aus persönlichem Haß. Ich habe gehört, daß sie, nachdem sie von der Datsche weggezogen sind, verhaftet wurden. Später habe ich gehört, das stimmt nicht. Ich weiß es also nicht. Da jetzt die Rede davon ist, muß ich sagen, ob sie etwas ausgefressen haben oder nicht, nach meiner Überzeugung, nach der Lehre über die Wachsamkeit, die ich in diesen Tagen bekommen hab, muß ich aussprechen, daß sie nach ihrer ganzen seelischen Struktur eben keine Kommunisten sind, obwohl sie angeblich 15 Jahre organisiert sind, und daß sie eher zu den feindlichen Elementen gehören.

Ich habe noch eine Bekanntschaft gehabt mit einer Österreicherin namens Eva Stricker. Diese Bekanntschaft war alt und oberflächlich. Sie ist verhaftet worden. Nein, es ist keine ältere Frau, sondern die gewesene Frau des Parteigenossen Weißberg[534].

Zuruf: Eine Keramikerin?

Gen. **Hay**:
Ja. Ich weiß aber nichts Näheres. Ich weiß nur, daß sie irgendeine Beschwerde hatte, mit welcher er zu Kolzow ging, und er hat sich nachher mit dem Fall beschäftigt. Ich muß berichten, daß ich die Frau gekannt habe, daß sie uns öfters besucht hat, daß diese alte Bekanntschaft sehr oberflächlich war und auf alten Erinnerungen beruhte. Etwas, was ein bißchen peinlich ist, war, daß ich im Moment ihrer Verhaftung Geld schuldete, was ich ihrer Mutter zurückzahlte. Das mußte ich selbstverständlich tun.

Gen. **Wangenheim**:
Ich kenne sie auch, habe das nur vergessen anzuführen.

Gen. **Hay**:
Was die Wachsamkeit weiter anbetrifft, so muß ich von solchen Fällen der Wachsamkeit sprechen, wo ich keine parteifeindlichen Umtriebe, wohl aber schwerwiegende Fehler gesehen habe. Das war erstens in dem Betrieb, wo ich gearbeitet habe, in der Meshrabpom. Die Meshrabpom ist inzwischen aufgelöst. Ich kann meine Beobachtungen nicht anders charakterisieren, als daß ich sage, daß diese Genossen, und zwar teilweise sehr alte Mitglieder der WKP (B), wenn auch nicht subjektiv, aber jedenfalls objektiv eine dermaßen der Sabotage nahekommende Arbeit betrieben haben, daß ich das in einem solchen Zusammenhang unbedingt erwähnen muß. Ein zweiter solcher Fall ist der vom Genossen Wangenheim erwähnte Fall des Genossen Piscator. Ich bin unbedingt der Meinung, daß der Genosse Piscator schuld daran ist, und zwar beinahe allein schuld. Er ist die einzige Person, die persönlich verantwortlich gemacht werden kann, alle übrigen Sachen sind Umstände, aus denen der Wolgafilm nicht entstanden ist. Ich glaube, daß ich über den Fall Wolgafilm nicht weiter erzählen muß. Ich glaube, er ist bekannt. Höchstens besteht die Gefahr, daß der Fall

534 Alexander Weißberg-Cybulskis Frau war bereits im April 1936 verhaftet worden. Sie wurde beschuldigt, mit ihren Keramikarbeiten Hakenkreuzmotive «eingeschmuggelt» zu haben. Vgl. Alexander Weißberg-Cybulski: *Hexensabbat*, Frankfurt a. M. 1977, S. 11.

nicht ganz richtig bekannt ist. Wenn die Genossen es haben wollen, sollen sie mich fragen.

In beiden Fällen, sowohl im Falle Meshrabpom als im Falle Wolgafilm ist mir die Wachsamkeit unerhört schwer gemacht worden. Ich kann sogar sagen, daß ich die Fehler, meiner Ansicht durchaus an der richtigen Stelle, teilweise im Betrieb selbst bei dem Direktor des Betriebs, teilweise bei Genossen Apletin gemeldet habe. Ich glaube, daß ich, was den Punkt Wachsamkeit anbetrifft, alles gesagt habe. Ich glaube nicht, daß ich etwas vergessen habe. Ich muß selbstkritisch sagen, daß ich, seitdem ich in der Sowjetunion war, das Problem Wachsamkeit ganz einfach bis zu der Zeit, wo dann die Mahnungen kamen, die Verhaftungen, vergessen habe. Ich war der Meinung, es ist nicht mehr nötig hier, wir leben ja im Sowjetstaat.

Daß ein solcher Irrtum vorkommen kann bei einem Parteigenossen, ist selbstverständlich ein Fehler, den ich bekennen muß. Jetzt will ich noch zu Fragen, die in der früheren Diskussion aufgetaucht sind, Stellung nehmen. Da ist zuerst die Frage der Kaderpolitik. Diese Frage wurde hier sehr stark kritisiert. Sie wurde vom Genossen Huppert in einer solchen Weise behandelt, die Kaderpolitik vom Genossen Gábor so angegriffen, daß ich das als Teilnehmer der Arbeitsgemeinschaft und einer, den Gábor auch persönlich kritisiert und beraten hat, unbedingt zurückweisen muß. Es stimmt nicht einmal annähernd, daß Gábor irgendwie eine Gruppe von Trabanten hochziehen wollte. Nichtsdestoweniger habe ich vieles gegen die Kaderpolitik, gegen die Methode in der Arbeitsgemeinschaft auszusetzen. Ich glaube, die werden in einem anderen Zusammenhang sowieso diskutiert. Dann spreche ich jetzt nicht davon.

Die Frage der Produktionskrise. Hierzu muß ich unbedingt Stellung nehmen, da ich von mir aus behaupten kann, daß ich in der Sowjetunion, seit ich hier bin, überhaupt keine Spur von einer Produktionskrise gespürt habe. Es gibt eine, ich weiß nicht, ob in diesem Kreise, aber im Ausland gibt es eine Auffassung, daß Künstler und Schriftsteller, die in die Sowjetunion kommen, in der ersten Zeit die Stimme verlieren, daß man nicht produzieren kann. Ich kannte diese Auffassung, ich bin gewarnt worden, ich hatte also einen Anlaß zu einem solchen Vorurteil, und ich muß sagen, nach einem Jahr Aufenthalt in der Sowjetunion, daß ich nie eine solche Periode hatte, wie gerade jetzt, und ich glaube quantitativ gemessen war die Produktion so gut, wie ich es gewünscht habe, qualitativ besser, weil ich ganz genau feststellen kann an meinem neuen Stück, mit dem ich unlängst fertig geworden bin, was ich anders und schlechter geschrieben hätte, wenn ich nicht in der Sowjetunion gewesen wäre. Nichtsdestoweniger hat Ottwalt recht, er muß wissen, wenn es nicht geht, geht es nicht. Ich habe das Gefühl, daß er, der in Berlin eine gewisse Richtung, einen gewissen Stil hatte aus dem Gesichtspunkt eines gestaltenden Realismus, daß Ottwalt an dem Punkt ist, wo er davon aber ganz und gar abkommt und anderswohin kommt, wie seine großartige Novelle «Der Unmensch» das zeigt. Daß einer in einer solchen Periode nicht sehr produktiv ist, ist selbstverständlich, da darf man nicht ungeduldig sein.

Genossen, ich will noch ein Wort sagen, was Bredel gesagt hat von den materiellen Umständen der Produktion, keine Wohnung und so, die die Produktion hemmen, aber nicht hindern. Da kann ich subjektiv von mir aus gesehen Bredel recht geben. Ich habe eigentlich noch nie solche Umstände gehabt, wie man sich das für die Produktion wünscht. Ich habe die ganze Sache «Gott, Kaiser und Bauer» in der Untergrundbahn geschrieben, fahrend, als ich von meiner Wohnung im Westen zur Parteiarbeit ins Zentrum gefahren bin. Das ist aber furchtbar individuell. Ich wollte nur sagen, daß der Bredel wohl recht hat, aber ideal ist das nicht.

Wenn ich sage, daß ich keine Produktionskrise hatte, dann muß ich eine andere Krise, die viele andere Genossen, die meisten nicht kennen, eingestehen, und das ist die Absatzkrise. Das ist wahr, nirgends kann der Schriftsteller so gut absetzen wie in der Sowjetunion, mit Ausnahme des Dramatikers. Ich bin hier seit einem Jahr in der Sowjetunion, aber es ist noch nicht einmal eine Verhandlung über eine Aufführung eines Stückes zustande gekommen. Es sind einige Stücke gelesen worden, aber in ein solches Stadium, daß man denken konnte, morgen entscheidet es sich, ob es aufgeführt wird oder nicht, kam die Sache nie. Ich muß darüber sprechen, nicht um mich zu beklagen, sondern um etwas Positives daraus zu folgern.

Das ist nämlich, daß man irgendwie organisiert, irgendwoher organisiert versuchen müßte, unsere Arbeiten an die entsprechenden Sowjetstellen, sogar an Parteistellen, die sie auch nicht kennen, zu leiten. Ich habe während der ganzen Zeit nicht erreichen können, daß ich einen irgendwie schwerwiegenden, irgendwie erfolgversprechenden Empfang bei Kerschenzew[535] bekommen konnte. Ich habe ihn

535 **Plathon M. Kerschenzew** (eigentl. Lebedew) (1882–1943), 1928–30 stell-

überhaupt nicht sprechen können. Alle diese Sachen, die ich hier nicht einzeln erwähnen will, scheinen mir sehr wichtig. Nicht deswegen, weil es mir, wie ich dadurch Schwierigkeiten habe. Ich habe im Grunde genommen keine Schwierigkeiten. Ich habe Filme geschrieben, die eine viel weniger wichtige Arbeit waren. Die Filme werden auch nie gemacht. Ich konnte davon leben. Aber deswegen sind wir nicht in die Sowjetunion gekommen, um von nicht gedrehten Filmen zu leben. Aber, Genossen, wenn ich jetzt von mir spreche, ist es nicht ganz pro domo gesprochen. Es ist statistisch gesehen so, daß meine Produktion, ganz bescheiden gerechnet, ein Viertel der deutschen revolutionären Dramatik ausmacht. Wenn wir genau nachrechnen würden, wäre es noch mehr als ein Viertel. Also, der revolutionären Dramatik in deutscher Sprache habe ich gesagt. Nun ist es keine gleichgültige Sache, ob unsere dramatische Produktion um dieses Viertel, meinetwegen Fünftel, reicher oder ärmer wird. Das ist meiner Ansicht nach eine politische Frage, welche ganz gründlich besprochen werden muß. In dieser Beziehung muß ich einem anwesenden Genossen einen kleinen und liebevollen Vorwurf machen. Friedrich Wolf hat Amerika bereist. Er war in Skandinavien und ist in der Sowjetunion. Vor einigen Tagen sprach ich mit dem wichtigsten linken Theatermenschen von Amerika, mit dem Wolf neulich im Hotel «National» zusammensaß. Ich war auch dort. Ich wurde ihm vorgestellt und habe ihn gefragt, einfach wie Amerikaner sind, ob er schon jemals meinen Namen gehört hat. Ich frage Friedrich Wolf, was er in Amerika während seiner Reise, was er in Skandinavien – wo er sich nicht vorstellen mußte –, was er für die Popularisierung der deutschen revolutionären Dramatik getan hat. Zu sehen ist davon nichts.

Gen. **Wolf**:
Der Umschlag des Dr.-Oprecht-Buches[536]. In Berlin habe ich leidenschaftlich dafür gekämpft.

Gen. **Hay**:
Ich glaube behaupten zu können, daß unter den Genossen, jetzt spreche ich nicht nur von mir, sondern von der Popularisierung derjenigen Genossen, ich spreche nicht von jenen Talenten, sondern von jeden-

vertretender Agitpropleiter des ZK der KPdSU, 1936 Vorsitzender der Kommission der Künste beim Rat der Volkskommissare.
536 Sowohl Friedrich Wolfs «Professor Mamlock» wie Julius Hays Theaterstück «Gott, Kaiser und Bauer» erschienen im Züricher Oprecht-Verlag.

falls halbwegs fertigen Schriftstellern, die aus verschiedenen Umständen, infolge verschiedener Umstände, z. B. dadurch, daß sie von der bürgerlichen Bühne einige Jahre boykottiert wurden und dadurch nicht bekannt sind, was er für die Propagierung dieser nicht genug im Ausland bekannten deutschen antifaschistischen Literatur getan hat. Daß er etwas getan, ist selbstverständlich. Er soll selbstkritisch dazu Stellung nehmen, ob das genug war, ob er nicht mehr hätte machen können, besonders er, der eine Machtposition hat.

Ich will noch von einer sehr wichtigen Frage sprechen, und das ist...

Gen. **Barta**:
Schöpferische Fragen können wir im besonderen behandeln.

Gen. **Hay**:
Eine unerhört wichtige Frage ist für mich das hier oft erwähnte Cliquen- und Gruppenwesen, das hier oft geherrscht hat, in einer Zeit, welche ich noch nicht kenne, und man hat gesagt, daß gewisse Überreste dieses Gruppenwesens vielleicht noch hier existieren können. Es fiel sofort der Name eines Genossen, nämlich der Name des Genossen Béla Illés. Ich muß rein informativ fragen. In diesem Raum fiel der Name Béla Illés nie in einem guten, sondern immer in einem schlechten Zusammenhang. Ich (möchte) wissen, was ist los, wie das ist, weil die Frage für mich unerhört aktuell ist. Béla Illés ist einer der wenigen Genossen, der an mich herangetreten ist, auf Grund dessen, daß er ⟨etwas⟩ von mir gelesen hat, mich verschiedentlich empfehlen wollte usw., und ich, da ich diesen Ruf schon in der Luft gespürt habe, ich tue seit etwa drei Monaten nichts anderes, als die Hilfe des Genossen Béla Illés auf zarte Weise zu sabotieren. Vielleicht ist das falsch. Auch ich bin eingeschüchtert. Ich bitte, mich in diesen und andern Fragen aufzuklären.

Gen. **Barta**:
Genosse Béla Illés ist Parteimitglied, Mitglied des Schriftstellerverbandes. Er hat eine führende Rolle in der alten Organisation der MORP und wurde im Zusammenhang einer Reihe von Ereignissen, über welche zu sprechen absolut überflüssig ist, von seinem Posten befreit. Über Einzelheiten zu sprechen ist überflüssig.[537] Daß die Ge-

537 Die folgenden umschreibenden Fragen und ausweichenden Antworten illustrieren die Praxis der «Parteidiskretion».

nossen heute noch kritisch sich über seine Tätigkeit äußern, hat seinen Grund.

Gen. **Hay**:
Ich muß erwähnen, daß ich keinen Genossen ohne ironisches Lächeln gesehen habe, wenn irgendein Zusammenhang zwischen Illés und einem Menschen fiel.

Gen. **Wolf**:
Ich finde auch, daß es eine wichtige Frage ist.

Gen. **Wangenheim**:
Nicht Illés, aber viele solche Fälle.

Gen. **Barta**:
Ihr wißt, welche Ereignisse es waren, wie die Verhältnisse waren, welche literaturpolitischen und welche anderen Fehler vorliegen. Das alles führte dazu, daß Illés von der Arbeit befreit wurde. Wenn es Sie interessiert, sind hier viele Genossen, die Ihnen Bescheid sagen können.

Gen. **Hay**:
Mich interessiert die Gegenwart, ob man sich von der Richtung beraten und sich helfen lassen darf.

Gen. **Barta**:
Er ist Parteimitglied und ein bekannter Schriftsteller.

Gen. **Wangenheim**:
Hier hat es einen politischen Geruch.

Gen. **Hay**:
Diese Frage wurde von mir in klarster Absicht gestellt, da ich hier nicht weggehen kann, ohne über eine solche Frage, die hier angetippt wurde, Bescheid zu wissen. Ich bitte, mich nur über diese Sache extra zu beraten.

Gen. **Fabri**:
Ist Illés Mitglied des Präsidiums?

Gen. **Hay**:
Ich verstehe, daß nichts Positives vorliegt, niemand hat es gesagt, darum frage ich doch. Ich frage darum, weil ich eine Antwort hören will. Sie haben richtig gesagt, daß wir nicht geschickt genug sind,

politische Reden in Frageform zu stellen. Ich bin zufrieden mit der Antwort.

Gen. **Barta**:
Es spielt bei uns keine Rolle, er wurde entfernt.

Gen. **Hay**:
Noch eine Frage. Haben die Genossen schon irgendwie darüber entschieden, wie der organisatorische Anschluß der deutschen Parteigenossen sein wird, da der einzige organisatorische Anschluß bis jetzt die hiesige Parteizelle war, die jetzt nicht mehr existiert?[538] Ich frage das in meinem Namen und im Namen meiner Frau.

Gen. **Barta**:
Es ist statutenmäßig nicht möglich. Wie diese Parteigruppe gegründet wurde, waren 21 Mitglieder der WKP und 6 Mitglieder der Bruderpartei[539] und 25 Genossen von ganz verschiedener Nationalität wurden angegliedert. Dieser Zustand war unnormal. Daß die Arbeit zwischen den ausländischen Genossen, insbesondere zwischen den deutschen Genossen, weitergeführt werden soll, dient zu diesem Zweck schon der Zirkel, den wir organisiert haben, in dem die Geschichte der Partei in deutscher Sprache gehalten wird, außerdem ein russischer Zirkel. Noch eine Erklärung dazu. Ich möchte bemerken, daß unsere heutige Sitzung und die vorigen nicht die Sitzungen der Partei sind und andere dazu nicht geladen werden können – es ist eine Parteigruppe der deutschen Sektion des Sowjet-Schriftstellerverbandes.

Gen. **Ottwalt**:
Man hatte erwähnt den Fall Stricker und dabei gesagt, stimmt das, daß man nach der Verhaftung von Stricker organisatorische Schritte unternommen hat bei dem Genossen Kolzow.

Ich kann hierzu sagen, das hat mir die Genossin Osten mitgeteilt. Die Genossin Osten hat das damals auch dem Ali mitgeteilt. Ich kann den historischen Kern dieses Gerüchts erzählen. Es war folgender:

538 Aus präventiver Furcht vor einer möglichen «Kontaktschuld» hatte man offensichtlich die existierenden Parteistrukturen und Arbeitsgemeinschaften aufgelöst und fand sich nur mehr in der Form des «Zirkels» zusammen. Um dem Vorwurf der «Verbindung» zu entgehen, wurde zudem jeder private Kontakt, vom Zunicken über Händeschütteln bis zum gemeinsamen Wetscher peinlichst vermieden.
539 Mitglieder der KPD.

Der geschiedene Mann dieser Stricker, der Parteigenosse Weißberg, hat mich gebeten, da er sich aus irgendeinem Grund eingebildet hat, ich wäre mit Kolzow befreundet, ich soll ihn an Kolzow empfehlen. Ich habe ihm gesagt, das kann ich nicht, weil ich keine Verbindung zu ihm habe, und zweitens hast du das nicht nötig, weil deine Frau Kolzow kennt. Er sagte mir, er möchte wenigstens mit der Genossin Osten sprechen, wo kann man sie sprechen? Ich habe zufällig gewußt, daß die Osten am selben Tage verreist, ich habe ihm abgeraten, mit ihr zu sprechen, habe aber gesagt, ich sehe die Osten noch, ich kann sie fragen, ob sie dich sprechen will. Ich habe die Osten auch gefragt, sie hat ja gesagt, worauf ich die Telefonnummer diesem Genossen Weißberg gegeben habe. Das waren die organisatorischen Schritte.

Gen. **Bredel**:
Ich möchte Hay fragen, hat er in der Angelegenheit der Zenzi Mühsam irgend etwas mit ihr gehabt oder mit der Angelegenheit etwas zu tun?

Gen. **Hay**:
Ich habe sie zweimal im Leben gesehen, ich kenne sie so gut wie gar nicht. Einmal draußen bei Granach wurde ich ihr vorgestellt. Ich habe kein Wort mit ihr gewechselt, außer Gruß. Einmal hat man mir aus der Schweiz geschrieben. Das war der Meyer, den du dem Namen nach kennst, der Pelzmayer, bei dem Ehrenburg wohnt, daß sie die Adresse der Mühsam suchen. Ich sollte die Adresse schreiben. Ich habe verschiedene Genossen nach der Adresse gefragt – ich wußte nicht, daß mit der Mühsam etwas los ist; ich habe die Antwort bekommen, das wüßte man nicht. Später habe ich erfahren, daß sie verhaftet ist.

Gen. **Ottwalt**:
Stimmt es, daß Meyer sagte, er wolle ihr ein Geschenk machen?

Gen. **Hay**:
Das steht in diesem Brief: Wir wollen am Todestage ihres Mannes ihr eine kleine Aufmerksamkeit schenken, und aus diesem Grunde bitten wir um die Adresse.

Gen. **Barta**:
Damals wußten Sie, daß sie verhaftet ist?

Gen. **Hay**:
Nein, ich habe die Adresse von niemand erfahren. Nachdem zwei, drei Genossen mir die Adresse nicht sagen konnten, habe ich die Angelegenheit ad acta gelegt.

Gen. **Barta**:
Als Sie davon erfahren haben, fanden Sie es nicht für notwendig, aus Gründen der Wachsamkeit über diesen Brief zu sprechen?

Gen. **Hay**:
Ich muß sagen, daß ich das nicht gedacht habe.

Gen. **Barta**:
Sie sagten, daß man daran denken mußte.

Gen. **Hay**:
Ja, man hätte daran denken müssen. Aber es lagen mehrere Wochen zwischen dem Brief und der Erfahrung der Verhaftung der Mühsam. Es war unmittelbar vor ihrer Ausweisung[540], als ich das erfahren habe, und ich habe nicht mehr daran gedacht. Ich hätte daran denken und das sagen müssen.

Gen. **Ottwalt**:
Es besteht die Möglichkeit, daß dieser Brief ein auf den Busch klopfender war.

Gen. **Hay**:
Durchaus, das sehe ich ein, aber ich habe nicht daran gedacht.

Gen. **Wolf**:
Ich möchte auf die Frage antworten, die Genosse Hay gestellt hat. Du hast die Frage gestellt, was ich für dich während meiner Reisen und Vorträge für das revolutionäre Theater in Amerika und Norwegen getan habe. Und daß ich mich dazu selbstkritisch äußern solle. Meine Vorträge in Amerika hatten das Thema «Theater und Kino in der Sowjetunion», dann ein Kulturvortrag «Kulturbarbarei und Kulturaufbau». Obwohl hier die Frage des deutschen Theaters und auch des deutschen revolutionären Theaters in den Vorträgen nicht erörtert

540 Nach der Verhaftung von Zenzi Mühsam im April 1936 wurde nach internationalen Protesten eine vorübergehende «Freilassung» inszeniert. In Moskau schien das Gerücht ihrer Ausweisung umzulaufen.

wurde – auch meine eigenen Stücke und die von Brecht nicht erörtert wurden –, gebe ich zu, in bezug auf Amerika etwas versäumt zu haben. Soweit ich mich entsinne, liegt das Versäumnis vor, daß ich über dich nicht konkret gesprochen habe. Dagegen kann ich die konkreten Fälle in Norwegen angeben. Du kannst sagen, es ist nicht notwendig, weil dein Stück dort gespielt wird. Ich habe erfahren, daß der Verlag «Tidens Norge» eine Reihe Stücke herausgeben wird. Die beiden Krebs[541] sind auf den Gedanken gekommen, das zu verlegen. (Gerda Krebs hat mir im vorigen Herbst geschrieben, daß sie das anregen wird.) Der betreffende Verleger wußte nichts davon. Dann war der Regisseur vom Norske Volkstheater hier. Wir haben auch Repertoire-Fragen besprochen. Ihm habe ich auf das wärmste «Gott, Kaiser und Bauer» neben anderen Stücken empfohlen. Wegen der Frage Sowjetunion kann ich dir sagen, daß hier nicht Dutzende, sondern tatsächlich mehrere Sowjetdramatiker sind, die auch noch auf die Aufführung ihrer Stücke warten, das heißt, daß in der Technik des Theaters relativ überhaupt nur ein bis zwei Premieren in einer Spielzeit sind. Ich habe dir damals geraten, als wir dieses Gespräch hatten, deiner möglichen Aufführung am «Teatr revoluzij», daß grundlegend wichtig die Übersetzerfrage ist. Und wenn du einen Übersetzer von Niveau gefunden hast und der Höhe der qualitativen Übersetzung...

Gen. **Wangenheim**:
Jetzt darüber zu sprechen kostet zuviel Zeit.

Gen. **Wolf**:
Diese Frage von Hay schloß zu einem großen Teil unberechtigte Vorwürfe ein. Ich sage ihm, was ich in der Sowjetunion noch getan habe. Ljubimow Landskoj[542] hat mich Anfang dieses Jahres gefragt, wissen Sie nicht noch revolutionäre Stücke? Ich sagte, spielen Sie «Gott, Kaiser und Bauer». Ich habe ihm ganz ausführlich den Erfolg in Berlin erklärt. Im übrigen brauchen wir Produktionssitzungen, Produktionsberatungen. Dann können wir im näheren Kontakt auch die taktisch-organisatorischen Fragen beraten. Zum Schluß: Amerika ein

541 **Michail E. Krebs**, Leiter der Verlagsabteilung der Komintern, und **Gerda Krebs**.
542 **Jewsej Ljubimow-Lanskoj** (1883–1943), Schauspieler, Direktor des Mossowjettheaters.

Versäumnis, Norwegen und Sowjetunion soviel ich konnte. Erklärst du dich damit zufrieden?

Gen. **Barta**:
Hat noch jemand Fragen an den Genossen Hay?

Gen. **Huppert**:
Ich möchte fragen, wie Genosse Hay seinen Entwurf zum Wolgafilm jetzt einschätzt, welchen ich auf der Produktionssitzung angegriffen hatte, und was mir von Wangenheim vorgeworfen wurde.

Gen. **Hay**:
Ich schätze meinen Entwurf, wie ich ihn früher eingeschätzt habe, als einen improvisierten, in fünf Tagen hingeworfenen Entwurf, der dazu dienen sollte, eine produktive Besprechung einer Brigade zu ermöglichen. Diesen Film habe ich nicht allein schreiben sollen. Ich war von Anfang an in einer Brigade wegen dieser Arbeit. Anfangs waren die Mitglieder dieser Brigade Piscator und Scharrer. Scharrer ist ausgeschieden. Ich schätze den Entwurf heute noch so ein wie eine improvisierte, in fünf Tagen entstandene Skizze, deren Zweck es war, als Grundlage einer schöpferischen Diskussion zu dienen und schon die Grundlage eines Film aufzuzeigen. Ich bin jetzt noch der Meinung, daß meine Skizze, und diese Meinung wird von sachkundiger Seite sehr unterstützt, dieser Aufgabe entsprochen hat.

Gen. **Wangenheim**:
Stimmt es, Genosse Hay, daß damals du und ich und wir alle bei Meshrabpom zum großen Teil der Meinung waren, daß die Methoden, nach denen damals die mehr oder weniger berichtigten Einwürfe gemacht wurden, nicht dazu beitragen konnten, die sehr schwierigen Fragen in einem für die Produktion günstigen Sinne ohne Krachs und Differenzen zu lösen, daß wir der Meinung waren, daß das Eingreifen der «DZZ» in der Form nicht geeignet war?

Gen. **Hay**:
Wir waren und ich bin der Meinung, daß die Redaktion der «DZZ», mit der ich mich verkracht habe, bei mir erscheinen diese paar Artikel, die ich schreibe, sich damals sehr falsch verhalten hat und dazu beigetragen hat, daß der Film nicht zustande gekommen ist.

Gen. **Wolf**:
Hay, du kennst den Basler Freund Vaucher. Kannst du Auskunft ge-

ben darüber, da er hier in der Sowjetunion ist, wie weit man ihm vertrauen kann?

Gen. **Hay**:
Ich kann nicht genug Auskunft geben.

Gen. **Barta**:
Das Wort hat der Genosse Weinert.

Gen. **Weinert**:
Genossen, ich habe so spät um das Wort gebeten, weil ich einer oder vielleicht der Jüngste in der Sowjetunion bin, ich bin 8 bis 9 Monate in Moskau. Ich muß sagen, daß all das, was ich über das sogenannte Cliquenwesen vor der Ankunft des Genossen Bredel gehört habe, diesmal in historischem Zusammenhang, mich tief erschüttert hat. Wir haben in den letzten Tagen in Deutschland vor Hitler und im Saargebiet einiges läuten gehört, aber ich muß sagen, daß einen solchen Misthaufen von Cliquenbildung, von Verleumdung und Klatsch ich mir nicht hätte träumen lassen. In der Zeit, in der ich in der Sowjetunion bin, ist in unserem Kreise eine relativ saubere Luft, ist natürlich lange nicht mehr so schlecht wie die Atmosphäre, die wir aus den Gesprächen erfahren haben. Es ist für jemand, der aus dem Westen, aus anderen Emigrationsländern in die Sowjetunion kommt, so, daß er eigentlich in der Sowjetunion die Wachsamkeit lernen muß, denn diese Wachsamkeit in der Sowjetunion ist eine ganz besondere Wachsamkeit. Ich habe Gelegenheit gehabt, nicht wachsam zu sein, aber zu beobachten, daß eine besondere Wachsamkeit notwendig ist, als ich nach Leningrad (kam), und Gles und Brustawitzki kamen, und Dietrich mit sagte, sei vorsichtig mit diesen Leuten, es treiben sich viele von ihnen herum, daß ich das bemerkte, daß es viele Menschen gibt, auf denen ein dringender Verdacht ruht, daß sie Sowjetfeindliches, Parteifeindliches durchführen können, ohne auf die Finger geklopft werden zu können.

Der Fall Gles hat mich nicht ruhen lassen. Ich muß mir bei Gles den Vorwurf machen, daß meine Wachsamkeit in diesem Punkte nicht genügend war. Es hat nicht genügt, daß ich den Genossen sehr oft gesagt habe, daß der Gles im Lande herumschwirrt und bei Verlagen, bei denen ein mangelndes Urteil besteht, seine schlechten Sachen absetzt. Ich weiß, daß dies dazu geführt hat, daß eine Brigade nach Leningrad geschickt werden sollte, diese ist nie zustande gekommen. Es wäre meine und anderer Genossen Pflicht gewesen, mit Kraft darauf zu drängen, daß diese Brigade zur Liquidierung der Gruppe nach Leningrad fährt. Sie ist nie gefahren. Wir haben immer wieder gesagt, der Gles ist wieder aufgetaucht, das Buch ist abgedruckt, weil die Rezensenten nicht in der Lage waren zu erkennen, daß das Buch Dreck ist. Der Fall, daß eine Gruppe existieren konnte in Leningrad, an deren Spitze ein unbedingter Trottel saß, nämlich Gles, daß Brustawitzki eine solche Rolle spielen konnte und Dietrich, der sehr stark eingriff gegen die Tendenzen in der Gruppe, ist jetzt bereinigt.

Ich habe mich gewundert, daß Willi den Standpunkt aufrechterhält und diesen Artikel[543] von mir für falsch hält. Wir können nicht diskutieren, was an diesem Artikel literarisch richtig oder falsch ist. Aber aus welchem Grunde dieser Artikel überhaupt geschrieben wurde, das hat er nicht erwähnt, das Verdienst dieses Artikels. Wenn jemand zu mir gekommen wäre mit dem Buch des Gles, ich sollte eine Kritik schreiben, hätte ich gesagt: Nein. Aber daß dieser Artikel dazu beitragen sollte, endlich den Treibereien von Gles ein Ende zu machen; (darum) ist dieser Artikel geschrieben worden.

Den Brustawitzki lernte ich in Leningrad auch in den ersten Tagen kennen. Er kam und bat um ein Interview und wollte über meine Arbeit im Saargebiet etwas wissen. Es kam Dietrich dazu und sagte, das hast du richtig gemacht. Du hast die richtige Nase, sei mit diesem Menschen vorsichtig. Wenn Dietrich bereits diesen Mann kannte, so ist es einfach unverständlich, wie dieser Mann noch ein ganzes Jahr sein Unwesen in der Sowjetunion treiben konnte. Das gehört auch zu dem Kapitel: Warum ist keine Brigade nach dort gefahren, die die Sache noch einmal gründlich untersucht hätte? Brand habe ich im ganzen einmal auf einer Arbeitsgemeinschaft gesehen, und einmal ist er mir nachgekommen, als ich ein Glas Bier trank. Ich habe einen sehr schlechten Eindruck von ihm gehabt und ihn nie wieder gesehen.

Zum Fall Schmückle. Ich muß sagen, daß im Falle Schmückle, den ich wenig kenne, da ich mit ihm vielleicht 5–6mal ein paar Worte gesprochen habe, daß ich in diesem Falle, obwohl ich eine gute Nase für Menschen habe, ihm doch nicht ganz mißtraut habe. Ich habe ihn für einen verworrenen Romantiker gehalten, der typisch ist in seiner

543 Erich Weinert: *Ein Schandfleck der deutschen Literatur*, in: DZZ, 24.5.1936. Erich Weinert hatte die Treibjagd auf den literarischen «underdog» Gles fortgesetzt, die Otto Unger mit einer vernichtenden Gles-Rezension 1935 initiiert hatte.

Stuttgarter Heimat. Ich hätte nie in ihm einen Feind gesehen. Ich habe auch von Schmückle sehr wenig Artikel gelesen. Einen um so größeren Vorwurf muß ich den Genossen machen, die heute, wie Huppert und Günther, mit aller Leidenschaft sagen, wir haben es immer gewußt, man hat auf uns nicht gehört. Dann wundert mich, daß nicht mit derselben Leidenschaft der Kampf geführt worden ist.

Gen. **Huppert**:
Er wurde geführt.

Gen. **Weinert**:
Wie wurde er geführt? Ich erinnere mich, daß Lukács in seiner sehr schönen Rede gesagt hat, ihr seht den Menschen nur von außen, seht nicht, ob sie nicht geschickt literarische Schmuggelware bringen. Genosse Günther ist sachverständig, er hat selbst behauptet, er habe die Schmückleschen Ideen immer bekämpft.

Gen. **Huppert**:
Das stimmt.

Gen. **Weinert**:
Du hast erkannt, daß eine uns feindliche Ideologie hier vertreten wird. Vielleicht hast du nicht erkannt, daß sie zu bestimmten Zwekken eingeschmuggelt werden soll. Dazu muß ich folgendes sagen: Vor längerer Zeit ist seine Rüge gelöscht worden. Wir haben alle dafür gestimmt. In einem Gespräch sagte Günther, er wäre der einzige gewesen, der dagegen gesprochen habe. Wir, die wir den Fall nicht kannten, wir hätten von dir verlangen müssen, daß du eine solche Rede hättest halten müssen, daß wir überzeugt wurden, warum wir die Rüge nicht löschen durften.

Gen. **Huppert**:
Darf ich erwähnen, daß ich auf der Sitzung nicht anwesend war.

Gen. **Weinert**:
Jedenfalls, wenn jemand eine Ansicht vertritt, muß er sie so vertreten, daß er verstanden wird.

Gen. **Günther**:
Ich habe einen ausführlichen Brief an das ZK geschrieben, den Brief an den Genossen Barta gegeben und mindestens ein Dutzendmal ersucht, diesen Brief in öffentlicher Versammlung zu behandeln.

Warum das nicht geschehen ist, soll Genosse Barta sagen. Als ich das vorbrachte, habe ich auf diesen Brief hingewiesen, angefangen wieder mit der Kritik zu beginnen, worauf Dmitrewski[544] aufstand und erklärte, jede Kritik an der Redaktion sei parteifeindlich.

Gen. **Huppert**:
Ich meinerseits habe im Frühling 1935 an die Kontrollkommission eine eingehende Analyse[545] gegeben.

Gen. **Günther**:
Meine Eingabe ist Anfang Dezember 1934 gewesen. Ich habe in ihr der Überzeugung Ausdruck gegeben, daß es sich tatsächlich um ideologische Schmuggelware handelt. Um so mehr konnte ich verlangen, daß du uns...

Gen. **Barta**:
Die Literatur wurde veröffentlicht.

Gen. **Wangenheim**:
An dich, Genosse Barta, werden Fragen gestellt. Du sprichst noch darüber?

Gen. **Weinert**:
Etwas muß ich zum Fall Schneider sagen, obwohl es vom Gegenstande abliegt. Ich habe Schneider einmal in der Arbeitsgemeinschaft oder in einer anderen Sitzung gesehen und einmal in einem Lokal, wo er mit mir ein Glas Bier trank. Eines Tages wurde in einer Parteizellensitzung der Vorwurf gemacht, daß wir uns die Genossen nicht genügend ansehen. Dann muß ich fragen, warum wurde uns keine Gelegenheit gegeben, den Genossen näher anzusehen. Dieser Vorwurf trifft aber die anderen Genossen auch alle, und sie werden ebensowenig Gelegenheit gehabt haben, sich den Genossen näher anzusehen.

Gen. **Barta**:
Wie ich erinnere, haben wir sehr ausführlich darüber gesprochen.

544 Wladimir I. Dmitrewski.
545 Diese «eingehende Analyse» Hupperts führte zur «Reinigung» der Redaktion der *Internationalen Literatur*. Huppert bezieht ab März 1936 als Nachfolger Schmückles, neben seinem *DZZ*-Gehalt, das Gehalt eines Redakteurs der *Internationalen Literatur*.

Gen. **Weinert**:
Es wurde der Vorwurf gemacht, warum man sich nicht mehr um Schneider kümmert. Ja, Genossen, es wäre gut, wenn in Zukunft bei unseren Kommissionssitzungen es so gehandhabt wird – ich habe schon einmal in der Sitzung darauf hingewiesen –, daß ein gewisser Zwang für die Genossen eingeführt wird, zu erscheinen. Ich habe Genossen nicht gesehen, die unzählige Sitzungen überhaupt nicht besucht haben und gefragt, was wird mit diesen Genossen gemacht? Entschuldigen sie sich, wird eine Präsenzliste geführt, wird gegen die Genossen vorgegangen, bekommen sie einen Verweis, wenn sie nicht erscheinen? So kam es, daß ein Genosse wie Schneider nie in Kontakt mit uns kam, daß wir nicht nur wußten, wer die Genossen sind, sondern auch, was sie tun. Was er beruflich getan hat, welche Bücher er geschrieben hat, ist uns nie bekannt geworden. Ich wünsche, daß in Zukunft etwas Ähnliches eingeführt würde, daß in einer bestimmten Periode jeder Genosse Bericht geben müßte, wo bist du beschäftigt, was ist mit deiner Massenarbeit?

Gen. **Barta**:
Das haben wir systematisch getan. Schneider hat auch Bericht erstattet.

Gen. **Weinert**:
Solange ich hier war, habe ich von solchen Berichten nichts gehört. Parteiberichte sind vielleicht vier oder fünf gewesen. Wenn ein Parteibericht, der alles in sich faßt, uns einen Überblick über die Genossen geben soll, dann müssen die Parteiberichte in einer häufigeren Form durchgeführt werden, als es bisher geschehen ist. Dann kann nicht der Vorwurf gemacht werden, es treiben sich Genossen herum, auf die wir nicht geachtet haben. Der Genosse Barta sagte in seiner Einführungsrede, wir hätten einen Fehler gemacht, daß wir uns damals zu einer Art Freundschaftsdienst für Leschnitzer haben verleiten lassen. Ich möchte mit aller Entschiedenheit «Freundschaftsdienst» zurückweisen. Ich erkläre noch einmal, obwohl die Genossin Annenkowa noch immer harthörig ist, es war überhaupt kein Fall Leschnitzer, für mich ist es der Fall Rudolf Kern[546]. Wir haben nicht das Buch, nicht Leschnitzer verteidigt, wir haben nicht die «DZZ» angegriffen, son-

546 In einer für WalterUlbricht 1938 angefertigten Liste der Mitarbeiter der *DZZ* fehlt **Rudolf Kern** bereits. Bei den nach permanenten «Säuberungen» verbliebe-

dern einen Einwand gemacht, daß es unzulässig ist, einen Genossen zu verdächtigen, er sei ein eingeschmuggelter Agent des Klassenfeindes. Was mich gestern erschüttert hat, ist der Fall Dornberger. Daß die Genossin Dornberger so unwachsam sein konnte, beweist, daß die meisten Genossen sich scheinbar mit den neuen Methoden, die trotzkistische Agenten anwenden, noch nicht vertraut gemacht haben. Früher war es einfacher, als die Opposition in Diskussionen ihr ideologisches Gesicht durchblicken ließen, da wußten wir, mit wem wir es zu tun haben. Jetzt machen sie es anders. Darum ist es unsere Aufgabe, Mittel zu finden, womit wir auch diese Kulisse des Klassenfeindes zerbrechen und durchschauen. Obwohl wir hin und wieder einen Verdacht bekommen, gehen wir diesem Verdacht nicht sofort nach.

Mir fiel dieser Tage eine Fotografie in die Hände, als wir, Barta, Ottwalt und ich, am Bahnhof gewesen sind. Am Bahnhof war Knorrer[547], wir stellten uns auf der Freitreppe des Bahnhofes auf, der Fotograf kam. Jetzt habe ich mir das Bild angesehen. Auf dem Bild steckt der Kopf von Knorrer hinter Ottwalts Kopf. Der Kopf wurde absichtlich dahintergesteckt[548]. In diesem Moment hätte man sich sagen müssen, beobachtet den Mann. Er wurde verhaftet. Dieser Mann übertreibt etwas zu stark, sagte Ottwalt, im Gegensatz bestimmter Leute, sie haben darin eine gewisse Kunst errungen, daß sie zwar für 150prozentig gelten, aber doch nicht wie die Herausschreier der Generallinie. Es handelt sich darum, unsere Augen offenzuhalten, wie weit gehen die Übertreibungen. Ich freue mich, daß in vielen Fällen unsere Nasen[549] gut waren. Im Falle Wendt[550], Knorrer, Gles, Brustawitzki. Nun, Genossen, will ich etwas sagen. Es handelt sich um neue Methoden, um unsere neuen Methoden, den Methoden des Klassenfeindes entgegenzusetzen, um eine psychologische Wachsamkeit. Al-

nen Mitarbeitern wird von der «Kader-Abteilung» vermerkt: «Negatives nicht bekannt».

547 Nicht ermittelt.

548 Allgemein verbreitete Agentenhysterie und das individuelle Verschwörungssyndrom werden hier auch bei Weinert deutlich, der für die «Wachsamkeit» Nase und Augen benutzt und den allgegenwärtigen «Feind» auch daran erkennt.

549 Hupperts «Riecher» und Weinerts «Nasen» weiten sich zur paranoiden «psychologischen Wachsamkeit».

550 **Erich Wendt** (1902–1965), 1919 FSJ, 1922 KPD-Mitglied, Redakteur, 1931 in die Sowjetunion, stellvertretender Leiter der VEGAAR; vom 14.8.1936 bis 14.7.1938 in Haft, 1947 Rückkehr nach Berlin, bis 1951 Leiter des Aufbau-Verlages, 1957 bis 1965 stellvertr. Kulturminister der DDR.

lerdings besteht hier eine Schwierigkeit, über die ich schon gesprochen habe mit manchen Genossen. Es ist folgendes: Es kommt jemand in meine Umgebung, dem ich an der Nase ansehe, hier ist etwas nicht in Ordnung. Was ist in einem solchen Falle zu tun? Ich kann nicht zu einer Instanz gehen und sagen, beobachtet diesen Mann, er gefällt mir nicht. Nach kurzer Zeit kann dieser Mann verhaftet sein. Dann könnte es sein, daß man mir sagt, du hast diesem und diesem etwas davon gesagt, warum nicht an uns?

Der Fall Mühsam. Die Zenzi ist mir aus Berlin gut bekannt gewesen, sie hat mir einmal einen Brief geschrieben, als ich in Saarbrücken war. Als sie in die Sowjetunion kam, habe ich sie gesehen im Dserschinski-Klub auf einer MOPR-Veranstaltung. Einmal ist sie zu uns ins Café gekommen, das war nach ihrer Reise in Sibirien. Falls sie eine aktive Helferin ist, habe ich mich in ihr getäuscht. Ich habe gesagt, sie kommt aus dem Wollenberg-Kreis, man muß sich der Frau annehmen, es wird viel Dreck herauszureißen sein, ich wußte, daß sie beschränkt ist, daß sie beeinflußt werden kann. Einmal sagte ich ihr in einem Gespräch, war das nicht eine wunderbare Demonstration im November, worauf sie nur hm, hm machte. Sie hat kein Hehl daraus gemacht. Als sie dann im November von einer großen Reise aus Sibirien kam, war die Frau wie verwandelt, sie war von einer trunkenen Sowjetbegeisterung. Ich habe zu meiner Frau gesagt, sie hat doch etwas gelernt. Kurz darauf wurde sie verhaftet. Das war mir unerklärlich. Das Gesicht der Frau hat mich total getäuscht.

Ich möchte noch etwas zu dem Fall Löwen sagen. Mir fiel ein, der Genosse Hay hat im guten Glauben sich gesagt, die Löwen ist seit längerer Zeit Redakteurin beim Radio, der Haus ist ein Spezialist in der Iswestija, er konnte eigentlich keinen Verdacht gegen die beiden haben. Man kann ihm heute nicht vorwerfen, du hättest vorsichtig sein sollen. Ich glaube, in diesem Falle hätte ich auch eine Datsche mit ihnen geteilt, wenn sie mir nicht so unsympathisch gewesen wären, daß ich den Verkehr dieser Leute meiden muß.

Gen. **Most**:
Mir ist von einer Verhaftung nichts bekannt.

Gen. **Wangenheim**:
Ein Parteiloser kam zu mir und erzählte mir von der Verhaftung.

Gen. **Most**:
Mir ist von einer Verhaftung von Löwen und Haus nichts bekannt.

Gen. **Wangenheim**:
Ich muß doch wissen, wie ich mich in solchen Fällen verhalten soll.

Gen. **Most**:
Ich habe auch von Gerüchten gehört. Aber man konnte von Hay nicht verlangen, daß er vorsichtiger sein sollte. Das Benehmen von Genossen Hay war in keiner Weise falsch.

Gen. **Wangenheim**:
Kann man das, was ein parteiloser Arbeiter sagt, zur Kenntnis nehmen?

Gen. **Weinert**:
Zur Frage unserer Produktion: Es ist von einigen Genossen hier ziemlich ausführlich über ihre Produktion gesprochen worden. Ich werde kurz etwas über meine Produktion sagen, und ich muß ausgehen von Genossen Ottwalt, der meines Erachtens die große Form zu sehr überschätzt gegenüber der kleinen Form. Das war mein Eindruck. Genosse Ottwalt hat dargestellt, daß wir die großen Meisterwerke wollen, die man wirklich der Welt zeigen kann, die eine große propagandistische Bedeutung haben. Aber ich habe beobachtet, daß man die kleine Form mißachtet, weil sie zuwenig in Erscheinung tritt. Ich verstehe unter der kleinen Form z. B. Gedichte, die sehr kurz geschrieben sind. Hier bekommt man den Eindruck, als wären nur die Dinge wichtig, die in die Welt hinausgehen, nur große Bücher. Ich hätte sehr gern einmal einen Weg in die größere Form gefunden, aber das ist mir doch noch nicht gelungen, weil es eben hier in der Sowjetunion zwar keine Produktionskrise gibt, aber eine starke Produktionsbehinderung. Gehen wir den Ursachen dieser Produktionsbehinderung nach. Da ist z. B. die Wohnungsfrage, sie kann zu einer Katastrophe werden. Für die meisten Genossen ist es unmöglich, ihre Arbeiten nach bestimmten politischen Gesichtspunkten zu erledigen, weil sie vielmehr ihre Arbeit nach dem Gesichtspunkt ihres Verdienstes machen. Die Mieten sind so enorm, daß man allein für die Miete schon allerhand Geld aufbringen muß. Z. B. mehrere Genossen von uns haben überhaupt keine Wohnung wie die Genossen Becher, Gábor, Halpern. Ich habe durch Zufall eine Wohnung im «Savoy» erhalten. Ich habe mit der Organisation gesprochen, daß man am 1. Sep-

tember mehrere Genossen von uns unbedingt unterbringen müsse. Das wurde versprochen. Meine Wohnung im «Savoy» erhielt ich nur durch persönliche Rücksprache mit dem Direktor.

Genossen, unter diesen schwierigen Verhältnissen ist ein gutes Arbeiten nicht möglich. Es geht ja nicht allein darum, daß man ein Dach über dem Kopf hat, sondern man verbraucht bei dieser ewigen Umzieherei eine Menge Energie und eine Menge Sachen. Ich glaube, daß man sich einmal in der Komintern ganz kritisch dieser Wohnungsfrage annimmt. Ich habe im letzten ¾ Jahr nicht das arbeiten können, was ich arbeiten wollte. Ich habe, als ich hierherkam, einen Fehler gemacht, und zwar nur in Unkenntnis der Lage, daß ich mich dazu überreden ließ, eine Reihe von Aufträgen anzunehmen, und zwar von drei großen Gedichtbänden, von zwei Anthologien und in Leningrad noch einen Film. Das sind alles Dinge, die hintereinander abgewickelt werden können. Ich mußte sie erledigen und konnte sie deshalb nicht so fertig bringen, wie ich es wollte. Ich wollte die Propaganda und Agitation des gesellschaftlich-kritischen antifaschistischen Gedichts. Dieser Arbeit wollte ich mich widmen. Ich sprach mit ... Er sagte mir, daß es zu ermöglichen sein muß, daß die Lyriker, die Beherrscher der kleinen Form zu allen Ereignissen im Lande sofort Stellung nehmen. Ich erinnere z. B. an die Lohnkämpfe, die doch sehr schnell bekannt werden. Warum können wir hier nicht sofort in Versen, in Gedichten dazu Stellung nehmen und sie dann sofort im Betriebe verteilen lassen?

Ich weiß selbst aus meiner jahrelangen Tätigkeit in Deutschland, was solche Dinge unter Umständen im Betrieb in Deutschland für ungeheuere Wirkungen haben können. Wenn die Genossen wissen, die Schriftsteller stehen unter uns, sie haben Interesse an unserem eigenen Betrieb, an diesem speziellen Kampf, diese Bemühungen sind nicht erfolglos gewesen. Ich muß sagen, zu einem großen Teil durch meine Schuld. Ich habe einmal mit Genossen Florin gesprochen, der mir sagte, es stünden Materialien zur Verfügung. Ich bezweifelte, daß das auf so schnellem Wege möglich ist, denn wir müssen naturgemäß auf so schnellem Wege herankommen, daß eine Wirkung zu verspüren ist. Aber alle paar Tage in die Komintern zu gehen, hätte viel Zeit erfordert. Die Wohnungsfrage und die starke Belastung mit anderen Fragen verursachen, daß ich ein geselliges Leben außerhalb meiner Arbeit überhaupt nicht führe. Ich gebe keine Wetscher und gehe fast überhaupt nie zu einem Wetscher.

Genossen! Ich möchte noch etwas betonen, was von besonderer Wichtigkeit ist. Wir haben in unseren Sitzungen offen davon gesprochen, wir haben niemals etwas Wesentliches erreicht – daß es noch einen Faktor gibt, der unsere Arbeit außerordentlich beschränkt und absorbiert. Das sind die zahllosen Sitzungen[551], die wir haben bzw. hatten. Wir haben vom Januar bis Mai unzählige Besprechungen gehabt, so daß wir mehr in diesen Räumen saßen als am Schreibtisch, Kommissionssitzungen, Parteizelle, Politzirkel, Arbeitsgemeinschaften, IL-Redaktion[552], das sind sieben Sachen. Jetzt kann man nachrechnen, wie in einer nicht weitgespannten Periode Sitzungen auf den Monat kommen. Dazu kam, daß manche Sitzungen sich ungebührlich in die Länge zogen. Ich habe mit Dittmann gesprochen, ich habe ihm von der Wohnungsfrage erzählt, und er sagte, die Frage der Sitzungen muß einmal klargestellt werden. Wenn der Sitzungsleiter mit einer guten klaren Disposition kommt und jeder einzelne Genosse in der Sitzung sich bemüht, klipp und klar zu sprechen, sind die Sitzungen in kurzer Zeit vorüber. Aber so muß jeder und möglichst lange reden. Es gibt viele Genossen, die, wenn fünf Genossen das Richtige gesagt haben, zum sechsten Male nochmals das Richtige in anderer Form und noch länger sagen müssen.

Es wurde die Frage der Verbindung mit den Massen gestellt. Genossen, niemand weiß so gut wie ich, was es bedeutet, mit den Massen in täglichem Kontakt zu stehen. Die meisten Genossen werden mich aus meiner Tätigkeit in Deutschland kennen, wo ich tausendmal in Versammlungen gestanden habe, in jeder kleinsten Gruppe war. Dieser Kontakt war der wirkliche Nährboden meiner Arbeit. Aus diesem Kontakt bin ich gewachsen, und sogar meine künstlerische Arbeit ist durch diesen Kontakt gewachsen. Ich habe das Glück gehabt, daß ich in der Emigration den größten Teil meiner Zeit im Saargebiet, mit den Arbeitermassen schöpferisch leben konnte. Ich muß sagen, es war eine glückliche Zeit. Wenn ich heute, in der Sowjetunion, im Vaterlande der Werktätigen, mich manchmal zurücksehne, dann eben, weil ich das nicht habe, die unmittelbare Verbindung mit den Massen. Es gibt die Möglichkeit, diese Verbindung herzustellen. Ich weiß nicht, in welchem Umfange die Genossen Massenarbeit treiben.

551 Die Klage über Länge und Verlauf von Sitzungen gehörte zum ständigen Ritual von Sitzungen.

552 Redaktion der *Internationalen Literatur*.

Ich habe mich bemüht, ich habe unzählige Male in großen russischen Betrieben im Lande, in Gorki, im Süden, in der Ukraine Vorträge gehalten, Gedichte rezitiert, zum Teil mit Übersetzung, zwar schlecht, die vorgetragen wurden. Ich muß sagen, daß die Herzlichkeit, die phantastisch war, oftmals eine derartige Belebung der Produktion mit sich bringt, daß ich diese nicht missen möchte. Aber sie hat einen Haken. Das ist die russiche Sprache. Ich bemühe mich mit großem Fleiß in der übrigen Zeit, die russische Sprache zu erlernen. Ich habe einen ziemlich großen Fortschritt gemacht, zwar in grammatikalischer, aber nicht in der Hinsicht, daß ich gut höre und spreche. Ich habe gesehen, wenn ich den Genossen gesagt habe, noch spreche ich deutsch, aber in einigen Monaten werde ich so weit sein, daß ich zwar eine schlechte, aber eine russische Rede werde halten können, da sind die Säle aufgestanden. Und ihr wißt und glaubt gar nicht, was für einen ungeheuren Eindruck es auf die russischen Genossen macht, wenn wir russisch sprechen. Ich möchte, was unserer Arbeit, vor allem mir am Herzen liegt, nämlich der aufklärende Kampf gegen das Hitlerregime, zu diesem Thema möchte ich ein paar Worte sagen. Wir hatten im vorigen Jahre eine gute Idee nach Ablauf der drei Jahre Hitlermacht.

Gen. **Ottwalt**:
Die Idee ging von dem Genossen Most aus, und die weitere Initiative lag bei mir. Ich möchte das offiziell mitteilen.

Gen. **Most**:
Noch ist es Zeit, wir stehen vor dem vierten Jahrestag.

Gen. **Weinert**:
Eben, das wollt ich sagen. Auf der Sitzung waren wir uns einig, daß das eine wichtige Sache für das deutschsprechende Ausland sein könnte, ein Buch, in dem statistisch nachgewiesen wurde, was von den Versprechungen erfüllt worden ist. Ich habe den Vorschlag gemacht, in Form einer Rede an das deutsche Volk zu sprechen, in der Form der Abraham-a-Santa-Clara-Predigt. Obwohl von der Partei die Zusicherung kam, in kürzester Zeit würden wir etwas hören, ist nur die Äußerung gemacht worden, die Nummer vier des Vorschlags.

Gen. **Ottwalt**:
Es war so ein Chiffre-Telegramm. Es war von mir.

Gen. **Most**:
Ich entsinne mich, daß an Genossen Weinert speziell ein Brief geschickt worden ist, möglichst schnell der Partei diese Kapuzinerpredigt zu geben.

Gen. **Weinert**:
Ich habe nie so einen Brief bekommen.

Gen. **Wolf**:
Manche Briefe kommen nicht an.

Gen. **Weinert**:
Aber die Sache ist nicht verlorengegangen. Wir haben eine bessere Gelegenheit. Im Januar 1933 plakatierte Hitler: Laßt mir vier Jahre Zeit. Das wäre jetzt eine Gelegenheit. Es ist September, und wir haben noch genug Zeit dazu. Die nächste Sitzung muß dazu beitragen, um festzulegen, was können wir in diesem Falle tun. Es muß eine solche Sache sein, die im Lande verbreitet werden kann. Ich erinnere, das betrifft das Thema Massenverbindung. Wir haben oftmals die schönsten Ansätze gemacht, mit den russischen Genossen in Verbindung zu kommen. Ich erinnere an den Abend in der «Roten Professur»[553]. Wir haben dort gesprochen, wir haben ein dankbares Publikum gehabt, es ging dort herzlich zu, es wurden dort zwei Patenschaften übernommen, aber ich glaube, keiner von uns hat sich wieder um die «Rote Professur» gekümmert.

Gen. **Wangenheim**:
Jawohl, ich.

Gen. **Weinert**:
Da muß mich persönlich eine Schuld treffen, ich habe mich nicht darum gekümmert, ich hätte gerne die Beziehungen aufrechterhalten.

Noch eine wichtige Sache. Das ist die Frage des Radios. Es wird immer wieder verkannt bei maßgebenden Stellen, daß der Rundfunk tatsächlich unser allerwichtigstes Massenpropagandainstrument ist. Ich habe, solange ich hier bin, der Genossin Frumkina, Stibi[554] und

553 Institut der Roten Professur. An diesem Institut absolvierte Hugo Huppert ein dreijähriges Literatur-Studium.
554 **Georg Stibi**, 1935/36 Redakteur der deutschsprachigen Sendungen bei Radio Moskau.

anderen auf der Pelle gelegen und habe ihnen gesagt, ihr versteht nicht, daß man im Rundfunk nicht alberne Vorträge halten kann, daß man nicht in einer Terminologie sprechen kann, ihr macht euer Programm flüchtig, ihr sucht euch nicht Leute, die euch helfen, ein gutes Programm zu machen, ihr macht einen Bürokratenbetrieb. Damals sagte die Frumkina, lieber Erich, mach mir Vorschläge, wir werden zusammenkommen. Alle Vorschläge, die gemacht sind, sind ins Wasser gefallen. Ich habe kleine Einzelheiten gesagt. Willi, du entsinnst dich auf den Fall des Eisenbahners. Es wurde eine Lohnstatistik gegeben, wir wollen gerne wissen, wie das ist, wir haben einen Brief geschrieben, und wir wollen eine Antwort haben. Willi fragte, ist der Brief angekommen? – Jawohl, er ist angekommen. Es ist doch richtig, sie bekommen Briefe, sie werden nicht beantwortet. Die Leute wollten den Brief am Radio beantwortet haben. Ich habe gesagt, ihr haltet Vorträge über die Wolgarepublik. Ihr sagt, wir haben vom Hektar 25 Doppelzentner geerntet, er hat soundsoviel Tageseinheiten verdient, ihr müßt einen Konsultanten haben, der euch sagt, Tageseinheiten kennt kein Mensch in der Welt. Das ist niemals geschehen. Wenn ich heute die Vorträge höre, hat sich nichts geändert.

Gen. **Most**:
Es wird sogar sächsisch gesprochen.

Gen. **Weinert**:
Ich möchte wünschen, daß dieser Sturm auf das Radio, den ich immer wieder unternommen habe, von uns allen unternommen wird, daß wir alle diese Vorträge anhören. Ich höre so, als wäre ich ein einfacher, primitiver Mensch in Deutschland. Er liest vor, von «Daily Worker» wurde interviewt Attlee usw. Das ist eine Art und Weise zu erklären, die Leute wissen doch nicht, wer ist der Mann. Ich glaube, der Leiter der Parlamentsfraktion im Unterhaus. Mit diesen Dingen haben wir Schriftsteller außerordentlich viel zu tun, hier muß eine Änderung vorgenommen werden. Ich habe am Sender häufig gesprochen, aber viel zuwenig, als ich hätte sprechen müssen. Wie geht das am Radio vor sich? Es ist zum Beispiel ein Jubiläum von Karl und Rosa[555]. Nachmittags um 5 Uhr ruft Stibi an, hast du was für diese Sache? Ich

555 Karl Liebknecht und Rosa Luxemburg. Am 19. Januar, dem Tag der Ermordung von Karl Liebknecht und Rosa Luxemburg, fanden Gedenkveranstaltungen statt.

sage ihm ja, ich habe was, aber wenn ich das heute geschrieben hätte, würde ich anders geschrieben haben. Ja, wir haben nichts, gib uns das. Anstatt zu sagen, im nächsten Monat haben wir den Gedenktag, macht uns einen Vorschlag, wir brauchen Busch, Weinert usw.

Wir müssen uns in Deutschland für diesen Sender schämen. Ich kann mir vorstellen, daß solche Vorträge einfach abgedreht werden. Das Abhören von Moskau in Deutschland ist eine Sache, auf der schwere Zuchthausstrafe steht.

Ich möchte zum Schluß noch einiges über die «DZZ» sagen. Ich stehe zur Redaktion, zur Genossin Annenkowa und den anderen Redakteuren in einem guten Verhältnis. Die «DZZ» gefällt mir natürlich aus denselben Gründen nicht, wie sie Ottwalt nicht gefällt und anderen nicht. Sie hat viel zuwenig Kontakt mit den Schriftstellern, obwohl viele mitarbeiten, und ich hoffe, daß in dieser Aussprache der ganze Stunk geklärt wird, daß wirklich einmal die Redaktion mit den Schriftstellern zusammenkommt. Ich habe läuten gehört, daß eine Literaturseite in die «DZZ» eingelegt werden soll. Wir waren sehr dankbar und erfreut, daß diese Seite kommt. Dann muß ich der «DZZ» und Fabri den Vorwurf machen, Fabri hat oftmals an Arbeiten, die wir eingerichtet haben, Änderungen vorgenommen, die manchmal ungefährlich sind, manchmal aber entstellen können. Durch manche Worte in einem Gedicht, das wie Mosaik gebaut ist, die geändert werden, kann das ganze Gedicht entstellt werden. Aber in einem Falle hat er sich eine Intabulation erlaubt, die nicht am Platze ist. In dem Artikel Gles wurde der Satz eingefügt «außerdem zeigt das Drama des vom Faschismus». Dieser Satz hätte mir einen schweren Vorwurf der Partei bringen können. Wir kannst du so etwas schreiben? Wenn eine Änderung vorgenommen werden muß aus politischen Gründen, so muß unbedingt der Autor vorher befragt werden. Ich glaube, das kann man immer tun. Sollte das nicht möglich sein, dann muß das so gemacht werden, daß ein Irrtum nicht entsteht. Manchmal hat ein Wort genügt, um einen ganz anderen Sinn zu geben.

Laßt mich schließen mit der Frage der Atmosphäre. Ich ging aus von dem Zwischenruf. Ich möchte wissen, wie stellt Ottwalt sich die Bereinigung der Atmosphäre vor, wie erklärt sich die Entstehung der Atmosphäre? Wir haben hier viel von Atmosphäre gehört. Aber gehen wir der Sache doch etwas tiefer. Es geht nicht mir allein so, daß, wenn ich in diesen Raum komme, ich das Gefühl nicht loswerden kann, dort sind ein paar, die verschweigen dem dritten oder dem vierten, dem fünften oder sechsten etwas. Genossin Olga sagte mir, wieviel Lüge und Tratsch herrscht doch in diesem Kreise. Es herrscht eine sehr ungesunde Atmosphäre. In einem solchen Kreis kann ich nicht arbeiten. Wenn man jetzt sagt, nun ja, die Menschen sind eben verschieden, es sind Charakteranlagen, so habe ich das schon sehr oft gehört und möchte dagegen protestieren. Wir müssen als Kommunisten diese Atmosphäre bereinigen.

Gen. **Barta**:
Ich habe folgende Fragen: War es richtig, daß du damals in der Redaktion der «DZZ» den Leschnitzer-Artikel verteidigt hast? Ich nehme an, daß du den Artikel nicht richtig verstanden hattest. Für die Zukunft müssen wir eine bessere und kameradschaftliche Atmosphäre schaffen. Ich muß aber sagen, daß du dich auch unrichtig verhalten hast. Du hast damals von hinterlistigen Mordversuchen gesprochen. Ich kann keinesfalls sagen, daß diese Bemerkungen dazu angetan waren, diese Atmosphäre zu bereinigen. Ich glaubte, daß du über den Fall Leschnitzer-Fall sprechen würdest. Wir haben den Leschnitzer-Fall schon einmal gründlich behandelt. Du hättest dich doch dazu äußern sollen. Dein Auftreten war nicht richtig.

Dann noch eine Frage: Du hast mit einem aus der Partei ausgeschlossenen Mann in der letzten Zeit Verbindung gehabt. Warum wurde dieser Mann ausgeschlossen?

Gen. **Weinert**:
Genosse Barta, ich habe den Fall der «DZZ»-Leschnitzer deshalb nicht erwähnt, weil ich eben mein Gewissen nicht belastet fühlte. Das sei ein hinterhältiger Mordversuch, habe ich nicht in der gehässigen Form vorgebracht. Ich sagte das zwar erregt.

Gen. **Most**:
Du warst erregt?

Gen. **Weinert**:
Wir waren alle erregt, weil wir absolut nicht einsehen wollten, daß man so ohne weiteres jemand verdächtigen soll. Meine Beziehung zur «DZZ» hat nicht gelitten, auch nicht zu Heller. Mein Ausspruch hat keine Verstimmung geschaffen.

Du fragtest nach dem Mann, der aus der Partei ausgeschlossen wurde. Mit diesem Mann hatte ich keine Freundschaft. Er heißt Bruno Bienjewski. Er hat vor Jahren im Apparat gearbeitet. Er war befreundet mit dem Genossen Dittbender[556], der bei der deutschen Sektion arbeitet. Dittbender ist ein alter Funktionär der Partei. Er arbeitete im ZK der Roten Hilfe. Ich wohnte im selben Hause wie Dittbender. Bienjewski hielt sich viel bei Dittbender auf. Vor etwa 4 Wochen sagte er mir, daß er aus der Partei ausgeschlossen worden sei.

Ich habe niemals gegen den Mann irgendein Mißtrauen gehabt und fragte, warum. Man hat ihn vorgeladen und hat ihm gesagt, er sei in Polen von bourgeoisen Eltern geboren, das sei in seinem Parteibillet nicht ganz klar. Er habe in Berlin einen Bruder, der Bourgeois sei, das habe er verschwiegen, und man habe ihn deswegen ausgeschlossen. Ich vermute vielmehr, daß er aus purer Passivität ausgeschlossen ist. Er ist ein einfältiger, durchsichtiger, passiver Mensch, der sehr träge ist. Ich erinnere mich, daß im Dezember viele wegen Passivität aus der Partei herausgesetzt worden sind, die nur Ballast der Partei waren. Ich habe mir damals, der Genosse Dittbender war nicht in Moskau, sondern im Süden, gesagt, wie soll ich mich zu dem Mann verhalten? Da der Beschluß herauskam, solche Genossen, die als Ballast ausgeschlossen werden dürfen, nicht in ihrer Ehre gekränkt werden, nicht von der Arbeit ausgeschlossen werden, habe ich ein Verhältnis gehabt wie mit jedem von der Straße und nichts weiter. Genosse Dittbender, als er zurückkam, sagte, man habe ihn herausgesetzt, vielleicht ist er zu faul, oder irgend etwas ist mit seiner Familie nicht richtig. Der Verkehr dieses Bienjewski zu Dittbender hat nicht aufgehört. Ich muß bemerken, daß der Genosse Dittbender ein sehr klassenwachsamer Genosse ist. Da er die ganzen Monate keine Arbeit hat, weil überall, wohin er kommt, man ihm sagt: Das Hotel zahlt die MOPR und nur vorübergehend. Außerdem sei er aus der Partei ausgeschlossen. Dann, sagen die Fabriken, müssen wir den Fall erst klären. So läuft er zu den verschiedenen Stellen und bekommt die Antwort, der Fall muß geklärt werden. Jetzt habe ich ihm gesagt, gehe zu den Instanzen, zur polnischen Sektion oder zur Kontrollkommission, ich bin überzeugt, daß der Mann in seiner blöden Schüchternheit nicht zu seinen Papieren kommt.

556 **Walter Dittbender**, geb. 1891, 1920 KPD-Mitglied, Reichsleitung der «Roten Hilfe», 1934 nach Entlassung aus KZ-Haft in die Sowjetunion; als Mitarbeiter in der Deutschen Vertretung bei der Komintern führte er «Überprüfungen» durch; wurde 1938 verhaftet und zu 18 Jahren Haft verurteilt. Vgl. seinen Lebenslauf in: Reinhard Müller, *Flucht ohne Ausweg. Lebensläufe aus den geheimen «Kaderakten» der «Kommunistischen Internationale»*, in: Exil, 1990, Heft 2, S. 80–90.

Gen. **Ottwalt**:
Ist das jetzt so?

Gen. **Weinert**:
Das läuft seit Monaten, der Mann kommt nicht an und bekommt keinen Schein. Ich kenne ihn nicht so genau wie Genosse Dittbender, der ihn seit Berlin, seit vielen Jahren kennt. Ich habe nicht so die Verbindung wie Dittbender. Früher, als ich im Majak wohnte, kam er jeden Tag.

Gen. **Wolf**:
Kann Gen. Weinert Auskunft geben, ob die Redaktionskommission, ob es überhaupt in der Leitung des Radios eine literarische Instanz, eine literarische Aufsicht gibt, in der wir Schriftsteller auch vertreten sein müssen?

Gen. **Weinert**:
Das Programm wird von der Redaktion zusammengestellt. Es gibt jeden Monat eine Radiositzung.

Gen. **Most**:
Diese Radiofrage muß und wird besonders besprochen werden.

Gen. **Ottwalt**:
Ich möchte mitteilen, daß Erpenbeck, der von uns beauftragt war, diese ganze Frage des Radios in unverantwortlicher Weise behandelt hat.

Gen. **Wangenheim**:
Ich muß sagen, daß ich aus der Darstellung des Falles Bienjewski nicht klar geworden bin. Der Mann ist als Ballast hinausgeworfen. Daraus schließt du die Folgerung, daß man mit so einem Menschen verkehren darf. Du hast durch nichts gesagt, daß du weißt, du hast angenommen, daß er wegen parteifeindlicher Haltung ausgeschlossen ist.

Gen. **Weinert**:
Da er weder mein Feind noch mein Freund ist, einfach weil er mich tangierte, hat der Mann niemals die Gelegenheit, an meine Sachen zu kommen. Ich bin nicht der Mentor dieses Mannes. Wenn ich irgendeinen Umgang mit dem Mann hätte, hätte ich die Verpflichtung, auf den Mann aufzupassen und zu sehen, wer er ist.

Gen. **Barta**:
Wer hat noch Fragen an den Genossen Weinert?

Gen. **Ottwalt**:
Ich hatte noch eine Frage, die mich persönlich betraf, die ich aber nebenbei in meinem Schlußwort erledigen kann.

Gen. **Barta**:
Also keine Fragen mehr? Dann machen wir eine Pause.

Gen. **Fabri**:
Ich werde mich bemühen, das Wichtigste zu sagen, was zu sagen ist. Ich kann trotz allem nicht darüber hinwegkommen und muß auf das zurückkommen, was Genosse Bredel gesagt hat, der gesprochen hat, daß es unsere erste Aufgabe ist, bei unserem ganzen Leben und Wirken uns eingedenk zu sein der großen Aufgaben, die wir zu erfüllen haben im Sowjetaufbau, im Kampfe des Weltproletariats gegen den Faschismus. Wenn wir von diesem Gesichtspunkt aus die Debatte führen, wird es sich darum handeln, daß wir zeigen, wie wir mit unseren Kräften in unseren Sowjetlande dem Freiheitskampf des Proletariats dienen, indem wir auf der Linie der Klassenwachsamkeit das tun, was uns die Lehren des Prozesses der letzten Tage noch schärfer zu sehen gelehrt haben.

Ich möchte zu den konkreten Fällen übergehen, und da möchte ich vor allem sprechen zum Fall Brand. Der Genosse Andor Gábor sprach davon, daß seine ganze Einstellung zu Gustav Brand – wir werden auch über die Frage der Kaderpolitik zu sprechen kommen – getragen war von der Liebe Gábors zur Heranbildung und des Wachstums neuer junger Kader. Gewiß, Genossen, eine wichtige Aufgabe. Aber wenn Genosse Gábor dieses Ziel vor sich gehabt, dann weiß er sehr genau, daß wir in Fragen der Literatur die Literatur nicht von der Politik trennen können, das wäre prinzipienlos, und ich weiß, daß Genosse Gábor nicht prinzipienlos ist. Genossen, worum hat es sich hier im Falle Brand und des Romans von Brand gehandelt. Gábor sagt selbst, er weiß, daß Brand ein Trotzkist war und der Roman ein trotzkistischer war. Wenn wir diesen Roman durchsehen, dann werden wir feststellen, daß in diesem Roman, insbesondere überall dort, wo Kommunisten gezeigt werden sollen, mit Ausnahme eines einzigen, jenes ehemaligen Trotzkisten, der Held des Romans ist, daß alle Kommunisten in einer lächerlichen Figur gezeigt sind. In einem

Bruchstück, den die «Rote Zeitung» veröffentlicht hat, wird ein Direktor des kapitalistischen Betriebes dargestellt als ein guter Kerl, der mit sich reden ließ. Er versuchte, die Arbeiter vor der Erschießung des Weißgardisten zu retten. Da wird von einem Bolschewiken erzählt, der hatte einen Sprachfehler und stotterte. Er konnte nicht auftreten. Der blatternfettige Vorsitzende, was jetzt in der Kontrollkommission ist, grinst vor Verlegenheit über die ganze Fresse und nickt. Wenn wir die ganze Art und Weise, wie Brand sich die Schwierigkeiten zu schildern vorgenommen hat, verfolgen, dann stoßen wir auf folgende Darstellung: Das erste Erlebnis der ausländischen Arbeiter, die in die Sowjetunion kommen, ist, daß einer in eine Zementgrube rutscht, weil wieder kein Licht vorhanden ist usw. Aber die ganze Art, wie Brand das schildert, könnte in jedem Buch, in jeder Zeitung die Hetze in dieser Form gemacht werden. Nun kommt Gábor und sagt, natürlich, ich wußte, er ist ein Trotzkist, auch, daß das Buch ein trotzkistisches ist. Ich habe mich Brand angenommen, weil ich mir dachte, Brand ist ein Mensch, der den Weg sucht zur Partei, wo er auch wirklich so tat. Aber der alte Bebel hat schon gesagt, wir sehen nicht aufs Maul, sondern auf die Fäuste. Wir wollen nicht auf die Fäuste in diesem Falle sehen, sondern auf den Roman. Hier hatten wir einen Beweis dafür, daß er kein ehrlicher Mensch sein konnte, weil an einzelnen Sachen, im Grunde durch den Roman selbst, wir diesen Brand entlarvt haben. Wir knüpfen an an die Art, wie Brand die kommunistischen Arbeiter darstellt: «Rutsch mir den Buckel runter.» – «Halt's Maul, wie oft soll ich dir Trottel noch erklären, was proletarische Revolution heißt.» – Und der Parteilose sagt: «Glaubst du, deine Kommunisten sind aus anderem Holz, von deinem Hans Scheck könnte ich ein Liedchen singen.» Nun Genossen, auf das müssen wir eingehen, weil wir sehen müssen, wer ist Wünsch, wer ist Babuschek. Wünsch ist einer der Führer des deutsch-böhmischen Proletariats im Sudetenland. Man wird, wenn man ins Böhmische gelangt, immer wieder den Namen des Genossen Wünsch hören. – Ich stelle mir vor, daß ein Sozialdemokrat kommt und sagt, habt ihr euren Kommunistenführer gehört – Moskau ist euer Zentrum, was Moskau sagt, ist wahr – Wünsch ist korrupt – usw. Babuschek ist ein Führer der roten Gewerkschaften, der rote Klassenarbeiter, der ist ein Führer, wie der deutsche Thälmann ist. Und Hans Scheck allerdings, der war kurze Zeit ausgeschlossen, man hatte ihm Vorwürfe gemacht wegen Geldgeschichten. Warum hat Brand das in den Roman getan? Weil Babuschek und Hans Scheck die Funktionäre waren, die beim Ausschluß von Brand zu tun hatten. Wir wissen, er war Zuhälter, der Mann hat gelebt von anderen Frauen, er hat die Frau für sich arbeiten lassen, er hat drüben eine ganze Reihe von Sachen gemacht. Und nun kommt der Genosse Gábor mit seinem Artikel und sagt, es hat sich gelohnt, sich um diesen Menschen zu bemühen, er ist begabt gewesen. In dem Artikel selbst – und nun kommen wir zu der Frage, daß der Teil, der den Brand lobt, herausgerissen ist und der andere Teil, wo Gábor kritisiert, nicht erschienen ist. Wollen wir hören, was in dem Artikel steht. Es heißt: «Der Roman Brands ist das Buch eines Schriftstellers von großem Format. Gestalt und Gestaltung gehören zu den besten Produkten unserer Literatur.» Man kann unmöglich über einen Menschen, der menschlich so tief steht wie Brand, zu einem literarisch so hochtrabenden Urteil kommen. Da, Genossen, glaube ich, ist die Kernfrage der Kaderpolitik.

Die «Rote Fahne» von Leningrad schreibt auch über die Kaderpolitik des Genossen Gábor. Ich hatte nicht den Eindruck, daß Genosse Gábor eine Kaderpolitik betreibt, um sich eine Gruppe von jungen Schriftstellern zu sammeln. Aber die Kaderpolitik, die er betrieben hat, war falsch. Genosse Gábor hat es unterlassen, die Leute politisch zu bilden. Genosse Gábor war in eine schwierige Situation geraten. Auch wenn wir einem Feinde gegenüberstehen, müssen wir die Handlungen der Feinde unterscheiden. Die Dinge sind nicht so einfach, sie sind ziemlich kompliziert. In der «DZZ» hatten wir 4 Jahre lang eine faschistische Gruppe, das heißt die Gruppe mit Frischbutter an der Spitze. Wenn wir die «DZZ» der damaligen Zeit anschauen, so sehen wir, daß die Frischbutter nicht so dumm waren und die «DZZ» falsch gemacht hätten. Sie haben sich doch tarnen müssen, aber hier und da haben sie doch versucht, ihre Konterbande einzuschmuggeln. Sie haben versucht, eine richtige politische Linie in der Zeitung zu führen. Wenn sie nur mit den Mitteln der Konterbande gearbeitet hätten, dann wären sie in kürzester Zeit entlarvt worden. Wenn wir jetzt den Genossen Gábor hören, so sagt er, daß Reimann, Illés usw. eine große Hetze gegen ihn betrieben hätten. Aber ich muß sagen, das, was Gábor gemacht hat, war auch falsch.

Es fand eine Sitzung des Sektors der Schriftsteller-Vereinigung statt. Auf der Tagesordnung stand die Frage des Genossen Gábor und der Tätigkeitsbericht der Vereinigung der revolutionären Schriftsteller. Der Bericht wurde gegeben von Illés, und ich werde über die

Ausführungen des Genossen Illés zu sprechen haben. Illés erklärte, wie Genosse... den Genossen... beauftragte, einen Artikel zu schreiben. Gábor hat Illés dann vorgeworfen, daß er eine RAPP-Politik gemacht habe. Wir wissen, daß die RAPP-Politik eine sektiererische Politik war, die Massen der linken Schriftsteller von uns abhielt. Illés macht Gábor Vorwürfe, daß er noch ultralinker gewesen ist. Gábor kommt und sagt, was sollte ich machen? Ich mußte doch Brand verteidigen. Da hätte Gábor sehen müssen: Ich habe in manchen Dingen Fehler gemacht, ich habe ultralinke sektiererische Tendenzen verfochten, Illés hat trotz seiner RAPP-Linie gegen mich recht behalten.

Genossen, eine andere Frage. Ich bin absolut nicht geneigt, den Brustawitzki dem Genossen Gábor irgendwie in die Schuhe schieben zu wollen. Ich glaube nicht, daß Brustawitzki zu den Kadern des Genossen Gábor gehört. Ich habe absolut keine Anzeichen dafür gehabt. Ebenso wie ich erklärt habe, daß Gábor mir gegenüber nie Schellenberg propagiert hat. Aber, Genossen, einen bestimmten Einfluß hat Genosse Gábor auf Brustawitzki in einem ganz konkreten Falle ausgeübt. Ich habe früher zitiert den Artikel in der «DZZ», der erschien, als Brustawitzki dort Redakteur gewesen ist. Genosse Huppert erzählte, wie daraufhin Brustawitzki gefahren ist. Der erste Weg war zur «DZZ». Er kam ganz verzweifelt zu mir und Genossin Annenkowa und fragte, was soll ich tun. Wir haben gesagt, gib eine Erklärung ab. Er hat eine Erklärung abgefaßt, und ich habe (sie), glaube (ich), auch schon unterschrieben gehabt. Dann sagte Brustawitzki, wartet, ich werde sehen, ob ich die Erklärung veröffentlichen soll. Ich werde mit Genossen Gábor sprechen, nachdem auch Gábor der Verfasser des Artikel war. Brustawitzki kam zurück und sagte, nicht veröffentlichen, ich werde erst mit Leningrad telefonieren. Als er dann zurückkam, erklärte er, ich werde die Erklärung nicht veröffentlichen.

Im Zusammenhang mit dem Fall Brand habe ich einige Worte über mich zu sagen. Genossen Huppert hat damals..., und ich bin überzeugt, daß Genossen Gábor das nicht aufrechterhalten wird. In jeder Sitzung, als die Sitzung, als die Frage der Aufnahme von Brand in den Schriftstellerverband stand, daß damals Gábor gesagt hat, du Wurm, du feiges Subjekt, du bist nur mutig, weil die Autorität der «DZZ» hinter dir steht. Und Genosse Ottwalt hat sich einige Formulierungen geleistet, die Gábor wahrscheinlich überhört hat. Wir sprachen davon, daß wir künftig nicht die gehässige Atmosphäre haben wollen, nicht solche Äußerungen: Wenn so ein Mensch wie der Fabri, so ein Rezensent wie der Fabri usw. Ich habe mir gestattet zu fragen, wie meinst du das? Er sagte, das ist eine menschliche Qualifikation. Ich stehe 37 Jahre in der Arbeiterbewegung. Es würde falsch sein, man ist in der Politik kein Dachs, der sich einen Sommer Fett aufhamstert, um davon zu leben. Ich erkläre, Genossen, die österreichischen Arbeiter haben genug Situationen gehabt, um zu sehen, ob ich mutig bin oder nicht. Ich habe Gelegenheit gehabt, meine Haltung zu beweisen, in einer Reihe anderer Fälle, vor Gericht usw., daß ich nicht zu den feigen Leuten gehöre. Ich glaube, Genossen, die Genossen der Komintern und der österreichischen Partei kennen meine Biographie und können darüber urteilen. Aber Äußerungen: ein Mensch, der feig ist, so ein Mensch wie der Fabri oder sogar der Fabri, dazu möchte ich gleich etwas zu Genossen Ottwalt sagen. Bitte, ich mache es keinem zum Vorwurf, wie Genosse Ottwalt, er hatte einen schweren Weg zu uns gehabt. Wir wissen, daß viele, die einmal im anderen Lager gestanden haben, zu uns den Weg finden und mit uns empfinden werden. Ich mache Ottwalt nicht den Vorwurf, daß er im anderen Lager gestanden hat. Ich will solche Vorwürfe, die leichtfertig und unbesehen gegenüber Genossen erhoben werden, die dreißig Jahre in der Arbeiterbewegung stehen und immer in führender Position standen, in solcher Form, in der Form der Unwahrheiten, die er gegen mich verbreitet hat, durch kleine vergiftete Nadelstiche usw., unmöglich machen. Er geht von dem Gedankengang aus, irgend etwas von dem, was ich gesagt habe, wird schon haften bleiben. Jetzt, wo ich wider meinen Willen, ich hätte es nicht getan, wenn ich nicht so persönlich angerempelt worden wäre, habe ich auch einiges über mich zu sagen, das ist ganz klar. Oft kamen Genossen zu mir und frugen mich über den und den. Als ob ich der Mensch wäre, der wüßte, wer dieser und jener ist. Mir sagt man das genausowenig, was das für ein Mensch ist. Aber ich habe mir ein Rezept zugelegt, wie ich Menschen einschätze. Ich sage mir in erster Linie, wer bist du als Mensch, welche Charaktereigenschaften hast du, welche moralischen Defekte, bist du ein aufrichtiger, ehrenhafter Mensch? Ich versuche, mich in den Charakter des Menschen zu versenken. Die zweite Frage ist, wer bist du politisch? Von diesen Grundelementen aus ist es mir gelungen, in einer ganzen Reihe von Fällen früher als alle anderen einen Kampf gegen solche Menschen zu führen und zu erkennen. Das ist nicht immer gelungen. In der letzten Zeit hat es einen Menschen gegeben, den ich erkannt habe. Das war Schmückle. Alle Momente waren bei Schmückle vorhanden. Er ist ein egozentrischer Mensch durch und durch, dreht alles um die eigene Achse. Er hat ein übles politisches Vorleben. Es ist komisch, daß mir nicht aufgedämmert ist, als man Schmückle im Rayon gefragt haben soll, sagen Sie, Schmückle, wann sind Sie im Leben einmal auf der Parteilinie gewesen? Da kam Schmückle und hat mit einer Sache geantwortet, aus der ich Schmückle als Don Quijote gesehen habe und nicht, was dahinter verborgen war. Schmückle hat erklärt, ich stand auf der Linie der Partei damals, als wir von den Faschisten umringt waren und wir zwei bis drei Genossen waren, die den Kampf gegen die Faschisten führten. Zu diesen Leuten, die den Kampf geführt haben, gehörte Schmückle. Ein zweiter Mann, der auch als Feind entlarvt wurde, ist Demolski. Außerdem gehörten Fedin und ich dazu. Der Mann, der am energischsten, am konsequentesten den Kampf geführt hat, war Fedin. Ich habe nicht halb so gekämpft wie Fedin. Ich habe den Namen Demolski genannt. In der Resolution wurde er erwähnt als einer, der den Kampf geführt hat. Im Rayon habe ich festgestellt, daß er nichts getan hat. Schmückle hat eine Reihe persönlicher Dinge mit ins Feld geführt. Becher schrieb damals das Thälmann-Gedicht. Es war nicht bei Frischbutter, sondern es waren Komor und Spiering anwesend. Dieses Gedicht sollte vielleicht auf Treiben von Frischbutter nicht gebracht werden. Ich bin zur Komintern gegangen, der damalige Vertreter war Dietrich, und habe gesagt, Genossen, da stimmt etwas nicht, man will das Gedicht nicht drucken. Becher habe ich auch verständigt, und wir haben das Sekretariat Manuilski angerufen und durchgesetzt, daß das Gedicht gedruckt werden mußte, gegen den Willen dieser Leute. Spiering hat einige Worte gestrichen, weil oben in der Schlagleiste das Wort Führer schon gestanden hat. In der Frage des Gedichtes hat Schmückle energisch die Position mit uns bezogen.

Das zweite Mal, als ich aus der Ukraine zurückkam, wußte ich nicht, daß ...[557] in der Redaktion sitzt. Als ich verlangte, daß die Sache an die Partei weitergeleitet werde, war Schmückle einer derjenigen, der energisch mit den Kampf geführt hat. Und eine Reihe anderer Momente. Nun, Genossen, habe ich ihm gesagt, daß Schmückle

557 Fehlendes Wort.

nicht ganz konsequent gewesen ist, das hätte stutzig gemacht. Eine gewisse Schuld hat die Zelle der MORP, die deutsche Kommission, von der ich nie zu den Sitzungen eingeladen wurde. Ich hatte keine Ahnung von all den Diskussionen, die um Schmückle waren. Schmückle kam in die Redaktion und hat gesagt, was in der MORP ist, ist eine persönliche Hetze gegen mich.

Gen. **Barta**:
Es war auf der Parteigruppe.

Gen. **Fabri**:
Ich habe Protest abgegeben, daß ich zu den Sitzungen nicht eingeladen wurde, vor dem Ausschluß von Schmückle. Eine zweite Frage, in der «DZZ» in der letzten Zeit Schmückle zu drucken, ist auch darauf zurückzuführen: Schmückle kam zu uns und teilte uns mit, daß ihm sein Parteibillet umgetauscht wurde und daß ihm der Verweis gestrichen wurde. Schmückle hat bereits das neue Parteibillet gehabt, die Rüge war gestrichen, als er mit dem Artikel über Spanien kam, der bei uns gedruckt wurde. Die Sache mit dem Lager ist von einer Information gekommen. Wir haben selbstverständlich Schmückle die Frage gestellt anläßlich der letzten Ereignisse. Im Falle Schmückle selbst betone ich, daß ich trotz alledem, trotz der Momente, noch eine größere Wachsamkeit hätte an den Tag legen müssen. Mit Schmückle selbst bin ich in keinem Kontakt gewesen. In den ganzen Jahren war ich zwei- bis dreimal bei ihm, wo ich Artikel geholt habe. In der neuen Wohnung[558] war ich eine halbe bis eine Stunde. Ein persönlicher Verkehr zwischen mir und Schmückle hat nicht bestanden. Eine Sache, wo ich mir nicht klar bin, ist die: Willi sagte, ich hätte ihn als besonders guten Kommunisten dem Reimann empfohlen, in welchem Jahre?

Gen. **Bredel**:
Das war 35.

Gen. **Fabri**:
Ich kann mich nicht erinnern, es ist durchaus möglich. Ich möchte feststellen, Reimann ist sehr viel herumgegeistert in der «DZZ», in der alten Redaktion. In den letzten Jahren hat er sich sehr selten (se-

558 Karl Schmückle wohnte seit 1936 in der Wohnbaugenossenschaft «Weltoktober», wie Lilly Beer in ihren Erinnerungen berichtet.

hen) lassen, ich glaube nicht, daß in den letzten zwei Jahren ein Artikel von ihm erschien.

Zum Fall Reimann: Ich glaube, er ist im Irrenhaus. Ich glaube, er soll einen Nervenzusammenbruch bekommen haben. Ich weiß nicht, wo er ist, ich laß ihm alle Möglichkeiten offen. – Wenn ich empfohlen haben sollte, könnte es 1934 gewesen sein, 1935 schon sehr schwer, denn 35 hatte ich mit ihm keine Verbindung. Mit ihm selbst habe ich folgenden Fall besprochen: Ich kam 1934 mit ihm zusammen, als Reimann den Brandartikel schrieb, zweitens habe ich den Reimann gesprochen, ich war bei ihm in der Komintern, als ich den Auftrag erhielt von der tschechischen Partei, eine Reihe von Genossen zu befragen, die was über Laszlo wissen. Das Material, was ich von den Genossen bekommen habe, ich habe auch die Genossin Dornberger gefragt, habe ich in der tschechischen Sektion abgegeben, und es ist in der tschechischen «Roten Fahne» erschienen. Und drittens wollte ich über Kurt Hausner Auskunft haben. Ich war mit Reimann niemals persönlich beisammen. Ich habe auch niemals persönlich den Reimann besucht. Einmal im «Lux» sprach ich mit ihm über eine Broschüre. Mit Reimann selbst hatte ich keinen Kontakt. Ich möchte noch eine Frage feststellen.

Gen. **Most**:
Wie ist deine Meinung?

Gen. **Gábor**:
In dieser Kritik ist ein einziges Mal das Wort Trotzkismus.

Gen. **Fabri**:
Lange vor dem VII. Weltkongreß war der ganze Kampf konzentriert auf die Sozialdemokratie. Der Artikel ist erschienen am 6. 6. 1934. Ich wollte sagen, trotzdem hätte ein Mensch, wie Reimann, der in der Komintern eine Funktion hat, sehen müssen, daß es ein trotzkistischer Schmuggelband ist. Mir hat Reimann einmal erklärt, daß er den Roman gelesen hätte.

Gen. **Gábor**:
Da das durchlaufende Thema Trotzkismus ist, ist es unmöglich, daß ein Mensch nicht bemerkt, daß das Thema nicht trotzkistisch ist, sondern sagt, sozialdemokratisch.

Gen. **Fabri**:
Ich habe Reimann gefragt, ob er den Roman gelesen hat. – Ich habe den Roman nie zu Gesicht bekommen. Es handelt sich nicht um den ganzen Roman. Diese Stellen, die erschienen sind, die veröffentlicht wurden im «Sturmschritt», in der «Roten Zeitung», sind wahrlich geneigt, als ein konterrevolutionärer Band bezeichnet zu werden. Ich habe niemals Gelegenheit gehabt, das Manuskript zu erhalten. Es handelt sich nicht um das Manuskript, diese Auszüge wurden gedruckt.

Genosse Ottwalt hat hier erklärt, daß Fabri mit Süßkind sehr oft zusammen war. Ich möchte hier erklären, daß ich mit Süßkind auf sehr schlechtem Fuß stand. Ich habe mit Süßkind nicht den geringsten Kontakt gehabt. Wenn Süßkind in der «DZZ» war, wurden zwischen uns sehr wenige Worte gewechselt. Genosse Ottwalt sagt, daß Süßkind sehr viel in der «DZZ» verkehrt habe. Süßkind war zu jener Zeit Mitarbeiter, und es ist selbstverständlich, daß Kominternarbeiter bei uns verkehren können. Es ist nicht meine Aufgabe, hier darüber zu sprechen. Die Genossin Annenkowa als alte Parteigenossin wird auf diese Dinge eingehen, sie wird darauf bestimmt zu antworten wissen. In diesem Zusammenhang wurde hier gesagt, Carola Neher wäre auf der Redaktion gesehen worden. Ja, Genossen, die «DZZ« ist doch eine öffentliche Zeitung, und es kommen täglich noch siebzig andere Leute zu uns. Wir können das gar nicht anders machen. Wir hören alle Leute, die zu uns kommen, an.

Aber Genossen, wir sollen doch Schluß mit dieser Atmosphäre hier machen, wir sollen doch offen zueinander sprechen und nicht einzelne Personen systematisch herabsetzen.

Noch eine andere Frage, und zwar über Maria Osten. Ich kenne sie nicht, sie ist ein junges Parteimitglied. Ich habe gehört, daß sie sich um Carola Neher gekümmert hat. Sie sehen, ich antworte deshalb auf alle Fragen, weil ich dem Genossen Ottwalt Fragen stellte, die er mir ebenfalls beantwortet hat.

Jetzt zu den Fragen, die von Ottwalt vorgebracht wurden: Was ist nun konkret in der Nr. 2 des «Wort» geschehen? Ich habe den Namen von Ottwalt in dieser Nummer nicht gebracht. Aber ich muß hier gleichzeitig betonen, daß z. B. der Name eines meiner besten Freunde, Stefan Hochrainer[559], ein sehr guter Schriftsteller, Friedrich Wolf,

559 Unter diesem Pseudonym war 1936 im Augustheft der Zeitschrift *Das Wort* ein Beitrag erschienen.

Weiskopf usw. ebenfalls nicht genannt wurden. Es handelte sich um keine Rezension, sondern um eine Ankündigung einer Zeitung. Wie kam aber nun dieser Artikel zustande? Um 1 Uhr nachts kam der Genosse Willi zu mir und übergab mir die Nummer des «Wort». Es fehlten ihm nämlich noch 50 Zeilen in der Zeitung, die Zeitung hatte noch eine weiße Stelle, und er sagte zu mir, rette uns, mache noch etwas. Ich sah nun in der Hast «Das Wort» durch und schrieb schnell diese Ankündigung. In dieser Hast wurden nun eine Reihe von Namen vergessen. Genosse Ottwalt hat mich der privatkapitalistischen ⟨Praktiken⟩[560] beschuldigt.

Gen. **Ottwalt**:
Das würde zurückgenommen.

Gen. **Fabri**:
Ich habe hier die Nummer 6 der «Internationalen Literatur», die von Ottwalt redigiert wird. Hier wurde über die VEEGAR berichtet. Die nächste Nummer wurde von mir gemacht, aber das wurde ebenfalls mit keinem Wort erwähnt. Ich glaube, Genosse Ottwalt, das ist nicht die Frage. Aus diesen Dingen haben wir keine Affäre zu machen, ob wir genannt sind oder nicht.

Ottwalt stellte an mich die Frage, was gegen ihn politisch vorläge.

Nach bestem Wissen und Gewissen, mit meinem proletarischen Ehrenwort möchte ich hier erklären, daß ich von dem Genossen Ottwalt noch nie einen Artikel zurückgewiesen habe. Daher ist diese Frage an eine sehr unrichtige Adresse gekommen. Ich habe wohl gehört, daß Genosse Ottwalt sehr unzuverlässig ist. Aber Ottwalt ist ein guter Journalist. Ich weiß, daß er gut und schnell schreiben kann. Es werden wahrscheinlich weniger Artikel sein, wenn man mit mathematischer Genauigkeit zählt. Es stimmt nicht bei 158 Artikeln, es stimmt auch nicht mit 1 Artikel. Ich werde einen anderen Fall bringen, um Genossen Ottwalt zu charakterisieren, was er gemacht hat. Er schimpft über diese und jene Bücher, die er nicht rezensiert. Ich sage ihm, du hast dich übernommen, über Ehrenburgs «Zweiten Tag» zu schreiben. Er sagt, ich habe nichts übernommen. Ich erkläre ihm, ich bin dabeigewesen, wie Genossin Annenkowa dir das Buch gegeben hat. So, wie er hier unzuverlässig ist, hat er es schon in einer ganzen Reihe von Fällen getan, und es hat Differenzen mit Ottwalt gegeben.

560 Fehlendes Wort.

Gen. **Ottwalt**:
An welchem Tag ist das gewesen?

Gen. **Fabri**:
Ich weiß nicht den Tag, ich müßte lügen.

Gen. **Ottwalt**:
Arbeitete ich noch regelmäßig in der «DZZ»?

Gen. **Fabri**:
Das kann sein. Ich spreche momentan davon, daß Ottwalt nicht in einem Falle, sondern auch in einer Reihe anderer Fälle uns wirklich im Stich gelassen hat.

Genosse Bredel hat eine Frage aufgeworfen, die äußerst wichtig ist wegen der Mitarbeit der Schriftsteller an der «DZZ». Wir haben von den einzelnen Genossen gehört, daß ihre Mitarbeit besteht, mit Ausnahme von zwei Genossen, das ist einmal Genosse Gábor. Wir wollen nicht mehr darüber sprechen, daß er gesagt hat, der Genosse Harbinsohn(?) vom ZK soll das allein schreiben. Wenn er heute diese Äußerung zurückgenommen hat, die sollen ihre Satiren allein schreiben, ist die letzte Differenz erledigt. Und ich glaube, die Differenz mit Genosse Ottwalt wird auch hier erklärt. So ist die Frage, wenn die beiden Fälle ausgeschaltet sind, wieder normal durch die ständige Mitarbeit einer Reihe Genossen. Da möchte ich auf eine Reihe Vorwürfe kommen, indem ich den Arbeitsgang der «DZZ» schildere. Ich habe einen sehr breiten Rücken, und es ist schon so, wenn irgendwo ein Ziegel vom Dach fällt, bin ich schuld. Die Fragen der Kultur auf dem Land werden von der Abteilung Land und Dorf behandelt. Die Fragen der Kultur in der Stadt durch die Innenabteilung, die Genosse Fodor hat.

Gen. **Ottwalt**:
Und die Aufhebung von Stadt und Land?

Gen. **Fabri**:
Wenn die Sache durchgeführt ist, kommen die Sachen in die Kulturabteilung, die Genosse Huppert und ich leiten. Die Thälmann-Sachen z. B., die Genosse Bredel bemängelt hat, sind nicht durch mich gelaufen, sondern kamen durch die Auslandsabteilung und wurden als außenpolitische und nicht allein literarische Dinge in der Zeitung behandelt. Genosse Bredel macht es sich leicht.

Gen. **Bredel**:
Das war eine reine Erzählung.

Gen. **Fabri**:
Ich kenne die Sache, sie lief durch die Auslandsabteilung, ebenso wie die Munk-Geschichte durch die Landabteilung lief, worauf wir die beiden zweifelhaften Stellen diskutierten. Er gehört zu den besten Talenten, der in Gefahr ist, verdorben zu werden. Das ist ein Fall, den wir Genossen Gábor ans Herz legen müssen. Das ist einer der Kader, die wir zu pflegen hätten.

Nun, Genossen, ganz kurze Bemerkungen zur Brigade, die in Charkow war. Die Brigade in Charkow hat verdienstvolle Arbeit geleistet. Sie hat den ersten Stoß geführt, um die ganze konterrevolutionäre Bande aufzudecken, die sich um den «Sturmschritt» gruppiert hatten. Sie hat eine Reihe anderer Dinge aufgedeckt, wo keine Ordnung war. Ich weiß, daß die Sache noch weiter verwertet wurde. Genosse Barta hat über die Arbeit der Brigade in Engels berichtet, und es war sicher für die wolgadeutschen Schriftsteller wichtig, aus den Erfahrungen der Ukraine zu lernen. Ich möchte einiges selbstkritisch zur Brigade sagen. Sie hat im allgemeinen durchaus richtig gearbeitet, hat aber einen Fehler gemacht, indem sie Peuser Baski(?) in den Vordergrund geschoben hat. Aber die Brigade hat den Fehler dadurch wettgemacht, daß sie kurze Zeit nachher den Mann entlarvte. Diesen Fehler hätte Genosse Barta nebenbei erwähnen sollen. Ich muß das wegen der Eile der Zeit im Telegrammstil sagen.

Zum Falle Gles: Einzelne Genossen haben gemeint, Gles sei begabt. Ich bin der Meinung, das ist ein sehr dehnbarer Begriff. Wenn wir die Begründung des Schriftstellerverbandes in Leningrad lesen, wird Gles als Schundliterat bezeichnet. Wir können die Bezeichnung nicht aufrechterhalten, daß Gles ein begabter Mensch ist, wenn er von den zuständigen literarischen Organisationen, vom Schriftsteller-verband in Leningrad als Schundliterat ausgeschlossen worden ist.

Ich will in dieser Frage auf eins zurückkommen. Wir haben eine ziemliche Debatte mit dem Genossen Ottwalt über den Fall Wolf Weiss geführt. Ich will nur zeigen, und wieder nicht um auf Ottwalt loszuschlagen und Ottwalt zu erziehen, daß wir uns ändern, sondern einander anders behandeln. Ottwalt kam und schnellte den gewohnten Pfeil gegen mich ab. Ich war nicht im Zimmer von Weiss. Ich war wirklich im Zimmer, wie kannst du sagen, es wäre nur ein Bett darin?

Gen. **Ottwalt**:
Was habe ich gesagt? Unmittelbar gegenüber wohnte ein Genosse, und ich sah, daß Weiss ins Zimmer ging. So steht es im Protokoll.

Gen. **Fabri**:
Dann habe ich diese glückliche Ergänzung überhört. Genossen, eine andere Frage, die der Frage der Arbeit in der «DZZ». Willi Bredel hat uns die Streichung in einem Artikel zum 1. Mai vorgeworfen. Er weiß, wie die Streichung zustande gekommen ist.

Gen. **Bredel**:
Du bist nach wie vor verantwortlich, selbst wenn ein Umbruchredakteur das gestrichen hat. Du bist verantwortlich als Feuilleton-Redakteur der «DZZ».

Gen. **Fabri**:
Ich weiß nicht, wie es bei euch gewesen ist. Bei uns in Wien war es so gewesen, daß jeder noch alles sehen konnte, bis sie herauskam. Heute war zufälligerweise der Genosse Most in der Redaktion und hörte eine Debatte mit Glawlit[561]. Die Zeitung kommt um 3, 4, 5, 6, in der Frühe zum endgültigen Umbruch, die Streichungen sieht der Redakteur erst in der Früh. Es sind unangenehme Geschichten, solche Sachen. Unsere Umbruchredakteure müssen wir erziehen, daß sie nicht am literarischen Aufbau streichen.

Gen. **Huppert**:
Der Autor muß selbst die Nacht verbringen in der Druckerei.

Gen. **Fabri**:
Das ist eine furchtbar schwierige Geschichte. Huppert gilt als der Schrecken der Druckerei. Ich gehe um 9 oder 10 Uhr weg, ich komme um 3 Uhr in der Früh nach Hause. Wenn ich jetzt noch hinter diesem Umbruchredakteur stehen und warten soll, daß er ein Stück rausstreicht, dann weiß ich nicht, wann ich schlafen soll. Eine Sache, die Erich gesagt hat, ist ebenso richtig. Ich habe mich bemüht, wenn irgendwelche Änderungen sind, anzurufen, wir wollen ändern, ich schlage diese oder jene Änderung vor. Es war vor einem Jahr, wo irgend etwas geändert wurde, im letzten Jahr bestimmt nicht. Ein

561 Zensurbehörde.

Fehler, der mich betrifft, ist, daß ich diese Rezension der Genossin Keith[562] nicht noch gelesen habe, ehe sie endgültig in Druck ging, und diesen letzten Satz nicht gestrichen habe. Es war ein politisch falscher Satz, der in der «DZZ» nicht hätte stehen dürfen.

Wenn Bredel gesprochen hat, daß wir die Schriftsteller enger und näher heranziehen müssen an die «DZZ», so will ich sagen zur Literaturseite, wir müssen die Literaturseite so aufbauen, daß vor allem den wichtigsten operativen Zwecken und Zielen des Literaturunterrichts in der Schule?, das klassische Erbe in den Mittelpunkt der Seite zu stellen. Aus der Mitte von euch werden wir eine Reihe Genossen bitten, die ständig mit der «DZZ» diese Seite herausgeben. Das wird ein Schritt vorwärts sein und damit in der «DZZ»...[563]

Gestatten Sie mir, jetzt einige Worte an Sie zu richten, wieweit Sie mir persönlich durch Ihre Mitarbeit helfen können. – Ich will Hilfe für mich selbst haben. Ist es nicht schlecht, wenn Ottwalt die literarische Qualität angezweifelt hat, oder meint er die literarische Quantität der Produktion? Da muß ich sagen, daß ich absolut weiß, daß ich sehr schwer gefehlt habe, daß ich sehr wenig gemacht habe, ich bin aufgegangen in der Kleinarbeit der Zeitung. Wenn die Genossen unsere «DZZ» unterstützen, müssen die Genossen die Unterstützung so weiterführen, daß ich auch eine Anleitung finden kann, daß ich die Möglichkeit habe, euch zu zeigen, daß ich innerhalb der nächsten Monate imstande bin, das zu schaffen, was ihr von mir verlangt.

Ich habe eine kurze Erklärung abzugeben. Es ist gestern davon gesprochen worden, daß bei der Genossin Dornberger Wetscher stattgefunden haben. Ich muß sagen, daß ich einmal dort gewesen bin. Es waren dort die Genossen Stucke, die Genossin Anders, eine Genossin Salomon, sie wollte in der «DZZ» arbeiten, sie war früher in der KUNMS mit ihrem Mann, und noch zwei Leute. Als ich da war, ist nur getanzt worden. Ich kann nicht tanzen, es waren zwei langweilige Stunden für mich.

Gen. **Wangenheim**:
Im Mittelpunkt dessen, was wir besprochen haben, steht die Frage der

562 **Lilly M. Kait**, Korrespondentin der *Iswestija* beim Reichstagsbrandprozeß, verhaftet am 22.9.1933 in Leipzig. 1934 ausgewiesen.
563 Unvollständiger Satz.

Wachsamkeit. Ich weiß nicht, ob es daran liegt, daß ich mich nicht präzise genug ausgedrückt habe. Fabri hat nicht berührt die Frage, ob die «DZZ» selbst zu kritisieren ist in der Frage der Wachsamkeit. Ich habe keineswegs schwere Vorwürfe gegen die «DZZ» noch gegen die Genossin Annenkowa erheben wollen, das lag nicht in meiner Absicht. Aber ich habe sagen wollen, daß die Genossin Annenkowa, daß die «DZZ», die uns Schriftstellern Fehler in der Wachsamkeit vorwirft, daß auch dort zweifellos Fehler gemacht worden sind. Ich habe konkret gesagt, in der ganzen Möglichkeit, die eben doch vorhanden war, daß in diesem Kreis Piscator, Neher, Busch doch Wachsamkeit zu üben ist. Ich habe noch einen Fehler konkret gesagt, das betrifft Fabri ebenfalls, das ist der Fall Ali. Er hat bis einen Tag vor dem Kirow-Mord fast täglich in der Zeitung gearbeitet. Haben Sie sich darum gekümmert, wer Ali ist, hielten Sie ihn für einen ständigen Mitarbeiter, über den man sprechen muß, der verhaftet ist und sehr schwer belastet ist? Ich habe da nichts Selbstkritisches gehört. Ich frage, ob der Genosse Fabri dazu etwas zu sagen hat.

Gen. **Ottwalt**:
Ich wollte den Genossen Fabri fragen: Ist der Genosse Fabri seinerzeit dafür verantwortlich gewesen, daß der Artikel von Süßkind – Parteigenosse Schmädicke – in dieser veröffentlicht ist, oder wer war dafür verantwortlich?

Die 2. Frage: Er sagte, er habe keine Ahnung gehabt um die Diskussion von Schmückle. Ich frage, ob der Genosse Fabri nicht gehört hat, sich hier bei dem Genossen Hans[564] zu bekümmern.

3. Frage: Genosse Fabri hat gesagt, wir wollen endlich offen über alle Fragen sprechen. Ich frage ihn, ob wir nicht zu wiederholten Malen lange und sehr herzliche Aussprachen hatten.

4. Frage: Ob mein Name in dem «Wort» gedruckt wurde und ob politisch etwas gegen mich vorlag.

5. Frage: Fabri sprach von meiner Unzuverlässigkeit. Ich möchte feststellen, daß ich sehr intensiv an der «DZZ» mitgearbeitet habe. Es war kein Grund vorhanden, mich von der Mitarbeit der «DZZ» auszuschließen. Wie qualifiziert Genosse Fabri meine Arbeit, die ich in der «DZZ» geleistet habe?

Der Genosse Fabri hat immer davon gesprochen, daß die Ver-

564 Hans, d. i.: Johannes R. Becher.

öffentlichung dieser Teile ein schwerer Versuch eines konterrevolutionären Nachgebens darstellt. Ging die Veröffentlichung im «Sturmschritt» auf die Veröffentlichung von Gábor zurück, oder wie verhält es sich damit?

Gen. **Wangenheim**:
In der «DZZ» war bekannt, daß wir alle Schuld an der ungenügenden Wachsamkeit hatten. Welche Gründe haben die «DZZ» veranlaßt, in diesem unerhört ernsten Moment den Genossen Gábor als einzigen zu nennen?

Gen. **Weinert**:
Als gestern Genosse Fabri und Genosse Ottwalt gegeneinanderstießen und Genosse Ottwalt sich gegen die Anwürfe von Fabri wandte, gebrauchte der Genosse Fabri den Ausspruch «Kein Kind, kein Engel ist so rein». Nach der jetzigen Erklärung des Genossen Fabri habe ich den Eindruck, daß er diesen Vorwurf nicht mehr erhebt.

Gen. **Kast**:
Wer das Feuilleton verfolgt, wird feststellen müssen, daß nach dem Gesichtspunkt des aktuellen Feuilletons vorgegangen wird. Meistenteils gelingt es dem Schriftsteller nicht, zu aktuellen Fragen belletristisch zu antworten. Das ist eine verkehrte Feuilleton-Politik, die zu 90% das aktuelle Feuilleton gibt. Wir dürfen dem Leser nicht nur immer politisch kommen, man muß mehr Unterhaltungsfeuilleton bringen, man kann auch mal eine Liebesgeschichte veröffentlichen, etwas Leichtes, etwas Spritziges, sonst ist nichts Fesselndes an der Zeitung. Wenn Fabri dafür verantwortlich ist, dann kann er den jetzigen Zustand abstellen.

Gen. **Bredel**:
Ging Genosse Fabri zu dem Wetscher bei der Genossin Dornberger nur deshalb, um mit der Genossin Salomon zwecks ihrer Arbeit bei der «DZZ» zu verhandeln?

Gen. **Weinert**:
Kann man in Zukunft nicht besser einrichten, daß man, wenn man einen Artikel schreiben soll, das schon ein paar Tage vorher weiß? Oft kommt es vor, daß man einen Artikel sehr schnell schreiben muß, und dann leidet die Qualität.

Gen. **Gábor**:
Ist dem Genossen Fabri bekannt, ob das Bruchstück des Brandschen Romans, das im Jahre 1934 im «Sturmschritt» veröffentlicht wurde und auf dessen Grundlage die Kritik in der «DZZ» geschrieben worden ist, früher erschien, vielleicht 1932/33, schon in der «Internationalen Literatur»[565] unter der Redaktion von Béla Illés gedruckt erschienen ist? Wenn Ihnen das bekannt ist, ob er damals schon dieses Bruchstück gelesen hat und er die Schädlichkeit gesehen habe?

2. Frage: Ist dem Genossen Fabri bekannt, daß vor dem Jahre 1933, vielleicht 1932/33 irgendeine Delegationsreise stattgefunden hat, an der Brand teilnahm mit anderen Schriftstellern, und wer diese Schriftsteller waren?

Gen. **Most**:
Genosse Fabri hat sich mit Recht gegen einige unqualifizierte Ausdrücke gewandt und hat das mit einer solchen Bemerkung abgetan: So wird hier gearbeitet. Ich bitte ihn, ausdrücklich zu betonen, daß er keine Verallgemeinerung damit gemeint hat.

Gen. **Gábor**:
Ich frage den Genossen Fabri, ob ihm bekannt ist, daß in der «DZZ» vom 23. April eine Kritik erschienen ist, in der ein Ausspruch des Genossen Stalin Trotzki zugeschrieben wird. Wenn ja, wer hat Stalin Trotzki zugeschrieben?

Gen. **Most**:
Genosse Gábor, aus was für einem Dokument zitierst du das?

Gen. **Fabri**:
Vor allen Dingen möchte ich gegenüber dem Genossen Most feststellen, daß ich selbstverständlich, wenn ich gesprochen habe, nicht verallgemeinern wollte, wenn ich sagte, so wird hier gearbeitet. Ich sprach von den unqualifizierten Aussprüchen des Genossen Ottwalt und wollte mich an Ottwalt richten und nicht allgemein.

Ich bin erst im letzten Viertel 1932 in die Sowjetunion gekommen. Dinge, die 1931 sich ereignet haben, sind mir größtenteils unbekannt. Ich habe nie gehört, daß Brand an einer Delegation teilgenommen hat.

565 In der deutschen Ausgabe der *Internationalen Literatur* veröffentlichte Gustav Brand: *Hier und dort. Rationalisierung und Mechanisierung. Reportage*, in: Internationale Literatur, 1932, Nr. 2, S. 66–70.

Gen. **Gábor**:
Nein, die Schriftsteller-Delegation, die in die Ukraine gefahren ist.

Gen. **Fabri**:
Sprich über eine solche Delegation, wo Brand dabei war. Ich weiß nichts und kann mich nicht erinnern.

Gen. **Gábor**:
Vielleicht kann jemand anders Auskunft geben?

Gen. **Huppert**:
Es ist eine Reise, an der ich teilgenommen habe. Eine meiner Brigaden-Reisen war organisiert vom «Sturmschritt» oder von der Charkower Gruppe. Das war im Winter 1931 oder 1932. Daran nahm u. a. teil Brand und dieser Schauspieler Holm. Zweck der Reise war (ein) Auftreten im «Deutschen Club» in Charkow und ein kleines Referat von mir in der Charkower Schriftstellergruppe.

Gen. **Ottwalt**:
Warst du der Führer der Delegation?

Gen. **Huppert**:
Es war eine Einladung der Charkower Schriftstellergruppe. Eine solche Winterfahrt habe ich mit diesen Leuten gemacht.

Gen. **Bredel**:
Was hat Brand gemacht?

Gen. **Huppert**:
Brand hat vorgelesen, Holm hat rezitiert, und ich habe aus Gedichten von mir vorgelesen. Es dauerte, glaube ich, drei Tage.

Gen. **Ottwalt**:
Hast du damals gegen Brand protestiert?

Gen. **Huppert**:
Nein, ich weiß, daß ich keine Differenzen mit Brand hatte. Es war lange vor dem Trotzkisten-Roman.

Gen. **Ottwalt**:
Nach seinem Aufenthalt in Konstantinowka?

Gen. **Huppert**:
Natürlich ist übrigens auf der Reise nichts Besonderes passiert, was ich berichten könnte.

Gen. **Fabri**:
Nachdem ich im Jahre 1932 überhaupt noch nicht Russisch konnte, habe ich nicht die «Internationale Literatur» vom Jahre 1931 lesen können. Genosse Gábor hat (das) vergessen bei der Frage, daß die Sache schon im Jahre 1931 angeblich in der russischen Ausgabe der «Internationalen Literatur» gewesen sein soll. Als sie 1931 erschienen ist, war ich in Österreich und konnte sie nicht lesen. Ich habe übrigens nicht den «Sturmschritt» entschuldigt, denn der politische Fehler des «Sturmschritt» war nicht aufgehoben. Die Redaktion des «Sturmschritt» hatte damals der Konterrevolutionär Schellenberg und nicht Genosse Gábor. Die Frage, wer den Ausschnitt nach Leningrad geschickt hat, müßte Gábor beantworten, aber ich betone, Gábor war nicht der Redakteur.

Gen. **Gábor**:
Es ist sehr warscheinlich, daß dieses Bruchstück der Verfasser gegeben hat.

Gen. **Fabri**:
Dann hat Genosse Weinert davon gesprochen, daß ich das letzte Mal in der Sitzung den Zwischenruf gemacht habe: «Dies Kind, kein Engel ist so rein» und damit motiviere die Art und Weise, wie Genosse Ottwalt auf Vorwürfe reagiert, die ich gemacht habe, wie er sie teils belanglos hinstellen wollte, teils als Dinge, die ich zuerst behauptet hätte.

Peter Kast fragt mich, warum nicht leichte, fesselnde, spritzige Sachen in der «DZZ» erscheinen. Das ist vor allem Sache dessen, der sie schreibt. Da war das z.B. die Sache des Konzentrationslagers von dem Bauern Waschek. Ich stehe hinter dieser Geschichte. Aber, Genossen, die Sache ist die, daß sie in der Zeitung mit der operativen Art der Zeitung verbunden sein muß. Dinge, die nicht aktuell sind, gehören in eine Zeitschrift. Dinge, die aktuell sind, gehören in die «DZZ». Auch in der russischen Presse ist die erste Frage die Aktualität. Was nicht operativ ist, gehört in eine Zeitschrift und kann nicht in der Zeitung unterkommen.

Dann stellte Genosse Ottwalt einige Fragen, die mit der Arbeit der «DZZ» zusammenhängen. Ich kann seine Arbeiten nicht qualifizieren. Du hast mich nie beehrt mit Manuskripten. Ich war für dich der Mann, an dem man vorbeisieht. Hast du mit mir Kontakt gehabt?

Gen. **Ottwalt**:
Wie lange habe ich in der Auslandsabteilung gearbeitet?

Gen. **Fabri**:
Ich weiß, wie Otto Heller nicht da war. Die Frage deiner Qualifikation müßte der Chefredakteur stellen. Wenn du ein Zeugnis haben willst, mußt du dich a) wenden an die Auslandsabteilung und b) an die Chefredaktion, die berufen ist, deine Qualifikation einzuschätzen. Die Frage, die gestellt wurde, Ali war im Kontakt mit der Auslandsabteilung, das ist eine Frage, (die) die Parteizelle der «DZZ» beantworten muß, ob die «DZZ» genügend Wachsamkeit gegenüber Ali aufgewendet hat. Ich habe mich hier zu verantworten für einzelne Fragen, die Genossen an mich stellen. Ich habe nichts mit Ali zu tun gehabt. In dieser Frage hat sich die «DZZ» zu verantworten.

Dann zur Frage Süßkind, die Frage Karrasch.[566] Die Sache ist nicht durch mich hineingekommen. Ich habe die Sache gekannt und habe darüber gesprochen. Ich weiß nicht, ob ich zu ...[567] Genosse ... fragte mich, ob ich dort hingegangen bin, um die Genossin zu sprechen. Nein, die Genossin Dornberger sagte mir, daß dort ein Wetscher ist. Ich war noch nie auf einem Wetscher. Der Genosse Erich hat recht, wir müssen uns bemühen, die Genossen zu bitten, rechtzeitig die Sachen zu schreiben. Jetzt vor dem Jugendtag habe ich es den Genossen 10 bis 12 Tage vorher gesagt. Es gibt aber Dinge, die ganz plötzlich kommen, und das ist der Genosse Willi, der uns immer herausreißt. Es ist selbstverständlich, wenn Gedichte in ein bis zwei Tagen gemacht werden sollen, leidet die Qualität.

Dann Genossen, bleibt die letzte Geschichte, das ist (das) Dokument, das Genosse Gábor hat. Ich weiß, worauf der Genosse anspielt. Im Jahre 1934 erschien von mir, von Ernst Fabri unterzeichnet, ein Artikel über die zwei Welten, ein Artikel über die zwei Welten, der zur Folge hatte, daß der Artikel von den Parteiinstanzen behandelt wurde, daß der Genosse Horst Fröhlich eine Parteirüge bekam. Die Eingabe, die dann Horst Fröhlich gegeben hat, ist geprüft worden. Ich habe keine Rüge bekommen. Es sind viele Jahre her, es sind inzwischen viele Artikel erschienen, die ich geschrieben habe.

566 Hans Günther publizierte über «Parteigenosse Schmiedecke» von A. Karrasch unter der Überschrift: *Gefangene – in der eigenen Falle*», in: DZZ, 2.1. 1935.
567 Fehlende Textstelle.

Gen. **Gábor**:
Ich habe gefragt, ist es wahr, daß ein Artikelschreiber der «DZZ»...

Gen. **Fabri**:
Ich möchte dich bitten, offen zu sprechen.

Gen. **Gábor**:
...daß ein Artikelschreiber der «DZZ» einen Ausspruch von Stalin Trotzki zugeschrieben hat, und da habe ich gefragt, wer dieser ist.

Gen. **Fabri**:
Es ist eine trotzkistische Entstellung gewesen dieses Ausspruches. Ich kann dir sagen, daß sich die Instanzen mit der Eingabe beschäftigt haben. Du kommst um drei Jahre zu spät. Es ist ein Stalinsches Zitat von Trotzkisten entstellt worden. Du hast die Sache und nicht die Antwort darauf. Die Sache ist damals sehr eingehend untersucht worden.

Gen. **Most**:
Es können alle Genossen, außer Gábor und Fabri, die Sache nicht verstehen. Es ist unmöglich, das zu verstehen.

Gen. **Wangenheim**:
Kennst du den Ali persönlich, bist du fast tagtäglich mit ihm zusammen gewesen in der «DZZ»?

Gen. **Fabri**:
Persönlichen Kontakt habe ich mit ihm nicht gehabt. Er kam in die «DZZ». Ich habe mit Ali wie mit vielen anderen Menschen gesprochen. Die «DZZ» ist eine öffentliche Institution. Was mich betrifft, habe ich die Erklärung: Wenn er gearbeitet hat für die «DZZ», ich habe nicht mit ihm gearbeitet. Er hat gezeichnet in der Zeit, als ich in die Sowjetunion kam, einmal auch für uns ein paar Köpfe. In der letzten Zeit, wo wir in der neuen Redaktion waren, nicht. Daher kann ich auch auf diese Frage nicht antworten. Habt ihr irgend etwas gegen Ali, dann müßt ihr euch an die «DZZ» wenden, ich als Privatperson...

Gen. **Wangenheim**:
Du kennst den Ali?

Gen. **Fabri**:
Alle, die damals hier waren, haben mit Ali gesprochen. Wer hat mit ihm nicht gesprochen? Persönlichen Kontakt hatte ich nicht mit Ali.

Gen. **Ottwalt**:
Die Frage, du hattest keine Ahnung von der Diskussion über Schmückle gehabt?

Gen. **Fabri**:
Die Frage der großen Diskussion über Schmückle wurde hier erwähnt. Mir hat Günther mitgeteilt, daß er eine Eingabe gemacht an das ZK gegen schlechte Redaktionsführung, die Schmückle gemacht hat.

Gen. **Günther**:
Ich kann es nicht genau behaupten, wir haben über das Gedicht gesprochen, daß er Nietzsches Ideologie eingeschmuggelt hat.

Gen. **Fabri**:
Das Gedicht ist eine Schweinerei, habe ich gesagt. Das allein ist nicht die Frage der politischen Demaskierung Schmückles. Die Frage Nietzsche ist hier zu Unrecht von einer Reihe Genossen...

Gen. **Barta**:
Du hast dich erkundigt über Schmückle. Ich habe dir die ganze Sachlage über Schmückle erzählt.

Gen. **Fabri**:
Die Frage Nixdorf kannten wir alle. Ich habe mich erkundigt über Schmückle. Die Frage Nixdorf usw. kannten wir alle. Wir haben in der letzten Zeit Schmückle wieder gedruckt, nachdem ihm die Rüge weggenommen wurde. Er kam zu uns und sagte, daß er wieder vollkommen rein dastehe.

Gen. **Ottwalt**:
Den Ausspruch des Genossen Fabri, er habe keine Ahnung gehabt, kann man dann zurückziehen. Ich möchte feststellen, daß du Artikel von Schmückle nicht erst nach der Zeit veröffentlicht hast, sondern während der ganzen Zeit Sachen von ihm veröffentlicht wurden.

Gen. **Fabri**:
So ist die Sache nicht. Ich habe vorhin sehr lange auseinandergesetzt, warum wir Schmückle gedruckt haben. Ich sprach hier auch von Frischbutter. In der letzten Zeit war eine neue Diskussion über Schmückle, an der nahm ich nicht teil.

Gen. **Dornberger**:
Fabri gehörte nicht zur engeren Kommission.[568]

Gen. **Günther**:
Fabri gibt keine genügenden Antworten, er redet um den Brei herum. Du hast gesagt, daß du von den Diskussionen um Schmückle keine Ahnung hattest.

Gen. **Fabri**:
Ich habe hier auch festgestellt, daß zur damaligen Zeit von Frischbutter Schmückle in einer Reihe von Fragen sehr scharf gegen die Faschisten gekämpft hat. Schmückle wurde in der «DZZ» gedruckt, eben deshalb, weil wir nicht genügend wachsam waren. Wir sprachen mit Barta über Nixdorf und Schmückle, nachdem eine Reihe von anderen Fällen vorlagen. Über die letzten Diskussionen war ich nicht informiert. Dagegen kam Schmückle zu Annenkowa und erklärte uns, daß die Rüge wegen Nixdorf zurückgenommen wurde. Nach dieser Zurücknahme der Rüge ist die letzte Sache über Spanien[569] von ihm erschienen.

Gen. **Günther**:
Fabri sagt, daß er von Diskussionen keine Ahnung gehabt hat.

Gen. **Fabri**:
Ich habe gesagt, ich wurde nicht eingeladen zu den Diskussionen. Schmückle kam zu uns und sagte, daß seine Rüge zurückgenommen sei, deshalb brachten wir die Sache über Spanien. Außerdem wußte ich auch, daß Schmückle damals sehr scharf gegen Frischbutter gekämpft hatte.

Genossin **Halpern**:
Du warst doch sehr mit Schmückle befreundet, man sah euch immer zusammen. Ich weiß sogar, daß Schmückle gesagt hat, daß Fabri ein guter Bolschewik sei. Hat Schmückle dir nie von diesen Diskussionen erzählt?
Wie kommt es, daß Fabri, der doch so wachsam ist, wenn man an ihn die Frage richtet betreffs Schmückle, er sich versteckt hinter die damaligen Sachen, d. h. von Frischbutter und Genossen.

568 Bezeichnung für die Leitung der «deutschen Kommission».
569 Karl Schmückle: *Söhne Spaniens*, in: DZZ, 9.8.1936.

Gen. **Becher**:
Du sagtest folgendes: Schmückle kam zur Redaktion und teilte dir und Annenkowa mit, daß ihm die Rüge abgenommen wurde, und danach habt ihr die Spanien-Sache abgedruckt. Aber vorher habt ihr doch die Sache von der Stalin-Division gebracht?

Gen. **Günther**:
Ich bin der Meinung, daß es nicht eine Selbstkritik von Fabri war. Ich weiß, ich kam 1932 hierher und sah Fabri immer mit Schmückle zusammen. Schmückle war ohne Fabri und Fabri ohne Schmückle nicht denkbar. Ich erinnere mich noch an einen Vorfall, daß auf der ersten sowjetdeutschen Unionskonferenz ein Vorfall mit Schmückle war, weil Schmückle auf dieser Konferenz sehr schlecht ⟨sprach⟩ und Fabri hier für ihn Partei ergriff. Fabri hat sich außerordentlich stark für Schmückle exponiert. Er ging politisch mit ihm durch dick und dünn, und ich habe erwartet, daß er sich heute offen und ehrlich über die Beziehungen zu Schmückle hier ausspricht.

Gen. **Most**:
Genosse Schmückle führte die Redaktion schlecht. Man fragte dich, warum? Sage uns bitte die Sache noch einmal.

Gen. **Ottwalt**:
Wie erklärt sich Fabri, daß Schmückle am 1. Mai 1936 nicht mehr Redaktionsmitglied war? Hat sich Fabri nicht informiert, was die Umstellung in der Redaktion für tiefere Gründe hatte?

Gen. **Günther**:
Ich habe noch eine Frage, die an sich zwar eine Kleinigkeit betrifft, die ich der Vollständigkeit halber doch noch erwähne. Ich greife auf die Frage zurück, und zwar ist (das) der Vorwurf, daß die Ausbürgerungsnotiz nicht erschienen ist. Ich möchte das klären, um nicht in falschen Geruch zu kommen. Ich bin zu Genosse Fabri gegangen und habe gefragt, warum sie die Notiz mit der Ausbürgerung nicht bringen. Genosse Fabri schwieg, und ich frug, weil Ottwalt mit darin ist? Er zuckte mit den Achseln und sagte, wahrscheinlich weil dies an die Auslandsabteilung kam. Tatsache ist, daß (das) nicht erschien, so daß der Verdacht von Ottwalt nicht so ganz von der Hand zu weisen ist.

Gen. **Gábor**:
Darf ich fragen, ob Fabri eine Kenntnis hatte, daß an der Vorberei-

tung dieses kritischen Artikels über den Brand-Roman in der «DZZ» Schmückle teilgenommen hat und in welcher Rolle?

Gen. **Fabri**:
Schmückle hat nicht, soweit ich mich erinnere, an der Vorbereitung der Kritik von Brand teilgenommen. Reimann kam zu uns, hat sich die «Rote Zeitung» geholt, hat den «Sturmschritt» bekommen. Ich kann mich nicht an Details erinnern, aber Schmückle hat bestimmt an den Besprechungen der Reimann-Clique teilgenommen.

Weiter: Die eine Frage hat Genossin Olga nicht verstanden, wieso ich erklärte, daß Süßkind ein offizielles Organ war. Ich habe nicht die geringsten persönlichen Beziehungen zu Süßkind gehabt. Ich habe erklärt, wenn Süßkind in der Redaktion war, war er als offizieller Arbeiter des Genossen Béla Kun da.

Gen. **Ottwalt**:
Du kannst nur wissen, daß er da war. Als was er da war, kannst du nicht wissen.[570]

Gen. **Fabri**:
Bei mir war Süßkind nicht. Ich verstecke mich nicht. Ich weiß, daß, wenn er kam, hat er als Mann gegolten, der vom Sekretariat Kun kommt. Bei uns galt Süßkind als der offizielle Mann, der vom Sekretariat Kun kommt. Schmückle war nicht so sehr im Kontakt, daß er Mitteilung über die ganzen Differenzen gemacht hätte. Er war nicht so häufig da und hat Genossin Annenkowa und mir erzählt, daß persönlicher Stunk gemacht wird.

Gen. **Ottwalt**:
Das hast du geglaubt?

Gen. **Fabri**:
Ich habe die Erfahrung des persönlichen Stunks, den Ottwalt gegen mich gemacht hat. Wir haben darüber gesprochen. Der Genosse kam zu uns und hat nicht Mitteilung gemacht.

Gen. **Günther**:
Aber Barta hat ihn unterrichtet.

570 Die Nomenklatur galt selbst als Tabu.

Gen. **Fabri**:
Das ist eine andere Geschichte. Halten wir auseinander: vor 1½ Jahren und jetzt, wo Schmückle ausgeschieden ist aus der Redaktion der «Internationalen Literatur».

Gen. **Ottwalt**:
Im März! Die erste Nummer, die ohne Schmückle erschienen war, ist die Nummer vom 1. Mai.

Gen. **Fabri**:
Schmückle war Parteigenosse und hat vom März bis Januar ein oder zwei Artikel veröffentlicht und dann eine Zeitlang nichts veröffentlicht. Und dann kam die Geschichte, wo er zu uns kam und wo er erzählte, daß ihm die Rüge abgenommen worden ist. Was vor 1½ Jahren war, ist eine andere Situation. Genosse Barta sagt selbst, daß ich zu ihm gekommen bin, weil ich regelmäßig fortlaufend über alle Genossen Informationen geholt habe, damit wir nicht hineinfallen. Ich habe ausdrücklich erklärt, daß alle Voraussetzungen bei Schmückle gegeben waren. Er ist ein egozentrischer Mensch, und wir haben nicht genügend Wachsamkeit gegenüber Schmückle bewiesen.

Gen. **Bredel**:
Wir oder ich?

Gen. **Fabri**:
Ich habe es auf mich genommen.

Gen. **Wangenheim**:
Es war ein großer Fehler, das auf Stunk abzuschieben.

Gen. **Fabri**:
Ich habe erklärt, es wäre nicht genügend Wachsamkeit gegenüber Schmückle gewesen.

Gen. **Ottwalt**:
Es war also doch falsch, an Stunk zu glauben. Du qualifizierst das so, du hast an Stunk geglaubt und daß es ein Fehler war, an das Vorliegen von Stunk zu glauben, statt die politischen Hintergründe zu sehen.

Gen. **Fabri**:
Natürlich ist das klar. Nachdem ich mitgeteilt habe, daß zuwenig Klassenwachsamkeit gezeigt wurde, schließt das nicht aus, daß ich selbstverständlich nicht an Stunk glauben durfte.

Gen. **Bredel**:
Ich halte es für um so verwerflicher, an Stunk zu glauben, trotzdem die Sektion und du gewußt hast, daß ich auch politisch gegen Schmückle stehe und ihn politisch scharf angreife.

Gen. **Fabri**:
Andererseits habe ich erlebt, daß Genosse Bredel den Schmückle um Artikel bestürmt hat, daß er ihn in meiner Gegenwart gebeten hat, unbedingt für «Das Wort» zu schreiben. Derselbe Mann hat ihn in meiner Gegenwart bestürmt: Schreibe nicht für die «DZZ», schreibe erst für mich.

Gen. **Bredel**:
Das war doch ein Scherz.[571]

Gen. **Fabri**:
Er hat ihn bestürmt, für «Das Wort» zu schreiben, derselbe Bredel, der in der Kommissionssitzung Schmückle angegriffen hat. Eine weitere Frage ist, hält er die Behauptung aufrecht, daß er mit Schmückle Verbindung gehabt hat. Dazu bemerke ich, daß a) persönliche Verbindung nicht bestand, b) er sagt, im Jahre 1932 ist Schmückle genauso aufgetreten wie ich, oder er hat in der Kommission dieselbe Stellung bezogen. Was war in den Jahren 1932/34? 1932 kam ich her. Schmückle kam, glaube ich, nicht früher als 1933.

Gen. **Huppert**:
Noch später, 1934.

Gen. **Günther**:
Ich bin im September 1932 hierhergekommen, und Schmückle war damals noch in der «DZZ», besuchte die Sitzungen der deutschen Kommission und ist mit dir zusammen erschienen. Ihr seid zusammen erschienen.

Gen. **Fabri**:
Daß wir von der Redaktion in eine Sitzung gehen, ist absolut kein Vorwurf. Die Frage ist die einheitliche politische Linie.

571 Bredel druckte 1936 mehrere Beiträge Schmückles in der Zeitschrift *Das Wort*. Seine Stellung in der Literaturhierarchie erlaubte es ihm, Fabris Entwurf als «Scherz» abzutun.

Gen. **Barta**:
Ich bitte nicht zu stören.

Gen. **Fabri**:
Ich weiß und erkläre, daß ich in einer Reihe von Fällen mit Schmückle gegangen bin im Kampf gegen Frischbutter und Brand. Es wird auch Fälle geben, wo ich gegen Gábor aufgetreten bin und Schmückle auch aufgetreten ist. Ich habe protokollarisch nachgewiesen, an dem Buch, das plötzlich verschwunden ist, daß Genosse Gábor eine Reihe schwerer linker, sektiererischer Fehler bis 1932 gehabt hat, die in dem Protokoll von Charkow[572] festgelegt sind. Wenn ich gegen falsche Auffassungen von Gábor aufgetreten bin und wenn Schmückle auch aufgetreten ist, so sagt das gar nichts. Ich habe festgestellt, daß auch Leute wie Frischbutter eine politisch richtige Linie eingenommen haben. Das spricht nicht dafür, daß wir eine gemeinsame Plattform miteinander gehabt hätten. Davon kann nicht ernstlich die Rede sein. Ich glaube, jetzt ist alles gesagt. Die Ausbürgerungsnotiz: es stimmt, der Genosse Günther fragte mich. Eine solche Notiz hat mit der Literatur nichts zu tun. Ich habe Günther erklärt, meines Wissens kann es nicht erscheinen, weil Ottwalt genannt ist. Ich habe das abgelehnt. Ich habe hier für das einzutreten, was ich persönlich in der Literaturabteilung zu tun habe. Es passieren viele Sachen, die man vergißt.

Gen. **Ottwalt**:
Wenn Ottwalt mal vergißt, daß Ottwalt mal ein Ehrenburg-Buch bekommen hat, so ist das kein Irrtum.

Gen. **Fabri**:
Die Frage der Division ist nicht durch mich gegangen. Ich war dort nicht eingeladen, ich kann keine Antwort darüber geben.

Gen. **Ottwalt**:
Ich habe dem Genossen eine Reihe von Fragen gestellt, die er nicht beantwortet hat.

1. Der Genosse Fabri hat davon gesprochen, es wäre besser, sich von Angesicht zu Angesicht auszusprechen. Ich habe ihn gefragt, ob ich nicht wiederholt mit ihm lange Gespräche gehabt habe.

572 *Zweite Internationale Konferenz Revolutionärer Schriftsteller. Berichte, Resolutionen, Debatten*, in: Literatur der Weltrevolution, Sonderheft, 1931.

Gen. **Fabri**:
Ja.

Gen. **Ottwalt**:
2. Der Genosse Fabri hat gesprochen von dieser kleinen Szene. Ich habe sehr erregt gesprochen und sagte, wenn Fabri das einfach unterschlägt. Dann kam Fabri zu mir und sagte, ist das eine Qualifizierung? Nun habe ich vorhin in meiner Rede erwähnt, wo Fabri sich falsch verhalten hat. Er hat darüber noch nicht gesprochen. Warum hat der Genosse Fabri an diesem fraglichen Abend der «DZZ» die vor der Tür wartenden Schriftsteller, von denen er wußte, daß sie nicht eingeladen waren, sie darauf aufmerksam zu machen, warum hat er nicht eine Brüskierung der deutschen Schriftsteller verhindert?

3. Ob er den dringend gewünschten Vortrag über die antifaschistische Literatur weitergegeben hat. Was weiß er davon?

4. Um Auskunft, in wessen Beisein der Genosse Fabri mit dem Genossen Schmückle über die Massenkritik gesprochen hat. Ich frage, ob, wann, mit wem und in welchem Sinne du mit Schmückle über diese Sache gesprochen hast. – Ich habe an diesem Tage gehört, daß Schmückle zu dir gekommen ist und gesagt hat, das ist eine sektiererische Schweinerei, die hier vor sich geht.

Gen. **Fabri**:
Ich war an diesem Abend nicht anwesend, habe niemals mit dem Schmückle von sektiererischen Schweinereien gesprochen, das ist eine Sache, die er mir in den Mund legt. – Den Vorschlag, der gemacht wurde wegen der literarischen Vorträge, habe ich weitergeleitet. Die Vorträge waren in der KUNMS. Die Rosi Bork[573] hat das durchgeführt. Ich habe meine Pflicht erfüllt. – Dann, Genossen, die wichtige Frage. Es war hier folgende Sache, als die Genossen unten waren. Ich habe nicht damit gerechnet, daß die Genossen nicht heraufkommen. Ottwalt war oben, obwohl er nicht auf der Liste war. Plötzlich wurde ich angerufen, daß eine Reihe Genossen hier wären, die nicht herein dürfen. Inzwischen hat die Gruppe, die unten stand, Günther heraufgeschickt. Er hat mit der Annenkowa verhandelt...

Gen. **Halpern**:
Das wissen wir schon.

573 Rosi Bork, d. i. Rosa Unger.

Gen. **Ottwalt**:
Es handelt sich um den Genossen Fabri, er hätte die Möglichkeit gehabt... Genosse Huppert, deine Fragen waren auch nicht viel gescheiter als meine.

Gen. **Fabri**:
Ich habe keine einzige Einladung veranlaßt gehabt.

Gen. **Most**:
Die ganze Angelegenheit ist durch die Erklärung der «DZZ» vollkommen erledigt.

Gen. **Ottwalt**:
Ich ziehe die Frage zurück.

Gen. **Fabri**:
Alle Fragen sind beantwortet.

Gen. **Barta**:
Der Genosse Kurella hat das Wort.

Gen. **Kurella**:
Genossen, ich bin von allen der anwesenden Genossen in einer besonderen Lage bei dieser Aussprache. Ich möchte hierüber erst einige einleitende Worte sagen.

Für euch liegen die furchtbaren Ereignisse, über die wir aus den verschiedensten Anklagen und dem später veröffentlichten Prozeß erfahren haben und die wie ein Donnerschlag aus dem Sommerhimmel kommenden Ereignisse, ungefähr drei Wochen zurück. Ihr habt Gelegenheit gehabt, euch mit euch selbst und auch hier bereits in einer Reihe von Sitzungen mit dem ganzen Material auseinanderzusetzen. Für mich sind die Dinge ganz frisch. Ich erfuhr von den ganzen Ereignissen, als ich aus dem Hochgebirge kam, wo ich von der Welt ganz abgeschlossen war, als bereits Genosse Wyschinski seine Schlußrede hielt, die ich als erstes bereits am Radio in Suchum hörte, so daß ich am 25. das ganze inzwischen vorliegende Material mir ansehen mußte und heute noch in einer viel unmittelbareren Weise unter den Auswirkungen mit dem ganzen Material stehe, als es bei euch ist.

Für mich haben diese Ereignisse nicht nur große Bedeutung, daß ich in mir die Empörung und den Haß, den jeder Kommunist und jeder Bürger der Sowjetunion bei dem Bekanntwerden der Dinge gefühlt hat. Es kam mehr hinzu. Ich möchte das mit zwei Punkten charakterisieren: Im Anklageakt wurde verschiedene Mal ein Name genannt, der vor 1½ Jahren im Zusammenhang mit mir genannt wurde, und zwar der Name Schatzkin[574]. Es kommen noch hinzu eine Reihe anderer Personen. Ich rede nicht von den Leuten der Komintern wie Emel und David, die in den letzten Wochen noch hinzukamen. Ich denke an Sinowjew und Pikel. Bis 1924 habe ich im engsten Kontakt mit ihnen gearbeitet in der Komintern, sie waren für mich die leitenden Leute nicht nur bildhaft, sondern als Menschen. Ich habe sie jahrelang gekannt, außerdem waren sie jahrelang Autoritäten für mich. Dadurch bekam das alles für mich einen starken und tiefen Charakter. Das, was ich aus diesen Vorgängen gelernt habe, geht tiefer als das, was ich aus der ganzen Diskussion vernommen habe und bisher hervorgegangen ist. Ich rede gar nicht von dem Bericht der Genossin Dornberger, wo ich erschlagen war über das vollkommene Fehlen von Wachsamkeit bei einer so alten Parteigenossin. Ich will nur darauf hinweisen, daß das, was ihr in den letzten Wochen erlebt (habt), war für (mich) ein unmittelbares Erleben. Vor 1½ Jahren habe ich aktiv an der Organisierung von jenen Wetschern geholfen, die von den sogenannten KIM-Leuten organisiert wurden. Ich war auch in der Wohnung von Globig[575]. Ich war also einer der Initiatoren dieser

574 **Lazar A. Schatzkin** (1902–1938), seit Mai 1917 Mitglied der Bolschewiki, 1919–22 Vorsitzender des Komsomol, 1919 Mitbegründer der Kommunistischen Jugendinternationale, seit 1920 Mitglied des EKKI, 1927 Zentrale Kontrollkommission der KPdSU; 1931 der Zugehörigkeit zur «Lominadse-Gruppe» beschuldigt und aus der Kontrollkommission ausgeschlossen, 1935 Ausschluß aus der KPdSU und verhaftet, 1938 in Haft umgekommen.
575 **Martha Globig**, geb. 1901, seit 1915 sozialdem. Arbeiterjugend, 1918 KPD-Mitglied, 1919 Reichsleitung der «Freien sozialistischen Jugend», 1922–24 Mitarbeiterin der sowj. Botschaft und Handelsvertretung, seit 1925 Redakteurin und Propagandistin der KPD, 1931 Moskau, als Mitarbeiterin von OMS in der Komintern, 1933 Historisches Institut der Kommunistischen Akademie, Redakteurin in der VEEGAR; 1935 Parteirüge wegen Teilnahme an dem Abend der ehemaligen Funktionäre der Kommunistischen Jugendinternationale, am 29. 11. 1937 verhaftet, zehn Jahre Lagerhaft in Karaganda; nach ihrer Freilassung Zwangsansiedlung in Karaganda. 1956 Rückkehr in die DDR. Vgl. Martha Globig: *1936/37. Eine schwere Zeit in Moskau*, in: Beitr. zur Gesch. d. Arbeiterbewegung, 32. Jg., 1990, Heft 4, S. 521–526.
Fritz Globig (1892–1970), Spartakusbund, 1918 KPD-Mitglied, Redakteur verschiedener KPD-Zeitungen, Abgeordneter der Bremer Bürgerschaft, seit 1931 als politischer Sekretär der IAH in Moskau tätig; nach Parteirüge als Typograph tätig, im November 1937 verhaftet, Lagerhaft, 1955 Rückkehr in die DDR.

Abende, die offen einen parteischädlichen Charakter hatten. Es waren auf diesen Abenden Mitglieder der WKP und der Bruderparteien anwesend. Mit Ausnahme von Winter[576] und mir waren alles solche Elemente anwesend, die vorher zu Strömungen und Gruppierungen gehört hatten, die ausgeschlossen und wiederaufgenommen waren. Es waren Leute, die zeitweise einen aktiven konterrevolutionären Kampf geführt hatten. Außer diesen Abenden hatte ich zweimal persönlich Zusammenkünfte mit Schatzkin. Warum waren diese Dinge so ein schwerer Fehler meinerseits? Ich betone und wiederhole, was ich vor 1½ Jahren gesagt habe: Im Verlaufe dieser Abende ist mir nicht ein einziges parteifeindliches Wort in Erinnerung geblieben. Aber das ändert nichts daran, daß praktisch und objektiv diese Abende eine Zusammenkunft außerhalb der Partei waren, eine Zusammenkunft von Leuten, die ihrer Funktionen enthoben waren, von ihren Stellen abgerutscht waren. Also mit diesen Leuten kam ich zusammen. Ich habe weder vorher noch hinterher das Gefühl gehabt, an politischen parteifeindlichen Sachen teilgenommen zu haben, und nahm deshalb auch keine Meldung vor.

Anfang Dezember bis Januar war ich im Auftrag der Komintern im Auslande.

Objektiv habe ich teilgenommen an Zusammenkünften von parteifeindlichen Leuten wie Schatzkin, ehemaliger Sekretär des kommunistischen Jugendverbandes, Lominadse[577], Vojuwicz[578], der mehrere Jahre Sinowjew-Anhänger war.

576 Evtl. Theodor Winter.
577 **Besso Lominadse** (1898–1934), führende Funktionen im Komsomol und in der Kommunistischen Jugendinternationale, seit 1926 im Präsidium des EKKI, zusammen mit Heinz Neumann als Komintern-Emissär in China; nach Diffrenzen mit Stalin Parteisekretär in Magnitogorsk, 1934 trotz «Selbstkritik» aus der Partei ausgeschlossen; nach der von Stalin inszenierten Ermordung Kirows erschoß sich Lominadse, um einer drohenden Verhaftung zu entgehen.
578 **Voja Vujowicz**, geb. 1895, jugoslawischer Kommunist, Teilnehmer des Gründungskongresses der Kommunistischen Jugendinternationale (Ps. Wolf), Sekretär des Exekutivkomitees der Kommunistischen Jugendinternationale, 1924 Mitglied des EKKI und des Präsidiums des EKKI; 1926 Anhänger der Opposition gegen Stalin, daraufhin Entlassung als Generalsekretär der Kommunistischen Jugendinternationale, 1927 Ausschluß aus der Komintern; 1928 als Stalingegner nach Sibirien verschickt, nach Selbstkritik 1929 wieder in die KPdSU aufgenommen; nach dem Kirowmord zusammen mit seiner Frau verhaftet, in Lagerhaft umgekommen. Seine beiden Brüder wurden ebenfalls Opfer des stalinistischen Terrors.

Ich habe nach der Untersuchung des Falles, nach dessen Verlauf und in der Verhängung der Parteimaßnahmen gegen mich diesen völlig parteifeindlichen Charakter dieser Zusammenkünfte mit großer Verspätung erkannt und meine Fehler eingesehen. Und ich habe die Maßregelung für vollkommen berechtigt gefunden und das auch seinerzeit erklärt. Wenn ich heute daran zurückdenke, wie ich mir die Hintergründe erklärte und zu erklären versuchte, was ich dabei zu tun hatte, dann möchte ich sagen, was begründet, daß die jetzigen Ereignisse eine Vertiefung der damaligen Lehren waren. Es erfolgten bald nach diesen Ereignissen die Verurteilungen von Sinowjew, Jewdokimow u. a. wegen intellektueller moralischer Vorbereitung der Mordhandlung. Das war die Linie, auf der ich psychologisch, vielleicht zu sehr psychologisch und nicht politisch versuchte, das zu verstehen. Es ging mir nicht in den Kopf, daß sie selbst die Hand angelegt haben, daß sie selbst organisiert haben. Aus eigener Erfahrung, aus der Erfahrung von anderen Parteigenossen, aus der Erfahrung von Menschen, die man studiert, schien es mir so, daß in solchen fraktionellen Gruppierungen und gerade in so einer Periode, wo sie ihren politischen Inhalt verliert und in ihren Endformen schon damit zu terroristischen Ausläufern kommt, daß innerhalb solcher Bewegungen gesellschaftliche und sichtbare Ketten bestehen, d. h. Nikolajew, der unmittelbar die Aktion durchführte, ist bekannt mit einem anderen, der wieder mit einem anderen. Eben bis die Verbindung zu Sinowjew und Kamenew kommt, wissen diese nicht, was an der Peripherie vorgeht. Ich erzähle, was ich mir damals vorstellte. Daß sie nicht auftreten gegen Terrorstimmung, daß solche Terrorstimmungen an der Peripherie entstehen, die sie aber nicht selbst gebilligt haben. Ich übertrug dies auf die eigene Erfahrung. Ich war mit Schatzkin 1919 bis 1924 durch enge persönliche Verbindung verbunden. Ich habe ihn zehn Jahre nicht gesehen, mit einer Ausnahme von 1931 in Ostisch, damals aus Anlaß der 15jährigen Gründung der Jugendinternationale. Ich wußte nicht, so erklärte ich damals, was der Mann in sich hat. Ich war mit ihm verbunden, ich habe ihm Gelegenheit gegeben, diese später wieder zu treffen, d. h. ich habe geholfen, daß solche Verbindungen zu dritten und vierten Personen entstehen, die bis zu terroristischen Handlungen führen. Ich weiß, daß der Versuch meiner theoretischen Erklärung nicht richtig war, wir wissen heute, daß die damals wegen terroristischer Urheberschaft verurteilten Verbrecher aktive Mörder waren, und das ist für mich heute keine Frage, obwohl ich seither nicht mit einem Wort gehört habe, was aus Schatzkin und Vojuwicz geworden ist, daß die Verbindung mit ihnen mit der Verbrecherbande nicht so eine unschuldige aus dritter, vierter Hand gewesen sein kann, wie ich mir damals vorgestellt habe. Als wir vom Selbstmord Lominadses erfuhren, ging mir ein Licht auf.

Gen. **Most**:
Gleich nach der Ermordung von Kirow?

Gen. **Kurella**:
Nicht gleich, aber sehr bald danach. Ich habe mit Lominadse wenig Berührung gehabt, damals, als er Sekretär im ZK der Kommunistischen Jugendinternationale war. Er ist ein Zyniker und auch ein Alkoholiker. Nebenbei: Er hat mich stets mit großer Verachtung und Herablassung betrachtet, was ich nicht vertragen kann, besonders, wenn es nicht begründet ist. Als ich erfuhr, daß dieser Mann, der ein rücksichtsloser Zyniker war, bei Beginn einer Untersuchung gegen sich so reagiert hat, daß er ins Nebenzimmer ging und sich erschoß – er war in einer sehr geachteten Parteistellung, er war Parteisekretär von Magnitogorsk –, war das für mich ein Beweis, er hat tief dringesteckt, und bei dem ersten Anzeichen, daß man darauf kommt, hat er die Spuren und sich selbst beseitigt. Ich bin jetzt noch dabei, weil für mich die Dinge noch viel näher liegen und ich nach der Rückkehr, sowohl in die Organisation, wo ich ständig arbeite, und von der Parteigruppe, an die (ich) angegliedert bin und zu deren Sitzungen ich zugezogen werde, Rechenschaft geben muß, ich bin noch dabei, das ganze Material zu verarbeiten. Ich muß sagen, ich begrüße das, ich will und hoffe, daß im Zusammenhang mit dieser Geschichte unsere alten Geschichten vor 1½ bis 2 Jahren aufgerollt und breiter und tiefer untersucht werden, als es damals geschehen ist. Ich wünsche und hoffe, daß sie jetzt breiter und gründlicher untersucht wird. Ich will gleich sagen, warum. An dem Abend nahmen teil: Winter, ich, Globig und Frau, Polano[579] und Frau, Misiano und Frau, meine Frau, Vojuwicz, Schatzkin, Hans Schulz (Sekretär von Münzenberg), einige unbekannte Mitarbeiter des Apparates der Meshrabpom, Bork, Walter Schulz

579 **Luigi Polano**, 1919 Mitbegründer der Kommunistischen Jugendinternationale, 1921 ZK-Mitglied der KP Italiens, seit 1925 in der Sowjetunion, während der «Säuberungen» verhaftet und zwei Jahre Haft in Sibirien, 1945 Rückkehr nach Italien.

und Hubermann[580] aus der Profintern. Drei ehemalige Versöhnler, ein Mann, der gegen die Zentrale schrieb, der polnischen Partei angehört, Hubermann, Polano und Misiano, die wegen verschiedener Schwankungen in der italienischen Partei aus der Politik ausgeschieden waren, Schatzkin, ein Lominadse-Mann, um zu charakterisieren, wie die Zusammensetzung war.

Ich komme jetzt zum vierten Punkt in der Fortführung meiner besonderen Lage hier.

Ich habe zu dem Material, welches in den langen Sitzungen hier durchgesehen ist, fast nichts zu sagen. Ich bin zwar im Einverständnis der Kaderabteilung der Komintern nach meinem Ausscheiden aus der Komintern vorwiegend als Schriftsteller tätig gewesen, habe mich aber als Schriftseller in eurem Kreise fast gar nicht gezeigt und sehr wenig betätigt, in einer Weise nicht betätigt, die nicht für mich zu rechtfertigen ist. Wenn ich etwa von Ende Winter vorigen Jahres mehr an eurer Arbeit teilgenommen habe, so war es auf einer rein theoretischen Linie, wobei ich an den politischen Diskussionen rausblieb, und wie gesagt, ich überhaupt keine Ahnung hatte, wie es mit Brustawitzki, Laszlo, Gles ist, die beiden ersten Namen waren mir vollkommen unbekannt. Ich will dabei bleiben, daß ich mich nicht um die Dinge gekümmert habe. Ich möchte zunächst über einen Grund dieser meiner Zurückhaltung von eurer Arbeit reden. Das ist die praktische Auswirkung meiner Maßregelung nach meinem damaligen schweren Fehler. Die Maßregelung war klar und konkret, eine strenge Rüge – ausgesprochen vom Politsekretariat der Komintern, in der ich 18 Jahre gestanden habe. Auf der Parteigruppensitzung der Komintern, wo dieser Fall besprochen wurde, wurde dieser Beschluß kommentiert durch Pjatnitzki und Dimitroff, wo mir eine bestimmte politische Adresse gegeben wurde. Das war klar, schien mir klar und eindeutig, berechtigt und richtig. Aber auf dieser Sitzung ist auch der Genosse Heckert aufgetreten und hat auf meine zweite Rede unter anderem zwei Dinge gesagt: dieser Genosse Kurella hat sein ganzes Leben auf einem falschen Pferd gesessen, das gegen die Komintern gegangen ist, ich halte ihn für einen Doppelzüngler. Genossen, diese

580 **Stanislaw Hubermann**, Mitglied der KP Polens, Komintern-Mitarbeiter, abgeschoben in die Polit-Verwaltung des Verbandes der sowjetischen Eisenbahner; «entging» 1937 der drohenden Verhaftung durch einen Flugzeugabsturz, bei dem er ums Leben kam.

beiden Charakteristiken und ihr wißt heute, daß sie identisch ist mit Mörder, sie ist schlimmer. Diese ist praktisch die eigentlich wirksame Maßregelung gewesen, denn nach meiner Maßregelung traten eine ganze Reihe von Dingen in meiner Umgebung ein, in meiner persönlichen Umgebung, in meiner Arbeit, die zeigten, daß ich nicht nur behandelt werde als der Mann, der die strenge Rüge bekommen hatte, entfernt worden ist, sondern als der Mann, dem man überhaupt nicht vertrauen kann, der ein Doppelzüngler wahrscheinlich ist und der sein ganzes Leben lang auf dem Pferd geritten hat, das gegen die Komintern gegangen ist.[581]

Das hat ganz kuriose und absurde Formen angenommen, es gibt immer, daß Leichenfledderer, wenn jemand eine Maßregelung erhalten hat, sehen, den kann man auch berauben, und es kamen die allermerkwürdigsten Fälle vor, so zum Beispiel ein Diebstahl eines vom Genossen Dimitroff hergestellten Manuskripts. Es zeigt nur, welche Formen dies angenommen hat. Als ich dieses hörte und als ich unter dem Eindruck der Worte von Heckert stand, habe ich getan, was zu tun ist. Ich bin in die Parteigruppe der Komintern. Wenn die Charakteristik des Genossen Heckert richtig ist – ich, der zwei Jahre Agitprop-Leiter war, der jahrelang nur verantwortliche Arbeiten durchgeführt hat, der Mitglied der Exekutive gewesen ist, wenn er von einem Genossen, wie dem Genossen Heckert, als Doppelzüngler bezeichnet ist, dann muß er ausgeschlossen sein. Trifft das nicht zu, dann muß Genosse Heckert...

581 In seiner autobiographischen Skizze «Ich lebe in Moskau», Berlin 1947, notiert Kurella: «Die Atmosphäre der Sorgenlosigkeit, die im Sowjetland die menschliche Existenz umgibt, ist ebenso ansteckend wie die der Arbeitsmoral und der Sowjetdemokratie.» (S. 101) Kurella versteigt sich hier auch noch zu einem Loblied auf das NKWD, das für den Sowjetbürger «als Hüterin der Sicherheit des politischen Systems, das für ihn die Grundlage seiner geordneten Existenz, einer sorgenlosen Gegenwart und einer noch besseren Zukunft ist». (S. 106). Kurellas Bruder Heinrich wurde als «Versöhnler» 1937 durch das NKWD verhaftet und war am 28. Oktober 1937 zum Tode verurteilt und erschossen worden. Alfred Kurella schreibt 1947, daß bei «solchen Operationen gegen lebensgefährliche Erkrankungen des gesellschaftlichen Organismus der Kreis der zur Verantwortung zu ziehenden Personen weit geschlagen werden» muß. Wie sich bei Kurella vorsätzliche geistige Selbstverstümmelung, Verdrängung, Schuldangst, Parteidisziplin, Sprachregelung und individuelle Überlebensstrategie verschränken, kann kaum noch dechiffriert werden.

Gen. **Most**:
Das ist doch überflüssig, gegen den Genossen Heckert zu sprechen. Ich glaube, es ist nicht zweckmäßig in dieser Form...

Gen. **Kurella**:
Ich habe diesen Antrag gestellt. Die Antwort war, das geht uns nichts mehr an. Du gehörst nicht zu unserer Parteigruppe. Ich war dann bei Richter[582], der es ablehnte, es interessiert uns nicht, die Sache ist für uns erledigt. Ich bin in diesem Jahre noch einmal beim Genossen Pieck gewesen und habe mich mit ihm unterhalten, eine nochmalige Aufrollung des Falles interessiert uns nicht, wenn du etwas hast, gib es einer anderen Stelle. Wenn ich vorhin gesagt habe, ich hoffe und will, daß im Zusammenhang mit den Ereignissen der letzten Wochen meine Sache wieder aufgerollt wird, dann zu dem Zweck, daß wirklich meine Rolle, die vollkommen festgestellt und klargelegt ist, im Zusammenhang meiner Parteivergangenheit untersucht wird. Es ist klar, Genossen, daß es mein Bedürfnis gewesen wäre, im Zusammenhang mit der Aussprache hier, meine ganze Parteivergangenheit, wie Genosse Wangenheim es angefangen hat, klarzulegen. Es ist hier nicht der Platz dazu. Trotzdem ich das immer wieder versucht habe, war es mir nicht möglich, das zu tun. Wo ich die Hilfe der Partei haben will, hat man niemals Gelegenheit gehabt, die Dinge voranzubringen. Ich bin von 1918 im Dezember, damals gab es in München eine kommunistische Partei, die sich später auf dem Parteitag der Gründung ⟨der KPD⟩ angeschlossen hat, in die Partei eingetreten. Praktisch bin ich in die Partei eingetreten so gut wie unbekannt, weil mehr als Dreiviertel meiner Tätigkeit sich nicht in Deutschland, sondern in anderen Ländern abgespielt hat, daß führende Genossen überhaupt nicht wissen, wer ich überhaupt bin, weil ich über zehn Jahre lang im Auftrag anonym gearbeitet habe. Es existierten andere Genossen, es gab kein Bild von Kurella, das sind Gründe, warum man mich nicht kennt. Ich sage das Genosse Weber, ich denke, es wird Gelegenheit sein im Zusammenhang mit meiner Aussprache mit der Parteiorgani-

582 **Hermann Schubert (Deckname: Richter),** geb. 1886, 1920 KPD-Mitglied, Reichstagsabgeordneter, 1932 Mitglied des Politbüros, nach 1933 in Opposition gegen Wilhelm Pieck und Walter Ulbricht, Dez. 1934 in die Sowjetunion, bis August 1935 Vertreter der KPD beim EKKI; nach dem VII. Weltkongreß degradiert zur «Roten Hilfe»; am 15.5.1937 verhaftet, am 22.3.1938 zum Tode verurteilt und erschossen.

sation, weil sie sich bei euch über mich erkundigen müssen. Ich kann hier nicht sprechen über die ganze Vergangenheit, weil es ein endloses Referat werden würde.

Ich sage, ich kann hier nicht über die ganze Vergangenheit sprechen. Ich habe ein ungeheueres Material angehäuft. Ich kann darüber nicht sprechen zu der Mehrzahl der hier genannten Fälle. Die Namen kenne ich nicht, die Genossen können mich aber fragen. Schmückle und Brand. Ich habe sie oft gesehen. Aber ich habe nie etwas mit ihnen zu tun gehabt. Diese Schwabennatur geht mir nämlich auf die Nerven. Es ist vielleicht ein Fehler, ich muß es zugeben. Es war so. Brand war drei- oder viermal auf den Arbeitsgemeinschaften. Ein bis zwei Worte habe ich mit ihm gewechselt. Von seinem Roman habe ich keine Ahnung gehabt. Mit einer Reihe von anderen Schriftstellern habe ich zu tun gehabt, und zwar mit folgenden: Bandi, Prijasel, Makelius.[583]

Wenn die Genossen wünschen, kann ich über die einzelnen Leute sprechen. Bandi ist ein ungarischer Journalist und Schriftsteller, der einige Zeit nach dem Reichstagsprozeß hier eingetroffen ist und vorgestellt wurde von Maglewski. Er ist ein Bohemien. Ich wurde aufgefordert, ihn zu unterstützen und ihm zu helfen. Ich bekam diesen Auftrag von einer Stelle aus der Komintern. Ich brachte ihn in Verbindung mit Krebs[584]. Im Einverständnis mit Dimitroff hat er übrigens über den Reichstagsbrand geschrieben. Am 7. November vorigen Jahres hat man ihn in die «Iswestija» als Umbruchredakteur genommen, nachdem ich von Bucharin aufgefordert worden war, an der künstlerischen Ausgestaltung der 7.-November-Nummer zu helfen. Dieser Mann ist ein guter Umbruchmann, er hat viel darin gearbeitet. Er hat auch für Intourist gearbeitet und geholfen beim Theater-Festival. Dieser Mann hat eine Reihe Verbindungen, und zwar mit dem «Pester Lloyd», außerdem mit der ungarischen Botschaft. Er war ein großer Don Juan und hatte Verbindung mit großen Damen, die wiederum mit anderen Leuten Verbindung hatten. Ich brachte ihn in Verbindung mit Wangenheim, und zwar wegen des Films[585].

583 Alle drei nicht ermittelt.
584 **Michail E. Krebs** (1895–1937), Leiter der Verlagsabteilung der Komintern. Neben dem EKKI-Sekretär Waldemar Knorin war Krebs verantwortlich nicht nur für die VEEGAR, sondern für zahlreiche Komintern-Verlage, Exilzeitschriften und auch für Münzenbergsche Unternehmungen.
585 Gemeint ist Wangenheims Dimitroff-Film «Der Kämpfer».

Gen. **Barta**:
Wer hat ihn dir empfohlen, Maglewski und eine Stelle im Hause der Komintern?

Gen. **Kurella**:
Ich habe dann aber später veranlaßt, daß er abreisen soll, weil er im Begriff war, verschiedene Verbindungen aufzugeben. Er reiste ab und ist jetzt in Paris.

Noch ein Wort über den Genossen Ervin Sinkó[586]. Ich denke, daß man ihn heranziehen muß, er ist ein guter Genosse und ein sehr guter Schriftsteller. Die Genossen werden auch sein Buch kennen. Der einzige wunde Punkt ist seine Frau, die ihren Stimmungen nach eine ewige Meckerin ist. Sie arbeitet als Korrespondentin im Institut[587]. Und die auf ihn einen ungünstigen Einfluß ausübt. Er spricht sehr gut deutsch. Ich habe ihn mit verschiedenen Genossen in Verbindung gebracht. Er ist hier.

Die dritte Person, Makelius: Sie ist eine schwedische Journalistin. Sie wurde mir zugeführt durch den Redakteur (der) schwedischen Parteizeitung. Er bat mich, ihr behilflich zu sein bei ihrer journalistischen Tätigkeit. Sie kam damals her in einer doppelten Eigenschaft, ihr Ziel war China. Sie war auf der Durchreise. Ihr Ziel war China, wo sie abenteuerliche Pläne hatte. Sie wollte zur Roten Armee gehen. Ihr Durchgangsziel, ein Interview mit Genossen Dimitroff zu haben. Er war der Meinung, das ist nicht nötig. Ich habe abgelehnt und mich verschiedentlich um sie gekümmert und mit einer Reihe von Leuten bekannt gemacht. Ich habe sie dann mit Béla Kun bekannt gemacht, nachdem wir vorher bei der schwedischen Partei angefragt hatten. Das geschah in folgendem Zusammenhang: Sie bat, daß man bei ihrer Reise nach China ihr einige Hinweise gebe. Wir haben uns daraufhin geeinigt, daß die Hinweise formaler Natur sein sollen. Im Auftrag von Genossen Kun ist sie zusammengekommen mit Han Si Liau. Diese Reise nach China hat sich zerschlagen, obwohl sie das chinesische Visum hatte. Sie hat verschiedene Reisen in die Sowjetunion gemacht

586 In seinem Moskauer Tagebuch «Roman eines Romans» liefert Sinkó nicht nur eine Schilderung des Moskauer «literarischen Dschungels», sondern entwirft auch Porträts zahlreicher Schriftsteller und Politiker. Kurella, mit dem Sinkó eng befreundet war, habe sich vom ersten Tag an «offen und brüderlich» für das Erscheinen des Romans «Die Optimisten» und für ihn persönlich eingesetzt.
587 Wahrscheinlich im Marx-Engels-Lenin-Institut.

und ist im August oder September 1934 nach Schweden zurückgefahren.

Gen. **Ottwalt**:
Sie ist im Mai 1935 von hier abgefahren und dann nach Danzig gefahren und hat Aufträge gehabt.

Gen. **Kurella**:
Warum ich von ihr spreche, ist folgendes. Sie war oft zusammen mit Haus[588] und Hilde Löwen. Sie hat die Verbindung mit ihm gesucht mit der Begründung, daß sie in China zur Roten Armee Verbindung will und sich über militärische Dinge unterrichten lassen will. Sie hat sich von ihm militärische Dinge geben lassen. Sie hatte die Absicht, nach China zu fahren mit Hilfe eines Onkels, der Roter-Kreuz-Mann ist. Sie ist nach Schweden zurückgefahren und hat für die Partei und das Weltkomitee[589] gearbeitet, und nach Auskunft von Arvid Wretling[590] arbeitet sie gut für die Partei. Es gibt eine Reihe Momente, die darauf hinweisen, daß man der Frau auf die Finger sehen muß.

Ich glaube, im Falle Rabitsch[591] muß ich sagen, daß ich mich dafür eingesetzt habe, sein Buch herauszubringen. Er sagte, es werden Leute verhaftet, und er hat das Gefühl, daß die Verzögerung seines Buches mit einem Verdacht gegen ihn zusammenhänge.

Gen. **Ottwalt**:
Handelt es sich um einen Verlag hier in Moskau?

Gen. **Kurella**:
Ja, hier um die VEEGAR. Das ist wenig, was ich in diesem Fall zu sagen habe. Das ist ein Fehler. Nachdem ich mich vorwiegend schriftstellerischen Arbeiten zugewandt hatte, wäre es, glaube ich, meine Pflicht gewesen, an der Arbeit in einer Weise teilzunehmen, daß ich an den politischen Diskussionen aktiver teilgenommen hätte. Ich habe schließlich meine langjährige differenzierte politische Erfahrung

588 Rudolf Hausschild.

589 Weltkomitee gegen Krieg und Faschismus.

590 **Arvid Wretling** (1895–1970), nach der Spaltung der schwedischen Sozialdemokratie Mitglied der KP Schwedens, Vertreter der Kommunistischen Jugendinternationale in Schweden, Redakteur von «Kommunistik tidskrift» und Leiter des Verlages «Arbetarkultur».

591 **Rudolf Rabitsch**, Verfasser von: *Panzerzug Lichtenauer*, Moskau (VEEGAR), 1936; *Die Verbindung*, in: Internationale Literatur 1936, Nr. 11, S. 60–74.

und hätte wahrscheinlich in einer Reihe von Dingen mehr tun müssen und können, wenn ich enger an der Arbeit teilgenommen hätte. Ich will nicht auf die Gründe eingehen, warum ich das nicht getan habe. Ich möchte nur einen erwähnen, den ich als letzten und weniger wichtigen (Grund) aufgezählt habe. Und was richtig von Bredel gesagt wurde: mein Hochmut. Die zwei Bemerkungen, die ich auf verschiedenen Arbeitsgemeinschaften gemacht habe, die eine: Was macht ihr eigentlich, und die zweite: Wo meine Haltung als eine nicht richtige und nicht schöne Haltung der Distanzierung und Selbstüberhebung über andere Genossen zum Ausdruck kam. Wenn ich sehe, daß solche Momente zum Ausdruck kamen, dann ist es um so schwieriger, weil ich bei dem Parteivertreter der Komintern, als ich eine Erklärung über mein Verhalten gegeben habe, gesprochen habe, eben als Typus eines Parteiarbeiters, der in die Bewegung gekommen ist und hochgekommen ist, dank persönlicher Kenntnisse, die er nicht erarbeitet hat, sondern besitzt, der über laufende politische Probleme nicht mehr mit der Partei denkt, sondern sofort seine eigene Meinung hat, sie überschätzt, sie dann mit der Parteiauffassung vereinbart. Dann aber wieder zuerst seine eigene Meinung hat und sie mit der Parteilinie vereinbart und dann mit der Einbildung, daß seine Meinung doch die richtige war, die dann von der Partei ausgesprochen wurde, und daraus den Schluß zieht, was bin ich für ein gescheiter Kerl. Diese Psychologie habe ich als Grund dafür angeführt, warum ich in die Sache hineingekommen (bin). Ich glaube, das war damals wirklich vorhanden. Die Genossen, die mich näher kennen, werden das zugeben, obwohl ich bis heute nicht verstanden habe, was Wangenheim erzählt hat, den Eindruck eines gewissen mysteriösen Hintergrundes. Ich bin mir nicht bewußt, wie dieser Eindruck in Berlin zustande gekommen sein kann. Wenn ich feststelle, daß im Verhältnis zu euch solche Momente des Erhabenfühlens und des Hochmutes vorhanden gewesen sind, so sind diese Momente leider genährt worden durch eine Menge Cliquenerscheinungen und unernste Beziehungen von Genossen, so daß ich aus diesem Grunde den Genossen aus eurem Kreis ferngeblieben bin. Das ist ein ernster Fehler, und zwar ernster, als es auf den ersten Augenblick scheinen könnte. Das Nichtmitarbeiten, daß ich die ganzen politischen Fragen, die gestanden haben, zum Teil nicht gekannt habe und diese Elemente der Abgrenzung und der Überheblichkeit euch gegenüber sind die Dinge, die ich mir am meisten vorwerfe und an deren Besserung ich besonders arbeiten möchte. Ich glaube, das genügt, Fragen können noch gestellt werden.

Gen. **Ottwalt**:
Der Genosse Alfred Kurella arbeite sehr viel an der «Iswestija». Kann er uns Auskunft geben, wann und wie die Arbeit mit der «Iswestija» zustande gekommen ist?

Gen. **Weber**:
Ich habe drei Fragen: Erstens ist mir nicht ganz klar die Angelegenheit mit dem gestohlenen Manuskript geworden. Das mußt du genau erklären. Zweitens hast du ungefähr wörtlich gesagt: Ich habe drei Reinigungen mitgemacht und nicht die Dinge aussprechen können, über die ich mir heute noch nicht klar bin. Vielleicht erklärst du dich heute darüber, denn so wie du es gesagt hast, kann man verstehen, daß man dich vielleicht gehindert hat, dich darüber auszusprechen, worüber du dir nicht klar warst. Dann die dritte Frage: Du hast in deinen Ausführungen erklärt, daß der Genosse Heckert auf der fraglichen Sitzung erklärt habe: Genosse Kurella, der ständig auf dem falschen Pferd sitzt. Jetzt sagst du selber, ich habe bei allen Ereignissen eine eigene Meinung gehabt, die ich dann der offiziellen Parteimeinung anpaßte. Damit hast du die Charakterisierung des Genossen Heckert von damals bestätigt. Wie erklärst du: eigene Meinung haben und sie dann der Meinung der Partei anpassen?

Gen. **Most**:
Genosse Kurella hat, wie auch andere Genossen, in einem anderen Zusammenhang den Genossen Heckert hier erwähnt, und ich glaube, auch in diesem Falle wäre es nicht nötig gewesen, den Namen zu erwähnen. Durch die Art der Darstellung hat Genosse Kurella den Eindruck hervorgerufen, hat direkt ausgesprochen, daß das, was Genosse Heckert gesagt hat, doch im Widerspruch stand im wesentlichen Inhalt zu der Einschätzung durch den Genossen Dimitroff und Piatnitzki. Dazu bedarf es einer besonderen Erledigung, um so mehr, als Kurella diese Einschätzung des Genossen Heckert, die eine drastische ist und durchaus der ganzen Art und dem Auftreten, dem offenen und ehrlichen kommunistischen Auftreten des Genossen Heckert entspricht, als ob diese Einschätzung des Genossen Heckert es gewesen sei, die dem Genossen Kurella das eigentlich Fühlbare der Parteistrafe zugetragen hätte, einer weiteren Erledigung bedarf, damit man

genau weiß, was Genosse Kurella sagt und wie wir es parteimäßig zu beurteilen haben.

Gen. **Hay**:
Wenn ich gut verstanden habe, hat Genosse Kurella uns Sinkó empfohlen. Ich möchte fragen, ob Genosse Kurella gründlich nachgeprüft hat, wer Sinkó ist. Ich kann mich erinnern, daß vor vielen Jahren Sinkó sehr schlecht war und daß in einem Buch, das in der Sowjetunion gedruckt wurde, in einem Reportagebuch von Grünberg (?), Sinkó mit Namen genannt und mit ziemlich schlimmen Beschuldigungen erwähnt ist. Es kann alles geprüft und revidiert sein, aber es muß gefragt sein.

Gen. **Barta**:
Mir ist bekannt, daß dieser Roman in Originalfassung von einer Reihe Genossen als trotzkistischer Band bezeichnet ist. Andere Genossen haben eine andere Meinung gehabt, wie ich weiß, der Genosse Kurella, Winter usw. Es handelt sich darum, haben die Genossen die Originalfassung gelesen und wenn ja, worüber handelt es sich, wo von einer Reihe Genossen von Trabanten erzählt wird?

Gen. **Fabri**:
Ich wollte fragen, ob Genosse Kurella bekannt ist, daß Sinkó ein wütender Hasser der ungarischen Partei gewesen ist und die ungarische Diktatur sehr scharf bekämpft hat; zweitens, ich möchte ihn fragen, ob und in welchen Beziehungen er zu Emel gestanden ist.

Gen. **Halpern**:
Ich wollte den Genossen Kurella fragen, wie die Beziehungen zu Huber sind, und was sind das für welche?

Gen. **Huppert**:
Ich wollte fragen, Genosse Kurella war 1928/29 in Narkompros. War das eine Zwischenarbeit in der Komintern?

Gen. **Wangenheim**:
Ich frage mich, ob dir bewußt ist, daß zwischen der Darstellung, die du gabst und die ich weiß, nicht die Darstellung dieser Tage ist, sondern eine ältere Darlegung in der Zeit, als bei uns als Parteigenossen über diese Frage Auseinandersetzungen waren und ich dich fragte, daß du damals nicht eine so klare und selbstkritische Einschätzung deiner Fehler gegeben hast, wie du sie jetzt, wie du sie später gegeben

hast, ob dir klar ist, ob dir diese persönliche Folgerung aus deinem Verhalten zum Beispiel hier, nichts zu tun hatte mit dieser gesondert stehenden Frage, ob du ein Doppelzüngler bist im wahrsten Sinne des Wortes und ob du diese damalige Bemerkung identifiziers. Heute gewinnt das Wort Doppelzüngler einen anderen Wert als es damals hatte, und es ist in einem anderen Moment ausgesprochen, als es heute ausgesprochen ist, ob dir das klar ist.

Gen. **Kurella**:
In der Beziehung zur «Iswestija»: Ich habe drei Artikel veröffentlich und an dieser künstlerischen Ausgestaltung der Nummer teilgenommen. Ich wurde ständig zugezogen durch den Leiter der Kulturabteilung, ich kenne seinen Namen nicht – durch den Genossen Schirmow (?)? Dazu kommt, daß diese Einladung durch den Genossen Bucharin persönlich erfolgte. Ich kenne ihn persönlich vom allerersten Anfang meines Aufenthaltes in der Sowjetunion. Er war derjenige, als wir von der illegalen Partei ankamen, der sich sofort um uns kümmerte. Er hat um 12 Uhr angerufen und uns ein Stück Brot und Speck raufgebracht. Wie er in dem Moskauer Büro der Komintern arbeitete, habe ich sehr viel mit ihm zu tun gehabt. Ich weiß, daß er damals eine gute Meinung von mir gehabt hatte, und ich bin seiner Einladung vor einem Jahr gern gefolgt.

Der Diebstahl des Manuskripts: Ich hatte im Auftrage von Dimitroff ein umfangreiches Manuskript über den Leipziger Reichstagsbrandprozeß geschrieben. Noch bevor meine Maßregelung erfolgte, wurde der Wunsch geäußert, daß dieses Buch als eine Schilderung herauskommen sollte. Es folgte nun meine Maßregelung. Ich teilte dann dem Genossen Dimitroff mit, daß ich auf die Herausgabe des Buches unter meinem Namen verzichte.[592] Er war damit auch einverstanden. Es wurde dann der Genossin Lilly Keith zur Begutachtung vorgelegt. Nach einiger Zeit erhielt die Komintern ein Manuskript von Lilly Keith, dann folgte der Buchdruck Dimitroffs «Der Ankläger von Leipzig», wobei die ersten zehn Seiten seine Änderungen enthielten, die anderen Seiten hat man nicht geändert, es folgte meine Arbeit. Ich sagte, das kann nicht mit Einverständnis von Dimitroff geschehen sein. Die Art der Aneignung einer fremden Arbeit war doch eigenartig.

592 Über Kurellas Rolle als «ungenannter Autor» für Dimitroff und Barbusse berichtet Sinkó, *Roman eines Romans*, S. 185.

Gen. **Barta**:
Wieso eigenartig?

Gen. **Kurella**:
Es wäre doch möglich gewesen, das Buch unter einem anderen Namen herauszugeben. Ich hatte das ganze Material zu diesem Buch in fünf Monaten zusammengetragen.

Jetzt zu der Frage von Weber:

Ich habe an drei Parteireinigungen teilgenommen und hatte trotzdem nicht die Möglichkeit, meine ganze Parteitätigkeit aufzurollen. Warum kam es nicht dazu? Die Genossen, die frühere Reinigungen mitgemacht haben, wissen, daß sie zuletzt nicht mehr so gründlich durchgeführt wurden. Die letzte Parteireinigung hat mich sehr empört. Aber das Wort «empört» ist eigentlich nicht am Platze. Ich kam im Frühjahr 1934 aus Paris. Von 1924 bis 1929 war ich Mitglied der WKP und dann später wieder Mitglied der Kommunistischen Partei Deutschlands.

Ich wurde bei der letzten Reinigung persönlich zu Solz[593] vorgeladen. Solz kennt mich sehr gut. Ich hatte mir eine ganze Reihe von Fragen aufgeschrieben, ich wollte mit ihm über die Antifa-Frage sprechen, weil ich Differenzen mit Karolski[594] hatte. Genosse Solz sieht mich und sagt, das ist ja Kurella, und die Sache war erledigt. Ich hatte also keine Möglichkeit, auf alle diese Dinge einzugehen, da es ja auch keine große Versammlung war. Das Dokument habe ich überhaupt nicht abgeholt. Ich will nicht darauf eingehen, daß die Dinge sowie meine Fehler in politischen Abweichungen bestehen, sondern es ist die Kaderfrage. Ich habe Fehler gemacht beim Übergang von einer Arbeit zur anderen. Ich sah da was nicht klar.

Genosse Weber meint, daß die Frage von Genossen Heckert, ich säße auf einem falschen Pferd, das gegen die Komintern geht, und meine Darstellung über bestimmte Charaktereigenschaften von mir richtig sei. Ich könnte das an allen Etappen zeigen: Ich habe sehr schnell versucht, Beziehungen mit der WKP anzuknüpfen. Im Jahre 1921 war ich unterwegs nach hierher, und wir saßen dann später im «Lux» für den Fall, daß in Moskau Streiks ausbrechen würden gegen

593 **Aron A. Solz** (1872–1945), war 1921–1934 Präsidiumsmitglied der Zentralen Kontrollkommission der KPdSU.
594 Referent des EKKI-Sekretärs Knorin.

die Partei. Als ich dann nach Berlin kam, erklärte ich, daß man unbedingt helfen muß. Ich habe damals viel mit Béla-Kun-Leuten zusammengearbeitet. Im Mai 1921 kam ich nach Moskau zurück, und die Frage über den Wiener «Kommunismus» stand hier auf der Tagesordnung. Ich nahm Stellung hierzu.

Verstehst du, der Prozeß zwischen der eigenen Meinungsbildung und ihre Verbindung mit der Linie der Partei geht sehr schnell. Das Gefühl der Überheblichkeit, was mir sehr geschadet hat, kam zu oft daher: Wie fix du immer die richtige Sache findest, auch wenn sie noch nicht ausgesprochen ist.

Gen. **Most**:
Mit dieser sehr gefährlichen Theorie der individuellen Meinungsbildung im Unterschied zur schwerfälligen proletarischen Meinungsbildung innerhalb der Partei, eben innerhalb der Darstellung dieser Theorie, wo das fortgesetzte kritische Moment im Verhältnis zur Parteilinie immer gegeben ist, war das vielleicht nicht das, was Genosse Heckert bezeichnen wollte?

Gen. **Kurella**:
Entschuldige, wenn ich darüber spreche, ein Wort im Zusammenhang damit, daß mein Verhältnis zu Genossen Fritz Heckert die ganze Zeit sehr schwer war, daß ich versuchte, diese ...[595] aufzuklären. Einer der führenden Parteigenossen unseres Betriebes, Gen. Ondratschek[596], hat, nachdem wieder einmal davon die Rede war, Genosse Heckert gefragt, ob es stimmt, was ich gesagt habe. Gen. Heckert hat geantwortet, daß er sich besinnt, daß darüber eine Aussprache zwischen ihm und Kurella stattgefunden hat, sehr erstaunt, da Genosse Heckert ein anderes Ziel verfolgte. Ich will das erwähnen, vielleicht wird noch die Rede davon sein. Ihr müßt verstehen, was es heißt, wenn ich von dem damaligen Vertreter der Partei so gekennzeichnet wurde als jemand, der die ganze Zeit gegen die Komintern war. Wenn du 18 Jahre verantwortlicher Funktionär der Komintern warst, wirst du nicht einfach daran vorbeigehen, sondern willst wissen, was ist eigentlich. Ihr müßt entschuldigen, es war für mich momentan beinahe eine Lebensfrage. Gen. Most hat den Eindruck, daß zwischen

595 Fehlende Textstelle, sinngemäß «Beschuldigung» zu ergänzen.
596 **Rudolf Ondratschek**, Redakteur, kam 1939 im sibirischen Straflager Norilsk ums Leben. Vgl. dazu Karl Stajner: *7000 Tage in Sibirien*, Wien 1975, S. 107–109.

den Charakteristiken der Genossen Heckert, Dimitroff und Pjatnitzki ein Widerspruch besteht?

Gen. **Most**:
Ich meine ein solcher Widerspruch, daß die eigentliche Strafe, die eigentliche Last dieser Parteistrafe dich getroffen hätte.

Gen. **Kurella**:
Ich verstehe nicht ganz. In der Praxis hat sich die Charakteristik gegen mich ausgewirkt.

Gen. **Most**:
Wie hätte sie sich ausgewirkt nach der Meinung des Genossen Dimitroff und Pjatnitzki?

Gen. **Kurella**:
Sie hätte sich weniger stark ausgewirkt. In unseren Beziehungen, zwischen mir und Genossen Wangenheim, nehmen wir eine persönliche Frage, aus dem konkreten Zusammenhang der Arbeit an dem Film, wo ich ohne Begründung ausschied, während mir gesagt wurde, das sei nicht der Fall. Es gibt eine Reihe von praktischen Dingen, die sich nicht ereignet hätten.

Gen. **Most**:
Auf die Hauptfrage gehst du vielleicht noch ein. Mir ist nicht klar, wo die Differenz liegt...

Gen. **Kurella**:
Dann muß ich die Charakteristiken der Genossen Dimitroff und Pjatnitzki wiederholen. Sie waren anders. Genosse Pjatnitzki war während der Rede des Genossen Heckert nicht anwesend. Er gab eine Meinung, die für mich günstig war, die ich aber nicht wiederholen will.

Die Nachprüfung des Genossen Sinkó wurde mir geschickt von Matheijka[597]. Ich habe damals die Frage Sinkó sofort Béla Kun[598] vor-

597 **János Matheijka**, ungarischer Schriftsteller. Über seine Rolle als Gutachter innerhalb des hochbürokratisierten stalinistischen Literaturbetriebs berichtet Ervin Sinkó in «Roman eines Romans».
598 Béla Kun bezeichnete Matheijkas Gutachten als «gewöhnliche Schweinerei» oder das «erschütternde Dokument einer Idiotie», wie Sinkó in seinem Tagebuch notiert. Kun habe sich als «großzügiger Mensch mit weitem Horizont» für Sinkó exponiert.

gelegt, und er hat sie der ungarischen Partei vorgelegt. Nachdem das abfällige Urteil Mathejkas vorgelegen hat, hat Béla Kun[599] das ganze Manuskript gelesen und angeordnet, daß das Manuskript von der ungarischen Sektion[600] gelesen wird. Die ungarische Sektion hat sich sehr stark für das Buch eingesetzt.[601] Die Figur Sinkós und sein Verhältnis zur Vergangenheit ist auf der ungarischen Parteilinie geprüft, soweit mir bekannt ist. Ich habe keine Anweisung bekommen, den Mann so einzuschätzen, wie er früher war. Das Urteil von Mathejka halte ich für absolut oberflächlich und von anderen Gründen diktiert, die mit dem Roman nichts zu tun haben. In einem Kapitel wird die Anwesenheit des englischen Obersten geschildert, um den sich eine ungarische Genossin in komischer Weise kümmert, um den Mann politisch zu erziehen. U. a. gibt sie ihm einen Artikel von Sinowjew zu lesen, der damals Leitartikel in der «Kommunistischen Internationale» aus dem Jahre 1919 war. Dieses Kapitel und der Artikel von Sinowjew war im Jahre 1931 niedergeschrieben[602], zu einer Zeit, als Sinkó über eine exponierte Stellung von Sinowjew wenig wissen konnte. Als man ihn darauf aufmerksam machte, sagte er sofort, das muß man herausnehmen. Ich habe den Roman sehr genau gelesen und meine Meinung darüber gesagt.[603] Das betrifft auch die Frage des Genossen Fabri.

Jetzt meine Beziehung zu Emel. Ich habe ihn gekannt, als er in der Agitprop-Abteilung der Partei saß und habe in der MASCH-Arbeit[604] und in der besonderen Arbeit mit ihm sehr heftige Konflikte ge-

599 Béla Kun war bereits im Sommer 1936 von seinen Funktionen in der Kommunistischen Internationale und der KP Ungarns abgelöst worden und zum Direktor des Moskauer Verlages für Gesellschaftswissenschaft und Volkswirtschaftswissenschaft degradiert worden. Am 29. Juni 1937 wurde er verhaftet und starb als Opfer des Terrors am 30. 11. 1939.
600 Die ungarische Sektion der Komintern, die Kommunistische Partei Ungarns.
601 Andor Gábor verfaßte ein sehr positives Gutachten über Sinkós Roman «Die Optimisten». Vgl. E. Sinkó: *Roman eines Romans*, S. 329–330.
602 Mit der abstrusen Bemerkung, daß sein Roman «Propaganda für Sinowjew mache», wird die Veröffentlichung von Sinkós Roman abgelehnt. Vgl. E. Sinkó: *Roman eines Romans*, S. 349–350.
603 Kurella verfaßte, neben einem internen Gutachten, auch eine umfangreiche Studie zu Sinkós Roman, die in der französischen Ausgabe der *Internationalen Literatur* erschien.
604 MASCH, d. i. die von KPD gegründete Marxistische Arbeiterschule, die auch für die Bündnispolitik mit der Intelligenz funktionalisiert wurde.

habt. Er war derjenige, der die marxistische Forschungsarbeit hintertrieben hat, die wir angefangen hatten nach dem Muster der französischen Gesellschaft der Partei und der parteilosen Marxisten. Ich habe ihn lange Zeit nicht wiedergesehen, bis er in das Sekretariat von Béla Kun in der Komintern kam, wo ich eine Zeitlang arbeitete. Ich habe ihn dann, als er Lektor der MKU[605] war, unter folgenden Umständen getroffen. Es muß dieses Frühjahr gewesen sein. Das ist charakteristisch für sein Verhalten. Das war im Frühjahr, ich war mit meinen Kindern weggegangen, kam von der Wanderung zurück, und an der Straßenbahnhaltestelle steht Emel mit noch zwei Leuten. Er stürzt auf mich zu: «Ach, Kurella, komm doch mit.» Ich bin nicht mit ihm gegangen und habe ihn auch nicht wiedergesehen. Ich habe dann wieder von ihm gehört, als ich aus dem Bericht des Prozesses erfuhr, daß dieser «Lurie» Emel ist, von dem ich eine sehr niedrige Meinung gehabt habe und einen ganz besonderen abstoßenden Eindruck durch das ekelhafte Schlußwort. Genossin Halpern, die Figur von Otto Pohl[606] und der Dress von Otto Pohl gehören nach der Schweiz. Otto Pohl ist ehemaliger österreichischer Gesandter, der von seinem Posten entfernt wurde, ein typischer Wiener Sozialdemokrat, der sich schon von Otto Bauer abgrenzt, sich vom Kommunismus abgrenzt und nie kommen wird, der ehrlich arbeitet. Er hat hier eine Wohnung, in diesem Kreis verkehren zum Beispiel auch Ewald Strecker, eine Reihe von Wiener intellektuellen Schriftstellern. Dort wohnt auch die Lotte Schwarz[607], sie kam hierher 1925 oder 1926.

Hubermann wurde aus der Profintern entfernt, wurde dann aber in die Eisenbahn gesteckt, wurde auch deprimiert.

Meine Arbeit 1928/29 in Narkompros war eine selbständige Arbeit. Ich bin 1928/29 nach einer langen Krankheit entlassen worden, war Redakteur der «Komsomolskaja Prawda». Da habe ich politische Fehler begangen in der Frage der bildenden Kunst, wo ich eine Position vertrat, wo ich den Formalismus verteidigte.

Die letzte Frage vom Genossen Wangenheim: Er sagt, daß ich da-

605 Moskauer Kommunistische Universität.
606 **Otto Pohl**, ehemaliger außerordentlicher Gesandter Österreichs, Herausgeber der Zeitung *Moskauer Rundschau*, konnte die Sowjetunion noch unbehelligt verlassen. In Frankreich ging er 1941 zusammen mit seiner Frau in den «Freitod».
607 **Lotte Schwarz**, Lebensgefährtin Otto Pohls, seit 1926 in der Sowjetunion, Kulturredakteurin der *Moskauer Rundschau*, konnte aus der Sowjetunion, über Prag, nach Frankreich emigrieren.

mals nach meiner Maßregelung den Charakter meines Fehlers im wesentlichen gesehen und anerkannt habe, aber nicht so klar wie jetzt, daß ich in meiner Darstellung noch einen Moment erwähnt habe, was ich hier nicht erwähnt habe.

Gen. **Wangenheim**:
Damals war es so, daß dir irgendwie das Ausmaß des Fehlers nicht so bewußt war und du noch ein wenig das Gefühl hattest, daß es so wie eine Art Schicksal oder Verhängnis gewesen ist das Ganze, daß du da reingerutscht bist ohne eine persönliche, subjektive Schuld.[608]

Gen. **Barta**:
Du hast dein Schicksal selbst organisiert.

608 In einer im Februar 1954 verfaßten «Kurzen Selbstbiographie» bezeichnet Alfred Kurella seine Teilnahme an einer «Abendgesellschaft ehemaliger Größen» am 28.11.1934 in Moskau als «schweren politischen Fehler». In dieser von Häresie und Unterwerfung geprägten Autobiographie referiert er: «Es gelang mir nach der empfindlichen Parteistrafe wieder von vorne anzufangen, ohne nach den verlorenen Posten und Ehren zu schielen und so mir nach und nach das politische Vertrauen wiederzugewinnen. Für eine kurze Zeit allerdings wurde auch meine schriftstellerische Tätigkeit noch eingeschränkt: als im Zuge der Reinigung aller sowjetischen Apparate und Institutionen von parteifeindlichen Elementen (1934–36) auch mein jüngerer Bruder, Heinrich Kurella, Mitarbeiter des Kominternapparates, im Juli 1937 von den Organen der sowjetischen Staatssicherheit verhaftet und später verurteilt wurde, verbot mir die deutsche Parteileitung zeitweise das öffentliche Auftreten unter meinem Namen, so daß meine Arbeiten aus jener Zeit (1934–38) unter meinen alten Pseudonymen Bernhard Ziegler und Viktor Röbig erschienen. Als festgestellt wurde, daß ich mit den Handlungen meines Bruders Heinrich, der mit Heinz Neumann und Heinrich Süßkind in enger Verbindung stand, nichts zu tun, ja daß ich meinen Bruder wiederholt vor dieser Gesellschaft gewarnt hatte, wurde das Namensverbot wieder aufgehoben.»

Kurella bezichtigt sich in diesem bei der Rückkehr in die DDR geschriebenen Lebenslauf zudem noch «ultralinker, formalistischer Fehler in der Kunstpolitik», die er in den Jahren 1928/29 im Moskauer Volkskommissariat für Aufklärung begangen habe. Vor diesem biographisch-politischen Hintergrund müssen auch Kurellas apodiktische Beiträge zur Expressionismus-Debatte in der Zeitschrift *Das Wort* und seine gleichzeitigen Sublimationsversuche zum «proletarischen Humanismus», seine Interpretationen der Marxschen «Frühschriften» gelesen werden. Nach seiner «Parteistrafe» versuchte Kurella 1935 «nach Paris zu kommen», wie seine Frau Valja berichtet, die selbst im Herbst 1936, «wegen Zusammentreffen mit Eltern» aus der Bibliothek entlassen wird. Vgl. *Kurze Selbstbiographie*, in: Alfred-Kurella-Archiv. Literaturarchive der Akademie der Künste der DDR.

Gen. **Kurella**:
Stell dir vor, du kommst in die Lage, daß du nach längeren Jahren mit einer Reihe von Leuten, wo du früher eine enge Beziehung hattest, bei denen vergißt man die Vergangenheit.

Gen. **Most**:
Du wußtest, daß diese aufgewärmte Jugend sich zusammensetzt aus eindeutig in parteifeindlichen Kreisen befindlichen Leuten. Das kann, wo du der aktive Organisator warst, kein Zufall sein. Diese alten KIM-Leute, das waren Schatzkin usw. Du mußt eindeutig in dieser Situation deine Fehler und deine Schuld sagen. Dieses Psychologisieren ist so gefährlich.

Gen. **Kurella**:
Meine Einstellung zu der Einschätzung dieser Leute: Ich habe mir damals gesagt, als mir klar wurde die objektive Zusammensetzung, dazu gehören Dinge, die da waren und die man hinterher wegnimmt. Ich habe sowohl Schatzkin wie Vujowicz unter Umständen getroffen, die dafür sprachen, daß diese Leute nicht nur rehabilitiert sind, daß sie auf ganz andere Arbeiten kommen konnten im Hause der Komintern. Als ich diese Gelegenheit hatte, habe ich die Beziehung zu ihnen aufgenommen. Ich muß das sagen.

Gen. **Bredel**:
Ein Widerspruch, du sagst, es waren beauftragte Genossen.

Gen. **Kurella**:
Es wurde ihnen gesagt, ob sie nicht kommen wollen.

Gen. **Most**:
Du bist das Werkzeug jener Leute geworden.

Gen. **Kurella**:
Das habe ich so gesagt, als die Fragen einsetzten über meine Einstellung früher.

Gen. **Most**:
Objektiv[609] parteifeindlich. Das müssen wir doch als ein Glied in dieser Kette feststellen.

609 Ausgestattet mit dem Wahrheitsmonopol der Parteiführung, kann Heinrich Wiatrek (Weber) das Verdikt «parteifeindlich» zudem mit der nicht hinterfragbaren Eigenschaft «objektiv» versehen. Hannah Arendt hielt die Einführung des Begriffes vom «objektiven Gegner» für das «Funktionieren totalitärer Regime für

Gen. **Kurella**:
Die Bestrafung und Maßregelung halte ich für richtig, und ich bin der Partei dankbar, daß sie mir geholfen hat. Die Leute haben einen Rückhalt gesucht.

Gen. **Most**:
Du willst noch einmal eine Wiederholung der ganzen Sache beantragen? Eine solche gründliche Untersuchung könnte helfen, größere Klarheit zu schaffen.

Gen. **Kurella**:
Bei meiner Parteizelle habe ich den Wunsch geäußert, man möchte die ganze Angelegenheit doch noch einmal aufrollen, damit man auch für die Zukunft meine Arbeit bestimmt.

Gen. **Barta**:
Hast du Verbindung mit Süßkind gehabt? Als ich 1934 aus Paris zurückkam, wußte ich von der intensiven Arbeit der Versöhnler. Ich war wie vor den Kopf geschlagen, als ich im Sekretariat von Béla Kun später Süßkind traf. Ich sprach dann mit Kun darüber, und er sagte mir, daß alles in Ordnung sei. In Berlin gehörte ich eine Zeitlang zur Versöhnlergruppe. Ich kam ein einziges Mal zu ihnen und ging dann aber nie wieder hin. Diese Versöhnlergruppe in Berlin habe ich für hoffnungslos parteifeindlich gehalten und meine Beziehungen zu ihr abgebrochen.

Gen. **Ottwalt**:
Ich frage: Ich entsinne mich an ein Gespräch mit Kun, wo er dich rief. Süßkind war im Zimmer, und er sagte zu dir, du seist eine treulose Tomate.

Gen. **Kurella**:
Ich habe viel mit Kun gearbeitet, aber wenn Süßkind dort war, habe ich vermieden, zu Kun zu gehen.

Gen. **Ottwalt**:
Jetzt zu Makelius: Ich kannte auch diese Genossin und lernte sie im Büro von Béla Kun kennen. Sie kam mit einer ganzen Reihe von Vor-

wichtiger als die ideologisch festgelegte Bestimmung, wer der Gegner jeweils ist». Hannah Arendt: *Elemente und Ursprünge totalitärer Herrschaft*, Frankfurt a. M. 1955, S. 670.

schlägen, sie kam auch mit Süßkind zusammen und fuhr dann mit Genehmigung von Béla Kun heraus.

Gen. **Kurella**:
Das weiß ich nicht.

Gen. **Wangenheim**:
Es ist hier ein Mißverständnis aufgetaucht. Ich habe eine ganz konkrete Frage, über die ich damals mit Kurella diskutierte. Ich glaube, daß nicht die Frage des Prozesses sein tiefster Fehler war, hier ist auch von Doppelzünglertum gesprochen worden. Wenn man damals Doppelzüngler sagte, so ist das doch meiner Meinung nach etwas anderes wie heute, denn dieses Wort hängt doch mit Mörder zusammen. Ich muß sagen, ich habe angenommen, daß außer dem einen Fehler auch noch andere Fehler vorliegen, und frug mich, was ist denn eigentlich mit Kurella los, und mein Zurückziehen hing selbstverständlich mit diesen Dingen zusammen, weil diese Dinge nicht geklärt waren.

Gen. **Most**:
Es ist unmöglich, im Zusammenhang mit einer so schwerwiegenden Frage, auf Heckert zurückzugreifen. Das, was Heckert gesagt und angeblich Dimitroff und Piatnitzki, diese Gegenüberstellung halte ich für absolut unzulässig. Solches Abschieben auf Heckert, anstatt mehr Selbstkritik zu üben, halte ich für unzulässig bei einer so ernsten Sache, wie wir sie heute behandeln. Du mußt verstehen, deine Position verstehe ich.

Gen. **Kurella**:
Es liegt ein objektiver Widerspruch in der Charakteristik, daß der Mann sein ganzes Leben gegen die Komintern gewesen ist.

Gen. **Most**:
Deine Vergangenheit ist nicht zu trennen von dem abgeurteilten Fall.

Gen. **Kurella**:
Ich möchte, daß dieser im Zusammenhang behandelt wird und nicht isoliert.

Gen. **Most**:
Ich halte meine Formulierungen aufrecht.

Gen. **Barta**:
Hat noch jemand Fragen? Dann müssen wir eine neue Geschäftsordnung einführen. Wir müssen heute unbedingt beenden. Es verlangen das Wort die Genossen Halpern und Kast, Gabor, Günther und Becher zum zweiten Mal.

Gen. **Most**:
Die zweite Reihe können wir als Wortmeldungen von zwei bis drei Minuten auffassen.

Gen. **Barta**:
Ich glaube eine halbe Stunde für denjenigen, die das erste Mal sprechen, und fünf Minuten für denjenigen, die zum zweitenmal sprechen, und zwar in Form von Erklärungen.

Gen. **Fabri**:
Ich habe eine Frage, zu der ich mich melde, eine Kollektivfrage von sechs Genossen. Ich habe in meiner Rede und in den Fragen selbstkritisch festgestellt, daß wir Schmückle gedruckt haben. Ich frage die Genossen, die in der Zelle der MORP waren und dafür stimmten, daß die Rüge von Schmückle gestrichen wird – die Genossen Barta, Bredel, Gábor, Günther, Ottwalt und Weinert –, ob sie es für einen politischen Fehler halten, daß sie (trotz) Absetzung von Schmückle in weiteren Nummern der «Internationalen Literatur» große Aufsätze von Schmückle fortlaufend veröffentlicht haben. Genossen, nachdem die Genossen mir einen Vorwurf daraus machen, daß wir in der «DZZ» Schmückle veröffentlicht haben, bitte ich sie, ebenso gründlich zu verurteilen, da sie den Fall Schmückle kennen, daß bis zur letzterschienenen Nummer der «Internationalen Literatur» und bis zur Nummer zwei des «Wortes» Artikel von Schmückle gedruckt wurden.

Gen. **Most**:
Ich bitte diese Frage nicht zu protokollieren.

Gen. **Fabri**:
Es ist mir ganz ernst. Ich bitte zu Protokoll zu nehmen: Ich habe das Recht, dieselbe Frage an Genossen zu stellen, die bis zur Nummer 8 der «Internationalen Literatur» weiter Artikel von Schmückle aufgenommen haben.

Gen. **Most**:
Dann bitte ich meinen Vorschlag: nicht zu protokollieren, auch zu protokollieren.[610]

Gen. **Halpern**:
Zuerst möchte ich erklären, Genosse Huppert hat in seiner Rede über die Eingabe des Genossen Günther gesprochen, und die Sache steht so, daß ich Günther ausdrücklich abgeraten habe, dies zu machen, weil ich von einem Genossen gehört habe, daß die Sache in Ordnung ist und in Ordnung gebracht wurde. Ich habe nicht gewußt, daß Günther mich als Zeugin angegeben hat. Ich habe sogar Günther nicht allein, sondern in Gegenwart des Genossen Lukács Vorwürfe gemacht, daß er mich als Zeugin genannt hat, obwohl ich das abgelehnt habe. Diese Sache habe ich in einem Gespräch mit dem Genossen Huppert ihm erzählt. Er hat mich aufgefordert, eine Zeugenschaft zurückzuziehen. Ich habe das nicht gemacht, weil ich das für unsauber gehalten hätte, gerade jetzt vor diesen Auseinandersetzungen, wo ich und Gábor besonders stark und mit Recht angepackt werden. So eine Zeugenschaft zurückzuziehen, würde man schief auffassen. Ich war der Meinung, wenn ich vor die Parteiinstanzen zitiert werde, werde ich sagen, was ich weiß. Ich glaube, es war nicht richtig, daß Genosse Huppert mich so apostrophiert hat. Es ist ein Zeuge da, der Genosse Lukács.

Gen. **Huppert**:
Wenn man eine Zeugenschaft mißbraucht, so protestiere ich dagegen. Das tut jeder ehrliche Kommunist.

Gen. **Halpern**:
Jetzt zu einer anderen Sache. In der Sache Brand muß ich vor allem sehr streng mit mir selbst abrechnen. Es war ein sehr großer Fehler von mir, daß ich diesen Mann nicht rechtzeitig durchschaut habe, daß ich wirklich geglaubt habe, daß er zwar in seiner Jugend ein gewesener Trotzkist in der Ukraine war, dann aber nur ein Wirrkopf, ein

610 Die Intervention des Komintern-Vertreters Heinrich Meyer (Most) macht deutlich, daß durch den Amtsrang in der Komintern- oder Literaturhierarchie Tabuzonen errichtet sind. Fabris zweiter Verweis auf die Abdruckpraxis anderer Zeitschriften klagte zwar Gleichbehandlung ein, wurde aber als unziemlicher Angriff auf sakrosankt gesetzte Autoritäten nicht einmal für protokollwürdig befunden.

Mann ist, der wirklich und ehrlich auf den richtigen Weg kommen will. Es war ein schwerer Fehler von mir, denn ich muß sagen, daß ich nicht nur in den letzten Tagen, wo der Prozeß stattgefunden hat, viel gelernt habe. Ich hoffe, in der zukünftigen Arbeit die Menschen richtig einzuschätzen und mich anders in der Arbeit einzustellen. Ich will noch eine Erklärung abgeben: Als wir über die Frage der Verhaftung sprachen, habe ich gesagt, vielleicht wird er wieder frei. Einige Zeit früher hat jemand erzählt, daß ein Redakteur des «Jungsturms» aus Charkow hier war, der behauptet hätte, daß Schellenberg freigekommen wäre. Da ich die Sache Brand im Zusammenhang mit der Ukraine gebracht habe, dachte ich, es ist möglich, daß er frei kommt. Ich sehe, daß es ein großer Fehler war. Die ganze Sache war falsch, und es war nicht richtig von mir, daß ich das gesagt habe.

Etwas anderes war die Sache Brustawitzki, der kurz hier in der Arbeitsgemeinschaft war. Jetzt spreche ich als Organisationssekretärin unserer Deutschen Sektion[611], die Arbeitsgemeinschaften aufführte. Den Vorwurf des Genossen Huppert, daß ich hier Gruppen gebildet habe, haben einige Genossen widerlegt. Ich kann mit Namen und Tatsachen widerlegen, daß diese Leute nur ganz kurze Zeit an den Arbeitsgemeinschaften teilgenommen haben. Brustawitzki, Laszlo und Gles sind sofort nach Leningrad gefahren. Müller hat eine Zeitlang unsere Arbeitsgemeinschaft besucht, unpünktlich, dann verschwand er. In dieser Zeit haben eine ganze Reihe anderer Genossen die Arbeitsgemeinschaft besucht: Schulz, Prof. Goldschmidt[612], Wittenberg[613], verschiedene Redakteure, Studenten des Sprachinstituts, Besucher der ausländischen Bibliothek, auch Genosse Bredel war dabei.

Was die persönliche Freundschaft betrifft, die Genosse Huppert so stark betont hat, daß Brand zu unserem intimen Freundeskreis gehört hätte, weise ich auf das allerschärfste zurück. Brand hat nie zu unserem Freundschaftskreis gehört, er war einer von sehr vielen unserer Schriftsteller, die gerade gekommen sind. Damals, wo auf der Fraktionssitzung der Beschluß gefaßt ist, daß dem Mann zu helfen ist, kam

611 Deutsche Sektion der «Internationalen Vereinigung Revolutionärer Schriftsteller».

612 **Walter Schulz** war im Verlagswesen der Sowjetunion tätig und kehrte in die DDR zurück. **Prof. Alfons Goldschmidt**, nach 1933 einige Zeit am Moskauer Agrarinstitut, emigrierte dann in die USA. **Rudolf Wittenberg**, KPD-Publizist, Mitglied des «Bundes proletarisch-revolutionärer Schriftsteller».

613 **Erich Wittenberg** verfaßte Artikel für die *DZZ*.

er gerade, um mit Gábor die Artikel, die zu ändern sind, zu besprechen. Er hat auch Bücher geholt, und außerdem wurde er in einem fort von uns ununterbrochen gedrängt, daß er seine Parteisache in Ordnung bringt, und das ging so weit, daß er, da wird der Genosse Barta Zeuge sein, mich gefragt hatte, was treibt eigentlich Brand, da habe ich ihm gesagt, er kommt nicht zu uns, weil wir ihm, in einem fort gefragt haben, bringe deine Sache in Ordnung. Ich habe ihm gesagt, du mußt deine Sache in Ordnung bringen, und wenn du auf der Schwelle der Genossen schläfst oder liegst. Monatelang vor seiner Verhaftung ist er nicht zu uns gekommen. Das ist unsere Beziehung zu Brand.

Die zweite Arbeitsgemeinschaft, da kamen die Schriftstellergenossen-Emigranten, das war vom Mai 1934 bis Sommer 1936. Da haben schon unsere Arbeitsgemeinschaften ein viel höheres Niveau gehabt, da sind schon die Wirklichen, unsere Schriftsteller aufgetreten. Sie waren so, daß man immer eine Novelle oder zwei bis drei Sachen vorgelesen hat, man hat diskutiert, man war der Meinung, daß manchmal sogar sehr scharf kritisiert wurde. Es kamen zu uns nach Hause sehr viele Schriftsteller, um Gábor zu sprechen, so daß wegen eines Buches Berta Lask kam, Erna Schumann hatte ihm das gegeben. Auch ungarische Genossen kamen und Peter Kast mit Theaterstücken, du hast deinen Film vorgelegt, Hay hat seine Stücke vorgelesen, Huppert kam zu uns.

Gen. **Huppert**:
Er hat vorgeschlagen, das Buch kaputtzumachen, durch eine ungeheuere Kürzung. Das habe ich schriftlich, das kann ich zeigen. Die ersten zwei Kapitel weglassen, ist dein Vorschlag gewesen.

Gen. **Halpern**:
Ich muß sagen, daß ich sehr oft teilgenommen habe an diesen Diskussionen, ich habe zugehört, und ich muß sagen, daß ich dem Genossen Gábor Vorwürfe gemacht habe, daß er oft zu streng und zu kritisch angepackt hat. Ich muß mich wundern, daß eine Sache aufgetaucht ist, eine Teilung der Politik von der Literatur, ich weiß von vielen Fällen, wo von kleinen Details aus die ideologische Linie aufgezeigt wurde. Ich weiß, daß bei jeder Diskussion in den Arbeitsgemeinschaften, wo sie flach geführt wurden, die Sache politisch angepackt wurde. Ich erinnere mich an eine Diskussion des Genossen Gábor mit Barta, auch damals hat der Genosse Gábor dem Genossen Barta vorgeschlagen, einige politische Stellen in den Roman einzuführen. Im-

mer ging die Diskussion um das Politische. Das wollte ich über die Arbeitsgemeinschaften sagen. Jetzt: Ich weiß nicht, ob ich den Genossen vorlesen soll, ich habe es den Genossen Weber und Most gegeben, die anderen Genossen kennen es, es hat nicht viel Sinn, daß wir darüber sprechen. Jetzt über das andere, über meine eigene Arbeit, die ich hier geleistet habe. Ich muß sagen, was ich schon öfter getan habe, daß ich nicht sehr zufrieden war im allgemeinen mit meiner Arbeit, sie hat sich zerpleppert in nicht sehr wesentliche Dinge. Trotzdem glaube ich, daß ich alles getan habe. Ich habe nicht sehr (viele) Erfolge gehabt. Nun die Frage der Wohnung. Ich habe schon ein bißchen abgesezt, ich sage unbeliebt, wenn ich in dieser Frage gesehen werde, die Genossin Halpern kommt, man empfängt mich nicht mehr. Aber trotzdem will ich die Genossen auf eine wichtige Sache aufmerksam machen. Es gibt bei uns eine Reihe ausländischer Schriftsteller, die, ich glaube, hier nicht allein als Schriftsteller leben können und denen man helfen muß. Ich glaube, es wird richtig sein, man müßte sie anders beschäftigen. Zum Beispiel Peter Kast. Er hat in Deutschland viel geschrieben, satirische Sachen und Reportagen. Ich habe viel mit ihm gesprochen, und er hat sich sehr darüber beklagt, daß er, wenn er keine Novellen schreibt, für Novellen braucht er längere Zeit, die kann er nicht so schnell schreiben, aber Reportagen und kleine satirische Sachen für die Zeitung und fürs Radio könnte er machen und er könnte sich materiell halten. Auch den Genossen Vallentin[614] habe ich gesprochen gehabt, wo ich den Eindruck hatte, daß er glaube, daß er hier als Schriftsteller leben kann. Er hat nicht davon leben können. Ihr müßtet irgendwie euch der Sache annehmen und irgend etwas mit diesem Genossen machen. Ich glaube, das ist ziemlich alles. Ich habe ein viel größeres Manuskript aufgeschrieben, ich hatte mehr zu sagen. Wer Fragen hat, bitte ich.

Gen. **Weber**:
Du hast erklärt, die Arbeit ist hier nicht so möglich wie im Ausland. Ich möchte dich auf folgendes hinweisen, erinnere dich an die Rede des Genossen Bredel.

614 **Maxim Vallentin**, KPD-Mitglied, Leiter der Agitprop-Gruppe «Rotes Sprachrohr», in Moskau Tätigkeit als Regisseur. 1937 verhaftet, kehrt er 1945 nach Leipzig zurück.

Gen. **Halpern**:
Ich habe nur die organisatorische Arbeit gemeint, z. B. große Versammlungen zu organisieren usw. Ich arbeite als Übersetzerin und habe nicht soviel gearbeitet wie früher. Mit der Paket- und Wohnungsaktion war ich sehr beschäftigt.[615] Der Verlag gibt mir immer die besten Bücher, ich habe einen Wirkungskreis wie kaum jemand. Ich bin eine gute Organisatorin, und ich glaube, wenn ich an einem anderen Posten stände, ich viel mehr leisten könnte.

Gen. **Barta**:
Die Genossin Halpern hat sich darauf berufen, daß eine Reihe von Genossen dort waren. Ich sage das nicht darum, um den Genossen Gábor zu ...[616]

Was die politische Sache betrifft, so handelt es sich nicht darum, politische Fehler zu entdecken, sondern, daß er einige sehr richtige Bemerkungen machte, einige kleinbürgerliche Figuren zu charakterisieren.

Gen. **Gábor**:
Die Genossin hat, als sie über Brustawitzki sprach, gesagt, daß sie sofort verschwanden. Hugo, ein einziges Mal hat er an meinen Arbeitsgemeinschaften teilgenommen. Dort hat er auf dich herumgeschlagen, und ich habe dich verteidigt. Die anderen Leute sind ein- oder zweimal gekommen, Anfang 1934 waren sie dann aber schon in Leningrad, z. B. dieser Laszlo war auch vor der I.K.K.[617], und zwar wurde mir dort ein Buch gezeigt und gesagt, hier steht etwas über deine Person, und er schreibt günstig über dich. Ich konnte nur sagen, daß ich ihn tatsächlich zweimal hier gesehen habe. Ich weiß nicht, ob er ein Homosexueller ist. Ich konnte zu meiner Verteidigung nichts sagen. Der Genosse hat das zur Kenntnis genommen, und bis heute weiß ich nicht, was in diesem Buch stand.

615 Die Beschaffung von Wohnungen und Lebensmittelpaketen für die deutschen Mitglieder des Sowjet-Schriftstellerverbandes. Lebensmittelsendungen wurden von Moskau aus auch an die Pariser Emigration geschickt (Olga-Speck).
616 Fehlende Textstelle.
617 Lászlós Veröffentlichungen über seinen 39monatigen Aufenthalt in der Sowjetunion, seine Publikationen über den Moskauer Schauprozeß führten offensichtlich zu einer Untersuchung der Internationalen Kontrollkommission der Komintern (IKK).

Gen. **Most**:
In den Ausführungen des Genossen Gábor in den ersten Sitzungen spielte die Frage des politischen Gesichts eine Rolle. Welche Eindrücke hat Genossin Halpern von dieser Feststellung?

Gen. **Halpern**:
Es war falsch, daß dieser Mann eine Larve hatte. Ich habe nie etwas bemerkt, und er hat sich immer so angepaßt, wie er es eben brauchte. Ich kritisiere ebensosehr wie diese Sache meine Angelegenheit.

Gen. **Barta**:
Nach Ihrer Meinung war die Kritik, die Gábor abgegeben hat, unrichtig?

Gen. **Halpern**:
Ich habe den Roman[618] nicht einmal bis zur Hälfte gelesen. Über den Roman kann ich nichts sagen.

Gen. **Huppert**:
Ohne das Manuskript zu kennen, bin ich zu Dimitroff gegangen und habe mich nicht eingesetzt, sondern ich bin hingegangen und habe gesagt, wir müssen versuchen, alles richtigzustellen.

Gen. **Halpern**:
Radek einerseits und der Versuch in der Komintern andererseits. Ich ging zu Radek, weil er der offizielle Referent war.

Gen. **Barta**:
Genosse fragt ganz richtig, ob alle diese Bemühungen geholfen haben...

Gen. **Halpern**:
Diese Bemühungen haben ganz bestimmt geholfen, daß er in unseren Reihen geblieben ist. Das gebe ich offen zu.

Gen. **Most**:
Die Linie war aber doch die, daß man glaubte, daß das, was gegen den Mann vorliegt, nicht stimmt.

Gen. **Weber**:
Die Art und Weise, wie Genosse Huppert hier auftritt, finde ich nicht

618 Gemeint ist das «trotzkistische» Roman-Manuskript Brands.

parteimäßig. Genosse Barta hat mehrere Male gefragt, ob sich noch jemand zu Wort melden will, und der Genosse Huppert hat geschwiegen. Jetzt, wo Genossin Halpern spricht, wirft er dauernd Zwischenfragen ein. Plötzlich unterbricht Huppert den Redner. Ich denke, das ist nicht richtig. Wenn ich etwas weiß, habe ich das zu sagen.

Gen. **Huppert**:
Wir haben doch auch vorher Dialoge geführt.

Gen. **Barta**:
Ich schlage vor, eine strenge Disziplin zu halten und Fragen nur zu stellen, wenn ich das Wort erteile.

Gen. **Halpern**:
Ich erkläre, daß ich aufrichtig und ehrlich sage, daß alle Schritte, die unternommen wurden, selbstverständlich dem Mann erlaubt haben, seine Larve länger zu tragen. Ich bedaure das aufrichtig und bin bestrebt, diesen Fehler durch meine Arbeit gutzumachen.[619]

Gen. **Barta**:
Hat noch jemand Fragen oder will sich zu dieser Sache äußern? Niemand! Dann bekommt das Wort der Genosse Peter Kast.

Gen. **Kast**:
Genossen! Ich fühle einen Atmosphärendruck der Ungeduld, und da ich mir eines deutschen Sprichwortes bewußt bin – den letzten beißen die Hunde –, möchte ich hoffen, daß mir dieses Schicksal nicht passiert.

Als am ersten Abend hier die Liste der Verräter und Doppelzüngler verlesen wurde und als nachher auch weiter bekannt wurde, was für Figuren hier in den letzten drei Jahren ihr Unwesen getrieben haben, da bekam ich, um es ehrlich zu sagen, den Eindruck, ich wäre nicht böse, wenn sie mich und alle anderen Deutschen, die in Moskau leben, verhaften würden, um dann...

Gen. **Most**:
Das wird doch nicht nötig sein.

619 Das öffentliche Geständnis in der ritualisierten Form der «Selbstkritik» wird nicht nur mit bedingungsloser Unterwerfung unter die Amtsgewalt der Parteihierarchie abgeschlossen, sondern der gefallene Sünder hat nach der Beichte auch noch die Verpflichtung zu «Bußwerken» in seiner «Arbeit» abzugeben.

Gen. **Kast**:
Eine ganz klare Atmosphäre zu schaffen. Wenn man hier drei Tage die vielen Aussagen erlebt, dieses Hin und Her, dann weiß man gar nicht mehr, wie man sich in Klassenwachsamkeit bewegen soll. Der Genosse Lukács hat in druckreifer Glätte, wie immer klug, die Klassenwachsamkeit als ein ideologisches Problem betrachtet. Huppert und Ottwalt haben es auf den Riecher gebracht, und Wangenheim hat versucht, dem Problem psychoanalytisch beizukommen. Ich glaube, diese drei Methoden genügen nicht, sondern ich glaube, wir müssen noch andere Probleme sehen, nämlich, daß wir mit unseren viel liberaleren Einstellungen von den Parteipflichten kommen und uns auf Sowjetboden befinden. Wir haben in der deutschen Massenarbeit, seit dem Auftauchen der Trotzkisten, diese, ich möchte sie trojanische Hyänenmethoden nennen, im Gegensatz zum Trojanischen Pferd, wir haben dieses Sichtarnen langsam kennengelernt. Wir haben in Deutschland geglaubt, daß wir schon so klug und parteipolitisch auf der Höhe der Diskussion stehen, daß wir einen Versöhnler von einem halben oder dreiviertel Versöhnler unterscheiden können. Aber was wir hier an Raffinesse erleben, übersteigt unsere Erfahrung. Das zur politischen Betrachtung dieses Abends.

Was kann ich aus eigenem Erleben für Beobachtungen machen? Ich fange der Reihe nach an und beginne mit dem heimtückischsten Schuft, mit David. Ich habe mit David von 1928 bis 1932 in (der) Redaktion der «Roten Fahne» gesessen, habe keine politischen oder irgendwelche anderen Beziehungen zu ihm unterhalten. Ich traf ihn allerdings vor 8–9 Wochen hier im Sommerkaffee am Puschkinplatz, gab ihm die Hand und begrüßte ihn. Wir hatten uns seit 1932 nicht gesehen, und es entspann sich ein belangloses unpolitisches Gespräch.

Brand lernte ich in der Sylvesternacht kennen. Ich sagte schon, auf welchen Wegen. Wir waren im Radio, Frumkina hatte einen Sylvestertisch gemacht. Im Anschluß daran, ich war erst drei bis vier Wochen in Moskau und allein, fragte ich, feiert ihr irgendwo? Daraufhin wurde ich zu Wangenheim mitgenommen, und die Genossen kennen den weiteren Verlauf. Wer alles oben war, habe ich angegeben. Erpenbeck und Zinner werden noch die Namen nennen können, die ich nicht weiß. Ich war noch einmal in der Brandschen Wohnung, weil ich im betrunkenen Zustand meine Sachen verloren hatte. Ich fand sie allerdings nicht an. Bei dieser Gelegenheit wurde ich eingeladen, wiederzukommen. Diese Einladung hat er häufig an mich gerichtet, doch war ich von Erpenbeck gewarnt worden, den Verkehr nicht aufzunehmen.

Gen. **Barta**:
Von verschiedenen Genossen wurde schon leicht darüber hinweggegangen, daß er in betrunkenem Zustand seine Sachen verloren hat. Das war in versöhnlerischer Weise über diese «Kleinigkeit» gesprochen.

Gen. **Kast**:
Das ist mir passiert.

Gen. **Barta**:
Ich weiß.

Gen. **Kast**:
Zum Fall Schmückle muß ich folgendes sagen, was eine Ergänzung verschiedener Ausführungen bedeutet, die bereits gemacht worden sind. Als ich von Hans Günther zu einem Bericht aufgefordert wurde, wie die Nietzsche-Debatten in Prag verlaufen werden, sprach ich auch mit Schmückle und erzählte ihm, daß gewisse Stimmungen in Prag gewesen sind, die in Nietzsche progressive Elemente entdeckten. Er hat mich veranlaßt, daß ich an diesem Abend das auch vortragen solle. Das ist die einzige Beziehung oder Begegnung. Weil ich allerdings von keinem der Genossen gewarnt worden war, habe ich wirklich dabei nichts gesehen.

Gen. **Barta**:
Das war der Abend des Genossen Günther.

Gen. **Kast**:
Er hat gefragt, was ich sagen will. Ziemlich kurz haben wir darüber gesprochen, er hat mich tüchtig zusammengestaucht.

Gen. **Barta**:
Habt ihr die Thesen vorher besprochen?

Gen. **Kast**:
Wir hatten in Prag zwei Abende, ich habe einen kurzen Bericht gestammelt, denn Philosophie war auch eine meiner schwachen Seiten. Dann muß ich noch sagen – ich weiß nicht, Genosse Barta, ob ich meine Prager Angaben auch hier wiederholen muß?

Gen. **Barta**:
Das ist nicht notwendig?

Gen. **Kast**:
Wollenberg kenne ich ebenfalls aus der Redaktion[620], Zenzi Mühsam habe ich wiederholt getroffen. Ich wohnte beim Heartfield und Traute Hölz, da kam sie häufig hin. Ich glaube, Traute Hölz hatte den Auftrag, Zenzi in Obhut zu nehmen.

Gen. **Barta**:
Hier bist du mit ihr zusammengekommen?

Gen. **Kast**:
Nein, ich wüßte nicht.

Nun, Genossen, muß ich zu einem Punkt des Referats vom Genossen Barta Stellung nehmen. Es handelt sich um die Frage, die Olga aufgeworfen hat, und zwar sprachen beide Genossen über die Schriftsteller, die hier vom Schreiben nicht leben können. Ich bin jetzt 7–8 Monate hier, die ganze Existenzfrage bei mir reduziert sich auf die Wohnungsfrage, ich habe, solange ich hier bin, erst drei Monate Gelegenheit gehabt, in einer Wohnung allein sein zu können, ich kam von der «Roten Hilfe» hierher und habe ein Zimmer bekommen, daß ich mit jemand teilen mußte. Ich kann nicht, im Gegensatz zu anderen Genossen, Genosse Bredel hat das angeführt, daß er zwischen zwei Kongressen geschrieben hat, und anderen Genossen, die auf den Straßenbahnen schreiben wollen. Ich muß betonen, daß ich das nicht kann und habe daher große Produktionsschwierigkeiten gehabt. Sobald ich diese Wohnung hatte, habe ich sehr gut arbeiten können, und ich habe in dieser Zeit zwei, ich kann sagen, drei große Novellen geschrieben, außerdem an verschiedenen anderen Sachen gearbeitet. Ich war mir aber sofort klar, daß ich von der Schriftstellerei nicht leben konnte. Ich versuchte daher, als Reporter irgendwie unterzukommen. Ich kam zum Rundfunk und machte dort die Brigadistensitzung mit, ich habe ein Hörspiel, außerdem eine Rassenkomödie, die noch gesendet werden soll, und einige Reportagen aus den Moskauer Betrieben senden lassen, einige Satiren usw. Aber das, worauf ich meiner ganzen Veranlagung nach arbeiten wollte, ist mir nicht ge-

620 Redaktion der *Roten Fahne*, Zentralorgan der KPD, für die Peter Kast zahlreiche feuilletonistische Skizzen und Reportagen schrieb.

glückt. Ich hatte beantragt, an die Wolgarepublik geschickt zu werden. Ich sollte nur noch das Reisegeld abholen. Die Kommandirowka[621] wurde abgelehnt. Ich hatte erst eine Stinkwut, habe aber eingesehen, daß es nicht richtig ist, einen unerprobten Genossen in das heiße Gebiet zu schicken. Auch andere Versuche, als Reporter zu arbeiten, sind wegen Sprachschwierigkeiten nichts geworden. Es ist mühsam – ich sah Erpenbeck an der Arbeit, wie er mit seinem bißchen Russisch mühsam seine Arbeit zusammenstoppelte. Diese Art wollte ich nicht mitmachen. Weiter kommt hinzu, daß meine Bemühungen, als ehemaliger Seemann wollte ich das Buch der Sowjet-Seefahrer machen, das ist abgelehnt worden, so daß ich also auch von dem Buch «20 Jahre Sowjetunion»[622] ausgeschlossen werde, warum, weiß ich nicht. Diese ganze Reihe von Ablehnungen hat in mir ein unsicheres Gefühl gesetzt. Hinzu kommt die politische Atmosphäre, daß ich unsicher war. Das ist natürlich ein gewisser Krisenzustand, in den ich hineingeraten bin. Ich bin hierhergekommen mit einem ganzen Pack von Arbeit. Ich habe mit Bruno Frei einen Film gemacht. Ein Exposé ausgearbeitet, ich habe eine Rassenkomödie geschrieben, außerdem habe ich Exposés für Trickfilme, für einen Kinderfilm gemacht – auf der ganzen Linie abgelehnt. Es war vielleicht ein Fehler, mit großen Arbeiten anzufangen, aber es ist auf der ganzen Linie schiefgegangen. Das ist meiner Ansicht nach, daß ich heute noch nicht von der Schriftstellerei leben konnte. Ich kann es, es ist durchschnittlich 300–400 Rubel, das ich verdient habe. Ich hatte den Vorzug von der «Roten Hilfe», daß ich das Zimmer frei hatte und das Essen. Nun plötzlich war alles abgerissen, die «Rote Hilfe» hatte mich auf listige Art aus der Wohnung herausgedrängelt. Ich habe jetzt eine Sommerwohnung. Ich habe aber keine Ahnung, warum ich so abgehangen wurde.

Gen. **Most**:
Diese Redeweise ist doch nicht schön.

Gen. **Kast**:
Hinzu kommt noch eine Schwierigkeit. Die Kunstform, in der ich arbeite, das ist die Satire, die abhängt vom Material, von der Überset-

621 Dienstreise auf «Parteibefehl».
622 Wahrscheinlich: *Zwanzig Jahre Sowjetmacht, ein Handbuch über die politische, wirtschaftliche und kulturelle Struktur der UdSSR*, Red.: G. Friedrich (d. i. Friedrich Geminder) und Fr. Lang (d. i. Frida Rubiner), Straßburg 1938.

zungstechnik. Meine Pläne in dieser Richtung sind, daß ich jetzt mit Hilfe von Genossen Günther in großen Zügen ein Exposé ausgearbeitet habe. Genosse Ottwalt hat auch dabei geholfen. Das wird ein gutes Stück werden. Ich sehe nicht die Möglichkeit, mit einem Roman anzufangen. Genossen, ich möchte meine Ausführungen schließen mit einer Selbstkritik – Genossen, die noch Fragen haben, können mich ja fragen –, und zwar kommt mir das erst hier so richtig zum Bewußtsein, was ich mit meiner Parteitätigkeit versäumt habe. Die systematische Schulung, die ich bis jetzt versäumt habe, muß ich unbedingt nachholen, das wird mir mit jedem Tage klarer. Stellt bitte Fragen, Genossen!

Gen. **Weber**:
Du hast gesagt, daß man hier Intrige und Raffinesse beobachten kann und man nicht weiß, wie man sich verhalten soll. Ist Wachsamkeit eine Kunst, die man beherrschen muß, oder liegt (es) daran, daß du dich hier nicht mehr zurechtfinden kannst? Welche Beziehungen hattest du zu Frumkina? Worin besteht die von dir vorhin geschilderte Unsicherheit?

Gen. **Ottwalt**:
Ich habe eine Frage, und zwar scheint die Frage des Lebens des Genossen Kast ziemlich oberflächlich von ihm behandelt worden zu sein. Wenn er 300–400 Rubel bekommt, so ist das doch nicht ehrlich, Genosse Peter sollte sich zu dieser Frage äußern und etwas ernster darüber sprechen.

Gen. **Weinert**:
Wenn ich mich recht erinnere, so hat Genosse Kast der «Roten Hilfe» selbst den Vorschlag gemacht, daß er ihrer Hilfe nur für kurze Zeit bedarf. Vielleicht ist dieses Ausschalten aus der Wohnungsliste damit zu erklären.

Gen. **Kast**:
Zu den Fragen des Genossen Weber. Genossin Frumkina kenne ich weiter nicht. Ich lernte sie Sylvester kennen, ich ging mit meinen Hörspielen zu ihr, sonst kenne ich sie nicht.

Zur Frage der Unsicherheit: Ich glaube, ich habe das ein wenig zu sehr betont, man ist doch schon ein bißchen geschult, aber wenn man dann hierherkommt und sieht, daß alle Sachen abgeschlagen werden, so ist das doch nicht so einfach. Richtig wäre es doch, wenn der Rundfunk sagen würde, wir konnten das und das nicht bringen, aus diesen und diesen Gründen, aber alles wird stillschweigend abgelehnt. Man spricht nicht mit einem darüber, und man hat auch gar keine Traute mehr zu fragen. Es gibt dann so eine gewisse Unsicherheit. Auf der anderen Seite ist es richtig, daß man vorsichtig sein muß, da wir wissen, daß die Kriegsgefahr bevorsteht, daß der Faschismus seine Agenten hierherschickt, man muß natürlich erst wissen, wer ich bin. Aber ich muß sagen, man sieht doch nicht klar. Es ist hier gesprochen worden über den Riecher, über die Psychoanalyse und über das ideologische Problem. Allen Menschen gegenüber, mit denen wir zusammenkommen, müssen wir wachsam sein.

Die Frage des Genossen Ottwalt, ob ich nicht zu leichtfertig über meine Lebenslage hinweggegangen bin: Ich bin ziemlich anspruchslos, wenn ich meine Zigaretten habe und einen Raum, dann ist alles in Ordnung. Das Essen werde ich schon bekommen durch die Arbeit. Ihr müßt berücksichtigen, daß ich jetzt das erste Mal in der Sommerwohnung allein wohne. Das kann man so zwischendurch mal machen, aber nicht auf die Dauer. Zum ersten Male wohne ich jetzt drei Monate allein, und ich kann wohl sagen, daß ich viel gearbeitet habe.

Gen. **Weinert**:
Und meine Frage über die «Rote Hilfe»?

Gen. **Kast**:
Die «Rote Hilfe» hat mich so behandelt, wie sie jeden Emigranten in bezug auf Essen und Wohnungsfrage behandelt.

Gen. **Weinert**:
Ich entsinne mich, daß wir im Anfang darüber sprachen. Du wolltest ihre Hilfe in absehbarer Zeit nicht mehr in Anspruch nehmen.

Gen. **Kast**:
Das war alles. Diese Hoffnung habe ich gehabt. In der ersten Zeit war ich sehr hoffnungsgeschwellt. Ich hatte die ganzen Pläne, den Hanussen-Film, die Rassenkomödie, den Trickfilm, das Exposé fertig ⟨und⟩ hatte die Aussicht, als Reporter an der Wolga zu arbeiten.

Gen. **Weinert**:
Es handelt sich darum, daß die Erklärung gegenüber der «Roten Hilfe» gemacht worden ist.

Gen. **Kast**:
Das ist doch selbstverständlich. Sobald man hier schwirren kann, daß man aus der «Roten Hilfe» ausscheidet. Während alle anderen Emigranten, wenn sie hierherkommen, zunächst auf Erholung fahren, habe ich mich gleich vom ersten Tage, in dem Bestreben, selbständig zu werden, in die Arbeit gestürzt und auf die Erholung verzichtet. Aber dann kamen die geschilderten Sachen.

Gen. **Ottwalt**:
Es handelt sich doch nicht um folgendes: die MOPR überlegt sich gewöhnlich sehr genau, ob die Genossen in Moskau bleiben oder woanders hingehen. Hat der Genosse Kast vielleicht nach dieser Richtung irgendwelche Erklärung abgegeben?

Gen. **Kast**:
Ich habe keine derartige Erklärung abgegeben. Die Sonderbehandlung, die (ich) erfahre, erfolgt auf Grund dessen, daß ich als Schriftsteller arbeiten will, daß ich in Moskau blieb, während alle anderen Emigranten in das Reich geschickt werden, allerdings theoretisch, denn tatsächlich ist das so, daß nach den letzten Ereignissen sehr selten einer ins Reich geschickt wird, weil ohne Sowjetpaß keiner mehr herauskommt. Ich habe gesagt, ich klebe nicht an Moskau, schickt mich dorthin, wo es notwendig ist. Ich bin nicht so verankert, daß ich unbedingt hier sein muß.

Gen. **Wangenheim**:
Wie lange bist in der Partei, und wie lange bist du in deiner Parteilaufbahn praktisch, kämpferisch mit dem Trotzkismus zusammengestoßen?

Gen. **Kast**:
Ich bin in der Partei seit 1918. In Emden gründeten wir die Spartakusgruppe, im Bezirk Nordfriesland haben wir die Spartakusgruppe ausgebaut. Dann kam ich nach Bremen, und in dieser Nachkriegszeit gab es ziemlich heiße Auseinandersetzungen. Ich brauche nicht die ganze Geschichte zu erzählen. Ganz kurz nur. Gerade die Bremer Parteigruppe entwickelte sich sehr stark als ein trotzkistisches Zentrum von Nordwest.[623] Es waren dieselben, die wir 1925–27 ausschließen mußten, Ehlers, Stein, Deisen, alles ehemalige Spartakusleute, die mit

623 KPD-Parteibezirk.

wenigen Ausnahmen Trotzkisten gewesen sind. Ich saß seinerzeit unter dem Ruth-Fischer-ZK in der Bezirksleitung Nordwest als Literaturobmann. Das berührt die Frage, die ich Emma Dornberger gestellt habe. Ich glaube, daraus geht am besten meine Stellung zu dem Problem hervor. Wir bekamen von der Ruth-Fischer-Zentrale Eugen Eppstein als Bezirksleiter. Die Rechten, unter Führung von Ehlers, die nach der Machtergreifung bezeichnenderweise keinen Tag ins Gefängnis kamen, lehnten Eppstein ab, während ich auf einer mechanischen Anwendung der Parteidisziplin bestand. Ich hatte einen eigenartigen Begriff von der Parteidisziplin. Man muß, wenn die Zentrale einen Bezirksleiter schickt, eben diesen Bezirksleiter annehmen. Ich war der einzige seinerzeit, der für Eugen Eppstein nicht aus politischen Gründen war. Dann war ich seinerzeit mit vier Genossen, die an der Wasserkante, in Bremen, als einzige die Parole «Heraus aus den Gewerkschaften – hinein in die Allgemeine Arbeiterunion» nicht befolgten. Wir blieben in den Gewerkschaften und wären deshalb seinerzeit beinahe ausgeschlossen worden. In den späteren Jahren rückte ich immer näher direkt vom Politischen ab und ging mehr ins Literarische, entwickelte mich auf der Reporterlinie, so daß ich im direkten politischen Kampf nicht mehr so lebte, was vielleicht notwendig gewesen wäre.

Gen. **Wangenheim**:
Seit wann?

Gen. **Kast**:
Seit 1924/25 oder 1926.

Gen. **Dornberger**:
Du hast doch den Buchladen gehabt?

Gen. **Kast**:
Dann bekam ich die Reisetätigkeit als Wanderdekorateur für eine Magazin-Firma, so daß ich politisch sozusagen auch lahmgelegt wurde. Allerdings habe ich während der ganzen Zeit literarisch für die Bremer Parteizeitung gearbeitet. Dann fuhr ich 1928 von Bremen mit dem Fahrrad nach der Sowjetunion zur Spartakiade und im Anschluß daran nach Berlin. Von Berlin aus lieferte ich der «Roten Fahne» Feuilletons. Der verstorbene Genosse Slang[624] hat mich zur näheren

624 Slang, d. i.: Fritz Hampel.

Mitarbeit herangezogen, zur ersten Konferenz mit dem späteren Trotzkisten Lorbeer[625], dessen Stelle ich einnahm. Ich war von 1929 bis 1931 Reporter der «Roten Fahne». Dann kam Fritz Slang ins Gefängnis, und da übernahm ich von Werner Hirsch die Redaktion des Materndienstes, und zwar des unpolitischen Teiles der «Roten Fahne», den sogenannten Sensationsteil.

Ich habe bis 1932 diese Maternseite, die in der ganzen Reichspresse beigelegt wurde, gemacht. Dann habe ich, ich hatte als Verantwortlicher gezeichnet, zwei Monate in Spandau gesessen und kam im Anschluß daran nicht mehr zurück in die Redaktion. Ich habe das ganze Jahr 1932 literarisch gearbeitet, habe damals nur aktuelle Probleme aufgegriffen, eine Groteske gemacht, außerdem ein Werftarbeiter-Drama geschrieben. Die Sektengroteske sollte gerade aufgeführt werden, Genosse Ottwalt hat sich sehr dafür eingesetzt, als Hitler kam. Da muß ich selbstkritisch sagen, die Hitlergeschichte hat mich sehr mitgenommen, ich war sehr erledigt. Ich habe auch einige Tage nach dem Reichstagsbrand mit Genossen Biha[626] gesprochen und gerade gegenüber Biha äußerte ich pessimistische Gedanken. Und nun muß ich vorausschicken, daß ich als verantwortlicher Redakteur der «Roten Fahne» und der Maternseite nicht nur diesen Prozeß hatte, wo ich mit zwei Monaten Haft bestraft wurde, sondern auch noch Hochverrat, Landesverrat, noch 3–4 Prozesse hatte.

Gen. **Barta**:
Hast du irgendwelche Schwankungen gehabt, nach rechts, links?

Gen. **Kast**:
Ich glaube, ich habe versucht...

Gen. **Barta**:
Keine Schwankungen, keine Verbindungen?

Gen. **Kast**:
Nein. Allerdings hat sich dieser Pessimismus nie verdichtet zu einer Parteifeindlichkeit usw.

625 Hans Lorbeer. Vgl. zur Bibliographie Slangs und Lorbeers: *Veröffentlichungen deutscher sozialistischer Schriftsteller in der revolutionären und demokratischen Presse 1918–1945*, hrsg. von Edith Zenker, Berlin/Weimar 1966.
626 Biha, d.i. Oto Bihalij.

Gen. **Hay**:
Ich möchte eine Frage stellen. Der Genosse Kast hat, wie er selbst meint und wie ich die Meinung teile, eine Begabung für Theater, für eine Sache, die nicht in kurzer Zeit irgendwie zu einer Brotarbeit werden kann. Um sich in dieser Richtung entwickeln zu können, muß er unbedingt dazu gezwungen sein, das als Nebenberuf zu betrachten. Ist es richtig, daß er als Hauptberuf eine andere Art Schriftstellerarbeit wählt, eine ganz ähnliche Beschäftigung, die den Geist auf ähnliche Weise in Anspruch nimmt, wäre es nicht richtiger, irgendeinen ganz anderen Beruf zu nehmen?

Gen. **Barta**:
Er hat ja auf diese Frage schon einmal geantwortet.

Gen. **Bredel**:
Ich möchte Genossen Kast fragen, er hat etwas erzählt von seiner Tätigkeit in Bremen, das war zur Zeit, als Deisen und Ehlers aus der Partei rausgeschmissen wurden. Warst du zur Zeit des Jahres 1924 Lit-Obmann? Hattest du irgend etwas mit der Redaktion der «Arbeiterzeitung» zu tun? Du wußtest, wer der Chefredakteur war? Bei den allgemeinen Funktionärssitzungen, in denen doch damals eine Diskussion um Ehlers und Deisen stattfand, warst du anwesend? Warum haben wir uns damals nicht kennengelernt?

Gen. **Kast**:
Ich war viel auf Reisen.

Gen. **Dornberger**:
Ich glaube, Kast hat schon selbst daran angeknüpft, er hat sich ziemlich isoliert, er hatte seinen Buchladen, er hat seinen Freundschaftskreis gehabt, er war nicht der Parteikämpfer, der er hätte sein sollen. Er war nicht mit uns verbunden, er hat nicht mit uns gekämpft in den Sitzungen, das kennt man bei ihm nicht. Auch heute hier in der Sowjetunion, ich glaube, er ist nicht mehr kämpferisch, er muß sich zusammenreißen, er muß sich umstellen, wenn er hier wirklich arbeiten will, es muß anders werden bei ihm. Ich will sagen, ob er einsieht, daß aus der damaligen Isoliertheit der spätere Weg gekommen ist?

Gen. **Kast**:
Ich war lungenkrank. Ich bin 1921 in der Lungenheilanstalt gewesen und habe seit der Zeit jedesmal, wenn auf ich Versammlungen war,

wo so viel geraucht wurde, immer Lungenschmerzen gehabt. Gewiß, ich muß es zugeben, daß meine Entwicklung als Arbeiter usw. etwas abgeglitten ist. Wenn ich im Gegensatz dazu zwei hier anwesende Genossen, den Genossen Weber oder Bredel, sehe, muß ich einsehen, daß mein Weg nicht so politisch verlaufen wie der dieser beiden Genossen, aber ich habe immer noch die Hoffnung, daß ich es literarisch wieder einhole durch eine Leistung, und alle Genossen bestärken mich – sie kritisieren meine Arbeit scharf –, alle sagen, es ist was dran. Wenn aber einer aufsteht und sagt, es ist Mist, es hat keinen Zweck, du hast keinen Atem, bin ich bereit, sofort jede andere Arbeit anzunehmen. Ich möchte, daß die Genossen sich äußern.

Gen. **Barta**:
Dann gehen wir zu den Wortmeldungen über. Es handelt sich um Erklärungen und nicht mehr um Diskussionen, sondern einfach Erklärungen abzugeben – 5 Minuten.

Gen. **Gábor**:
Ich werde mit meiner Redezeit ausreichen. Ich muß sagen, daß ich das Wesentliche eigentlich aus dieser Diskussion und aus ihren Nebengeräuschen verstanden habe, und auf das Wesentliche hat mich auch eine Bemerkung des Genossen Most gebracht, der sagte, ob ich fand, daß ich in der Brand-Angelegenheit fast ein Jahr lang Brand die Möglichkeit gab, sich zu halten, und daß ich den Roman von Brand tatsächlich in den Vordergrund der literarischen Öffentlichkeit geschoben habe. Ja, Genossen, es ist tatsächlich so, ich habe das durch unsere Diskussion gesehen. Ich habe dazu beigetragen und wurde zu einem Kampfobjekt, ich kann das nicht anders sagen. Das kann nicht anders betrachtet werden als eine schwere Fortsetzung des Falles. Man kann die Sache nicht anders betrachten als vom Ausgangspunkt aus. Wie sah es damals aus? Dann kommen wir zu keinem objektiven Bild, sondern zu einem subjektiven Bild. Die Dinge sind nicht so, wie sie damals schienen, sondern so, wie sie am Ende beleuchtet, am Ende stehen.

Ich habe die Brand-Kritik geschrieben, und das war falsch. Sie nutzte ihm. Ich habe den Roman gelesen. Reimann hat ihn nicht gelesen. Ist meine Beurteilung nicht richtig, so komme ich nicht weiter, und da das Ende konkret zeigt, daß ich grundsätzlich nicht recht hatte, nutzt mir das auch nicht, daß Reimann den Roman nicht gelesen hat. Hier ist kein Ausweg dadurch zu finden, daß ich wieder den jungen Brand aufmarschieren lasse, der unschuldig ist. Es kommt immer wieder auf der einen Seite der unschuldige Brand und auf der anderen Seite eine zufällige Verhaftung. Der Mann ist unschuldig, und ich sehe, daß er unschuldig ist, und ich helfe dazu, das zu beweisen, und dann wird er verhaftet, und das bedeutet, daß die Verhaftung eine zufällige Sache ist und dadurch, daß die Verhaftung nicht zufällig ist...[627] auf der anderen Seite. Ich will dir recht geben. In einer Sache, wo du doch nicht recht hast. Gábor führt die Gruppe, die er doch nicht geführt hat. Ich habe nachgedacht, daß die Genossin Dornberger diese Halunken schon vorher in der Länderkonferenz gesehen hat. Ich bin hier von Hugo angegriffen worden, daß die Leute an meinen Arbeitsgemeinschaften teilgenommen haben. Diese Leute waren in meinen Arbeitsgemeinschaften. Dornberger hatte ich sehr lieb, sie war eine Schülerin von mir.[628] Sie machten sich auch an das alte Parteimitglied heran, und ganz mit Absicht ist die Verbindung Brustawitzki mit Dornberger zustande gekommen. Ich würde Barta auch recht geben, das ist apolitisch, daß ich mit meinen Schülern eine solche Politik mache. Ich muß bemerken, daß ich alle Leute falsch eingeschätzt habe. Aber die Folgen habe ich gesehen. Das bedeutet, wenn ich das gesehen hätte, dann hätte ich die Genossin Dornberger gewarnt. Ich sehe meine Fehler ein, bei einer solchen literaturpolitischen Beschäftigung mit dem Publikum der Arbeitsgemeinschaft, daß man so etwas nicht bemerkte. In der zweiten Phase der Angelegenheit: der ganze Aufmarsch Reimann, Süßkind, Schmückle, berechtigt mich dieser Aufmarsch von diesen Feinden nicht dazu, zu überhören...[629] und trotzdem war er gegen meine Auffassung über den Roman von Brand und nicht, daß er einmal dagegen gesprochen hat, sondern stundenlang in meiner Wohnung, und trotzdem blieb ich bei meiner Überzeugung. Günther trat auch gegen mich auf, und er hat gesagt, da und da ist die Sache trotzkistisch, da ist der Fehler, er ist da. Ein anderer Fehler ist, daß ich bei der Verhaftung von Brand mich nicht gemeldet habe. Ich habe mit einem Genossen gesprochen, aber wer es war, weiß ich nicht. Er sagte, ich solle eine Erklärung abgeben,

627 Fehlende Textstelle.
628 Dieses freundschaftliche Verhältnis zu Olga Halpern-Gábor und Andor Gábor beschreibt Emma Dornberger auch in ihren Tagebüchern. Gábor stellt 1934 in der *Deutschen Zentral-Zeitung* Emma Dornberger als «neue Arbeiterschriftstellerin» vor.
629 Fehlende Textstelle.

und ich habe das nicht gemacht. Ich habe das nicht getan. Und das ist eine merkwürdige Sache. Das spüre ich heute nicht als einen so großen Fehler wie eben die ganze Fortsetzung des Fehlers. Dann ist schon gut, daß ich verklausuliert, bevor ich wirklich und wirklich zu der Überzeugung gekommen bin, daß als Etappe der falschen Beurteilung des Brand-Romans ich bis dahin meine Erklärung nicht gegeben habe. Ich soll dafür verurteilt werden. Wo ich diese Ergänzung zu der Erklärung gebe, ist die Sache für mich ganz in Ordnung. Da ersuche ich, da ich die wirkliche Kette der Fehler sehe, wirklich in keiner einzigen Aktion, da ich in der Brand-Sache immer in der vollen Öffentlichkeit gekämpft und ich die Sache als meine Überzeugung ausgekämpft habe. Ich habe nicht nachgegeben. Also, Genossen, wenn jetzt die Sache für mich erledigt ist, ich sehe klar, wo der Fehler war, kann ich euch ersuchen, keine Unfreundlichekit und Gehässigkeit zu tun, die ich bei Hugo gehört habe. Ich muß sagen, daß wirklich und wahrlich dann die Sache für mich erledigt ist. Daß diese schreckliche Angelegenheit, die drei Jahre meines Lebens vergiftet hat, dadurch, daß ich einsehe, wie groß der Fehler ist, für mich zu Ende geht.

Gen. **Günther**:
Erstens zu der Vermutung des Genossen Wangenheim, daß ich nicht alles gesagt hätte, daß ich zwar nicht meine Biographie erzählt hätte, aber alles, was ich in diesem Zusammenhang für wichtig hielt, ausgesprochen habe. Ich erkläre, insbesondere zu der Erklärung des Genossen Wangenheim, daß ich den Fall mit Trude in Deutschland nicht verheimlichen wollte, sofort ihn allen Parteiinstanzen mitgeteilt habe, und in der Kom-Fraktion der MORP und im Institut und im Verlag hat sie jemand der betreffenden Parteizelle gemeldet.

Zweitens erkläre ich zu den Vorwürfen, die mir die Genossen Bredel und Most im Falle Brand gemacht haben, folgendes: Erstens habe ich den Roman Brand von Anfang an in den entscheidenden kommunistischen Fraktionssitzungen der MORP und sogar den Artikel von Reimann richtig beurteilt, daß es sich nicht um Sozialdemokratismus handle, sondern von Trotzkismus die Rede ist. Ich stelle noch einmal fest, ich bin von der Komfraktionssitzung der MORP beauftragt worden, mich mit Brand in Verbindung zu setzen, um dazu beizutragen, daß er den Fehler verbessert. In der Ausführung dieses Auftrages habe ich mit Brand gesprochen und verhandelt. Dazu hat Genosse

Bredel erklärt, daß ich ihn in grotesker Weise über den Trotzkismus aufgeklärt hätte, und Genosse Most sagt, ich hätte ihn in falscher Weise aufgeklärt.

Gen. **Most**:
Ich werde gleich dazu sprechen, das werden wir noch sehen.

Gen. **Günther**:
Ich darf erwähnen, weil das ein ziemlich schwerer Vorwurf ist, den ich aufklären möchte, daß ich behauptet hätte, Trotzki würde vom Sozialismus in der Sowjetunion sprechen. Ich erkläre, daß ich derartiges weder in der Komfraktion noch dem Brand gesagt habe, sondern auf den Gegensatz hinwies, den der Trotzkismus macht, auch zwischen den Massen in der Sowjetunion und der Bürokratie, die er als schädlich hinstellt. Ich habe Brand und der Komfraktion nachgewiesen, daß der Trotzkismus bei Brand darin besteht, daß er sämtliche Vertreter der Partei im Grunde genommen als Schufte und schädliche Menschen hinstellt und daß der einzige positive Arbeiter, der sich schließlich zur Sowjetunion bekennt, kein Parteimitglied ist, so daß diese Unterscheidung und damit der Trotzkismus bewiesen ist. Ich glaube, daß das richtig ist und heute noch richtig ist.

Das muß ich noch erledigen. Vorher ist noch Kritik geübt worden in bezug auf meine Arbeit literarisch. Ich würde zuwenig Kleinarbeit machen. Ich schäme mich, denn ich muß eine Mitteilung machen, die unter dem Niveau der sonstigen Mitteilungen steht, weil ich erreichen will, daß die Genossen Weber, Most und Apletin die Wahrheit über meine wirkliche Lage erfahren, weil diese Lage für mich schlecht ist. Ich habe zu wiederholen, daß ich in vier Jahren und vier Monaten lediglich für Miete 36000 ausgegeben habe, daß ich zu diesem Riesenbetrag 900 Rubel Unterstützung aus dem Litfonds bekommen habe. Weiter, daß ich jetzt ungefähr 500 Rubel Miete und 800 Rubel Beitrag bezahlen muß. Dann kommt erst das Leben. Ich muß auf Biegen und Brechen, seit einem Jahr, auf das Risiko, hinausgeworfen zu werden, jeden Monat einen Betrag von mindestens 1800 Rubel verdienen. Das zur Antwort auf die Frage, warum ich nur kleine Arbeiten schreibe und keine großen.

Die Tatsache, daß ich aus der Versammlung der Sowjetschriftsteller frühzeitig weggegangen bin, verurteile ich auf das allerschärfste. Das ist ein schwerer Disziplinbruch, aber ich verwahre mich dagegen, daß man eine Parallele zieht mit den Ereignissen im Jahre 1933, verwahre mich dagegen, daß man politische oder oppositionelle Motive unterstellt. Davon ist keine Rede.

In der Sache Brand erkläre ich, daß ich, obwohl ich im Anfang eine richtige Einstellung hatte, doch im weiteren Verlauf und im weiteren Verkehr mit Brand und sogar im weiteren häufigen Verkehr mit Brand blind geworden bin, daß ich nicht das Konterrevolutionäre erkannte, das hätte ich erkennen müssen und können, wenn ich wachsam gewesen wäre. Hier ist ein schwerer Fehler in bezug auf Wachsamkeit von mir begangen worden. Das ist eigentlich das, was ich zu den wichtigsten Einzelfällen noch einmal zusammenfassend sagen wollte.

Diese Selbstkritik zu diesen beiden Fällen stellt meiner Meinung nach höchstens die Hälfte meiner wirklichen Selbstkritik dar. Die Tatsache, daß ich von sieben oder acht Konterrevolutionären höchstens drei einigermaßen richtig erkannt und bekämpft habe, bei allen anderen nichts gemerkt habe, blind gewesen bin, das ist ein Fakt, den ich nicht aus der Welt schaffen kann. Was dieser Tatbestand bedeutet, was er für eine Tragweite hat, ist mir sehr spät klargeworden. Das wurde mir bewußt ungefähr zur Zeit des Prozesses und während des Prozesses, dann in der Zeit danach durch die verschiedenen Debatten im Sowjet-Schriftstellerverband. Ich muß sagen, daß diese Debatten mich weitergebracht haben, daß ich heute mehr weiß als vor drei bis vier Tagen. Vor dem Prozeß ist klargewesen, daß ich theoretisch abstrakt gewußt habe, mit welchen Methoden die Parteifeinde arbeiten, daß ich aber praktisch keinen Schluß gezogen habe. Ich bekenne mich schuldig zu dem, was der Genosse Bredel für uns alle gesagt hat, daß ich zu lax, zu liberal gewesen bin, in allen möglichen Fällen. Ich muß sagen, nach meiner Meinung ist der Prozeß und die ganzen Ereignisse so schwer, daß ich selber ehrlich empfinde, die Selbstkritik ist immer noch nicht genügend. Wenn wir sagen, ich will mich bessern, ich will mich umstellen, ist das zuwenig in Anbetracht der neuen Ereignisse. Wir sollten nicht von einem Bekennen der Fehler und von einem Willen sich zu bessern sprechen, sondern von einer vollständigen Umwandlung, Umkremplung, die der ganze Parteimensch erfahren kann. Die Genossin Olga hat den Vergleich gebraucht von der alten Haut, die der Mensch gehabt hat und die man, wenn man Kommunist werden will, runterziehen muß, bis zum letzten Fetzen, wenn es sogar blutige Fetzen gibt. Ich bin der Meinung, daß auch ich noch weitgehend unter einer solchen alten schlechten liberalen Haut gesteckt habe, die ich runterziehen muß und wenn es dabei blutige Fetzen geben muß.[630]

Gen. **Becher**:
Ich habe mich am Anfang, als Entschuldigung dafür, daß ich Schmückle nicht rechtzeitig erkannt habe, auf den Genossen Heckert berufen. Ungeachtet dessen, daß diese Äußerung richtig war, ist es falsch gewesen, und Genosse Barta hat völlig recht, wenn er sagt, laßt den Genossen Heckert aus dem Spiel. Selbstverständlich hätte ich Schmückle, mit dem ich sehr häufig zusammen war, viel besser erkennen müssen, als es einem anderen Genossen möglich ist, der sehr viele Dinge zu erleiden hat, und daß es eine Form war, noch nicht richtig an diesen Fall heranzugehen. Ich möchte erklären, daß die Theorie von der besonderen Behandlung der Schriftsteller nicht durchdacht war, in der Art, wie ich sie gebracht habe, war sie scheinbar richtig, die Formulierung war nicht grundfalsch, aber die Tatsache, daß sie in diesem Moment aufrechterhalten wurde, war falsch. Ich erkläre, ich bin absolut überzeugt, daß ich diese beiden Dinge absolut richtigstellen werde.

Gen. **Dornberger**:
Ich habe meine Erklärung hier abgegeben. Nur noch zu dem Protokoll. Ich erinnere mich sehr genau, um was es ging. Der Weiss hat mir gesagt, er will in Verbindung treten, er hat den Wunsch geäußert, mit der MORT zusammenzukommen, er hat viele Gedichte gemacht, und dadurch weiß ich, daß wir zu der MORT gegangen sind, zu Pieck[631] und Hauska[632]. Er lebt bei einer Familie Hebel[633], in der Beziehung gab ich die Telefonnummer von H. Ich weiß, daß wir Ottwalt und Becher wegen der Gedichte gefragt haben und Gábor wegen einer

630 Auch nach dieser entäußernden Selbstkritik wird Hans Günther am 4. November vom NKWD verhaftet.
631 **Arthur Pieck**, Sohn Wilhelm Piecks, Präsidiumsmitglied des «Internationalen Revolutionären Theaterbundes», zusammen mit Gustav Wangenheim Leiter der «Kolonne Links». Lebte bis 1970 in der DDR.
632 **Hans Hauska**, KPD, Mitglied der «Kolonne Links», 1937 verhaftet, am 5.12.1938 aus der Sowjetunion ausgewiesen, vom Volksgerichtshof verurteilt. Vgl. dazu: *Exil in der UdSSR*, a.a.O., Bd. 2, S. 844–845.
633 **Brunhilde und Rudolf Hebel**, beide wurden 1938 verhaftet und nach Deutschland ausgewiesen; Rudolf Hebel verstarb 1945 an den Folgen der Haft in den KZs Sachsenhausen und Mauthausen.

Geschichte. Ich weiß, daß er erzählt hat, daß er eine Wohnung hat, ich weiß, daß er eine Zeitlang gearbeitet hat und daß er auch Material nach Deutschland hineingeschleppt hat. Er hat auch gesagt, daß er auf einen Sowjetpaß reingekommen ist. Ich bin da auch noch nicht schlau daraus geworden wegen dem Paß. Diese Meldung habe ich dem Genossen Hauska weitergegeben.

Gen. **Ottwalt**:
Ich will nicht auf kleine Einzelheiten eingehen, sondern nur auf das Wichtigste. Der Gang dieser Diskussion und die wirklich schweren Dinge, die hier zutage gekommen sind und die auch Aufmerksamkeit (verlangen), und der Ernst, mit dem unsere deutsche Partei an unserer Diskussion teilnimmt, haben bei mir die Frage aufgedrängt, ob mein Auftreten richtig war. Ich möchte zum Schluß die Erklärung abgeben, in einigen Punkten war mein Auftreten falsch. Ich erkläre, daß ich in keiner Weise etwas verschwiegen habe und falsch dargestellt habe, daß ich dafür eintrete und den Kopf hinhalte. Falsch war mein Auftreten in folgenden Punkten: Ich habe festgestellt, daß meine Bemerkung über die beiden Romane von Glaeser und Brentano, die von Renegaten geschrieben sind, mißverstanden worden ist, daß diese Bücher wichtiger und bedeutender wären als die Werke unserer Genossen. Ich bin mit der Erklärung noch nicht fertig geworden. Meine Schuld besteht darin, daß ich mich öffentlich um das Eingeständnis habe herumdrücken wollen, daß die Nichtfertigstellung meines Romans und die Nichtablieferung meines Manuskripts politisch gewertet werden muß. Und wenn ich mich da verheddert habe, so liegt das daran, daß ich dieses Eingeständnis nicht klar ausgedrückt habe. Ich erkläre, daß die Nichtfertigstellung meines Manuskripts und die Nichtfertigstellung ein politischer Fehler ist, den ich erkenne, und die Genossen bitte, mir zu helfen.

In meinem zweiten Punkt bin ich falsch aufgetreten. Das war dem Genossen Fabri gegenüber, indem ich mit meiner Ansicht etwas zu leichtfertig umgegangen bin. Ich bitte den Genossen Fabri um Entschuldigung.

Genosse Weinert sprach davon, daß die Überwindung der ungesunden Atmosphäre notwendig ist. Der Vorwurf, den ich mit ganz geringen Ausnahmen allen machen muß, hat folgendes zum Inhalt: Wenn wir überlegen, welchen Kampf das deutsche Proletariat führt, wenn wir überlegen, welchen Kampf das spanische heldenmütige Proletariat führt, und wir in Umrissen gegenüberstellen, was wir vermocht haben, so müssen wir feststellen, daß wir sehr viel Zeit vergeudet haben, dann trifft uns der schwere Vorwurf, daß wir uns eben doch in einer gewiß unstatthaften verbrecherischen Entfernung vom Klassenkampf befinden. Wenn wir erreicht haben, daß wir eine saubere Atmosphäre schaffen, dann werden wir bestimmt sauber und produktiv arbeiten.[634]

Gen. **Barta**:
Wir schließen unsere heutige Sitzung. Wir werden noch eine Schlußsitzung zusammenrufen, so Mitte oder Anfang der nächsten Woche, nachdem wir unsere Protokolle erhalten haben.

634 Ernst Ottwalt wird zusammen mit seiner Frau Traute im November 1936 vom NKWD verhaftet.

Anhang

Dokumente

Mit den nachfolgend abgedruckten Dokumenten aus den Beständen des Moskauer KGB- und Komintern-Archivs werden Arbeitsweise und Verfolgungsmechanismen von «Kaderabteilung» und NKWD transparent.

Das Dossier der Kaderabteilung zu Heinrich Süßkind (*Dok. Nr. 1*) bildet den kurzen Extrakt einer jahrelangen politischen Überwachung durch den «Apparat» von KPD und Komintern. Dies schloß die Postüberwachung und die Kontrolle aller «Verbindungen» und Freundschaften ein. Solch politisch stigmatisierte «Versöhnler» und «Abweichler» konnten dann vom NKWD der «konterrevolutionären, trotzkistischen Tätigkeit» beschuldigt werden.

Johannes R. Bechers Kurzdossier (*Dok. Nr. 2*) enthüllt ebenso die Registratur von «Abweichungen» seiner Frau wie das noch 1939 inkriminierte Verlassen einer Sitzung im August 1936. Diese Beschuldigung tauchte auch mehrmals im «Stenogramm» auf.

Die Ablehnung der Überführung Ernst Ottwalts in die KPdSU (*Dok. Nr. 3*) vermittelt ein erstes Bild von der Arbeitsweise einer Kommission, der KPD-Mitglieder wie Beutling und Mitglieder der Kontrollkommission der KPdSU wie Esche angehörten. Nach der Ablehnung am 4.11.1936 werden die Akten der «Kaderabteilung» zur weiteren Ermittlung zur Verfügung gestellt. Ottwalt wird nach diesen weiteren Ermittlungen im November verhaftet.

Mit den Prozeßakten Carola Nehers (*Dok. Nr. 4 u. 5*) und den Aussagen Wangenheims (*Dok. Nr. 6*) werden erstmals Akten aus dem KGB-Archiv zum deutschsprachigen Exil im Wortlaut veröffentlicht. Sie wiederholen jene Vorwürfe und Denunziationen, die von Wangenheim auch während der «Säuberung» erhoben wurden.

Die von Apletin und Barta vorgenommene «Einschätzung der deutschen Schriftsteller» (*Dok. Nr. 7*) wird auch als Resümee der «Säuberung» bei Wilhelm Pieck, Wilhelm Florin, der «Kaderabteilung» und der «Deutschen Vertretung» bei der Komintern eingereicht. Politische Werturteile und parteiamtliche «Einschätzungen» führen zur Rangfolge von Mitgliedern, Kandidaten, Sympathisierenden, Verschickung ins Ausland. Die Ablehnung der Überführung Ottwalts und die Charakterisierungen Günthers verweisen schon in den Formulierungen auf laufende und künftige Untersuchungen.

Im Brief Wilhelm Piecks an die Auslandsleitung der KPD (7.9.1936, *Dok. Nr. 8*) wird die Einsetzung von Säuberungskommissionen für alle Emigrationsländer gefordert. Sein Schreiben an Dimitroff kündigt gründliche Nachforschungen über die Vergangenheit jedes einzelnen KPD-Mitglieds in der sowjetischen Emigration an. Chiffrierte Ausschlußlisten wurden regelmäßig an die KPD-Auslandsleitung übermittelt, und auch über die «Säuberung» unter den exilierten Schriftstellern wird berichtet (*Dok. Nr. 9 und 10*). Da Pieck die Verhaftungsgefahr für Erwin Piscator kennt, läßt er ihn durch seinen Sohn Arthur warnen (*Dok. Nr. 11*).

Das Sitzungsprotokoll der kleinen Kommission der KPD (*Dok. Nr. 12*), an der Ulbricht, Dengel und Herbert Wehner teilnehmen, setzt die in der «Säuberungssitzung» 1936 erhobenen Vorwürfe und Denunziationen gegen Maria Osten fort.

Dokument Nr. 1

26.9.1936.

Betr.: Heinrich Süsskind.

Geb. 1895 in Polen, von Beruf Journalist, bürgerlicher Herkunft. KPD seit 1919, in der SU im Jahre 1922 - zwei Monate, seit 1933 auf Vorschlag von Paul Dietrich erneut in der SU. Seine Frau ist Anna Vikova(Heinrich) KUMS.

Gehörte 1921 zur Mittelgruppe, arbeitete als Redakteur.

1928 war er einer der Führer der Versöhnlerfraktion und wurde jeder Funktion enthoben. Bis 1933 war er in unteren Parteifunktionen.

Anfang 1935 wurde er durch das ZK der KPD und durch die IKK auf ein Jahr aus der KPD wegen Doppelzüngigkeit um Verdeckung der parteifeindlichen Vergehen von Madyar ausgeschlossen.

Wiederaufnahme in die KPD im Juni 1936.

Während der ganzen Zeit bis 1934 hielt er enge Verbindung zu dem Führer der Versöhnler, dem ausgeschlossenen ~~Radaxmannmx~~ Karl Volk (Robert) und Madyar, hielt enge Verbindung mit den Versöhnlern in der SU und im Ausland. Leistete aktive Fraktionsarbeit. Wahrscheinlich Mitarbeit an der Plattform der Versöhnler 1933. Erhielt 1934 über Stibi (Inoradio) Briefe aus dem Ausland. Die Anerkennung seiner Fehler 1928 war zu dem Zweck, um seine Fraktionsarbeit besser ausüben zu können.

Im Jahre 1935 hielt er enge Verbindung über Martha Moritz zu allen in der SU befindlichen Versöhnlern, verkehrte mit Frieda Rubiner Ewert, Lena Rado.u

1935/36 hielt er enge Verbindung zu Heinz Neumann, dessen Zimmer er während der Urlaubszeit ausnutzte. Hielt enge Verbindung mit Max Richter, Schweitzer, Neumann und Remmele.

Im Juli 1936 schlug Remmele Süsskind für die Arbeit im Komintern-Apparat vor. Ausgeschlossen aus der KPD am 3.9.1936.

JML/ZPA Moskau

- - - - - - - - -

Dokument Nr. 2

Vertraulich! 3/13

21.7.1939/1 Kt/311

Zum Lebenslauf des Genossen J.R. Becher.

Geboren 1891. Sohn eines höheren Beamten. Beruf Schriftst.

Seit 1912 gewerkschaftlich organisiert im Schutzverband deutscher Schriftsteller. 1917 in die USPD eingetreten. Seit 1923 Mitglied der KPD. 1924 wurde er Fraktionsleiter der kommunistischen Schriftsteller in Berlin. 1928 Vorsitzender des "Bundes proletarisch revolutionärer Schriftsteller Deutschlands". Reichstagskandidat der KPD 1929 1932, 1933. Im Jahre 1932 war er Redakteur des Feuilletons der "Roten Fahne". Im April 1933 reiste er mit Zustimmung der KPD in die SU. 1934/35 arbeitete er in Paris im Auftrage der Internationalen Vereinigung revolutionärer Schriftsteller.

1924 unterstützte er politisch die Gruppe Ruth Fischer, ohne ihr fraktionell anzugehören. Als ihm die sowjetfeindliche Stellung des Trotzkismus bewusst wurde, revidierte er zwei Monate nach Erscheinen des Offenen Briefes seine falsche politische Stellung.

In der Frage der Versöhnler nahm er nicht klar Stellung, war jedoch nicht mit ihnen gruppenmässig verbunden. Bei einer Versammlung des Unionsverbandes der Sowjetschriftsteller aus Anlass des Prozesses gegen das terroristische trotzkistisch-sinowjewsche Zentrum verliess er die Versammlung vor der Abstimmung. Er selbst bezeichnet das als einen schweren politischen Fehler.

Seine Frau Lilly Korpus war ein aktives Mitglied der Ruth Fischer-Gruppe.

Deutsche Vertretung beim EKK/
/Ulbricht [Unterschrift]

JML/ZPA Moskau

Dokument Nr. 3

4. 11. 1936 Vertraulich !

Betrifft: Überführung des Genossen

Ottwalt Ernst, (bürgerl. Ernst Gottwald Nicolas)

Bezirk: Berlin-Brandenburg

9. Verwaltungsbezirk

Name: Ottwalt Ernst, (bürgerl. Ernst Gottwald Nicolas)

geb.: 13. 11. 1901 in Zippnow/Westpr.

Staatsangehörigkeit: früher Deutscher, Oktober 1934 ausgebürgert.

Beruf: Schriftsteller

soziale Herkunft: bürgerlich, (Vater Pfarrer)

pol. org.: KPD seit September 1931.

gew. org.: seit 1930 Schutzverband der Schriftsteller.

Charakteristik und Funktionen:

Genosse Ottwalt besuchte Gymnasium in Berlin und Halle, März 1919 Zeitfreiwilliger im Freikorps Halle, an Kämpfen gegen Arbeiter aktiv teilgenommen, 1920 beim Kapp-Putsch ebenfalls auf seiten der Weißen gegen Arbeiter gekämpft, studierte dann weiter Rechtswissenschaft, Studium 1922 bei Inflation aufgegeben, wurde Volontär bei Berliner Bankhaus, 1923 Werkstattschreiber in der Düsseldorfer Lokomotivfabrik, 1925–1927 Journalist in Düsseldorf bei bürgerlichen Zeitungen, 1927 Redakteur in Berlin Griebens Reiseverlag, 1928 Reporter der Berliner Volkszeitung, 1929 freier Schriftsteller, seit 1930 Mitglied der Roten Hilfe, kurze Zeit nach Eintritt in die KPD (September 1931) zur Apparatsarbeit herangezogen, 1932 Mitglied der Reichsfraktionsleitung der revolutionären Schriftsteller und Redakteur an der «Linkskurve», 1931 bis 1933 Lehrer an der MASCH, nach Reichstagsbrand Wohnung von SA demoliert, illegal weiter gearbeitet. Vorstehende Angaben sind seinem Lebenslauf entnommen.

Grund der Reise in die SU.:
Juni 1933 nach seinen Angaben mit Einverständnis des Genossen Martin und der Reichsfraktionsleitung der Schriftsteller nach Dänemark emigriert, September 1933 von MOPR nach Moskau berufen, dann als Redakteur der «Neuen Deutschen Blätter» nach Prag geschickt, dort November 1933 bis September 1934 Fraktionsleitung des Bundes revolutionärer Schriftsteller, Redakteur der KPTsch-Zeitung «Die Welt von heute», nachdem auf Anforderung von Meschrabpomfilm zur Mitarbeit nach Moskau.
Ankunft in der SU.: September 1934.
Auskünfte:
Genosse Johannes R. Becher kennt O. seit 1932, bestätigt, daß Ende 1932 in die Fraktionsleitung des Bundes revolutionärer Schriftsteller gewählt wurde, nach Emigration von der MOPR-Leitung nach Prag geschickt, um dort verantwortlich die Redaktion der «Neuen Deutschen Blätter» zu übernehmen, zugleich innerdeutsche Arbeit zu organisieren. War bemüht, seine Funktion zu erfüllen, obgleich es verschiedene Differenzen mit ihm gab, die nach Ansicht Bechers darauf zurückzuführen sind, daß Ottwalt die Verhältnisse in der SU nicht genügend kennt.

Genosse Kurt Kroll kennt Ottwalt seit 1931 durch Genossen Martin, bestätigt, daß er ein guter und tüchtiger Parteigenosse war. Nach 1933 kann er keine Auskunft über O. geben.
Olga Halpern kennt Ottwalt seit 1932 wo er Mitglied der Kom-Fraktion des Schutzverbandes deutscher Schriftsteller war und bei öffentlichen Versammlungen als Diskussionsredner auftrat. Mehr als im SDS war er auf der Linie des Bundes proletarisch revolutionärer Schriftsteller tätig, gehörte seit 2. Hälfte 1932 zum Redaktionskollegium der «Linkskurve» und von Ende 1932 zur engeren Fraktionsleitung.

Genosse Martin kennt Ottwalt seit 1932 aus der Arbeit im Apparat, wo er sich als zuverlässiger Mitarbeiter erwies und durch seine Arbeit disziplinierter geworden ist. Auf Martins Veranlassung emigrierte er Mitte 1933 nach Schweden, ging dann nach Prag und hat dort ausschließlich auf kulturpolitischem Gebiet gearbeitet. Glaubt, daß O. sich auch auf anderen Gebieten der Parteiarbeit als wertvoller Funktionär betätigen wird, wobei zu berücksichtigen ist, daß er auf Grund seines bürgerlichen Herkommens und seiner nicht ganz einfachen Entwicklung von einem nationalistisch-aktivistischen Standpunkt zum Marxismus kam und eine ständige und starke politische Führung und Kontrolle benötigt.

Genosse Gustav Bormann kennt Ottwalt persönlich nicht, berichtet aber, daß 1919 und 1920 in Halle verhaftete Arbeiter einem jungen Offizier der Nachrichtenabteilung des Haller Garnisonkommandos vorgeführt wurden; der Leutnant ließ sich Ott mitunter auch Ottwalt nennen. Nach dem Kapp-Putsch wurden im Juli ungefähr 15 Arbeiter, darunter auch Bormann verhaftet, als sie mit der Beschaffung größerer Mengen Gewehre, Munition etc. beschäftigt waren. Durch seinen Rechtsanwalt erfuhr er, daß die Verhaftung durch Spitzeltätigkeit eines Mitverhafteten «Grimm» erfolgt sei. Dieser wurde von der Oberstaatsanwaltschaft freigelassen, nachdem er mitteilte, daß er unter dem Namen Kurt Mirk der Nachrichtenabteilung Halle angehöre und dem Kommando des Leutnants Ottwalt unterstehe. Grimm stellte 1931/32 mehrmals Aufnahmeanträge in die Partei, die immer abgelehnt wurden. Im Herbst 1932 erklärte Grimm in einer Aussprache, daß sein früherer Vorgesetzter Leutnant Ottwalt identisch sei mit dem Schriftsteller Ernst Ottwalt.

Bemerkungen:

Genosse Ottwalt erfuhr durch eine Indiskretion des Genossen Martin (der hierfür zur Verantwortung gezogen wurde) von vorstehender Mitteilung des Genossen Bormann und teilte daraufhin mit:

1.) 1919, als er im Freikorps Halle war, konnte er keine führende Rolle gespielt haben, da er erst 17 Jahre alt war.

2.) Nach dem Kapp-Putsch als 18jähriger kehrte er dem Freikorps für immer den Rücken und hat auch in späterer Zeit ähnlichen Organisationen nicht angehört.

3.) Ein Provokateur namens Grimm ist ihm völlig unbekannt.

4.) Der Chef der Nachrichtenabteilung des Garnisonkommandos Halle war 1919 ein Leutnant Osswalt mit dem er weder identisch noch verwandt ist.

5.) Sein bürgerlicher Name ist – Ernst Gottwalt Nicolas. Sein Pseudonym Ernst Ottwalt entstand im Jahre 1929 bei Veröffentlichung seines Buches «Ruhe und Ordnung» aus seinem Vornamen Gottwalt unter Fortlassung des Buchstaben G.

6.) Sein im Jahre 1929 erschienenes Buch «Ruhe und Ordnung»

ist als getreues Tagebuch und Rechenschaftsbericht anzusehen, er hat nur darin einige Namen geändert, um Personen nicht zu gefährden.

Auf Grund der Erklärung des Genossen Ottwalt wurde Genosse Bormann von der deutschen Vertretung geladen und erkannte, daß es sich um eine Namensverwechslung handeln könne, obgleich er der Meinung war, daß Grimm von einem Ottwalt und nicht von Osswalt sprach.

B) In einem vom Malikverlag herausgegebenen Buch «30 neue Erzähler des neuen Deutschland» ist folgende Biographie enthalten: Ernst Ottwalt, 1901 in Westpreußen als Sohn eines Pfarrers geboren. Sein Leben bewegte sich in den Bahnen, die ihm durch Klassenzugehörigkeit und Erziehung vorgezeichnet waren: Mitglied einer studentischen Korporation, Angehöriger eines Freikorps, Spitzel gegen die revolutionären Arbeiter.

C) In den Unterlagen befindet sich ein Brief an Ottwalt vom 9.12.1935 aus dem hervorgeht, daß er sich trotz mehrmaliger Aufforderung nach seiner Ankunft in Moskau absolut nicht um seine Parteiangelegenheit kümmerte, ihm wurde eine 10tägige Frist gestellt, andernfalls er nicht mehr als Parteimitglied betrachtet wird.

Parteibeiträge: Formell ist Ottwalt kassentechnisch erfaßt. Obwohl er sehr viel verdient, hat die deutsche Vertretung immer die allergrößten Schwierigkeiten, seine Parteibeiträge einzutreiben, er schuldet noch ansehnliche Summen.

Beschluß der Kommission:

Da der Genosse Ernst Ottwalt bis zu seiner Emigration aus Deutschland nur ca. 1¾ Jahr Mitglied der KPD war, bürgerlicher Herkunft ist, am inneren Parteileben durch Kleinarbeit oder Funktionen in der unteren Parteiorganisation nicht im geringsten teilnahm, nach Ankunft in der SU sich erst nach mehrmaliger Aufforderung unter Androhung, daß er seiner Mitgliedschaft verlustig gehe, um seine Parteiangelegenheit kümmerte und auch in der Beitragszahlung Schwierigkeiten leistet, ist die Kommission der Ansicht, daß O. auch jetzt noch nicht innerlich mit der Partei verbunden ist und kann daher Überführung in die KPdSU (B) weder als

Kandidat noch als Sympathisierender befürworten. Was die Mitteilung des Genossen Bormann anbetrifft, wonach Ottwalt als Leiter des Nachrichtendienstes der Hallenser Garnison Spitzel in unsere Organisation geschickt habe, so hat Bormann zugelassen, daß eine Namensverwechslung möglich wäre und würden die diesbezüglichen Anschuldigungen gegen Ottwalt in Fortfall kommen, sofern seine Erklärung als glaubwürdig gewertet wird. Andererseits ist von unserem Verlag in der Biographie über Ottwalt ebenfalls geschrieben, daß er Spitzel gegen die revolutionären Arbeiter war. Welches Material dieser Biographie zugrunde lag, ob selbst geschriebener Lebenslauf etc. ist der Kommission nicht bekannt. Die Akten werden daher der Kaderabteilung zur weiteren Ermittlung zugeleitet.

Vorsitzender der Kommission:

Mitglieder der Kommission:
Würz / Beutling / Köppe
Esche / Schilsky

IML / ZPA Moskau

Würz /
Beutling / /Esche /

Schilsky / /Köppe /

Dokument Nr. 4

Anklageschrift im Untersuchungsfall Nr. 4090 vom 17. März 1937 gegen Henschke Karoline J. gemäß §§ 17–58 P. 8 und 11 des Gesetzbuches der RSFSR (übers. v. Georg Becker)

1936 wurde in Moskau eine konterrevolutionäre Organisation aufgedeckt und liquidiert. Die Organisation wurde von deutschen politischen Emigranten gegründet: von Max Hoelz (gestorben) und Erich Wollenberg, der illegal aus der UdSSR nach Prag flüchtete und in das Prager trotzkistische Zentrum eintrat.

Die Mitglieder der Terrororganisation bereiteten Terrorakte gegen die Führer der Sowjetregierung und der Partei vor. Der von Wollenberg und Hoelz gegründeten trotzkistischen Terrororganisation gehörten Becker, A. G.; Taubenberger, H. I.; Markis, P.; Rakow, B. G. und Siebenhaar, K. P. an. Ferner wußten von der Existenz der Organisation und erwiesen ihr verschiedene Dienste Henschke, K. J.; Taubenberger, E. E.; Budich, W. und Meese, O. K.

In bezug auf Henschke, K. J. wurde durch Untersuchung festgestellt, daß sie Bote zwischen dem Prager trotzkistischen Zentrum und der konterrevolutionären Terrororganisation, gegründet von Wollenberg in Moskau, war und daß sie die sämtlichen Teilnehmer dieser Organisation als feindselig zur UdSSR gestimmte Trotzkisten kannte (l. d. t. III–137, 32).

Außerdem wurde festgestellt, daß Henschke zum Zweck der Tarnung ihrer kontrarevolutionären Tätigkeit auf betrügerische Weise in die Reihen der KPD eindrang, indem sie der Komintern falsche Angaben über ihre Zugehörigkeit zur KPD in Deutschland machte. Diese falschen Angaben teilte Henschke der Komintern auf den Rat ihres Ehemannes Becker, A. G. hin mit, der als Agent des Prager trotzkistischen Zentrums, mit terroristischen Aufgaben nach Moskau gesandt, entlarvt wurde (l. d. t. II–78, t. III–3).

1934, in einer ihrer folgenden Reisen nach Prag, hatte Henschke ein Treffen mit Wollenberg, der gerade illegal mit Unterstützung der Teilnehmer der von ihm in Moskau gegründeten konterrevolutionären Terrororganisation Taubenberger, Zenari und Markis aus der UdSSR ins Ausland geflüchtet war. Wollenberg erzählte Henschke von der Existenz der Terrororganisation in Moskau, von seiner Teilnahme an der Arbeit des Prager trotzkistischen Zentrums und warb sie für die Mitgliedschaft bei der konterrevolutionären Terrororganisation. Vor ihrer Rückkehr aus Prag in die UdSSR nahm Henschke von Wollenberg Briefe an zur Übergabe an Zenari und Taubenberger. Nach ihrer Aussage vernichtete sie diese Briefe vor der Abreise in die UdSSR. Von ihrem Treffen mit Wollenberg und dem Inhalt der mit ihm geführten Gespräche teilte Henschke Becker mit.

Aufgrund des Dargelegten wird angeklagt: Henschke (Neher), Karoline Josef(owna), geb. 1900 in München, Deutsche, deutsche Staatsangehörige (nach ihren Worten wurde ihr die deutsche Staatsangehörigkeit aberkannt), trat auf betrügerischem Weg in Moskau der KPD bei, früher parteilos, vor der Festnahme Schauspielerin des Meshrabpomfilms, wohnhaft Krasnoprudnaja Str. 36, Wohnung 17. Henschke wird beschuldigt, daß sie Bote für das Prager trotzkistische Zentrum war, beim Treffen mit dem Trotzkisten Wollenberg in Prag 1934 von ihm einen Auftrag annahm, den Trotzkisten Taubenberger und Zenari in Moskau Briefe richtunggebenden Charakters zu übergeben. Henschke kannte die sämtlichen Teilnehmer der von Wollenberg aus den deutschen Trotzkisten gegründeten Organisation und verbarg das. Sie wird beschuldigt gemäß der im Paragraph SST. 17–58 p. p. 8 und 11 des Gesetzbuches der RSFSR genannten Verbrechen.

Henschke bekannte sich schuldig, auf betrügerischem Wege der KPD beigetreten zu sein, von Wollenberg in Prag einen Brief zur Übergabe in Moskau an Taubenberger und Zenari angenommen sowie die Teilnehmer der kontrarevolutionären Organsiation als antisowjetische Menschen gekannt zu haben. Sie wird durch die Aussagen von Becker, Taubenberger und Rosenblum belastet.

Aufgrund dessen wird die Untersuchungssache Nr. 469 gemäß der Anklage gegen Henschke Karoline Josef(owna) zur Durchsicht dem Militärkollegium des Obersten Gerichts der UdSSR vorgelegt.

(Unterschrift)

KGB-Archiv

Dokument Nr. 5

Gerichtsurteil

Im Namen der Union der sowjetischen sozialistischen Republik hat das Militärkollegium des Obersten Gerichts der UdSSR in der geschlossenen Sitzung in Moskau am 16.07.1937 die Sache nach der erhobenen Anklage gegen Henschke, Karoline, geb. 1900, Angestellte, wegen der Verbrechen nach §§ 17–58 und 58–II des Gesetzbuches der RSFSR abgeschlossen.

Durch die Gerichtsuntersuchung wurde festgestellt, daß Henschke, Karoline als Bote zwischen dem in Prag befindlichen trotzkistisch terroristischen Zentrum und einer kontrarevolutionären trotzkistischen Terrororganisation, welche der Trotzkist Wollenberg aus Emigranten in Moskau organisierte, war. Sie leistete dem Terroristen Wollenberg einen Botendienst, indem sie von ihm einen direktiven Brief den Mitgliedern der kontrarevolutionären Terrororganisation in Moskau lieferte. Auf diese Weise ist die Schuld von Henschke an den von ihr gemachten Verbrechen nach §§ 17–58 und 58–II des Gesetzbuches der RSFSR bewiesen. Aufgrund dessen und gemäß §§ 319 und 320 URK der UdSSR hat das Militärkollegium des Obersten Gerichts der UdSSR Henschke, Karoline zu 10 Jahren Gefängnis verurteilt und hat die Beschlagnahme ihres gesamten Vermögens zur Folge. Die Untersuchungshaft ab 25. Juli 1936 wird zur gesamten Strafdauer angerechnet. Das Urteil ist endgültig, einer Berufung wird nicht stattgegeben.

KGB-Archiv

Dokument Nr. 6

(Vernehmung)
am 1. Juni 1936 von Wangenheim, Gustav, geb. 1895 in Wiesbaden wohnhaft: Kusnezskij Most 22/2 Moskau, Deutscher, Staatsangehörigkeit: deutsch, Regisseur des «Meschrabpomfilm», Abstammung: von Adeligen und Schauspielern

Frage: Ist Ihnen der deutsche Staatsangehörige Becker, Anatol bekannt? Wenn ja, dann wo haben Sie ihn kennengelernt?

Antwort: Becker, Anatol ist mir bekannt. Ich lernte ihn 1933 in Moskau durch seine Frau Carola Neher kennen, welche ich in Moskau ausfindig machte, weil ich sie als Schauspielerin benötigte.

Frage: Können Sie die politischen Anschauungen von Becker, Anatol charakterisieren?

Antwort: Becker, Anatol machte auf mich ständig den Eindruck eines falschen, niedergedrückten, dauernd etwas befürchtenden Menschen. Seine vollkommen sowjettreuen Aussagen haben mich sehr verwundert. Nie sprach er irgendwelche Schwankungen, Unzufriedenheiten aus, auch solche, welche ihm als Ausländer verzeihlich gewesen wären. Trotz meines instinktiven Mißtrauens gegen Becker hatte ich bis Anfang 1934 keinen Grund, ihm nicht zu vertrauen und ihn nicht für einen der unseren zu halten. Anfang 1934 änderte sich meine Einstellung zu Becker scharf und ich verlor den Glauben an seine sowjetischen Stimmungen und Aussprachen. Dies geschah, nachdem ich Anfang 1934 mit dem Genossen Fritz Heckert im Komintern-Gebäude ein Gespräch führte. Im Laufe des Gesprächs über die politischen Emigranten sagte mir der Genosse Heckert über Becker wie folgt: «Becker ist eine dunkle Figur, seine Parteidokumente sind gefälscht. Wir haben diesbezüglich eine Untersuchung angeordnet. Warum er die Dokumente gefälscht hatte, ist noch nicht geklärt worden.» Wann und unter welchen Umständen von Becker die Dokumente gefälscht wurden, sagte mir der Genosse Heckert nicht, und ich habe ihn darüber nicht gefragt. Mit Becker aber habe ich seitdem die sämtlichen persönlichen Wechselbeziehungen abgebrochen. Nach der Ermordung des Genossen Kirow wurde mir die Person Beckers noch verdächtiger. Denn die Kontakte seiner

Frau Carola Neher mit dem angesehenen Trotzkisten Wollenberg zog meine Aufmerksamkeit auf sich.

Frage: Worin äußert sich konkret die Verbindung von Carola Neher mit Wollenberg?

Antwort: Im Sommer 1934 war ich dienstlich in Prag, um einige Schauspieler für die Theaterarbeit zu gewinnen. Ich wohnte in einem Hotel (des Namens des Hotels kann ich mich nicht entsinnen), wo auch die aus Moskau angekommene Carola Neher wohnte. Im selben Hotel wohnte auch Wollenberg. Wollenberg und Neher kamen oft zusammen und standen zueinander in freundschaftlichem Verhältnis. Mir persönlich sagte Neher, Wollenberg sei ein hervorragender Mensch und man solle seinem Rat folgen. Zur selben Zeit wohnte im Hotel die Frau von Erich Mühsam, Zenzi Mühsam, die zu den beiden engen freundschaftlichen Verkehr pflegte. In dieser Periode war Mühsam in ihrer politischen Einstellung antisowjetisch, trotzkistisch, anarchistisch. Unter den Trotzkisten in Prag war sie zweifellos populär und hatte unter diesen Verbindungen.

Frage: Welche trotzkistischen Verbindungen von Mühsam sind Ihnen bekannt?

Antwort: Die Verbindungen, außer die mit Wollenberg, sind mir nicht bekannt. Ich bestätige, daß mir von diesen Verbindungen Carola Neher in Prag erzählte.

Frage: Von wem wissen Sie, daß Wollenberg ein Trotzkist ist?

Antwort: Von Carola Neher, von Stibi, dem deutschen politischen Emigranten, dem Redakteur der deutschen Sektion im Rundfunk WZSPS und von Held, Ernst, dem Mitarbeiter der DDZ.

Frage: Sind Becker und Wollenberg miteinander bekannt?

Antwort: Becker, Anatol ist mit Wollenberg bekannt. Ob diese Bekanntschaft durch Carola Neher stattfand oder umgekehrt Becker sie mit ihm bekannt machte, weiß ich nicht. Die Tatsache ist, daß Neher für Wollenberg Leute anwarb. So z. B. suchte sie mir beharrlich einzureden, den Wollenberg näher kennenzulernen, was ich jedoch ablehnte. Da Neher und Wollenberg miteinander sehr vertraut waren, wußte sie zweifellos, wie auch Becker, von der trotzkistischen Tätigkeit Wollenbergs.

Frage: Wie charakterisieren Sie Carola Neher von der politischen Seite?

Antwort: Carola Neher halte ich für eine Abenteurerin, die nach ihrer ideologischen Einstellung nichts Gemeinsames mit der kommunistischen Partei hat. Ihre politische Einstellung ist antisowjetisch. So z. B. sagte Neher: «Ich war im Regierungsgebäude und sah, wie diese dort leben. Bin ich schlechter als sie, ich will auch hier leben. Die Menschen, wenn sie nicht dumm sind, können sehen, daß auch die sowjetische Bourgeoisie existiert.» In solcher Art hörte ich oft die Äußerungen von Neher, deren Einzelheiten ich mich jetzt nicht entsinnen kann.

Das Protokoll wurde mit meinem Wortlaut vollkommen richtig aufgeschrieben, mir ins Deutsche übersetzt und ist mir verständlich

Unterschrift (Gustav Wangenheim)

KGB-Archiv

Dokument Nr. 7

Genosse Pieck den 27. September 1936
Florin Vertraulich 4 Expl./W
Kader-Abteilung
Vertretung

Die Leitung der Schriftsteller-Organisation in Moskau, vertreten durch die Genossen Apletin und Barta, gibt nachstehende Einschätzung der deutschen Schriftsteller in Moskau.

Friedrich Wolf: Ist gefühlsmäßig Kommunist. Sein Bestreben ist, durch seine literarische Arbeit der Partei immer das zu geben, was sie unmittelbar braucht. Er ist jedoch wenig geschult und besitzt eine geringe innerliche Parteidisziplin und greift deshalb manchmal daneben. Besonders in der letzten Zeit ist er jedoch sehr bestrebt, sich zu bessern. Die Genossen schlagen vor, ihn mindestens als Kandidaten in die WKP/B/ zu überführen und ihn in Moskau zu belassen, da er bei einer noch besseren Hilfe imstande ist, der Partei etwas zu geben.

Berta Lask: Ist eine absolut ehrliche Genossin. Sie hat in der letzten

Zeit ein sehr gutes Sowjet-Buch über das sowjetdeutsche Leben geschrieben, welches besser ist als andere Bücher deutscher Schriftsteller. Sie ist politisch innerlich gesund, jedoch sehr wenig geschult und stark gefühlsmäßig eingestellt. Sie schlagen vor, sie ebenfalls mindestens als Kandidat in die WKP/B/ zu überführen.

Gabor: einer der bestbekanntesten ungarischen Schriftsteller, der sich vom kleinbürgerlichen Linken während des Krieges zu uns entwickelt und im Kampf gegen Horthy eine Riesenarbeit geleistet hat. Unter guter Kontrolle und Führung stehend, ist er imstande eine große und gute Arbeit zu leisten. Er war nie Trotzkist, fühlt sich heute noch als der große Schriftsteller, der eine Umgebung braucht, die zu ihm aufblickt. (S. seine Arbeitsgemeinschaft und seine Kaderpolitik, in der ihm Mißgriffe unterlaufen sind, z. B. beim Trotzkisten Brand, den er blind verteidigte, weil er talentiert war.) Gabor schreibt nützliche, antifaschistische Erzählungen. Die Genossen sind der Meinung, wenn es nicht möglich sei, ihn als Kandidaten in die WKP/B/ zu überführen, so sollte man ihn ins Ausland schicken, in eine gesunde Umgebung mit festumrissenen Aufgaben, die er als Schriftsteller im antifaschistischen Kampf durchzuführen hätte.

Günther: war hier anfangs bestrebt, organisatorisch und später politisch auch was zu leisten. Er ist stark kleinbürgerlich eingestellt, was am stärksten in seinen Stimmungen während der Errichtung der faschistischen Diktatur in Deutschland, die absolut defaitistisch waren, zum Ausdruck kamen. Falls es für richtig gehalten wird, daß er hier in der SU bleibt, sind die Genossen dafür, ihn als Sympathisierenden der WKP/B/ zu überführen.

Bredel: Ihn soll man als Mitglied in die WKP/B/ überführen. Man soll ihn aber noch stärker unterstützen, um die Kluft, die Ottwalt zwischen wirklichen kommunistischen Schriftstellern und der Partei aufreißen will, zu überwinden.

Weinert: Ist ein wirklicher Parteidichter. Sie schlagen vor, ihn als Kandidat der WKP/B/ zu überführen. Man muß ihm jedoch jede Woche ganz konkrete Aufträge anhand der politischen Tagesfragen in Deutschland geben.

Ottwalt: Ihn soll man nicht überführen. Wenn gegen ihn nichts Besonderes vorliegt, soll man ihn ins Ausland schicken.

Leschnitzer: Nicht überführen; aber auch nicht direkt ausschließen.

Erpenbeck: In Moskau behalten, ihm hier konkrete Arbeit geben und als Sympathisierenden in die WKP/B/ überführen. Seine Frau nicht überführen.

Becher: Soll man trotz ernster Bedenken als Kandidat in die WKP/B/ überführen. Besonders Genosse Apletin betonte, daß die deutsche Partei wahrscheinlich aus Prestigegründen beabsichtigen werde, den Genossen Becher als Mitglied in die WKP/B/ zu überführen. Auf Grund des Verhaltens des Genossen Becher gerade in der letzten Zeit (Verhältnis zu seiner Frau, Benehmen auf der allgemeinen Schriftsteller-Versammlung) hat er dagegen Bedenken und ist nur für eine Überführung als Kandidaten.

Peter Karst: Ist als Schriftsteller nicht in der Lage, seinen Lebensunterhalt zu verdienen. Er soll in die Produktion gehen, evtl. soll man ihn reemigrieren lassen.

Hay: Ist ein ehrlicher, aber sehr junger Parteigenosse, der selber gar nicht erwartet, daß man ihn in die WKP/B/ überführt. Die Genossen halten es für zweckmäßig, ihn ins Ausland zu schicken, wo eine ganze Reihe von seinen Theaterstücken auf verschiedenen Bühnen laufen und wo er für uns eine nützliche Arbeit leisten kann.

JML/ZPA Moskau

Dokument Nr. 8

Wilhelm Pieck

Brief an die Auslandsleitung der KPD

Moskau 7.9.1936

...

Der Freund, den wir Euch schicken, hat den Auftrag, mit Euch über die organisatorischen Schlußfolgerungen zu sprechen, wie die Säuberung der Partei von trotzkistischen Elementen oder solchen, die mit Trotzkisten Verbindung hatten oder noch haben, ‹durchgeführt wird›. Das muß in der gesamten Emigration geschehen und wir sollen dazu in jedem Grenzgebiet eine autoritäre Kommission einsetzen, deren Mitglieder die volle Verantwortung für eine gründliche Arbeit haben, evtl. zur parteigerichtlichen Verantwortung gezogen werden, wenn diese Arbeit nicht mit aller Gründlichkeit erledigt wird. Ich schicke Euch unser letztes Protokoll, aus dem Ihr einiges zur Erledigung dieser Angelegenheit entnehmen könnt. Legt vor allen Dingen Gewicht auf eine regelmäßige Berichterstattung über die Arbeit der Kommissionen, damit wir hier möglichst bald über diese Arbeit hören. Es wird großes Gewicht auf diese Arbeit gelegt. Ich schicke Euch noch den Brief, den Remmele an Manu⟨ilski⟩ geschrieben hat und meine Bemerkungen dazu. Obwohl der Brief ein starkes Stück, so besteht nicht die Absicht, jetzt schon gegen ihn vorzugehen. Alles zu seiner Zeit...

IfGA/ZPA I2/3/286

Wilhelm Pieck an Dimitroff: 7.10.1936

...

Hier in der SU wurde schon eine gründliche Arbeit zur Aufdeckung der trotzkistischen Verbindung und zur Säuberung geleistet. Wir haben all die Elemente, die verhaftet oder verurteilt wurden und andere, die mit ihnen in Verbindung standen, aus der Partei ausgeschlossen. Aber dabei soll es nicht bleiben, sondern es müssen durch gründliche Nachforschungen der Vergangenheit und Tätigkeit jedes einzelnen Genossen Garantien zum Schutz der Partei geschaffen werden.

IfGA/ZPA 6/10/65

Dokument Nr. 9

Wilhelm Pieck

Moskau 8.10.1936

Brief an die Auslandsleitung der KPD

...

Hier wird noch immer sehr stark in der Säuberung gearbeitet, wobei manches an das Tageslicht kommt, das von den Interessenten sorgfältig verborgen wurde. So wurde von den Parteigruppen der Ausschluß von Knoth und Gerber beschlossen. Beide Fälle stehen aber noch vor der IKK zur Verhandlung. Aus den Euch übersandten Ausschlußlisten gehen die Ausschlüsse von KPD-Mitgliedern hervor, aber auch einige andere wurden ausgeschlossen, so Karolski, Bushinski, vielleicht auch noch einige andere, die mir im Moment nicht einfallen. Andere hängen noch sehr stark in der Wäsche. Es ist eine sehr nützliche Arbeit, die geleistet wird...

Eine große Arbeit wird uns noch ⟨durch⟩ die Überprüfung des Verhaltens der hier lebenden deutschen Schriftsteller verursacht. Es hat eine große Aussprache mit ihnen stattgefunden und es ist über diese Aussprache ein Protokoll von nicht weniger als 250 Seiten aufgenommen. So nützlich es wäre, das Protokoll zu lesen, es mangelt an Zeit dazu. Aber wir werden uns doch entscheiden müssen, was wir mit den einzelnen anfangen. Es ist möglich, daß einige davon aus unseren Reihen entfernt werden müssen, andere von hier in die Provinz geschickt werden und nur einige von den besten hierbleiben.

IfGA/2PA I 2/3/286

Dokument Nr. 10

Wilhelm Pieck:

Brief an die Auslandsleitung der KPD

Moskau 7.9.1936

...

«Es steht noch die Frage von Erwin Pisc⟨ator⟩, der sich dort mit meinem Arthur befindet, um die internationalen Arbeiten auf diesem Spezialgebiet zu machen. E. ‹Piscator› hat aber diese Sache durch sein hiesiges Auftreten und durch seine sehr bedenkliche politische Einstellung, die ihn in sehr enge Berührung mit den Trotzkisten bringt und dessen persönliche Verbindungen eine engere Untersuchung verdienten, sehr kompromittiert, so daß die völlige Liquidierung dieser Stelle[1] erwogen wird ... Ich habe aber Bedenken, daß E. wieder hierherkommt und ich bitte Euch, zunächst mit Arthur[2] darüber zu sprechen, was zu unternehmen ist, um E. auf harmlose Weise zu veranlassen, von der weiteren Arbeit an dieser Stelle Abstand zu nehmen.

IfGA I 2/3/286

1 Internationaler Revolutionärer Theaterbund.
2 Arthur Pieck.

Dokument Nr. 11

Liebe Freunde! 10.8.36

...Ähnlich wie in jedem Emigrationslande stehen auch hier die Fragen. Bei der jetzigen Überprüfung der für die Überführung in die Partei in Frage kommenden Genossen wird sehr ernst die Frage gestellt, wer von den Genossen in das Land zurückkann. Ich bin überzeugt, daß mindestens ein Drittel der Genossen zurückfahren kann, wenngleich ein großer Teil davon in den Betrieben Arbeit gefunden hat. Aber es steht eben viel mehr die Frage der Unterstützung unserer Arbeit im Lande als die persönlichen Angelegenheiten des einzelnen Emigranten. Andererseits gibt es sehr viele, für die die Qualifikation als Politemigrant nicht zutrifft. Hier kommt noch ein besonders für die Partei erschwerender Umstand hinzu. Es haben sich in der Zeit geradezu unheimlich die Fälle gemehrt, in denen Mitglieder unserer Partei entweder Verbindungen mit parteifeindlichen Elementen unterhalten, diese in irgend einer Form unterstützen oder sich selbst in parteifeindlicher Weise betätigten. Ihr werdet inzwischen die Leitartikel in der hiesigen Parteizeitung und auch in der «DZZ» gelesen haben, in denen schon sehr deutlich diese Fälle charakterisiert werden. Leider sind wir als Partei sehr stark an diesen Fällen beteiligt. Wir werden eine ganze Anzahl der in Frage kommenden Elemente aus unserer Partei entfernen müssen, die den Namen unserer Partei durch ihr Verhalten beschmutzten. Das hohe Ansehen, das unsere Partei bisher genoß, wird durch dieses Gesindel, das wir in unseren Reihen hatten, sehr beeinträchtigt. Wir sind leider viel zu sehr den Weg gegangen, alle unliebsamen Elemente nach hier abzuschieben und haben uns außerdem dann wenig oder gar nicht um die weitere Entwicklung dieser Elemente gekümmert. Das wirkt sich jetzt sehr schlecht aus und wir werden sehr energische Maßnahmen ergreifen müssen, um diese Schande von der Partei zu nehmen. Ich habe hier eine Liste von 40 Mitgliedern unserer Partei, die wegen parteifeindlichen und zum Teil sogar sowjetfeindlichen Verhaltens verhaftet werden mußten. Dabei scheint das nur ein kleiner Prozentsatz derjenigen zu sein, die sich in dieser verbrecherischen Weise betätigten. Es steht die Frage, wie wir der Partei die Reinigung der Partei zur Kenntnis bringen, ohne gleichzeitig damit unseren Gegnern eine Waffe gegen die Partei in die Hand zu geben. Wir werden nicht darumkommen, die Namen einer Anzahl dieser Elemente der Partei bekannt zu geben, die wir aus der Partei entfernten. Dazu gehört Willi Leow, der wegen schwerer Korruption zu 5 Jahren Strafarbeit verurteilt wurde, ferner Ernst Mansfeld, der früher bei der Meshrabpom und später bei Meshrabpom-Film tätig war und der wegen Spionage zu 5 Jahren Gefängnis verurteilt wurde. Ich fürchte, daß wir nicht darumkommen werden, auch der Partei öffentlich mitzuteilen, den Ausschluß von Fritz David, Hans Stauer, Alexander Emel, weil diese ebenfalls größeren Kreisen der Partei bekannt sind. Aber die Untersuchung über ihr Verhalten ist noch nicht abgeschlossen. Wegen parteifeindlicher Verbindungen mit den Trotzkisten und Verbreitung faschistischer Auffassungen wurden verurteilt: Ali Weiss, Biletzky, beide aus Berlin; ferner Müller (ein bayerischer Schriftsteller), dann Nixdorf, früher in Breslau. Alle diese müssen aus der Partei ausgeschlossen werden, wobei wir den Ausschluß vorläufig nicht zu publizieren brauchen, ihn aber den Grenzstellenleitern übermitteln müssen. Ferner muß ausgeschlossen werden: Anatol Becker, das ist der Mann von Carola Neher, der hier in einer Maschinenfabrik als Schlosser arbeitete und der feindliche Verbindungen, wahrscheinlich sogar zur Gestapo, unterhielt. Carola Neher selbst hat uns mitgeteilt, daß sie uns wegen ihrer Parteizugehörigkeit beschwindelt hat, daß sie niemals die Parteimitgliedschaft erworben hat und es ist sogar möglich, daß Becker selbst ebenfalls nicht Parteimitglied war. Vielleicht könnt Ihr darüber Näheres feststellen. Zenzi Mühsam scheint hier ein Mittelpunkt für die trotzkistischen Verbindungen, besonders mit Wollenberg, gewesen zu sein. Diese Verbindungen haben einen sehr ernsten Charakter gehabt, sogar bis zur Vorbereitung terroristischer Akte auf unsere führenden Freunde. Es ist nur zu begrüßen, daß es gelungen ist, die Fäden dieser Verbindungen aufzufinden und einen Teil der Leute unschädlich zu machen. Es ist das Beschämende für uns, daß ein erheblicher Teil der Mitglieder unserer Partei an diesen Verbrechen beteiligt sind. Für die Publikation von Ausschlüssen werden wir Euch noch die Formulierungen übermitteln. Es genügt vorläufig, daß Ihr dem Ausschluß zustimmt und uns das übermittelt.

Ein anderes schwieriges Gebiet ist das der hiesigen deutschen Schriftsteller. Es sind das ungefähr 25 Genossen. Ich habe dieser Tage eine Beratung mit einigen dieser Genossen gehabt und wir sind darin übereingekommen, daß wir 15 bis 17 Genossen von hier wegschicken, um ein wenig das Milieu zu verbessern. Die Genossen sollen auf verschiedene Punkte hier im Lande verteilt werden, damit sie mehr der unmittelbaren Parteikontrolle unterstehen, und gleichzeitig etwas mehr nützliche Arbeit leisten. Bei einigen dieser Leute ist es fraglich, ob wir sie in unserer Partei belassen. Sie sind nicht nur sehr junge Parteimitglieder und wenig mit dem Leben der Partei verbunden, weil sie erst kurz vor der Illegalität der Partei beitraten, sie haben andererseits sehr bedenkliche Schwankungen und in einzelnen Fällen sogar parteifeindliche Einstellungen. Namen will ich vorläufig noch nicht mitteilen, weil die Sache noch untersucht wird.

Es grüßt Euch bestens
W. [Wilhelm Pieck]

IfGA/ZPA I 2/3/286

Dokument Nr. 12

3.7.39

Vertraulich!
4 Expl./Pie.

Sitzung der Kleinen Kommission: Stellungnahme zur Angelegenheit Maria Osten

Anwesend: Gen. Ulbricht, Dengel, Funk ⟨d.i. Herbert Wehner⟩

Betr. Maria Osten (Maria Greßhöner):

Die Kommission stellt nach eingehender Befragung der Genossin fest, daß sie in der KPD nicht an der Parteiarbeit teilgenommen hat. Sie tat nichts, um sich mit der Politik der Partei und der Theorie des Marxismus-Leninismus vertraut zu machen. Sie verkehrte in dem Kreis der Mitarbeiter des Malik-Verlages.

Sie gibt zu, an Zusammenkünften des Versöhnlerkreises Ewert – Ende – Volk – Heartfield u. a. im Café Volk teilgenommen zu haben, bestreitet aber die Teilnahme an solchen Zusammenkünften in der

Wohnung von Heartfield und anderen. Sie gibt zu, daß in dem Versöhnlerkreis aus Anlaß des Wittorf-Falles die Verleumdungen gegen Ernst Thälmann besprochen und Artikel in Parteizeitungen kritisiert wurden. Mit Ottwalt kam sie in Berlin öfters zusammen, und auf ihrer Durchreise in Prag traf sie ihn im Jahre 1933. Maria Osten lernte im Jahre 1932 in Berlin Kolzow kennen. Ihre weitere Tätigkeit und Reisen erfolgten durch politische und materielle Hilfe Kolzows. Es handelt sich hier um ein typisches Beispiel von persönlicher Protektionswirtschaft. Alles das geschah ohne Kenntnis der KPD. Auch ihre Bestimmung als Vertreterin des «Wort» geschah ohne Kenntnis der KPD.

Sie bestreitet in Prag Volk getroffen zu haben. Ihre Beziehungen zu Annenkowa und Carola Neher gibt sie zu, sucht sie aber als persönliche unpolitische Beziehungen darzustellen. Sie gibt zu, von Carola Neher Valuta für Einkäufe im «Torgsin» erhalten zu haben. Die Kommission kommt zu dem Resultat, daß Maria Osten wohl formell der Partei angehört, aber da sie in keiner unteren Parteiorganisation Funktionen ausgeübt und sich nicht theoretisch geschult hat, mit der Partei nur lose verbunden ist.

Beschluß:

Die Parteimitgliedschaft von Maria Osten ruht bis von anderer Stelle ihre Beziehungen zu Kolzow untersucht sind.

IfGA/ZPA I 2/3/83

Abkürzungsverzeichnis

A-I-Z	Arbeiter-Illustrierte-Zeitung
ATBD	Arbeiter-Theater-Bund Deutschlands
BPRS	Bund proletarisch-revolutionärer Schriftsteller Deutschlands
DZZ	Deutsche Zentralzeitung
CSR	Tschechoslowakische Republik
GICHL	Staatsverlag für schöne Literatur (Goslitisdat)
GPU	Staatliche Politische Verwaltung, Sowjetische Geheimpolizei
IAH	Internationale Arbeiterhilfe
IfGA / ZPA	Institut für Geschichte der Arbeiterbewegung / Zentrales Parteiarchiv
IKK	Internationale Kontrollkommission (der Komintern)
IML / ZPA	Institut für Marxismus-Leninismus beim ZK der KPdSU / Zentrales Parteiarchiv
IRH	Internationale Rote Hilfe
EKKI	Exekutivkomitee der Kommunistischen Internationale
IVRS	Internationale Vereinigung Revolutionärer Schriftsteller
IRTB	Internationaler Revolutionärer Theaterbund
KGB	Komitee für Staatssicherheit
KI	Kommunistische Internationale (Komintern)
KIM	Kommunistische Jugendinternationale
Komintern	Kommunistische Internationale
KPD	Kommunistische Partei Deutschlands
KPdSU	Kommunistische Partei der Sowjetunion
KPÖ	Kommunistische Partei Österreichs
MASCH	Marxistische Arbeiterschule
MEGA	Marx-Engels-Gesamtausgabe
Meshrabpom	Internationale Arbeiterhilfe
MKOG	Militärkollegium des Obersten Gerichts der UdSSR
MORT	Internationaler Revolutionärer Theaterbund

MORP	Internationale Vereinigung Revolutionärer Schriftsteller
MOPR	Internationale Rote Hilfe
Narkompros	Volkskommissariat für Volksaufklärung
NKWD	Volkskommissariat für Innere Angelegenheiten, Sowjetische Geheimpolizei
OMS	Abteilung für Auslandsverbindungen (der Komintern)
PB	Politbüro
Profintern	Revolutionäre Gewerkschaftsinternationale
RAPP	Russische Vereinigung Proletarischer Schriftsteller
RFB	Roter Frontkämpferbund
RGI	Revolutionäre Gewerkschaftsinternationale
RGO	Revolutionäre Gewerkschaftsopposition
SDAPR	Sozialdemokratische Arbeiterpartei Rußlands
VEEGAR	Verlagsgenossenschaft ausländischer Arbeiter in der UdSSR
WKP	Allunionistische Kommunistische Partei, danach KPdSU
WOKS	Gesellschaft für kulturelle Beziehungen mit dem Ausland
ZK	Zentralkomitee
ZKK	Zentrale Kontrollkommission

Namenregister

Auf den fettgedruckten Seiten finden sich biographische Hinweise zu den genannten Personen.

Osteuropa

«Gorbatschow wird in die Geschichte eingehen als ein Mann, der die Welt verändert hat. Doch nachdem nicht nur die Völker Osteuropas, sonderen auch die der Sowjetunion ihr Selbstbestimmungsrecht wahrzunehmen versuchen, erweist er sich als Machtpolitiker, dem es in erster Linie um die Aufrechterhaltung des Imperiums geht. Auch bei ihm wird aber der Gedanke reifen müssen,. daß es für die Sowjetunion allemal günstiger ist, unabhängige, aber verläßliche Partner zu haben als abhängige, feindlich gesinnte Vasallen.»
Andrejs Urdze

Andrejs Urdze (Hg.)
Das Ende des Sowjetkolonialismus
Der baltische Weg
(rororo aktuell 12897)
In diesem Buch berichten Autoren aus den baltischen Staaten über die traumatischen Erfahrungen der Okkupation und die Folgen der Einverleibung in die Sowjetunion.

G. Koenen / K. Hielscher
Die schwarze Front *Der neue Antisemitismus in der Sowjetunion*
(rororo aktuell 12927)
Die Autoren erklären den wachsenden Antisemitismus seit der Perestroijka-Zeit und benennen die ihn tragenden gesellschaftlichen Gruppen und ihre Motive.

Steffi Engert / Uwe Gartenschläger
Der Aufbruch: Alternative Bewegungen in der Sowjetunion
Perestroika von unten
(rororo aktuell 12623)

rororo aktuell

In differenzierten Einzel- und Gruppenporträts beschreiben die Autoren was es heißt, in der heutigen Sowjetunion auszusteigen und ein selbstbestimmtes, anderes Leben zu führen.

Michail Gorbatschow
Die Rede *«Wir brauchen die Demokratie wie die Luft zum Atmen» Referat vor dem ZK der KPdSU*
(rororo aktuell 12168)
Eine Aufforderung, die UdSSR zu verändern, vorgetragen am 27. Januar 1987

Richard Wagner / Helmuth Frauendorfer (Hg.)
Der Sturz des Tyrannen
Rumänien und das Ende einer Diktatur
(rororo aktuell 12839)

Josip Furkes / Karl-Heinz Schlarp (Hg.)
Jugoslawien: Ein Staat zerfällt
Der Balkan - Europas Pulverfaß
(rororo aktuell 13074)

Václav Havel

«Mit **Václav Havel** ehren Sie einen unbequemen Intellektuellen, der weiß, daß er stört, und nicht daran denkt, davon zu lassen. Sie ehren einen Schriftsteller, der weiß, daß die Arbeit an den Worten absolut notwendig ist — eine Arbeit, die sich keiner in diesem Jahrhundert ersparen kann, in dem jedes Wort zum Slogan werden kann, in dem der Aufschrei des Herzens so vielen Manipulationen unterworfen werden kann und in dem gute Absichten zur allerschönsten Verpakkung schlechter Taten dienten.» André Glucksmann in seiner Laudatio auf Václav Havel anläßlich der Verleihung des Friedenspreises des Deutschen Buchhandels 1989

Das Gartenfest. Die Benachrichtigung *Zwei Dramen. Essays. Antikoden*
(rororo 12736)

Die Gauneroper. Das Berghotel. Erschwerte Möglichkeit der Konzentration. Der Fehler
Theaterstücke
(rororo 12880)
«Ich frage bei jeder Gelegenheit Havels politische Bewunderer: Kennen Sie seine Stücke? Seine Stücke geben dem Politiker Havel Dimensionen, ohne die man ihn nicht verstehen kann.»
Milan Kundera

Largo Desolato *Schauspiel*
Mit einem Vorwort von Siegfried Lenz
(rororo 5666)

Vaněk-Trilogie: Audienz. Vernissage. Protest – Versuchung. Sanierung *Theaterstücke*
(rororo 12737)

3234/1

rororo Literatur

Fernverhör *Ein Gespräch*
(rororo 12859)

Am Anfang war das Wort *Texte von 1969 bis 1990*
(rororo aktuell essay 12838)

Briefe an Olga *Betrachtungen aus dem Gefängnis*
(rororo aktuell essay 12732)

Angst vor der Freiheit *Essay*
(rororo essay 13018)

Versuch, in der Wahrheit zu leben
Essay
(rororo aktuell essay 12622)

Im Verlag Rowohlt · Berlin ist erschienen:

Eda Kriseová
Václav Havel. Dichter und Präsident
Die autorisierte Biografie
Deutsch von E. Thiele, G. Heißig und M. Pasetti
288 Seiten mit Abbildungen. Gebunden.

Blickpunkt DDR

Robert Havemann
Die Stimme des Gewissens
Texte eines Antistalinisten
aktuell essay 12813

Rolf Henrich
Der vormundschaftliche Staat
Vom Versagen des real existierenden Sozialismus
aktuell essay 12536

Rudolf Herrnstadt
Das Herrnstadt-Dokument
Das Politbüro der SED und die Geschichte des 17. Juni 1953
Herausgegeben von Nadja Stulz-Herrnstadt
aktuell 12837

Walter Janka
Schwierigkeiten mit der Wahrheit
aktuell essay 12731

Der Prozeß gegen Walter Janka und andere
Eine Dokumentation
aktuell 12894

C 2384/3

Soziale Konflikte

«Die Antifeministen sind gern bereit, in der Frau schwärmerisch das "andere" zu preisen, um auf diese Weise ihr Anderssein als absolut und unverrückbar hinzustellen und ihr den Zugang zum menschlichen Mitsein zu verwehren.»
Simone de Beauvoir

Doris Lucke / Sabine Berghahn (Hg.)
Rechtsratgeber Frauen
(rororo frauen aktuell 12553)
«Frauen haben Rechte, aber sie müssen sie auch wahrnehmen. Frauen haben Rechte, aber diese Rechte sind oft nur eine schwache Waffe gegen die Macht, die sie begrenzen sollen. Und schließlich: Frauen haben Rechte, aber es könnten mehr und es könnten bessere sein!»
Die Herausgeberinnen

Frank Matakas
Sprünge in der Seele *Psychische Erkrankungen und was man dagegen tun kann Ein Handbuch*
(rororo aktuell 12516)

Christine Swientek
«Ich habe mein Kind fortgegeben» *Die dunkle Seite der Adoption*
(rororo frauen aktuell 5119)
Wenn Frauen nicht mehr leben wollen
(rororo frauen aktuell 12785)

Familienalltag *Ein Report des Deutschen Jugendinstituts Frauensichten - Männersichten*
(rororo aktuell 12517)
In einer Repräsentativbefragung haben Sozialwissenschaftler/innen des Deutschen Jugendinstituts den Familienalltag erkundet und untersucht, welches Lebensgefühl, welche Erwartungen und Enttäuschungen Frauen, Männer und Jugendliche mit ihrem Familienleben verbinden.

rororo aktuell

H. Rosenberg / M. Steiner
Paragraphenkinder *Erfahrungen mit Pflege- und Adoptivkindern*
(rororo aktuell 12989)
Was passiert mit Kindern, die aus den verschiedensten Gründen zu Sozialwaisen geworden sind? Welche Lebenschancen und Perspektiven haben diese Kinder, wenn sie der Obhut öffentlicher Einrichtungen überantwortet werden? Auf der Grundlage eigener Erfahrungen sowie anhand zahlreicher Fallbeispiele untersuchen die Autoren die Entstehungsbedingungen und das Ausmaß sozialer Verwaisung.

Zeitgeschichte

«Ich fühle mich bis auf den heutigen Tag nicht wohl in meiner Haut als deutscher Untertan — oder genauer: als Untertan und Deutscher. Einige alpdruckartige Eckdaten der jüngeren deutschen Geschichte lassen sich in meinem Kopf nicht so ohne weiteres streichen oder gar umfunktionieren.»
Joschka Fischer

Joschka Fischer
Von grüner Kraft und Herrlichkeit
(rororo aktuell 5532)
Aufsätze, Essays und Reden des grünen «Realo» Joschka Fischer.

Ralf Fücks (Hg.)
Sind die Grünen noch zu retten?
(rororo aktuell 13017)
Anstöße von Ulrich Beck, Monika Griefahn, Petra Kelly, Otto Schily, Michaele Schreyer, Antje Vollmer u.a.

Rudi Dutschke
Mein langer Marsch *Reden, Schriften und Tagebücher aus zwanzig Jahren*
Herausgegeben von Gretchen Dutschke-Klotz, Helmut Gollwitzer und Jürgen Miermeister
(rororo aktuell 4718)

Peter Mosler
Was wir wollten, was wir wurden
Zeugnisse der Studentenrevolte
(rororo aktuell 12488)

Leo A.Müller
Gladio — das Erbe des Kalten Krieges *Der Nato-Geheimbund und sein deutscher Vorläufer*
Mit einem Beitrag von Werner Raith
(rororo aktuell 12993)

Mario Krebs
Ulrike Meinhoff *Ein Leben im Widerspruch*
(rororo aktuell 5642)
Sie war die meistgesuchte Frau der Bundesrepublik - für die einen überzeugte, wenn auch gescheiterte Moralistin, für die anderen kaltblütige Terroristin. Marion Krebs hat den politischen Lebensweg von Ulrike Meinhof an Hand der Zeugnisse, der Erzählungen von Freunden und Angehörigen und an Hand ihrer eigenen Texte rekonstruiert.

rororo aktuell

Bedrohte Welten

«Nur wenige unserer Zeremonien können verpflanzt werden. Nur wenige unserer Zeremonien können wir für euch öffnen. Versucht nicht, uns nachzuahmen. Versucht nicht, euch fremde Haut überzustülpen. Es kommt nicht darauf an, ob man Deutscher, Chinese oder Indianer ist, es kommt darauf an, ob man den menschlichen Weg geht und alles nichtmenschliche Leben achtet. Dabei können wir uns gegenseitig helfen.»
Phillip Deere,
Medizinmann der Muskogee

Indianische Welten
Der Erde eine Stimme geben
Texte von Indianern aus Nordamerika
Lesebuch
Herausgegeben von Claus Biegert
(rororo aktuell 5219)
Der Autor hat in diesem Lesebuch Texte nordamerikanischer Indianer zusammengestellt. Sie zeigen die eigene Welt und die besondere Weltsicht der Ureinwohner Nordamerikas. Der Band enthält auch Texte indianischer Autoren, Stücke aus Erzählungen und Romanen dieser eigenen, bei uns noch kaum bekannten amerikanischen Literatur.

Julian Burger
Die Wächter der Erde *Vom Leben sterbender Völker*
Gaia Atlas / Großformat
(rororo aktuell 12988)
Ein mit vielen Fotos ausgestatteter Atlas über die bedrohten Völker der Welt. von den Aborigines Australiens bis zu den Massai-Stämmen Afrikas.

rororo aktuell

Petra K. Kelly / Gert Bastian (Herausgeber)
Tibet - ein vergewaltigtes Land
Berichte vom Dach der Welt
(rororo aktuell 12474)
Die Herausgeber sind seit Jahren aktiv in der Menschenrechtsarbeit für Tibet. Sie haben Berichte, Reportagen und Dokumente zusammengestellt, die ein authentisches und aktuelles Bild von Tibet zeichnen und auch die traditionsreiche Geschichte und Kultur des tibetischen Volkes lebendig werden lassen.

Bahman Nirumand (Hg.)
Die kurdische Tragödie *Die Kurden - verfolgt im eigenen Land*
(rororo aktuell13075)
Dieser Band analysiert die aktuelle Lage, beleuchtet die politischen Rivalitäten der verschiedenen Kurden-Parteien und vermittelt das nötige Hintergrundwissen zum Verständnis der «Kurdenfrage».